A-Z HERTFOR

CONTENTS

Key to Map Pages	2-3
Map Pages	4-165
Index to Places	166-167
Index to Streets	168-206
Index to Hospitals	207-208

REFERENCE

Motorway M1

A Road A10

Under Construction

Proposed

B Road B1000

Dual Carriageway

One Way Street
Traffic flow on A Roads is indicated by a heavy line on the driver's left

Pedestrianized Road

Restricted Access

Track and Footpath

Residential Walkway

Railway — Tunnel, Level Crossing, Station

Built Up Area — HIGH STREET

Local Authority Boundary

Posttown Boundary

Postcode Boundary
Within Posttown

Map Continuation 80

Car Park Selected

Church or Chapel

Cycle Route

Fire Station

Hospital

House Numbers A & B Roads only — 51 22 19 48

Information Centre

National Grid Reference 535

Police Station

Post Office

Toilet

Toilet with Disabled Facilities

SCALE approx. 3 Inches to 1 Mile — 0, ¼, ½, ¾ Mile — 0, 250, 500, 750 Metres, 1 Kilometre — 1:20,267

Head Office : Fairfield Road, Borough Green, Sevenoaks, Kent TN15 8PP Telephone 01732 781000
Showrooms : 44 Gray's Inn Road, London WC1X 8HX Telephone 0171 242 9246

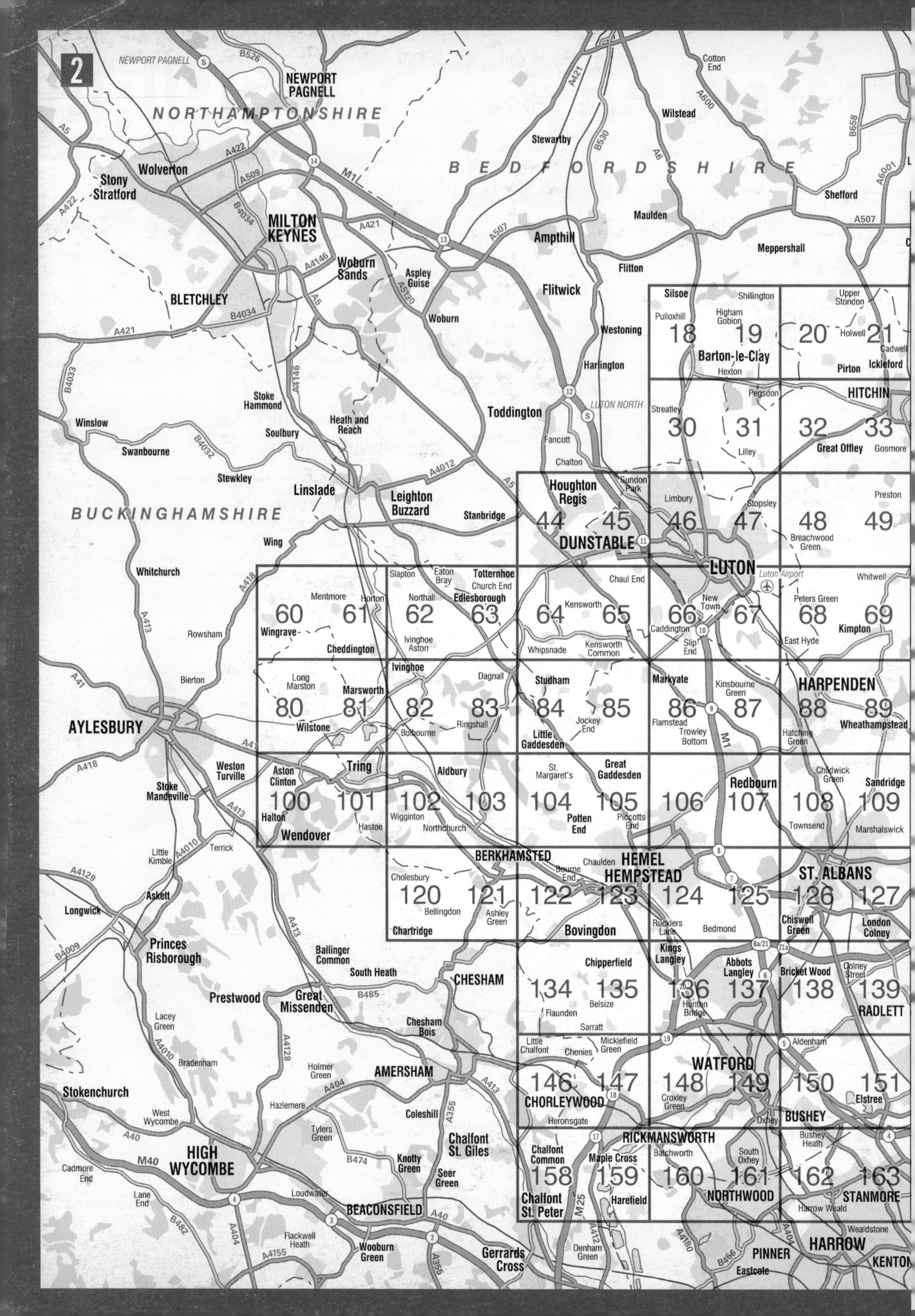

2
NEWPORT PAGNELL
NEWPORT PAGNELL
NORTHAMPTONSHIRE
BEDFORDSHIRE
BUCKINGHAMSHIRE
Cotton End
Wilstead
Stewartby
Stony Stratford
Wolverton
MILTON KEYNES
Woburn Sands
Aspley Guise
Woburn
Ampthill
Maulden
Flitton
Flitwick
Shefford
Meppershall
BLETCHLEY
Westoning
Harlington
Toddington
LUTON NORTH
Stoke Hammond
Heath and Reach
Soulbury
Winslow
Swanbourne
Stewkley
Linslade
Leighton Buzzard
Stanbridge
Wing
Whitchurch
Rowsham
Bierton
AYLESBURY
Weston Turville
Stoke Mandeville
Little Kimble
Terrick
Askett
Longwick
Princes Risborough
Ballinger Common
South Heath
CHESHAM
Prestwood
Great Missenden
Lacey Green
Bradenham
Chesham Bois
Holmer Green
AMERSHAM
Stokenchurch
West Wycombe
Hazlemere
Tylers Green
Coleshill
Chalfont St. Giles
HIGH WYCOMBE
Cadmore End
Lane End
Knotty Green
Seer Green
Loudwater
BEACONSFIELD
Flackwell Heath
Wooburn Green
Gerrards Cross
Silsoe
Shillington
Upper Stondon
Pulloxhill
Higham Gobion
18
19
20
21
Holwell
Cadwell
Barton-le-Clay
Hexton
Pirton
Ickleford
Streatley
Pegsdon
HITCHIN
30
31
32
33
Lilley
Great Offley
Gosmore
Fancott
Chalton
Houghton Regis
Sundon Park
Limbury
Stopsley
Preston
44
45
46
47
48
49
DUNSTABLE
LUTON
Breachwood Green
Luton Airport
Whitwell
Slapton
Eaton Bray
Totternhoe
Church End
Chaul End
Mentmore
Horton
Northall
Edlesborough
Kensworth
New Town
Peters Green
60
61
62
63
64
65
66
67
68
69
Wingrave
Cheddington
Ivinghoe Aston
Whipsnade
Kensworth Common
Caddington
Slip End
East Hyde
Kimpton
Ivinghoe
Dagnall
Studham
Markyate
Kinsbourne Green
HARPENDEN
Long Marston
Marsworth
80
81
82
83
84
85
86
87
88
89
Wilstone
Bulbourne
Ringshall
Little Gaddesden
Jockey End
Flamstead
Trowley Bottom
Hatching Green
Wheathampstead
Aston Clinton
Tring
Aldbury
St. Margaret's
Great Gaddesden
Redbourn
Childwick Green
Sandridge
100
101
102
103
104
105
106
107
108
109
Halton
Wendover
Hastoe
Wigginton
Northchurch
Potten End
Piccotts End
Townsend
Marshalswick
BERKHAMSTED
Bourne End
Chaulden
HEMEL HEMPSTEAD
ST. ALBANS
Cholesbury
120
121
122
123
124
125
126
127
Bellingdon
Ashley Green
Chartridge
Bovingdon
Rucklers Lane
Bedmond
Chiswell Green
London Colney
Kings Langley
Chipperfield
Abbots Langley
Bricket Wood
Colney Street
134
135
136
137
138
139
Flaunden
Belsize
Hunton Bridge
RADLETT
Sarratt
Little Chalfont
Chenies
Micklefield Green
Aldenham
WATFORD
146
147
148
149
150
151
CHORLEYWOOD
Croxley Green
Oxhey
BUSHEY
Elstree
Heronsgate
RICKMANSWORTH
Bushey Heath
Chalfont Common
Maple Cross
Batchworth
South Oxhey
158
159
160
161
162
163
Chalfont St. Peter
Harefield
NORTHWOOD
STANMORE
Harrow Weald
Wealdstone
Denham Green
PINNER
Eastcote
HARROW
KENTON
M1
M40
M25
A5
A422
A509
B4034
A421
A4146
A5130
A507
A600
A6
B530
B526
B658
A6001
B4033
B4032
A4012
A418
A413
A41
A4010
A4129
B4009
A4128
A404
B485
A355
B474
A40
B482
A4155
A412
A4180
B466

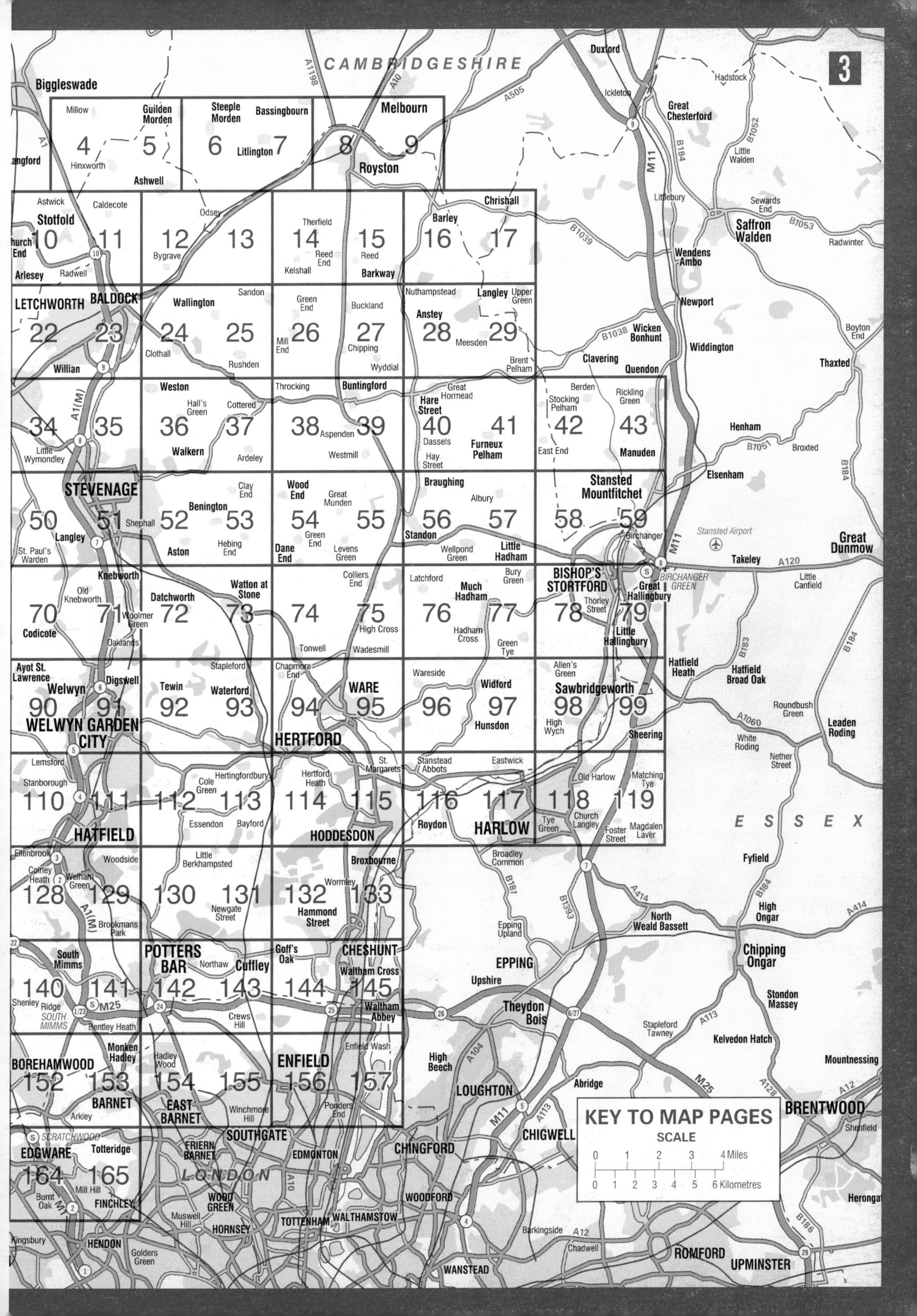
CAMBRIDGESHIRE
ESSEX
LONDON
KEY TO MAP PAGES
SCALE
0 1 2 3 4 Miles
0 1 2 3 4 5 6 Kilometres
Biggleswade
Royston
Melbourn
Stotfold
LETCHWORTH
BALDOCK
STEVENAGE
Buntingford
BISHOP'S STORTFORD
Stansted Mountfitchet
Saffron Walden
WELWYN GARDEN CITY
HERTFORD
WARE
HATFIELD
HODDESDON
HARLOW
Sawbridgeworth
POTTERS BAR
CHESHUNT
ENFIELD
EPPING
LOUGHTON
CHIGWELL
CHINGFORD
BOREHAMWOOD
BARNET
EAST BARNET
SOUTHGATE
EDGWARE
BRENTWOOD
ROMFORD
UPMINSTER
Chipping Ongar
Great Dunmow
Stansted Airport
M11
M25
A1(M)
A10
A120
A414

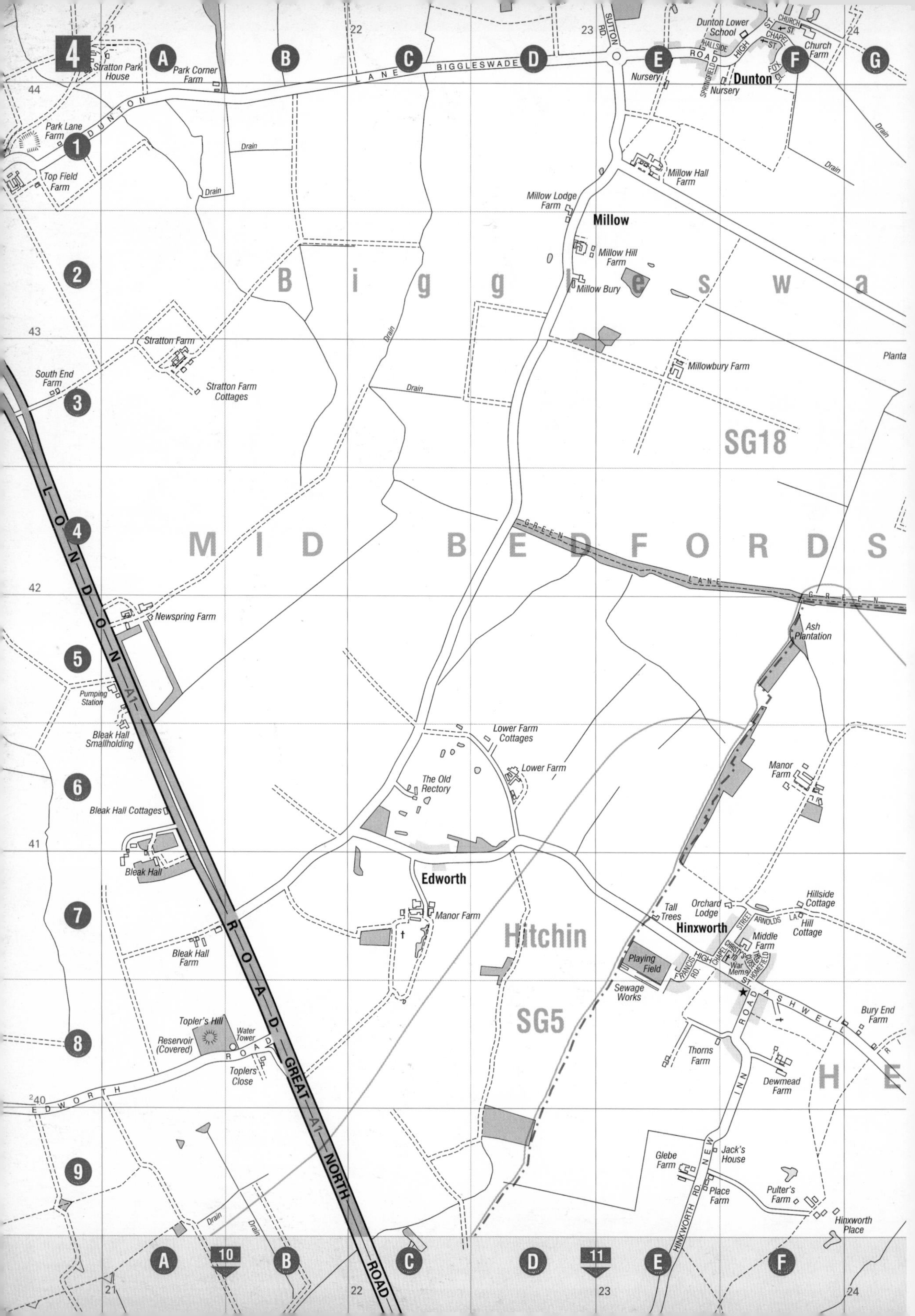

A
B
C
D
E
F
G
21
22
23
24
44
43
42
41
40
1
2
3
4
5
6
7
8
9
Stratton Park House
Park Corner Farm
LANE
BIGGLESWADE
SUTTON RD.
ROAD
Dunton Lower School
HALLSIDE
HIGH ST.
CHURCH ST.
CHAPEL ST.
Church Farm
FOX CL.
SPRINGFIELD
Nursery
Dunton
Nursery
DUNTON
Park Lane Farm
Top Field Farm
Drain
Drain
Millow Hall Farm
Millow Lodge Farm
Millow
Millow Hill Farm
Millow Bury
Biggleswa
Stratton Farm
South End Farm
Stratton Farm Cottages
Drain
Drain
Millowbury Farm
Planta
SG18
LONDON
GREEN
LANE
GREEN
MID BEDFORDS
Newspring Farm
Ash Plantation
Pumping Station
A1
Bleak Hall Smallholding
Lower Farm Cottages
Lower Farm
The Old Rectory
Manor Farm
Bleak Hall Cottages
Bleak Hall
Edworth
Manor Farm
Tall Trees
Orchard Lodge
Hinxworth
Hillside Cottage
ARNOLDS LA.
Hill Cottage
Hitchin
Bleak Hall Farm
Playing Field
HIGH ST.
CHAPEL ST.
CHRISTY'S CL.
THE HOMEFIELD
PANCIS RD.
Middle Farm
War Meml
Sewage Works
ROAD
ASHWELL
ROAD
Bury End Farm
SG5
Topler's Hill
Reservoir (Covered)
Water Tower
ROAD
Toplers Close
GREAT
NORTH
A1
ROAD
Thorns Farm
Dewmead Farm
HE
EDWORTH
INN
NEW
Glebe Farm
Jack's House
HINXWORTH RD.
Place Farm
Pulter's Farm
Hinxworth Place
Drain
Drain

10
11

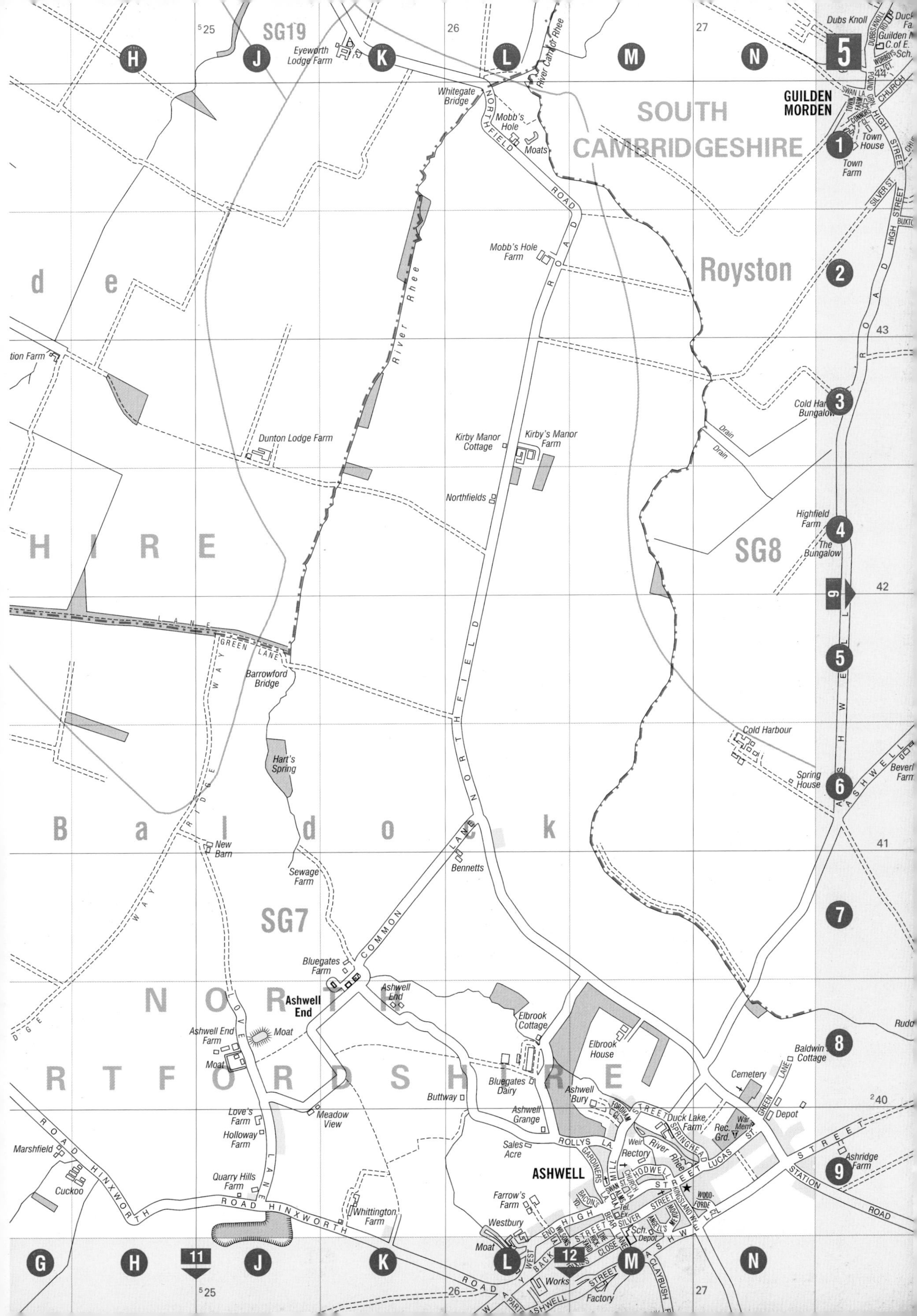

5
SOUTH CAMBRIDGESHIRE
Royston
SG19
SG8
SG7
GUILDEN MORDEN
ASHWELL
Ashwell End
Eyeworth Lodge Farm
Whitegate Bridge
Mobb's Hole
Moats
Mobb's Hole Farm
Dunton Lodge Farm
Kirby Manor Cottage
Kirby's Manor Farm
Northfields
Barrowford Bridge
Hart's Spring
New Barn
Sewage Farm
Bennetts
Bluegates Farm
Ashwell End Farm
Moat
Love's Farm
Holloway Farm
Marshfield
Cuckoo
Quarry Hills Farm
Meadow View
Whittington Farm
Elbrook Cottage
Elbrook House
Bluegates Dairy
Buttway
Ashwell Grange
Ashwell Bury
Sales Acre
Farrow's Farm
Westbury
Duck Lake Farm
Rectory
Cemetery
Baldwin Cottage
Depot
Ashridge Farm
Cold Harbour
Spring House
Highfield Farm
The Bungalow
Cold Harbour Bungalow
Town House
Town Farm
Dubs Knoll
River Rhee
River Cam or Rhee
NORTHFIELD ROAD
COMMON LANE
GREEN LANE
HINXWORTH ROAD
LOVE LANE
STATION ROAD
ASHWELL STREET
HIGH STREET
ROLLYS LA.
SPRINGHEAD
LUCAS LA.
Works
Factory
Drain
11
12
9

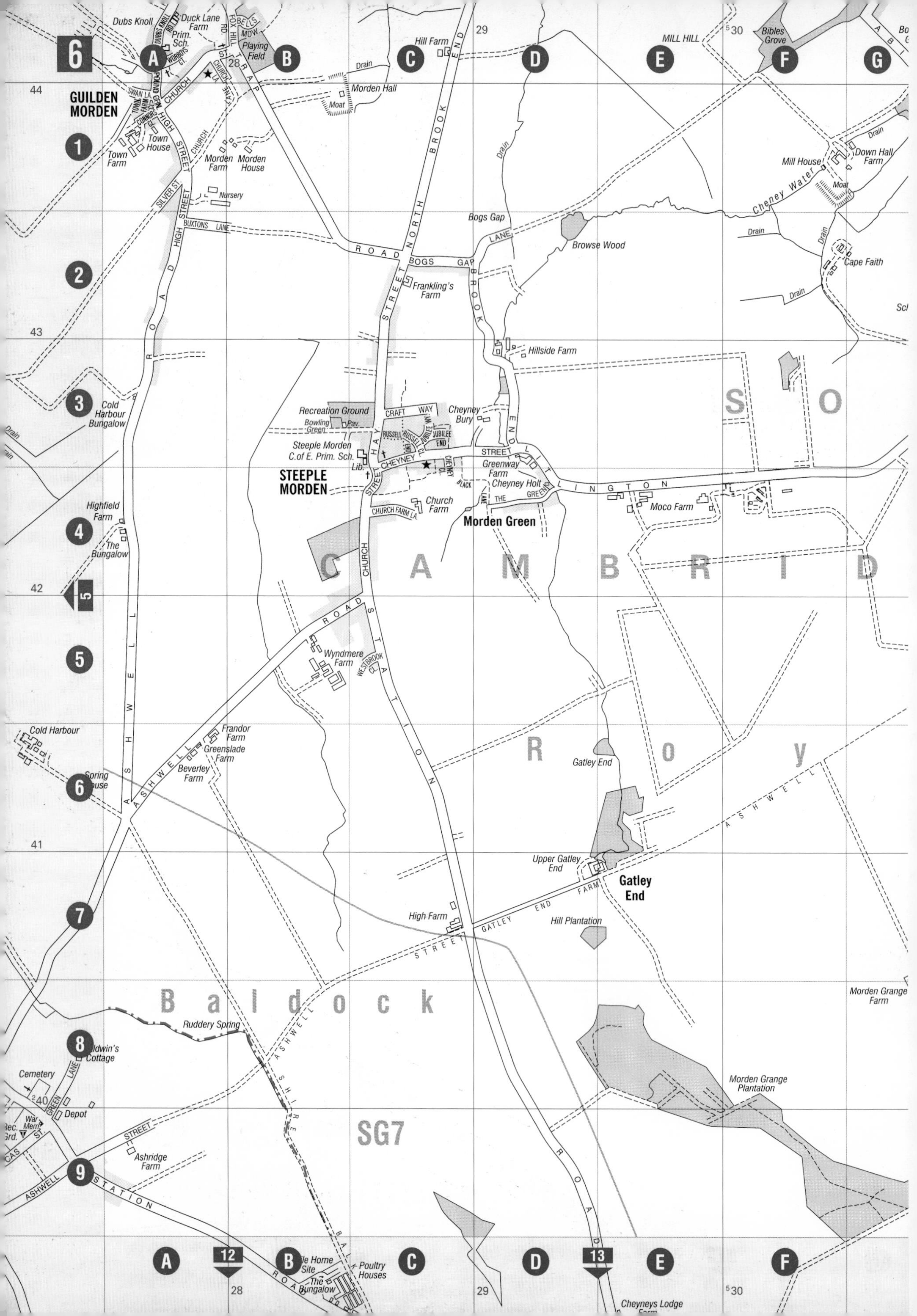
6
GUILDEN MORDEN
STEEPLE MORDEN
Morden Green
Gatley End
Dubs Knoll
Duck Lane Farm
Prim. Sch.
Playing Field
Hill Farm
MILL HILL
Bibles Grove
Morden Hall
Moat
Town House
Town Farm
Morden Farm
Morden House
Nursery
Bogs Gap
Browse Wood
Mill House
Down Hall Farm
Cheney Water
Cape Faith
Frankling's Farm
Hillside Farm
Cold Harbour Bungalow
Recreation Ground
Bowling Green
Pav.
Cheyney Bury
Steeple Morden C.of E. Prim. Sch.
Lib.
Greenway Farm
Cheyney Holt
Church Farm
Moco Farm
Highfield Farm
The Bungalow
C A M B R I D
S O
R o y
Wyndmere Farm
Cold Harbour
Frandor Farm
Greenslade Farm
Beverley Farm
Spring House
Gatley End
Upper Gatley End
High Farm
Hill Plantation
Morden Grange Farm
B a l d o c k
Ruddery Spring
Baldwin's Cottage
Cemetery
Depot
War Mem.
Rec. Grd.
Ashridge Farm
Morden Grange Plantation
SG7
Mobile Home Site
Poultry Houses
The Bungalow
Cheyneys Lodge Farm
HIGH STREET
CHURCH STREET
BUXTONS LANE
SILVER ST.
ROAD
NORTH BROOK END
BOGS GAP LANE
HAY STREET
CHEYNEY STREET
CRAFT WAY
LITLINGTON
ASHWELL ROAD
STATION ROAD
ASHWELL STREET
GATLEY END FARM
SHIRE BALK
CHURCH FARM LA.
WESTBROOK CL.
GREEN LANE
A B C D E F G
1 2 3 4 5 6 7 8 9
28 29 30
40 41 42 43 44
5
12
13

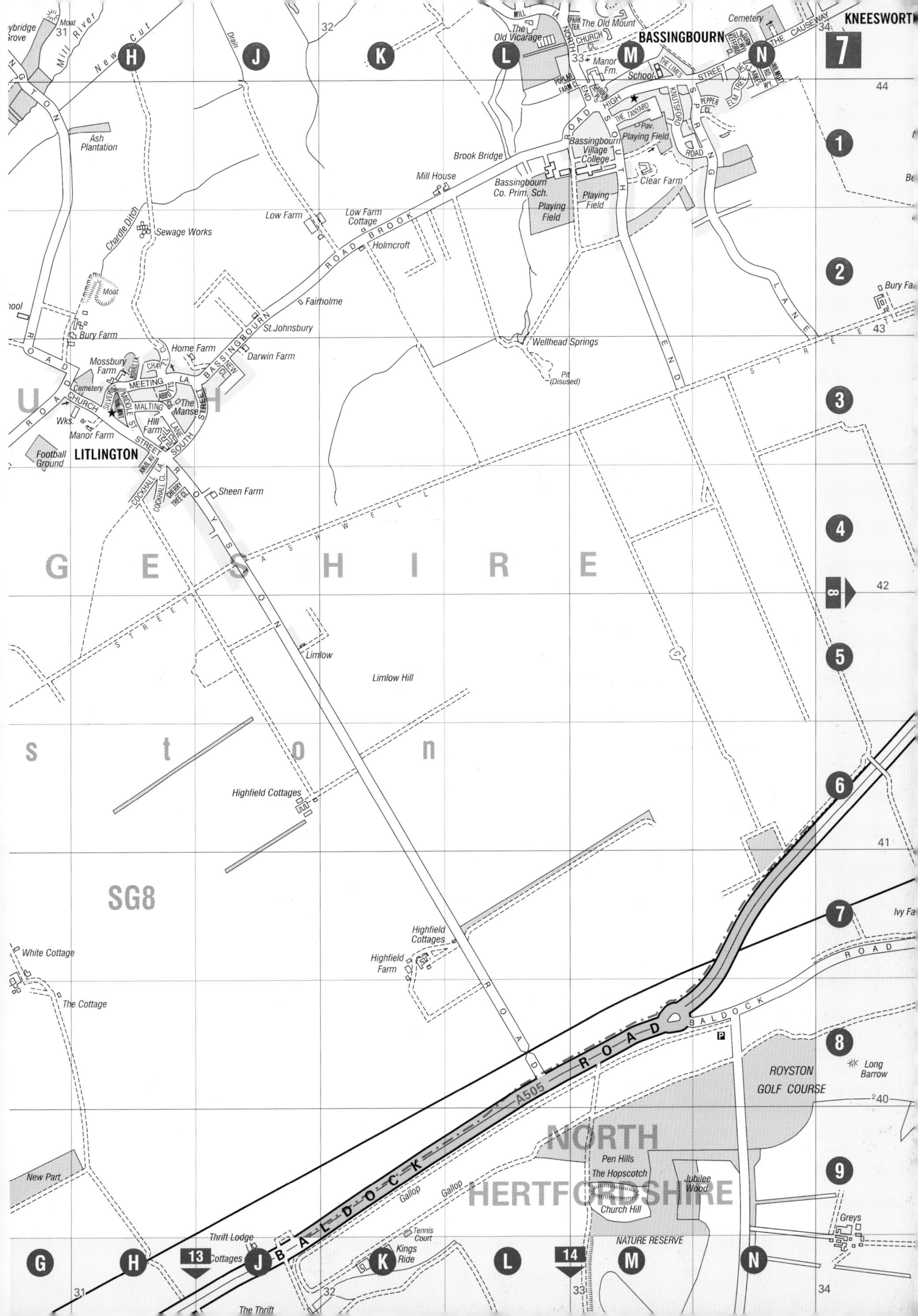

BASSINGBOURN
KNEESWORTH
LITLINGTON
The Old Vicarage
The Old Mount
Cemetery
Manor Fm.
School
Ash Plantation
Brook Bridge
Mill House
Bassingbourn Village College
Playing Field
Clear Farm
Bassingbourn Co. Prim. Sch.
Low Farm
Low Farm Cottage
Holmcroft
Sewage Works
Chardle Ditch
Moat
Fairholme
Bury Farm
St.Johnsbury
Home Farm
Darwin Farm
Wellhead Springs
Pit (Disused)
Mossbury Farm
The Manse
Hill Farm
Manor Farm
Football Ground
Sheen Farm
Limlow
Limlow Hill
Highfield Cottages
Highfield Farm
White Cottage
The Cottage
SG8
ASHWELL STREET
BALDOCK ROAD
A505
ROYSTON GOLF COURSE
Long Barrow
Ivy Fa
Bury Fa
NORTH HERTFORDSHIRE
Pen Hills
The Hopscotch
Jubilee Wood
Church Hill
NATURE RESERVE
Greys
Thrift Lodge
Cottages
Tennis Court
Kings Ride
Gallop
The Thrift
New Part
13
14
8

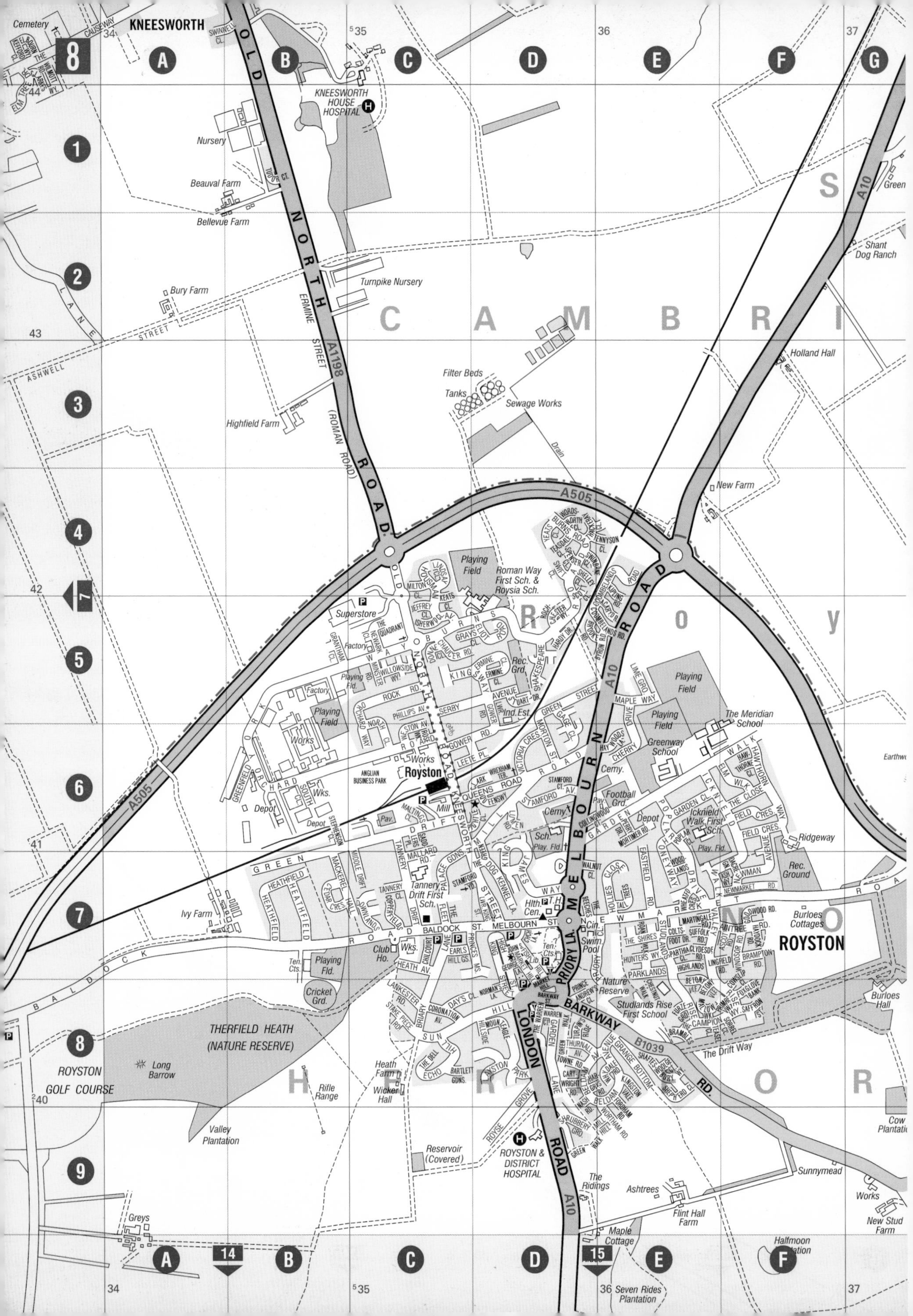

8
KNEESWORTH
KNEESWORTH HOUSE HOSPITAL
OLD NORTH ROAD
A1198
ERMINE STREET
(ROMAN ROAD)
Nursery
Beauval Farm
Bellevue Farm
Bury Farm
Turnpike Nursery
Highfield Farm
Filter Beds
Tanks
Sewage Works
Holland Hall
Shant Dog Ranch
New Farm
A505
A10
MELBOURN ROAD
Royston
Superstore
Roman Way First Sch. & Roysia Sch.
Playing Field
The Meridian School
Greenway School
Icknield Walk First Sch.
Ridgeway
Rec. Ground
Burloes Cottages
ROYSTON
Burloes Hall
Ivy Farm
Tannery Drift First Sch.
Studlands Rise First School
THERFIELD HEATH (NATURE RESERVE)
Long Barrow
ROYSTON GOLF COURSE
Valley Plantation
Rifle Range
Heath Farm
Wicker Hall
Reservoir (Covered)
ROYSTON & DISTRICT HOSPITAL
LONDON ROAD
BARKWAY
B1039
The Drift Way
The Ridings
Ashtrees
Flint Hall Farm
Maple Cottage
Sunnymead
Works
New Stud Farm
Greys
Seven Rides Plantation
CAMBRIDGESHIRE
HERTFORDSHIRE
14
15

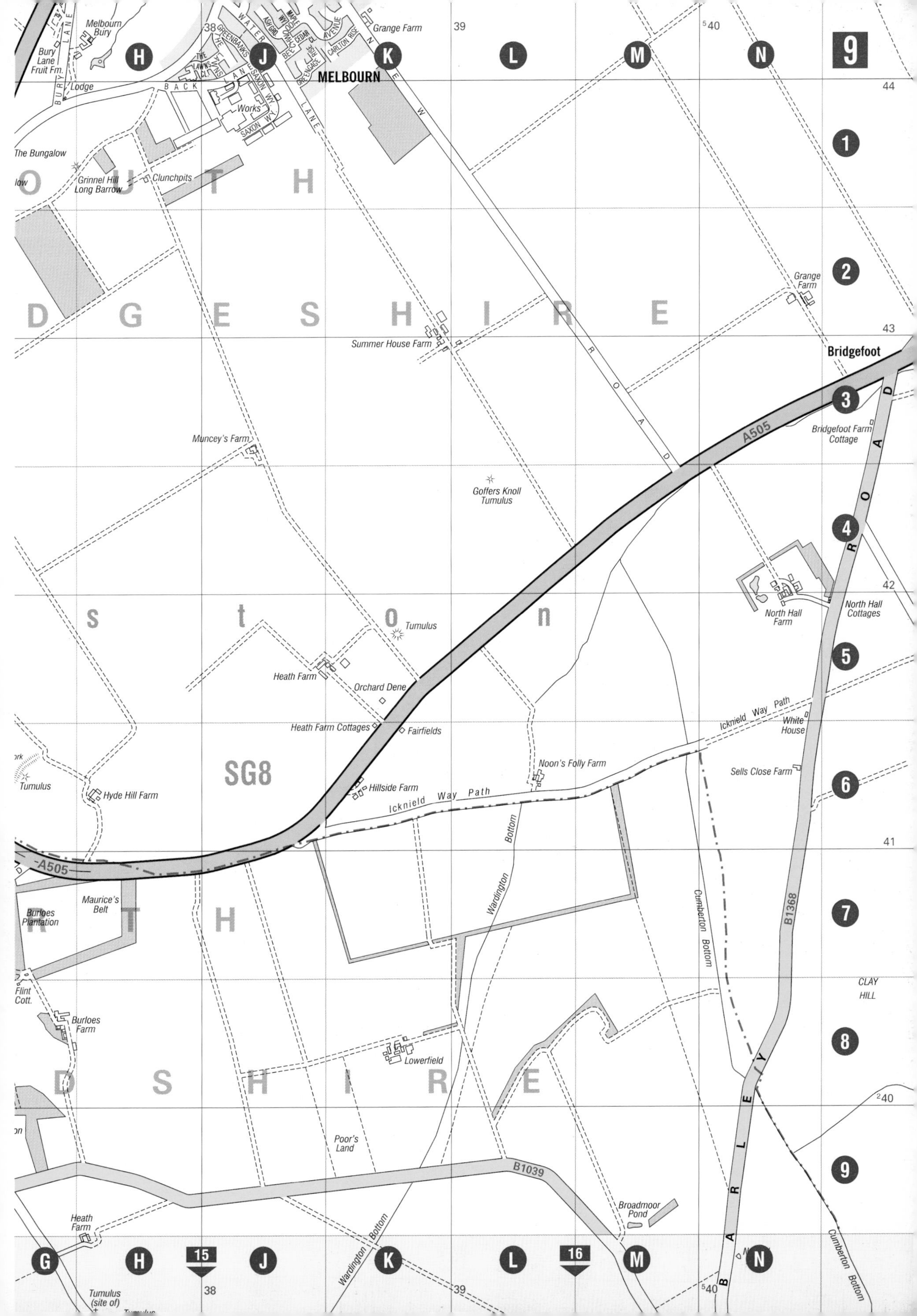
9
Melbourn Bury
Bury Lane Fruit Fm.
Bury Lane
Lodge
Back Lane
Grange Farm
MELBOURN
Works
Saxon Way
The Bungalow
Grinnel Hill Long Barrow
Clunchpits
SOUTH CAMBRIDGESHIRE
Grange Farm
Summer House Farm
Bridgefoot
Bridgefoot Farm Cottage
A505
Muncey's Farm
Goffers Knoll Tumulus
Road
North Hall Farm
North Hall Cottages
Royston
Tumulus
Heath Farm
Orchard Dene
Heath Farm Cottages
Fairfields
Icknield Way Path
White House
Noon's Folly Farm
Sells Close Farm
SG8
Hillside Farm
Hyde Hill Farm
Tumulus
Wardington Bottom
Cumberton Bottom
Maurice's Belt
Burloes Plantation
B1368
CLAY HILL
Flint Cott.
Burloes Farm
Lowerfield
NORTH HERTFORDSHIRE
Poor's Land
B1039
Barley Road
Broadmoor Pond
Heath Farm
Tumulus (site of)
15
16
38
39
540
44
43
42
41
240

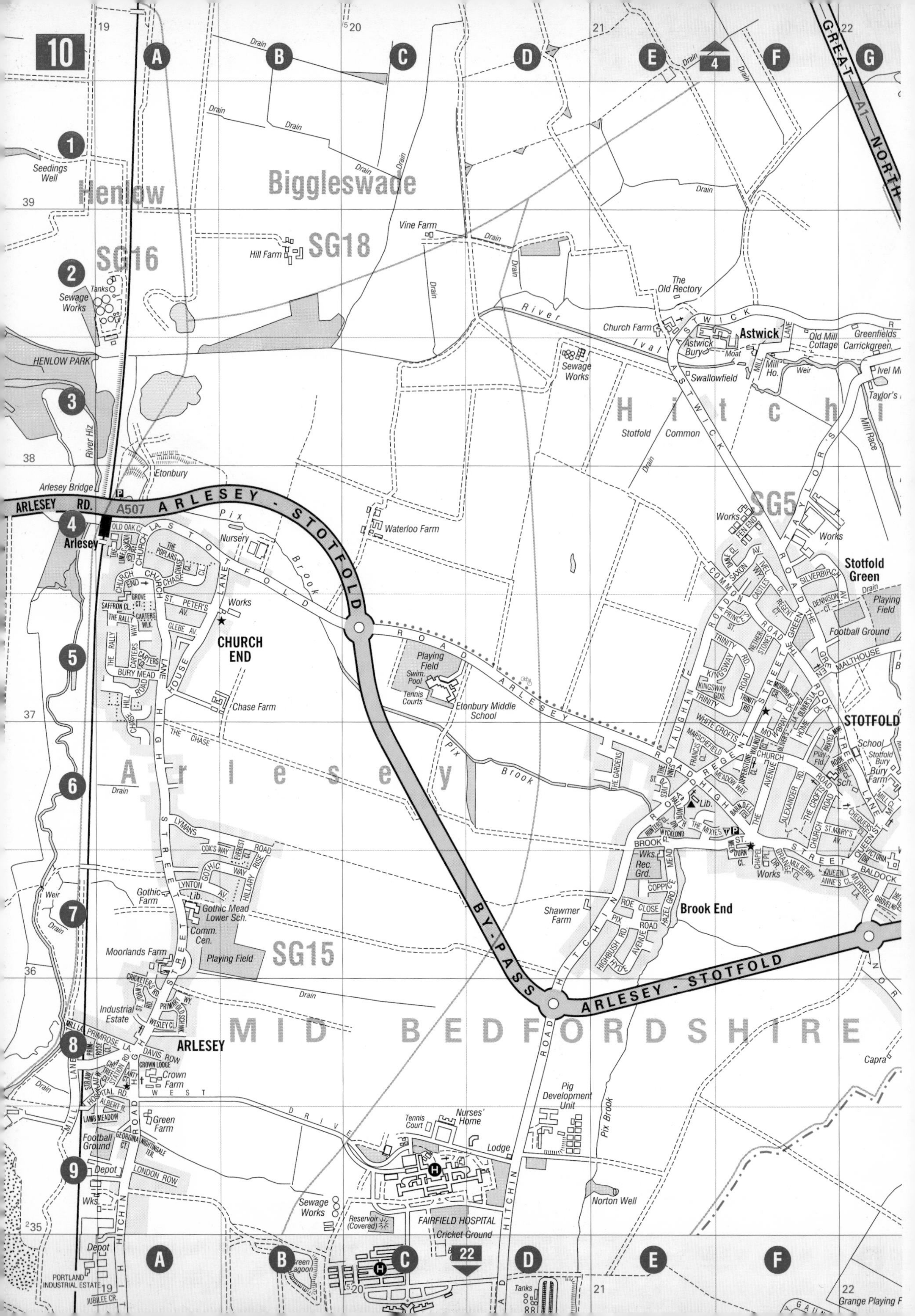

Henlow
Biggleswade
SG16
SG18
SG5
SG15
Seedings Well
Hill Farm
Vine Farm
Sewage Works
Tanks
HENLOW PARK
River Hiz
Etonbury
Arlesey Bridge
ARLESEY RD.
A507
ARLESEY - STOTFOLD
Arlesey
Nursery
Pix Brook
Waterloo Farm
Works
CHURCH END
Chase Farm
Playing Field
Swim. Pool
Tennis Courts
Etonbury Middle School
ARLESEY ROAD
The Old Rectory
Church Farm
Astwick
Astwick Bury
Moat
Swallowfield
Mill Ho.
Weir
Old Mill Cottage
Greenfields
Carrickgreen
Ivel Mill
Taylor's
Mill Race
River Ivel
Hitchin
Stotfold
Common
Stotfold Green
Playing Field
Football Ground
STOTFOLD
School
Stotfold Bury
Bury Farm
Lib.
Rec. Grd.
Brook End
Shawmer Farm
Arlesey
Drain
Gothic Farm
Gothic Mead Lower Sch.
Comm. Cen.
Moorlands Farm
Playing Field
Industrial Estate
ARLESEY
Crown Farm
Green Farm
Football Ground
Depot
Wks.
Depot
PORTLAND INDUSTRIAL ESTATE
BY-PASS
MID BEDFORDSHIRE
Pig Development Unit
Nurses' Home
Tennis Court
Lodge
Sewage Works
Reservoir (Covered)
FAIRFIELD HOSPITAL
Cricket Ground
Green Lagoon
Norton Well
Pix Brook
Capra
Tanks
Grange Playing F
GREAT NORTH
A1
HITCHIN ROAD
WEST DRIVE
HIGH STREET
LONDON ROW
DAVIS ROW
ASTWICK
TAYLORS ROAD
REGENT STREET
HIGH STREET
BALDOCK

4
22

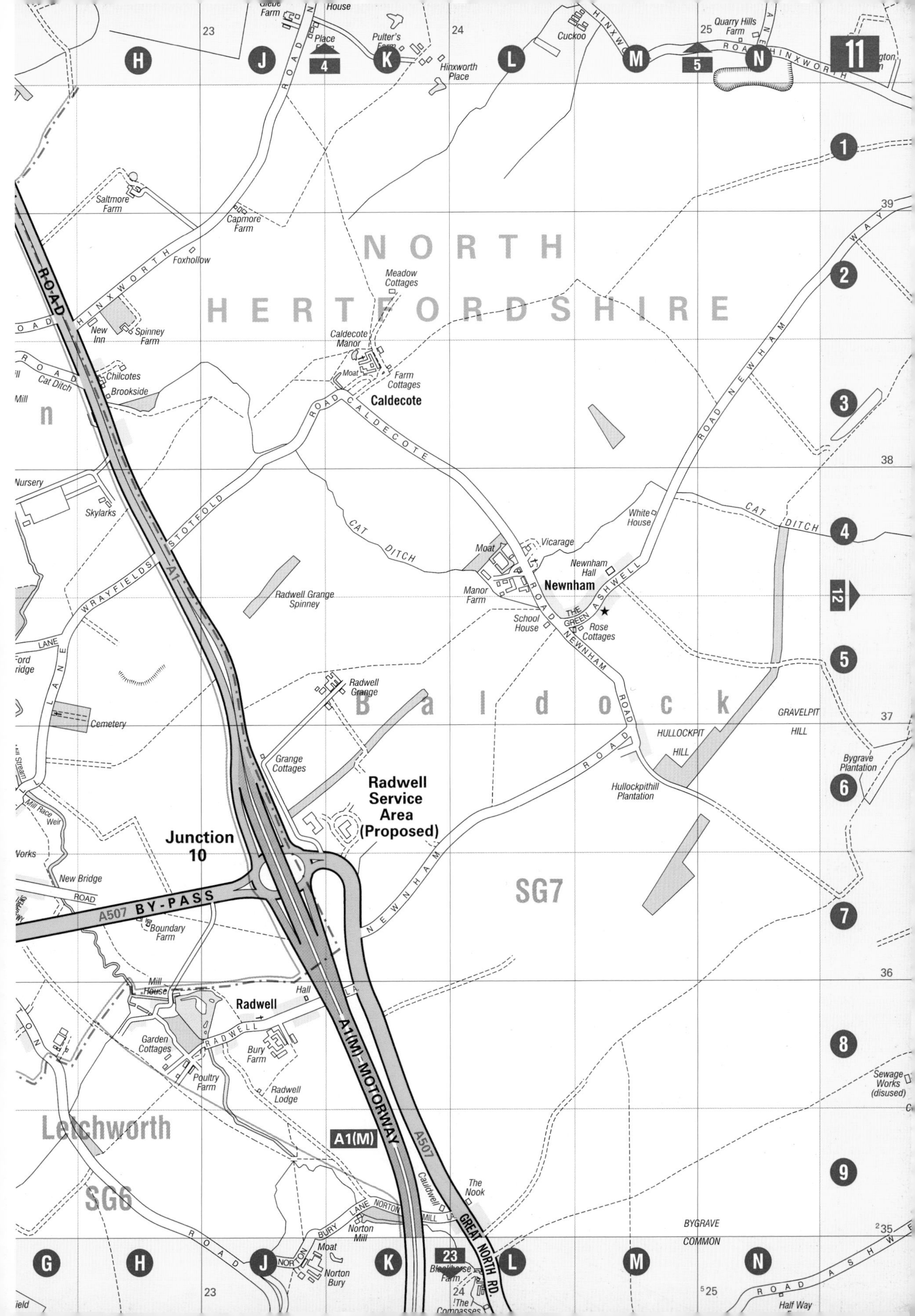

11
NORTH HERTFORDSHIRE
Baldock
Letchworth
SG6
SG7
Caldecote
Newnham
Radwell
Junction 10
Radwell Service Area (Proposed)
A1(M)
A1(M) MOTORWAY
A1 ROAD
A507 BY-PASS
A507
GREAT NORTH RD.
HINXWORTH ROAD
CALDECOTE ROAD
STOTFOLD ROAD
NEWNHAM ROAD
NEWNHAM WAY
ASHWELL ROAD
WRAYFIELDS
LANE
CAT DITCH
RADWELL LANE
NORTON BURY LANE
NORTON MILL LANE
Cauldwell
The Green
Hinxworth Place
Pulter's Farm
Place Farm
Cuckoo
Quarry Hills Farm
Saltmore Farm
Capmore Farm
Foxhollow
Meadow Cottages
New Inn
Spinney Farm
Chilcotes
Brookside
Caldecote Manor
Moat
Farm Cottages
Nursery
Skylarks
Radwell Grange Spinney
White House
Vicarage
Newnham Hall
Manor Farm
School House
Rose Cottages
Radwell Grange
Grange Cottages
Cemetery
HULLOCKPIT HILL
Hullockpithill Plantation
GRAVELPIT HILL
Bygrave Plantation
Mill Race
Weir
New Bridge
Boundary Farm
Mill House
Hall
Garden Cottages
Bury Farm
Poultry Farm
Radwell Lodge
The Nook
Norton Mill
Norton Bury
Blackhorse Farm
The Compasses
BYGRAVE COMMON
Sewage Works (disused)
Half Way
G H J K L M N
1 2 3 4 5 6 7 8 9
4 5 12 23
23 24 25
35 36 37 38 39

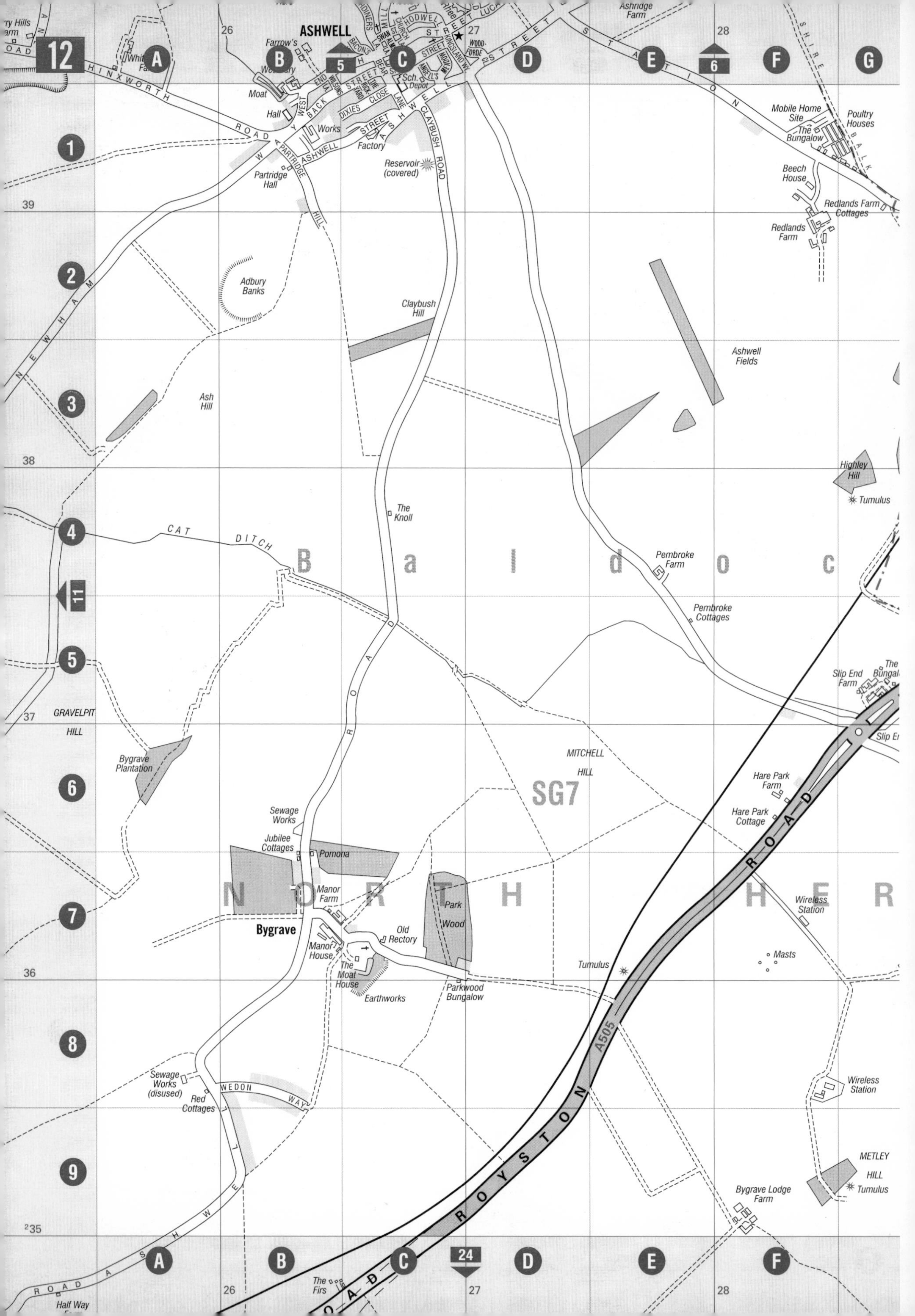

12
ASHWELL
Farrow's
Moat
Hall
Works
Factory
Reservoir (covered)
Partridge Hall
Adbury Banks
Claybush Hill
Ash Hill
Ashwell Fields
Mobile Home Site
The Bungalow
Poultry Houses
Beech House
Redlands Farm Cottages
Redlands Farm
Highley Hill
Tumulus
The Knoll
CAT DITCH
Baldock
Pembroke Farm
Pembroke Cottages
Slip End Farm
GRAVELPIT HILL
Bygrave Plantation
MITCHELL HILL
SG7
Hare Park Farm
Hare Park Cottage
Sewage Works
Jubilee Cottages
Pomona
Manor Farm
NORTH HERTS
Park Wood
Bygrave
Old Rectory
Manor House
The Moat House
Earthworks
Parkwood Bungalow
Wireless Station
Masts
Sewage Works (disused)
Red Cottages
WEDON WAY
A505
ROYSTON ROAD
NEWNHAM WAY
HINXWORTH ROAD
CLAYBUSH ROAD
ASHWELL STREET
STATION ROAD
METLEY HILL
Bygrave Lodge Farm
The Firs
Half Way
24
5
6
11
26
27
28
39
38
37
36
35

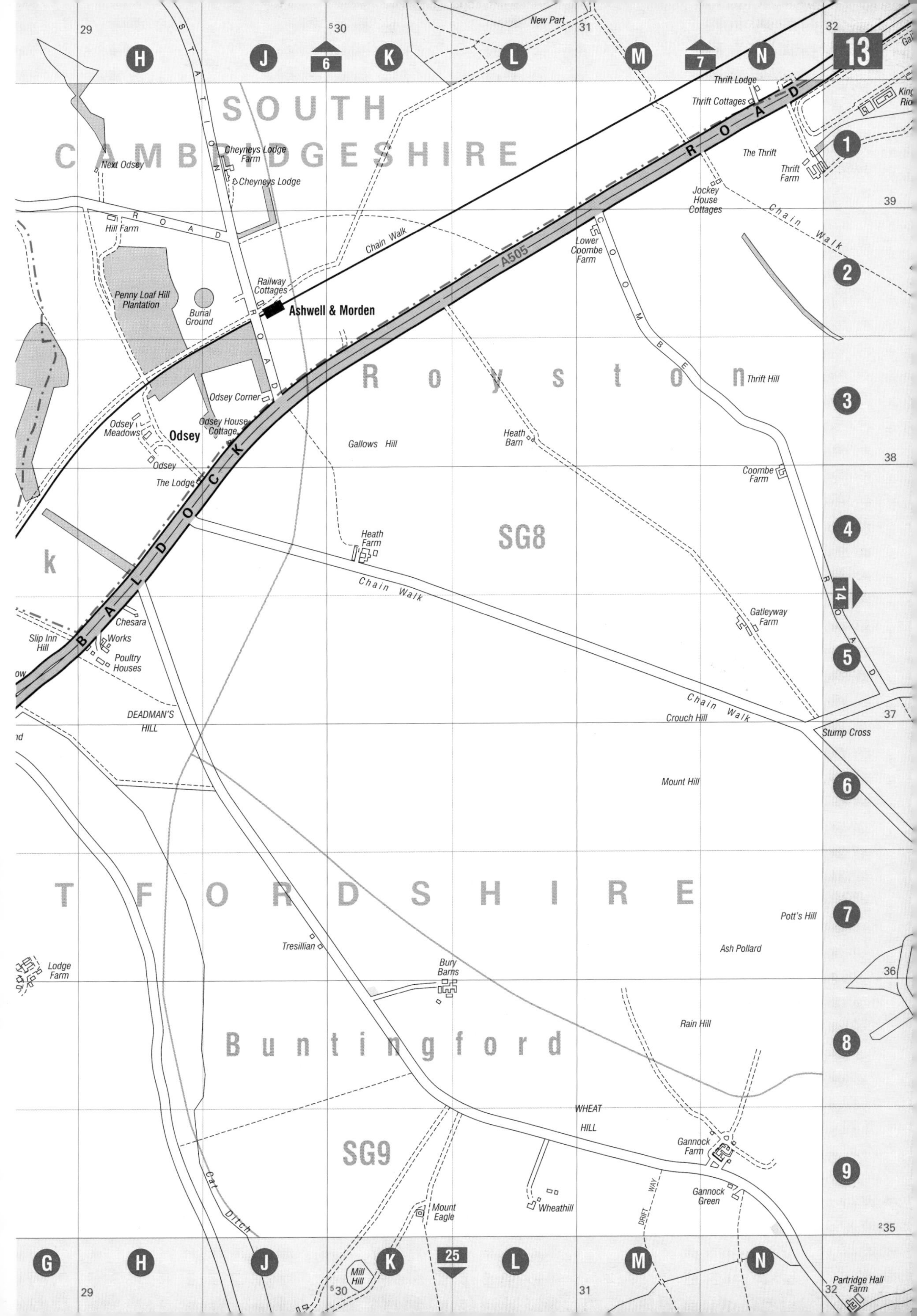

SOUTH
CAMBRIDGESHIRE

Next Odsey

Cheyneys Lodge Farm

◇ Cheyneys Lodge

Hill Farm

ROAD

Penny Loaf Hill Plantation

Burial Ground

Railway Cottages

◼ Ashwell & Morden

STATION

New Part

Thrift Lodge

Thrift Cottages

The Thrift

Thrift Farm

King's
Rio

Jockey House Cottages

Chain Walk

Lower Coombe Farm

A505

ROAD

Chain Walk

Royston

Thrift Hill

Odsey Corner

Odsey House Cottage

Odsey Meadows

Odsey

Odsey

The Lodge

BALDOCK

Gallows Hill

Heath Barn

Coombe Farm

SG8

Heath Farm

Chain Walk

Gateleyway Farm

ROAD

Chesara

Works

Slip Inn Hill

Poultry Houses

DEADMAN'S HILL

Chain Walk

Crouch Hill

Mount Hill

Stump Cross

Pott's Hill

TFORDSHIRE

Lodge Farm

Tresillian

Bury Barns

Ash Pollard

Rain Hill

Buntingford

WHEAT HILL

Gannock Farm

SG9

Car Ditch

Mount Eagle

Wheathill

DRIFT WAY

Gannock Green

Mill Hill

Partridge Hall Farm

H J 6 K L M 7 N 13

G H J 25 K L M N

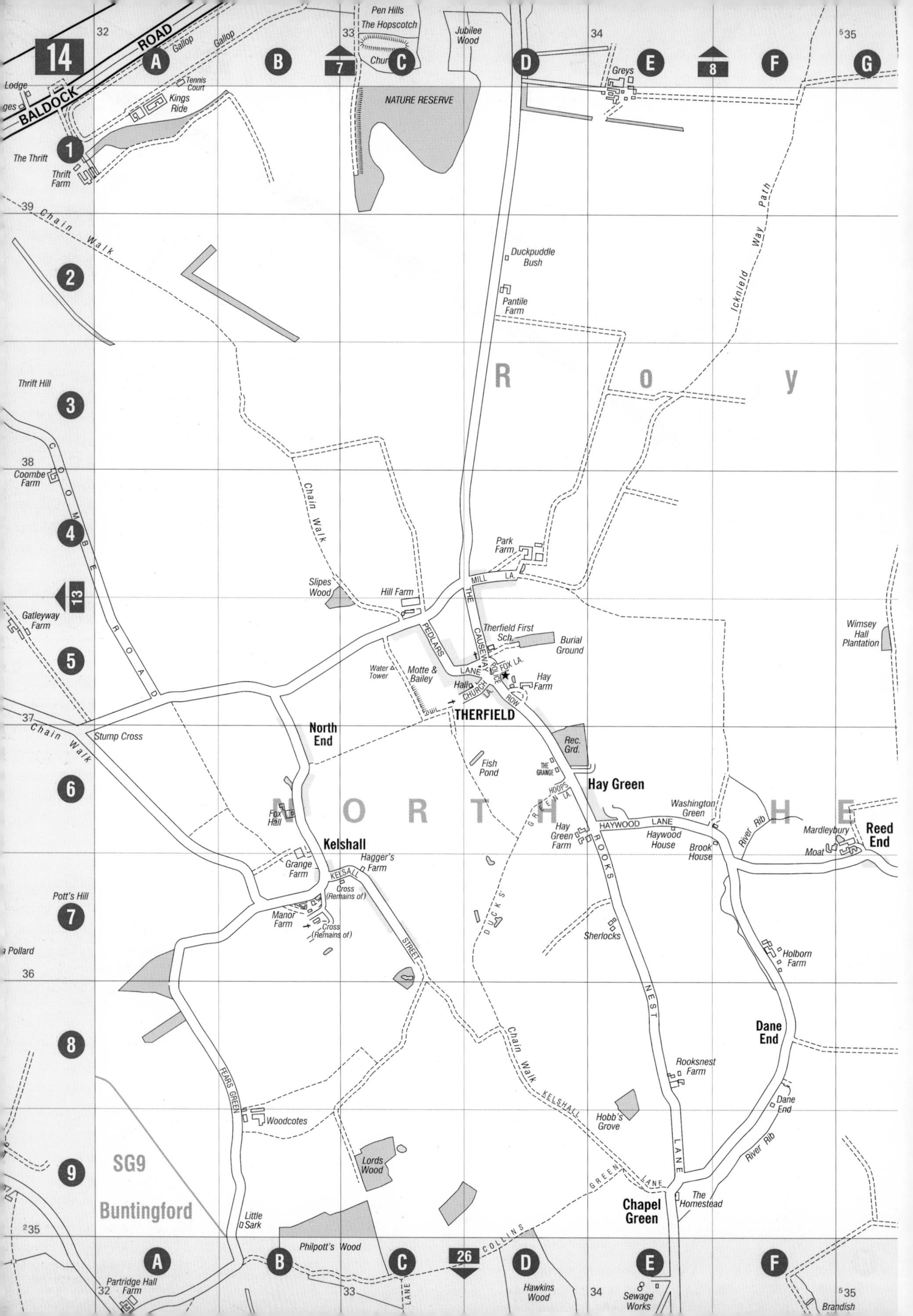

14

ROAD

BALDOCK

Gallop
Gallop

Lodge
ges

The Thrift

Thrift Farm

Kings Ride

Tennis Court

7

Pen Hills
The Hopscotch
Chur

Jubilee Wood

NATURE RESERVE

Greys

8

Icknield Way Path

32   A   33   B   7   C   D   34   E   8   F   5 35 G

1

2

Chain Walk

39

Duckpuddle Bush

Pantile Farm

R o y

3

Thrift Hill

38
Coombe Farm

C O O M B E

R O A D

Chain Walk

Park Farm

MILL LA.

4

13

Gatleyway Farm

Slipes Wood

Hill Farm

THE CAUSEWAY

Therfield First Sch.

Burial Ground

Wimsey Hall Plantation

5

PEDLARS LANE

Water Tower

Motte & Bailey

Hall

CHURCH

FOX LA.

ROW

Hay Farm

37   Chain Walk

Stump Cross

North End

Fish Pond

THE GRANGE

THERFIELD

Rec. Grd.

Hay Green

Washington Green

Mardleybury Moat

Reed End

6

N O R T H   T H E

Fox Hall

Kelshall

Hagger's Farm

KELSALL

Cross (Remains of)

GREEN LANE

HOOPS LA.

HAYWOOD LANE

Hay Green Farm

Haywood House

Brook House

River Rib

7

Pott's Hill

a Pollard

36

Grange Farm

Manor Farm

Cross (Remains of)

STREET

ROOKS

Sherlocks

NEST LANE

Holborn Farm

8

FEARS GREEN

Woodcotes

Chain Walk

KELSHALL

DUCKS

Hobb's Grove

Rooksnest Farm

Dane End

Dane End

River Rib

9

SG9

Buntingford

Little Sark

Lords Wood

GREEN LANE

Chapel Green

The Homestead

2 35

Partridge Hall Farm

Philpott's Wood

26

COLLINS LANE

Hawkins Wood

Sewage Works

Brandish

32   A   33   B   C   26   D   34   E   F   5 35

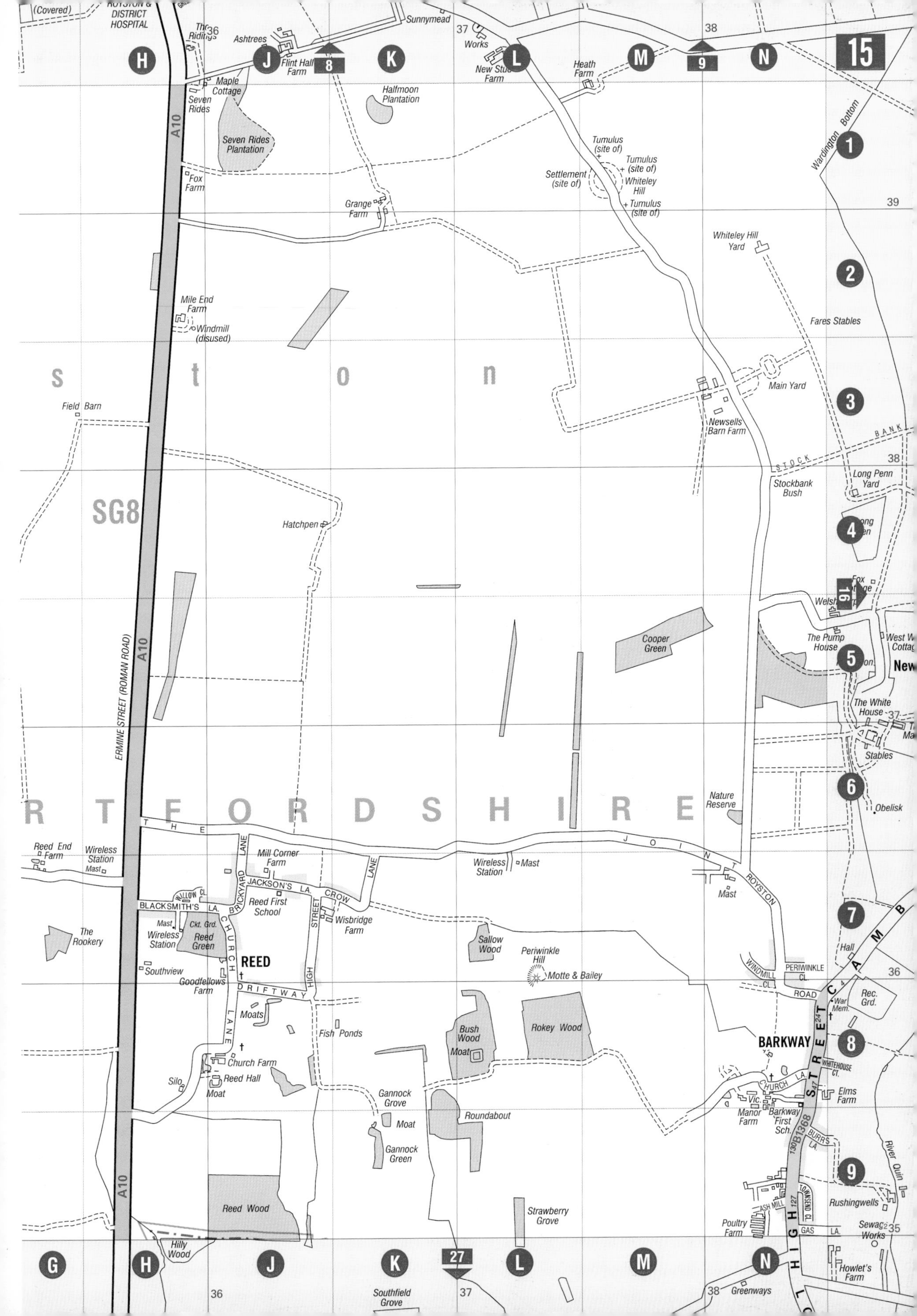
15
ROYSTON & DISTRICT HOSPITAL
(Covered)
The Ridings
Ashtrees
Flint Hall Farm
Sunnymead
Works
New Stud Farm
Heath Farm
Maple Cottage
Seven Rides
Halfmoon Plantation
Seven Rides Plantation
Fox Farm
Grange Farm
Tumulus (site of)
Settlement (site of)
Whiteley Hill
Wardington Bottom
Whiteley Hill Yard
Mile End Farm
Windmill (disused)
Fares Stables
Main Yard
Newsells Barn Farm
Field Barn
STOCK BANK
Stockbank Bush
Long Penn Yard
SG8
Hatchpen
Cooper Green
The Pump House
The White House
Stables
West W Cottag
ERMINE STREET (ROMAN ROAD)
A10
Nature Reserve
Obelisk
RTFORDSHIRE
THE JOINT ROYSTON
Reed End Farm
Wireless Station
Mast
Mill Corner Farm
BRICKYARD LANE
JACKSON'S LA.
CROW LANE
WILLOW CL.
BLACKSMITH'S LA.
Reed First School
HIGH STREET
Wisbridge Farm
The Rookery
Ckt. Grd.
Reed Green
CHURCH LANE
REED
Southview
Goodfellows Farm
DRIFTWAY
Sallow Wood
Periwinkle Hill
Motte & Bailey
WINDMILL CL.
PERIWINKLE CL.
ROAD
CAMBRIDGE
Hall
Rec. Grd.
War Mem.
Moats
Fish Ponds
Bush Wood
Moat
Rokey Wood
BARKWAY
WHITEHOUSE CT.
Church Farm
Reed Hall
Silo
CHURCH LA.
Vic.
Elms Farm
Manor Farm
Barkway First Sch.
Gannock Grove
Roundabout
BURRS LA.
Gannock Green
B1368
River Quin
Rushingwells
ASH MILL
TOWNSEND CL.
Reed Wood
Strawberry Grove
Poultry Farm
GAS LA.
Sewage Works
Hilly Wood
Howlet's Farm
HIGH STREET
Southfield Grove
Greenways
G H J K L M N
1 2 3 4 5 6 7 8 9
8 9 16 27
36 37 38 39

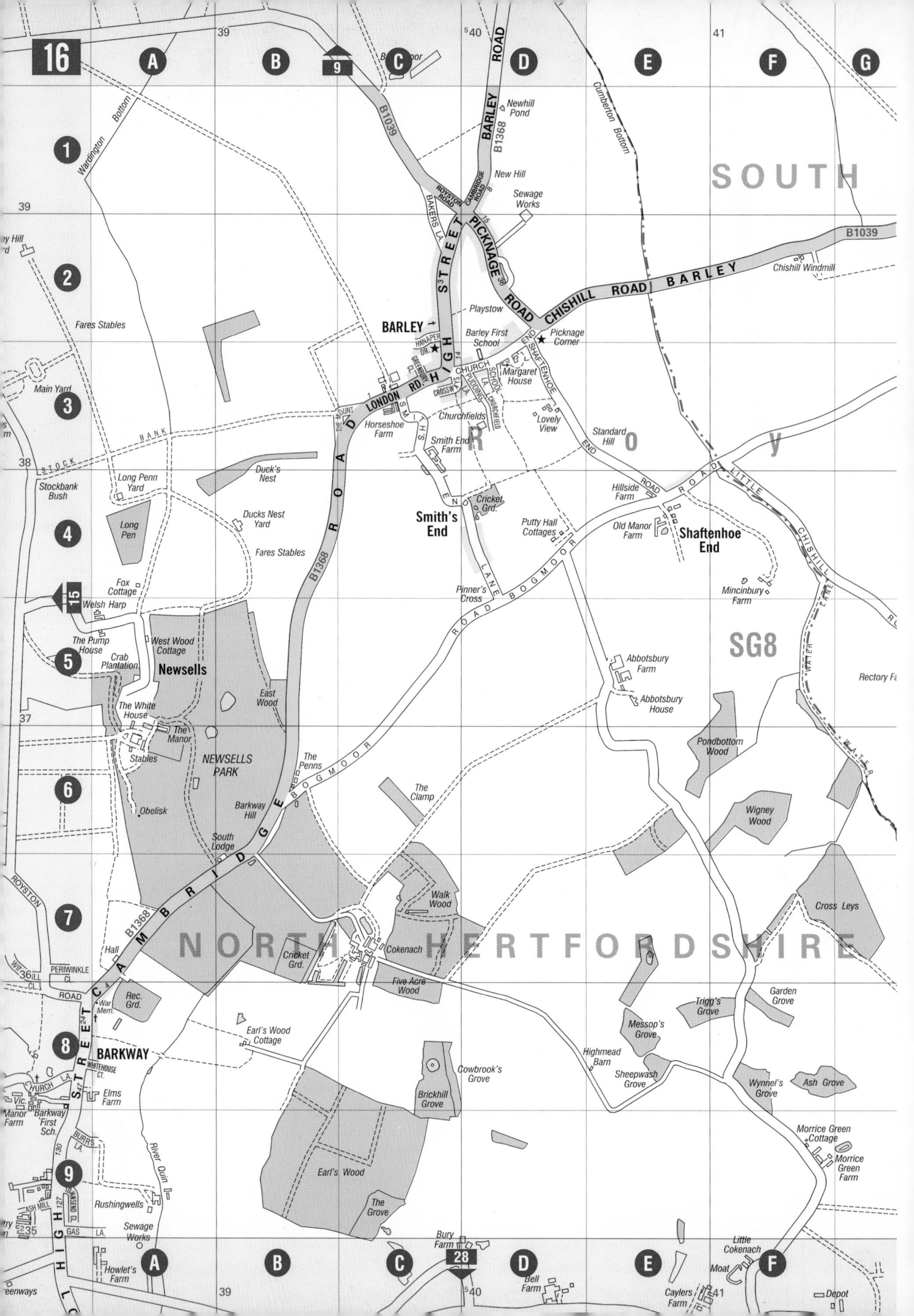

BARLEY
Smith's End
Shaftenhoe End
Newsells
NEWSELLS PARK
BARKWAY
SOUTH
NORTH HERTFORDSHIRE
SG8
Roy
Barley Road
Cambridge Road
Royston Road
High Street
London Rd.
Picknage Road
Chishill Road
Barley
Bogmoor Road
Cambridge Road
Little Chishill Road
Water Lane
Shaftenhoe End Road
Smith's End Lane
Church End
Bakers La.
Hanaper Dr.
Greenbury Cl.
Crossways
Pudding La.
School La.
Churchfield
The Mount
Stock Bank
Wardington Bottom
Cumberton Bottom
Newhill Pond
New Hill
Sewage Works
Playstow
Barley First School
Picknage Corner
Margaret House
Horseshoe Farm
Churchfields
Smith End Farm
Lovely View
Standard Hill
Hillside Farm
Old Manor Farm
Cricket Grd.
Putty Hall Cottages
Pinner's Cross
Mincinbury Farm
Chishill Windmill
Fares Stables
Main Yard
Long Penn Yard
Stockbank Bush
Duck's Nest
Ducks Nest Yard
Long Pen
Fox Cottage
Welsh Harp
The Pump House
Crab Plantation
West Wood Cottage
East Wood
The White House
The Manor
Stables
Obelisk
Barkway Hill
South Lodge
The Penns
The Clamp
Abbotsbury Farm
Abbotsbury House
Rectory Fa
Pondbottom Wood
Wigney Wood
Walk Wood
Cross Leys
Cokenach
Five Acre Wood
Hall
Rec. Grd.
War Mem.
Earl's Wood Cottage
Garden Grove
Trigg's Grove
Messop's Grove
Highmead Barn
Sheepwash Grove
Wynnel's Grove
Ash Grove
Cowbrook's Grove
Brickhill Grove
Earl's Wood
The Grove
Morrice Green Cottage
Morrice Green Farm
Little Cokenach
Moat
Bury Farm
Bell Farm
Caylers Farm
Depot
Periwinkle Cl.
Windmill Cl.
Royston Road
Church La.
Whitehouse Ct.
Elms Farm
Vic.
Manor Farm
Barkway First Sch.
Burrs La.
River Quin
Rushingwells
Ash Mill
Townsend Cl.
Gas La.
Sewage Works
Howlet's Farm
High St.
B1039
B1368
9
15
28
39
40
41
38
37
36
35

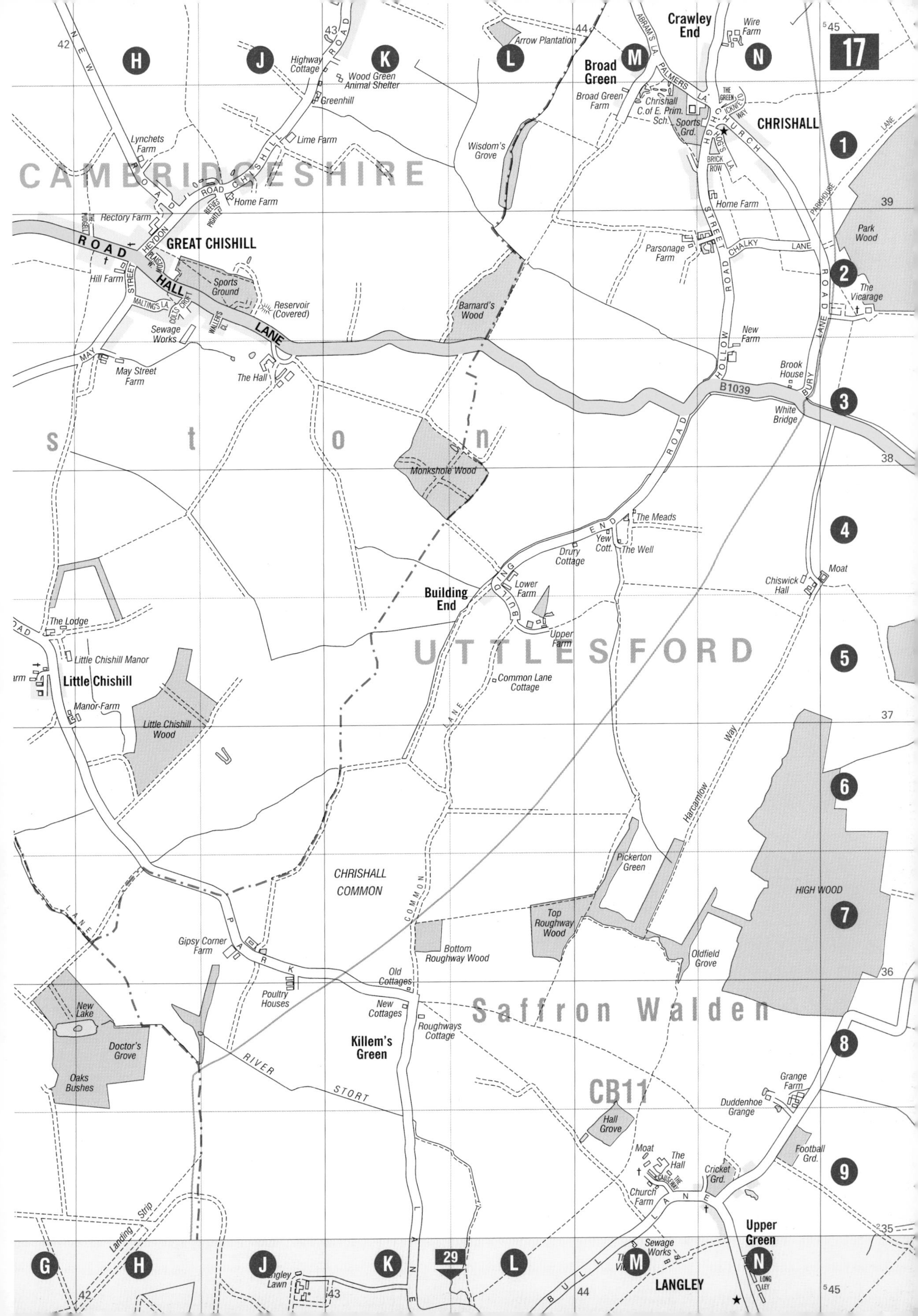

CAMBRIDGESHIRE
UTTLESFORD
Saffron Walden
CB11
GREAT CHISHILL
CHRISHALL
Crawley End
Broad Green
Little Chishill
Building End
Killem's Green
Upper Green
LANGLEY
Arrow Plantation
Highway Cottage
Wood Green Animal Shelter
Greenhill
Lime Farm
Lynchets Farm
Home Farm
Rectory Farm
Hill Farm
Sports Ground
Reservoir (Covered)
Sewage Works
May Street Farm
The Hall
Wire Farm
Broad Green Farm
Chrishall C.of E. Prim. Sch.
Sports Grd.
Wisdom's Grove
Parsonage Farm
Park Wood
The Vicarage
New Farm
Brook House
White Bridge
Barnard's Wood
Monkshole Wood
The Meads
Yew Cott.
The Well
Drury Cottage
Lower Farm
Upper Farm
Chiswick Hall
Moat
The Lodge
Little Chishill Manor
Manor Farm
Little Chishill Wood
Common Lane Cottage
CHRISHALL COMMON
Pickerton Green
HIGH WOOD
Top Roughway Wood
Bottom Roughway Wood
Oldfield Grove
Gipsy Corner Farm
Poultry Houses
Old Cottages
New Cottages
Roughways Cottage
New Lake
Doctor's Grove
Oaks Bushes
Grange Farm
Duddenhoe Grange
Hall Grove
Football Grd.
The Hall
Cricket Grd.
Church Farm
Sewage Works
Landing Strip
RIVER STORT
Harcamlow Way
B1039
ROAD HALL LANE
HEYDON ROAD
CHISHILL ROAD
NEW ROAD
ABRAM'S LA.
PALMERS LA.
HIGH STREET
HOLLOW ROAD
CHURCH ST.
ICKNIELD WAY
CHALKY LANE
BURY LANE
PARKHOUSE LANE
END ROAD
BUILDING END
COMMON LANE
PARK LANE
BULL LANE
29

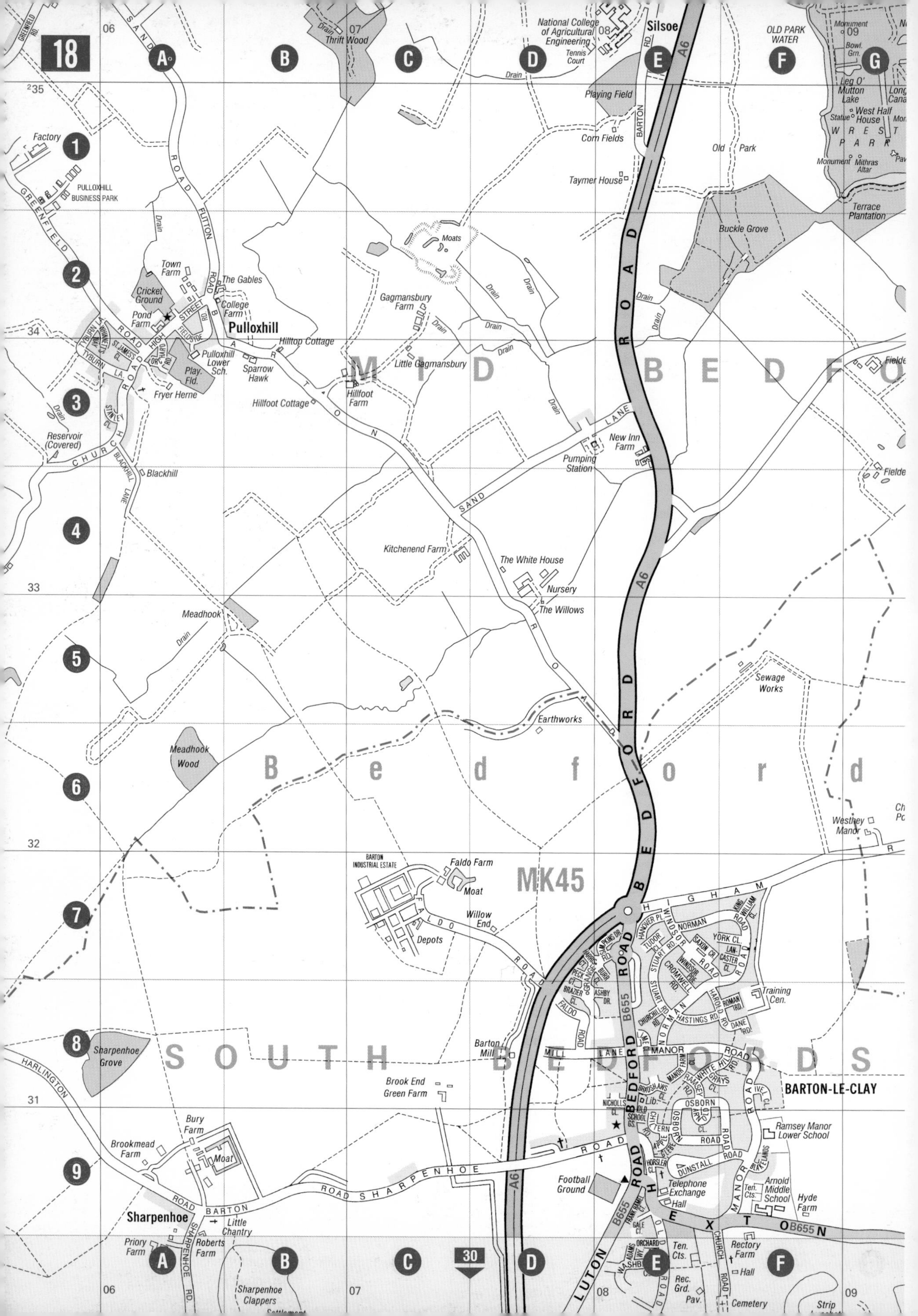
Silsoe
National College of Agricultural Engineering
Tennis Court
Thrift Wood
OLD PARK WATER
Monument
Bowl. Grn.
Leg O' Mutton Lake
Long Canal
West Half House
Statue
W R E S T P A R K
Monument
Mithras Altar
Playing Field
Corn Fields
BARTON RD.
Old Park
Taymer House
Terrace Plantation
Buckle Grove
Factory
PULLOXHILL BUSINESS PARK
GREENFIELD RD.
FLITTON ROAD
SAND
Drain
Moats
Town Farm
The Gables
Cricket Ground
College Farm
Pond Farm
Pulloxhill
Gagmansbury Farm
Hilltop Cottage
HIGH STREET
TYBURN LA.
ST. JAMES CL.
Pulloxhill Lower Sch.
Sparrow Hawk
Play. Fld.
Little Gagmansbury
Hillfoot Farm
Hillfoot Cottage
Fryer Herne
M I D B E D F O
STANLEY CL.
Reservoir (Covered)
CHURCH RD.
BLACKHILL LANE
Blackhill
New Inn Farm
Pumping Station
SAND LANE
Fielde
Kitchenend Farm
The White House
Nursery
The Willows
Meadhook
Sewage Works
Earthworks
Meadhook Wood
B e d f o r d
BEDFORD ROAD
A6
Westhey Manor
BARTON INDUSTRIAL ESTATE
Faldo Farm
Moat
MK45
Willow End
FALDO ROAD
Depots
H I G H A M
HANOVER PL.
NORMAN
WINDSOR
YORK CL.
TUDOR
STUART RD.
CROMWELL RD.
LANCASTER CL.
KING WILLIAM RD.
SAXON CR.
Training Cen.
ROMAN RD.
HASTINGS RD.
DANE RD.
HAROLD RD.
CHURCHILL RD.
B655
FALDO RD.
BRAZIER CL.
ASHBY DR.
Barton Mill
MILL LANE
MANOR ROAD
S O U T H B E D F O R D S
Sharpenhoe Grove
HARLINGTON
Brook End Green Farm
WHITE HILL
GRAYS CL.
MANOR FARM CL.
BARTON-LE-CLAY
OSBORN
Lib.
SCHOOL
OLD SCHOOL
NICHOLLS CL.
Ramsey Manor Lower School
Bury Farm
Brookmead Farm
Moat
SHARPENHOE ROAD
DUNSTALL ROAD
Football Ground
Telephone Exchange
Hall
Arnold Middle School
Hyde Farm
Ten. Cts.
Sharpenhoe
BARTON ROAD
Little Chantry
Priory Farm
Roberts Farm
SHARPENHOE RD.
LUTON ROAD
HEXTON B655
ORCHARD
Ten. Cts.
Rectory Farm
Hall
CHURCH ROAD
Rec. Grd.
Pav.
Cemetery
Strip
Sharpenhoe Clappers
30
06
07
08
09
235
34
33
32
31
A B C D E F G
1 2 3 4 5 6 7 8 9

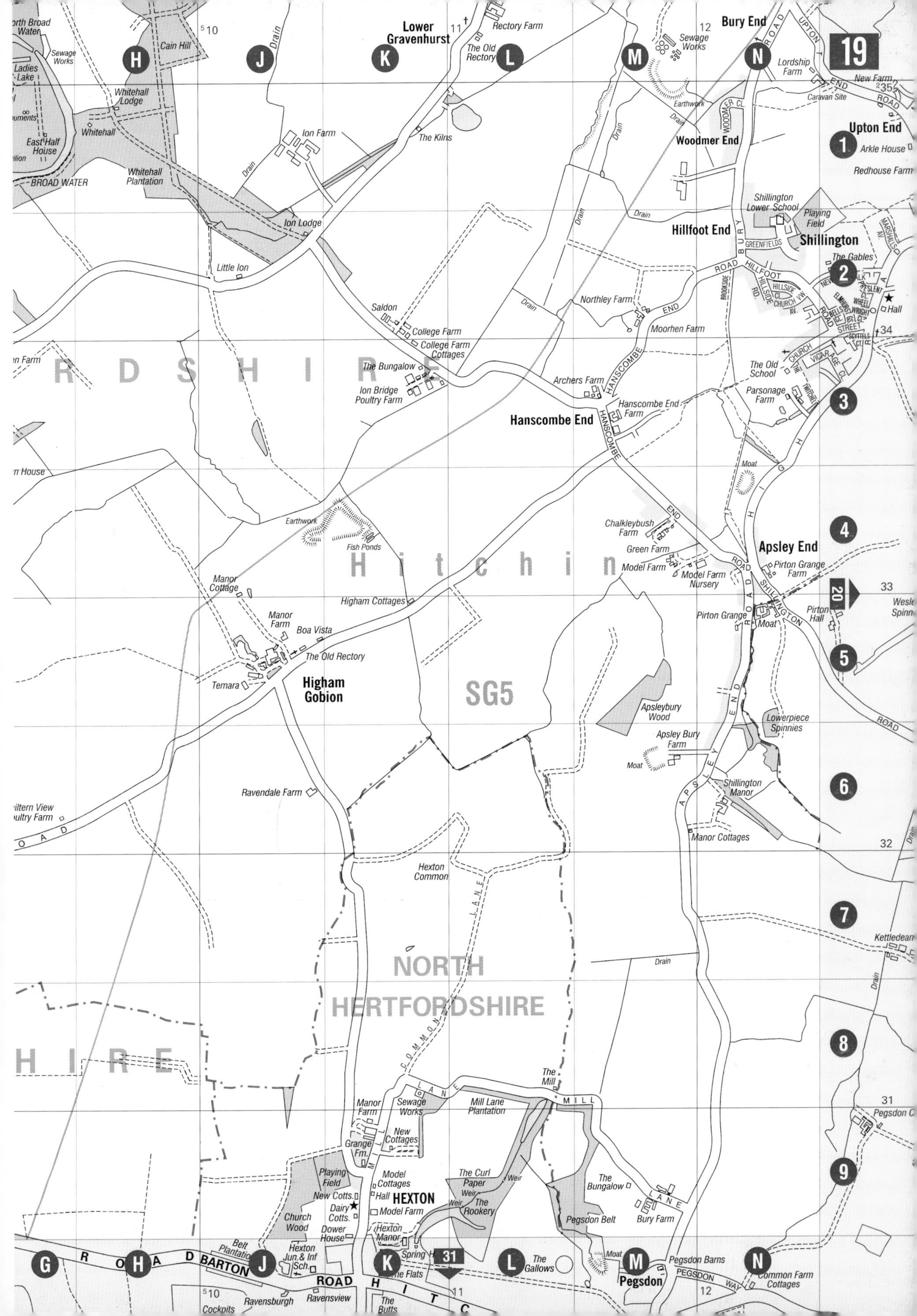
Lower Gravenhurst
Rectory Farm
The Old Rectory
Bury End
Sewage Works
Lordship Farm
New Farm
Caravan Site
Upton End
Arkle House
Redhouse Farm
North Broad Water
Cain Hill
Ladies Lake
Whitehall Lodge
Whitehall
East Half House
Whitehall Plantation
BROAD WATER
Ion Farm
The Kilns
Earthwork
Woodmer End
Ion Lodge
Little Ion
Shillington Lower School
Playing Field
Hillfoot End
Shillington
The Gables
Hall
Saldon
College Farm
College Farm Cottages
Northley Farm
Moorhen Farm
The Bungalow
Ion Bridge Poultry Farm
Archers Farm
The Old School
Parsonage Farm
Hanscombe End Farm
Hanscombe End
Moat
Earthwork
Fish Ponds
Hitchin
Chalkleybush Farm
Green Farm
Model Farm
Model Farm Nursery
Apsley End
Pirton Grange Farm
Manor Cottage
Higham Cottages
Manor Farm
Boa Vista
The Old Rectory
Pirton Grange
Moat
Pirton Hall
Temara
Higham Gobion
SG5
Apsleybury Wood
Apsley Bury Farm
Lowerpiece Spinnies
Moat
Shillington Manor
Ravendale Farm
Chiltern View Poultry Farm
Manor Cottages
Hexton Common
Kettledean
NORTH HERTFORDSHIRE
The Mill
Manor Farm
Sewage Works
Mill Lane Plantation
New Cottages
Grange Fm.
Pegsdon
Playing Field
Model Cottages
The Curl Paper
New Cotts.
Hall
HEXTON
The Rookery
The Bungalow
Dairy Cotts.
Model Farm
Church Wood
Dower House
Hexton Manor
Pegsdon Belt
Bury Farm
Belt Plantation
Hexton Jun.& Inf Sch.
Spring H
The Gallows
Moat
Pegsdon Barns
Common Farm Cottages
BARTON ROAD
The Flats
Pegsdon
PEGSDON WAY
Ravensburgh
Ravensview
Cockpits
The Butts
20
31

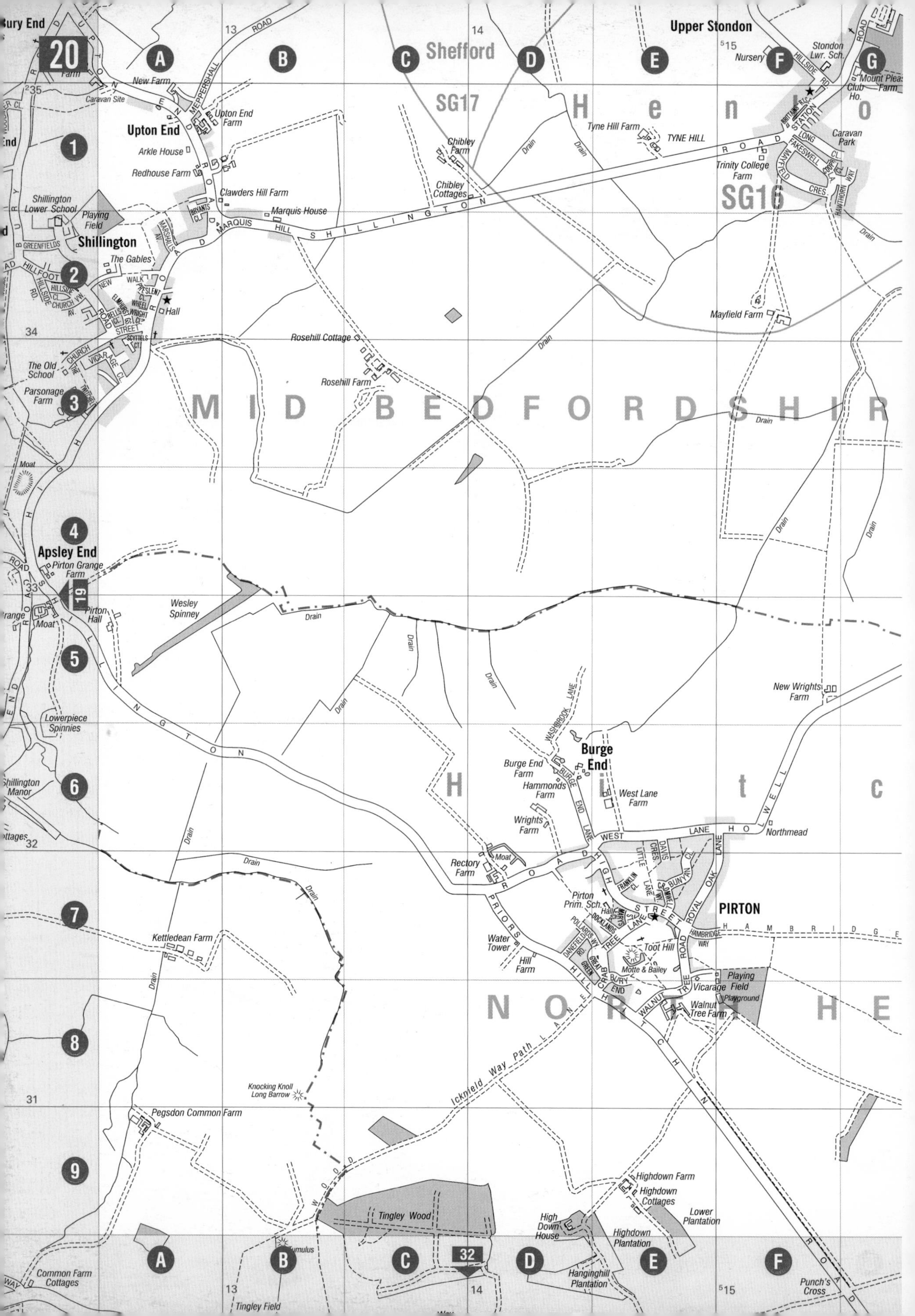
Upper Stondon
Shefford
SG17
SG16
Henlow
Upton End
Shillington
Apsley End
Burge End
PIRTON
MID BEDFORDSHIRE
Hitchin
NORTH HERTFORDSHIRE
New Farm
Caravan Site
Upton End Farm
Arkle House
Redhouse Farm
Clawders Hill Farm
Marquis House
Shillington Lower School
Playing Field
The Gables
Hall
The Old School
Parsonage Farm
Moat
Pirton Grange Farm
Pirton Hall
Wesley Spinney
Lowerpiece Spinnies
Shillington Manor
Chibley Farm
Chibley Cottages
Tyne Hill Farm
TYNE HILL
Trinity College Farm
Caravan Park
Nursery
Stondon Lwr. Sch.
Mount Pleas. Farm
Club Ho.
Mayfield Farm
Rosehill Cottage
Rosehill Farm
Drain
New Wrights Farm
Burge End Farm
Hammonds Farm
West Lane Farm
Wrights Farm
Northmead
Rectory Farm
Pirton Prim. Sch.
Water Tower
Hill Farm
Toot Hill
Motte & Bailey
Vicarage Field
Playing Field
Playground
Walnut Tree Farm
Kettledean Farm
Knocking Knoll Long Barrow
Pegsdon Common Farm
Icknield Way Path
Tingley Wood
High Down House
Highdown Farm
Highdown Cottages
Lower Plantation
Highdown Plantation
Hanginghill Plantation
Tumulus
Common Farm Cottages
Tingley Field
Punch's Cross
SHILLINGTON ROAD
MARQUIS HILL
HIGH ROAD
WEST LANE
HAMBRIDGE WAY
HITCHIN ROAD
PRIORS HILL
WOOD LANE
HOLWELL ROAD
19
32

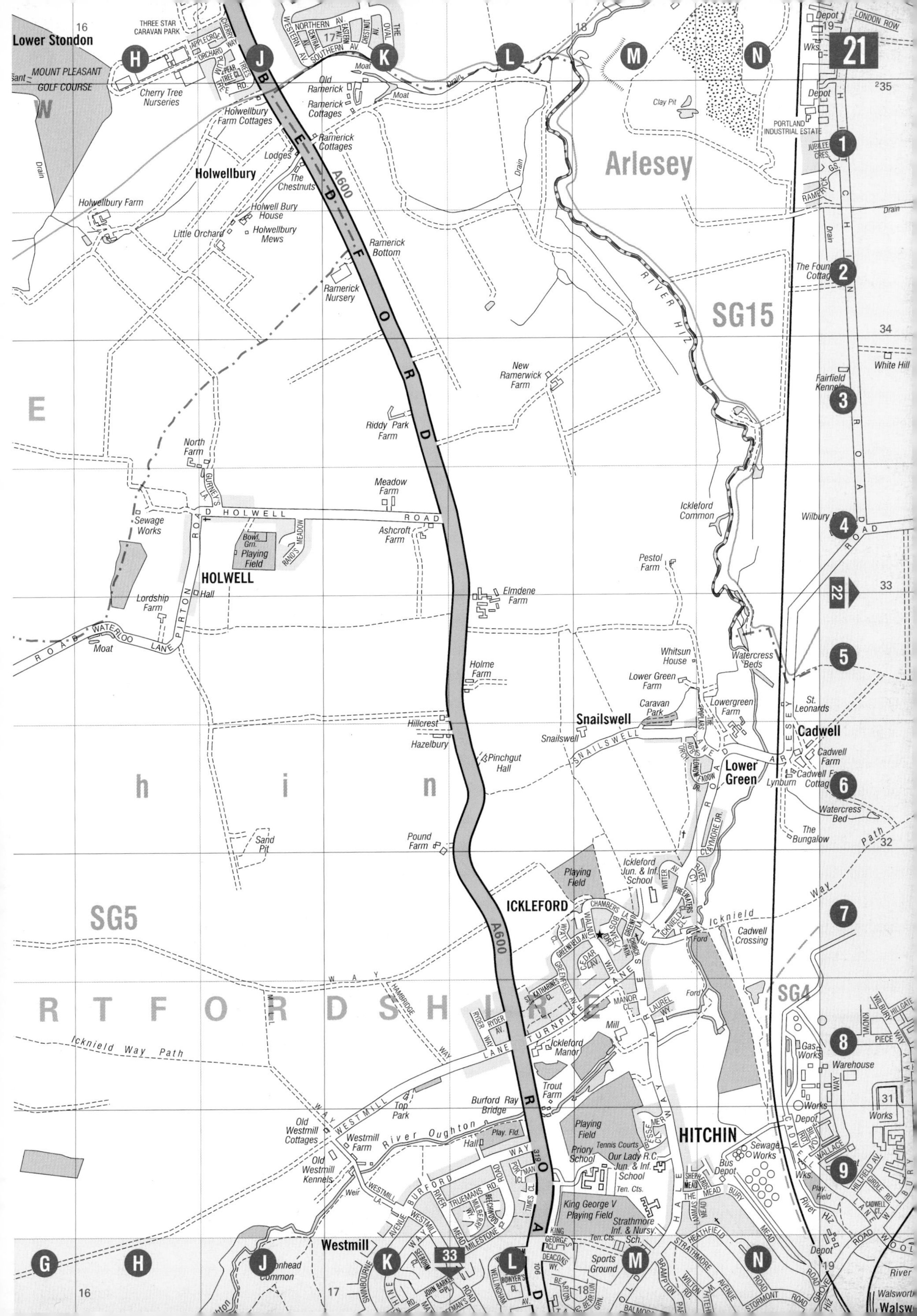

21
Lower Stondon
THREE STAR CARAVAN PARK
MOUNT PLEASANT GOLF COURSE
Cherry Tree Nurseries
Holwellbury Farm Cottages
Old Ramerick
Ramerick Cottages
Lodges
Holwellbury
The Chestnuts
Holwellbury Farm
Holwell Bury House
Little Orchard
Holwellbury Mews
Ramerick Bottom
Ramerick Nursery
Arlesey
Clay Pit
PORTLAND INDUSTRIAL ESTATE
Depot
Wks
LONDON ROW
RIVER HIZ
SG15
The Fountain Cottages
White Hill
Fairfield Kennels
New Ramerwick Farm
Riddy Park Farm
North Farm
Meadow Farm
HOLWELL ROAD
Ashcroft Farm
Sewage Works
Bowl. Grn.
Playing Field
HOLWELL
Hall
Lordship Farm
Elmdene Farm
Ickleford Common
Pestol Farm
Wilbury Road
WATERLOO LANE
Moat
Holme Farm
Whitsun House
Lower Green Farm
Watercress Beds
Caravan Park
Snailswell
Lowergreen Farm
St. Leonards
Cadwell
Hillcrest
Hazelbury
Pinchgut Hall
Lower Green
Cadwell Farm
Cadwell Farm Cottages
Lynburn
Watercress Bed
The Bungalow
Sand Pit
Pound Farm
Ickleford Jun. & Inf. School
Playing Field
SG5
ICKLEFORD
Icknield Way Path
Cadwell Crossing
Ford
SG4
HERTFORDSHIRE
TURNPIKE LANE
Mill
Ickleford Manor
Gas Works
Warehouse
Trout Farm
Burford Ray Bridge
Top Park
Old Westmill Cottages
Westmill Farm
River Oughton
Play. Fld.
Hall
Playing Field
Priory School
Tennis Courts
Our Lady R.C. Jun. & Inf. School
HITCHIN
Sewage Works
Bus Depot
Works
Depot
Old Westmill Kennels
Weir
King George V Playing Field
Strathmore Inf. & Nursy. Sch.
Westmill
Oughtonhead Common
Sports Ground
Walsworth
River Hiz
BEDFORD ROAD
A600
33
22

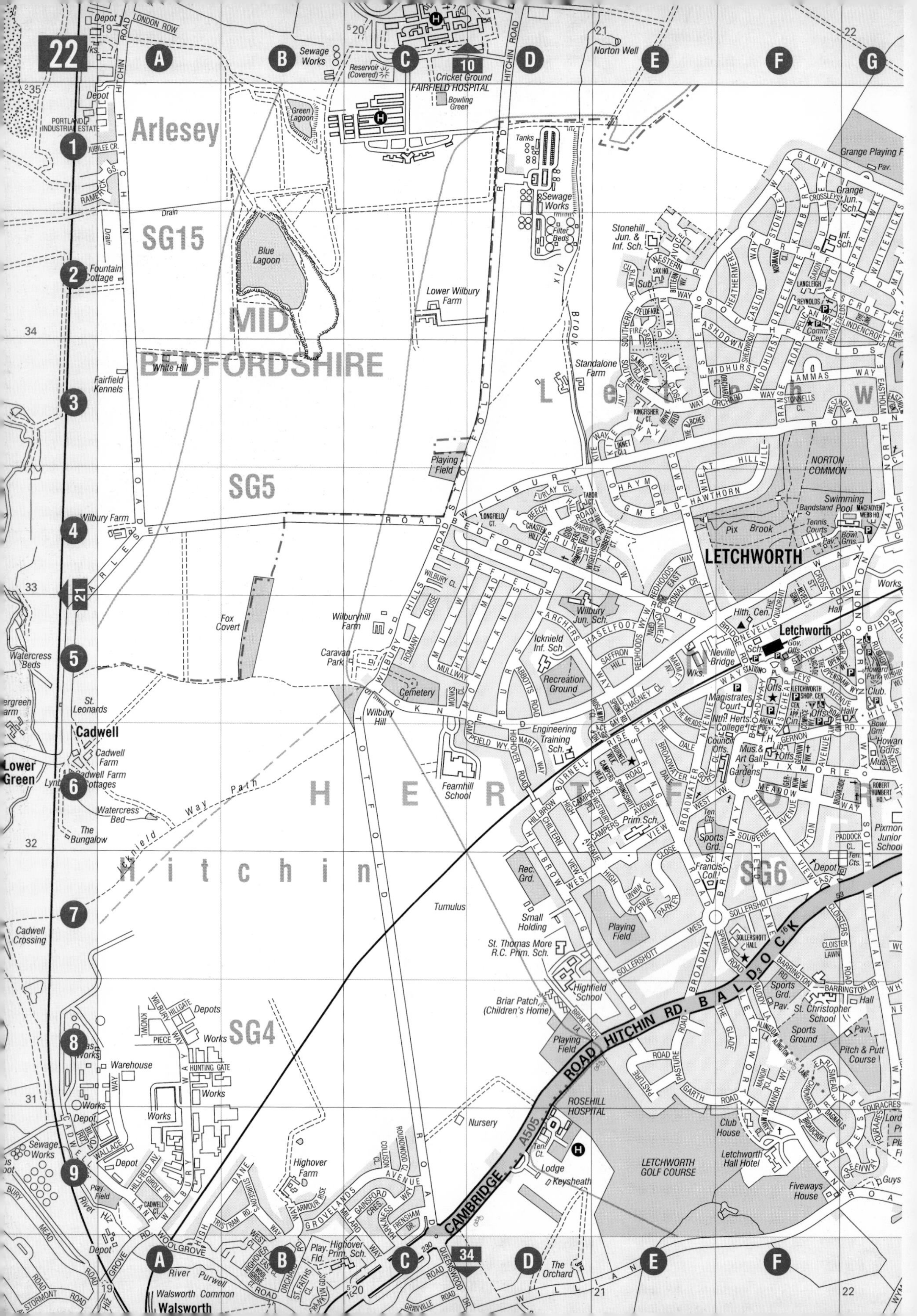
Arlesey
SG15
MID BEDFORDSHIRE
SG5
Letchworth
LETCHWORTH
H E R T F O R D
Hitchin
SG6
SG4
Fairfield Hospital
Cricket Ground
Bowling Green
Green Lagoon
Blue Lagoon
Sewage Works
Reservoir (Covered)
Norton Well
Tanks
Filter Beds
Lower Wilbury Farm
Standalone Farm
Stonehill Jun. & Inf. Sch.
Grange Playing Fields
Grange Jun. Sch.
Inf. Sch.
Comm. Cen.
Portland Industrial Estate
Fountain Cottage
Fairfield Kennels
White Hill
Wilbury Farm
Playing Field
Norton Common
Swimming Pool
Bandstand
Tennis Courts
Pix Brook
Wilbury Jun. Sch.
Icknield Inf. Sch.
Recreation Ground
Hlth. Cen.
Letchworth
Neville Bridge
Gov. Offs.
Magistrates Court
Nth. Herts. College
Council Offs.
Mus. & Art Gall.
Gardens
Howard Park
Howard Gdns.
Fox Covert
Wilburyhill Farm
Caravan Park
Cemetery
Wilbury Hill
Engineering Training Sch.
Fearnhill School
Prim. Sch.
Sports Grd.
St. Francis Coll.
Depot
Pixmore Junior School
Watercress Beds
St. Leonards
Cadwell
Cadwell Farm
Cadwell Farm Cottages
Lower Green
Watercress Bed
The Bungalow
Icknield Way Path
Cadwell Crossing
Tumulus
Small Holding
Rec. Grd.
Playing Field
St. Thomas More R.C. Prim. Sch.
Highfield School
Briar Patch (Children's Home)
Sports Grd.
Pav.
St. Christopher School
Sports Ground
Pitch & Putt Course
Rosehill Hospital
Letchworth Golf Course
Club House
Letchworth Hall Hotel
Fiveways House
Lodge
Keysheath
Nursery
Highover Farm
Highover Prim. Sch.
Play. Fld.
The Orchard
Depots
Works
Warehouse
Gas Works
Sewage Works
River Hiz
River Purwell
Walsworth Common
Walsworth
Cambridge Road A505
Hitchin Rd.
Baldock
Stotfold Road
Hitchin Road
Arlesey Road
Wilbury Road
Icknield Way
Norton Road
Broadway
Sollershott
Spring Road
Pixmore Avenue
Lammas Way
Wilbury Way
Hitchin
Letchworth
10
34
21

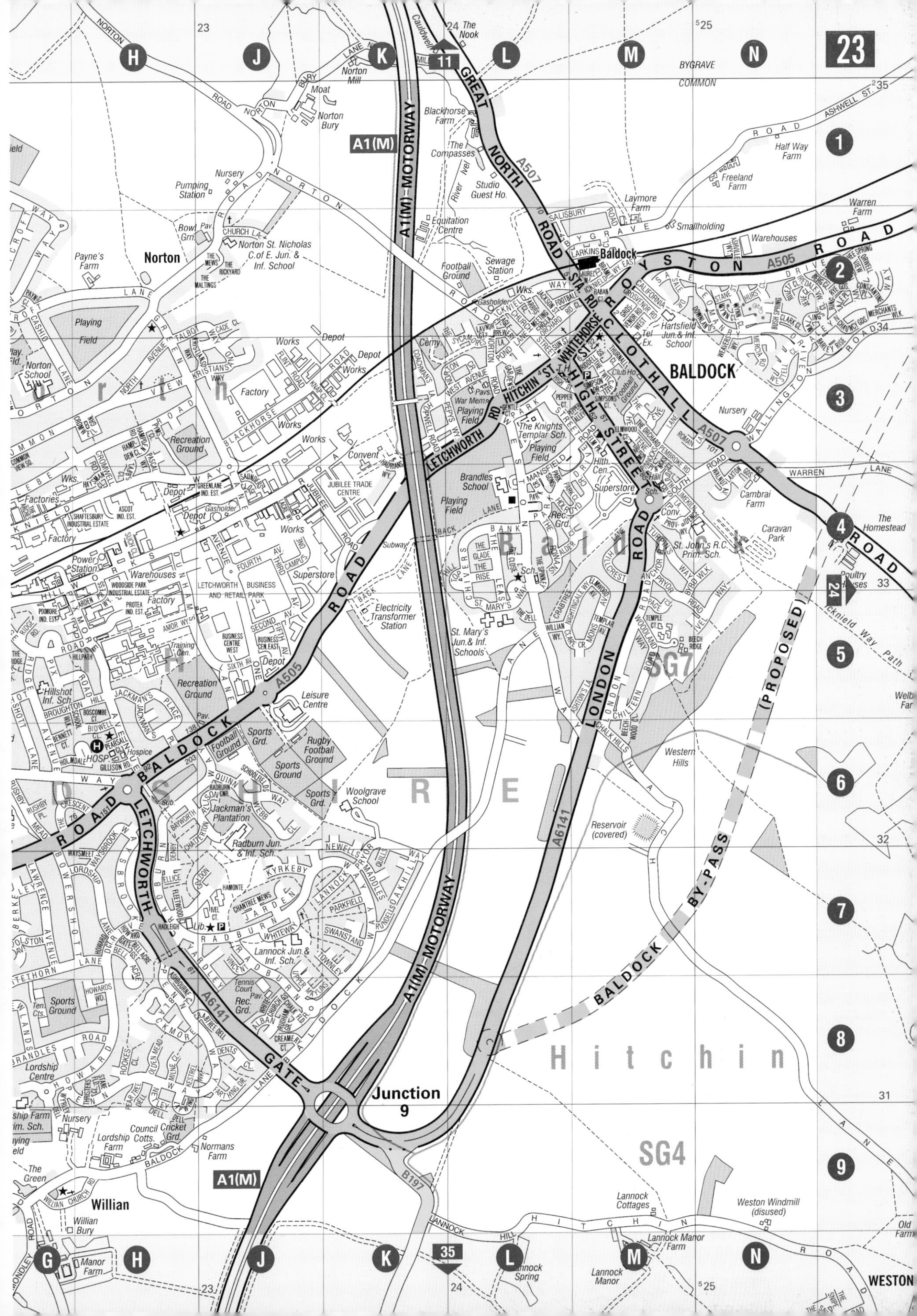

23
H
J
K
L
M
N
BYGRAVE COMMON
GREAT NORTH ROAD
A1(M) MOTORWAY
A1(M)
A507
A505
ROYSTON ROAD
CLOTHALL ROAD
HIGH STREET
ASHWELL ST.
Half Way Farm
Freeland Farm
Laymore Farm
Warren Farm
Smallholding
Warehouses
Baldock
BALDOCK
Hartsfield Jun.& Inf. School
Norton
Norton Bury
Norton Mill
Moat
Blackhorse Farm
The Compasses
Studio Guest Ho.
Equitation Centre
Football Ground
Sewage Station
Pumping Station
Nursery
Norton St. Nicholas C.of E. Jun. & Inf. School
Payne's Farm
Playing Field
Norton School
Factory
Works
Depot
Recreation Ground
JUBILEE TRADE CENTRE
SHAFTESBURY INDUSTRIAL ESTATE
GREENLANE IND. EST.
ASCOT IND. EST.
WOODSIDE PARK INDUSTRIAL ESTATE
PROTEA IND. EST.
PIXMORE IND. EST.
LETCHWORTH BUSINESS AND RETAIL PARK
BUSINESS CENTRE WEST
BUSINESS CEN.EAST
Power Station
Warehouses
Superstore
Training Cen.
Electricity Transformer Station
The Knights Templar Sch.
Brandles School
St. Mary's Jun.& Inf. Schools
St. John's R.C. Prim. Sch.
Cambrai Farm
The Homestead
Caravan Park
Poultry Houses
WARREN LANE
BALDOCK ROAD
LETCHWORTH ROAD
HITCHIN ST
LONDON ROAD
A6141
Hillshot Inf. Sch.
Hospice
Leisure Centre
Sports Grd.
Rugby Football Ground
Sports Ground
Woolgrave School
Jackman's Plantation
Radburn Jun. & Inf. Sch.
Lannock Jun.& Inf. Sch.
Tennis Court
Rec. Grd.
Lordship Centre
Reservoir (covered)
Western Hills
SG7
SG4
BALDOCK BY-PASS (PROPOSED)
Icknield Way Path
Hitchin
Junction 9
LETCHWORTH GATE
B197
Nursery
Lordship Farm
Council Cotts.
Cricket Grd.
Normans Farm
The Green
Willian
Willian Bury
Manor Farm
Lannock Cottages
Weston Windmill (disused)
Lannock Manor Farm
Lannock Manor
Lannock Spring
HITCHIN ROAD
LANNOCK HILL
Old Farm
WESTON
G
35
24
11

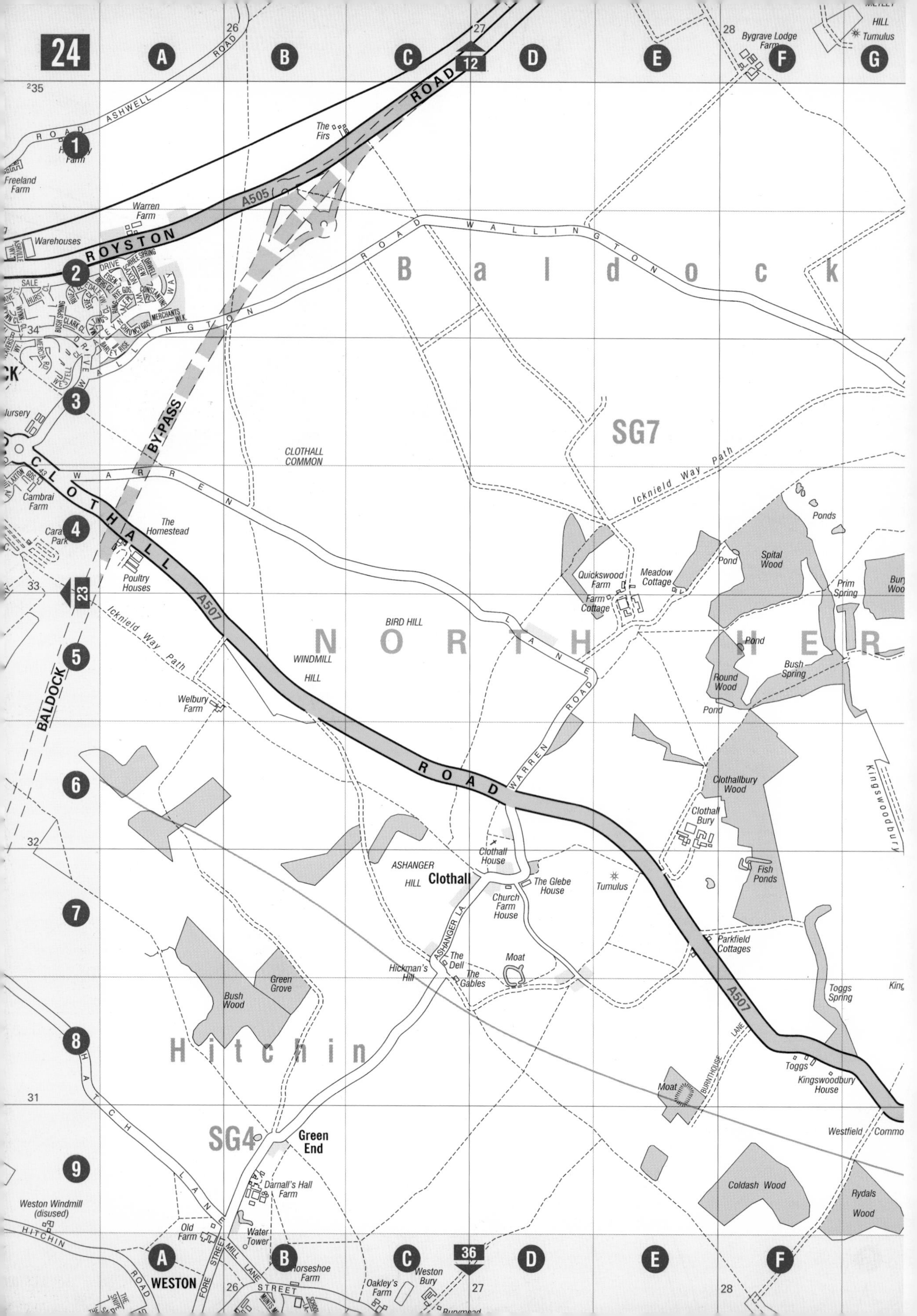

24
A
B
C
D
E
F
G
12
23
36
Bygrave Lodge Farm
HILL
Tumulus
ASHWELL ROAD
ROYSTON ROAD
A505
The Firs
Freeland Farm
Warren Farm
Warehouses
WALLINGTON ROAD
B a l d o c k
SG7
CLOTHALL COMMON
BY-PASS
Icknield Way Path
WARREN LANE
CLOTHALL ROAD
A507
Cambrai Farm
The Homestead
Poultry Houses
Quickswood Farm
Meadow Cottage
Farm Cottage
Ponds
Pond
Spital Wood
Prim Spring
BIRD HILL
WINDMILL HILL
N O R T H H E R
Round Wood
Bush Spring
Welbury Farm
BALDOCK
WARREN ROAD
Clothallbury Wood
Clothall Bury
Kingswoodbury
Clothall House
ASHANGER HILL
Clothall
The Glebe House
Tumulus
Church Farm House
Fish Ponds
ASHANGER LA
The Dell
The Gables
Moat
Hickman's Hill
Parkfield Cottages
Green Grove
Bush Wood
Toggs Spring
H i t c h i n
HATCH LANE
BURNTHOUSE LANE
Toggs
Kingswoodbury House
SG4
Green End
Westfield Common
Darnall's Hall Farm
Coldash Wood
Rydals Wood
Weston Windmill (disused)
Old Farm
Water Tower
HITCHIN ROAD
WESTON
FORE STREET
MILL LANE
Horseshoe Farm
Oakley's Farm
Weston Bury
STREET
26
27
28
35
34
33
32
31
1
2
3
4
5
6
7
8
9

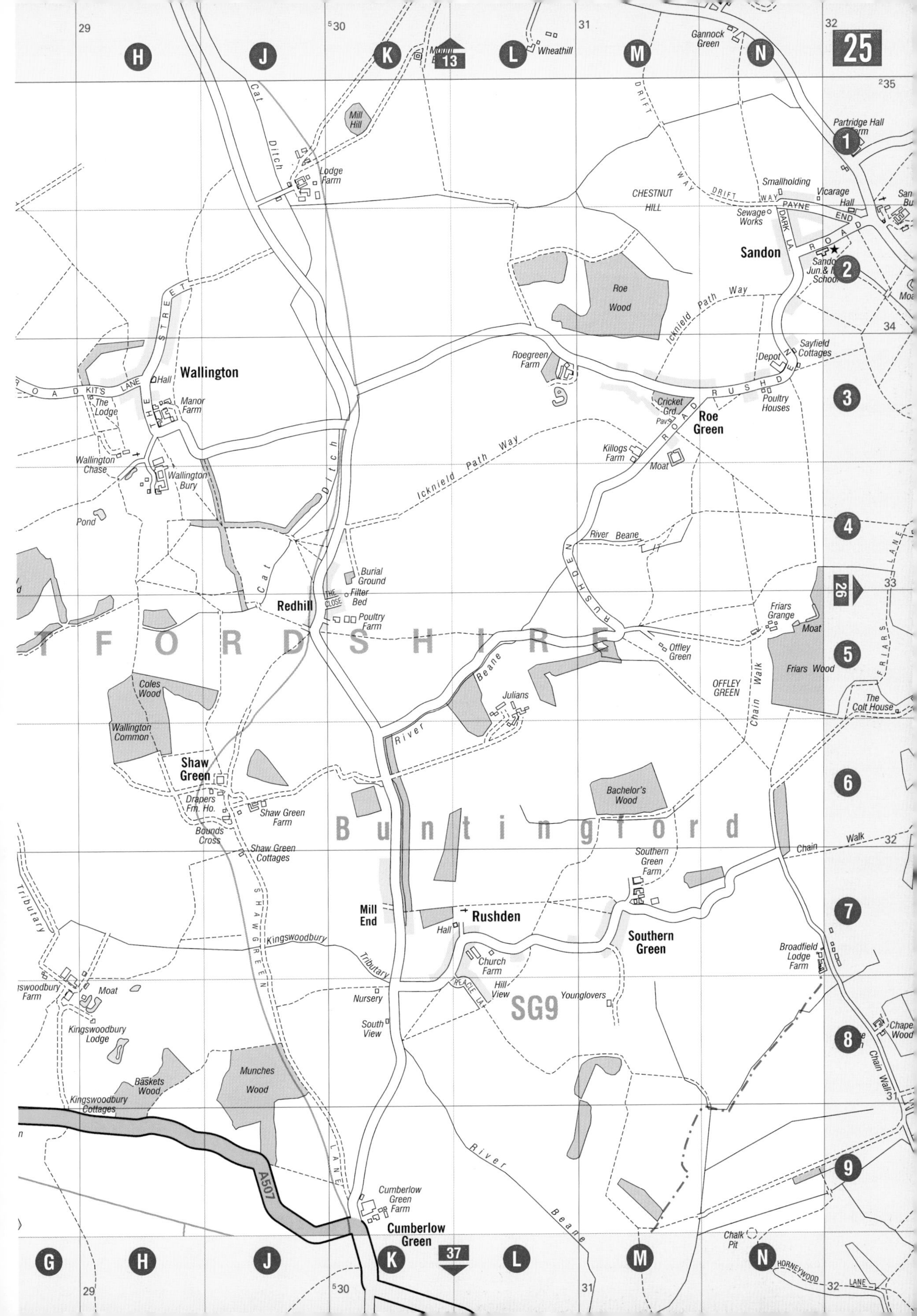

Wallington
Sandon
Roe Green
Redhill
Shaw Green
Rushden
Mill End
Southern Green
Cumberlow Green
Buntingford
SG9
Roe Wood
Friars Wood
Coles Wood
Wallington Common
Bachelor's Wood
Munches Wood
Baskets Wood
Lodge Farm
Mill Hill
Wheathill
Gannock Green
Partridge Hall Farm
Smallholding
Vicarage
Sewage Works
CHESTNUT HILL
Roegreen Farm
Depot
Sayfield Cottages
Cricket Grd.
Poultry Houses
Killogs Farm
Moat
Icknield Path Way
Cat Ditch
Burial Ground
Filter Bed
Poultry Farm
Friars Grange
Offley Green
OFFLEY GREEN
Chain Walk
The Colt House
Julians
River Beane
Manor Farm
The Lodge
Wallington Chase
Wallington Bury
Pond
Drapers Fm. Ho.
Shaw Green Farm
Bounds Cross
Shaw Green Cottages
Southern Green Farm
Church Farm
Hill View
Younglovers
Nursery
South View
Broadfield Lodge Farm
Kingswoodbury Lodge
Kingswoodbury Cottages
Cumberlow Green Farm
Chalk Pit
HORNEYWOOD LANE
A507

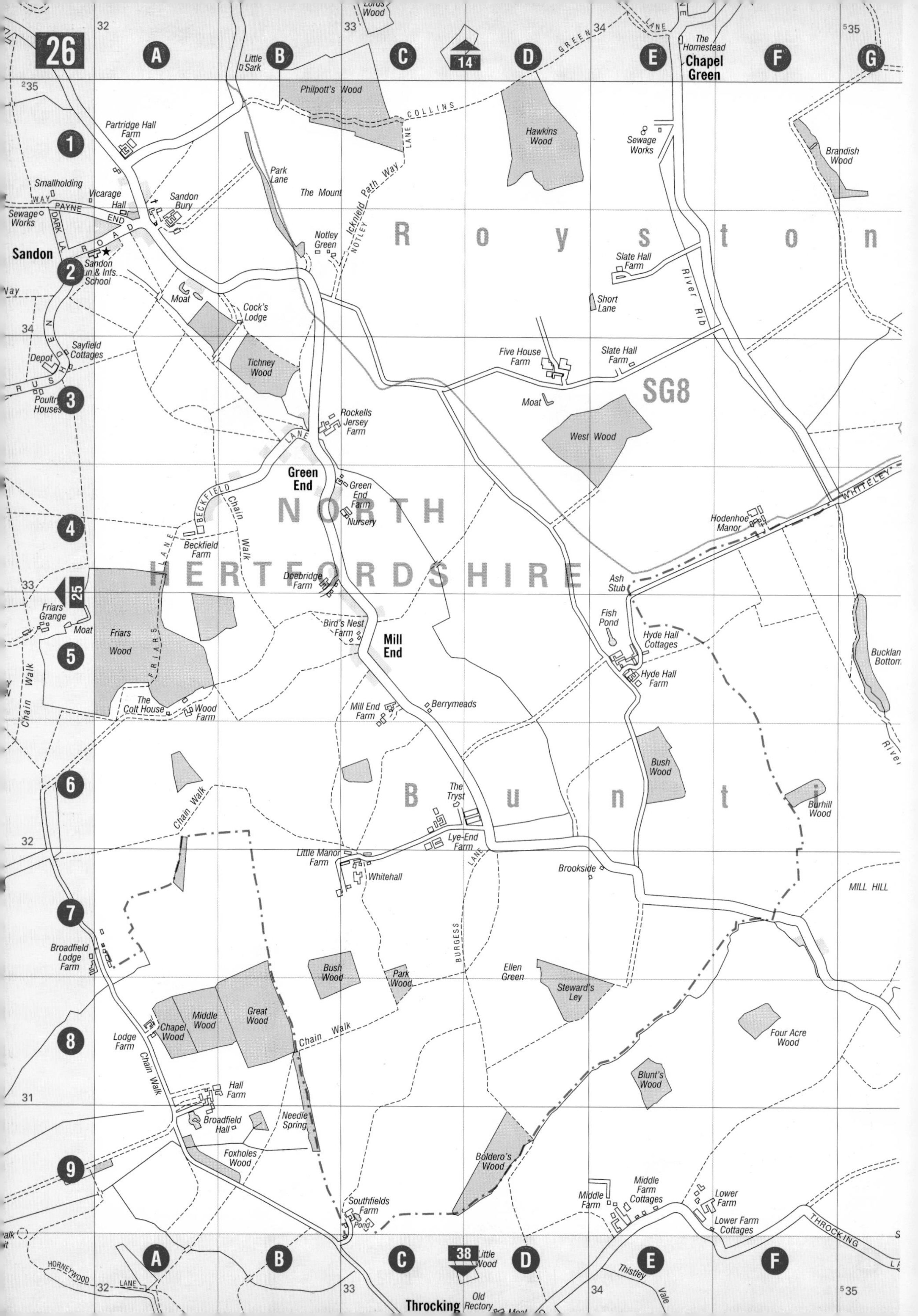

A B C 14 D E F G

The Homestead

Chapel Green

Lords Wood

Little Sark

Philpott's Wood

1

Partridge Hall Farm

Hawkins Wood

Sewage Works

Brandish Wood

Smallholding

Vicarage Hall

Sandon Bury

Park Lane

The Mount

COLLINS LANE

GREEN LANE

R o y s t o n

WAY

PAYNE END

DARK LANE

ROAD

Sewage Works

Sandon

2

Sandon Jun & Infs School

Moat

Cock's Lodge

Notley Green

Slate Hall Farm

Short Lane

River Rib

NOTLEY

ICKNIELD PATH WAY

GREEN RUSH Way

34

Depot

Sayfield Cottages

Tichney Wood

Five House Farm

Slate Hall Farm

SG8

3

Poultry Houses

Rockells Jersey Farm

Moat

West Wood

LANE

BECKFIELD LANE

Green End

Green End Farm

Nursery

N O R T H

Whiteley

Hodenhoe Manor

4

Beckfield Farm

CHAIN WALK

Doebridge Farm

Ash Stub

33

25

Friars Grange

Moat

H E R T F O R D S H I R E

Bird's Nest Farm

Mill End

Fish Pond

Hyde Hall Cottages

Bucklan Bottom

5

Friars Wood

FRIARS

Hyde Hall Farm

River

CHAIN WALK

The Colt House

Wood Farm

Mill End Farm

Berrymeads

6

Chain Walk

The Tryst

B u n t

Bush Wood

Burhill Wood

32

Lye-End Farm

Little Manor Farm

Whitehall

Brookside

MILL HILL

7

Broadfield Lodge Farm

BURGESS

Ellen Green

Steward's Ley

Four Acre Wood

31

Bush Wood

Park Wood

LANE

8

Lodge Farm

Chapel Wood

Middle Wood

Great Wood

Chain Walk

Blunt's Wood

Hall Farm

CHAIN WALK

Broadfield Hall

Needle Spring

THROCKING

9

Foxholes Wood

Boldero's Wood

Middle Farm

Middle Farm Cottages

Lower Farm

Southfields Farm

Pond

Lower Farm Cottages

VALE

HORNEYWOOD LANE

A B C 38 Little Wood D E Thistley F

Throcking

Old Rectory

Moat

32 33 34 35

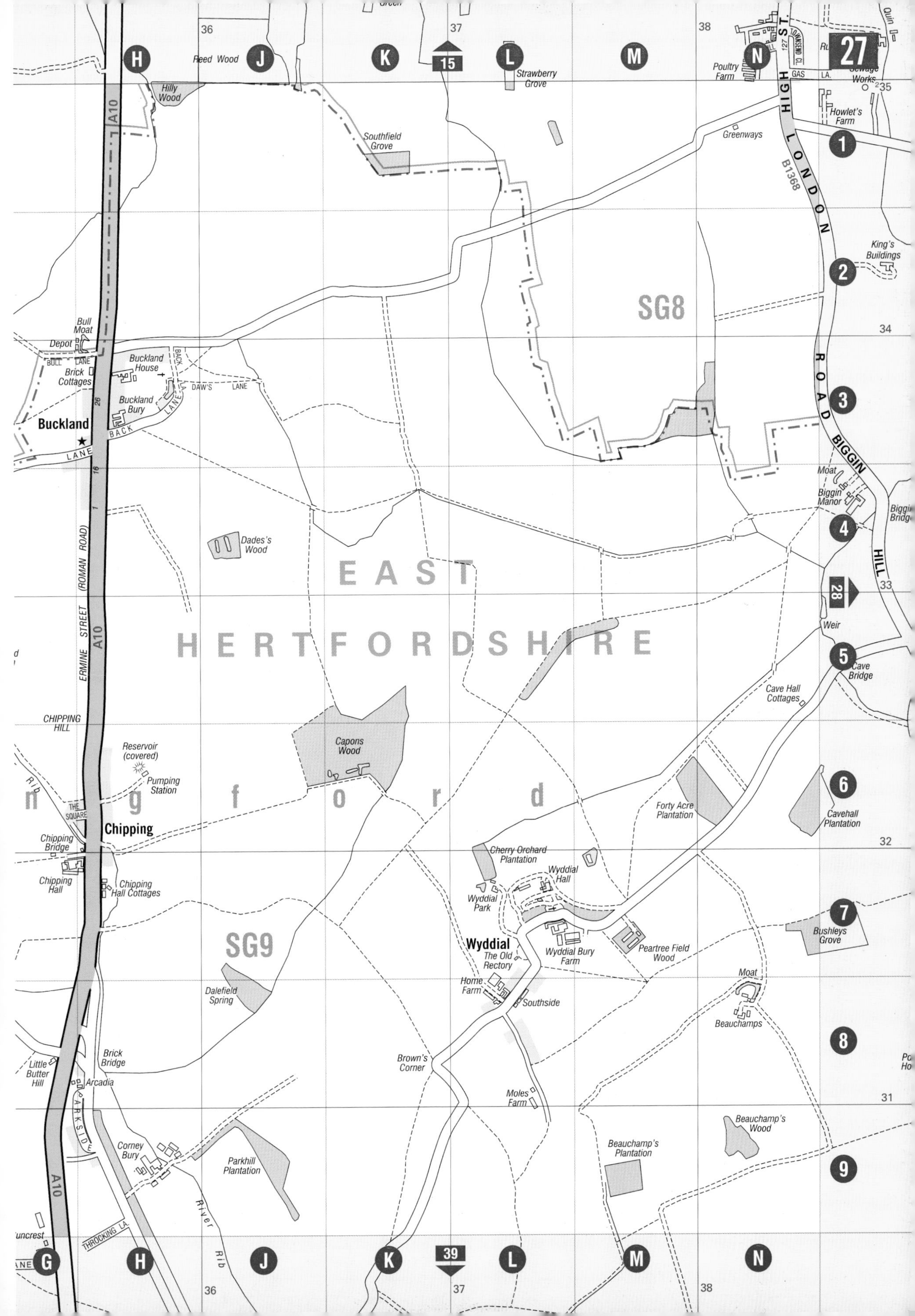
Reed Wood
Hilly Wood
Strawberry Grove
Southfield Grove
Poultry Farm
HIGH ST.
GAS LA.
Sewage Works
Howlet's Farm
Greenways
LONDON ROAD
B1368
King's Buildings
SG8
Bull Moat
Depot
BULL LANE
Brick Cottages
Buckland House
BACK LA.
DAW'S LANE
Buckland Bury
Buckland
BACK LANE
A10
ERMINE STREET (ROMAN ROAD)
Moat
Biggin Manor
BIGGIN HILL
Dades's Wood
EAST
HERTFORDSHIRE
Weir
Cave Bridge
Cave Hall Cottages
CHIPPING HILL
Reservoir (covered)
Pumping Station
Capons Wood
Forty Acre Plantation
Cavehall Plantation
THE SQUARE
Chipping
Chipping Bridge
Chipping Hall
Chipping Hall Cottages
Cherry Orchard Plantation
Wyddial Hall
Wyddial Park
Bushleys Grove
SG9
Wyddial
The Old Rectory
Wyddial Bury Farm
Peartree Field Wood
Dalefield Spring
Home Farm
Southside
Moat
Beauchamps
Brick Bridge
Little Butter Hill
Arcadia
Brown's Corner
Moles Farm
PARKSIDE
Beauchamp's Wood
Beauchamp's Plantation
Corney Bury
Parkhill Plantation
River Rib
THROCKING LA.
15
28
39
36
37
38
35
34
33
32
31

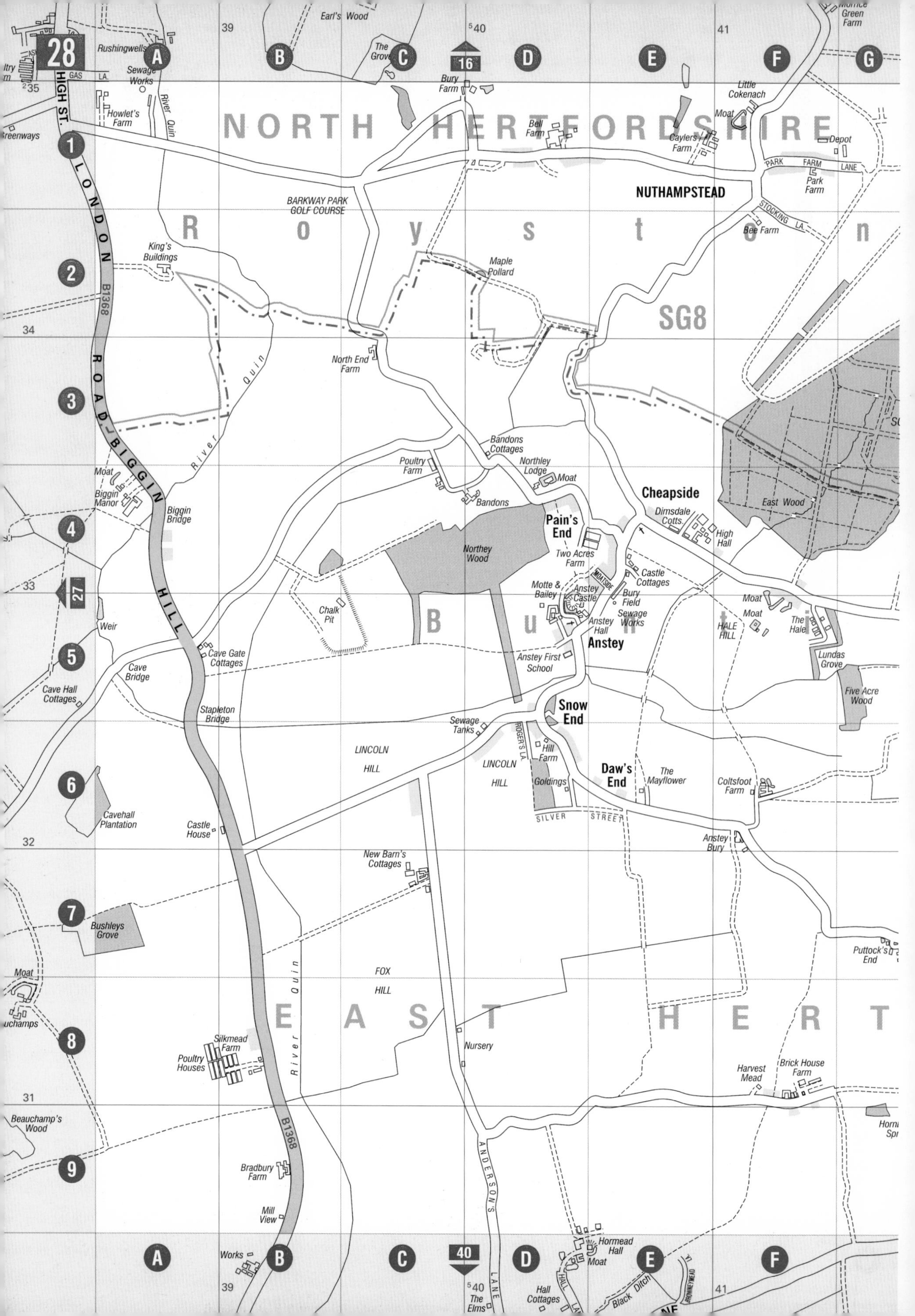

NORTH HERTFORDSHIRE
Royston
Buntingford
EAST HERT
NUTHAMPSTEAD
SG8
BARKWAY PARK GOLF COURSE
Earl's Wood
The Grove
Rushingwells
Sewage Works
Howlet's Farm
Greenways
River Quin
Bury Farm
Bell Farm
Little Cokenach
Moat
Caylers Farm
Depot
PARK FARM LANE
Park Farm
STOCKING LA.
Bee Farm
HIGH ST.
GAS LA.
LONDON ROAD
BIGGIN HILL
B1368
King's Buildings
Maple Pollard
North End Farm
Bandons Cottages
Northley Lodge
Moat
Poultry Farm
Bandons
Cheapside
Dimsdale Cotts.
High Hall
East Wood
Moat
Biggin Manor
Biggin Bridge
Pain's End
Northey Wood
Two Acres Farm
Castle Cottages
MOATSIDE
Motte & Bailey
Anstey Castle
Bury Field
Sewage Works
Anstey Hall
Anstey
Chalk Pit
HALE HILL
The Hale
Weir
Cave Gate Cottages
Anstey First School
Lundas Grove
Five Acre Wood
Cave Bridge
Cave Hall Cottages
Stapleton Bridge
Sewage Tanks
Snow End
ROGER'S LA.
Hill Farm
LINCOLN HILL
Goldings
Daw's End
The Mayflower
Coltsfoot Farm
SILVER STREET
Cavehall Plantation
Castle House
Anstey Bury
New Barn's Cottages
Bushleys Grove
Puttock's End
FOX HILL
Moat
Beauchamps
Silkmead Farm
Poultry Houses
Nursery
Harvest Mead
Brick House Farm
Beauchamp's Wood
ANDERSON'S LANE
Bradbury Farm
Mill View
Works
Hormead Hall
Moat
Hall Cottages
The Elms
Black Ditch
Morrice Green Farm
A B C D E F G
1 2 3 4 5 6 7 8 9
16
27
40
39
540
41
35
34
33
32
31

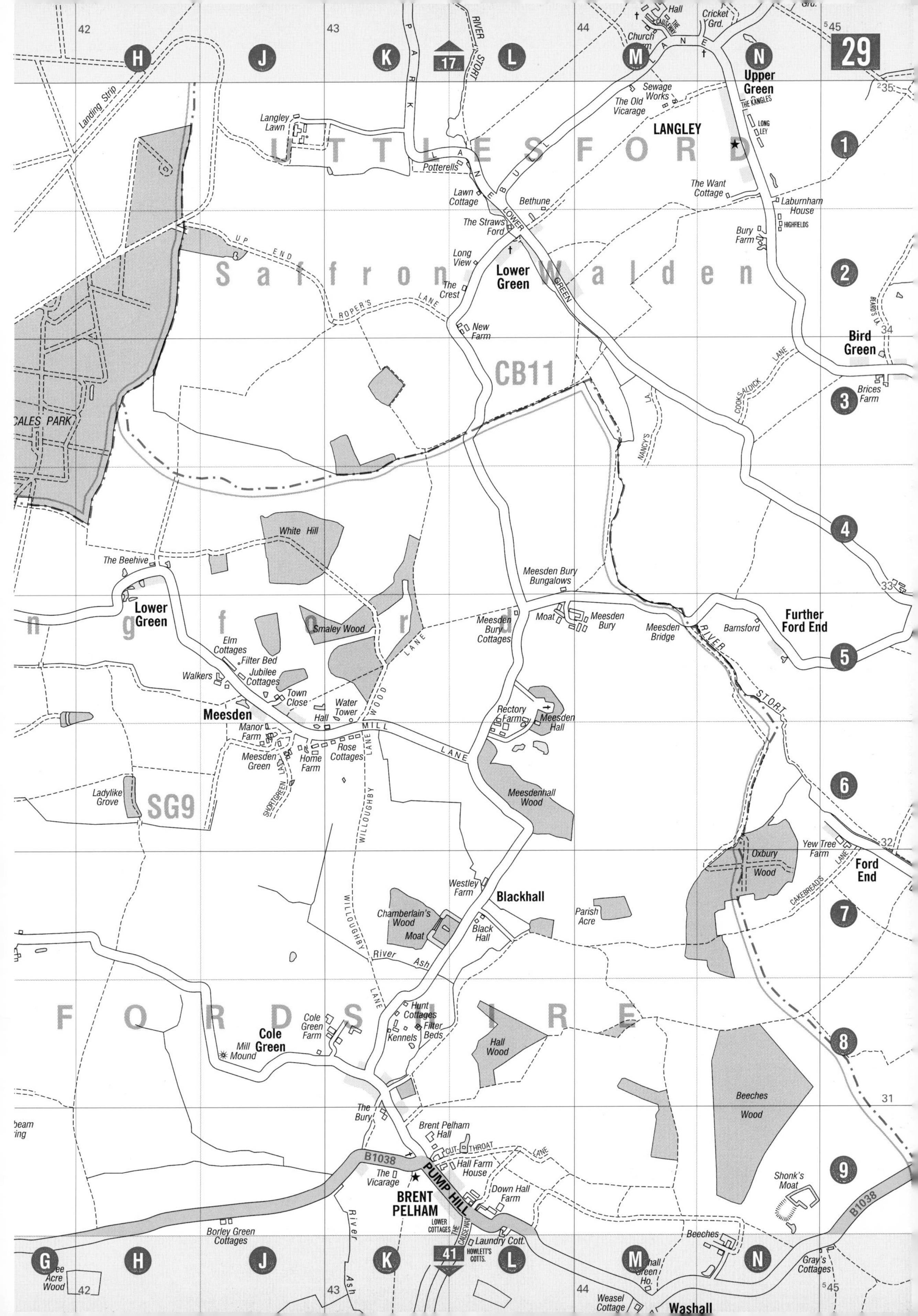

17
41
UTTLESFORD
Saffron Walden
FORDSHIRE
LANGLEY
Upper Green
Lower Green
Bird Green
Further Ford End
Ford End
Meesden
Blackhall
Cole Green
BRENT PELHAM
Washall
CB11
SG9
Langley Lawn
Potterells
Lawn Cottage
Bethune
The Straws Ford
Long View
The Crest
New Farm
The Old Vicarage
Sewage Works
The Want Cottage
Laburnham House
Bury Farm
Brices Farm
White Hill
The Beehive
Smaley Wood
Meesden Bury Bungalows
Meesden Bury Cottages
Moat
Meesden Bury
Meesden Bridge
Barnsford
Elm Cottages
Filter Bed
Jubilee Cottages
Walkers
Town Close
Water Tower
Hall
Manor Farm
Meesden Green
Home Farm
Rose Cottages
Rectory Farm
Meesden Hall
Meesdenhall Wood
Ladylike Grove
Oxbury Wood
Yew Tree Farm
Westley Farm
Chamberlain's Wood
Black Hall
Parish Acre
River Ash
Hunt Cottages
Filter Beds
Kennels
Cole Green Farm
Mill Mound
Hall Wood
Beeches Wood
The Bury
Brent Pelham Hall
Hall Farm House
The Vicarage
Down Hall Farm
Shonk's Moat
Borley Green Cottages
Laundry Cott.
Beeches
Gray's Cottages
Weasel Cottage
CALES PARK
Landing Strip
UP END
ROPER'S LANE
LOWER GREEN
RIVER STORT
PARK LANE
BURY LANE
MILL LANE
WOOD LANE
WILLOUGHBY LANE
SHORTGREEN LANE
COOKSALDICK LANE
NANCY'S LA.
CAKEBREAD'S LANE
BEARD'S LA.
CUT-THROAT LANE
PUMP HILL
THE CAUSEWAY
B1038
LOWER COTTAGES
HOWLETT'S COTTS.
THE KANGLES
LONG LEY
HIGHFIELDS
Church Farm
Hall
Cricket Grd.
H J K L M N
G H J K L M N
1 2 3 4 5 6 7 8 9
42 43 44 545
35 34 33 32 31

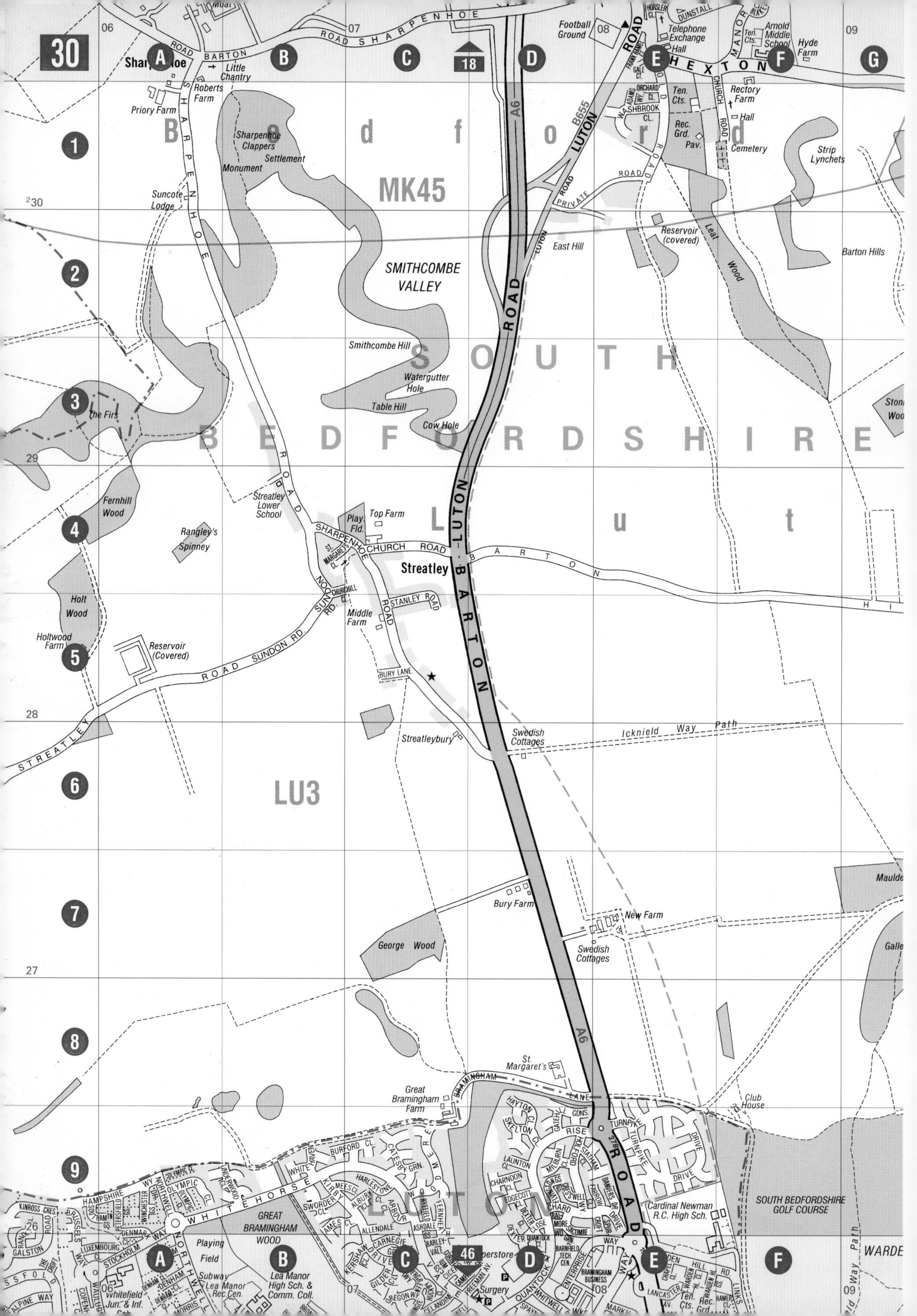

Sharpenhoe
Little Chantry
Roberts Farm
Priory Farm
BARTON ROAD
SHARPENHOE ROAD
Moat
18
A6
Football Ground
Telephone Exchange
Hall
HORSLER CL.
DUNSTALL
MANOR
Arnold Middle School
Ten. Cts.
Hyde Farm
HEXTON
Rectory Farm
Hall
CHURCH ROAD
Ten. Cts.
ORCHARD CL.
ADAMS WY.
WASHBROOK CL.
Rec. Grd.
Pav.
Cemetery
Strip Lynchets
B655
LUTON ROAD
PRIVATE ROAD
Bedford
Sharpenhoe Clappers
Settlement
Monument
Suncote Lodge
MK45
Reservoir (covered)
East Hill
Leat Wood
Barton Hills
SMITHCOMBE VALLEY
Smithcombe Hill
Watergutter Hole
Table Hill
Cow Hole
SOUTH
BEDFORDSHIRE
The Firs
Fernhill Wood
Streatley Lower School
Rangley's Spinney
Play. Fld.
Top Farm
Luton
ST. MARGARET'S CL.
CHURCH ROAD
LUTON ROAD
BARTON ROAD
Streatley
CHURCHILL CL.
SUNDON RD.
STANLEY ROAD
Middle Farm
Holt Wood
Holtwood Farm
Reservoir (Covered)
SUNDON RD.
BURY LANE
STREATLEY ROAD
Streatleybury
Swedish Cottages
Icknield Way Path
LU3
Bury Farm
New Farm
Swedish Cottages
George Wood
St. Margaret's
BRAMINGHAM LANE
Great Bramingham Farm
Club House
HAYTON CL.
SHELTON CL.
RISE
TURNPIKE
DRIVE
LAUNTON CL.
CHARNDON CL.
EDGECOTT CL.
BARTON ROAD
Cardinal Newman R.C. High Sch.
SOUTH BEDFORDSHIRE GOLF COURSE
BURFORD CL.
CATESBY GRN.
WHITEHORSE
HARLESTONE
ALLENDALE
ASHDALE
WOODMERE
LUTON
OLYMPIC CL.
HAMPSHIRE WY.
NORTHWELL DR.
KINROSS CRES.
BRUSSELS WAY
DENMARK WAY
LUXEMBOURG CL.
STOCKHOLM WAY
GALSTON
GREAT BRAMINGHAM WOOD
Playing Field
Subway
Lea Manor Rec. Cen.
Lea Manor High Sch. & Comm. Coll.
Whitefield Jun. & Inf.
DENHAM CL.
KERSHAW
CARNEGIE
46
Superstore
Surgery
FREEMAN AV.
QUANTOCK
BARNFIELD TECH. CEN.
ENTERPRISE WAY
BRAMINGHAM BUSINESS
WARDEN HILL RD.
Ten. Cts.
Rec. Grd.
LANCASTER AV.
WARDE
Icknield Way Path
Stoni Woo
Maulde
Galle
A B C D E F G
1 2 3 4 5 6 7 8 9
06 07 08 09
30 29 28 27 26

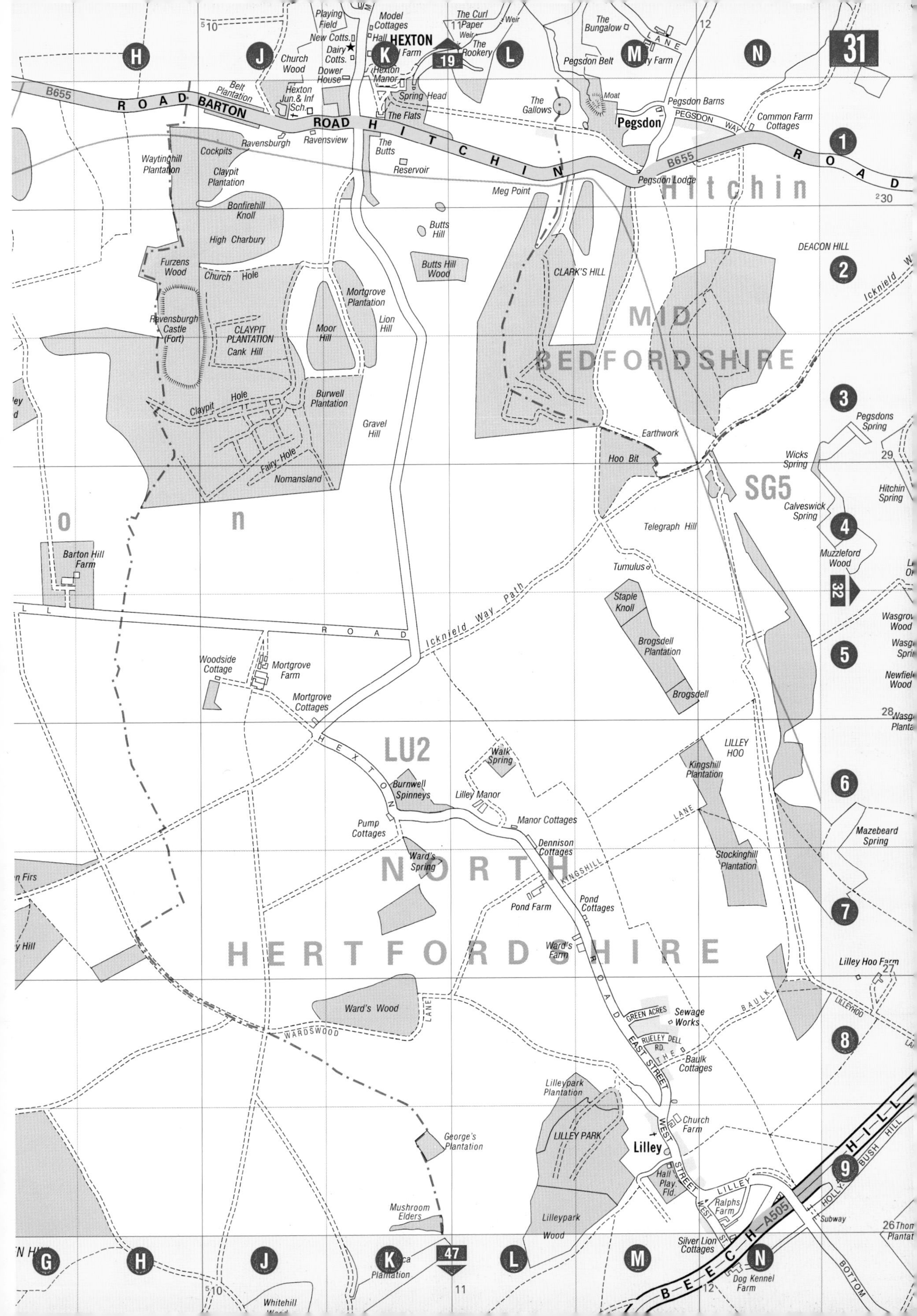
HEXTON
Playing Field
Model Cottages
New Cotts.
Dairy Cotts.
Church Wood
Dower House
Hexton Manor
Hall Farm
The Curl Paper
Weir
The Rookery
19
The Bungalow
Pegsdon Belt
Dairy Farm
LANE
Belt Plantation
Hexton Jun.& Inf Sch.
Spring Head
The Flats
The Gallows
Moat
Pegsdon Barns
Pegsdon
PEGSDON WAY
Common Farm Cottages
B655
ROAD BARTON
ROAD HITCHIN
Ravensburgh
Ravensview
The Butts
Reservoir
Waytinghill Plantation
Cockpits
Claypit Plantation
Meg Point
Pegsdon Lodge
Hitchin
Bonfirehill Knoll
High Charbury
Butts Hill
Butts Hill Wood
DEACON HILL
Furzens Wood
Church Hole
CLARK'S HILL
Icknield Way
Mortgrove Plantation
Lion Hill
Ravensburgh Castle (Fort)
CLAYPIT PLANTATION
Cank Hill
Moor Hill
MID BEDFORDSHIRE
Claypit Hole
Burwell Plantation
Gravel Hill
Earthwork
Pegsdons Spring
Wicks Spring
Hoo Bit
Fairy Hole
Nomansland
SG5
Hitchin Spring
Calveswick Spring
Telegraph Hill
Muzzleford Wood
Tumulus
Barton Hill Farm
32
Staple Knoll
ROAD
Icknield Way Path
Brogsdell Plantation
Wasgrove Wood
Woodside Cottage
Mortgrove Farm
Newfield Wood
Brogsdell
Mortgrove Cottages
HEXTON
LU2
LILLEY HOO
Walk Spring
Kingshill Plantation
Burnwell Spinneys
Lilley Manor
Pump Cottages
Manor Cottages
LANE
Mazebeard Spring
Dennison Cottages
Ward's Spring
NORTH
KINGSHILL
Stockinghill Plantation
Pond Farm
Pond Cottages
Ward's Farm
HERTFORDSHIRE
Lilley Hoo Farm
Ward's Wood
LANE
GREEN ACRES
Sewage Works
BAULK
LILLEYHOO
WARDSWOOD
RUELEY DELL RD.
THE
EAST STREET
Baulk Cottages
Lilleypark Plantation
Church Farm
George's Plantation
LILLEY PARK
Lilley
WEST STREET
Hall Play. Fld.
LILLEY
Ralphs Farm
HOLLY BUSH HILL
Mushroom Elders
Lilleypark Wood
Subway
Silver Lion Cottages
A505
BEECH HILL
Dog Kennel Farm
BOTTOM
47
Whitehill
Plantation
G H J K L M N
1 2 3 4 5 6 7 8 9
10 11 12 26 27 28 29 30

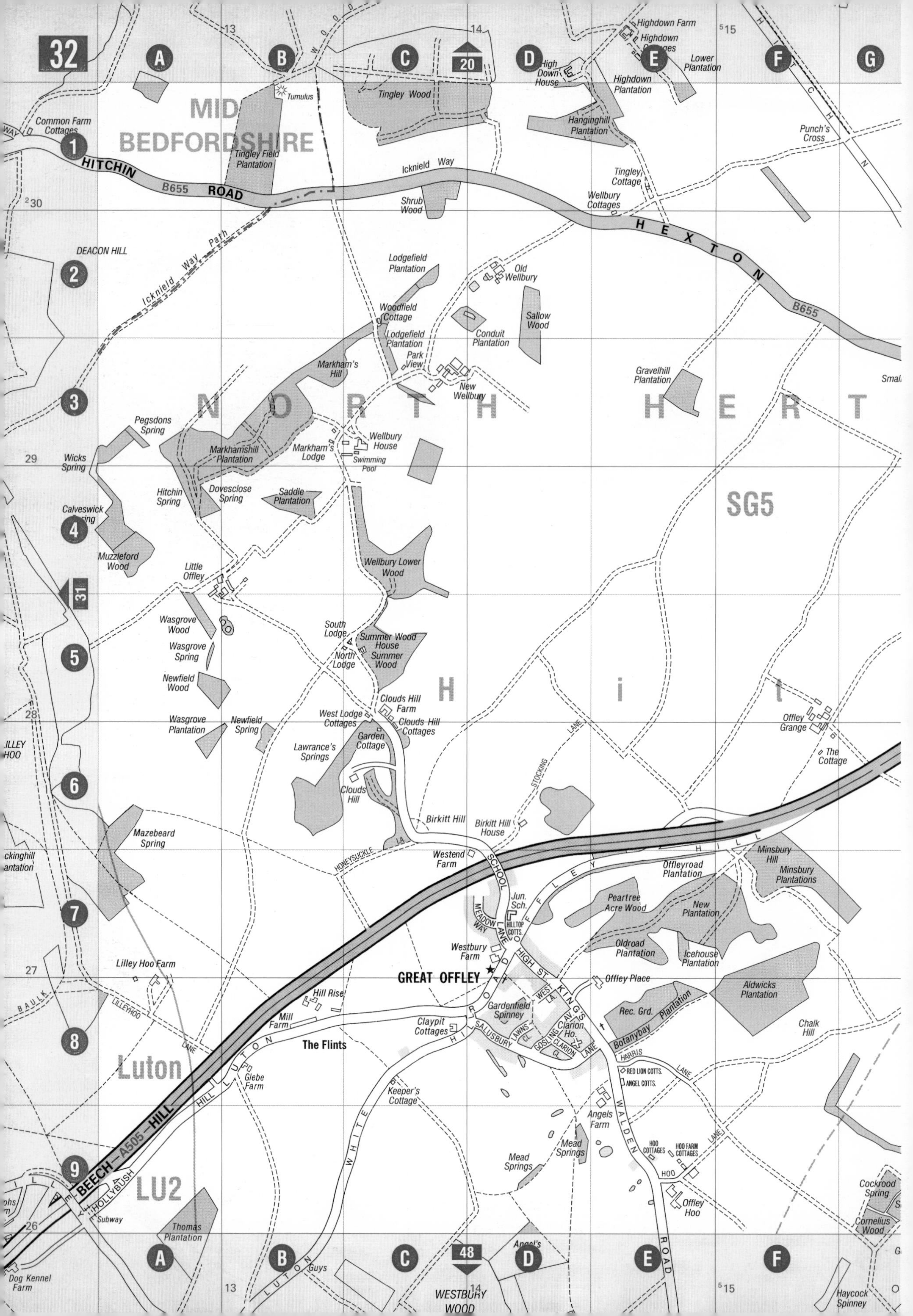
MID BEDFORDSHIRE
NORTH HERTS
Hitchin
SG5
Luton
LU2
HITCHIN B655 ROAD
HEXTON B655
Icknield Way
Icknield Way Path
Common Farm Cottages
Tumulus
Tingley Wood
Tingley Field Plantation
Highdown Farm
Highdown Cottages
High Down House
Lower Plantation
Highdown Plantation
Hanginghill Plantation
Punch's Cross
Tingley Cottage
Wellbury Cottages
Shrub Wood
DEACON HILL
Lodgefield Plantation
Old Wellbury
Woodfield Cottage
Sallow Wood
Conduit Plantation
Markham's Hill
Park View
New Wellbury
Gravelhill Plantation
Pegsdons Spring
Markhamshill Plantation
Markham's Lodge
Wellbury House
Swimming Pool
Wicks Spring
Hitchin Spring
Dovesclose Spring
Saddle Plantation
Calveswick Spring
Muzzleford Wood
Wellbury Lower Wood
Little Offley
Wasgrove Wood
Wasgrove Spring
South Lodge
Summer Wood House
Summer Wood
North Lodge
Newfield Wood
Clouds Hill Farm
West Lodge Cottages
Clouds Hill Cottages
Wasgrove Plantation
Newfield Spring
Garden Cottage
Offley Grange
The Cottage
Lawrance's Springs
Clouds Hill
STOCKING LANE
Mazebeard Spring
Birkitt Hill
Birkitt Hill House
HONEYSUCKLE LA.
Westend Farm
SCHOOL LANE
Minsbury Hill
Minsbury Plantations
OFFLEY HILL
Offleyroad Plantation
Peartree Acre Wood
New Plantation
Jun. Sch.
MEADOW WAY
HILLTOP COTTS.
Oldroad Plantation
Icehouse Plantation
Westbury Farm
HIGH ST.
GREAT OFFLEY
Offley Place
Aldwicks Plantation
Lilley Hoo Farm
Hill Rise
WEST LA.
KINGS
Gardenfield Spinney
Rec. Grd.
Botanybay Plantation
Chalk Hill
BAULK
LILLEYHOO LANE
Mill Farm
Claypit Cottages
SALUSBURY
LAWNS CL.
GOSLING AV.
CLARION CL.
Clarion Ho.
LANE
The Flints
HARRIS LANE
RED LION COTTS.
ANGEL COTTS.
LUTON HILL
Glebe Farm
Keeper's Cottage
WHITE HILL
WALDEN ROAD
Angels Farm
Mead Springs
HOO COTTAGES
HOO FARM COTTAGES
HOO LANE
BEECH HILL A505
HOLLYBUSH
Offley Hoo
Cockrood Spring
Cornelius Wood
Subway
Thomas Plantation
Angel's
LUTON
Guys
WESTBURY WOOD
Dog Kennel Farm
Haycock Spinney
20
31
48
A B C D E F G
1 2 3 4 5 6 7 8 9
13 14 15
30 29 28 27 26

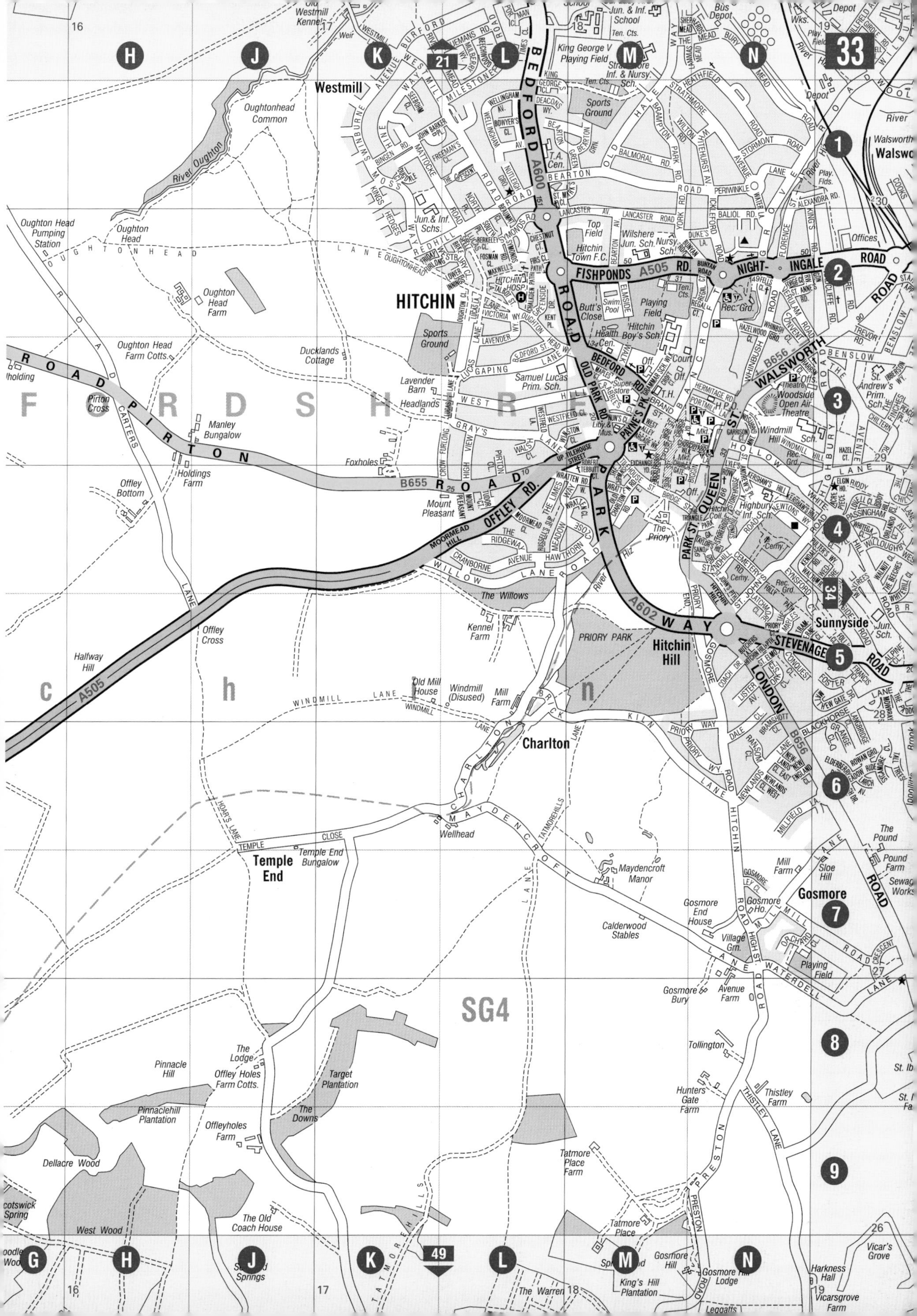
H
J
K
21
L
M
N
Westmill
Oughtonhead Common
River Oughton
Oughton Head Pumping Station
Oughton Head
OUGHTON HEAD LANE
Oughton Head Farm
HITCHIN
Sports Ground
Oughton Head Farm Cotts.
Ducklands Cottage
PIRTON ROAD
Pirton Cross
Manley Bungalow
Holdings Farm
Offley Bottom
CARTERS LANE
Foxholes
B655 ROAD
Mount Pleasant
OFFLEY RD.
MOORMEAD HILL
A505
Offley Cross
Halfway Hill
BEDFORD ROAD
A600
King George V Playing Field
Strathmore Inf. & Nursy. Sch.
Sports Ground
T.A. Cen.
Jun. & Inf. Schs.
Top Field
Hitchin Town F.C.
Wilshere Jun. Sch.
FISHPONDS A505 RD.
NIGHTINGALE ROAD
Butt's Close
Swim Pool
Playing Field
Hitchin Boy's Sch.
Health Cen.
Samuel Lucas Prim. Sch.
Lavender Barn
Headlands
OLD PARK RD
PAYNE'S PK.
Liby. & Mus.
T.H.
Theatre
Woodside Open Air Theatre
WALSWORTH RD.
B656
St. Andrew's Prim. Sch.
Windmill Hill
Highbury Inf. Sch.
The Priory
Hitchin Coll.
QUEEN ST.
Cemy.
PARK ST.
PARK
The Willows
Kennel Farm
PRIORY PARK
Hitchin Hill
A602 WAY
STEVENAGE ROAD
LONDON ROAD
Sunnyside
34
Old Mill House
Windmill (Disused)
Mill Farm
WINDMILL LANE
Charlton
KILN LANE
PRIORY WAY
Wellhead
TEMPLE CLOSE
Temple End
Temple End Bungalow
HOAR'S LANE
MAYDENCROFT LANE
Maydencroft Manor
TATMOREHILLS
Calderwood Stables
Gosmore End House
Gosmore
Mill Farm
Sloe Hill
The Pound
Pound Farm
Sewage Works
Playing Field
Village Grn.
WATERDELL LANE
HIGH ST.
Gosmore Bury
Avenue Farm
SG4
Tollington
Hunters Gate Farm
Thistley Farm
THISTLEY LANE
PRESTON ROAD
The Lodge
Pinnacle Hill
Offley Holes Farm Cotts.
Target Plantation
The Downs
Pinnaclehill Plantation
Offleyholes Farm
Dellacre Wood
Tatmore Place Farm
Cotswick Spring
West Wood
The Old Coach House
Tatmore Place
Gosmore Hill
Vicar's Grove
Harkness Hall
Spring Wood
King's Hill Plantation
The Warren
Gosmore Hill Lodge
Vicarsgrove Farm
Leggatts
G
49
1
2
3
4
5
6
7
8
9
16
17
18
19
26
27
28
29
30
FORDSHIRE
Chiltern

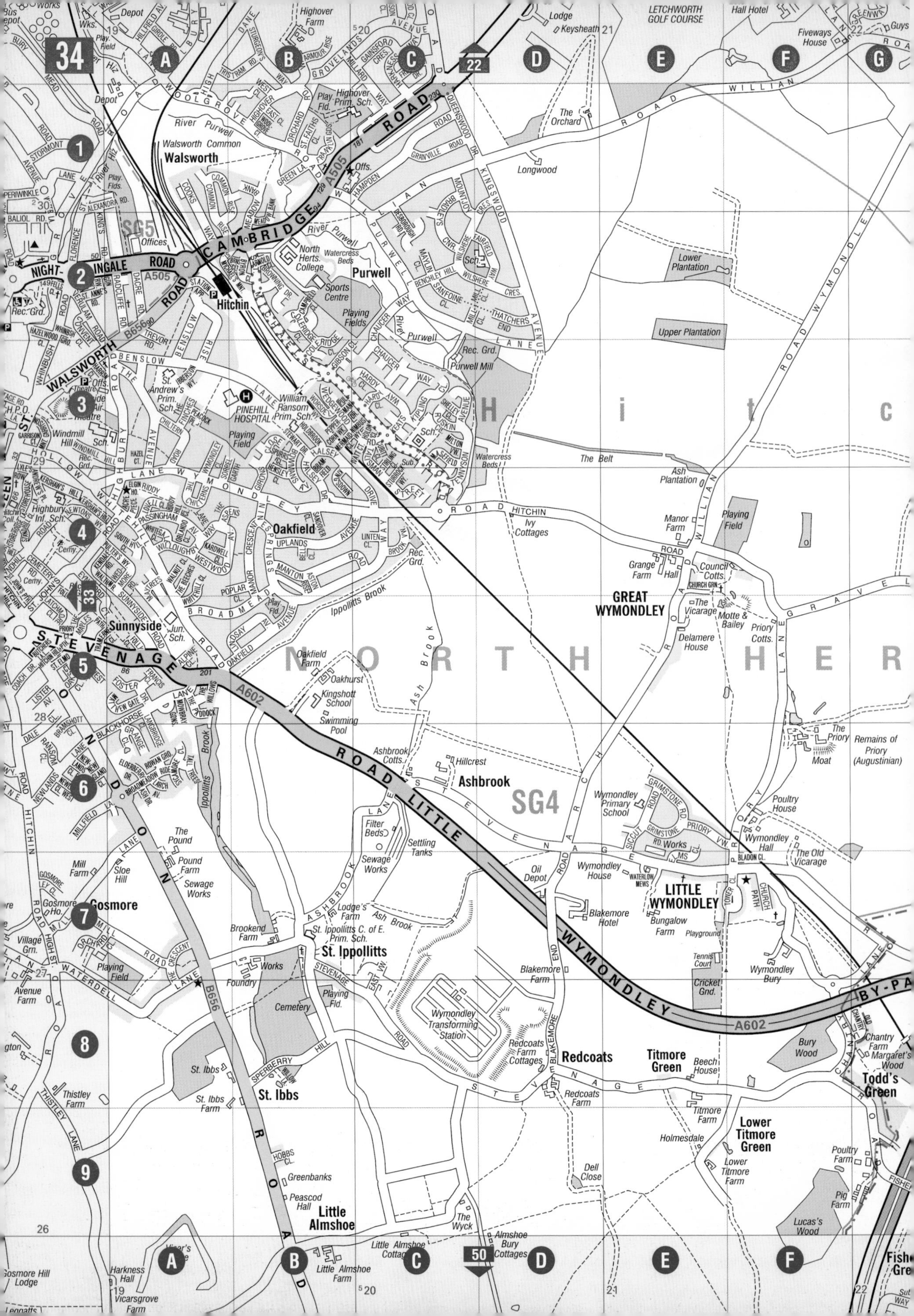
34
A
B
C
D
E
F
G
22
50
33
LETCHWORTH GOLF COURSE
Hall Hotel
Fiveways House
Highover Farm
Lodge
Keysheath
The Orchard
Longwood
WILLIAN ROAD
Walsworth
Walsworth Common
River Purwell
CAMBRIDGE ROAD
A505
NIGHTINGALE ROAD
WALSWORTH ROAD
B656
Hitchin
SG5
Offices
Highover Prim. Sch.
North Herts. College
Watercress Beds
Sports Centre
Purwell
Playing Fields
Rec. Grd.
Purwell Mill
Lower Plantation
Upper Plantation
St. Andrew's Prim. Sch.
PINEHILL HOSPITAL
William Ransom Prim. Sch.
Playing Field
Windmill Hill
Highbury Inf. Sch.
Oakfield
Cemy.
Sunnyside
Jun. Sch.
The Belt
Ash Plantation
HITCHIN ROAD
Ivy Cottages
Manor Farm
Grange Farm
Hall
Council Cotts.
GREAT WYMONDLEY
The Vicarage
Motte & Bailey
Priory Cotts.
Delamere House
Ippollitts Brook
Ash Brook
STEVENAGE ROAD
A602
Oakfield Farm
Oakhurst
Kingshott School
Swimming Pool
Ashbrook Cotts.
Hillcrest
Ashbrook
SG4
NORTH HER
Hitc
The Priory
Remains of Priory (Augustinian)
Moat
Poultry House
Wymondley Primary School
Wymondley Hall
The Old Vicarage
Works
Oil Depot
Wymondley House
LITTLE WYMONDLEY
Blakemore Hotel
Bungalow Farm
Playground
Tennis Court
Cricket Gnd.
Wymondley Bury
LITTLE WYMONDLEY BY-PASS
Filter Beds
Settling Tanks
Sewage Works
The Pound
Pound Farm
Mill Farm
Sloe Hill
Sewage Works
Gosmore
Village Grn.
Brookend Farm
Lodge's Farm
St. Ippollitts C. of E. Prim. Sch.
St. Ippollitts
Works
Foundry
Playing Field
Cemetery
Playing Fld.
Blakemore Farm
Wymondley Transforming Station
Redcoats Farm Cottages
Redcoats
Titmore Green
Beech House
Bury Wood
Chantry Farm
Margaret's Wood
Todd's Green
Avenue Farm
Thistley Farm
St. Ibbs
St. Ibbs Farm
Redcoats Farm
Titmore Farm
Lower Titmore Green
Holmesdale
Lower Titmore Farm
Dell Close
Greenbanks
Peascod Hall
Little Almshoe
The Wyck
Almshoe Bury Cottages
Little Almshoe Cottages
Little Almshoe Farm
Poultry Farm
Pig Farm
Lucas's Wood
Harkness Hall
Gosmore Hill Lodge
Vicarsgrove Farm
19
20
21
22
26
27
28
29
30

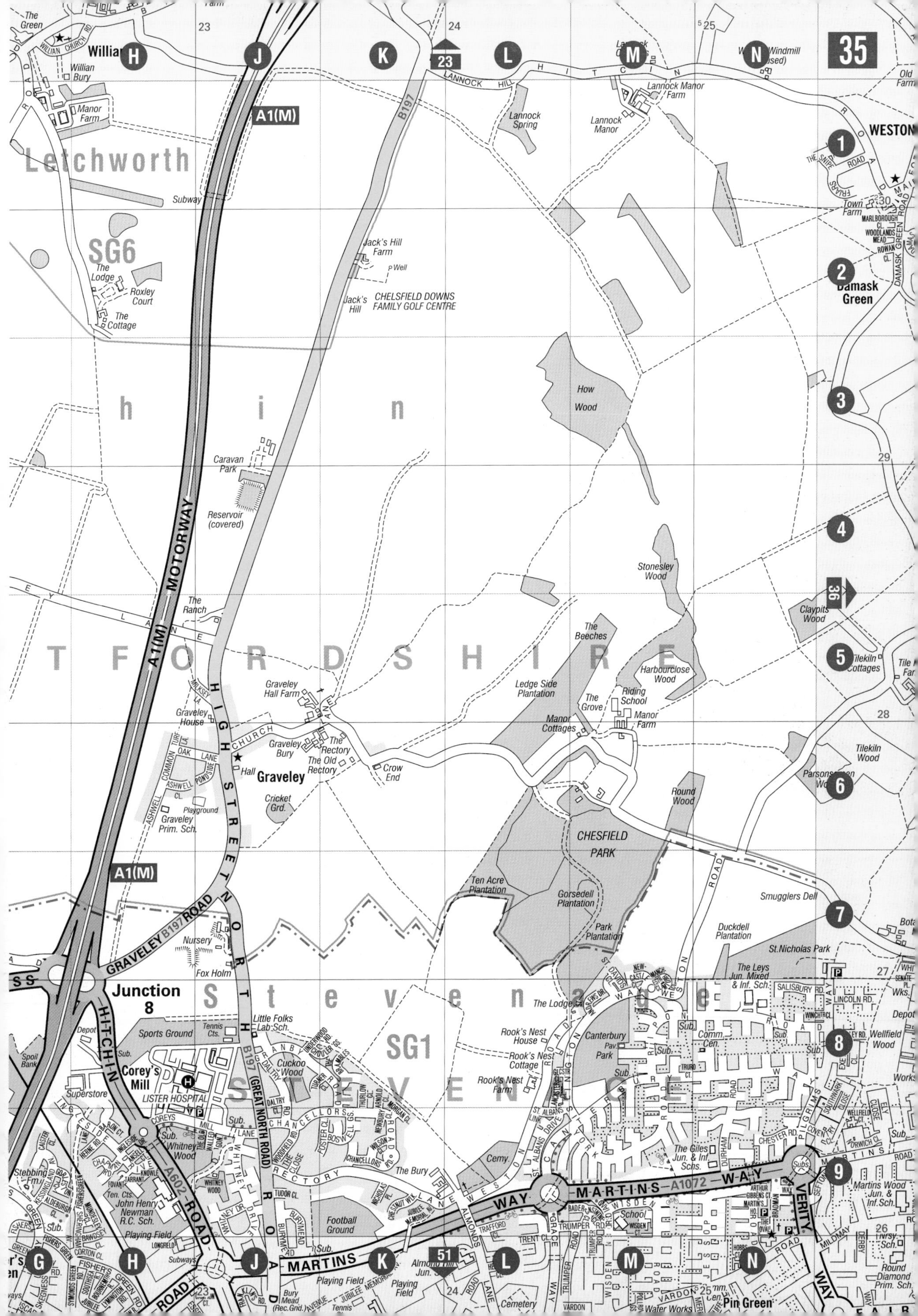
Letchworth
SG6
William
Willian Bury
Manor Farm
Subway
The Lodge
Roxley Court
The Cottage
A1(M)
A1(M) MOTORWAY
LANNOCK HILL
HITCHIN ROAD
Lannock Spring
Lannock Manor
Lannock Manor Farm
Windmill (disused)
WESTON
Old Farm
Town Farm
Damask Green
Jack's Hill Farm
Jack's Hill
CHELSFIELD DOWNS FAMILY GOLF CENTRE
How Wood
Caravan Park
Reservoir (covered)
Stonesley Wood
Claypits Wood
Tilekiln Cottages
Tilekiln Wood
The Ranch
The Beeches
Harbourclose Wood
Ledge Side Plantation
Riding School
The Grove
Manor Cottages
Manor Farm
Graveley Hall Farm
Graveley House
Graveley Bury
The Rectory
The Old Rectory
Crow End
Graveley
Cricket Grd.
Playground
Graveley Prim. Sch.
HIGH STREET
NORTH ROAD
Round Wood
CHESFIELD PARK
Ten Acre Plantation
Gorsedell Plantation
Park Plantation
Smugglers Dell
Duckdell Plantation
St.Nicholas Park
The Leys Jun. Mixed & Inf. Sch.
Nursery
Fox Holm
GRAVELEY B197 ROAD
Junction 8
HITCHIN ROAD
Sports Ground
Tennis Cts.
Little Folks Lab.Sch.
SG1
Stevenage
STEVENAGE
Corey's Mill
LISTER HOSPITAL
Superstore
Cuckoo Wood
Whitney Wood
The Bury
Rook's Nest House
Rook's Nest Cottage
Rook's Nest Farm
Canterbury Park
Comm. Cen.
Cemy.
The Giles Jun. & Inf. Schs.
MARTINS WAY A1072
Football Ground
John Henry Newman R.C. Sch.
Ten. Cts.
Playing Field
Stebbing Fm.
Playing Field
Almond Hill Jun. Sch.
Bury Mead (Rec.Grnd.)
Cemetery
Water Works
Pin Green
Martins Wood Jun. & Inf.Sch.
Round Diamond Prim. Sch.
Wellfield Wood
Depot
Works
23
24
25
51
36

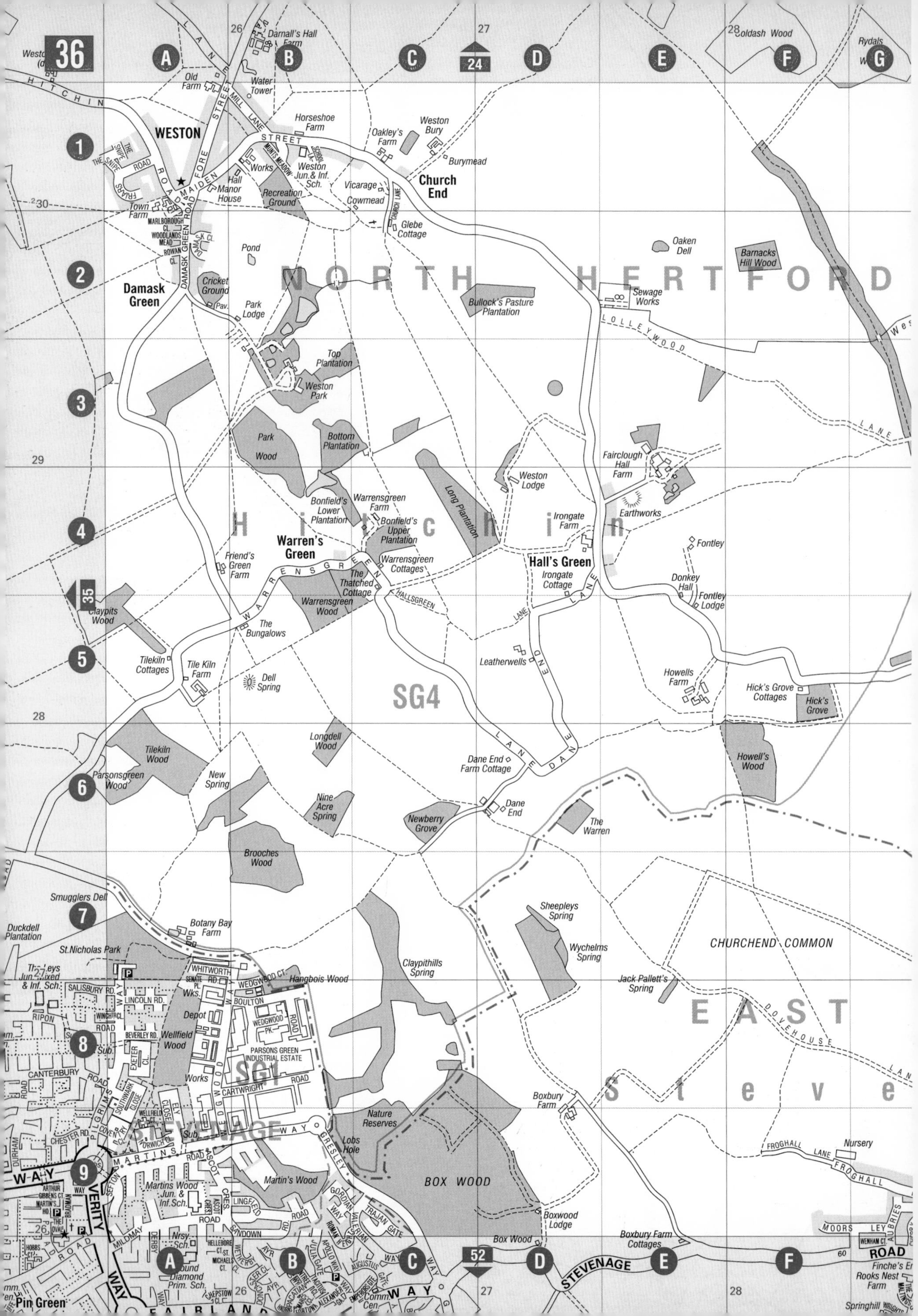

WESTON
Church End
Damask Green
Warren's Green
Hall's Green
NORTH HERTFORD
Hitchin
SG4
SG1
EAST
Steve
STEVENAGE
Darnall's Hall Farm
Old Farm
Water Tower
Horseshoe Farm
Oakley's Farm
Weston Bury
Burymead
Weston Jun.& Inf. Sch.
Recreation Ground
Hall Manor House
Vicarage
Cowmead
Glebe Cottage
Town Farm
Pond
Cricket Ground
Park Lodge
Top Plantation
Weston Park
Park Wood
Bottom Plantation
Bonfield's Lower Plantation
Warrensgreen Farm
Bonfield's Upper Plantation
Long Plantation
Bullock's Pasture Plantation
Oaken Dell
Barnacks Hill Wood
Sewage Works
Fairclough Hall Farm
Weston Lodge
Earthworks
Irongate Farm
Irongate Cottage
Fontley
Donkey Hall
Fontley Lodge
Friend's Green Farm
Warrensgreen Cottages
The Thatched Cottage
Warrensgreen Wood
Claypits Wood
The Bungalows
Tilekiln Cottages
Tile Kiln Farm
Dell Spring
Leatherwells
Howells Farm
Hick's Grove Cottages
Hick's Grove
Howell's Wood
Tilekiln Wood
Parsonsgreen Wood
New Spring
Longdell Wood
Dane End Farm Cottage
Dane End
Nine Acre Spring
Newberry Grove
The Warren
Brooches Wood
Smugglers Dell
Duckdell Plantation
Botany Bay Farm
St.Nicholas Park
Sheepleys Spring
Wychelms Spring
CHURCHEND COMMON
Claypithills Spring
Hangbois Wood
Jack Pallett's Spring
Wellfield Wood
Depot
PARSONS GREEN INDUSTRIAL ESTATE
Boxbury Farm
Nature Reserves
Lobs Hole
BOX WOOD
Martin's Wood
Martins Wood Jun. & Inf.Sch.
Boxwood Lodge
Box Wood
Boxbury Farm Cottages
Nursery
Round Diamond Prim. Sch.
Pin Green
Rookes Nest Farm
Springhill
Coldash Wood
Rydals

24
35
52

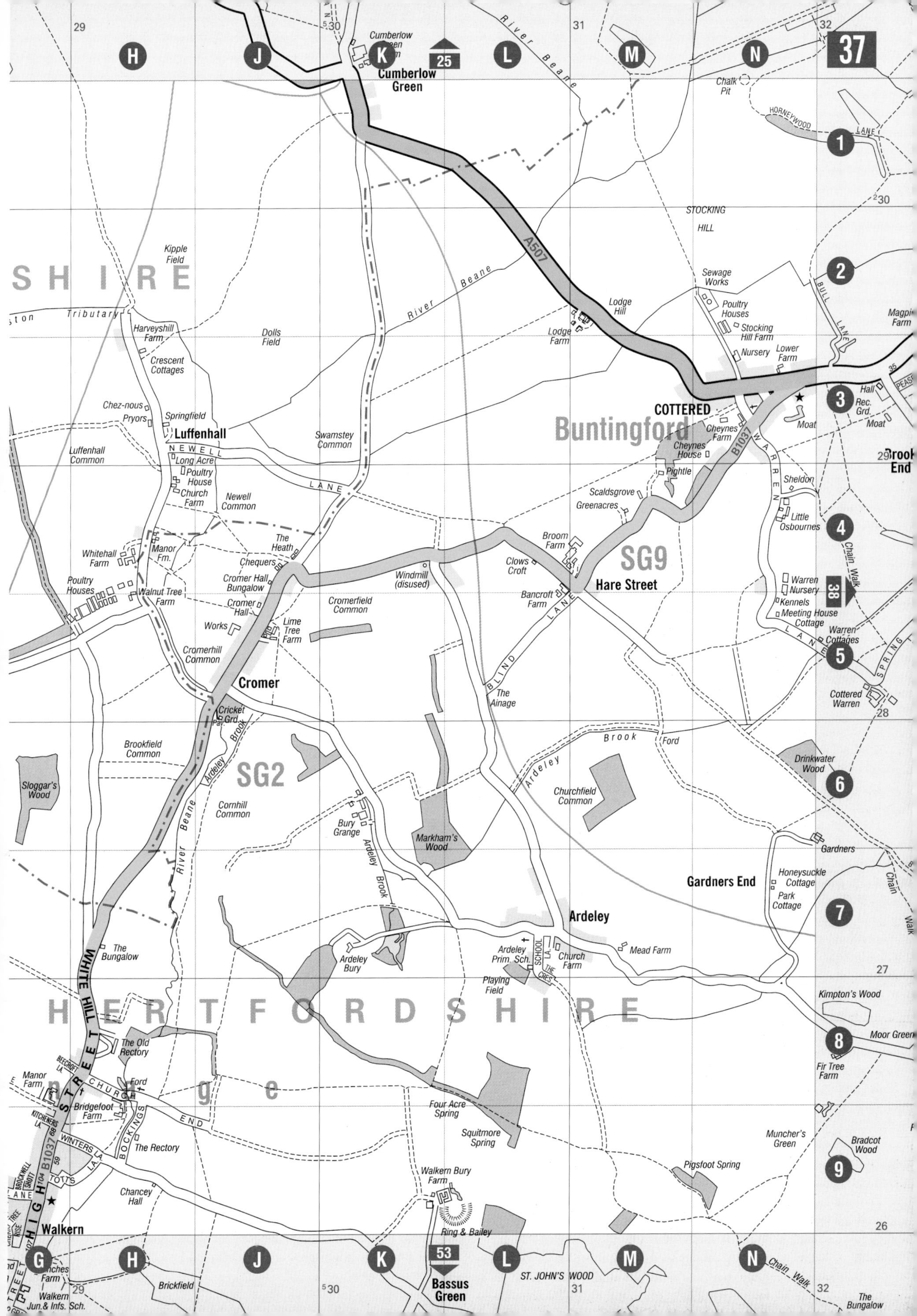
Cumberlow Green Farm
Cumberlow Green
25
River Beane
Chalk Pit
HORNEYWOOD LANE
STOCKING HILL
Kipple Field
SHIRE
Tributary
Harveyshill Farm
Crescent Cottages
Dolls Field
River Beane
A507
Lodge Hill
Lodge Farm
Sewage Works
Poultry Houses
Stocking Hill Farm
Nursery
Lower Farm
BULL LANE
Magpie Farm
Hall
Rec. Grd.
Moat
COTTERED
Buntingford
Cheynes Farm
Cheynes House
B1037
WARREN
Chez-nous
Pryors
Springfield
Luffenhall
Luffenhall Common
Swamstey Common
NEWELL LANE
Long Acre
Poultry House
Church Farm
Newell Common
Pightle
Sheldon
Brook End
Scaldsgrove
Greenacres
Little Osbournes
The Heath
Whitehall Farm
Manor Fm.
Chequers
Cromer Hall Bungalow
Broom Farm
Clows Croft
SG9
Chain Walk
Poultry Houses
Walnut Tree Farm
Cromer Hall
Windmill (disused)
Bancroft Farm
Hare Street
Warren Nursery
Kennels
Meeting House Cottage
38
Cromerfield Common
Works
Lime Tree Farm
Warren Cottages
LANE
SPRING
Cromerhill Common
Cromer
BLIND LANE
The Ainage
Cottered Warren
Cricket Grd.
Pav.
Brookfield Common
Ardeley Brook
Ford
Drinkwater Wood
Sloggar's Wood
SG2
Churchfield Common
Cornhill Common
River Beane
Bury Grange
Ardeley Brook
Markham's Wood
Gardners
Honeysuckle Cottage
Park Cottage
Gardners End
Ardeley
The Bungalow
WHITE HILL
Ardeley Bury
Ardeley Prim. Sch.
SCHOOL LA.
THE CRES.
Church Farm
Mead Farm
Playing Field
Kimpton's Wood
HERTFORDSHIRE
Moor Green
The Old Rectory
BEECROFT LA.
Manor Farm
CHURCH
Ford
Bridgefoot Farm
END
Fir Tree Farm
KITCHENERS LA.
BOCKINGS
Four Acre Spring
WINTERS LA.
The Rectory
Squitmore Spring
Muncher's Green
Bradcot Wood
BROCKWELL SHOTT
TOTTS LA.
LANE
Chancey Hall
Pigsfoot Spring
Walkern Bury Farm
Ring & Bailey
HIGH STREET
Walkern
Finches Farm
Brickfield
53
Bassus Green
ST. JOHN'S WOOD
Chain Walk
The Bungalow
Walkern Jun.& Infs. Sch.
29
30
31
32
H
J
K
L
M
N
G
1
2
3
4
5
6
7
8
9
26
27
28

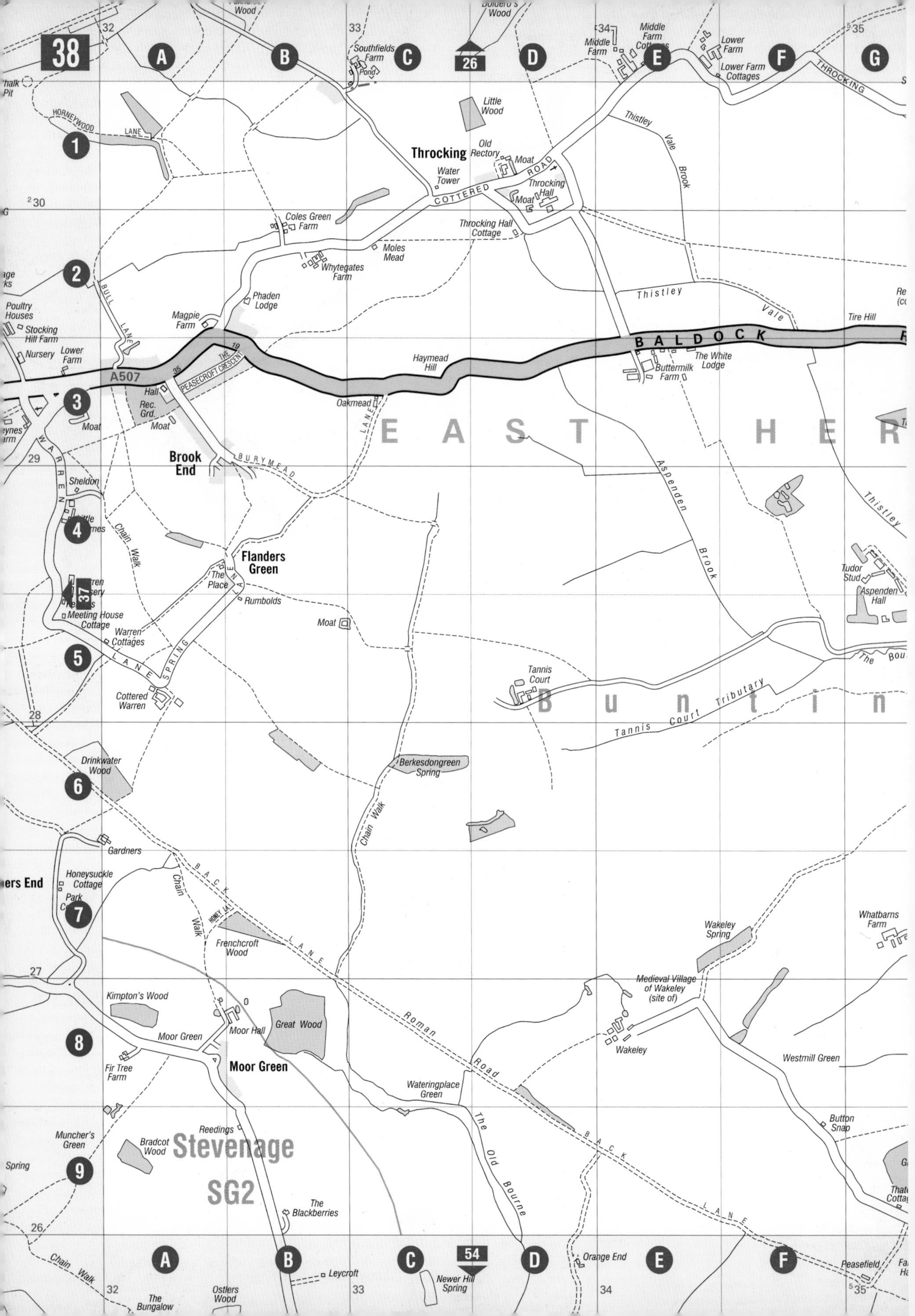

A
B
C
D
E
F
G
1
2
3
4
5
6
7
8
9
32
33
34
35
30
29
28
27
26
26
54
37
Throcking
Brook End
Flanders Green
Moor Green
Stevenage
SG2
EAST HER
Buntin
BALDOCK
A507
COTTERED ROAD
THROCKING
HORNEYWOOD LANE
BULL LANE
WARREN
SPRING LANE
BURYMEAD
THE PEASECROFT CRESCENT
BACK LANE
Roman Road
The Old Bourne
Chain Walk
Little Wood
Old Rectory
Moat
Water Tower
Throcking Hall
Throcking Hall Cottage
Coles Green Farm
Moles Mead
Whytegates Farm
Phaden Lodge
Magpie Farm
Southfields Farm
Pond
Middle Farm
Middle Farm Cottages
Lower Farm
Lower Farm Cottages
Thistley
Vale
Brook
Poultry Houses
Stocking Hill Farm
Nursery
Lower Farm
Hall
Rec. Grd.
Haymead Hill
Oakmead
Buttermilk Farm
The White Lodge
Tire Hill
Aspenden Brook
Sheldon
The Place
Rumbolds
Meeting House Cottage
Warren Cottages
Cottered Warren
Tudor Stud
Aspenden Hall
Tannis Court
Tannis Court Tributary
Drinkwater Wood
Berkesdongreen Spring
Gardners
Honeysuckle Cottage
Frenchcroft Wood
Kimpton's Wood
Moor Hall
Great Wood
Fir Tree Farm
Wateringplace Green
Wakeley
Medieval Village of Wakeley (site of)
Wakeley Spring
Whatbarns Farm
Westmill Green
Button Snap
Muncher's Green
Bradcot Wood
Reedings
Spring
The Blackberries
Leycroft
Newer Hill Spring
Orange End
Peasefield
The Bungalow
Ostlers Wood
Chalk Pit

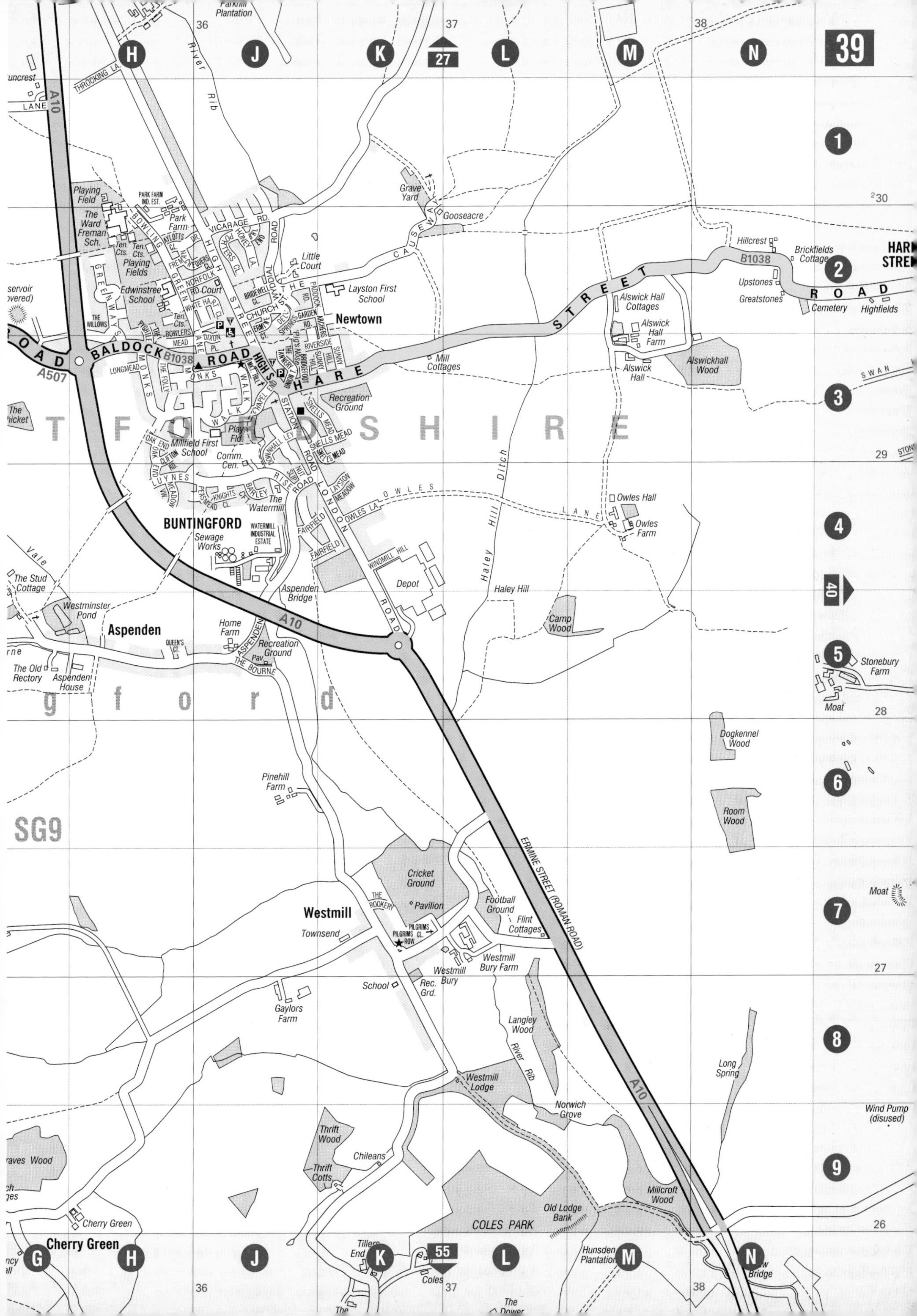

Parkhill Plantation
36
37
38
H
J
K
27
L
M
N
1
2
3
4
5
6
7
8
9
30
29
28
27
26
Suncrest
LANE
THROCKING LA.
A10
River Rib
Playing Field
PARK FARM IND. EST.
The Ward Freman Sch.
Park Farm
VICARAGE RD.
Ten. Cts.
Playing Fields
Edwinstree School
Grave Yard
Gooseacre
CAUSEWAY
Little Court
Layston First School
Newtown
HIGH STREET
CHURCH ST.
NORFOLK RD.
Court
WHITE HART
BOWLERS MEAD
THE WILLOWS
GREENWAYS
BALDOCK ROAD
B1038
ROAD
A507
LONGMEAD
MONKS WALK
THE FOLLY
RIVERSIDE
SUNNY HILL
Mill Cottages
HARE STREET
Recreation Ground
Alswick Hall Cottages
Alswick Hall Farm
Alswick Hall
Alswickhall Wood
Hillcrest
Brickfields Cottage
B1038
Upstones
Greatstones
Cemetery
Highfields
ROAD
HARE STREET
SWAN
The Thicket
HERTFORDSHIRE
Millfield First School
Play Fld.
Comm. Cen.
STATION ROAD
SNELLS MEAD
LONDON ROAD
LAYSTON MEADOW
OWLES LANE
Owles Hall
Owles Farm
Haley Hill Ditch
BUNTINGFORD
The Watermill
WATERMILL INDUSTRIAL ESTATE
Sewage Works
FAIRFIELD
WINDMILL HILL
Depot
Haley Hill
Camp Wood
40
Vale
The Stud Cottage
Westminster Pond
Aspenden
Home Farm
QUEEN'S CT.
Aspenden Bridge
Recreation Ground
Pav.
THE BOURNE
ASPENDEN
A10
The Old Rectory
Aspenden House
Stonebury Farm
Moat
Braughing
Dogkennel Wood
Pinehill Farm
Room Wood
SG9
ERMINE STREET (ROMAN ROAD)
Cricket Ground
Pavilion
THE ROOKERY
Westmill
Football Ground
Flint Cottages
Townsend
PILGRIMS CL.
PILGRIMS ROW
Westmill Bury Farm
Westmill Bury
School
Rec. Grd.
Gaylors Farm
Langley Wood
Moat
Long Spring
River Rib
Westmill Lodge
A10
Norwich Grove
Wind Pump (disused)
Thrift Wood
Chileans
Thrift Cotts.
Graves Wood
Millcroft Wood
Old Lodge Bank
Cherry Green
COLES PARK
Tillers End
55
Coles
Hunsden Plantation
Cherry Green
G
New Bridge
The Dower

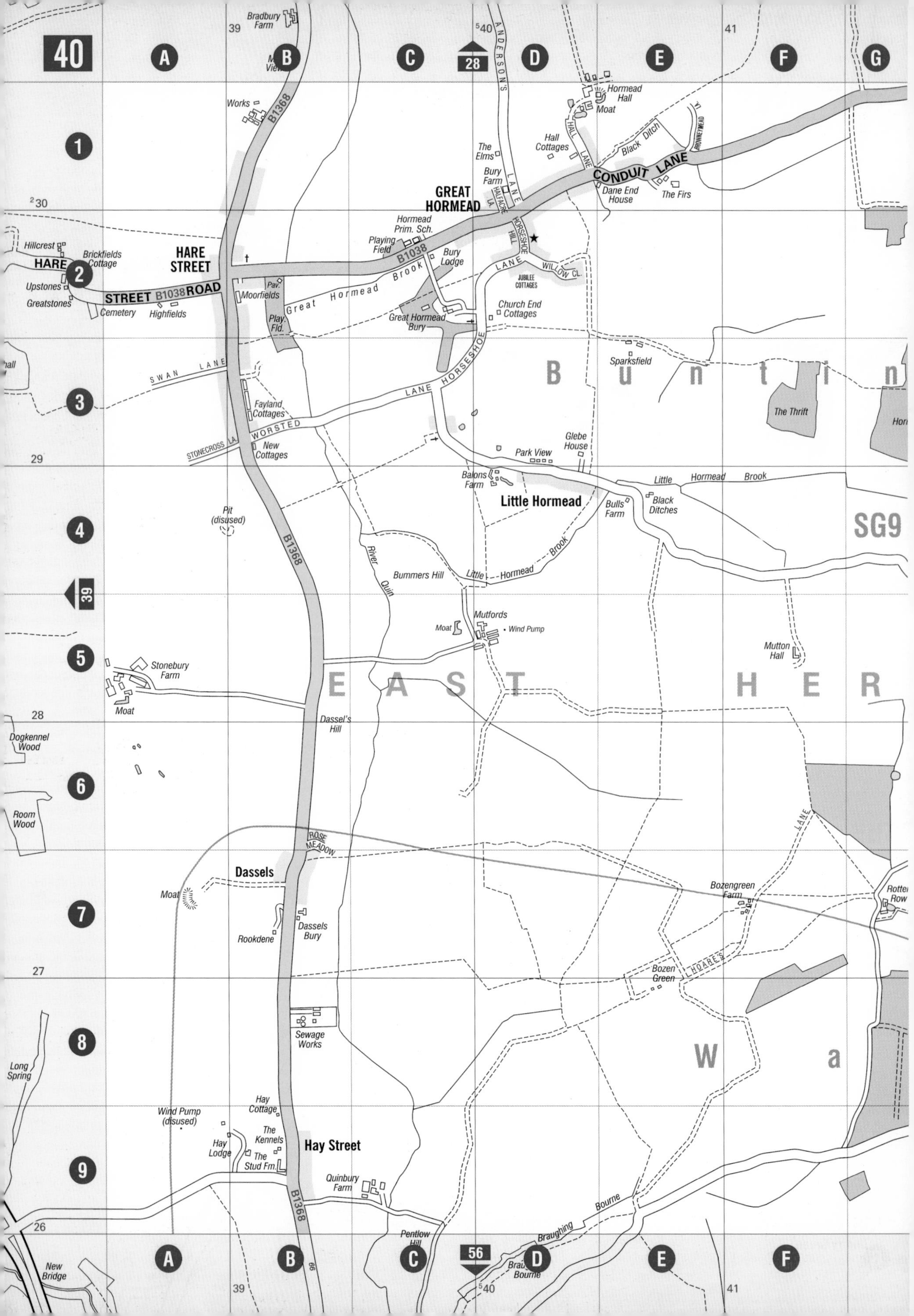
Bradbury Farm
Works
B1368
The Elms
Bury Farm
Hormead Hall
Moat
Hall Cottages
Black Ditch
CONDUIT LANE
Dane End House
The Firs
GREAT HORMEAD
Hormead Prim. Sch.
Playing Field
HARE STREET
Hillcrest
Brickfields Cottage
HARE STREET ROAD
B1038
Upstones
Greatstones
Cemetery
Highfields
Moorfields
Pav.
Play. Fld.
Great Hormead Brook
Bury Lodge
Great Hormead Bury
HORSESHOE LANE
HORSESHOE HILL
WILLOW CL.
JUBILEE COTTAGES
Church End Cottages
Sparksfield
SWAN LANE
Fayland Cottages
WORSTED LANE
STONECROSS LA
New Cottages
Buntin
The Thrift
Glebe House
Park View
Balons Farm
Little Hormead
Little Hormead Brook
Bulls Farm
Black Ditches
SG9
Pit (disused)
River Quin
Bummers Hill
Mutfords
Moat
Wind Pump
Mutton Hall
Stonebury Farm
Moat
EAST HER
Dassel's Hill
Dogkennel Wood
Room Wood
ROSE MEADOW
Dassels
Moat
Rookdene
Dassels Bury
Bozengreen Farm
Rotten Row
Bozen Green
HOARE'S
LANE
Sewage Works
Long Spring
Wa
Wind Pump (disused)
Hay Cottage
The Kennels
Hay Lodge
The Stud Fm.
Hay Street
Quinbury Farm
Pentlow Hill
Braughing Bourne
Brau Bourne
New Bridge
28
39
56
39
29
28
27
26
39
40
41

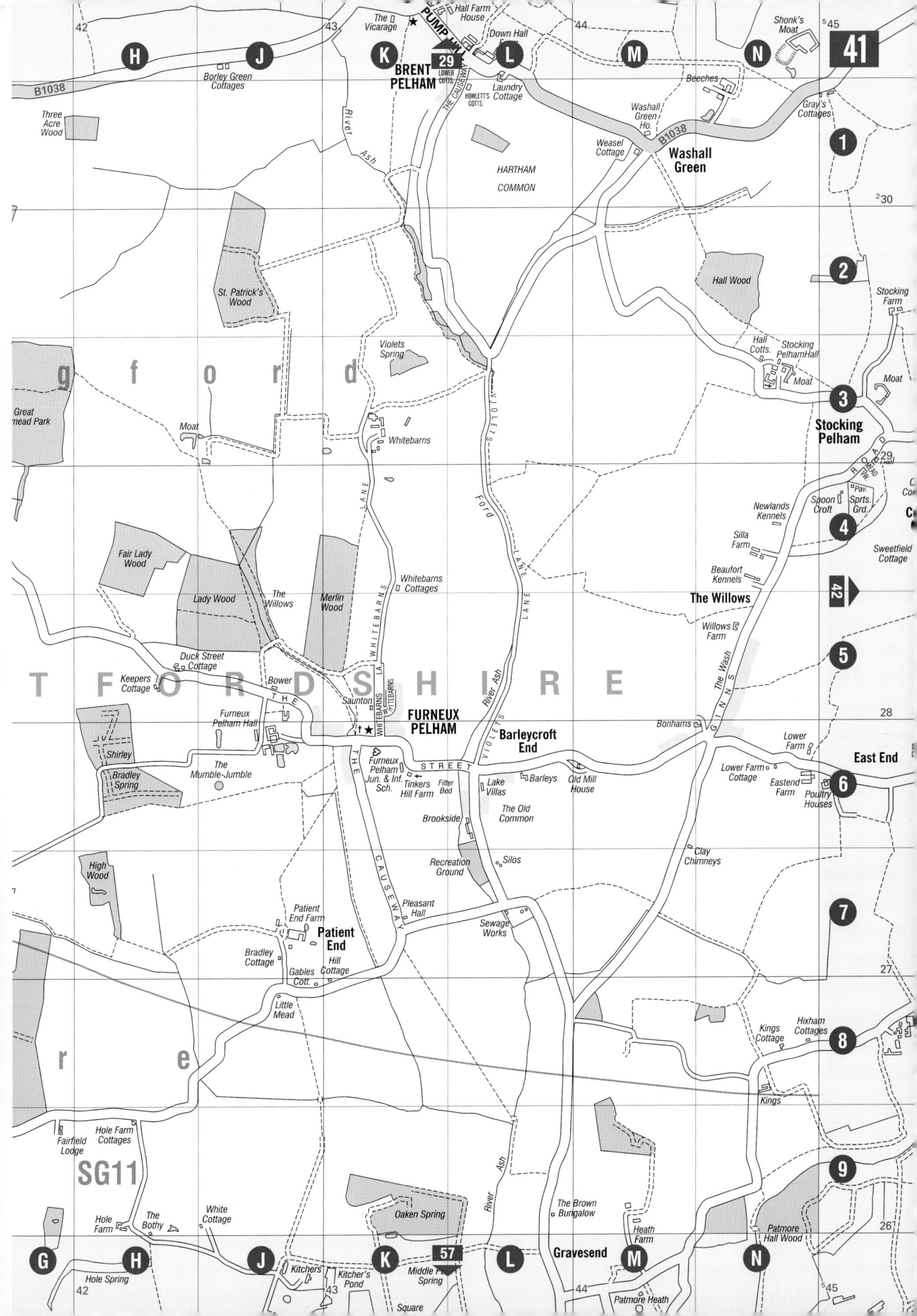

BRENT PELHAM
Washall Green
Stocking Pelham
The Willows
FURNEUX PELHAM
Barleycroft End
East End
Patient End
Gravesend
SG11
B1038
The Vicarage
Hall Farm House
Down Hall Farm
PUMP HILL
LOWER COTTS.
THE CAUSEWAY
HOWLETT'S COTTS.
Laundry Cottage
Borley Green Cottages
Shonk's Moat
Beeches
Gray's Cottages
Washall Green Ho.
Weasel Cottage
HARTHAM COMMON
Three Acre Wood
River Ash
Hall Wood
Stocking Farm
Hall Cotts.
Stocking Pelham Hall
Moat
St. Patrick's Wood
Violets Spring
Great mead Park
Whitebarns
VIOLETS
Ford
LANE
Newlands Kennels
Spoon Croft
Pav.
Sprts. Grd.
Silla Farm
Sweetfield Cottage
Beaufort Kennels
Fair Lady Wood
Lady Wood
The Willows
Merlin Wood
Whitebarns Cottages
WHITEBARNS
Willows Farm
The Wash
Duck Street Cottage
Keepers Cottage
Bower
Saunton
GINNS
Furneux Pelham Hall
Bonhams
Lower Farm
Shirley
The Mumble-Jumble
Bradley Spring
Furneux Pelham Jun. & Inf. Sch.
Tinkers Hill Farm
Filter Bed
STREET
Lake Villas
Barleys
Old Mill House
Lower Farm Cottage
Eastend Farm
Poultry Houses
The Old Common
Brookside
Recreation Ground
Silos
Clay Chimneys
High Wood
Pleasant Hall
Sewage Works
Patient End Farm
Bradley Cottage
Hill Cottage
Gables Cott.
Little Mead
Kings Cottage
Hixham Cottages
Kings
Hole Farm Cottages
Fairfield Lodge
Hole Farm
The Bothy
White Cottage
Oaken Spring
The Brown Bungalow
Heath Farm
Patmore Hall Wood
Hole Spring
Kitchers
Kitcher's Pond
Middle Spring
Square
Patmore Heath
29
57
42

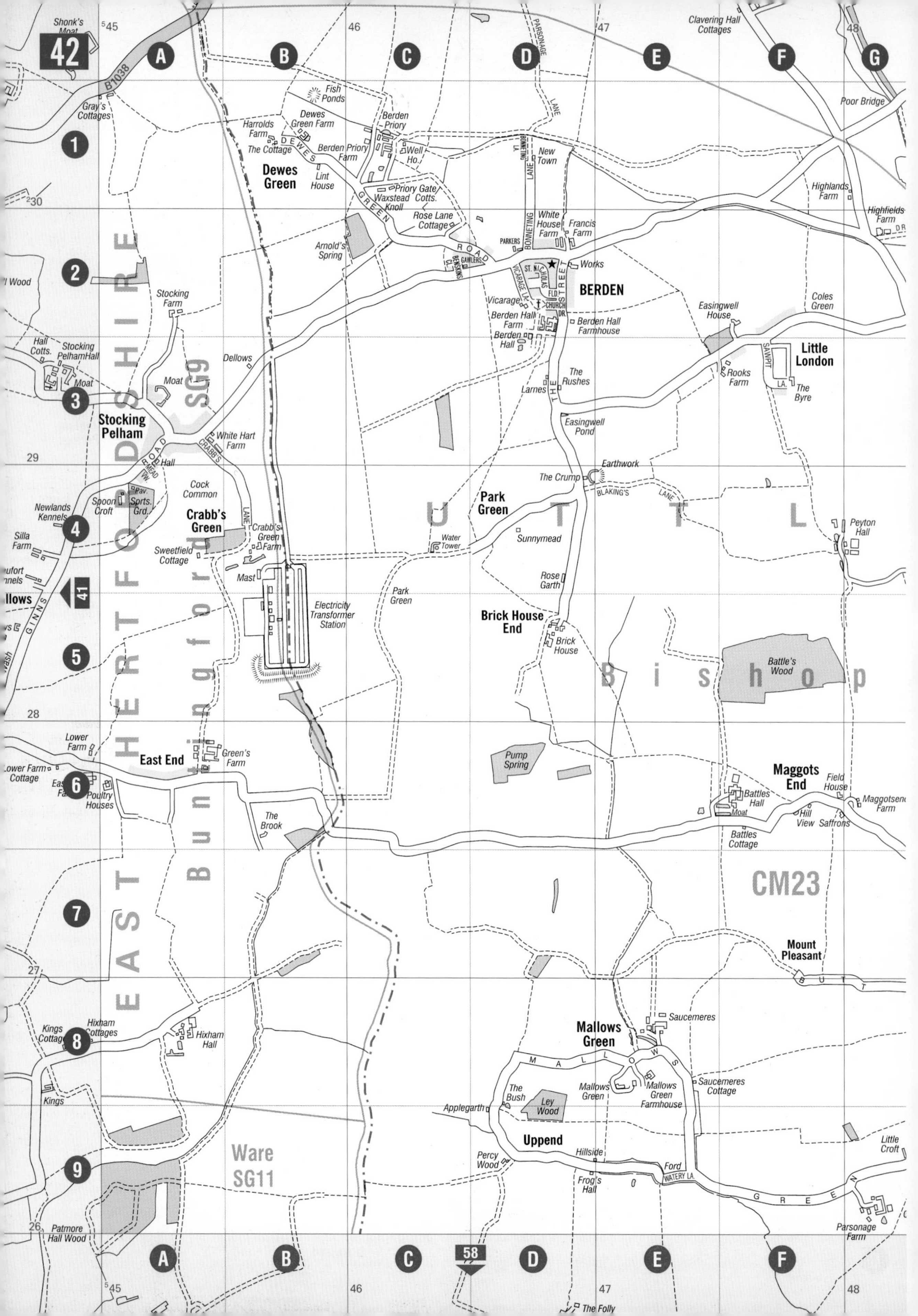

⁵45   46   47   48

A   B   C   D   E   F   G

Shonk's Moat

Clavering Hall
Cottages

Poor Bridge

1
Gray's Cottages

Harrolds Farm
The Cottage
Dewes Green Farm
Fish Ponds
Berden Priory
Berden Priory Farm
Well Ho.
New Town

Highlands Farm

Dewes Green

Lint House
Priory Gate
Waxstead Cotts.
Knoll
Rose Lane Cottage

White House Farm
Francis Farm

Highfields Farm

30

2
⁰ Wood

Arnold's Spring

PARKERS
ST. NIC'S
Works
★
BERDEN

Coles Green

Stocking Farm

Vicarage
Berden Hall Farm
Berden Hall Farmhouse
Berden Hall
Easingwell House

Little London

Hall Cotts.
Stocking Pelham Hall
Dellows
Moat
Moat

The Rushes
Larnes
Rooks Farm
The Byre

3
Stocking Pelham

White Hart Farm

Easingwell Pond

29

Hall
Cock Common

SG9

Earthwork
The Crump
BLAKING'S LANE

Peyton Hall

Newlands Kennels
Spoon Croft
Pav. Sports. Grd.

Park Green

4
Silla Farm

Crabb's Green
Crabb's Green Farm

Sunnymead

41
Sweetfield Cottage
Mast

Park Green

Rose Garth

Brick House End

5
ows

Electricity Transformer Station

28

Brick House
Battle's Wood

B i s h o p

6
Lower Farm
Lower Farm Cottage

East End
Green's Farm

Pump Spring

Maggots End
Field House

Poultry Houses

The Brook

Battles Hall
Moat
Hill View
Saffrons
Maggotsend Farm

Battles Cottage

27

CM23

7

Mount Pleasant

BUTT

8
Kings Cottage
Hixham Cottages
Hixham Hall

Saucemeres

Mallows Green

Kings

MALLOWS

The Bush
Ley Wood
Mallows Green
Mallows Green Farmhouse
Saucemeres Cottage

9
Ware SG11

Applegarth
Uppend
Hillside
Ford
WATERY LA.

Little Croft

Percy Wood
Frog's Hall

GREEN

26
Patmore Hall Wood

Parsonage Farm

⁵45   46   58   47   48

A   B   C   D   E   F

The Folly

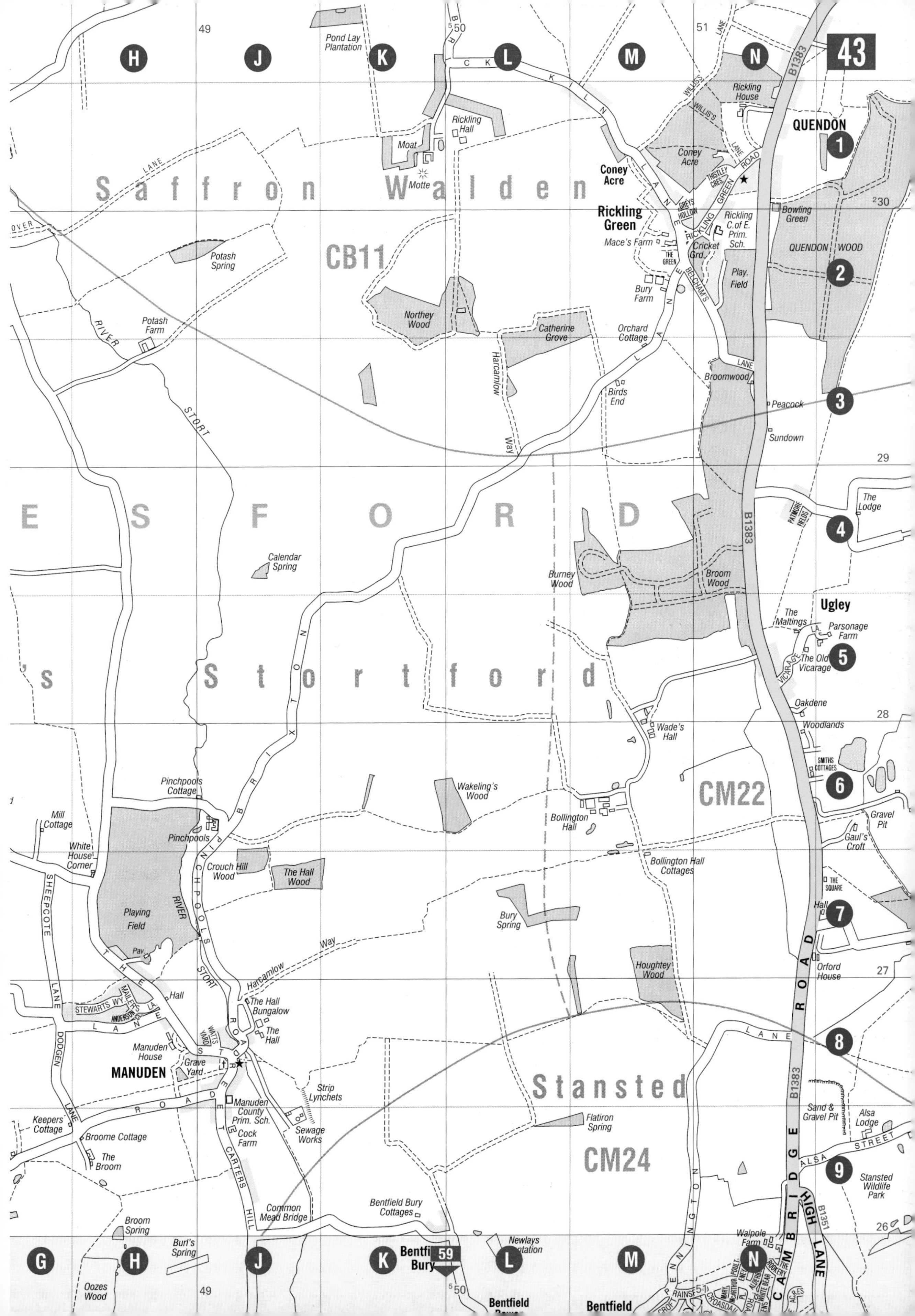

Saffron Walden
Bishop's Stortford
Stansted
CB11
CM22
CM24
QUENDON
Rickling Green
Coney Acre
MANUDEN
Ugley
Pond Lay Plantation
Rickling Hall
Moat
Motte
Rickling House
Potash Spring
Potash Farm
Northey Wood
Catherine Grove
Harcamlow Way
Birds End
Orchard Cottage
Bury Farm
Mace's Farm
Cricket Grd.
Rickling C.of E. Prim. Sch.
Play. Field
Bowling Green
QUENDON WOOD
Broomwood
Peacock
Sundown
B1383
The Lodge
Calendar Spring
Burney Wood
Broom Wood
The Maltings
Parsonage Farm
The Old Vicarage
Oakdene
Woodlands
Wade's Hall
Wakeling's Wood
Bollington Hall
Bollington Hall Cottages
Gravel Pit
Gaul's Croft
Hall
Orford House
Pinchpools Cottage
Pinchpools
Mill Cottage
White House Corner
Crouch Hill Wood
The Hall Wood
Playing Field
Bury Spring
Houghtey Wood
The Hall Bungalow
The Hall
Manuden House
Grave Yard
Strip Lynchets
Manuden County Prim. Sch.
Cock Farm
Sewage Works
Keepers Cottage
Broome Cottage
The Broom
Flatiron Spring
Sand & Gravel Pit
Alsa Lodge
Stansted Wildlife Park
Common Mead Bridge
Bentfield Bury Cottages
Broom Spring
Burl's Spring
Oozes Wood
Newlays Plantation
Walpole Farm
Bentfield Bury
Bentfield
CAMBRIDGE ROAD
HIGH LANE
ALSA STREET
BRIXTON LANE
KILN LANE
RIVER STORT
SHEEPCOTE LANE
DODGEN LANE
STEWARTS WY
PATMORE FIELDS
VICARAGE LA.
SMITHS COTTAGES
THE SQUARE
B1351
59

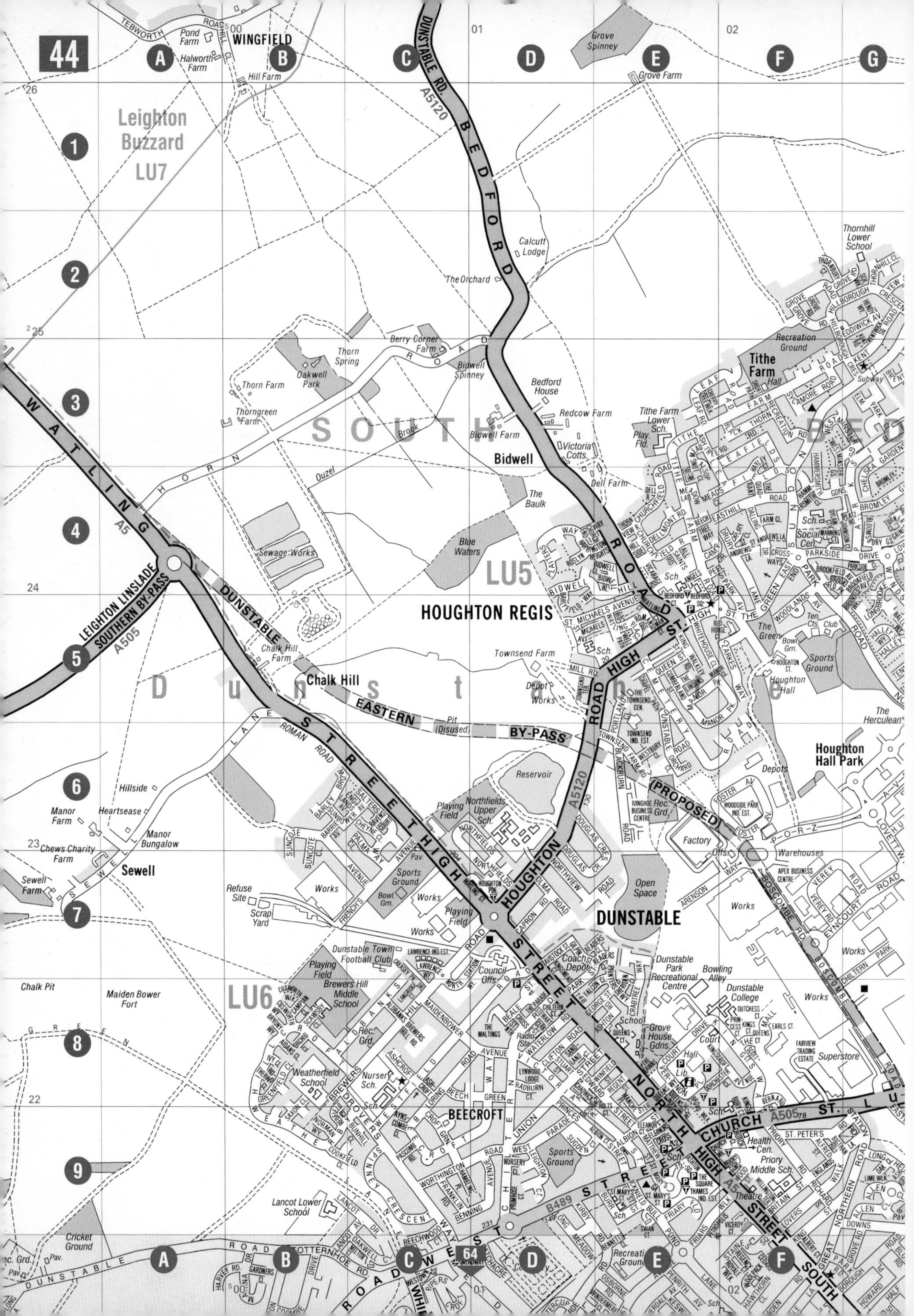
WINGFIELD
Leighton Buzzard LU7
BEDFORD ROAD
DUNSTABLE RD.
A5120
Grove Spinney
Grove Farm
Calcutt Lodge
The Orchard
Berry Corner Farm
Thorn Spring
Oakwell Park
Thorn Farm
Thorngreen Farm
Bidwell Spinney
Bedford House
Redcow Farm
Bidwell Farm
Victoria Cotts.
Bidwell
Dell Farm
The Baulk
Blue Waters
Sewage Works
SOUTH BED
LU5
HOUGHTON REGIS
WATLING STREET
A5
LEIGHTON LINSLADE SOUTHERN BY-PASS
A505
DUNSTABLE EASTERN BY-PASS
Chalk Hill Farm
Chalk Hill
Townsend Farm
Depot Works
Pit (Disused)
(PROPOSED)
Dunstable
Hillside
Heartsease
Manor Farm
Manor Bungalow
Chews Charity Farm
Sewell Farm
Sewell
Reservoir
Playing Field
Northfields Upper Sch.
Sports Ground
Works
Refuse Site
Scrap Yard
Open Space
DUNSTABLE
Factory
Warehouses
Tithe Farm
Recreation Ground
Thornhill Lower School
Tithe Farm Lower Sch.
Play. Fld.
The Green
Sports Ground
Houghton Hall
Houghton Hall Park
The Herculean
Depots
Dunstable Town Football Club
Brewers Hill Middle School
Council Offs.
Coach Depot
Dunstable Park Recreational Centre
Bowling Alley
Dunstable College
Superstore
FAIRVIEW TRADING ESTATE
APEX BUSINESS CENTRE
Chalk Pit
Maiden Bower Fort
LU6
Weatherfield School
Nursery Sch.
BEECROFT
Grove House Gdns.
HIGH STREET NORTH
CHURCH ST.
A505
Health Cen.
Priory Middle Sch.
Theatre
Lancot Lower School
Cricket Ground
Rec. Grd.
WEST STREET
B489
HIGH STREET SOUTH
DUNSTABLE ROAD
64

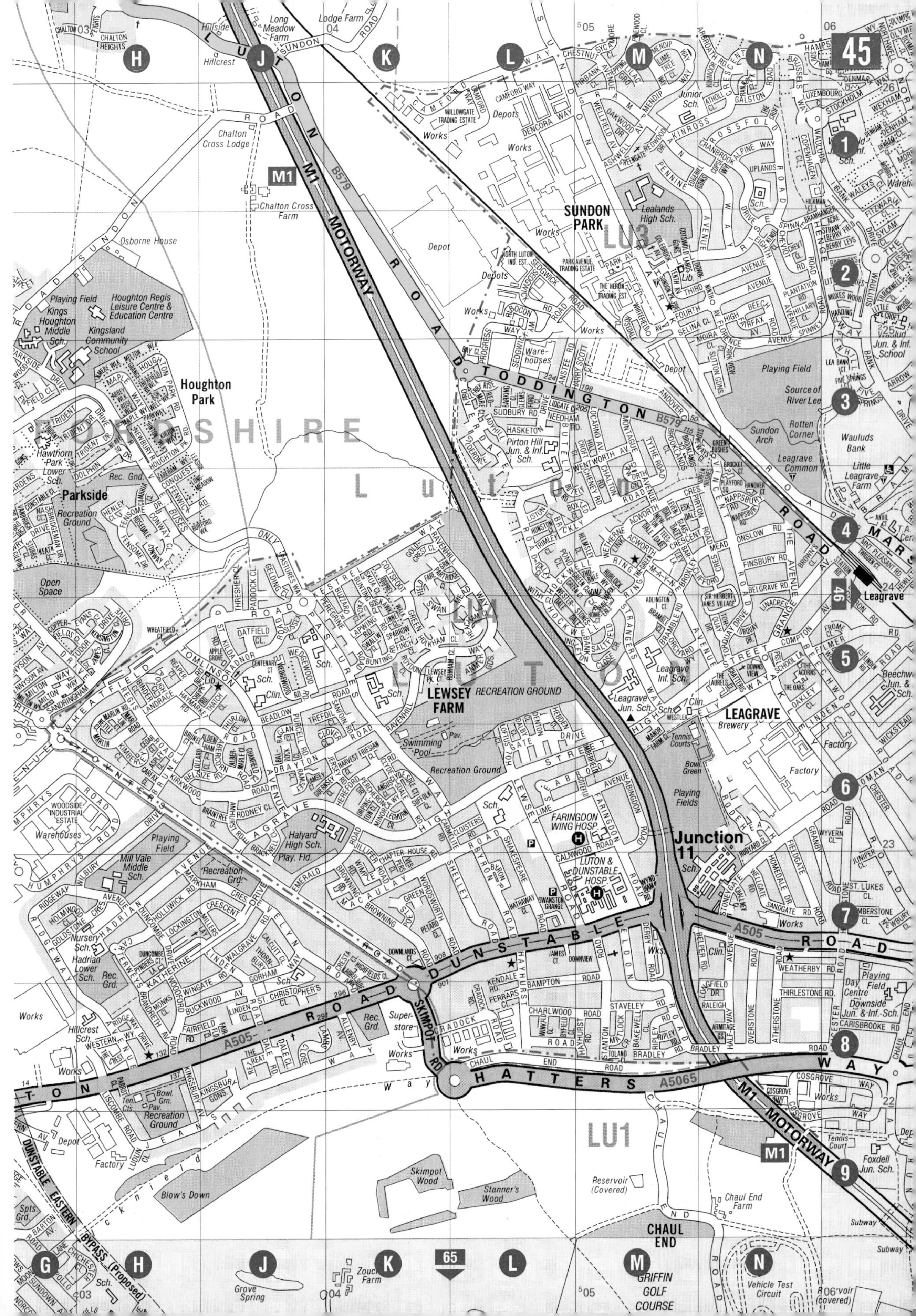
45
H
J
K
L
M
N
G
1
2
3
4
5
6
7
8
9
03
04
505
06
26
25
24
23
22
46
65
M1
M1 MOTORWAY
LUTON ROAD
B579
Long Meadow Farm
Lodge Farm
Hillside
Hillcrest
SUNDON ROAD
CHALTON HEIGHTS
Chalton Cross Lodge
Chalton Cross Farm
Osborne House
SUNDON ROAD
Houghton Regis Leisure Centre & Education Centre
Playing Field
Kings Houghton Middle Sch.
Kingsland Community School
Houghton Park
BEDFORDSHIRE
Luton
Hawthorn Park Lower Sch.
Parkside
Recreation Ground
Rec. Gnd.
Open Space
WILLOWGATE TRADING ESTATE
CAMFORD WAY
Works
Depots
DENCORA WAY
Depot
NORTH LUTON IND. EST.
SUNDON PARK
LU3
Lealands High Sch.
Junior Sch.
PARK AVENUE TRADING ESTATE
THE HERON TRADING EST.
Lib.
Ware-houses
TODDINGTON ROAD
Pirton Hill Jun. & Inf. Sch.
Playing Field
Source of River Lee
Sundon Arch
Rotten Corner
Waulud's Bank
Leagrave Common
Little Leagrave Farm
Leagrave
LU4
LEWSEY FARM
RECREATION GROUND
Swimming Pool
Recreation Ground
Leagrave Inf. Sch.
Leagrave Jun. Sch.
LEAGRAVE
Brewery
Tennis Courts
Bowl. Green
Playing Fields
Factory
Junction 11
FARINGDON WING HOSP.
LUTON & DUNSTABLE HOSP.
Halyard High Sch.
Play. Fld.
Sch.
Clin.
WOODSIDE INDUSTRIAL ESTATE
Warehouses
Mill Vale Middle Sch.
Recreation Grd.
Nursery Sch.
Hadrian Lower Sch.
Rec. Grd.
Hillcrest Sch.
Works
DUNSTABLE ROAD
A505
SKIMPOT RD
Super-store
HATTERS WAY
A5065
Recreation Ground
Bowl. Grn.
Ten. Cts.
Pav.
Depot
Factory
DUNSTABLE EASTERN BYPASS (Proposed)
Blow's Down
Skimpot Wood
Stanner's Wood
LU1
Reservoir (Covered)
Chaul End Farm
CHAUL END
GRIFFIN GOLF COURSE
Vehicle Test Circuit
Grove Spring
Zouch Farm
M1 MOTORWAY
Foxdell Jun. Sch.
Tennis Court
Day Centre
Playing Field
Downside Jun. & Inf. Sch.
Beechwood Jun. & Inf. Sch.
Waulud Jun. & Inf. Sch.
Subway

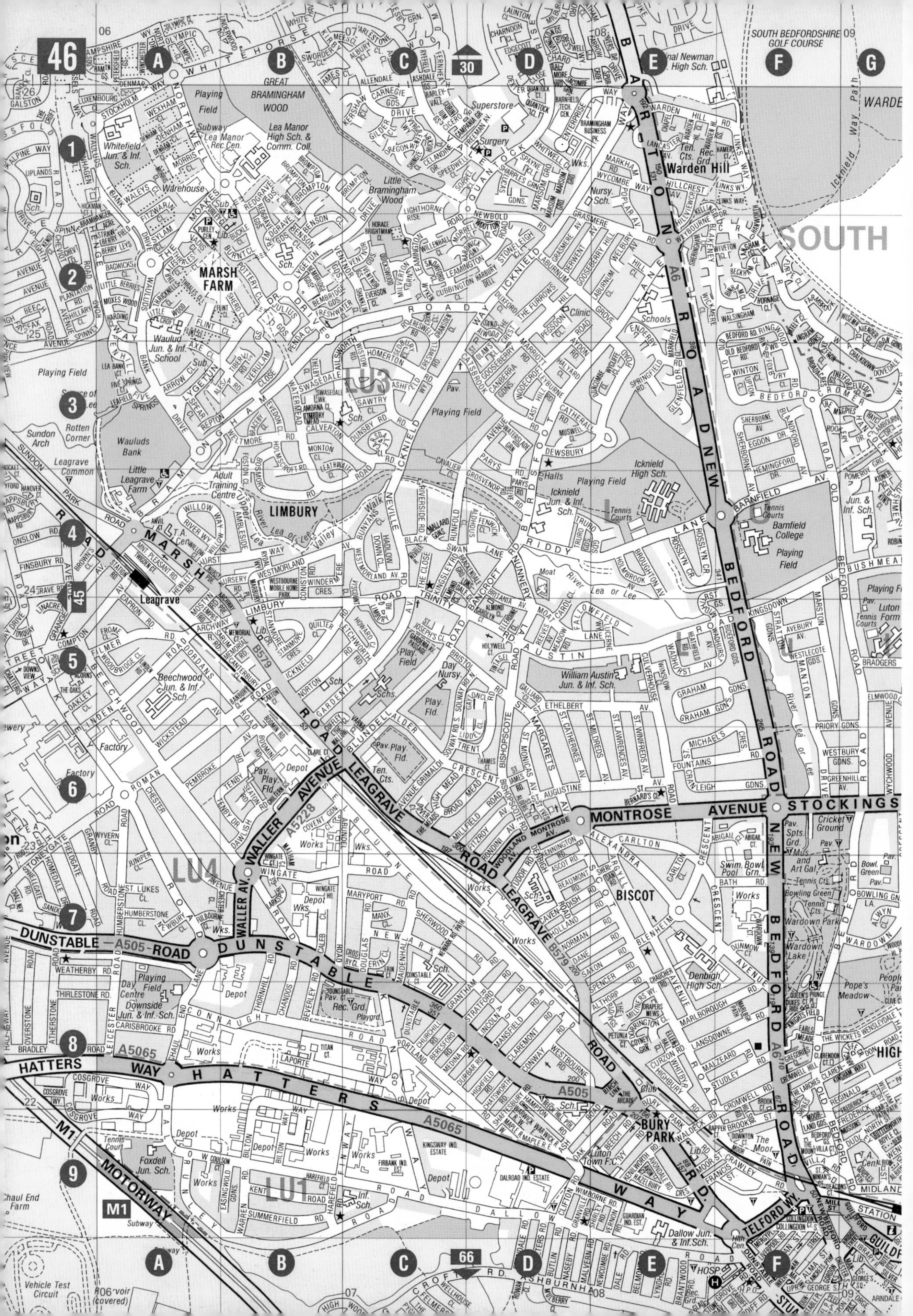

46
30
66
45
A
B
C
D
E
F
G
1
2
3
4
5
6
7
8
9
06
07
08
09
22
23
24
25
26
SOUTH BEDFORDSHIRE GOLF COURSE
SOUTH
WARDEN HILL
Warden Hill
GREAT BRAMINGHAM WOOD
Little Bramingham Wood
MARSH FARM
LIMBURY
LU3
LU4
LU1
BISCOT
BURY PARK
Leagrave
Wauluds Bank
Little Leagrave Farm
Leagrave Common
Sundon Arch
Rotten Corner
Playing Field
Lea Manor High Sch. & Comm. Coll.
Lea Manor Rec.Cen.
Whitefield Jun. & Inf. Sch.
Waulud Jun. & Inf. School
Icknield High Sch.
Icknield Jun. & Inf. Sch.
Barnfield College
William Austin Jun. & Inf. Sch.
Beechwood Jun. & Inf. Sch.
Downside Jun. & Inf. Sch.
Foxdell Jun. Sch.
Denbigh High Sch.
Dallow Jun. & Inf. Sch.
Luton Town F.C.
Wardown Park
Wardown Lake
Pope's Meadow
Chaul End Farm
Vehicle Test Circuit
M1 MOTORWAY
HATTERS WAY
A5065
DUNSTABLE ROAD
A505
LEAGRAVE ROAD
B579
WALLER AVENUE
A5228
NEW BEDFORD ROAD
A6
BARTON ROAD
MONTROSE AVENUE
STOCKINGSTONE
MARSH ROAD
ICKNIELD WAY
BIRDSFOOT LANE
DALLOW ROAD
TELFORD WY.
KINGSWAY IND. ESTATE
DALROAD IND. ESTATE
STATION
GUILDFORD

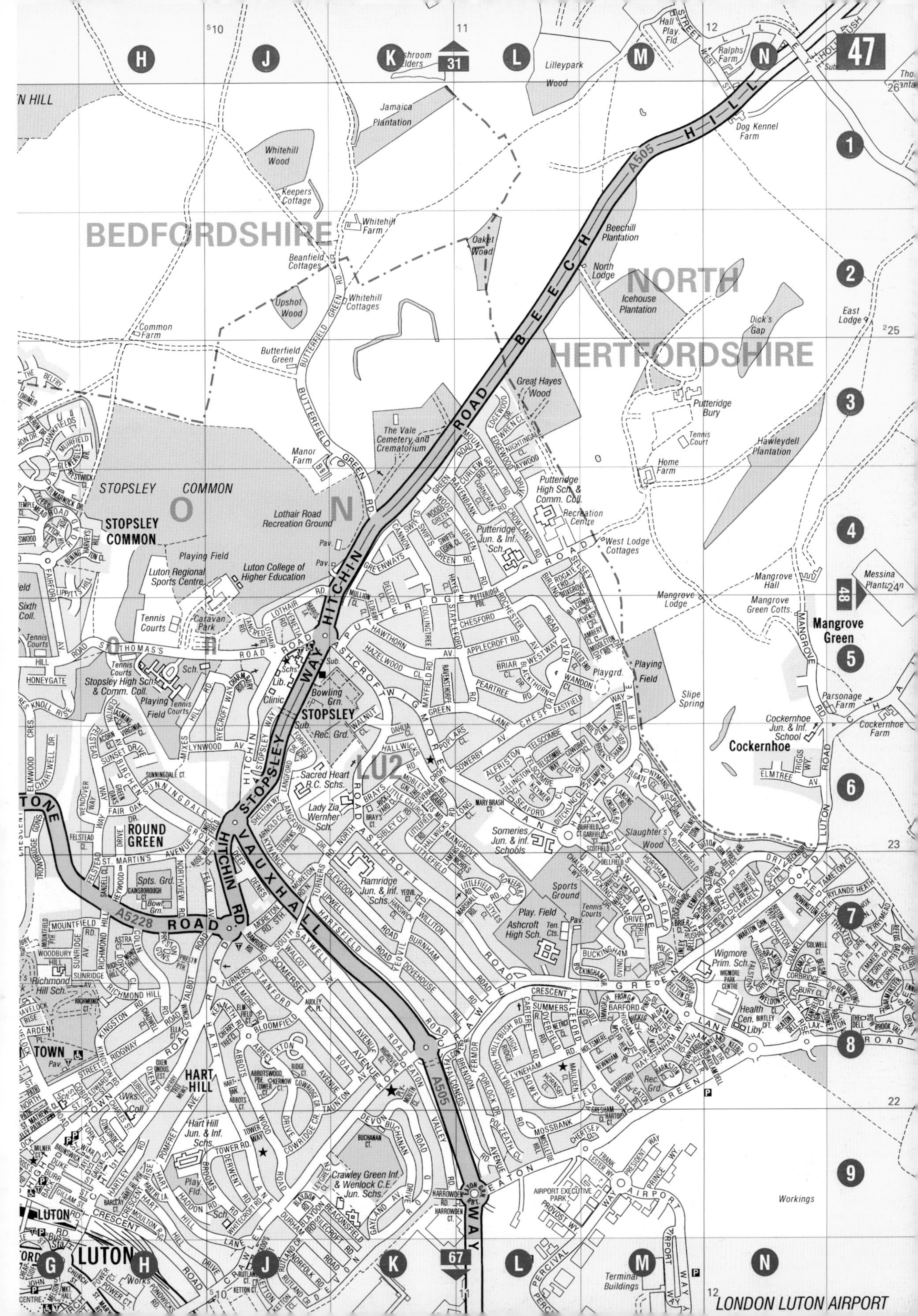

H
J
K
L
M
N
31
Lilleypark Wood
Ralphs Farm
Dog Kennel Farm
Jamaica Plantation
Whitehill Wood
Keepers Cottage
Whitehill Farm
BEDFORDSHIRE
Beanfield Cottages
Oaket Wood
Beechill Plantation
North Lodge
NORTH
Icehouse Plantation
HERTFORDSHIRE
Upshot Wood
Whitehill Cottages
Common Farm
Butterfield Green
Dick's Gap
East Lodge
Great Hayes Wood
Putteridge Bury
Tennis Court
Hawleydell Plantation
Home Farm
The Vale Cemetery and Crematorium
Manor Farm
STOPSLEY COMMON
Lothair Road Recreation Ground
Putteridge High Sch. & Comm. Coll.
Recreation Centre
Putteridge Jun. & Inf. Sch.
West Lodge Cottages
Playing Field
Luton Regional Sports Centre
Luton College of Higher Education
Mangrove Hall
Mangrove Lodge
Mangrove Green Cotts.
Messina Plantation
48
Mangrove Green
Tennis Courts
Caravan Park
Stopsley High Sch. & Comm. Coll.
Playing Field
Bowling Grn.
STOPSLEY
Rec. Grd.
Playgrd.
Slipe Spring
Parsonage Farm
Cockernhoe Jun. & Inf. School
Cockernhoe Farm
Cockernhoe
LU2
Sacred Heart R.C. Schs.
Lady Zia Wernher Sch.
Someries Jun. & Inf. Schools
Slaughter's Wood
ROUND GREEN
Spts. Grd.
Ramridge Jun. & Inf. Schs.
Sports Ground
Play. Field
Ashcroft High Sch.
Wigmore Prim. Sch.
Wigmore Park Centre
Health Cen.
Liby.
Richmond Hill Sch.
TOWN
HART HILL
Hart Hill Jun. & Inf. Schs.
Play Fld.
Crawley Green Inf. & Wenlock C.E. Jun. Schs.
Airport Executive Park
Workings
LUTON
67
Terminal Buildings
LONDON LUTON AIRPORT
A505
A5228
HITCHIN ROAD
BEECH HILL
STOPSLEY WAY
VAUXHALL WAY
ST. THOMAS'S ROAD
PUTTERIDGE ROAD
WIGMORE LANE
CRAWLEY GREEN ROAD
EATON GREEN ROAD
AIRPORT WAY
HITCHIN RD.

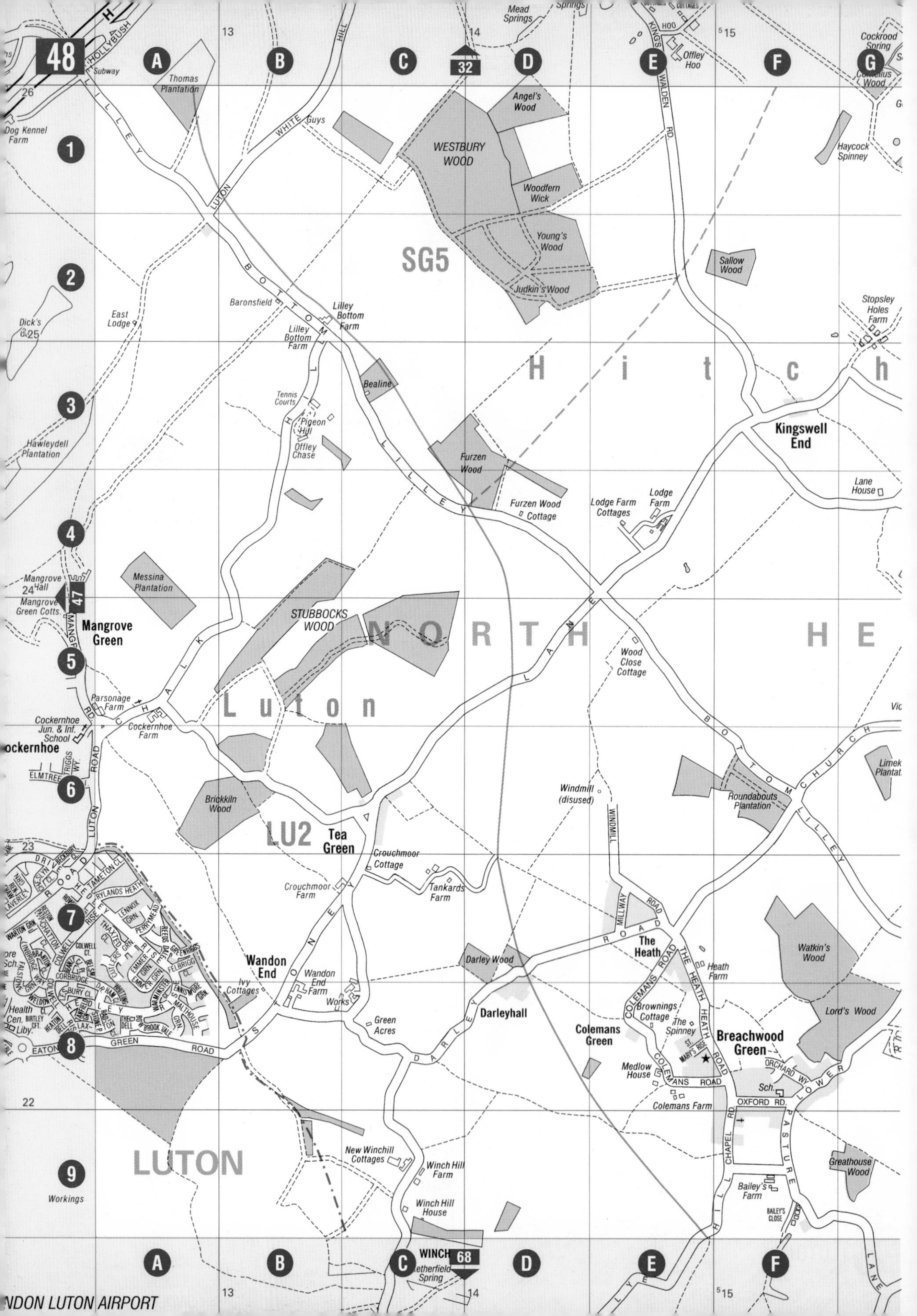

48

HOLLYBUSH
Subway

A B C ⌂ 32 D E KINGS RD F G

13 HILL 14 Mead Springs 5 15

Dog Kennel Farm

Thomas Plantation

WHITE Guys

Angel's Wood

Offley Hoo H00 Cockrood Spring

Cornelius Wood

1 26

WESTBURY WOOD

Woodfern Wick

Haycock Spinney

East Lodge

Baronsfield Lilley Bottom Farm

Lilley Bottom Farm

SG5

Young's Wood

Sallow Wood

Stopsley Holes Farm

2 Dick's 25

H I T C h

Bealine

Judkin's Wood

3 Hawleydell Plantation

Tennis Courts Pigeon Hill

Offley Chase

Furzen Wood

Furzen Wood Cottage

Lodge Farm Cottages Lodge Farm

Kingswell End

Lane House

4 Mangrove Hall 24 47

Messina Plantation

STUBBOCKS WOOD

N O R T H

LANE Wood Close Cottage

H E

Mangrove Green Cotts.

Mangrove Green

5 Parsonage Farm

Cockernhoe Farm

L u t o n

6 Cockernhoe Jun. & Inf. School

ELMTREE

Brickkiln Wood

LU2 Tea Green

Windmill (disused)

Roundabouts Plantation

CHURCH Limek Plantat.

BOTTOM LILLEY

7 LU2

Crouchmoor Cottage

Crouchmoor Farm

Tankards Farm

WINDMILL ROAD MILLWAY ROAD

The Heath Heath Farm

Watkin's Wood

8 Wandon End

Ivy Cottages Wandon End Farm Works

Green Acres

Darley Wood

Darleyhall

Colemans Green

Brownings Cottage The Spinney ST. MARY'S RISE ★ Breachwood Green

Lord's Wood

Health Cen. Liby

EATON GREEN ROAD

Medlow House

COLEMANS ROAD Sch.

OXFORD RD.

22

LUTON

New Winchill Cottages

Winch Hill Farm

Colemans Farm

CHAPEL RD. HILL PASTURE

Greathouse Wood

9 Workings

Winch Hill House

Bailey's Farm

BAILEY'S CLOSE

A B C ⌂ WINCH 68 D E F

NDON LUTON AIRPORT 13 Netherfield Spring 14 5 15

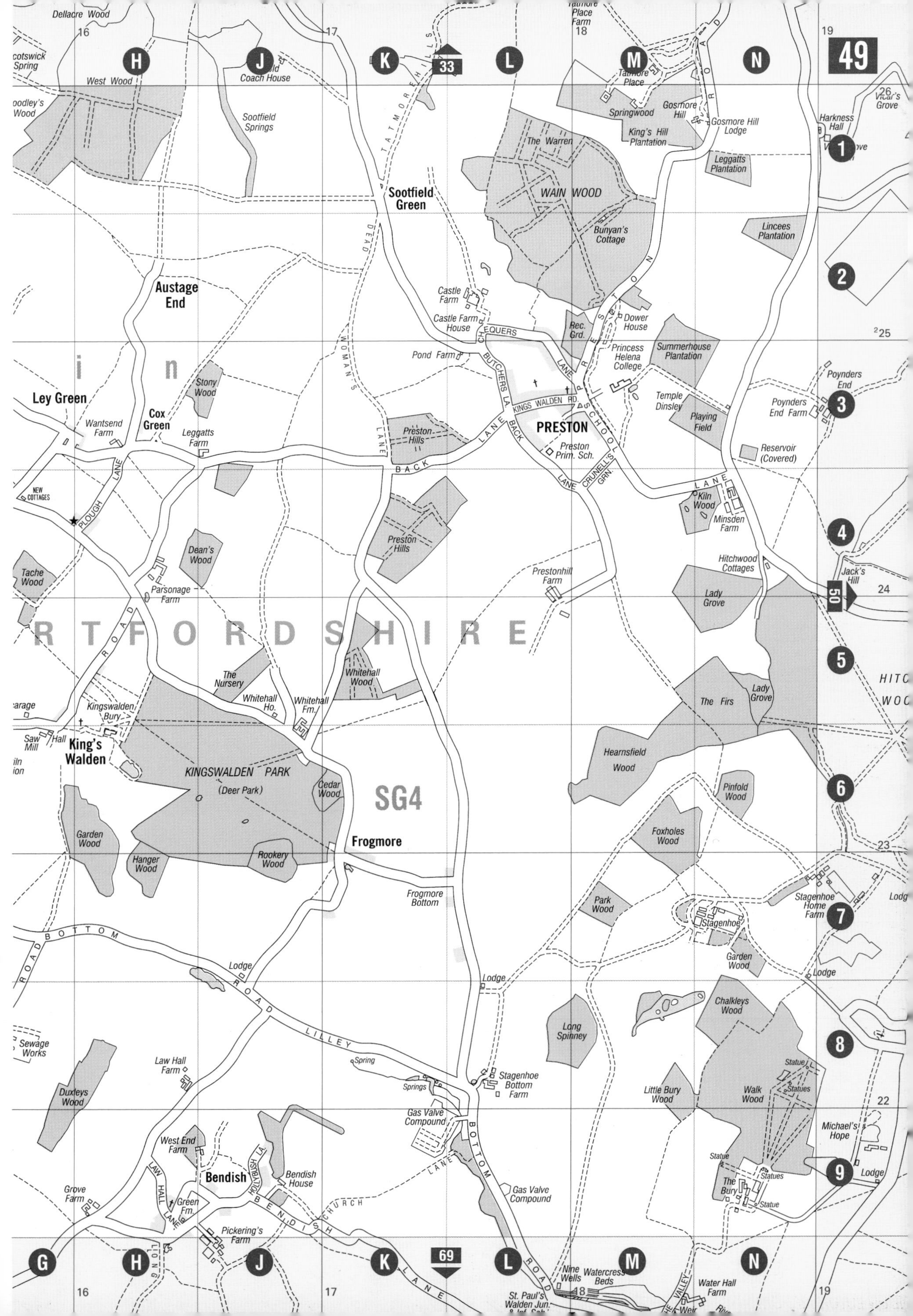
Dellacre Wood
West Wood
Sootfield Springs
Coach House
Sootfield Green
Tatmore Place Farm
Tatmore Place
Springwood
Gosmore Hill
Gosmore Hill Lodge
King's Hill Plantation
The Warren
WAIN WOOD
Bunyan's Cottage
Leggatts Plantation
Lincees Plantation
Harkness Hall
Vicar's Grove
Austage End
Castle Farm
Castle Farm House
Dower House
Rec. Grd.
Pond Farm
Princess Helena College
Summerhouse Plantation
Poynders End
Poynders End Farm
Temple Dinsley
Playing Field
Reservoir (Covered)
Ley Green
Cox Green
Wantsend Farm
Leggatts Farm
Stony Wood
Preston Hills
PRESTON
Preston Prim. Sch.
NEW COTTAGES
Kiln Wood
Minsden Farm
Dean's Wood
Tache Wood
Parsonage Farm
Prestonhill Farm
Hitchwood Cottages
Lady Grove
Jack's Hill
RTFORDSHIRE
The Nursery
Whitehall Wood
Whitehall Ho.
Whitehall Fm.
The Firs
Kingswalden Bury
Saw Mill
Hall
King's Walden
KINGSWALDEN PARK
(Deer Park)
Cedar Wood
SG4
Hearnsfield Wood
Pinfold Wood
Garden Wood
Hanger Wood
Rookery Wood
Frogmore
Foxholes Wood
Frogmore Bottom
Park Wood
Stagenhoe
Stagenhoe Home Farm
Garden Wood
Lodge
Long Spinney
Chalkleys Wood
Sewage Works
Law Hall Farm
Spring
Springs
Stagenhoe Bottom Farm
Little Bury Wood
Walk Wood
Statue
Statues
Duxleys Wood
Gas Valve Compound
Michael's Hope
West End Farm
Bendish
Bendish House
The Bury
Grove Farm
Green Fm.
Pickering's Farm
Nine Wells
Watercress Beds
Water Hall Farm
St. Paul's Walden Jun.
Weir
BACK LANE
PLOUGH LANE
BOTTOM ROAD
LILLEY ROAD
BENDISH CHURCH LANE
KINGS WALDEN RD
CHEQUERS LANE
BUTCHERS LA
CRUNELL'S GRN.
SCHOOL LANE
DEAD WOMAN'S LANE
TATMORE HILLS
PRESTON ROAD
HOLLYBUSH LA.
LAW HALL LANE
THE VALLEY
HITCH WOOD
33
50
69
H J K L M N G
1 2 3 4 5 6 7 8 9
16 17 18 19
22 23 24 25 26

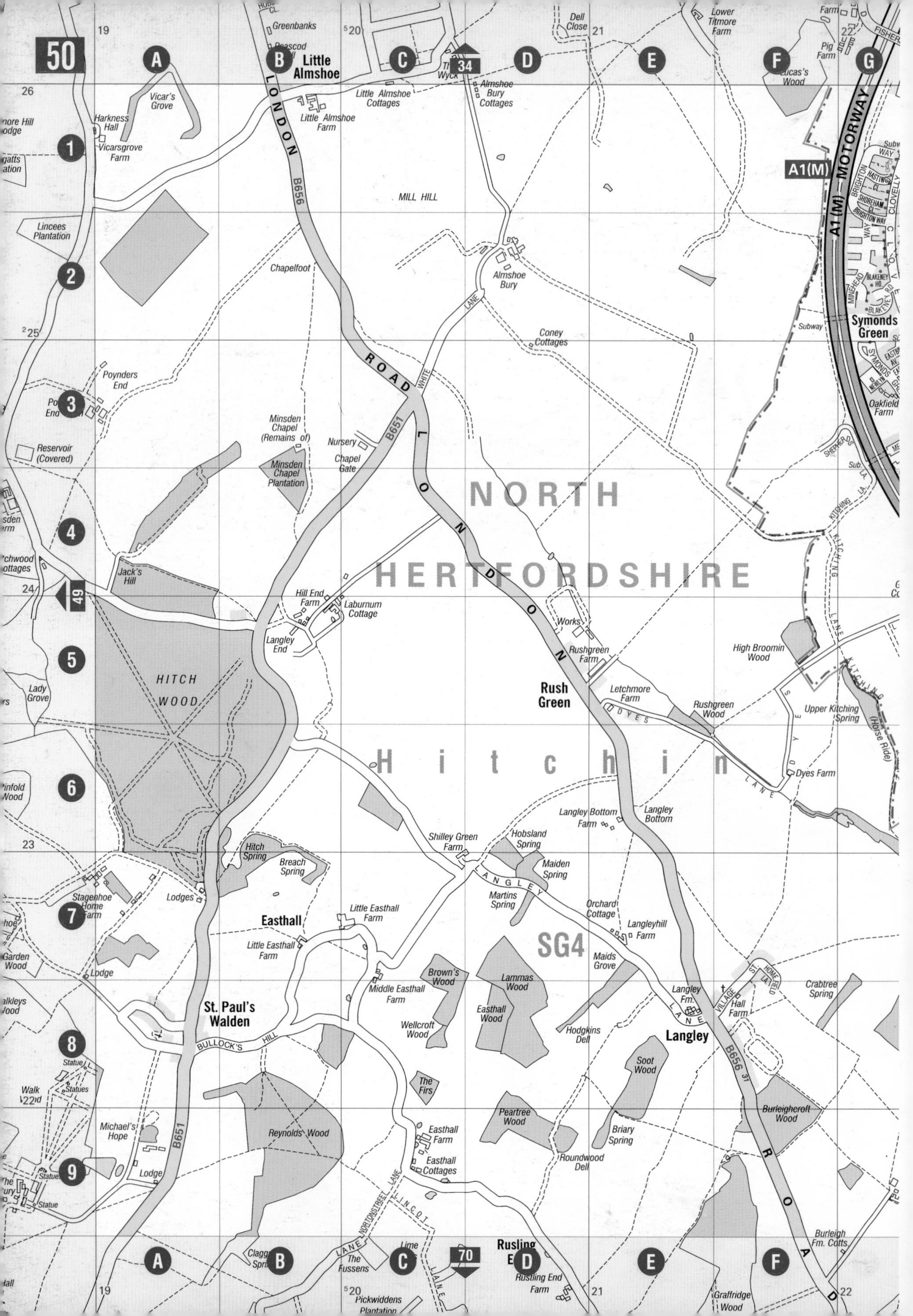
Little Almshoe
LONDON ROAD
B656
B651
Vicar's Grove
Harkness Hall
Vicarsgrove Farm
Little Almshoe Cottages
Little Almshoe Farm
Almshoe Bury Cottages
Greenbanks
Dell Close
Lower Titmore Farm
Pig Farm
Lucas's Wood
A1(M)
A1(M) - MOTORWAY
MILL HILL
Lincees Plantation
Chapelfoot
Almshoe Bury
Coney Cottages
Symonds Green
Subway
Oakfield Farm
Poynders End
Minsden Chapel (Remains of)
Nursery
Chapel Gate
Minsden Chapel Plantation
Reservoir (Covered)
WHITE LANE
NORTH
HERTFORDSHIRE
Hitchin
Jack's Hill
Hill End Farm
Laburnum Cottage
Langley End
Works
Rushgreen Farm
Rush Green
High Broomin Wood
Letchmore Farm
Rushgreen Wood
DYES LANE
Upper Kitching Spring
(Horse Ride)
Dyes Farm
KITCHING LANE
HITCH WOOD
Lady Grove
Langley Bottom Farm
Langley Bottom
Shilley Green Farm
Hobsland Spring
Maiden Spring
Hitch Spring
Breach Spring
Martins Spring
LANGLEY
Stagenhoe Home Farm
Lodges
Little Easthall Farm
Easthall
Orchard Cottage
Langleyhill Farm
SG4
Little Easthall Farm
Maids Grove
Lodge
Brown's Wood
Lammas Wood
Middle Easthall Farm
Langley Fm.
VILLAGE
Hall Farm
Crabtree Spring
St. Paul's Walden
Wellcroft Wood
Easthall Wood
Hodgkins Dell
Langley
BULLOCK'S HILL
Soot Wood
The Firs
Statue
Statues
Peartree Wood
Burleighcroft Wood
Michael's Hope
Reynolds Wood
Easthall Farm
Briary Spring
Roundwood Dell
Lodge
Easthall Cottages
NORTONSTREET LANE
LINCOT LANE
Burleigh Fm. Cotts
Rusling End Farm
The Fussens
Pickwiddens Plantation
Graffridge Wood
Lime
A B C D E F G
1 2 3 4 5 6 7 8 9
19 20 21 22
26 25 24 23 22
34
49
70

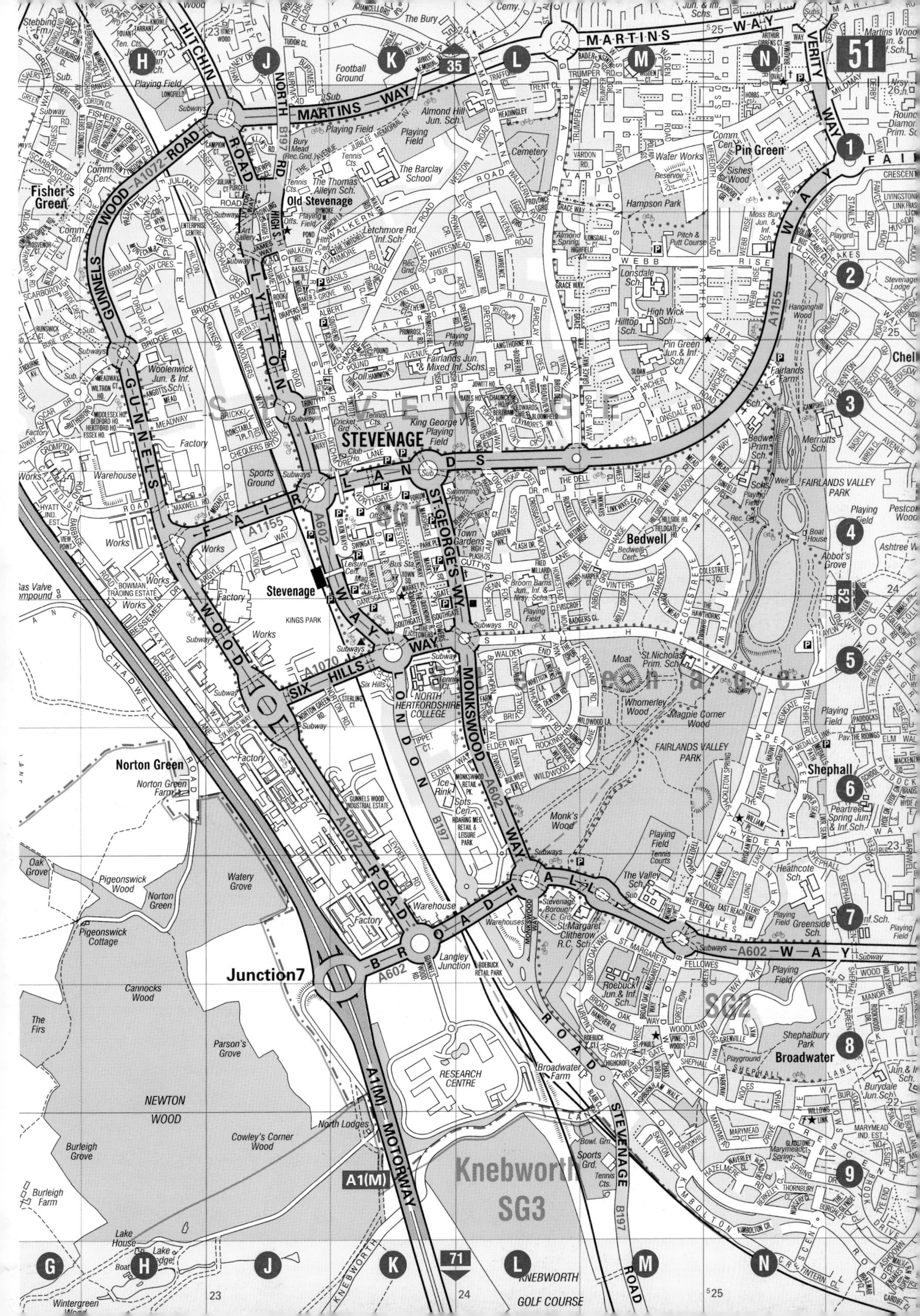

STEVENAGE
Old Stevenage
Stevenage
Fisher's Green
Pin Green
Bedwell
Shephall
Broadwater
Norton Green
Knebworth
SG1
SG2
SG3
Junction7
MARTINS WAY
NORTH RD.
HITCHIN ROAD
GUNNELS WOOD ROAD
FAIRLANDS WAY
LYTTON WAY
ST. GEORGE'S WAY
MONKSWOOD WAY
SIX HILLS WAY
BROADHALL WAY
BROADWATER CRES.
LONDON ROAD
STEVENAGE ROAD
VERITY WAY
A1(M) MOTORWAY
A1(M)
A1155
A1072
A1070
A602
B197
Hampson Park
Fairlands Valley Park
King George V Playing Field
Kings Park
North Hertfordshire College
Research Centre
Newton Wood
Whomerley Wood
Monk's Wood
Cannocks Wood
Parson's Grove
Burleigh Grove
Cowley's Corner Wood
Pigeonswick Wood
Norton Green
Watery Grove
Oak Grove
The Firs
Knebworth Golf Course
Shephalbury Park
Gunnels Wood Industrial Estate
Roaring Meg Retail & Leisure Park
Monkswood Retail Pk.
Bowman Trading Estate
Cemetery
Water Works
The Barclay School
The Thomas Alleyn Sch.
Almond Hill Jun. Sch.
Lonsdale Sch.
High Wick Sch.
Hilltop Sch.
Pin Green Jun. & Inf. Sch.
Fairlands Farm
Bedwell Prim. Sch.
Merriotts Sch.
Woolenwick Jun. & Inf. Sch.
St. Nicholas Prim. Sch.
Heathcote Sch.
Greenside Sch.
The Valley Sch.
Roebuck Jun. & Inf. Sch.
Stevenage Borough F.C. Grd.
St. Margaret Clitherow R.C. Sch.
Broadwater Farm
North Lodges
Lake House
Burleigh Farm
Wintergreen Wood
35
52
71
H J K L M N
1 2 3 4 5 6 7 8 9
G H J K L M N
23 24 25

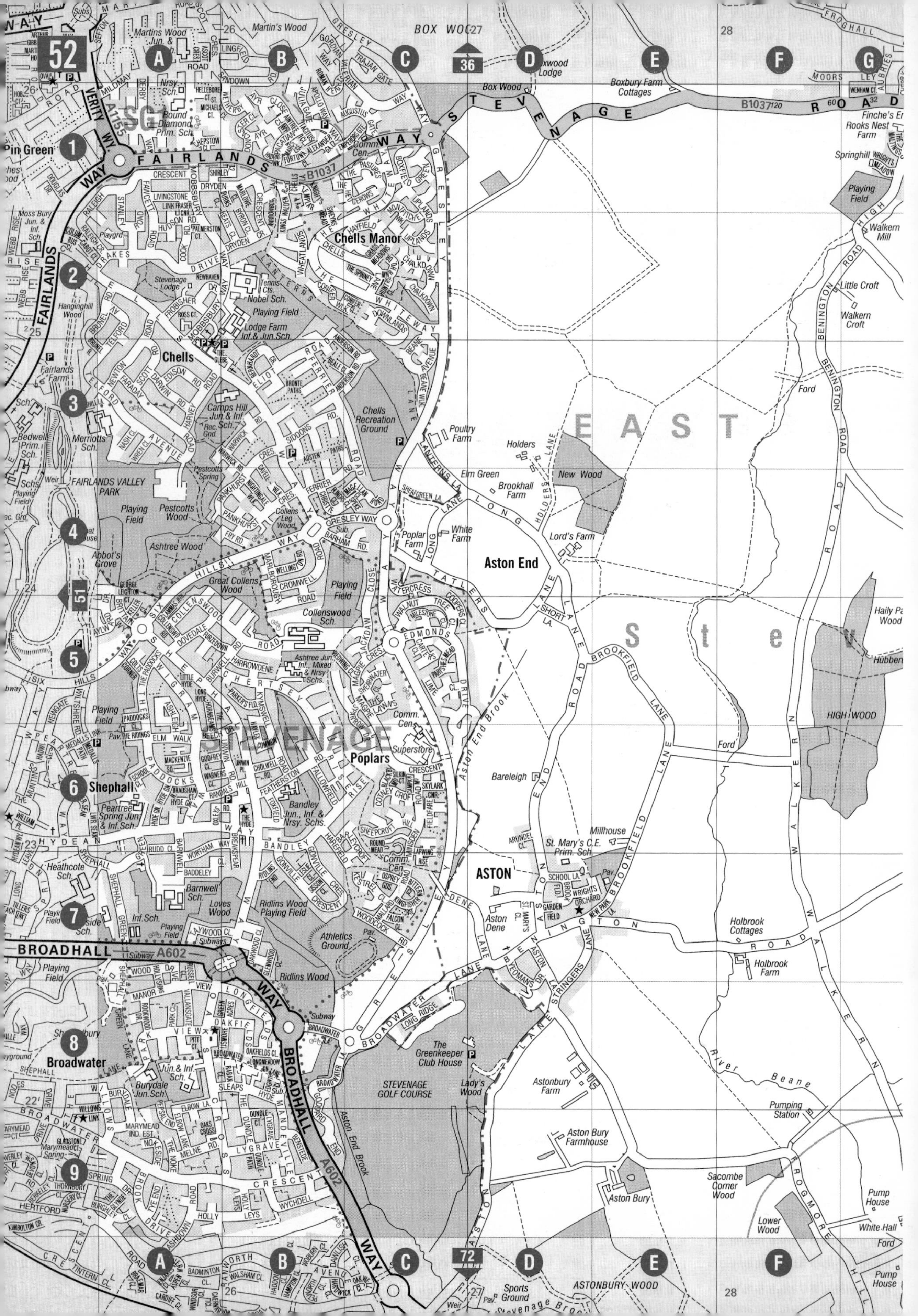

52
A
B
C
D
E
F
G
36
72
51
26
27
28
25
24
23
22
1
2
3
4
5
6
7
8
9
Martin's Wood
BOX WOOD
Boxwood Lodge
Box Wood
Boxbury Farm Cottages
FROGHALL
STEVENAGE ROAD
B1037
Finche's End
Rooks Nest Farm
Springhill
Playing Field
Walkern Mill
Little Croft
Walkern Croft
BENINGTON ROAD
Ford
Pin Green
FAIRLANDS WAY
VERITY WY.
A1155
Martins Wood Jun. & Inf. Sch.
Round Diamond Prim. Sch.
Comm. Cen.
Chells Manor
GRESLEY WAY
Moss Bury Jun. & Inf. Sch.
Stevenage Lodge
Nobel Sch.
Playing Field
Lodge Farm Inf.& Jun.Sch.
Hanginghill Wood
Chells
Fairlands Farm
Camps Hill Jun.& Inf. Sch.
Chells Recreation Ground
Merriotts Sch.
Bedwell Prim. Sch.
FAIRLANDS VALLEY PARK
Pestcotts Spring
Playing Field
Pestcotts Wood
Collens Leg Wood
Poultry Farm
Holders
Elm Green
Brookhall Farm
New Wood
EAST
Poplar Farm
White Farm
Lord's Farm
Aston End
Ashtree Wood
Abbot's Grove
Great Collens Wood
SIX HILLS WAY
Playing Field
Collenswood Sch.
Haily Park Wood
S t e v
Hubberts
Ashtree Jun. Inf., Mixed & Nrsy. Schs.
Comm. Cen.
Superstore
STEVENAGE
Poplars
Aston End Brook
HIGH WOOD
Ford
Bareleigh
Shephall
Peartree Spring Jun. & Inf. Sch.
Bandley Jun., Inf. & Nrsy. Schs.
HYDEAN WAY
Millhouse
St. Mary's C.E. Prim. Sch.
ASTON
Heathcote Sch.
Barnwell Sch.
Loves Wood
Ridlins Wood Playing Field
Athletics Ground
Aston Dene
Holbrook Cottages
Holbrook Farm
BROADHALL
A602
Ridlins Wood
BROADHALL WAY
Broadwater
Burydale Jun.Sch.
Jun.& Inf. Sch.
The Greenkeeper Club House
STEVENAGE GOLF COURSE
Lady's Wood
Astonbury Farm
River Beane
Pumping Station
Aston Bury Farmhouse
Marymead Ind. Est.
Sacombe Corner Wood
Aston Bury
Pump House
Lower Wood
White Hall
Ford
ASTONBURY WOOD
Sports Ground
Stevenage Brook
Pump House

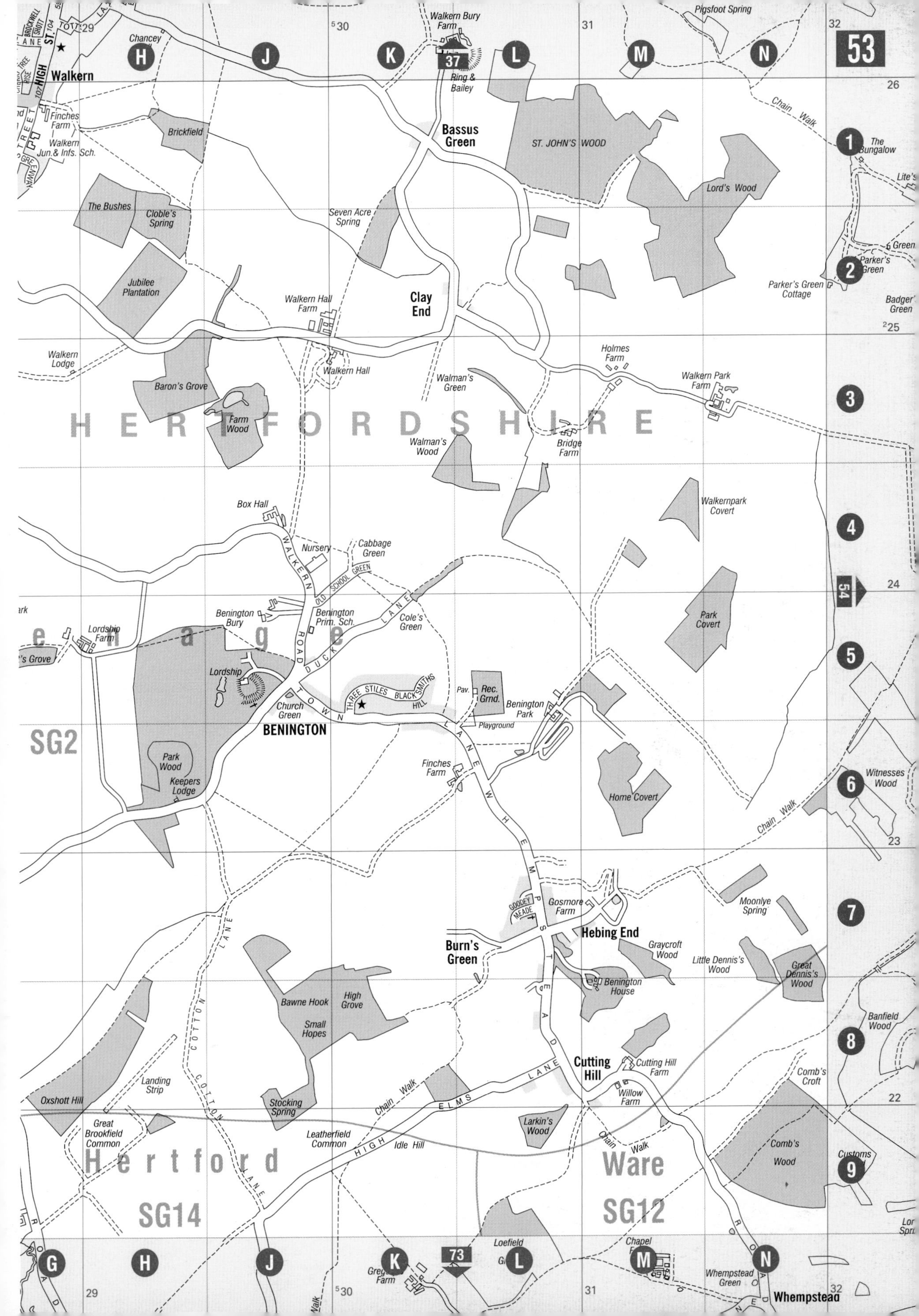
Walkern
Walkern Bury Farm
Ring & Bailey
Pigsfoot Spring
Chancey
Finches Farm
Walkern Jun.& Infs. Sch.
Brickfield
Bassus Green
ST. JOHN'S WOOD
Chain Walk
The Bungalow
Lord's Wood
The Bushes
Cloble's Spring
Seven Acre Spring
Jubilee Plantation
Walkern Hall Farm
Clay End
Parker's Green
Parker's Green Cottage
Badger's Green
Walkern Lodge
Walkern Hall
Holmes Farm
Walkern Park Farm
Walman's Green
Baron's Grove
Farm Wood
HERTFORDSHIRE
Walman's Wood
Bridge Farm
Walkernpark Covert
Box Hall
Nursery
Cabbage Green
WALKERN ROAD
OLD SCHOOL GREEN
DUCK LANE
Benington Bury
Benington Prim. Sch.
Cole's Green
Park Covert
Lordship Farm
Lordship
Rec. Grnd.
Pav.
THREE STILES
BLACKSMITHS HILL
Church Green
TOWN LANE
Benington Park
Playground
BENINGTON
SG2
Park Wood
Keepers Lodge
Finches Farm
Home Covert
Witnesses Wood
HEMPSTEAD ROAD
Chain Walk
GOODEY MEADE
Gosmore Farm
Hebing End
Moonlye Spring
Burn's Green
Graycroft Wood
Little Dennis's Wood
Great Dennis's Wood
Benington House
Bawne Hook
High Grove
Small Hopes
COTTON LANE
Banfield Wood
Cutting Hill
Cutting Hill Farm
Willow Farm
Comb's Croft
Oxshott Hill
Landing Strip
Stocking Spring
Chain Walk
HIGH ELMS LANE
Larkin's Wood
Great Brookfield Common
Leatherfield Common
Idle Hill
Hertford
Ware
Comb's Wood
Customs
SG14
SG12
Loefield
Chapel
Whempstead Green
Whempstead
54
73
37

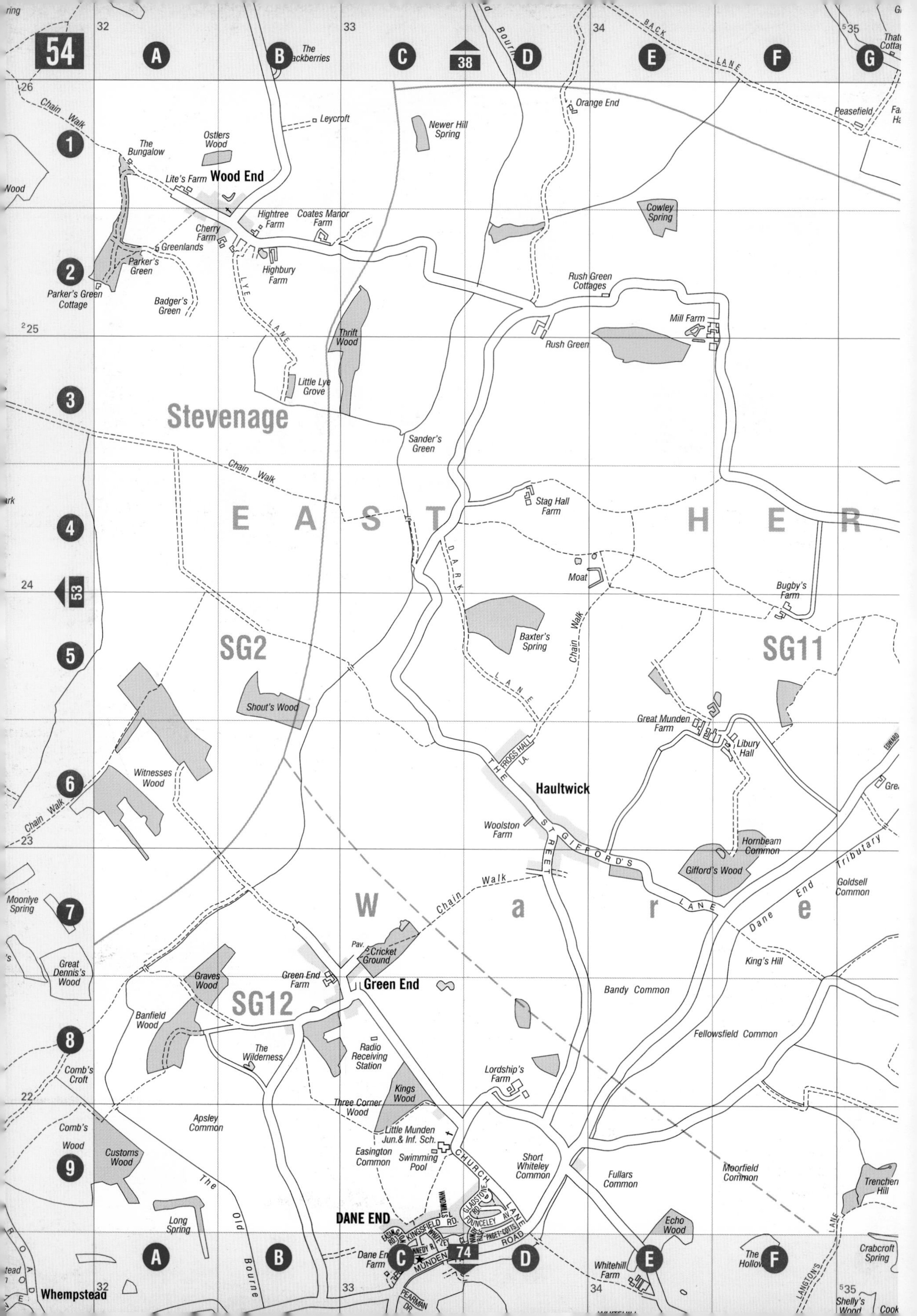

A
B
C
D
E
F
G
38
53
74
The Blackberries
Chain Walk
The Bungalow
Ostlers Wood
Leycroft
Newer Hill Spring
Orange End
Peasefield
Back Lane
Lite's Farm
Wood End
Hightree Farm
Coates Manor Farm
Cherry Farm
Greenlands
Parker's Green
Parker's Green Cottage
Badger's Green
Highbury Farm
Lye Lane
Cowley Spring
Rush Green Cottages
Mill Farm
Rush Green
Thrift Wood
Little Lye Grove
Stevenage
Sander's Green
Chain Walk
Stag Hall Farm
EAST HERTS
Dark Lane
Moat
Bugby's Farm
Baxter's Spring
Chain Walk
SG2
SG11
Shout's Wood
Great Munden Farm
Libury Hall
Witnesses Wood
Chain Walk
The Street
Frogs Hall La.
Haultwick
Woolston Farm
St Gifford's Lane
Hornbeam Common
Gifford's Wood
Goldsell Common
Dane End Tributary
Moonlye Spring
Chain Walk
Ware
Pav.
Cricket Ground
King's Hill
Great Dennis's Wood
Graves Wood
Green End Farm
Green End
Bandy Common
SG12
Banfield Wood
The Wilderness
Radio Receiving Station
Fellowsfield Common
Comb's Croft
Lordship's Farm
Kings Wood
Three Corner Wood
Apsley Common
Comb's Wood
Customs Wood
Little Munden Jun.& Inf. Sch.
Easington Common
Swimming Pool
Church Lane
Short Whiteley Common
Fullars Common
Moorfield Common
Trenchern Hill
The Old Bourne
Long Spring
DANE END
Kingsfield Rd.
Windmills
Gladstone Rd.
Whiteley Cl.
Kennedy R.
Pouncelley Av.
Paget Cotts.
Munden Road
Echo Wood
The Hollow
Langton's Lane
Crabcroft Spring
Dane End Farm
Whitehill Farm
Pearman Dr.
Whempstead
Shelly's Wood
32
33
34
35
26
25
24
23
22
1
2
3
4
5
6
7
8
9

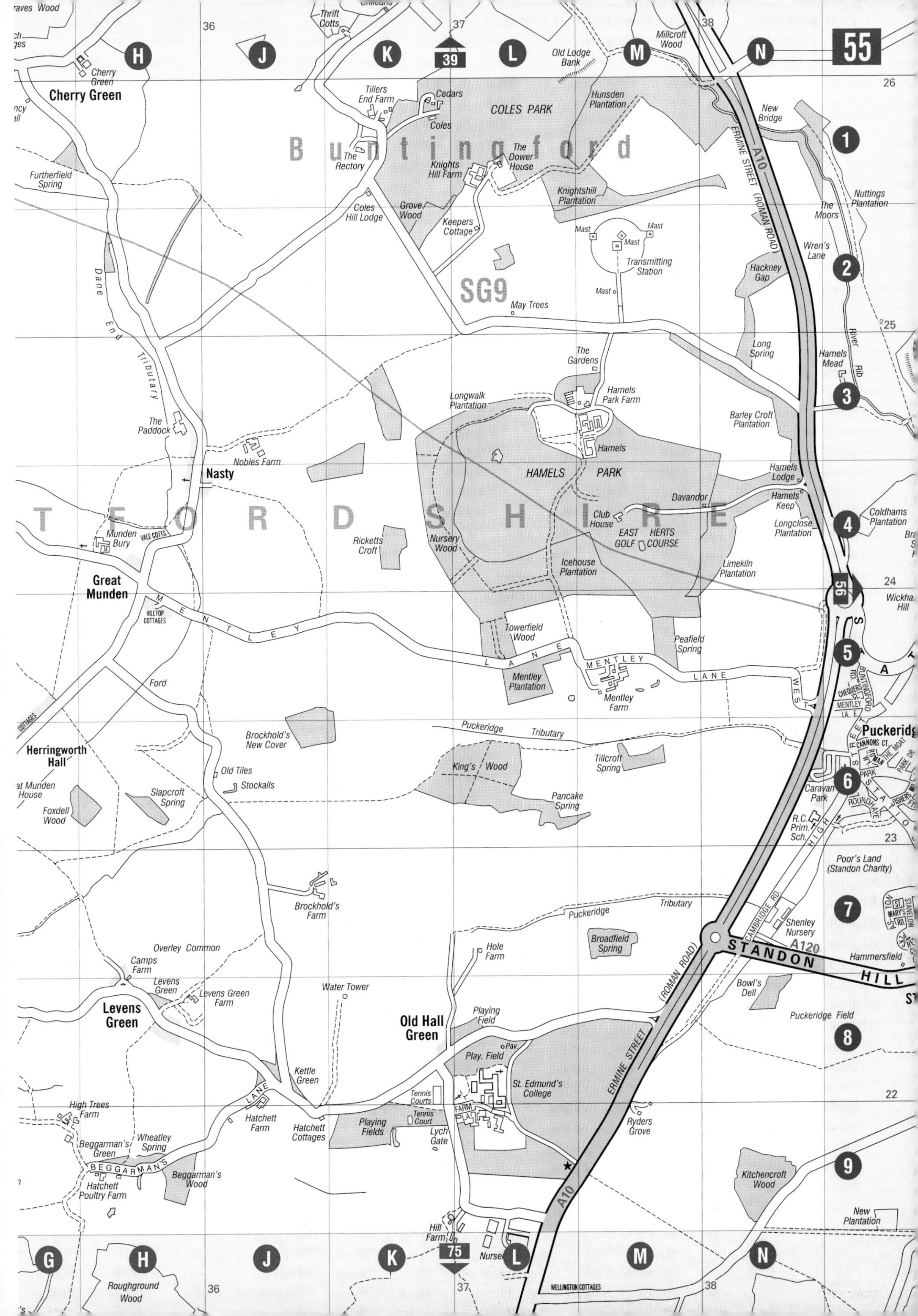

Cherry Green
Nasty
Great Munden
Herringworth Hall
Levens Green
Old Hall Green
Puckeridge
Buntingford
HERTFORDSHIRE
SG9
COLES PARK
HAMELS PARK
EAST HERTS GOLF COURSE
St. Edmund's College
Munden Bury
The Paddock
Nobles Farm
Coles Hill Lodge
Tillers End Farm
Cedars
Coles
The Rectory
Knights Hill Farm
The Dower House
Grove Wood
Keepers Cottage
Hunsden Plantation
Knightshill Plantation
Transmitting Station
Mast
May Trees
Old Lodge Bank
Millcroft Wood
New Bridge
Nuttings Plantation
The Moors
Wren's Lane
Hackney Gap
Long Spring
Hamels Mead
River Rib
Barley Croft Plantation
The Gardens
Hamels Park Farm
Longwalk Plantation
Hamels
Hamels Lodge
Hamels Keep
Davandor
Club House
Coldhams Plantation
Longclose Plantation
Limekiln Plantation
Icehouse Plantation
Nursery Wood
Ricketts Croft
Towerfield Wood
Mentley Plantation
Mentley Farm
Peafield Spring
MENTLEY LANE
WEST
Dane End Tributary
Furtherfield Spring
Ford
Old Tiles
Stockalls
Brockhold's New Cover
Puckeridge Tributary
King's Wood
Tillcroft Spring
Pancake Spring
Slapcroft Spring
Foxdell Wood
Great Munden House
Brockhold's Farm
Overley Common
Camps Farm
Levens Green Farm
Water Tower
Hole Farm
Broadfield Spring
Playing Field
Play. Field
Pav.
Kettle Green
Tennis Courts
Tennis Court
FARM
Playing Fields
Lych Gate
Hatchett Farm
Hatchett Cottages
High Trees Farm
Wheatley Spring
Beggarman's Green
BEGGARMAN'S LANE
Beggarman's Wood
Hatchett Poultry Farm
Ryders Grove
ERMINE STREET (ROMAN ROAD)
A10
A120
STANDON HILL
Shenley Nursery
CAMBRIDGE RD.
Poor's Land (Standon Charity)
Hammersfield
Bowl's Dell
Puckeridge Field
Kitchencroft Wood
New Plantation
Caravan Park
R.C. Prim. Sch.
HIGH STREET
BUNTINGFORD RD.
CHEQUERS CL.
MENTLEY LA. E.
CANNONS CT.
THE MOAT
ROMAN WAY
PARK
ROUNDHAYE
FISHERS
ST. MARY'S RD.
STANELOW
Hill Farm
Nurse
WELLINGTON COTTAGES
VALE COTTS.
HILLTOP COTTAGES
COTTAGES
Roughground Wood
Thrift Cotts.
Wickham Hill
H J K L M N
G H J K L M N
1 2 3 4 5 6 7 8 9
36 37 38
26 25 24 23 22
39
56
75

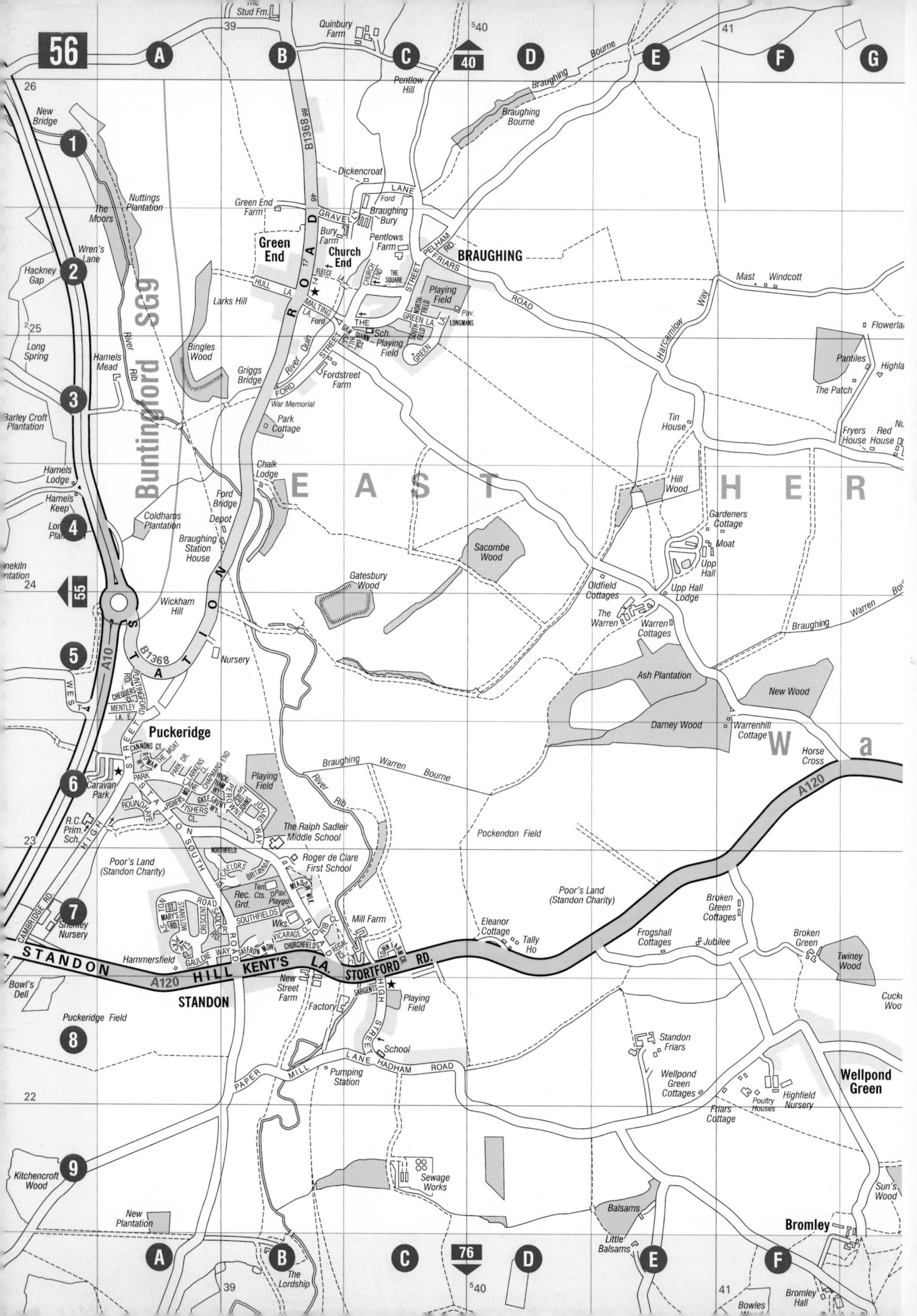

A
B
C
D
E
F
G
40
Quinbury Farm
Pentlow Hill
Braughing Bourne
New Bridge
Nuttings Plantation
The Moors
Wren's Lane
Hackney Gap
Long Spring
Hamels Mead
Barley Croft Plantation
Hamels Lodge
Hamels Keep
Dickencroat
Green End Farm
Braughing Bury
Bury Farm
Pentlows Farm
Green End
Church End
BRAUGHING
Larks Hill
Bingles Wood
Griggs Bridge
Fordstreet Farm
Playing Field
War Memorial
Park Cottage
Chalk Lodge
Ford Bridge
Depot
Coldhams Plantation
Braughing Station House
Wickham Hill
Nursery
Buntingford SG9
B1368
A10
STATION
EAST HER
Mast
Windcott
Harcamlow Way
Flowerla
Pantiles
The Patch
Tin House
Fryers House
Red House
Hill Wood
Gardeners Cottage
Moat
Upp Hall
Upp Hall Lodge
Oldfield Cottages
The Warren
Warren Cottages
Sacombe Wood
Gatesbury Wood
Braughing Warren Bourne
Ash Plantation
New Wood
Darney Wood
Warrenhill Cottage
Horse Cross
Puckeridge
Caravan Park
R.C. Prim. Sch.
Playing Field
The Ralph Sadleir Middle School
Roger de Clare First School
Pockendon Field
Poor's Land (Standon Charity)
Rec. Grd.
Mill Farm
Eleanor Cottage
Tally Ho
Frogshall Cottages
Jubilee
Broken Green Cottages
Broken Green
Twiney Wood
Shelley Nursery
Hammersfield
STANDON
A120
HILL
KENT'S LA.
STORTFORD RD.
New Street Farm
Factory
Playing Field
Bowl's Dell
Puckeridge Field
School
Pumping Station
PAPER MILL LANE
HADHAM ROAD
Standon Friars
Wellpond Green Cottages
Friars Cottage
Poultry Houses
Highfield Nursery
Wellpond Green
Kitchencroft Wood
Sewage Works
New Plantation
Balsams
Little Balsams
Sun's Wood
Bromley
Bromley Hall
The Lordship
55
76
39
41
22
23
24
25
26

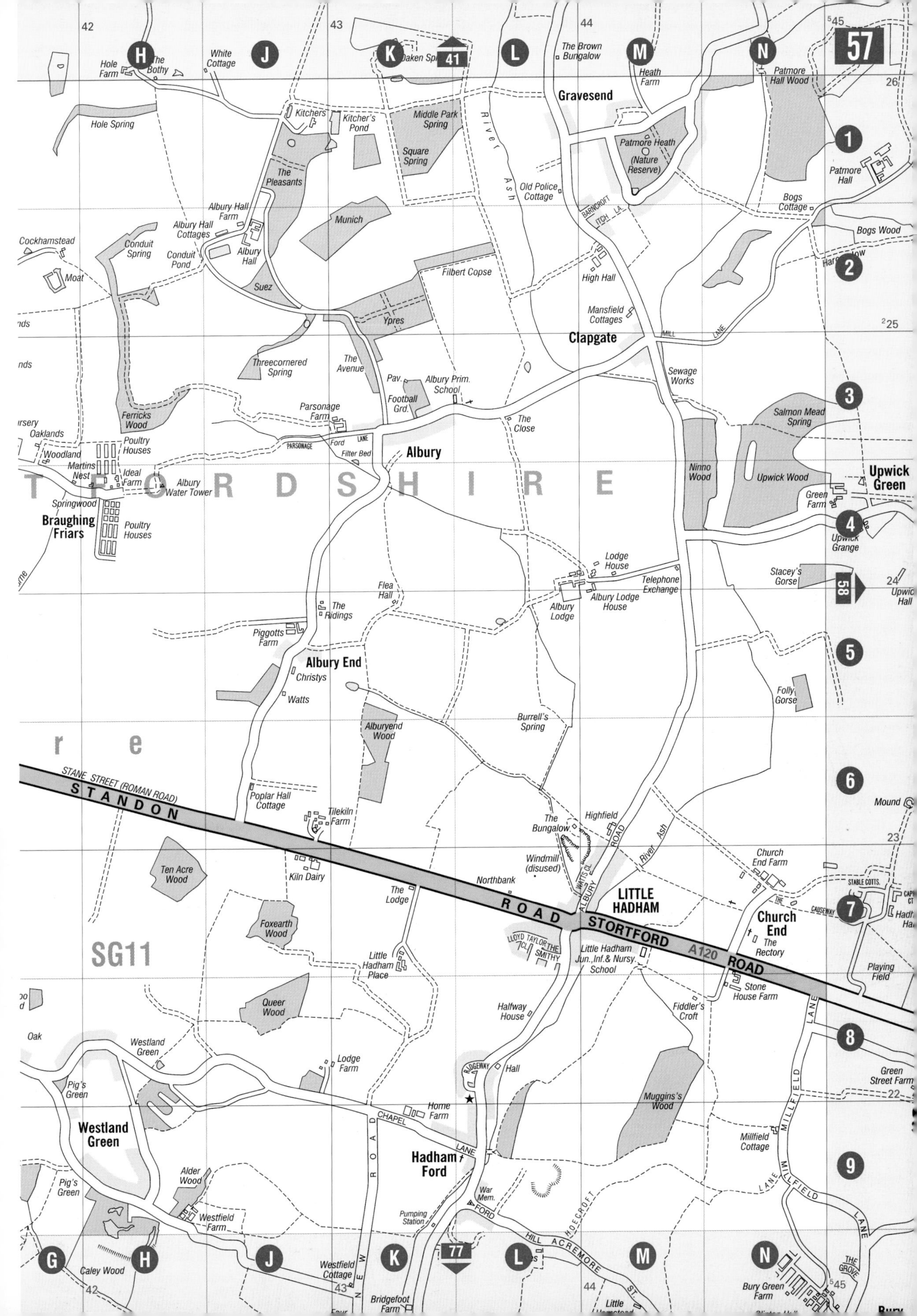

41
Hole Farm
The Bothy
White Cottage
Oaken Spr
The Brown Bungalow
Heath Farm
Patmore Hall Wood
Gravesend
Hole Spring
Kitchers
Kitcher's Pond
Middle Park Spring
Square Spring
River Ash
Patmore Heath (Nature Reserve)
Patmore Hall
The Pleasants
Old Police Cottage
Bogs Cottage
Albury Hall Farm
Munich
Albury Hall Cottages
Bogs Wood
Cockhamstead
Conduit Spring
Conduit Pond
Albury Hall
High Hall
Moat
Suez
Filbert Copse
Mansfield Cottages
Ypres
Clapgate
Threecornered Spring
The Avenue
Sewage Works
Pav.
Albury Prim. School
Football Grd.
Salmon Mead Spring
Parsonage Farm
The Close
Ferricks Wood
Oaklands
Poultry Houses
Woodland
Parsonage Lane
Ford
Filter Bed
Albury
Martins Nest
Ideal Farm
Albury Water Tower
Ninno Wood
Upwick Wood
Upwick Green
Green Farm
Springwood
Braughing Friars
Poultry Houses
Upwick Grange
Lodge House
Telephone Exchange
Stacey's Gorse
58
Upwick Hall
Flea Hall
The Ridings
Albury Lodge
Albury Lodge House
Piggotts Farm
Albury End
Christys
Watts
Folly Gorse
Burrell's Spring
Alburyend Wood
Stane Street (Roman Road)
Standon Road
Poplar Hall Cottage
Tilekiln Farm
Highfield
The Bungalow
Mound
Albury Road
River Ash
Church End Farm
Ten Acre Wood
Windmill (disused)
Kiln Dairy
Northbank
Watts Cl.
Stable Cotts.
The Causeway
Little Hadham
The Lodge
Church End
Foxearth Wood
Lloyd Taylor Cl.
The Smithy
Little Hadham Jun., Inf. & Nursy. School
Stortford Road
A120
The Rectory
SG11
Little Hadham Place
Playing Field
Stone House Farm
Queer Wood
Halfway House
Fiddler's Croft
Oak
Westland Green
Lodge Farm
Ridgeway
Hall
Green Street Farm
Pig's Green
Muggins's Wood
Home Farm
Chapel Lane
Westland Green
New Road
Millfield Cottage
Millfield Lane
Hadham Ford
Alder Wood
War Mem.
Pig's Green
Hoecroft
Westfield Farm
Pumping Station
Ford Hill
Acremore St.
Caley Wood
77
Westfield Cottage
The Grove
Bridgefoot Farm
Bury Green Farm
Little

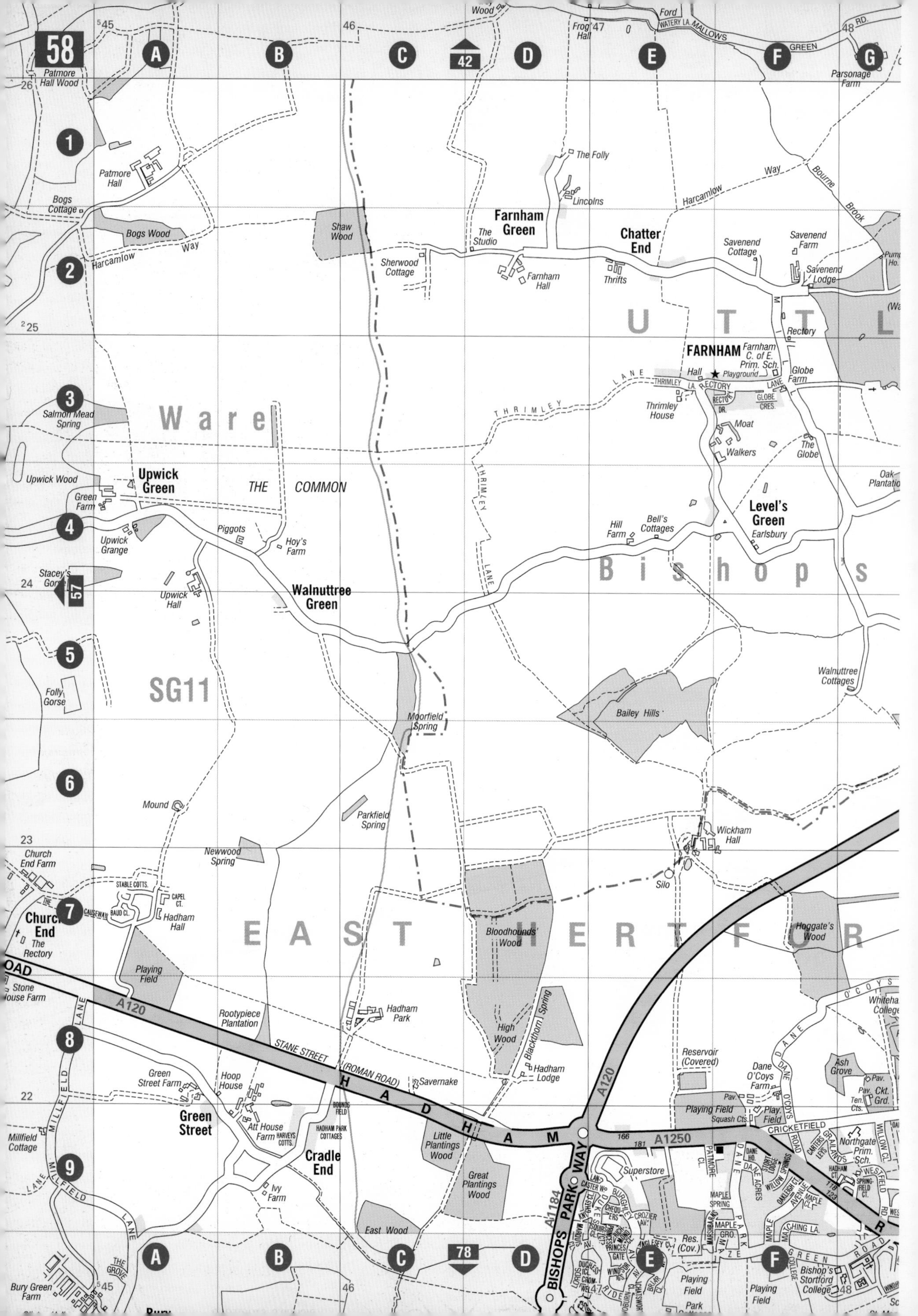

Patmore Hall Wood
Patmore Hall
Bogs Cottage
Bogs Wood
Harcamlow Way
Shaw Wood
Sherwood Cottage
The Studio
Farnham Green
Farnham Hall
The Folly
Lincolns
Chatter End
Thrifts
Harcamlow Way
Bourne Brook
Savenend Cottage
Savenend Farm
Savenend Lodge
Parsonage Farm
Frog Hall
Ford
Watery La.
Mallows Green Rd.
Rectory
FARNHAM
Farnham C. of E. Prim. Sch.
Hall
Playground
Globe Farm
Thrimley Lane
Thrimley La.
Rectory
Rectory Dr.
Globe Cres.
Thrimley House
Moat
Walkers
The Globe
Oak Plantation
Level's Green
Earlsbury
Bell's Cottages
Hill Farm
Salmon Mead Spring
Ware
Upwick Wood
Upwick Green
THE COMMON
Green Farm
Upwick Grange
Piggots
Hoy's Farm
Stacey's Gorse
Upwick Hall
Walnuttree Green
Bishop's
Walnuttree Cottages
Bailey Hills
Folly Gorse
SG11
Moorfield Spring
Mound
Parkfield Spring
Newwood Spring
Wickham Hall
Silo
Church End Farm
Stable Cotts.
Capel Ct.
Baud Cl.
The Causeway
Hadham Hall
Church End
The Rectory
EAST HERTFOR
Bloodhounds' Wood
Hoggate's Wood
Playing Field
Stone House Farm
A120
Rootypiece Plantation
Hadham Park
High Wood
Blackthorn Spring
Hadham Lodge
Stane Street (Roman Road)
Hadham Way
Savernake
Reservoir (Covered)
Dane O'Coys Farm
O'Coys Road
Whitehall College
Ash Grove
Pav.
Ckt. Grd.
Ten. Cts.
Green Street Farm
Hoop House
Green Street
Att House Farm
Harveys Cotts.
Bounds Field
Hadham Park Cottages
Little Plantings Wood
Cradle End
A1250
166
181
Playing Field
Squash Cts.
Play. Field
Cricketfield
Northgate Prim. Sch.
Millfield Lane
Millfield Cottage
Ivy Farm
Great Plantings Wood
Superstore
A1184
Bishops Park Way
Patmore Cl.
Dane Acres
Maple Spring
Maple Gro.
Maze Green Road
Res. (Cov.)
East Wood
The Grove
Bury Green Farm
Playing Field
Playing Field
Bishop's Stortford College
Westfield Rd.
Willow Cl.
Hadham Ct.
Maple Av.
Avenue
Haching La.
Anglesey Cl.
Princes Gate
Windsor
Duchess Cl.
Crozier Av.
Burghley Av.
Dane Ho.
Willow Springs
Oakleigh Cl.
Spring-field Ct.
Westfield
Crom.
Lords
Ride
Chatsworth
Heyt
Kingwood
Fwd
Ref
Brar
Maple Cl.
College
Green
The Grove
A B C D E F G
1 2 3 4 5 6 7 8 9
45 46 47 48
26 25 24 23 22

42
57
78

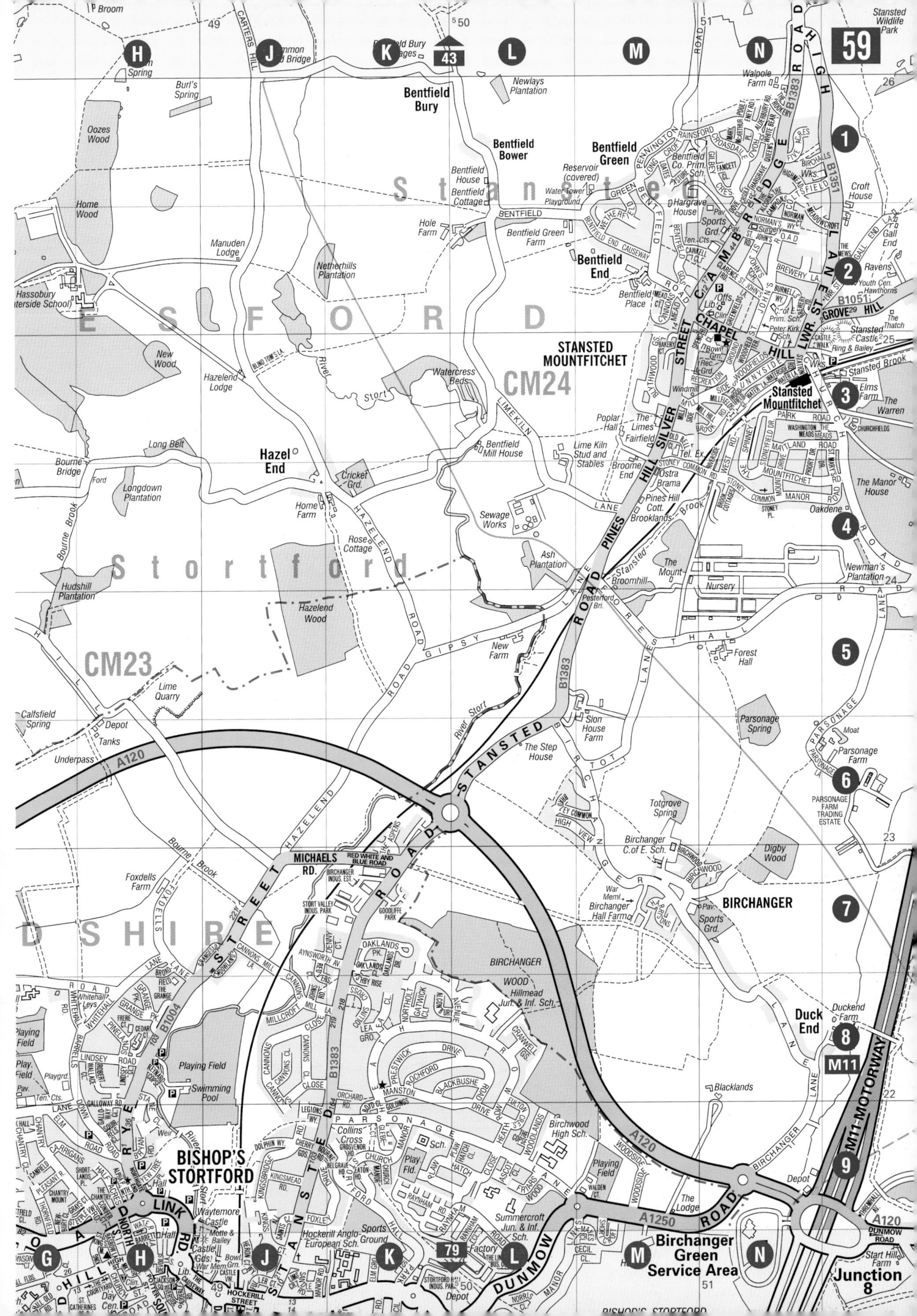
Broom
Stansted Wildlife Park
H
J
K
L
M
N
43
Spring
Burl's Spring
Bentfield Bury
Newlays Plantation
Walpole Farm
Oozes Wood
Bentfield Bower
Bentfield Green
Reservoir (covered)
Water Tower
Playground
Bentfield House
Bentfield Cottage
Home Wood
Hole Farm
BENTFIELD
Bentfield Green Farm
Hargrave House
Sports Grd.
Surgery
Ten. Cts.
Manuden Lodge
Netherhills Plantation
Bentfield End
Bentfield Place
Croft House
Gall End
Ravens
Youth Cen.
Hawthorns
B1051
GROVE HILL
B1351
B1383
The Thatch
Stansted Castle
Ring & Bailey
Stansted Brook
Hassobury
E S S E X
S T A N S T E D
F O R D
STANSTED MOUNTFITCHET
CHAPEL HILL
SILVER STREET
CAMBRIDGE ROAD
HIGH LANE
LWR. ST.
New Wood
Hazelend Lodge
BLIND TOM'S LA.
River Stort
Watercress Beds
CM24
LIMEKILN
Stansted Mountfitchet
Elms Farm
The Warren
CHURCH ROAD
CHURCHFIELDS
Poplar Hall
The Limes
Fairfield
Tel. Ex.
Windmill
Long Belt
Bourne Bridge
Ford
Hazel End
Bentfield Mill House
Lime Kiln Stud and Stables
Broome End
Ostra Brama
Pines Hill Cott.
Brooklands
STONEY COMMON RD.
MOUNTFITCHET
MANOR ROAD
The Manor House
Oakdene
Longdown Plantation
Cricket Grd.
Home Farm
Sewage Works
Bourne Brook
Rose Cottage
HAZELEND ROAD
Ash Plantation
PINES HILL
Stansted Brook
The Mount
Broomhill
Nursery
Newman's Plantation
Pesterford Bri.
FOREST HALL ROAD
Forest Hall
S t o r t f o r d
Hudshill Plantation
Hazelend Wood
GIPSY LANE
New Farm
CM23
Lime Quarry
Calfsfield Spring
Depot
Tanks
Underpass
A120
STANSTED ROAD
River Stort
Sion House Farm
The Step House
Parsonage Spring
PARSONAGE LA.
Moat
Parsonage Farm
PARSONAGE FARM TRADING ESTATE
BIRCHANGER LANE
Totgrove Spring
HIGH VIEW
Birchanger C.of E. Sch.
Digby Wood
Bourne Brook
Foxdells Farm
MICHAELS RD.
RED WHITE AND BLUE ROAD
BIRCHANGER INDUS. EST.
STORT VALLEY INDUS. PARK
GOODLIFFE PARK
War Meml.
Birchanger Hall Farm
Sports Grd.
BIRCHANGER
HERTFORDSHIRE
D S H I R E
STANSTED ROAD
OAKLANDS
AYNSWORTH AV.
BIRCHANGER WOOD
Hillmead Jun. & Inf. Sch.
Whitehall Leys
GRANGE PK.
Playing Field
Swimming Pool
B1004
B1383
Duck End
Duckend Farm
M11
M11 MOTORWAY
Blacklands
PRESTWICK
ROCHFORD
BLACKBUSHE
MANSTON
Playgrd.
Play. Field
Ten. Cts.
Weir
PARSONAGE ROAD
Collins Cross
Birchwood High Sch.
Play. Fld.
Sch.
A120
WOODSIDE
BISHOP'S STORTFORD
Playing Field
The Lodge
Depot
Waytemore Castle
Motte & Bailey
Castle Gdns.
War Mem.
Bowl Grn.
LINK RD.
Hockerill Anglo-European Sch.
Sports Ground
Summercroft Jun. & Inf. Sch.
A1250
Birchanger Green Service Area
DUNMOW ROAD
A120
Start Hill Farm
Junction 8
79
Factory
STORTFORD HALL INDUS. PARK
Depot
HOCKERILL STREET
G
H
J
K
L
M
N
1
2
3
4
5
6
7
8
9
49
50
51
22
23
24
25
26

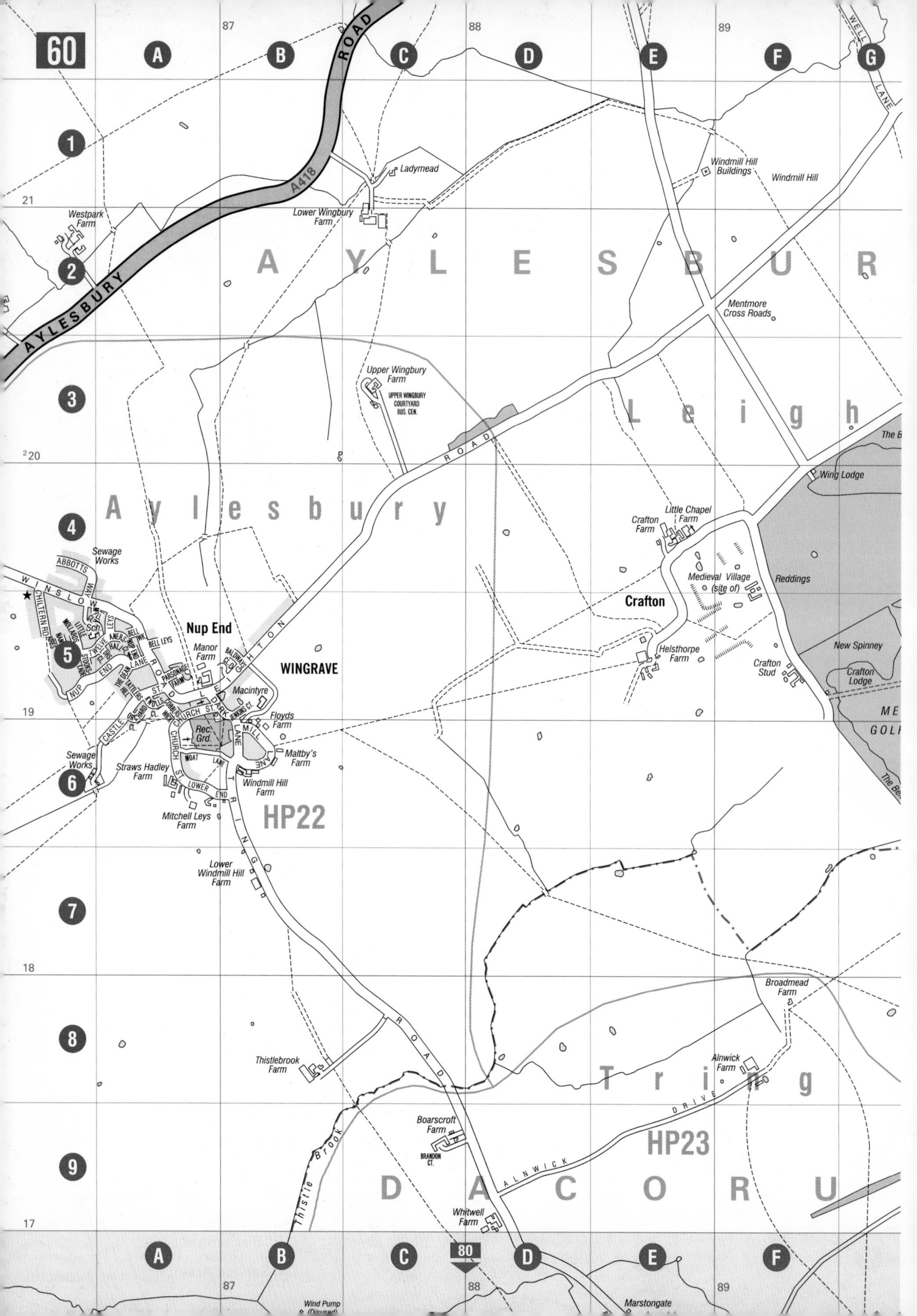

A   B   C   D   E   F   G

87   88   89

1

21

Ladymead

Lower Wingbury
Farm

Windmill Hill
Buildings

Windmill Hill

Westpark
Farm

2

A Y L E S B U R

AYLESBURY

Mentmore
Cross Roads

3

Upper Wingbury
Farm

UPPER WINGBURY
COURTYARD
BUS. CEN.

L e i g h

²20

The B

R O A D

Wing Lodge

4

A y l e s b u r y

Sewage
Works

ABBOTTS

Little Chapel
Farm

Crafton
Farm

Medieval Village
(site of)

Reddings

Crafton

New Spinney

Crafton
Lodge

5

WINSLOW

Sch

CHILTERN RD

Nup End

Manor
Farm

BALDWINS

Macintyre

WINGRAVE

Helsthorpe
Farm

Crafton
Stud

ME
GOLF

19

Floyds
Farm

Maltby's
Farm

6

Sewage
Works

Straws Hadley
Farm

MOAT LANE

CHURCH ST

Rec.
Grd.

Windmill Hill
Farm

HP22

The B

7

Mitchell Leys
Farm

LOWER END

RING

Lower
Windmill Hill
Farm

18

Broadmead
Farm

8

Thistlebrook
Farm

R O A D

Alnwick
Farm

T r i n g

DRIVE

9

Boarscroft
Farm

BRANDON
CT.

ALNWICK

HP23

D A C O R U

17

Thistle Brook

Whitwell
Farm

A   B   C   80   D   E   F

87   88   89

Wind Pump
(Disused)

Marstongate

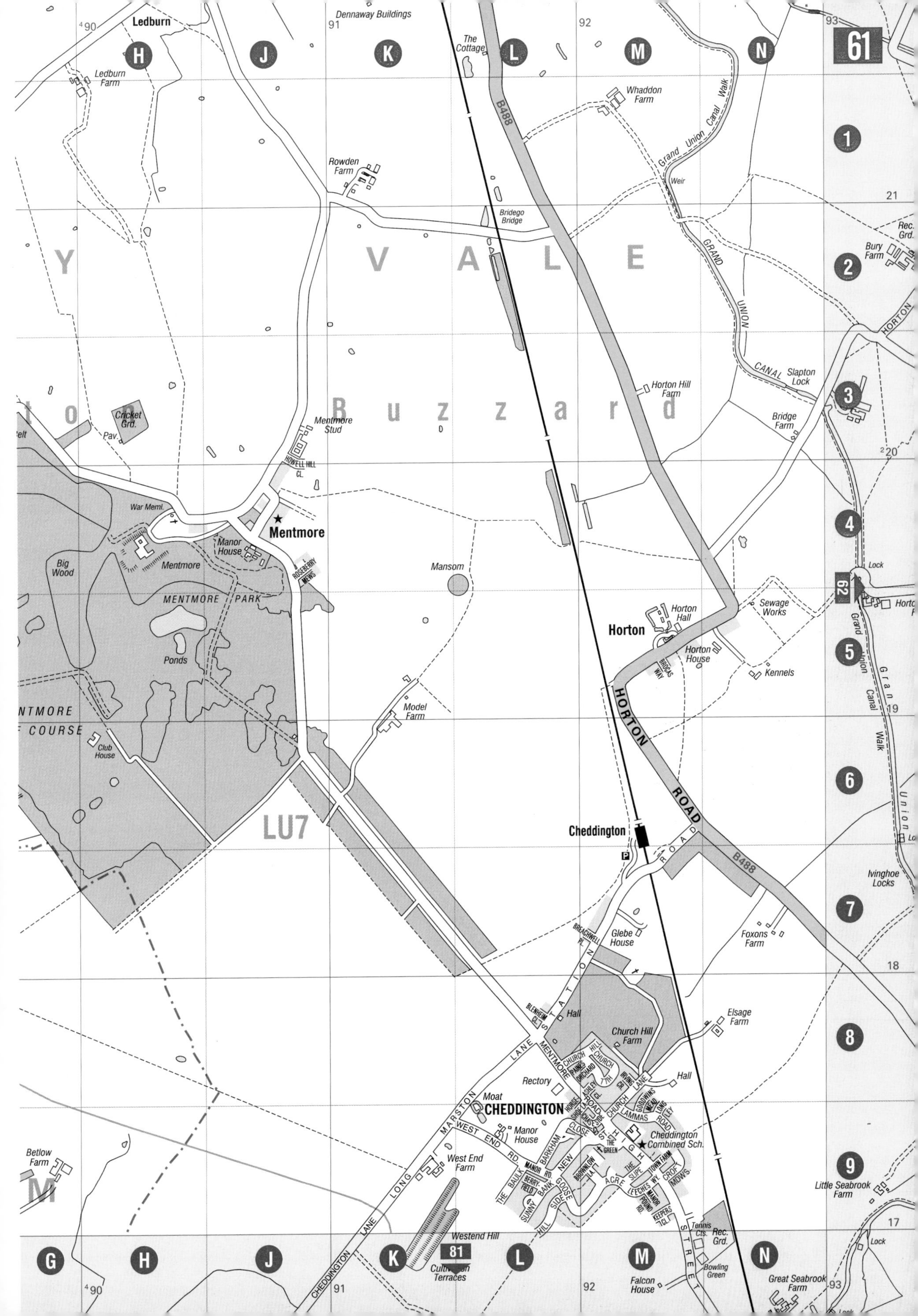
Ledburn
Ledburn Farm
Dennaway Buildings
The Cottage
Whaddon Farm
Grand Union Canal Walk
B488
Rowden Farm
Weir
Bridego Bridge
Rec. Grd.
Bury Farm
VALE
HORTON
CANAL
Slapton Lock
Horton Hill Farm
Cricket Grd.
Pav.
Mentmore Stud
Bridge Farm
Buzzard
HOWELL HILL CL.
War Meml.
Mentmore
Manor House
Big Wood
Mentmore
ROSEBERRY MEWS
Mansom
Lock
MENTMORE PARK
Sewage Works
Horton Hall
Horton
Ponds
Horton House
BROCAS WAY
Kennels
Model Farm
NTMORE
F COURSE
Club House
HORTON ROAD
LU7
Cheddington
ROAD
B488
Ivinghoe Locks
Glebe House
BREACHWELL PL.
Foxons Farm
STATION
BLENHEIM CL.
Hall
Elsage Farm
Church Hill Farm
LANE
MENTMORE
CHURCH HILL
CHURCH PATH
IRVING CR.
CHURCH LANE
Hall
Rectory
Moat
CHEDDINGTON
MARSTON
WEST END RD.
Manor House
Cheddington Combined Sch.
LAMMAS ROAD
THE GREEN
HIGH
Betlow Farm
West End Farm
MANOR RD.
BARKHAM
NEW
BROWNLOW LA.
ACRE
THE SLIPE
TOWN FARM
CROFT MDWS.
Little Seabrook Farm
LONG
LANE
THE BAULK
BERRYFIELD
SUNNY BANK
GOOSE
HILL SIDE
LEECHES WY.
MANOR POUND RD.
KEEPERS CL.
STREET
Tennis Cts.
Rec. Grd.
Westend Hill
Lock
81
Cultivation Terraces
CHEDDINGTON LANE
Falcon House
Bowling Green
Great Seabrook Farm
62
490
91
92
93
21
20
19
18
17
G
H
J
K
L
M
N
1
2
3
4
5
6
7
8
9

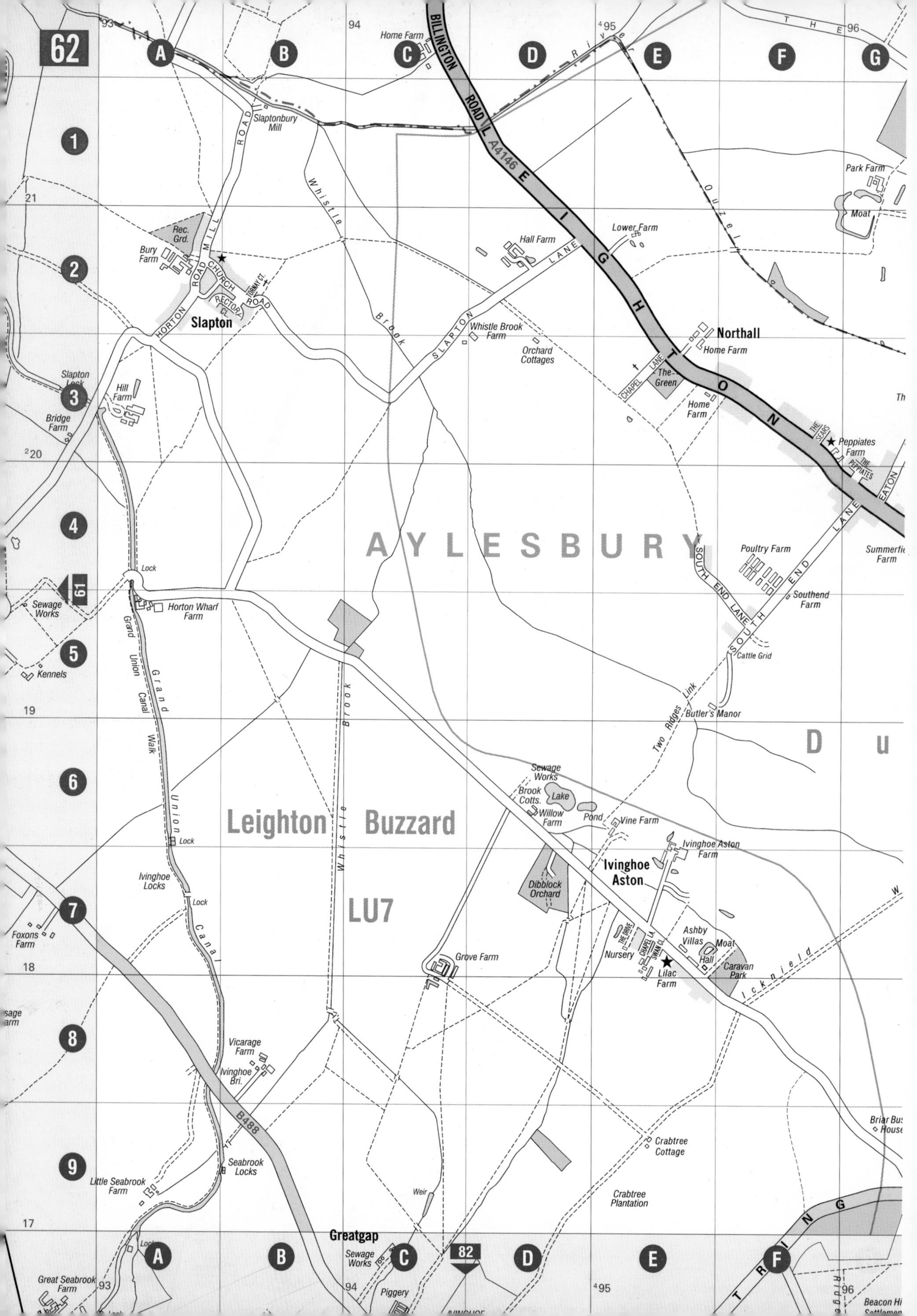

A
B
C
D
E
F
G
1
2
3
4
5
6
7
8
9
93
94
95
96
21
20
19
18
17
Home Farm
BILLINGTON ROAD
A4146
River Ouzel
THE
Slaptonbury Mill
MILL ROAD
Whistle Brook
Park Farm
Moat
Rec. Grd.
Bury Farm
CHURCH ROAD
RECTORY CL.
TURNEY CT.
HORTON ROAD
Slapton
Lower Farm
Hall Farm
SLAPTON LANE
LEIGHTON
Whistle Brook Farm
Orchard Cottages
Northall
Home Farm
CHAPEL LANE
The Green
Home Farm
Slapton Lock
Hill Farm
Bridge Farm
THE SEARS
Peppiates Farm
THE PEPPIATES
EATON
AYLESBURY
Poultry Farm
SOUTH END LANE
Summerfie Farm
Southend Farm
Lock
Sewage Works
Horton Wharf Farm
Grand Union Canal
Grand Union Canal Walk
Kennels
Cattle Grid
Two Ridges Link
Butler's Manor
D u
Sewage Works
Brook Cotts.
Lake
Willow Farm
Pond
Vine Farm
Leighton Buzzard
Lock
Ivinghoe Aston Farm
Ivinghoe Aston
Ivinghoe Locks
Dibblock Orchard
Lock
LU7
Foxons Farm
THE DRIVE
CHAPEL LA.
SWAN CL.
Ashby Villas
Moat
Hall
Grove Farm
Nursery
Lilac Farm
Caravan Park
Icknield
Vicarage Farm
Ivinghoe Bri.
B488
Briar Bu House
Crabtree Cottage
Seabrook Locks
Little Seabrook Farm
Weir
Crabtree Plantation
TRING
Greatgap
Sewage Works
Piggery
82
61
Great Seabrook Farm
Ridge
Beacon Hi Settlemen

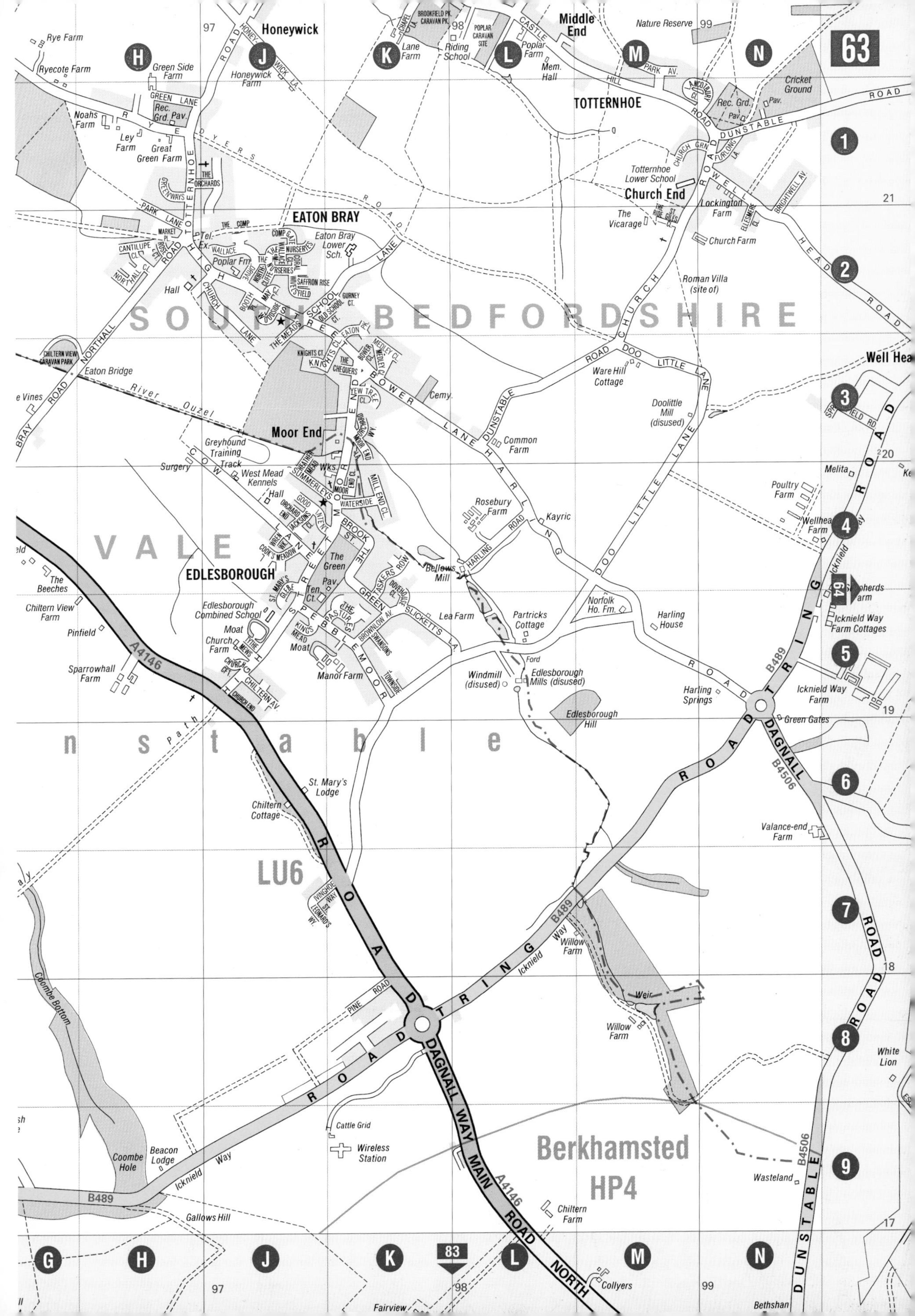

Honeywick

H

J

K

L

M

N

Middle End

Nature Reserve 99

Brookfield Pk. Caravan Pk.

Poplar Caravan Site

Riding School

Lane Farm

Poplar Farm

Castle

Mem. Hall

Park Av.

A.MCCARTHY

Rec. Grd. Pav.

Pav.

Cricket Ground

ROAD

TOTTERNHOE

Green Side Farm

Ryecote Farm

Rye Farm

Noahs Farm

GREEN LANE

Rec. Grd. Pav.

HONEYWICK LA.

DYERS

Honeywick Farm

97

Ley Farm

Great Green Farm

THE ORCHARDS

GREENWAY

RYES

PARK

TOTTERNHOE

ROAD

1

DUNSTABLE

ROAD

HEAD

Totternhoe Lower School

Church End

CHURCH GRN

WELL HEAD

FURLONG LA.

POWELL

BRIGHTWELL AV.

ELLENHIRE CL.

21

THE COMP

EATON BRAY

Tel. Ex.

CANTILUPE

NORTHALL

Eaton Bray Lower Sch.

COMP GATE

WALLACE

NURSERIES

Poplar Fm

SAFFRON RISE

FIELD

THE MEADS

MARKET

RIDING WAY

CHURCH LANE

BYDND

GURNEY CT.

ROAD

MAD SCHOOL

EATON

MEDLEY CT.

LANE

Hall

KNIGHTS CT.

KNIGHT

THE CHEQUERS

BOWER LANE

Cemy.

END VIEW CL.

YEW TREE CL.

The Vicarage

THE RIDE CL.

Church Farm

CHURCH

ROAD

DOO

LITTLE

Ware Hill Cottage

Roman Villa (site of)

2

Well Hea

S O U T H   B E D F O R D S H I R E

CHILTERN VIEW CARAVAN PARK

Eaton Bridge

River Ouzel

Bray

The Vines

NORTHALL ROAD

Doolittle Mill (disused)

Doolittle Mill

LITTLE LANE

LANE

Common Farm

3

20

Moor End

Greyhound Training Track

Surgery

West Mead Kennels

Hall

COW

SHORTFIELD

SUMMERLEYS

MOOR END

MILL END CL.

WATERSIDE

GOOD

ORCHARD END

JACKSON

WIGER

COOK'S MEADOW

BROOK ST.

THE MEADOW

Rosebury Farm

HARLING ROAD

Kayric

Poultry Farm

Melita

Wellhead Farm

4

V A L E

The Beeches

Chiltern View Farm

Pinfield

The Green

Pav.

EDLESBOROUGH

ST. MARY'S REAR

PETT

THE STORES

BROWNLOW AV.

SLICKETT'S LA.

TASKERS ROW

INDENED

Bellows Mill

Lea Farm

Norfolk Ho. Fm.

Partricks Cottage

Harling House

Icknield Way Farm Cottages

Shepherds Farm

64

5

Edlesborough Combined School

Moat Church Farm

Moat

KINGS

ST. MARY'S

CHILTERN AV.

CHURCH END

CHURCH CFT.

Manor Farm

KINGS MEAD

THE GREEN

EMOOR

TOWNSIDE

WRANONS

Windmill (disused)

Ford

Edlesborough Mills (disused)

Edlesborough Hill

Harling Springs

Green Gates

Icknield Way Farm

19

Sparrowhall Farm

A4146

St. Mary's Lodge

Chiltern Cottage

Path

D U n s t a b l e

ROAD

TRING

B4506

DAGNALL

Valance-end Farm

6

LU6

RING

ROAD

IVINGHOE WAY

LEONARDS WY.

PINE ROAD

Icknield

Way

B489

Willow Farm

ROAD

TRING

7

18

Coombe Bottom

DAGNALL

Weir

Willow Farm

8

White Lion

B489

Colombe Bottom

Beacon Lodge

Icknield

Way

Cattle Grid

Wireless Station

DAGNALL WAY

A4146

MAIN ROAD NORTH

Berkhamsted HP4

Chiltern Farm

Wasteland

B4506

DUNSTABLE ROAD

9

17

G

H

J

K

L

M

N

97

Fairview

98

Collyers

99

Bethshan

Gallows Hill

B489

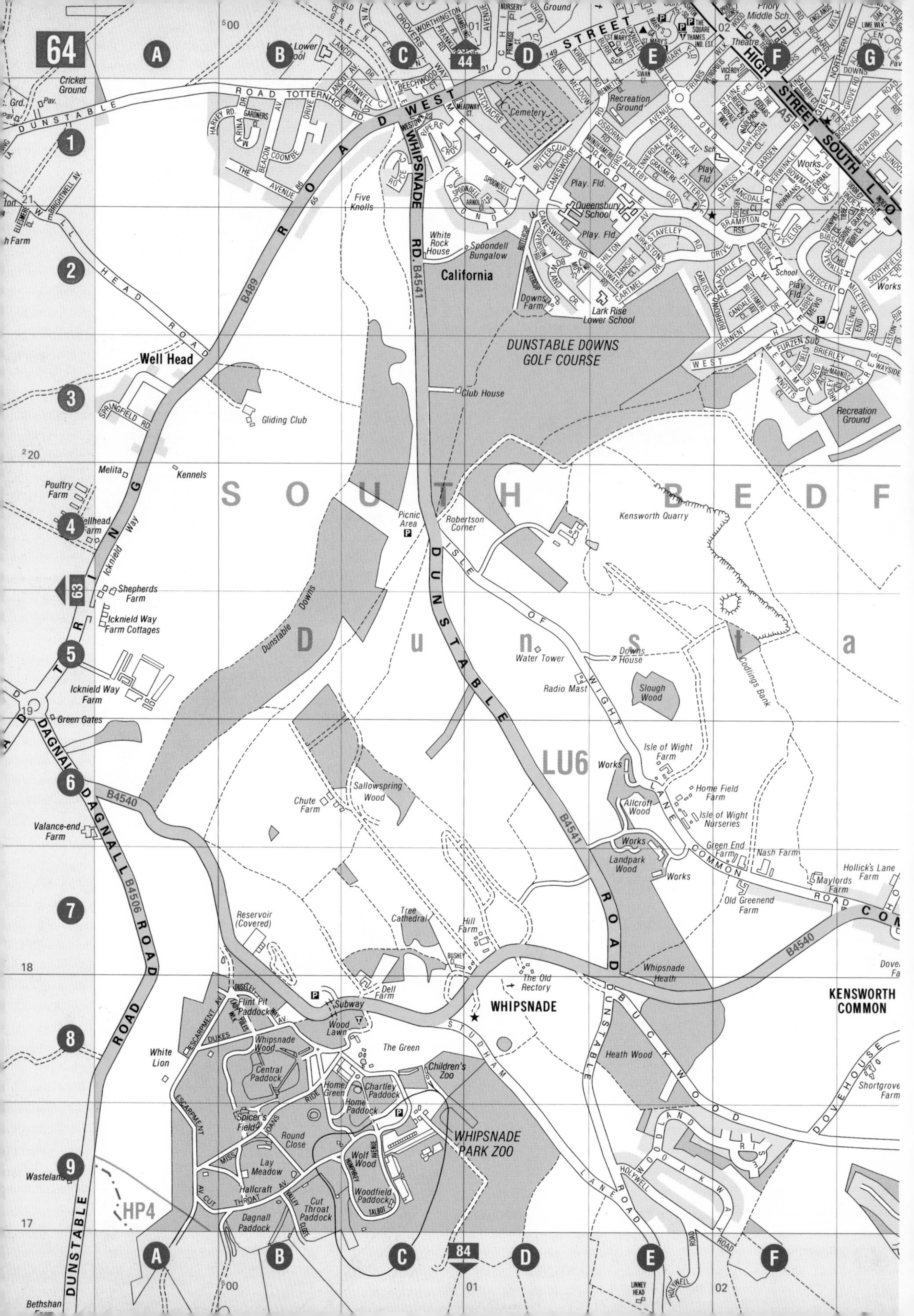
64
A
B
C
D
E
F
G
1
2
3
4
5
6
7
8
9
44
63
84
Cricket Ground
DUNSTABLE ROAD
TOTTERNHOE RD
WEST STREET
HIGH STREET SOUTH
Priory Middle Sch.
Theatre
Recreation Ground
Cemetery
Five Knolls
White Rock House
Spoondell Bungalow
California
Queensbury School
Play. Fld.
Lark Rise Lower School
Downs Farm
DUNSTABLE DOWNS GOLF COURSE
Club House
Well Head
Gliding Club
Melita
Kennels
Poultry Farm
Wellhead Farm
Shepherds Farm
Icknield Way Farm Cottages
Icknield Way Farm
Green Gates
Valance-end Farm
SOUTH BEDF
Dunstable Downs
Picnic Area
Robertson Corner
Kensworth Quarry
Water Tower
Downs House
Radio Mast
Slough Wood
Codlings Bank
LU6
Isle of Wight Farm
Home Field Farm
Isle of Wight Nurseries
Allcroft Wood
Landpark Wood
Works
Green End Farm
Nash Farm
Maylords Farm
Hollick's Lane Farm
Old Greenend Farm
Chute Farm
Sallowspring Wood
Reservoir (Covered)
Tree Cathedral
Hill Farm
The Old Rectory
WHIPSNADE
Whipsnade Heath
KENSWORTH COMMON
Dell Farm
Subway
Wood Lawn
The Green
Children's Zoo
Heath Wood
Flint Pit Paddock
Whipsnade Wood
Central Paddock
White Lion
Home Green
Chartley Paddock
Home Paddock
Spicer's Field
Round Close
WHIPSNADE PARK ZOO
Wolf Wood
Lay Meadow
Hallcraft
Woodfield Paddock
Cut Throat Paddock
Dagnall Paddock
Wasteland
HP4
Shortgrove Farm
B489
B4541
B4540
B4506
DAGNALL ROAD
DUNSTABLE ROAD
WHIPSNADE RD.
ISLE OF WIGHT LANE
COMMON ROAD
BUCKWOOD ROAD
DOVEHOUSE
STUDHAM
Linney Head
Bethshan

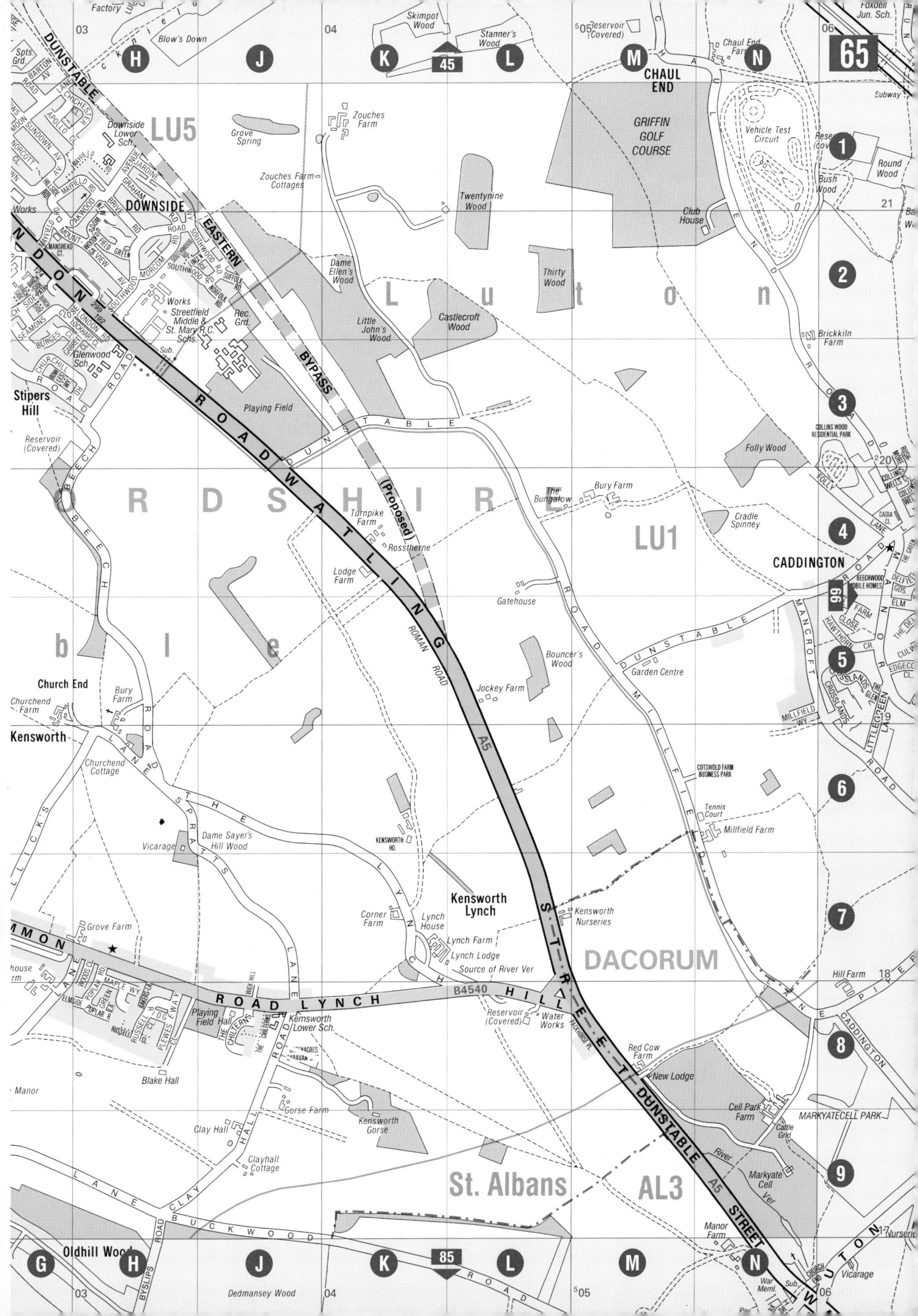

Factory
Blow's Down
Skimpot Wood
Stanner's Wood
Reservoir (Covered)
Chaul End Farm
Foxdell Jun. Sch.
H
J
K
45
L
M
N
CHAUL END
DUNSTABLE
LU5
Downside Lower Sch.
Grove Spring
Zouches Farm
Zouches Farm Cottages
GRIFFIN GOLF COURSE
Vehicle Test Circuit
Round Wood
Bush Wood
Subway
1
Twentynine Wood
Club House
DOWNSIDE
EASTERN
BYPASS
(Proposed)
Dame Ellen's Wood
Thirty Wood
2
Luton
Works
Streetfield Middle & St. Mary R.C. Schs.
Rec. Grd.
Little John's Wood
Castlecroft Wood
Brickkiln Farm
Glenwood Sch.
Stipers Hill
Playing Field
3
COLLINS WOOD RESIDENTIAL PARK
Folly Wood
Reservoir (Covered)
BEDFORDSHIRE
The Bungalow
Bury Farm
Cradle Spinney
Turnpike Farm
Rosstherne
LU1
4
CADDINGTON
Lodge Farm
Gatehouse
BEECHWOOD MOBILE HOMES
66
WATLING
ROMAN ROAD
DUNSTABLE
Garden Centre
Bouncer's Wood
5
Church End
Churchend Farm
Bury Farm
Jockey Farm
Kensworth
MILLFIELD WY
Churchend Cottage
A5
COTSWOLD FARM BUSINESS PARK
6
Tennis Court
Millfield Farm
Vicarage
Dame Sayer's Hill Wood
KENSWORTH HO.
Kensworth Lynch
Kensworth Nurseries
7
Grove Farm
Corner Farm
Lynch House
Lynch Farm
Lynch Lodge
Source of River Ver
DACORUM
Hill Farm
ROAD LYNCH
B4540
HILL
Playing Field
Hall
Kensworth Lower Sch.
Reservoir (Covered)
Water Works
8
CADDINGTON
Red Cow Farm
New Lodge
Blake Hall
Manor
Gorse Farm
Kensworth Gorse
Cell Park Farm
MARKYATECELL PARK
Cattle Grid
Clay Hall
Clayhall Cottage
River
Markyate Cell
Ver
9
St. Albans
AL3
DUNSTABLE
STREET
BUCKWOOD ROAD
Manor Farm
Oldhill Wood
G
H
J
K
85
L
M
N
03
04
05
06
Dedmansey Wood
War Meml.
Vicarage
Nurseries

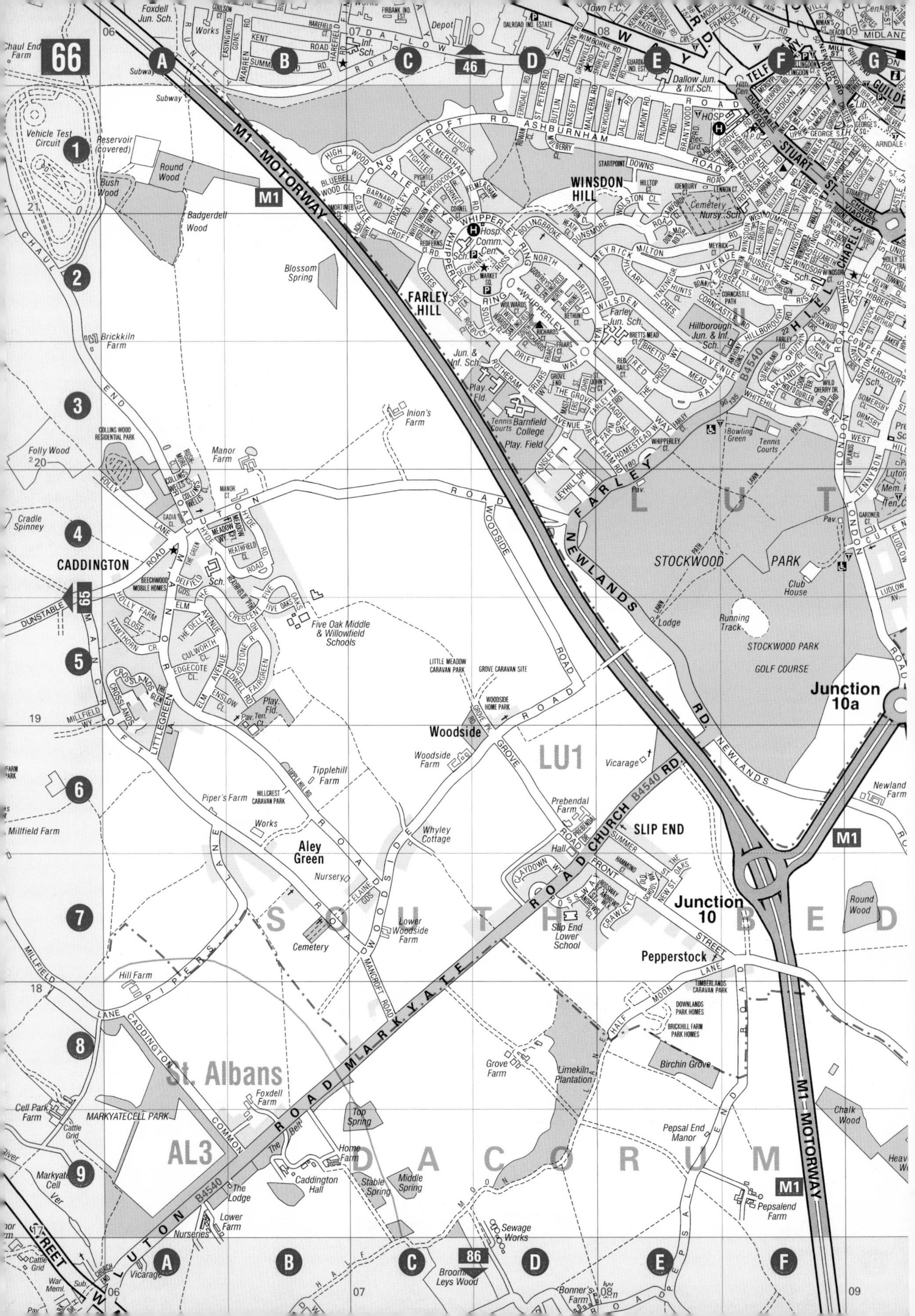

66
46
86
65
Chaul End Farm
Foxdell Jun. Sch.
Vehicle Test Circuit
Reservoir (covered)
Round Wood
Bush Wood
Badgerdell Wood
Blossom Spring
M1 MOTORWAY
M1
FARLEY HILL
WINSDON HILL
Brickkiln Farm
Folly Wood
COLLINS WOOD RESIDENTIAL PARK
Manor Farm
Inion's Farm
Cradle Spinney
CADDINGTON
DUNSTABLE RD.
Five Oak Middle & Willowfield Schools
Barnfield College
Play. Field
STOCKWOOD PARK
Club House
Running Track
STOCKWOOD PARK GOLF COURSE
Junction 10a
Junction 10
Lodge
FARLEY
NEWLANDS RD.
LITTLE MEADOW CARAVAN PARK
GROVE CARAVAN SITE
WOODSIDE HOME PARK
Woodside
Woodside Farm
LU1
Vicarage
Tipplehill Farm
Piper's Farm
HILLCREST CARAVAN PARK
Works
Aley Green
Whyley Cottage
Prebendal Farm
SLIP END
Nursery
Cemetery
Lower Woodside Farm
Slip End Lower School
Pepperstock
Newlands Farm
Round Wood
SOUTH BED
LUT
TIMBERLANDS CARAVAN PARK
DOWNLANDS PARK HOMES
BRICKHILL FARM PARK HOMES
Birchin Grove
Hill Farm
St. Albans
Grove Farm
Limekiln Plantation
Foxdell Farm
Cell Park Farm
MARKYATECELL PARK
Cattle Grid
AL3
Top Spring
Home Farm
Pepsal End Manor
Chalk Wood
Markyate Cell
Caddington Hall
Stable Spring
Middle Spring
DACORUM
The Lodge
Lower Farm
Nurseries
Sewage Works
Pepsalend Farm
Broom Leys Wood
Bonner's Farm
Vicarage
War Meml.
LUTON ROAD
MARKYATE ROAD
CHURCH RD.
B4540
Millfield Farm
MILLFIELD
PIPERS LANE
CADDINGTON COMMON
HALF MOON LANE
PEPSAL END ROAD
MANCROFT ROAD
WOODSIDE ROAD
Hosp.
Farley Jun. Sch.
Hillborough Jun. & Inf. Sch.
Dallow Jun. & Inf. Sch.
Bowling Green
Tennis Courts
Cemetery Nursy. Sch.

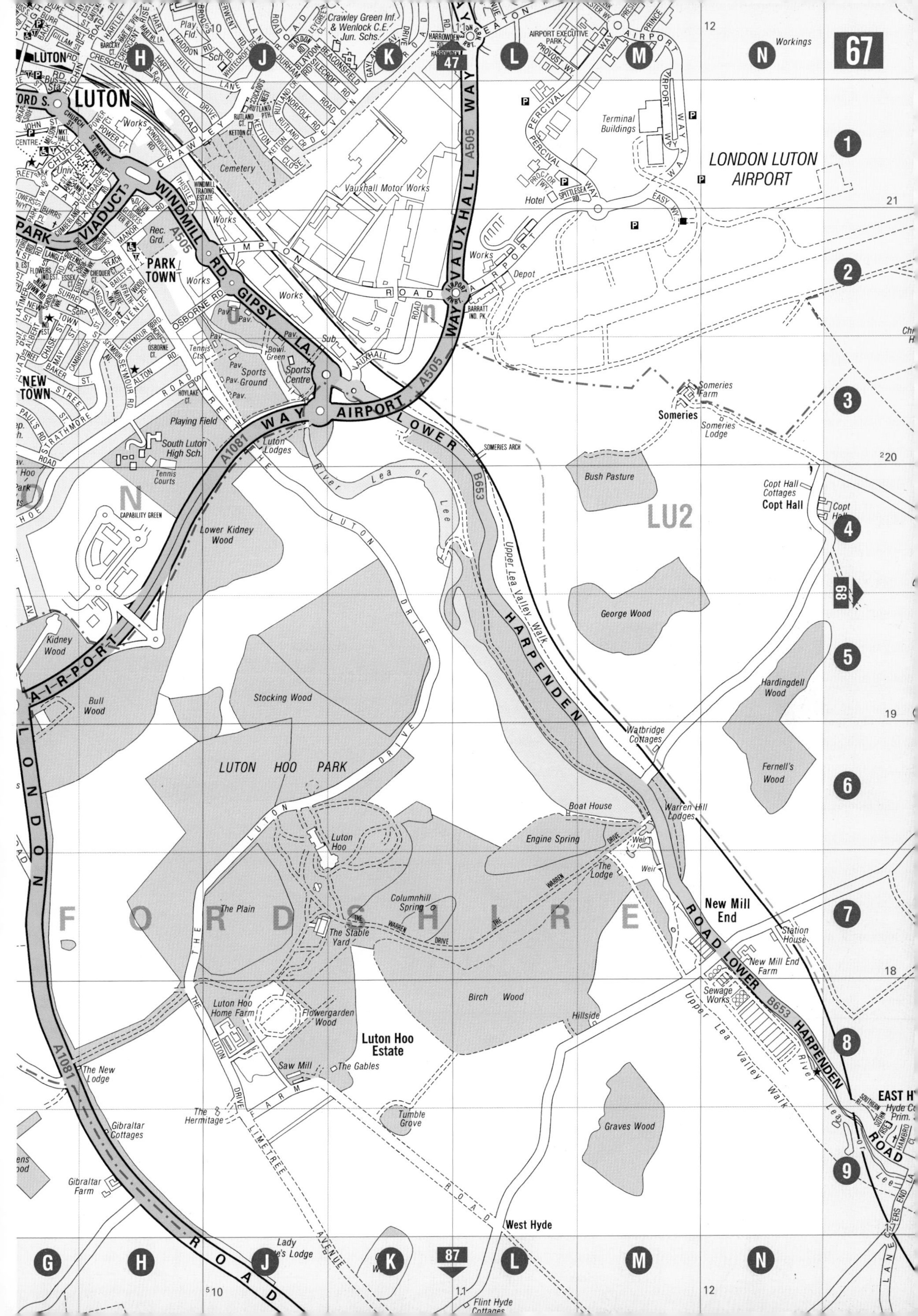
LUTON
LONDON LUTON AIRPORT
Terminal Buildings
Vauxhall Motor Works
Cemetery
PARK TOWN
NEW TOWN
Someries
Someries Farm
Someries Lodge
Bush Pasture
LU2
Copt Hall
Copt Hall Cottages
George Wood
Hardingdell Wood
Fernell's Wood
Lower Kidney Wood
Kidney Wood
Bull Wood
Stocking Wood
LUTON HOO PARK
Luton Hoo
Engine Spring
Boat House
Warren Hill Lodges
Watbridge Cottages
New Mill End
New Mill End Farm
Station House
Sewage Works
Birch Wood
Luton Hoo Estate
Luton Hoo Home Farm
Flowergarden Wood
The Stable Yard
The Plain
Columnhill Spring
Saw Mill
The Gables
Tumble Grove
The Hermitage
Graves Wood
West Hyde
Gibraltar Cottages
Gibraltar Farm
The New Lodge
Hillside
Playing Field
South Luton High Sch.
Sports Ground
Sports Centre
Luton Lodges
Upper Lea Valley Walk
HARPENDEN ROAD
LOWER HARPENDEN ROAD
AIRPORT WAY
VAUXHALL WAY
WINDMILL RD.
GIPSY LA.
LONDON ROAD
LUTON DRIVE
KIMPTON ROAD
River Lea or Lee
EAST HYDE
BEDFORDSHIRE
47
68
87

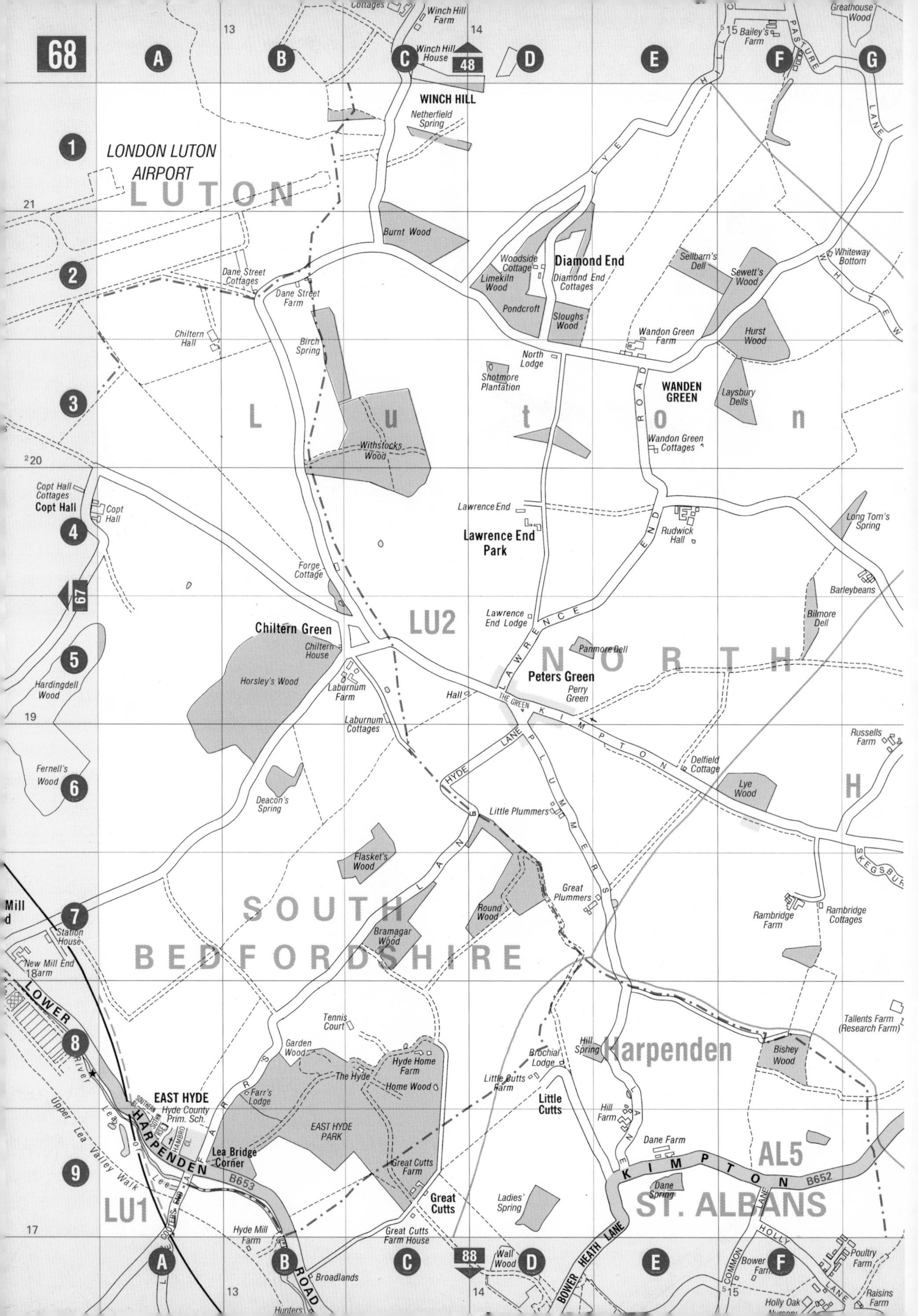

68

A   B   C   D   E   F   G

13   14   15

WINCH HILL
Winch Hill Farm
Cottages
Winch Hill House
48
Netherfield Spring
Greathouse Wood
Bailey's Farm

1
LONDON LUTON AIRPORT

L U T O N

21

2
Dane Street Cottages
Dane Street Farm
Burnt Wood
Woodside Cottage
Limekiln Wood
Pondcroft
Diamond End
Diamond End Cottages
Sloughs Wood
Sellbarn's Dell
Sewett's Wood
Hurst Wood
Whiteway Bottom

Chiltern Hall
Birch Spring
North Lodge
Wandon Green Farm
WANDEN GREEN
Laysbury Dells

3
L   u   t   o   n
Shotmore Plantation
Withstocks Wood
Wandon Green Cottages

20

Copt Hall Cottages
Copt Hall
Copt Hall

4
Forge Cottage
Lawrence End
Lawrence End Park
Rudwick Hall
Long Tom's Spring
Barleybeans

67
Lawrence End Lodge
Bilmore Dell

5
Chiltern Green
Chiltern House
Laburnum Farm
Hall
LU2
Panmore Dell
Peters Green
Perry Green
N O R T H
Russells Farm

Hardingdell Wood
Horsley's Wood
Laburnum Cottages
THE GREEN
Delfield Cottage
Lye Wood
H

19

6
Fernell's Wood
Deacon's Spring
HYDE LANE
Little Plummers
Skegsbur

7
Mill
Station House
Flasket's Wood
Round Wood
Great Plummers
Rambridge Farm
Rambridge Cottages

New Mill End 18arm

S O U T H
Bramagar Wood
LANE
Tallents Farm (Research Farm)

8
LOWER
River
Tennis Court
Garden Wood
The Hyde
Farr's Lodge
Hyde Home Farm
Home Wood
Harpenden
Hill Spring
Brochia Lodge
Bishey Wood

B E D F O R D S H I R E

EAST HYDE
Hyde County Prim. Sch.
HAMBRO
Lea Bridge Corner
EAST HYDE PARK
Little Cutts Farm
Little Cutts
Hill Farm
Dane Farm
Dane Spring

9
LU1
Hyde Mill Farm
B653
Great Cutts Farm
Great Cutts
Great Cutts Farm House
Great Cutts
Ladies' Spring
88
Wall Wood
KIMPTON LANE
AL5
B652
ST. ALBANS
Bower Farm
Poultry Farm

17

A   B   C   D   E   F

13   14   15   HOLLY
Broadlands
Hunters
Holly Oak Nursery
Raisins Farm

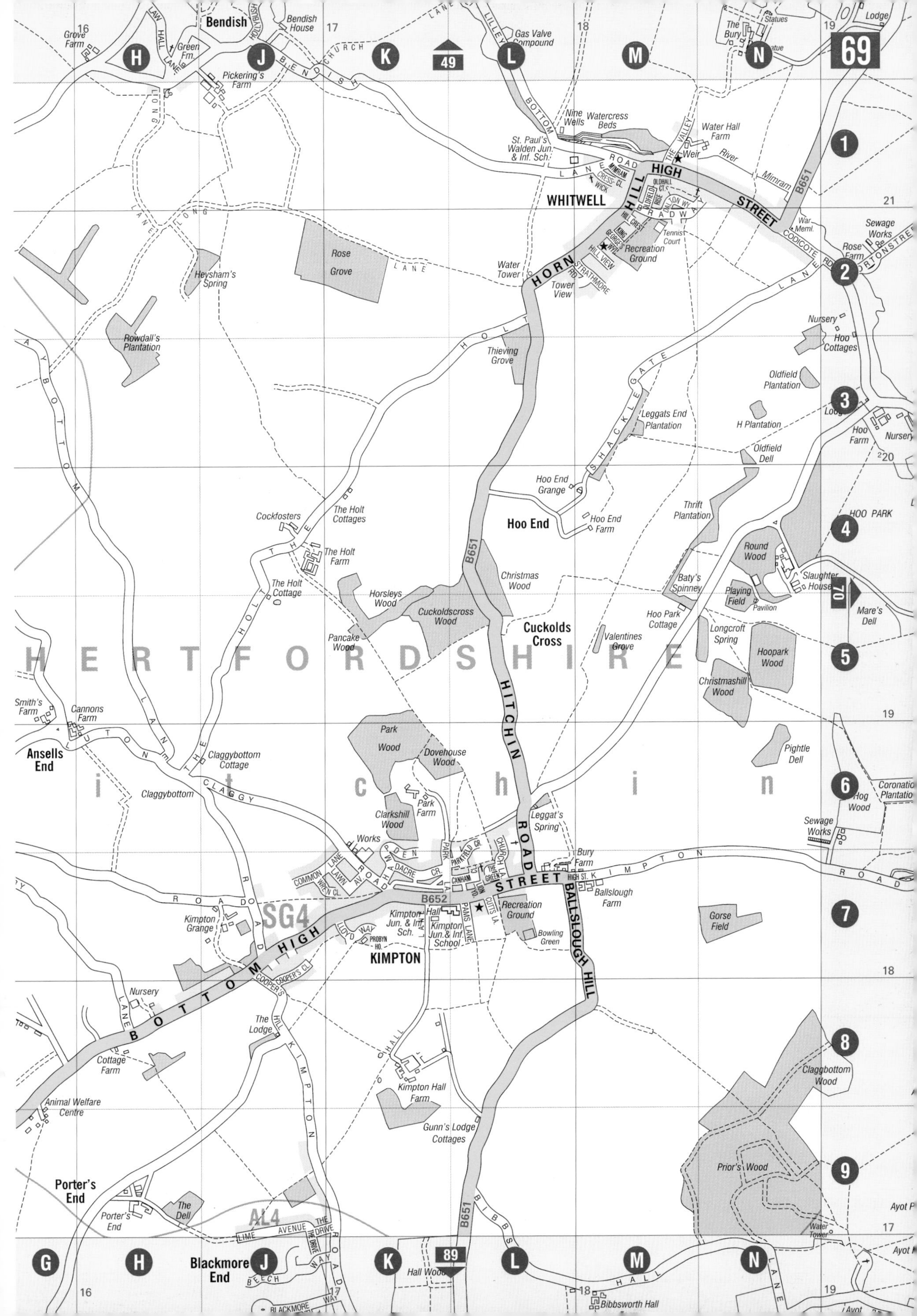
Bendish
Bendish House
Grove Farm
Green Fm.
Pickering's Farm
Law Hall Lane
Hollybush
Bendish Church Lane
Long Lane
49
Lilley Bottom
Gas Valve Compound
The Bury
Statues
Lodge
Nine Wells
Watercress Beds
St. Paul's Walden Jun. & Inf. Sch.
Water Hall Farm
The Valley
Weir
River Mimram
Mimram Road
Lane
Cress-Wick
High Street
Hill
WHITWELL
Oldhall Ct.
Oldfield Rise
Radway
Hill Crest
King George's
Hill View
Recreation Ground
Tennis Court
War Meml.
Codicote Rd.
Sewage Works
Rose Farm
Horn Hill
Strathmore Rd.
Tower View
Water Tower
Rose Grove
Heysham's Spring
Rowdall's Plantation
Holt
Thieving Grove
Shacklegate Lane
Leggats End Plantation
Nursery
Hoo Cottages
Oldfield Plantation
H Plantation
Hoo Farm
Oldfield Dell
Hoo End Grange
Hoo End
Hoo End Farm
Thrift Plantation
HOO PARK
Round Wood
Slaughter House
70
Mare's Dell
Baty's Spinney
Playing Field
Pavilion
Hoo Park Cottage
Longcroft Spring
Hoopark Wood
Christmashill Wood
Valentines Grove
Cuckolds Cross
Christmas Wood
B651
Cockfosters
The Holt Cottages
The Holt Farm
The Holt Cottage
Horsleys Wood
Cuckoldscross Wood
Pancake Wood
HERTFORDSHIRE
Hitchin Road
Ay Bottom
Smith's Farm
Cannons Farm
Ansells End
Luton Lane
The Holt Lane
Claggybottom Cottage
Claggybottom
Claggy Road
Park Wood
Dovehouse Wood
Pightle Dell
Hog Wood
Coronation Plantation
Sewage Works
Clarkshill Wood
Park Farm
Leggat's Spring
Works
Common Lane
Lawn Av.
Wren Cl.
Hadacre
Park La.
Parkfield Cr.
Church La.
The Green
Canham
Bury Farm
High St.
Kimpton Road
Street
Ballslough Farm
Ballslough Hill
B652
Kimpton Jun. & Inf. Sch.
Kimpton Jun. & Inf. School
Hall
Pams Lane
Cutts La.
Recreation Ground
Bowling Green
Kimpton Grange
SG4
Lloyd Way
Probyn Ho.
KIMPTON
Gorse Field
High Street
Bottom
Cooper's Cl.
Cooper's Hill
Nursery
Lane
The Lodge
Kimpton Road
Cottage Farm
Animal Welfare Centre
Kimpton Hall Farm
Gunn's Lodge Cottages
Claggbottom Wood
Prior's Wood
Porter's End
The Dell
AL4
Lime Avenue
The Drive
Bibbs Hall
Water Tower
Ayot
89
Hall Wood
Blackmore End
Beech Way
Blackmore Way
Hall Lane
Bibbsworth Hall
G H J K L M N
1 2 3 4 5 6 7 8 9
16 17 18 19 20 21

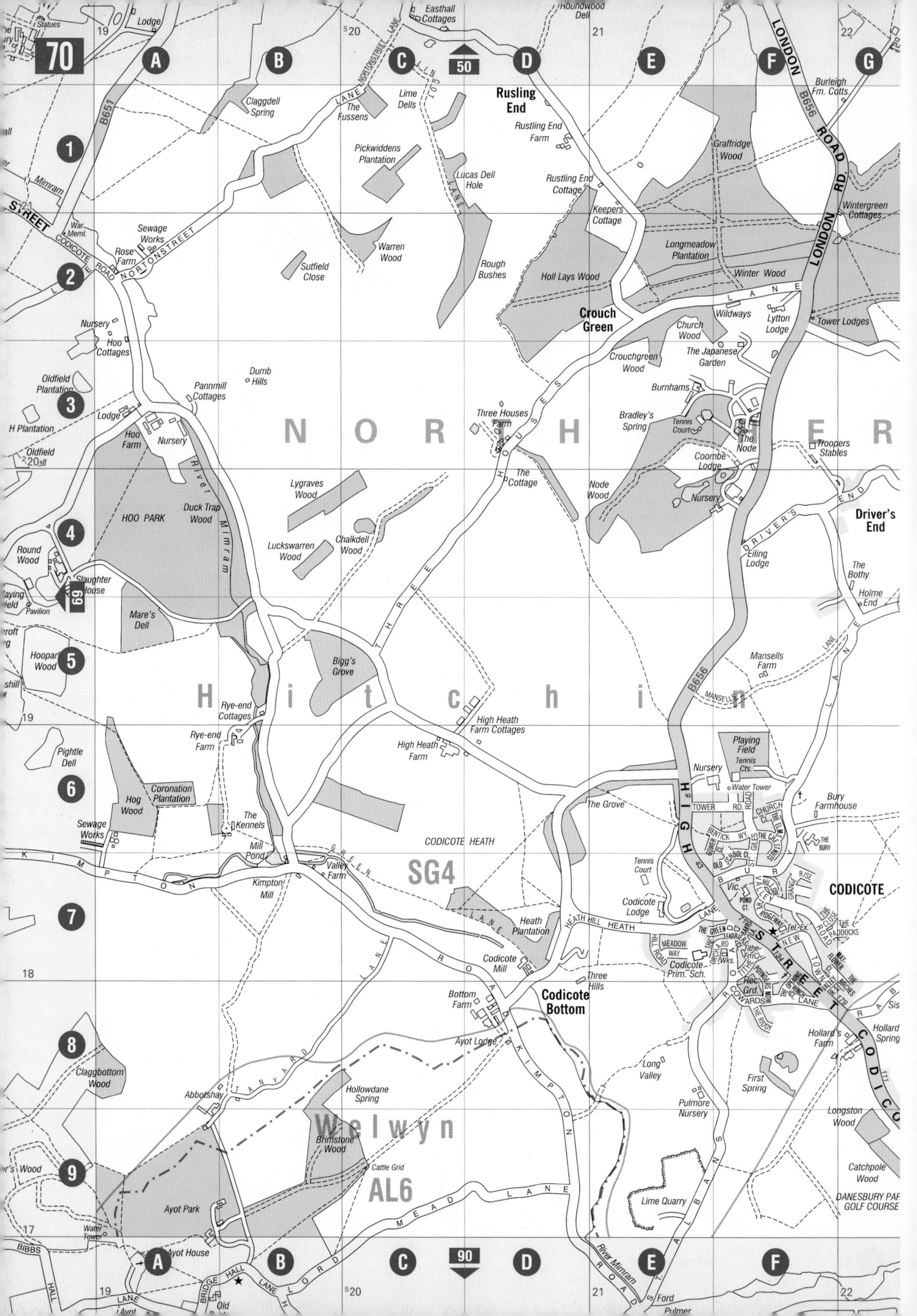

Rusling End
Rustling End Farm
Rustling End Cottage
Keepers Cottage
Claggdell Spring
The Fussens
Lime Dells
Pickwiddens Plantation
Lucas Dell Hole
Graffridge Wood
Burleigh Fm. Cotts.
Wintergreen Cottages
Longmeadow Plantation
Winter Wood
Holl Lays Wood
Rough Bushes
Warren Wood
Sutfield Close
Sewage Works
Rose Farm
War Meml.
NORTONSTREET
NORTONSTREET LANE
CODICOTE ROAD
Mimram
Crouch Green
Wildways
Lytton Lodge
Church Wood
Tower Lodges
The Japanese Garden
Crouchgreen Wood
Burnhams
Bradley's Spring
Tennis Court
The Node
Troopers Stables
Coombe Lodge
Node Wood
Nursery
Three Houses Farm
THREE HOUSES
The Cottage
Nursery
Hoo Cottages
Oldfield Plantation
H Plantation
Oldfield
Dumb Hills
Pannmill Cottages
Lodge
Hoo Farm
Nursery
HOO PARK
Duck Trap Wood
River Mimram
Round Wood
Slaughter House
Pavilion
Mare's Dell
Hoopark Wood
Lygraves Wood
Luckswarren Wood
Chalkdell Wood
Driver's End
DRIVER'S END
Eiling Lodge
The Bothy
Holme End
Mansells Farm
MANSELLS
LANE
Bigg's Grove
Rye-end Cottages
Rye-end Farm
High Heath Farm Cottages
High Heath Farm
Pightle Dell
Hog Wood
Coronation Plantation
Sewage Works
The Kennels
Mill Pond
KIMPTON
Kimpton Mill
Valley Farm
GREEN
CODICOTE HEATH
SG4
The Grove
Playing Field
Tennis Cts.
Nursery
Water Tower
TOWER RD.
CHURCH CL.
Bury Farmhouse
THE BURY
BENTICK WY.
OLD SCHOOL CL.
Tennis Court
Codicote Lodge
CODICOTE
HEATH HILL
HEATH LANE
Heath Plantation
Codicote Mill
Three Hills
MEADOW WAY
HILL ROAD
Codicote Prim. Sch.
Tithe Fm. Cl.
Rec. Grd.
Tel. Ex.
THE PADDOCKS
COWARDS LANE
THE RIDDY
HIGH STREET
Codicote Bottom
Bottom Farm
Ayot Lodge
KIMPTON ROAD
Long Valley
Hollard's Farm
Hollard Spring
First Spring
Pulmore Nursery
Longston Wood
Claggbottom Wood
Abbotshay
TANYARD LANE
Hollowdane Spring
Welwyn
Brimstone Wood
Cattle Grid
AL6
LORD MEAD LANE
Lime Quarry
Catchpole Wood
DANESBURY PARK GOLF COURSE
Ayot Park
Water Tower
Ayot House
BIBBS HALL
BRIDGE HALL LANE
River Mimram
ST. ALBANS ROAD
Ford
Pulmer
Roundwood Dell
Easthall Cottages
Statues
Lodge
LONDON ROAD
B656
B651
Hitchin
NORTH HERTS
50
69
90

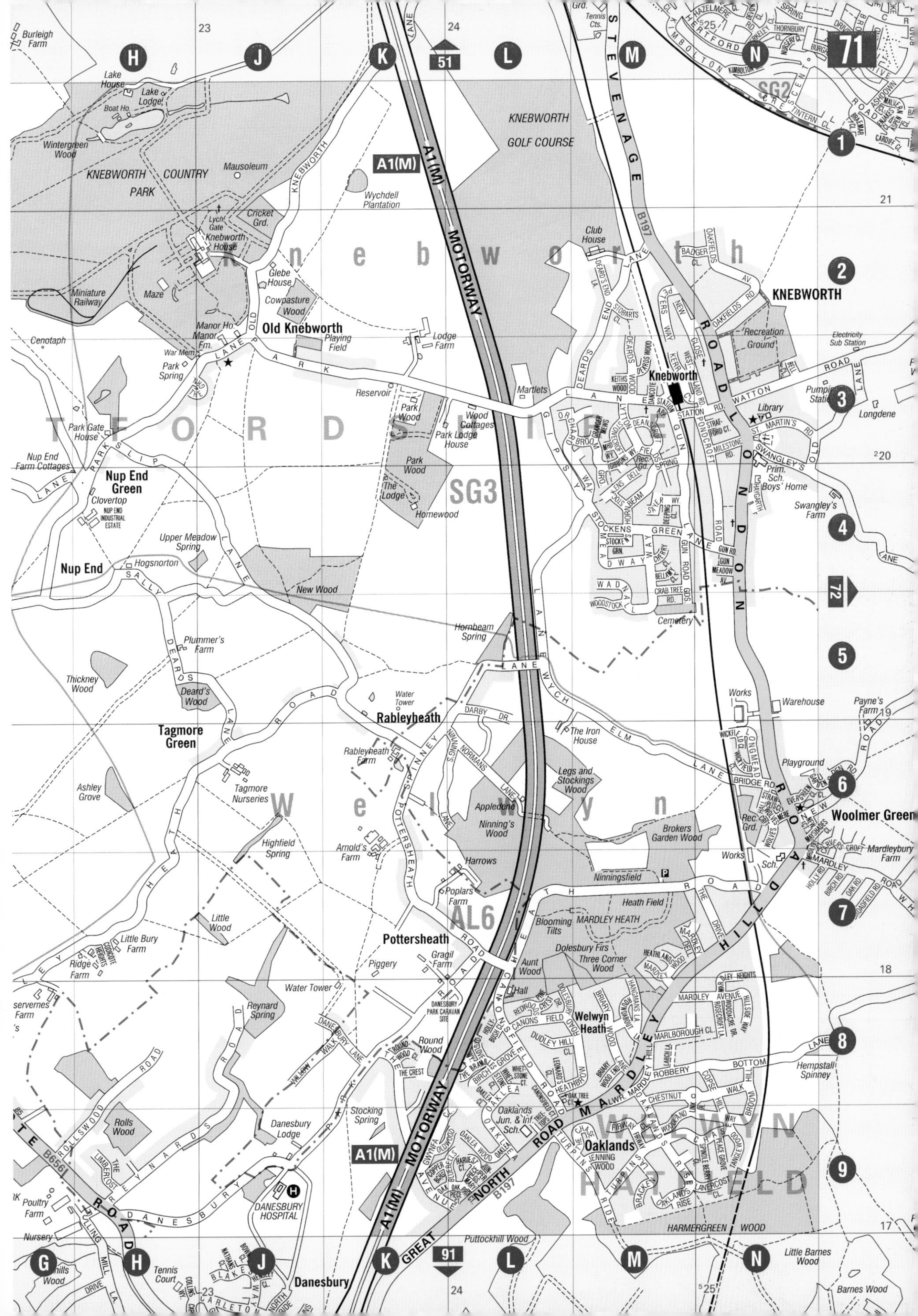
71
51
72
91
H
J
K
L
M
N
G
1
2
3
4
5
6
7
8
9
23
24
25
21
20
19
18
17
Burleigh Farm
Lake House
Lake Lodge
Boat Ho.
Wintergreen Wood
KNEBWORTH COUNTRY PARK
Mausoleum
Lych Gate
Cricket Grd.
Knebworth House
Glebe House
Miniature Railway
Maze
Cowpasture Wood
Wychdell Plantation
KNEBWORTH GOLF COURSE
A1(M)
A1(M) MOTORWAY
STEVENAGE ROAD
B197
Tennis Cts.
HAZELMERE CL.
HERTFORD
KIMBOLTON
THORNBURY
SG2
TINTERN CL.
CARDIFF CL.
Club House
BADGER CL.
OAKFIELDS RD.
KNEBWORTH
Recreation Ground
Electricity Sub Station
Knebworth
Old Knebworth
Manor Ho.
Manor Fm.
War Mem.
Playing Field
Lodge Farm
Cenotaph
Park Spring
PARK LANE
Reservoir
Park Wood
Wood Cottages
Park Lodge House
Martlets
STATION RD.
WATTON ROAD
Library
ST. MARTIN'S RD.
Pumping Station
Longdene
Knebworth
Park Gate House
Nup End Farm Cottages
Nup End Green
Clovertop
NUP END INDUSTRIAL ESTATE
Park Wood
The Lodge
Homewood
SG3
GIPSY LANE
STOCKENS GREEN
SWANGLEY'S LANE
Prim. Sch.
Boys' Home
Swangley's Farm
LONDON ROAD
Upper Meadow Spring
Nup End
Hogsnorton
SALLY
New Wood
Cemetery
Hornbeam Spring
Plummer's Farm
Thickney Wood
DEARDS LANE
Deard's Wood
Water Tower
Rableyheath
Rableyheath Farm
DARBY DR.
WYCH ELM LANE
The Iron House
Works
Warehouse
Payne's Farm
Tagmore Green
Ashley Grove
Tagmore Nurseries
Welwyn
Legs and Stockings Wood
Appledene
Ninning's Wood
BRIDGE RD.
Playground
Woolmer Green
Brokers Garden Wood
Rec. Grd.
Highfield Spring
Arnold's Farm
Harrows
POTTERSHEATH
Works
Sch.
Mardleybury Farm
Ninningsfield
HEATH ROAD
Poplars Farm
AL6
Heath Field
MARDLEY HEATH
Blooming Tilts
Little Wood
Little Bury Farm
Ridge Farm
Pottersheath
Piggery
Gragil Farm
Dolesbury Firs
Three Corner Wood
Aunt Wood
Hall
Water Tower
Reynard Spring
DANESBURY PARK CARAVAN SITE
Welwyn Heath
MARDLEY AVENUE
MARLBOROUGH CL.
Hempstall Spinney
Round Wood
DANESBURY LANE
THE CREST
ROBBERY BOTTOM LANE
MARDLEY HILL
Rolls Wood
Danesbury Lodge
Stocking Spring
Oaklands Jun. & Inf. Sch.
Oaklands
WELWYN HATFIELD
B656
Poultry Farm
DANESBURY PARK ROAD
DANESBURY HOSPITAL
GREAT NORTH ROAD
HARMERGREEN WOOD
Nursery
Puttockhill Wood
Little Barnes Wood
Tennis Court
Danesbury
Barnes Wood

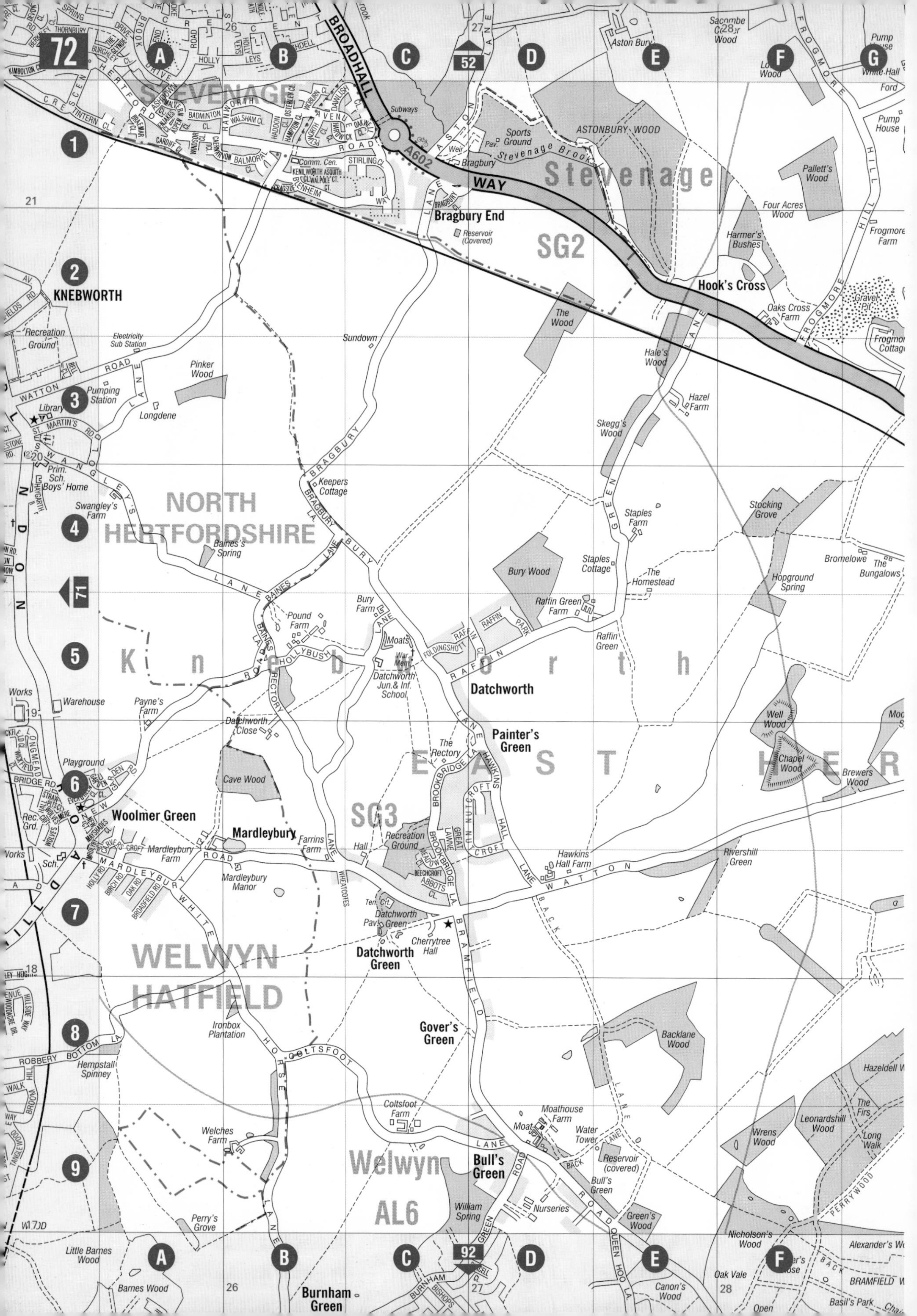
STEVENAGE
Stevenage
KNEBWORTH
NORTH HERTFORDSHIRE
Knebworth
EAST HER
WELWYN HATFIELD
Welwyn
SG2
SG3
AL6
Bragbury End
Hook's Cross
Datchworth
Painter's Green
Woolmer Green
Mardleybury
Datchworth Green
Gover's Green
Bull's Green
Burnham Green
BROADHALL
A602
WAY
ASTONBURY WOOD
Aston Bury
Sacombe Cedar Wood
Pallett's Wood
Four Acres Wood
Harmer's Bushes
Oaks Cross Farm
Gravel Pit
The Wood
Hale's Wood
Hazel Farm
Skegg's Wood
Staples Farm
Staples Cottage
The Homestead
Stocking Grove
Bromelowe
The Bungalows
Hopground Spring
Bury Wood
Raffin Green Farm
Raffin Green
Well Wood
Chapel Wood
Brewers Wood
Rivershill Green
Hawkins Hall Farm
Backlane Wood
Leonardshill Wood
Wrens Wood
The Firs
Long Walk
Moathouse Farm
Water Tower
Reservoir (covered)
Green's Wood
Nicholson's Wood
Oak Vale
Canon's Wood
Coltsfoot Farm
William Spring
Nurseries
Welches Farm
Perry's Grove
Little Barnes Wood
Barnes Wood
Ironbox Plantation
Hempstall Spinney
Cave Wood
Datchworth Close
Payne's Farm
Mardleybury Farm
Mardleybury Manor
Farrins Farm
Recreation Ground
Cherrytree Hall
Pound Farm
Bury Farm
Datchworth Jun.& Inf. School
The Rectory
Keepers Cottage
Sundown
Pinker Wood
Longdene
Baines's Spring
Swangley's Farm
Prim. Sch.
Boys' Home
Library
Pumping Station
Recreation Ground
Electricity Sub Station
Warehouse
Works
Playground
Reservoir (Covered)
Sports Ground
Subways
Weir
Comm. Cen.
Pump House
Frogmore Farm
Ford
White Hall
Stevenage Brook
WATTON ROAD
ROBBERY BOTTOM LA.
COLTSFOOT
HORSE LANE
BRAMFIELD ROAD
QUEEN HOO LA.
PERRYWOOD
BRAGBURY LA.
BAINES LANE
HOLLYBUSH
RECTORY
LONDON ROAD
MARDLEYBURY ROAD
WHITE
HERTFORD ROAD
BRAMFIELD
A
B
C
D
E
F
G
1
2
3
4
5
6
7
8
9
21
20
19
18
17
26
27
28
52
71
92

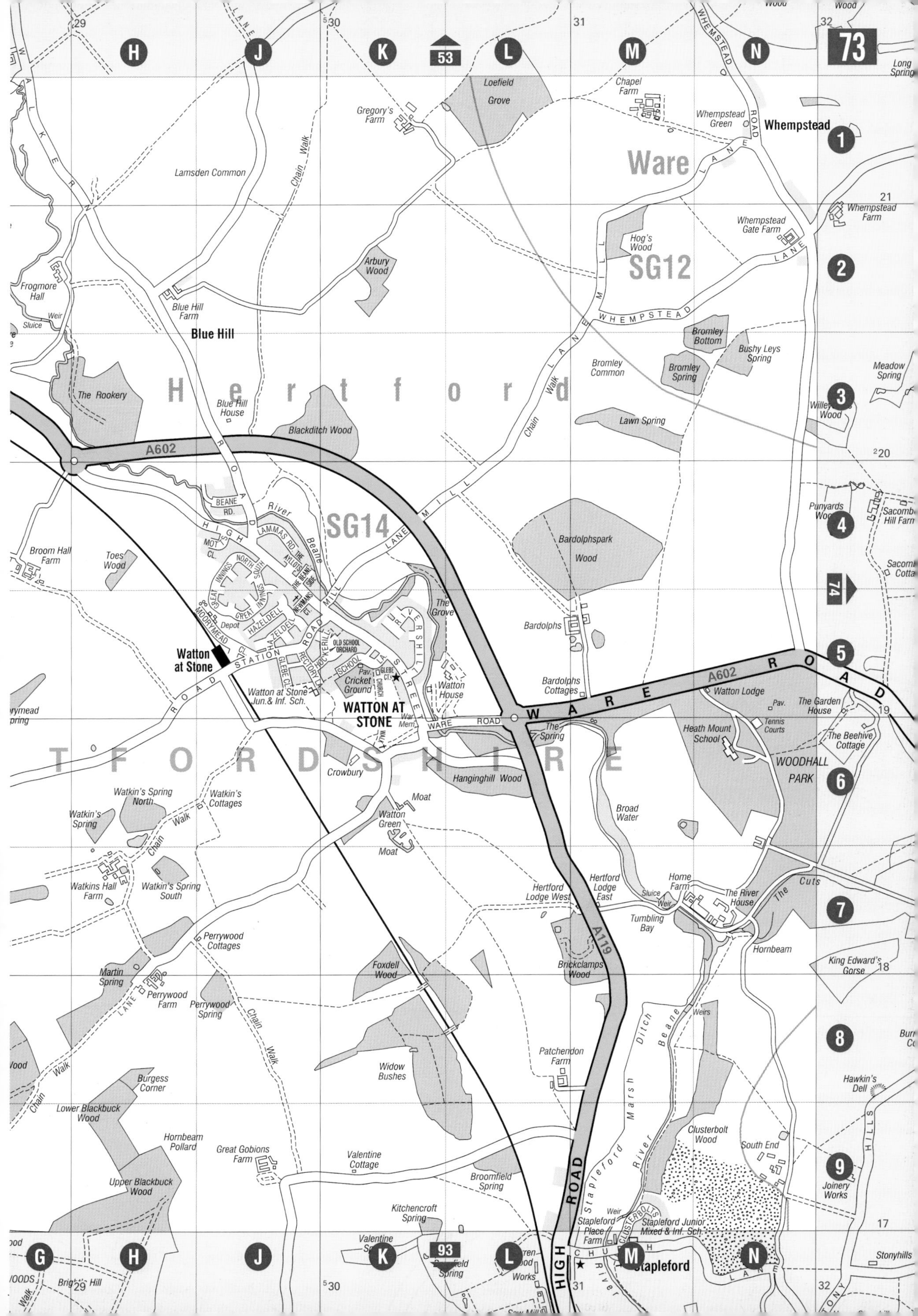

Loefield Grove
Chapel Farm
Gregory's Farm
Whempstead Green
Whempstead
Whempstead Road
Ware
Lamsden Common
Chain Walk
Whempstead Farm
Whempstead Gate Farm
Hog's Wood
SG12
Arbury Wood
Frogmore Hall
Blue Hill Farm
Blue Hill
Whempstead Lane
Bromley Bottom
Bushy Leys Spring
Bromley Common
Bromley Spring
Meadow Spring
The Rookery
Hertford
Blue Hill House
Blackditch Wood
Lawn Spring
A602
Punyards Wood
Sacombe Hill Farm
Beane Rd.
River Beane
SG14
Bardolphspark Wood
Broom Hall Farm
Toes Wood
Mill Lane
The Grove
Bardolphs
Watton at Stone
Station Road
Old School Orchard
Watton House
Bardolphs Cottages
Ware Road
Watton Lodge
The Garden House
Watton at Stone Jun.& Inf. Sch.
Cricket Ground
WATTON AT STONE
The Spring
Heath Mount School
The Beehive Cottage
Crowbury
Hanginghill Wood
WOODHALL PARK
Watkin's Spring North
Watkin's Cottages
Watkin's Spring
Moat
Watton Green
Broad Water
Watkins Hall Farm
Watkin's Spring South
Hertford Lodge West
Hertford Lodge East
Home Farm
The River House
The Cuts
Tumbling Bay
Perrywood Cottages
Brickclamps Wood
Hornbeam
King Edward's Gorse
Foxdell Wood
A119
Martin Spring
Perrywood Farm
Perrywood Spring
Patchendon Farm
Widow Bushes
Marsh Ditch
River Beane
Burgess Corner
Hawkin's Dell
Lower Blackbuck Wood
Hornbeam Pollard
Great Gobions Farm
Valentine Cottage
Clusterbolt Wood
South End
Broomfield Spring
Upper Blackbuck Wood
Joinery Works
Kitchencroft Spring
Stapleford Place Farm
Stapleford Junior Mixed & Inf. Sch.
High Road
Church Lane
Stapleford
Stonyhills
Works

53
74
93

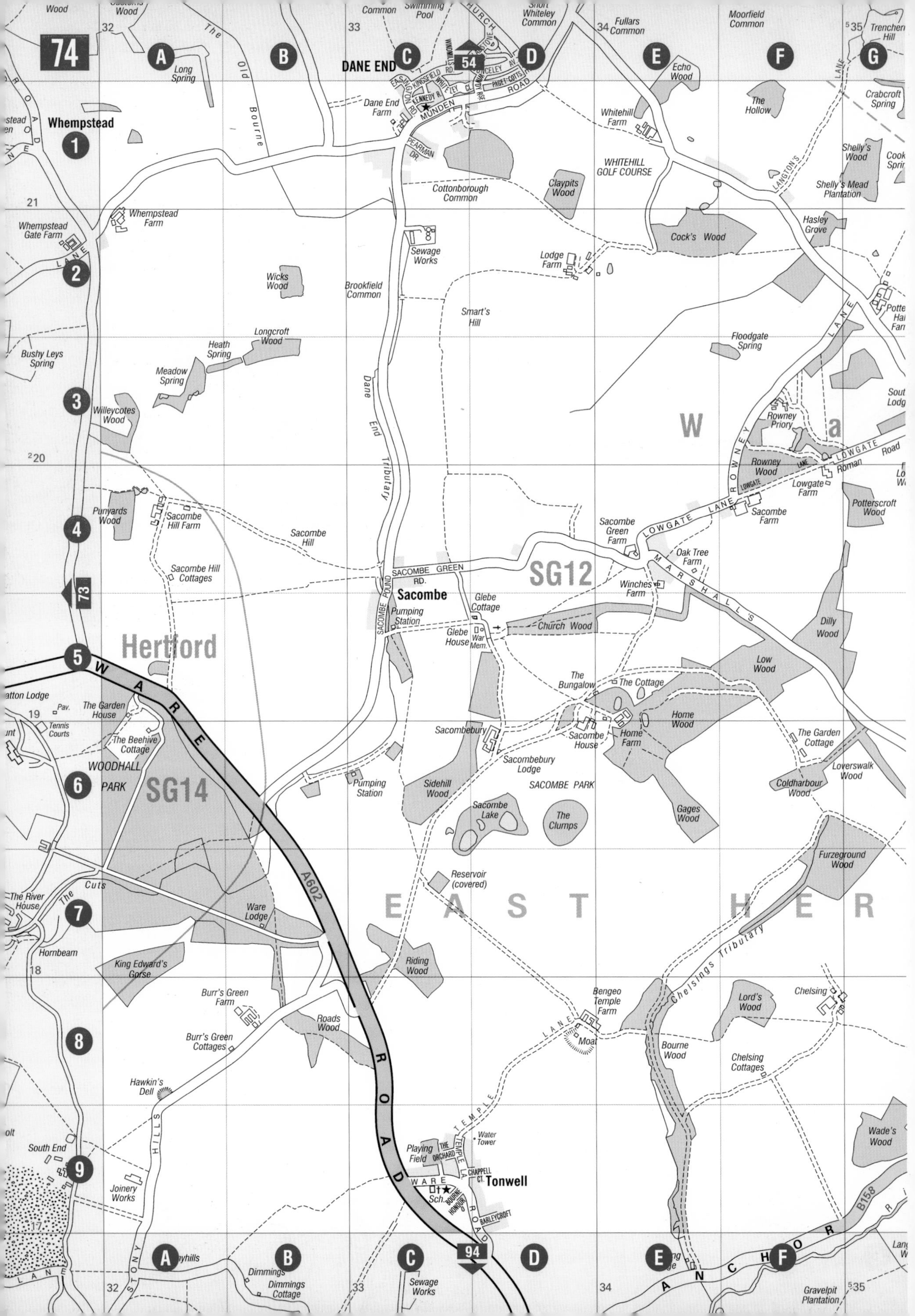
74
A
B
C
D
E
F
G
1
2
3
4
5
6
7
8
9
32
33
34
35
21
20
19
18
17
54
73
94
DANE END
Whempstead
Whempstead Farm
Whempstead Gate Farm
Long Spring
The Old Bourne
Common
Swimming Pool
Short Whiteley Common
Fullars Common
Moorfield Common
Trenchers Hill
Echo Wood
The Hollow
Crabcroft Spring
Whitehill Farm
WHITEHILL GOLF COURSE
Shelly's Wood
Shelly's Mead Plantation
Dane End Farm
KINGSFIELD RD.
KENNEDY R.
WHITE ZEL CL.
MUNDEN ROAD
PEARMAN DR.
PAGET COTTS
Cottonborough Common
Claypits Wood
Cock's Wood
Hasley Grove
Sewage Works
Lodge Farm
Wicks Wood
Brookfield Common
Smart's Hill
Bushy Leys Spring
Heath Spring
Longcroft Wood
Meadow Spring
Floodgate Spring
Willeycotes Wood
Dane End Tributary
W
a
Rowney Priory
Rowney Wood
LOWGATE LANE
Roman Road
Lowgate Farm
Potterscroft Wood
Punyards Wood
Sacombe Hill Farm
Sacombe Hill
Sacombe Hill Cottages
Sacombe Green Farm
Sacombe Farm
SACOMBE GREEN RD.
SACOMBE POUND
Sacombe
SG12
Oak Tree Farm
Winches Farm
MARSHALL'S
Pumping Station
Glebe Cottage
Glebe House
War Mem.
Church Wood
Dilly Wood
Hertford
WARE ROAD
A602
Low Wood
The Bungalow
The Cottage
The Garden House
Pav.
Tennis Courts
The Beehive Cottage
WOODHALL PARK
SG14
Sacombebury
Sacombe House
Home Farm
Home Wood
The Garden Cottage
Sacombebury Lodge
SACOMBE PARK
Sidehill Wood
Sacombe Lake
The Clumps
Gages Wood
Coldharbour Wood
Loverswalk Wood
Reservoir (covered)
Furzeground Wood
EAST HER
The Cuts
The River House
Ware Lodge
Hornbeam
King Edward's Gorse
Riding Wood
Chelsings Tributary
Burr's Green Farm
Roads Wood
Bengeo Temple Farm
Moat
Lord's Wood
Chelsing
Burr's Green Cottages
Bourne Wood
Chelsing Cottages
Hawkin's Dell
STONY HILLS
TEMPLE LANE
Water Tower
Playing Field
THE ORCHARD
CHAPPELL CT.
Tonwell
Sch.
BARLEYCROFT
Wade's Wood
South End
Joinery Works
B158
ANCHOR
Dimmings
Dimmings Cottage
Sewage Works
Gravelpit Plantation

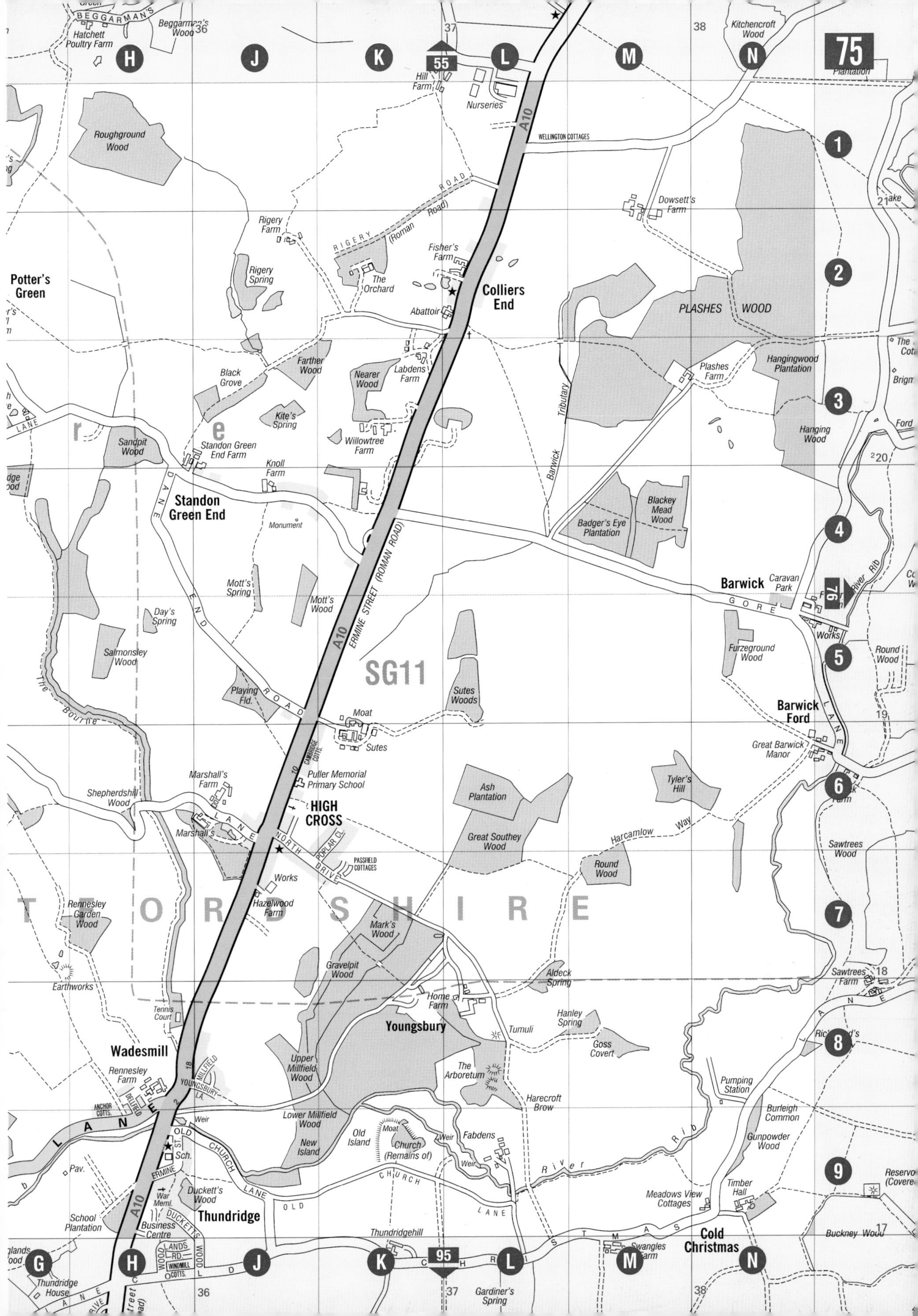

Beggarman's Wood
Hatchett Poultry Farm
Kitchencroft Wood
Plantation
Hill Farm
Nurseries
A10
WELLINGTON COTTAGES
Roughground Wood
RIGERY ROAD (Roman Road)
Rigery Farm
Dowsett's Farm
Rigery Spring
Fisher's Farm
The Orchard
Colliers End
Potter's Green
Abattoir
PLASHES WOOD
Black Grove
Farther Wood
Nearer Wood
Labdens Farm
Plashes Farm
Hangingwood Plantation
Kite's Spring
Willowtree Farm
Tributary
Hanging Wood
Sandpit Wood
Standon Green End Farm
Knoll Farm
Barwick
DANE END ROAD
Standon Green End
Monument
Blackey Mead Wood
Badger's Eye Plantation
ERMINE STREET (ROMAN ROAD)
Mott's Spring
Mott's Wood
Barwick
Caravan Park
GORE LANE
Day's Spring
River Rib
Works
Salmonsley Wood
SG11
Furzeground Wood
Round Wood
Sutes Woods
Playing Fld.
The Bourne
Moat
Sutes
CAMBRIDGE COTTS.
Barwick Ford
Great Barwick Manor
Marshall's Farm
Puller Memorial Primary School
Tyler's Hill
Ash Plantation
Shepherdshill Wood
HIGH CROSS
Marshall's
NORTH DRIVE
POPLAR CL.
Harcamlow Way
Great Southey Wood
Sawtrees Wood
PASSFIELD COTTAGES
Round Wood
Works
Rennesley Garden Wood
Hazelwood Farm
HERTFORDSHIRE
Mark's Wood
Gravelpit Wood
Aldeck Spring
Earthworks
Sawtrees Farm
Home Farm
Tennis Court
Youngsbury
Hanley Spring
Tumuli
Goss Covert
Wadesmill
Upper Millfield Wood
The Arboretum
Pumping Station
Rennesley Farm
MILLFIELD
YOUNGSBURY LA.
Harecroft Brow
Burleigh Common
ANCHOR COTTS.
DELLFIELD
Weir
Lower Millfield Wood
Old Island
Moat
Church (Remains of)
Fabdens
Gunpowder Wood
OLD CHURCH LANE
Sch.
New Island
Weir
River Rib
Pav.
ERMINE ST.
War Meml.
Duckett's Wood
Meadows View Cottages
Timber Hall
Reservoir (Covered)
School Plantation
Thundridge
Business Centre
DUCKETTS WOOD
Thundridgehill
CHRISTMAS
Swangles Farm
Cold Christmas
Buckney Wood
LANDS RD.
WINDMILL COTTS.
Thundridge House
Gardiner's Spring
55
95
76
36
37
38
21
20
19
18
17
G
H
J
K
L
M
N
1
2
3
4
5
6
7
8
9

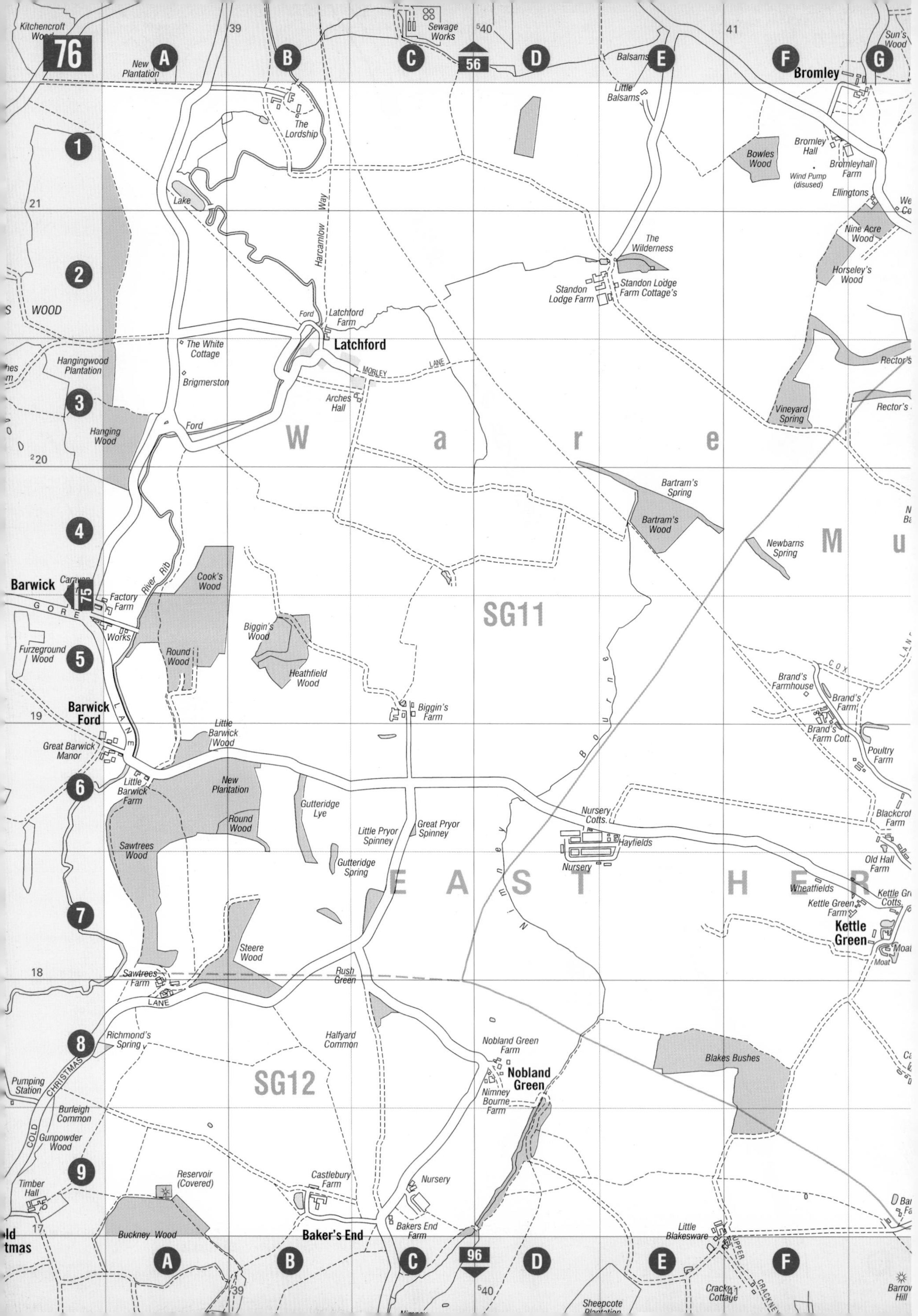

Kitchencroft Wood
New Plantation
Sewage Works
56
Balsams
Bromley
Sun's Wood
The Lordship
Little Balsams
Bromley Hall
Bowles Wood
Bromleyhall Farm
Wind Pump (disused)
Ellingtons
Lake
Harcamlow Way
Nine Acre Wood
The Wilderness
Horseley's Wood
Standon Lodge Farm
Standon Lodge Farm Cottage's
WOOD
Ford
Latchford Farm
Latchford
The White Cottage
Hangingwood Plantation
MORLEY LANE
Rector's
Brigmerston
Arches Hall
Vineyard Spring
Hanging Wood
Ford
Ware
Bartram's Spring
Bartram's Wood
Newbarns Spring
Barwick
75
Factory Farm
GORE
River Rib
Cook's Wood
SG11
Biggin's Wood
Works
Furzeground Wood
Round Wood
Heathfield Wood
COX LANE
Brand's Farmhouse
Brand's Farm
Barwick Ford
LANE
Biggin's Farm
Little Barwick Wood
Brand's Farm Cott.
Great Barwick Manor
Bourne
Poultry Farm
Little Barwick Farm
New Plantation
Gutteridge Lye
Nursery Cotts.
Blackcroft Farm
Round Wood
Little Pryor Spinney
Great Pryor Spinney
Sawtrees Wood
Hayfields
Old Hall Farm
Gutteridge Spring
Nursery
EAST HER
Nimney
Wheatfields
Kettle Green Farm
Kettle Green Cotts.
Kettle Green
Steere Wood
Moat
Sawtrees Farm
Rush Green
LANE
Richmond's Spring
Halfyard Common
Nobland Green Farm
Blakes Bushes
Pumping Station
SG12
Nobland Green
Nimney Bourne Farm
CHRISTMAS
COLD
Burleigh Common
Gunpowder Wood
Reservoir (Covered)
Castlebury Farm
Nursery
Timber Hall
Buckney Wood
Baker's End
Bakers End Farm
Little Blakesware
UPPER
96
CRACKNEY
Crackney Cottage
Sheepcote Plantation
Barrow Hill

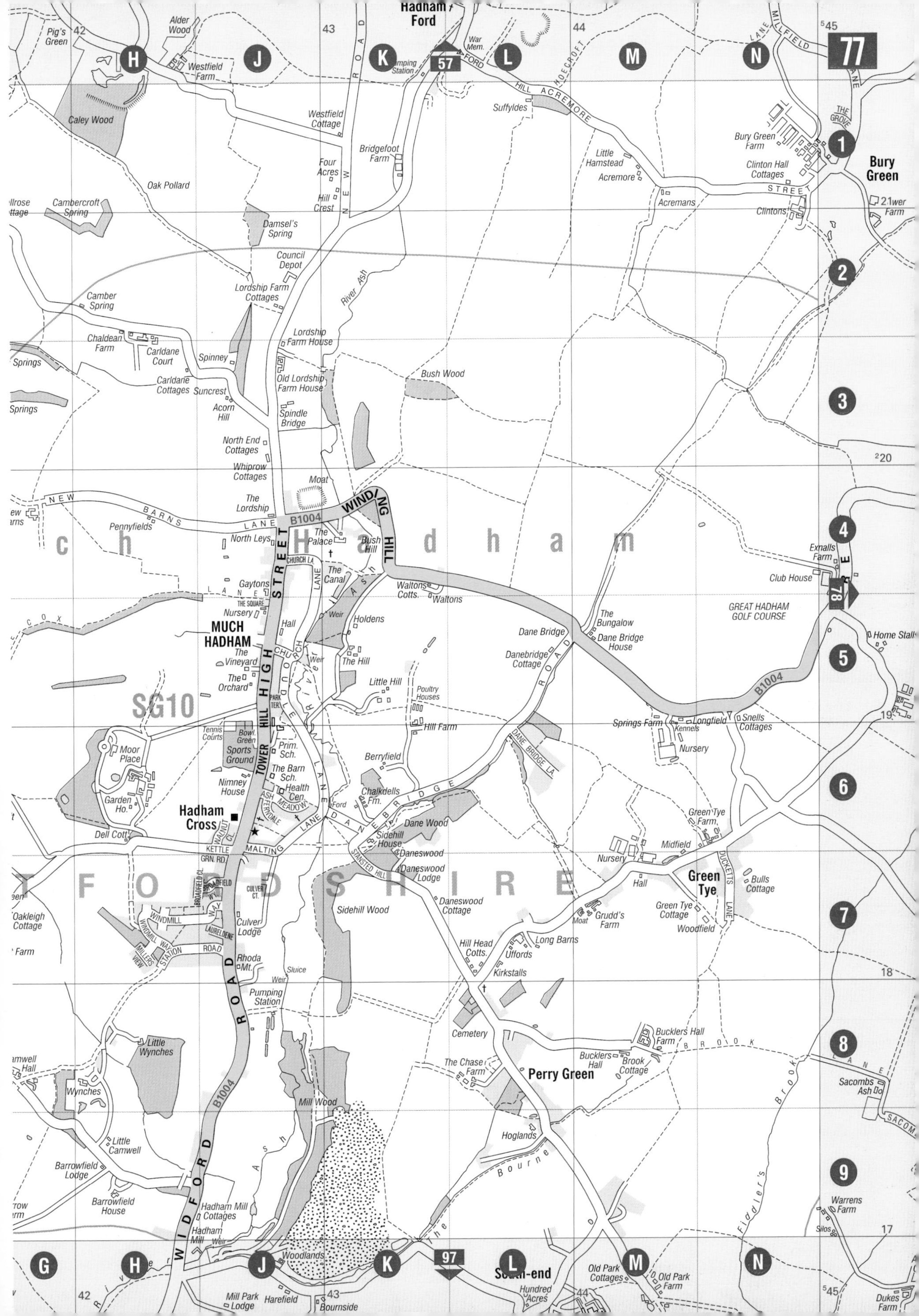

Hadham Ford
57
97
78
Much Hadham
MUCH HADHAM
Hadham Cross
Bury Green
Green Tye
Perry Green
South-end
SG10
HERTFORDSHIRE
Caley Wood
Westfield Farm
Westfield Cottage
Bridgefoot Farm
Four Acres
Hill Crest
Oak Pollard
Cambercroft Spring
Damsel's Spring
Council Depot
Lordship Farm Cottages
Camber Spring
Chaldean Farm
Carldane Court
Carldane Cottages
Suncrest
Spinney
Acorn Hill
Lordship Farm House
Old Lordship Farm House
Spindle Bridge
Bush Wood
North End Cottages
Whiprow Cottages
Moat
The Lordship
NEW BARNS LANE
WINDING HILL
B1004
Pennyfields
North Leys
The Palace
Bush Hill
The Canal
Gaytons
Waltons Cotts.
Waltons
Holdens
The Vineyard
The Orchard
The Hill
Little Hill
Poultry Houses
Hill Farm
Berryfield
Chalkdells Fm.
Dane Wood
Sidehill House
Daneswood
Daneswood Lodge
Sidehill Wood
Daneswood Cottage
Moor Place
Garden Ho.
Sports Ground
Nimney House
Dell Cott.
TOWER HILL
HIGH STREET
Culver Lodge
Rhoda Mt.
STATION ROAD
Pumping Station
Little Wynches
Wynches
Little Camwell
Barrowfield Lodge
Barrowfield House
WIDFORD ROAD
Hadham Mill Cottages
Hadham Mill
Mill Wood
Woodlands
Mill Park Lodge
Harefield
Bournside
Hundred Acres
Old Park Cottages
Old Park Farm
Dukes Farm
Suffyldes
ACREMORE
HOECROFT
Little Hamstead
Acremore
Acremans
Bury Green Farm
Clinton Hall Cottages
Clintons
STREET
THE GROVE
MILLFIELD LANE
Lower Farm
Exnalls Farm
Club House
GREAT HADHAM GOLF COURSE
Home Stall
The Bungalow
Dane Bridge
Dane Bridge House
Danebridge Cottage
DANE BRIDGE LA
Springs Farm
Kennels
Longfield
Snells Cottages
Nursery
Green Tye Farm
Midfield
Hall
Bulls Cottage
Green Tye Cottage
Woodfield
Grudd's Farm
Long Barns
Hill Head Cotts.
Uffords
Kirkstalls
Cemetery
Bucklers Hall Farm
BROOK LANE
Bucklers Hall
Brook Cottage
The Chase Farm
Hoglands
The Bourne
Fiddler's Brook
Sacombs Ash
Warrens Farm
Silos
River Ash

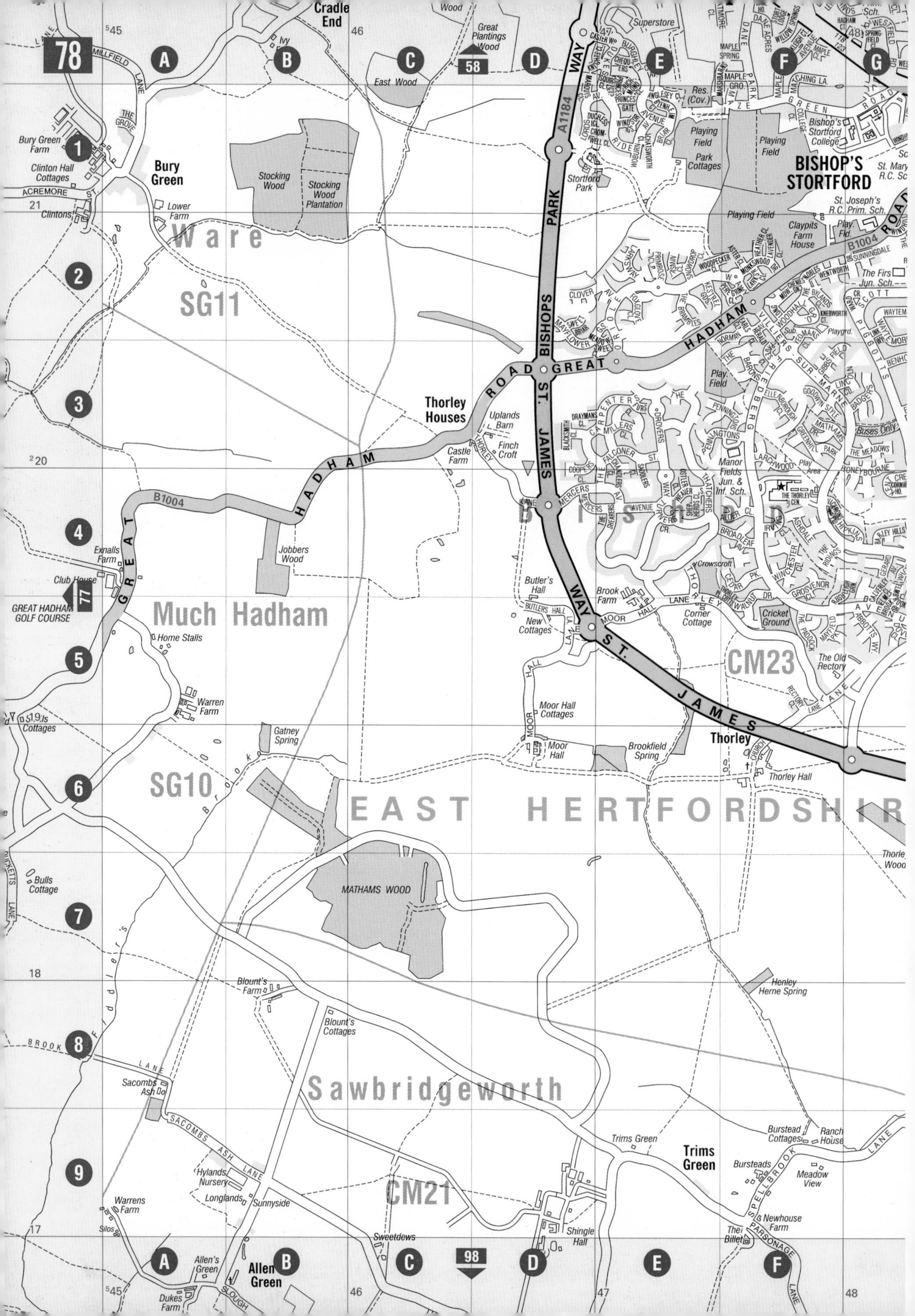
Cradle End
Great Plantings Wood
58
East Wood
Superstore
Bury Green Farm
Clinton Hall Cottages
Bury Green
Lower Farm
Clintons
Stocking Wood
Stocking Wood Plantation
Ware
SG11
BISHOP'S STORTFORD
Bishop's Stortford College
Playing Field
Park Cottages
Stortford Park
Playing Field
St. Joseph's R.C. Prim. Sch.
Claypits Farm House
The Firs Jun. Sch.
BISHOPS PARK WAY
A1184
B1004
GREAT HADHAM ROAD
Thorley Houses
Uplands Barn
Finch Croft
Castle Farm
ST. JAMES WAY
Manor Fields Jun. & Inf. Sch.
Crowscroft
Butler's Hall
Brook Farm
New Cottages
Corner Cottage
Cricket Ground
The Old Rectory
CM23
Exnalls Farm
Club House
77
GREAT HADHAM GOLF COURSE
Jobbers Wood
Much Hadham
Home Stalls
Warren Farm
Cottages
Gatney Spring
Moor Hall Cottages
Moor Hall
Brookfield Spring
Thorley
Thorley Hall
SG10
EAST HERTFORDSHIRE
Bulls Cottage
MATHAMS WOOD
Blount's Farm
Blount's Cottages
Henley Herne Spring
BROOK LANE
Sacombs Ash
SACOMBS ASH LANE
Sawbridgeworth
Trims Green
Burstead Cottages
Ranch House
Bursteads
Meadow View
Hylands Nursery
Longlands
Sunnyside
CM21
Warrens Farm
Silos
Sweetdews
Shingle Hall
Newhouse Farm
The Billet
SPELLBROOK LANE
PARSONAGE LANE
Allen's Green
Allen Green
Dukes Farm
SLOUGH
98
A B C D E F G
1 2 3 4 5 6 7 8 9
545 46 47 48
21 20 18 17

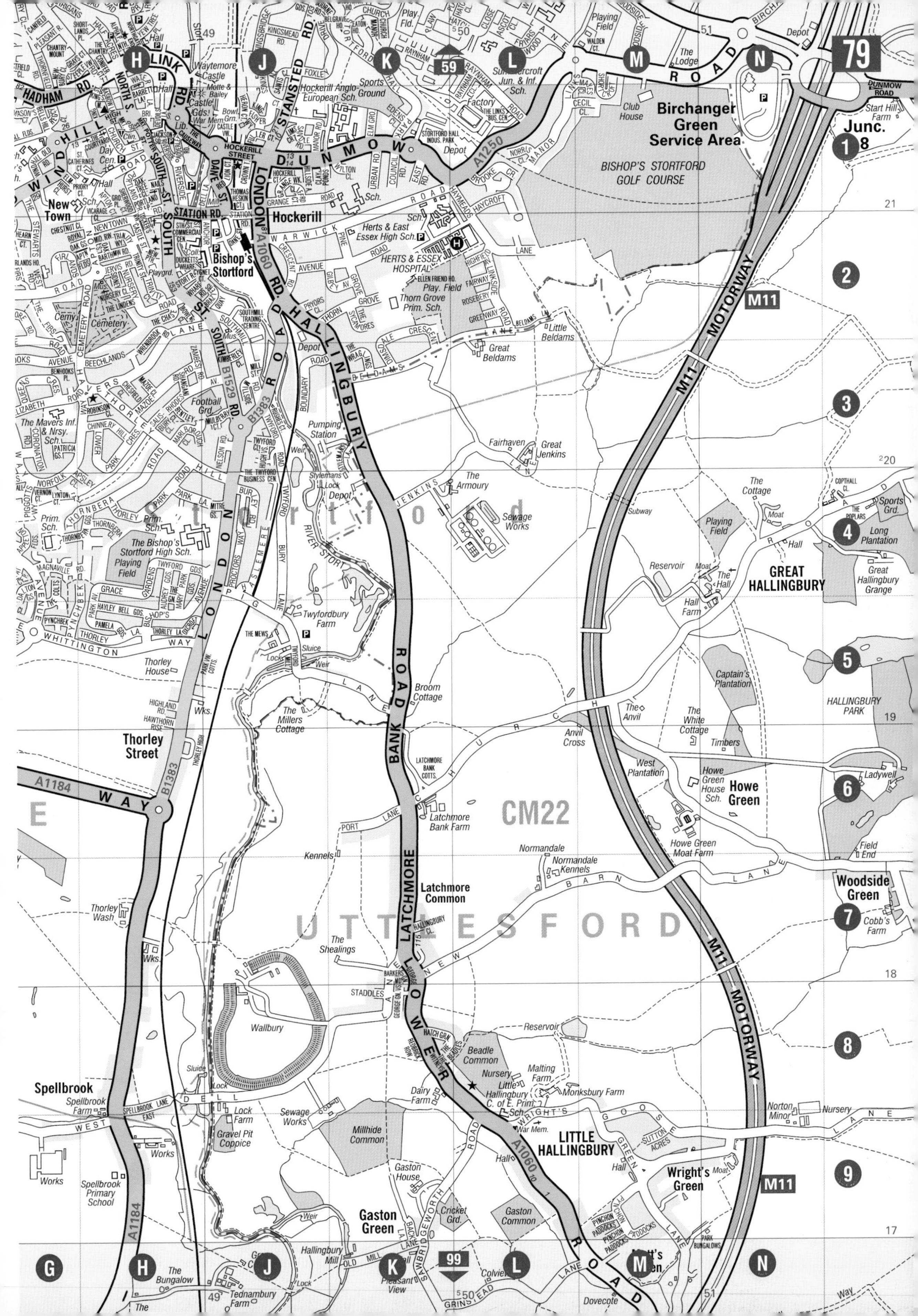

Birchanger Green Service Area
BISHOP'S STORTFORD GOLF COURSE
Junc. 8
Start Hill Farm
DUNMOW ROAD
BIRCHANGER
Depot
The Lodge
Club House
Playing Field
Play. Fld.
Sports Ground
Hockerill Anglo-European Sch.
Sunnycroft Jun. & Inf. Sch.
Factory
THE LINKS BUS. CEN.
STORTFORD HALL INDUS. PARK
DUNMOW
A1250
Waytemore Castle
Motte & Bailey
Castle Gdns.
War Mem.
HADHAM RD.
LINK RD.
WIND HILL
New Town
Hockerill
HOCKERILL STREET
STATION RD.
Bishop's Stortford
Herts & East Essex High Sch.
HERTS & ESSEX HOSPITAL
Play. Field
Thorn Grove Prim. Sch.
Little Beldams
Great Beldams
BELDAMS LANE
Cemetery
Depot
Pumping Station
Football Grd.
The Mavers Inf. & Nrsy. Sch.
Prim. Sch.
The Bishop's Stortford High Sch.
Playing Field
Fairhaven
Great Jenkins
The Armoury
Sewage Works
Stylemans Lock
Weir
RIVER STORT
Stortford
Twyfordbury Farm
Sluice
Lock
Broom Cottage
The Millers Cottage
HALLINGBURY ROAD
LONDON ROAD
A1060
B1383
B1529
BANK ROAD
LATCHMORE
Latchmore Bank Farm
LATCHMORE BANK COTTS.
Thorley House
Thorley Street
WHITTINGTON WAY
A1184
WAY
Kennels
Latchmore Common
UTTLESFORD
CM22
The Shealings
STADDLES
Wallbury
Thorley Wash
Wks.
Sluice
Spellbrook
Spellbrook Farm
SPELLBROOK LANE
Lock Farm
Gravel Pit Coppice
Sewage Works
Millhide Common
Dairy Farm
Beadle Common
Nursery
Little Hallingbury C. of E. Prim. Sch.
Malting Farm
Monksbury Farm
War Mem.
LITTLE HALLINGBURY
Hall
Gaston House
Gaston Green
Cricket Grd.
Gaston Common
Hallingbury Mill
Pleasant View
Colvie
Spellbrook Primary School
Works
The Bungalow
Tednambury Farm
Dovecote
Wright's Green
WRIGHT'S GREEN LANE
Norton Minor
Nursery
Reservoir
M11 MOTORWAY
M11
Subway
The Cottage
Moat
Sports Grd.
Long Plantation
Playing Field
Reservoir
The Hall
Hall Farm
GREAT HALLINGBURY
Great Hallingbury Grange
Captain's Plantation
HALLINGBURY PARK
The Anvil
Anvil Cross
CHURCH ROAD
The White Cottage
Timbers
West Plantation
Howe Green House Sch.
Howe Green
Ladywell
Howe Green Moat Farm
Normandale
Normandale Kennels
BARN LANE
Field End
Woodside Green
Cobb's Farm
NEW ROAD
Start Hill
59
99
G H J K L M N
1 2 3 4 5 6 7 8 9
17 18 19 20 21
49 50 51

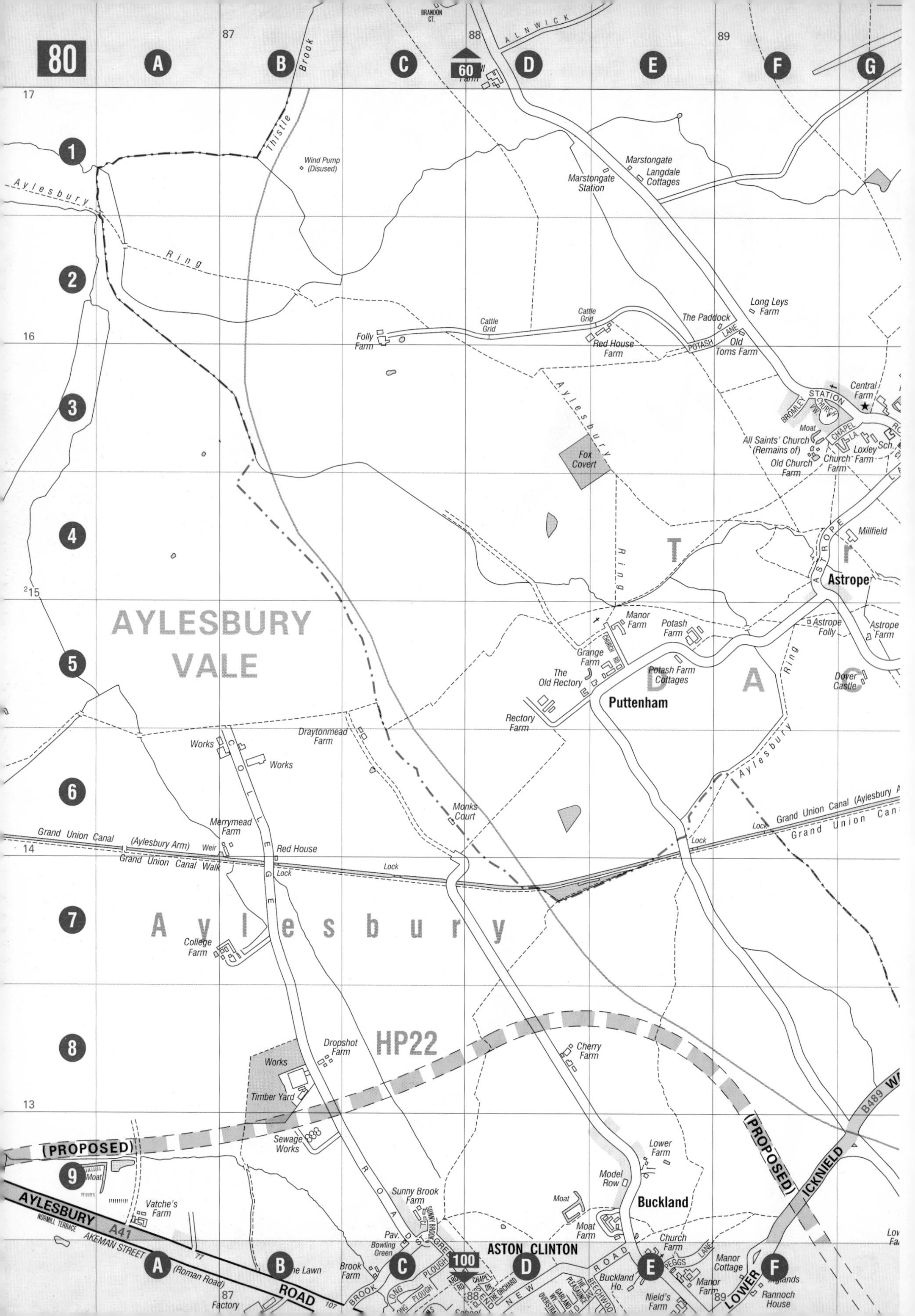
60
100
Aylesbury Ring
Thistle Brook
Wind Pump (Disused)
Marstongate Station
Marstongate
Langdale Cottages
Long Leys Farm
The Paddock
Potash Lane
Old Toms Farm
Red House Farm
Cattle Grid
Folly Farm
Fox Covert
Central Farm
Station
Bromley
Church
Chapel La
Moat
All Saints' Church (Remains of)
Old Church Farm
Church Farm
Loxley Farm
Sch.
Millfield
Astrope
Astrope Folly
Astrope Farm
Dover Castle
Manor Farm
Potash Farm
Grange Farm
The Old Rectory
Potash Farm Cottages
Puttenham
Rectory Farm
AYLESBURY VALE
Draytonmead Farm
Works
College
Monks Court
Merrymead Farm
Weir
Red House
Lock
Grand Union Canal (Aylesbury Arm)
Grand Union Canal Walk
Grand Union Canal
College Farm
Aylesbury
HP22
Dropshot Farm
Cherry Farm
Timber Yard
Sewage Works
(PROPOSED)
Moat
Vatche's Farm
Lower Farm
Model Row
Buckland
Moat Farm
Church Farm
Sunny Brook Farm
Pav.
Bowling Green
ASTON CLINTON
AYLESBURY ROAD
A41
Normill Terrace
Akeman Street (Roman Road)
The Lawn
Brook Farm
Factory
Buckland Ho.
Manor Cottage
Manor Farm
Nield's Farm
Rannoch House
Lower Icknield Way
B489
Peggs Lane
New Road
The Orchard
Beechwood
Alnwick
Brandon Ct.
TRING

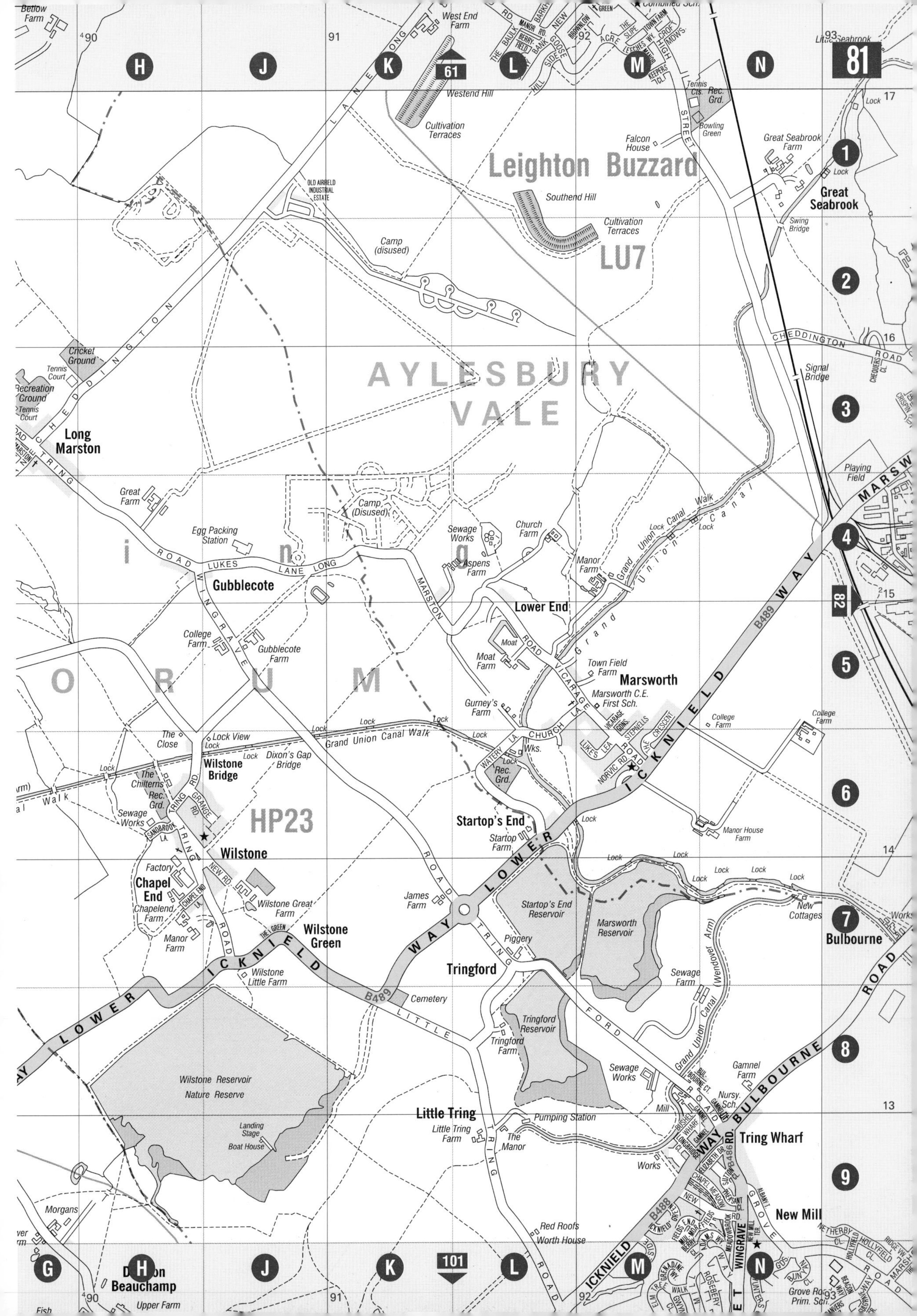
81
61
101
82
H
J
K
L
M
N
G
1
2
3
4
5
6
7
8
9
90
91
92
93
17
16
15
14
13
Leighton Buzzard
LU7
AYLESBURY
VALE
HP23
Bellow Farm
West End Farm
Westend Hill
Cultivation Terraces
Southend Hill
Cultivation Terraces
OLD AIRFIELD INDUSTRIAL ESTATE
Camp (disused)
Falcon House
Tennis Cts.
Rec. Grd.
Bowling Green
Great Seabrook Farm
Great Seabrook
Lock
Swing Bridge
Signal Bridge
CHEDDINGTON ROAD
CHEQUERS CL.
Playing Field
Little Seabrook
Cricket Ground
Tennis Court
Recreation Ground
Tennis Court
Long Marston
CHEDDINGTON
LANE
LONG
TRING ROAD
Great Farm
Egg Packing Station
Camp (Disused)
Sewage Works
Church Farm
Aspens Farm
Manor Farm
Grand Union Canal Walk
Grand Union Canal
LUKES LANE
LONG
ROAD
Gubblecote
WINGRAVE
MARSTON ROAD
Lower End
Moat
Moat Farm
VICARAGE ROAD
College Farm
Gubblecote Farm
Town Field Farm
Marsworth
Marsworth C.E. First Sch.
Gurney's Farm
CHURCH LA.
WATERY LA.
Wks.
Rec. Grd.
VICARAGE GDNS.
LUKES LEA
STEPNELLS
THE CRESCENT
NORVIC RD.
College Farm
College Farm
The Close
Lock View
Wilstone Bridge
Dixon's Gap Bridge
The Chilterns
Rec. Grd.
Sewage Works
SANDBROOK LA.
TRING RD.
GRANGE RD.
Wilstone
Factory
Chapel End
CHAPEL END LA.
NEW RD.
Chapelend Farm
Manor Farm
Wilstone Great Farm
THE GREEN
Wilstone Green
ICKNIELD WAY
LOWER ICKNIELD WAY
B489
Wilstone Little Farm
Cemetery
LITTLE TRING ROAD
Startop's End
Startop Farm
James Farm
Startop's End Reservoir
Marsworth Reservoir
Piggery
Tringford
TRINGFORD ROAD
Tringford Reservoir
Tringford Farm
Sewage Works
Sewage Farm
Grand Union Canal (Wendover Arm)
Manor House Farm
New Cottages
Bulbourne
Works
BULBOURNE ROAD
Gamnel Farm
Nursy. Sch.
Mill
Wilstone Reservoir Nature Reserve
Landing Stage
Boat House
Little Tring
Little Tring Farm
Pumping Station
The Manor
Tring Wharf
Works
B486
B488
ICKNIELD WAY
New Mill
NEW MILL TER.
WINGRAVE RD.
GROVE
Morgans
Red Roofs
Worth House
Drayton Beauchamp
Upper Farm
Grove Road Prim. Sch.
NETHERBY CL.
HOLLYFIELD CL.
RIDGE VW.
MARSH

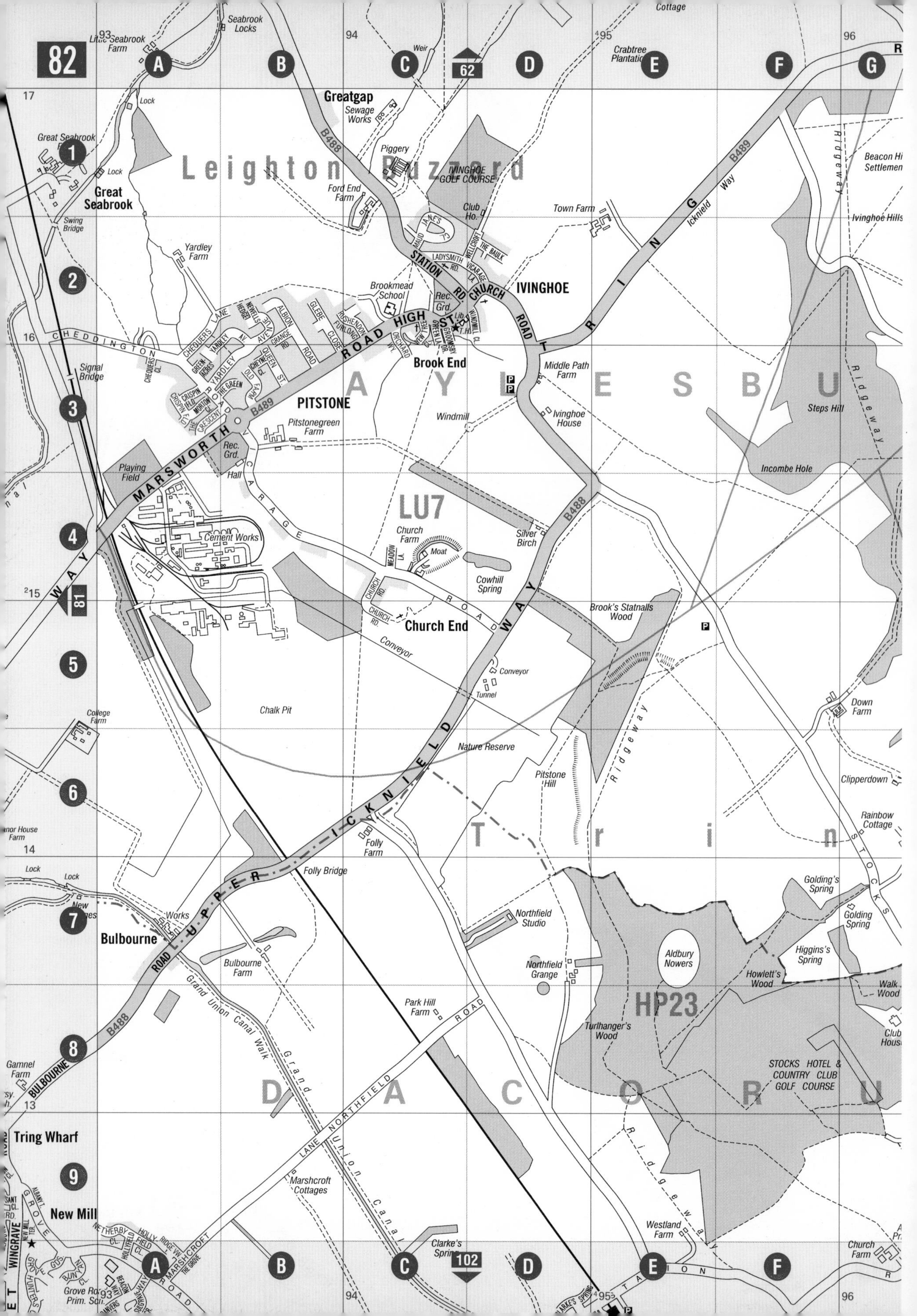

Leighton Buzzard
Aylesbury
Tring
Dacorum
LU7
HP23
Greatgap
Great Seabrook
Seabrook Locks
Little Seabrook Farm
Great Seabrook Farm
Ivinghoe Golf Course
Ivinghoe
Pitstone
Brook End
Church End
Cement Works
Chalk Pit
Nature Reserve
Pitstone Hill
Steps Hill
Incombe Hole
Ivinghoe Hills
Beacon Hill Settlement
Town Farm
Middle Path Farm
Ivinghoe House
Windmill
Pitstonegreen Farm
Brookmead School
Yardley Farm
Ford End Farm
Piggery
Sewage Works
Crabtree Plantation
Silver Birch
Cowhill Spring
Church Farm
Moat
Brook's Statnalls Wood
Down Farm
Clipperdown
Rainbow Cottage
Golding's Spring
Golding Spring
Higgins's Spring
Howlett's Wood
Aldbury Nowers
Northfield Studio
Northfield Grange
Turlhanger's Wood
Stocks Hotel & Country Club Golf Course
Westland Farm
Church Farm
Folly Farm
Folly Bridge
Bulbourne
Bulbourne Farm
Works
New Mill
Tring Wharf
Gamnel Farm
Marshcroft Cottages
Park Hill Farm
Clarke's Spring
College Farm
Playing Field
Grand Union Canal Walk
Grand Union Canal
Upper Icknield Way
Icknield Way
Ring Road
Marsworth Road
High St.
Station Rd.
Church Road
Vicarage Road
Northfield Road
Lane
Marshcroft
Bulbourne Road
Cheddington Lane
Ridgeway
Stocks
Signal Bridge
Swing Bridge
Lock
Weir
Conveyor
Tunnel
Grove Road Prim. Sch.
B488
B489

62
81
102

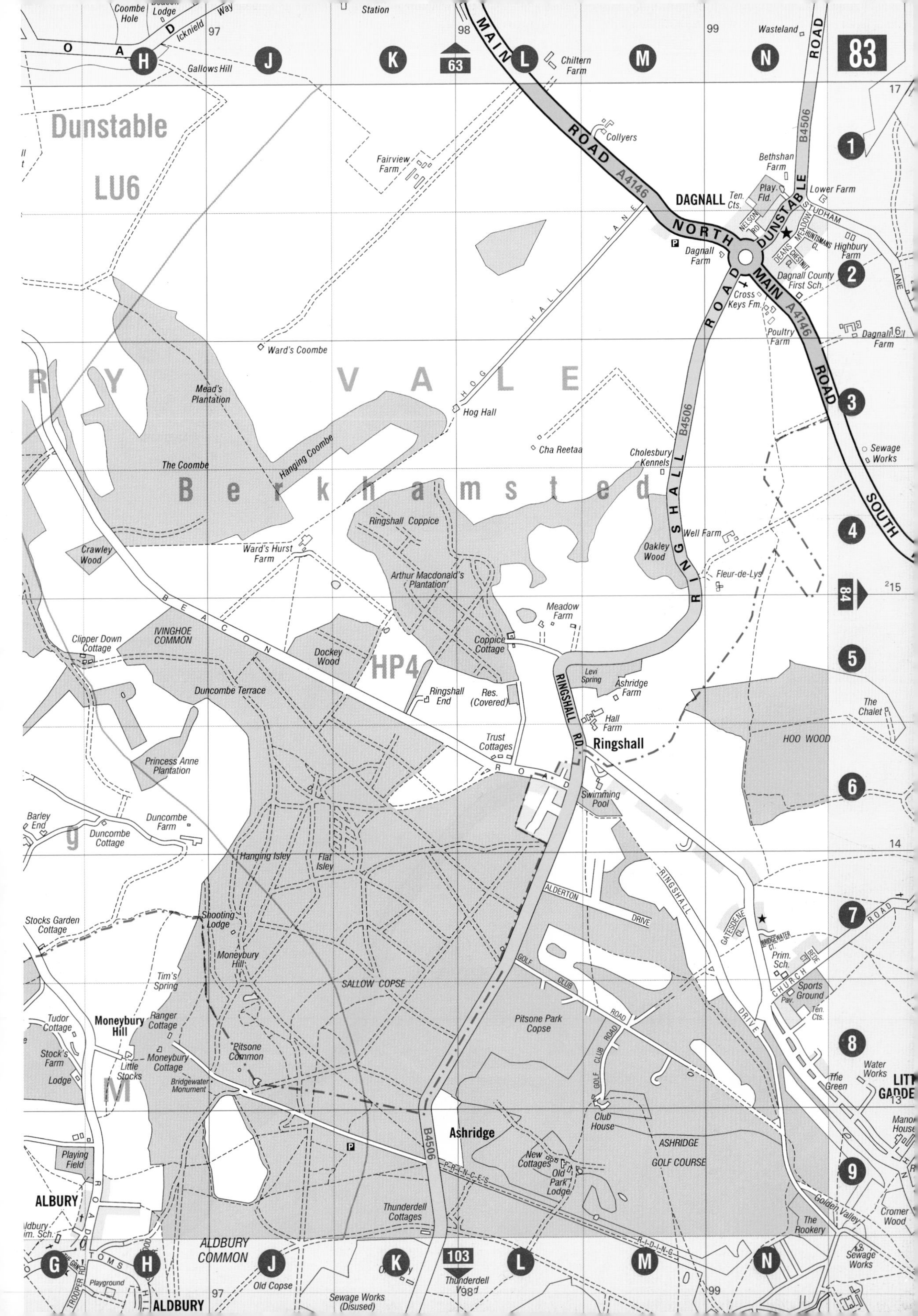

83
63
84
103
Dunstable
LU6
HP4
VALE
Berkhamsted
DAGNALL
Ringshall
Ashridge
Moneybury Hill
ALBURY
ALDBURY
ALDBURY COMMON
IVINGHOE COMMON
Coombe Hole
Icknield Way
Gallows Hill
Station
Chiltern Farm
Wasteland
MAIN ROAD
NORTH
A4146
B4506
Collyers
Fairview Farm
Bethshan Farm
Play. Fld.
Ten. Cts.
Lower Farm
STUDHAM
NELSON RD
DUNSTABLE
MEADOW
HUNTSMANS CL
DEANS
CHESTNUT
Highbury Farm
Dagnall Farm
Dagnall County First Sch.
Cross Keys Fm.
Poultry Farm
Dagnall Farm
SOUTH
Ward's Coombe
HOG HALL LANE
Hog Hall
Mead's Plantation
Hanging Coombe
The Coombe
Cha Reetaa
Cholesbury Kennels
Sewage Works
RINGSHALL
Well Farm
Oakley Wood
Fleur-de-Lys
Ringshall Coppice
Crawley Wood
Ward's Hurst Farm
Arthur Macdonald's Plantation
Meadow Farm
Clipper Down Cottage
BEACON ROAD
Dockey Wood
Coppice Cottage
Levi Spring
Ashridge Farm
The Chalet
Duncombe Terrace
Ringshall End
Res. (Covered)
Hall Farm
HOO WOOD
RINGSHALL RD.
Trust Cottages
Princess Anne Plantation
Swimming Pool
Barley End
Duncombe Farm
Duncombe Cottage
Hanging Isley
Flat Isley
ALDERTON DRIVE
GATESDENE CL.
BRIDGEWATER CT.
Stocks Garden Cottage
Shooting Lodge
Moneybury Hill
GOLF CLUB ROAD
Prim. Sch.
BEDE
CHURCH ROAD
Sports Ground
Pav.
Ten. Cts.
Tim's Spring
SALLOW COPSE
Tudor Cottage
Ranger Cottage
Pitsone Park Copse
Stock's Farm
Moneybury Cottage
Pitsone Common
Little Stocks
Lodge
Bridgewater Monument
Water Works
The Green
Club House
ASHRIDGE GOLF COURSE
Playing Field
New Cottages
Old Park Lodge
PRINCE'S RIDING
Thunderdell Cottages
The Rookery
Golden Valley
Cromer Wood
Sewage Works
Playground
TROOPER RD
TOMS
Old Copse
Thunderdell
Sewage Works (Disused)
97
98
99

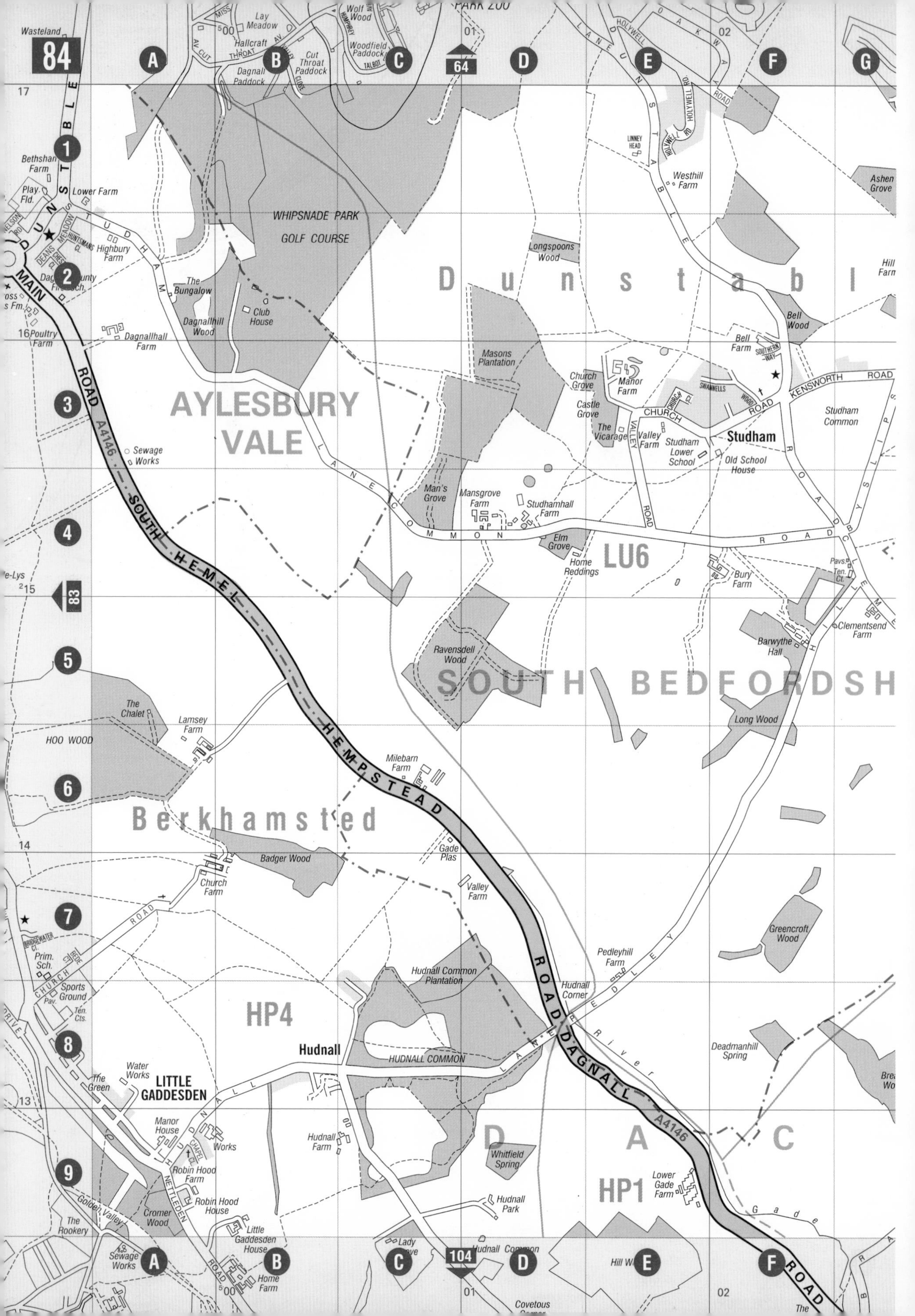
Wasteland
64
83
104
A
B
C
D
E
F
G
1
2
3
4
5
6
7
8
9
17
16
15
14
13
00
01
02
Lay Meadow
Wolf Wood
Hallcraft
Cut Throat Paddock
Dagnall Paddock
Woodfield Paddock
Bethshan Farm
Lower Farm
Play Fld.
Highbury Farm
Dagnall County First Sch.
Poultry Farm
Dagnallhall Farm
The Bungalow
Dagnallhill Wood
Club House
WHIPSNADE PARK
GOLF COURSE
Longspoons Wood
Dunstable
Westhill Farm
Ashen Grove
Hill Farm
Bell Wood
Bell Farm
Masons Plantation
Church Grove
Manor Farm
Castle Grove
The Vicarage
Valley Farm
Studham Lower School
Studham
Old School House
Studham Common
KENSWORTH ROAD
CHURCH ROAD
AYLESBURY VALE
Sewage Works
Man's Grove
Mansgrove Farm
Studhamhall Farm
COMMON ROAD
Elm Grove
Home Reddings
LU6
Bury Farm
Clementsend Farm
Barwythe Hall
Ravensdell Wood
SOUTH BEDFORDSH
Long Wood
The Chalet
Lamsey Farm
HOO WOOD
Milebarn Farm
SOUTH HEMEL HEMPSTEAD ROAD
A4146
Berkhamsted
Badger Wood
Gade Plas
Church Farm
Valley Farm
Greencroft Wood
Prim. Sch.
Sports Ground
Hudnall Common Plantation
Pedleyhill Farm
Hudnall Corner
HP4
Hudnall
HUDNALL COMMON
Deadmanhill Spring
Water Works
The Green
LITTLE GADDESDEN
DAGNALL ROAD
River Gade
Manor House
Works
Hudnall Farm
DAC
Whitfield Spring
Robin Hood Farm
Robin Hood House
HP1
Lower Gade Farm
Hudnall Park
Golden Valley
The Rookery
Cromer Wood
Little Gaddesden House
Sewage Works
Home Farm
Hudnall Common
Covetous Corner

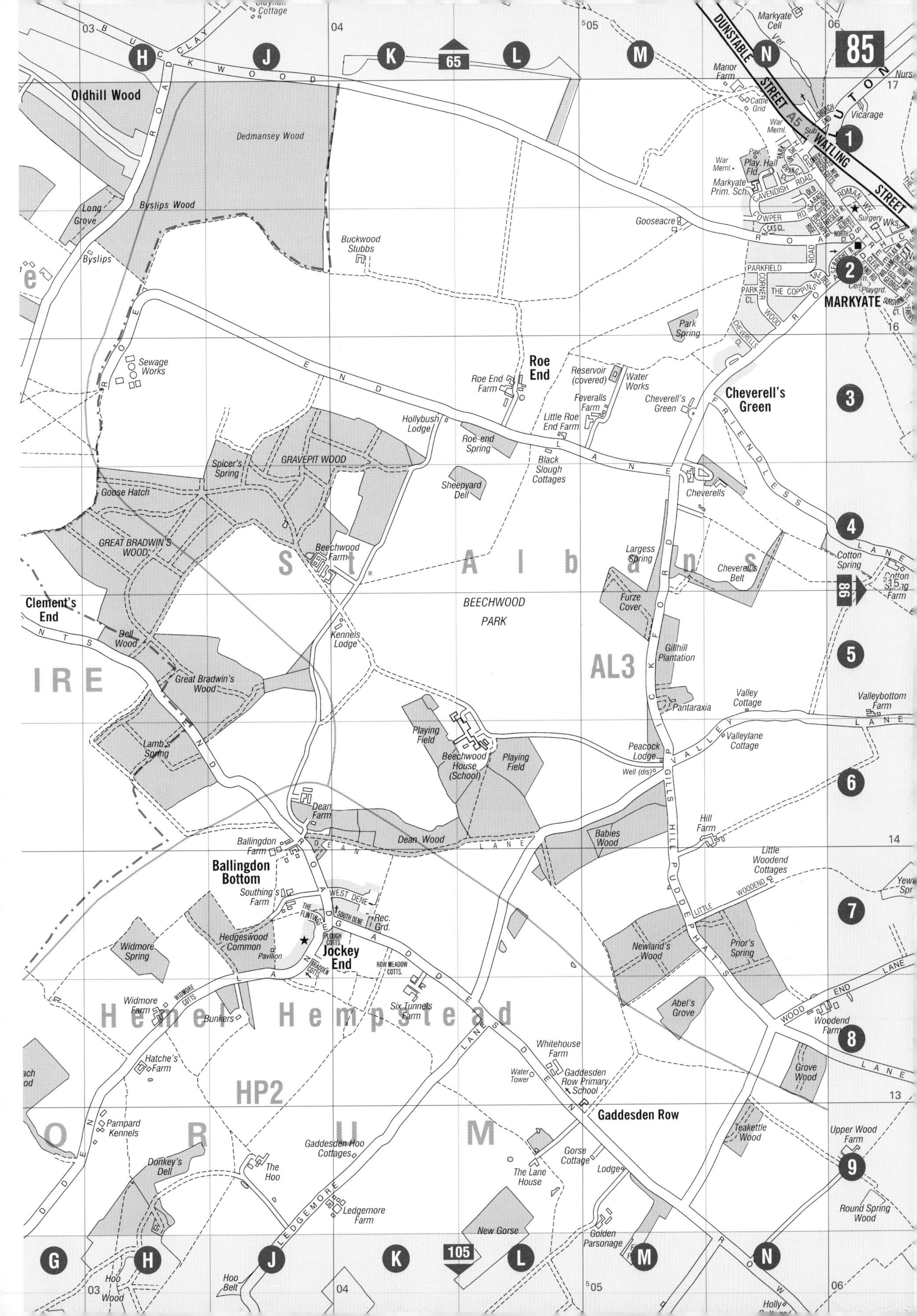

Oldhill Wood
Dedmansey Wood
Byslips Wood
Long Grove
Byslips
Buckwood Stubbs
Gooseacre
Manor Farm
Markyate Cell
Vicarage
War Meml.
Play. Hall Fld.
Markyate Prim. Sch.
Surgery
MARKYATE
Park Spring
Sewage Works
Roe End
Roe End Farm
Reservoir (covered)
Water Works
Feveralls Farm
Cheverell's Green
Little Roe End Farm
Hollybush Lodge
Roe-end Spring
Black Slough Cottages
Spicer's Spring
GRAVEPIT WOOD
Goose Hatch
Sheepyard Dell
Cheverells
GREAT BRADWIN'S WOOD
Beechwood Farm
Largess Spring
Cheverell's Belt
Cotton Spring
Cotton Spring Farm
St. Albans
Clement's End
BEECHWOOD PARK
Furze Cover
Dell Wood
Kennels Lodge
Gillhill Plantation
IRE
AL3
Great Bradwin's Wood
Pantaraxia
Valley Cottage
Valleybottom Farm
Playing Field
Beechwood House (School)
Lamb's Spring
Peacock Lodge
Valleylane Cottage
Well (dis)
Dean Farm
Dean Wood
Babies Wood
Hill Farm
Ballingdon Farm
Ballingdon Bottom
Little Woodend Cottages
Southing's Farm
Rec. Grd.
Widmore Spring
Hedgeswood Common
Jockey End
Pavilion
Newland's Wood
Prior's Spring
Widmore Farm
Bunkers
Six Tunnels Farm
Abel's Grove
Woodend Farm
Hemel Hempstead
Hatche's Farm
Whitehouse Farm
Water Tower
Gaddesden Row Primary School
Grove Wood
HP2
Gaddesden Row
Teakettle Wood
Upper Wood Farm
Pampard Kennels
Gaddesden Hoo Cottages
Gorse Cottage
The Lane House
Lodge
Donkey's Dell
The Hoo
Ledgemore Farm
Round Spring Wood
New Gorse
Golden Parsonage
Hoo Wood
Hoo Belt
65
98
105

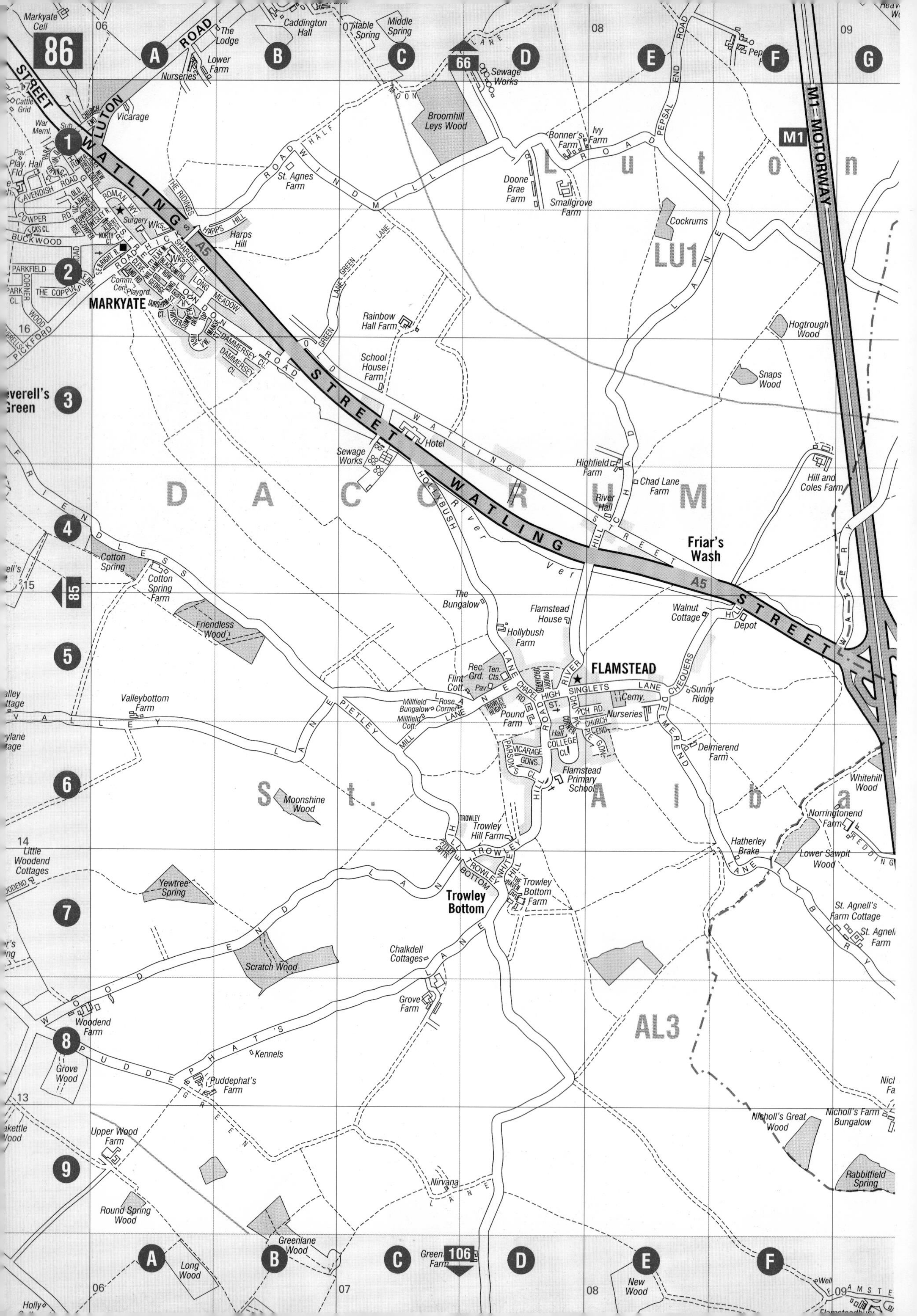

Markyate Cell
The Lodge
Caddington Hall
Stable Spring
Middle Spring
66
Lower Farm
Nurseries
Sewage Works
Broomhill Leys Wood
Vicarage
LUTON ROAD
WATLING STREET
A5
St. Agnes Farm
Bonner's Farm
Ivy Farm
Doone Brae Farm
Smallgrove Farm
Luton
M1 MOTORWAY
PEPSAL END ROAD
Harps Hill
Cockrums
LU1
MARKYATE
Rainbow Hall Farm
Hogtrough Wood
School House Farm
Snaps Wood
Everell's Green
Hotel
Sewage Works
Highfield Farm
Chad Lane Farm
Hill and Coles Farm
DACORUM
River Hall
Friar's Wash
Cotton Spring
Cotton Spring Farm
85
The Bungalow
Walnut Cottage
Depot
Flamstead House
Friendless Wood
Hollybush Farm
FLAMSTEAD
River Ver
Rec. Grd.
Flint Cott.
Sunny Ridge
Valleybottom Farm
Millfield Bungalow
Rose Corner
Pound Farm
Nurseries
Delmerend Farm
Whitehill Wood
Flamstead Primary School
St. Albans
Moonshine Wood
Norringtonend Farm
Trowley Hill Farm
Hatherley Brake
Lower Sawpit Wood
Little Woodend Cottages
Yewtree Spring
Trowley Bottom Farm
Trowley Bottom
St. Agnell's Farm Cottage
St. Agnells Farm
Chalkdell Cottages
Scratch Wood
Grove Farm
Woodend Farm
AL3
Grove Wood
Kennels
Puddephat's Farm
Nicholl's Great Wood
Nicholl's Farm Bungalow
Upper Wood Farm
Nirvana
Rabbitfield Spring
Round Spring Wood
Greenlane Wood
Green Farm
106
Long Wood
New Wood
06
07
08
09
16
15
14
13

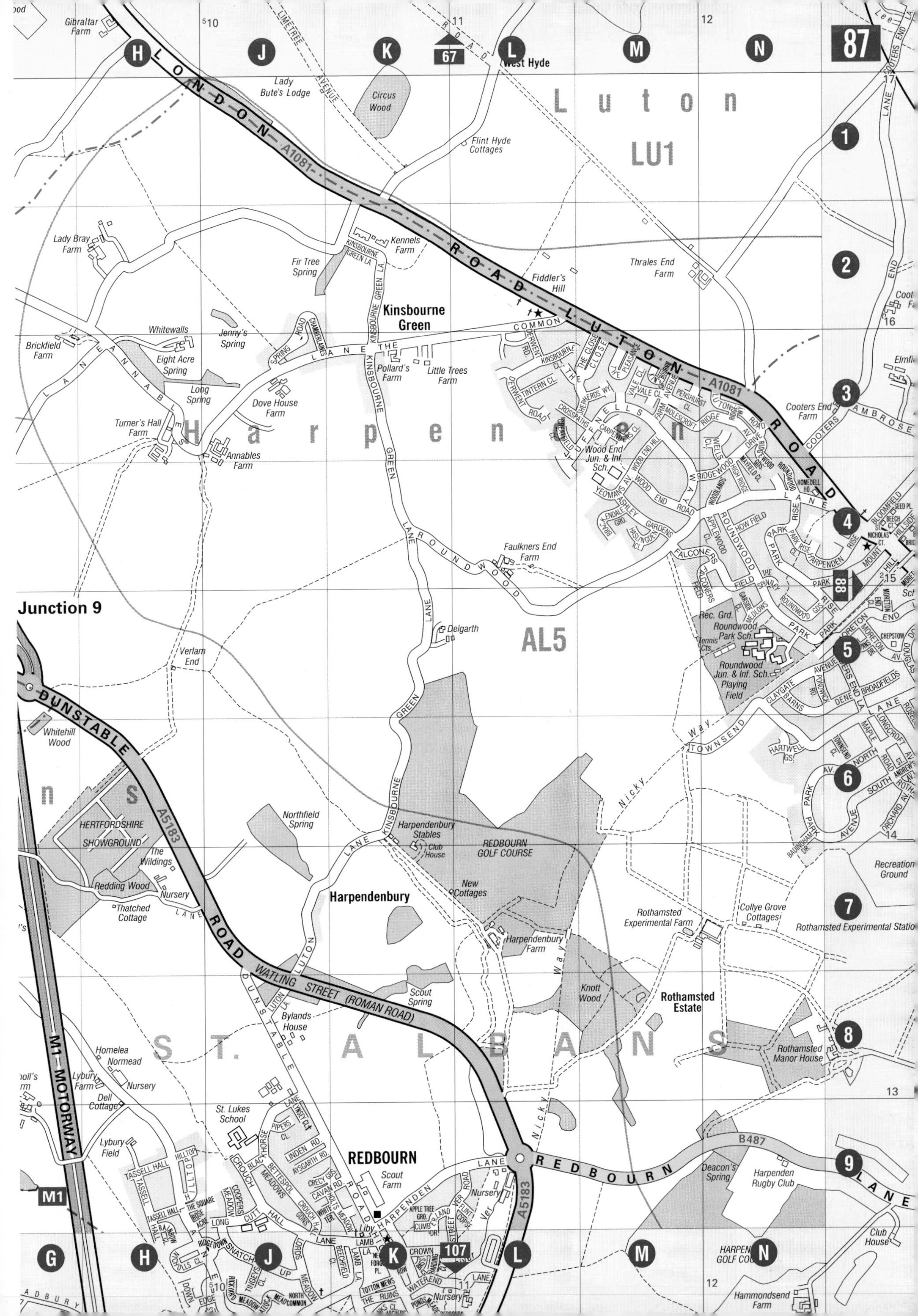
Luton
LU1
AL5
Harpenden
ST. ALBANS
LONDON ROAD A1081
LUTON ROAD
DUNSTABLE ROAD A5183
WATLING STREET (ROMAN ROAD)
REDBOURN LANE B487
M1 MOTORWAY
Junction 9
West Hyde
Gibraltar Farm
Lady Bute's Lodge
Circus Wood
Flint Hyde Cottages
Lady Bray Farm
Kennels Farm
Fir Tree Spring
Fiddler's Hill
Thrales End Farm
Kinsbourne Green
Whitewalls
Jenny's Spring
Brickfield Farm
Eight Acre Spring
Long Spring
Pollard's Farm
Little Trees Farm
Dove House Farm
Turner's Hall Farm
Annables Farm
Cooters End Farm
Wood End Jun. & Inf. Sch.
Faulkners End Farm
Delgarth
Verlam End
Rec. Grd.
Roundwood Park Sch.
Roundwood Jun. & Inf. Sch. Playing Field
Whitehill Wood
HERTFORDSHIRE SHOWGROUND
The Wildings
Redding Wood
Nursery
Thatched Cottage
Northfield Spring
Harpendenbury Stables
Club House
REDBOURN GOLF COURSE
New Cottages
Harpendenbury
Harpendenbury Farm
Rothamsted Experimental Farm
Collye Grove Cottages
Recreation Ground
Rothamsted Experimental Station
Knott Wood
Rothamsted Estate
Rothamsted Manor House
Scout Spring
Bylands House
Homelea Normead
Lybury Farm
Dell Cottage
Lybury Field
St. Lukes School
REDBOURN
Scout Farm
Deacon's Spring
Harpenden Rugby Club
Club House
Hammondsend Farm
Nicky Way
67
107
88
M1

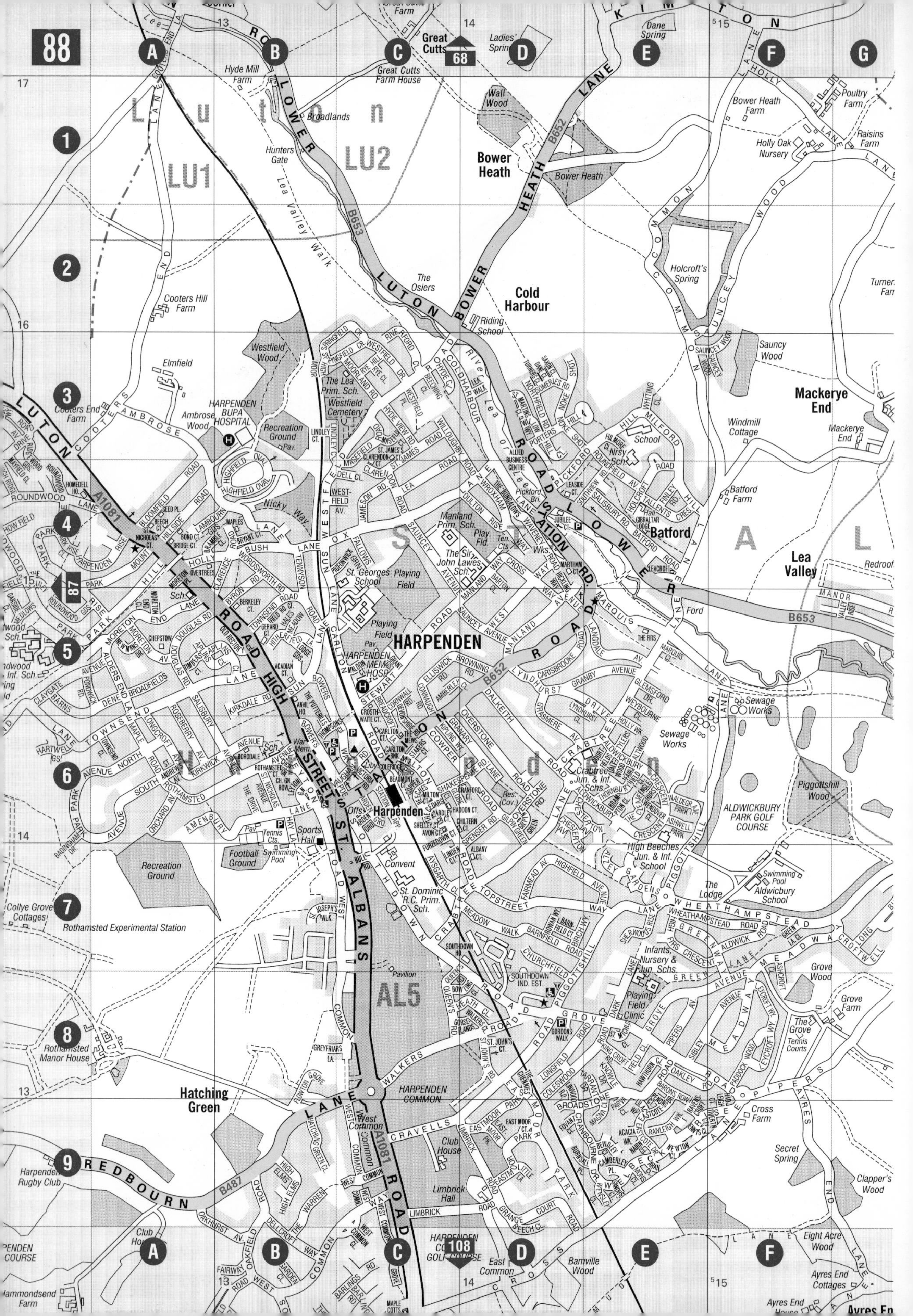

Great Cutts
68
Ladies' Spring
Dane Spring
Hyde Mill Farm
Great Cutts Farm House
Luton
Broadlands
Wall Wood
Bower Heath Farm
Poultry Farm
Holly Oak Nursery
Raisins Farm
Hunters Gate
LU1
LU2
Bower Heath
Lea Valley Walk
B653
B652
LOWER LUTON ROAD
BOWER HEATH LANE
Holcroft's Spring
Cooters Hill Farm
The Osiers
Cold Harbour
Riding School
Westfield Wood
Elmfield
Saucny Wood
Mackerye End
Windmill Cottage
Cooters End Farm
HARPENDEN BUPA HOSPITAL
Ambrose Wood
Recreation Ground
The Lea Prim. Sch.
Westfield Cemetery
School
Batford Farm
Batford
Nicky Way
Manland Prim. Sch.
Play. Fld.
The Sir John Lawes Sch.
St. Georges School
Playing Field
Lea Valley
Redroof
87
Ford
HARPENDEN
HARPENDEN MEM. HOSP.
A1081
Sewage Works
Piggottshill Wood
ALDWICKBURY PARK GOLF COURSE
Crabtree Jun. & Inf. Schs.
Harpenden
Sports Hall
Football Ground
Swimming Pool
Tennis Cts.
Convent
St. Dominic R.C. Prim. Sch.
High Beeches Jun. & Inf. School
The Lodge
Swimming Pool
Aldwickbury School
Recreation Ground
Collye Grove Cottages
Rothamsted Experimental Station
Infants, Nursery & Jun. Schs.
Grove Wood
Grove Farm
SOUTHDOWN IND. EST.
Playing Field
Clinic
Pavilion
AL5
Rothamsted Manor House
The Grove
Tennis Courts
HARPENDEN COMMON
Hatching Green
Cross Farm
West Common
Club House
Secret Spring
Harpenden Rugby Club
REDBOURN
B487
Limbrick Hall
Clapper's Wood
ST. ALBANS ROAD
HIGH STREET
108
HARPENDEN GOLF COURSE
East Common
Bamville Wood
Eight Acre Wood
Ayres End Cottages
Ayres End House
Hammondsend Farm

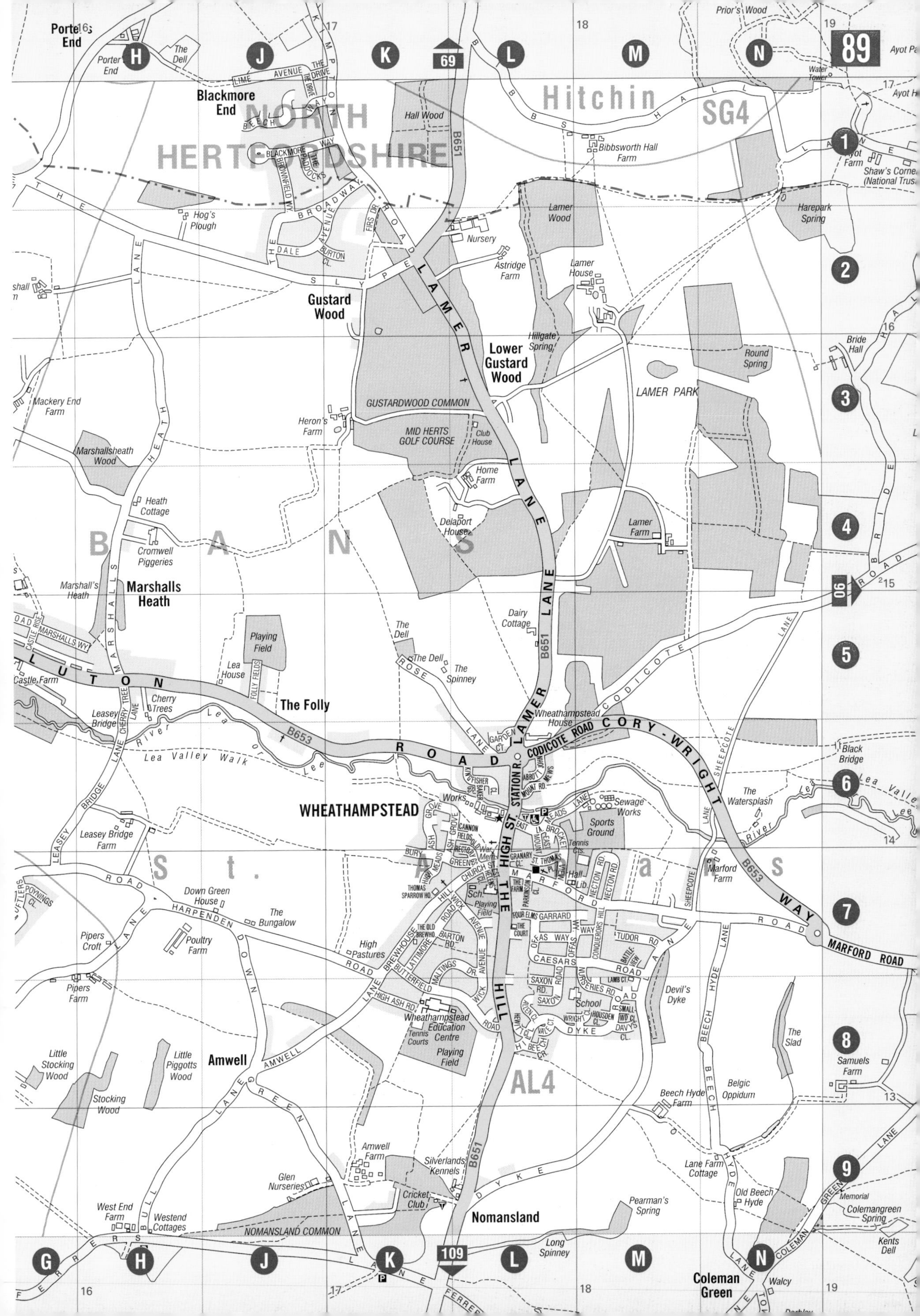

Porters End
The Dell
Blackmore End
NORTH HERTFORDSHIRE
Hitchin
SG4
Hall Wood
Bibbsworth Hall Farm
Prior's Wood
Ayot Farm
Shaw's Corner (National Trust)
Harepark Spring
Hog's Plough
Lamer Wood
Nursery
Astridge Farm
Lamer House
Gustard Wood
Lower Gustard Wood
Hillgate Spring
Round Spring
Bride Hall
LAMER PARK
Mackery End Farm
GUSTARDWOOD COMMON
Heron's Farm
MID HERTS GOLF COURSE
Club House
Marshallsheath Wood
Home Farm
Heath Cottage
Delaport House
Lamer Farm
Cromwell Piggeries
Marshall's Heath
Marshalls Heath
Dairy Cottage
Playing Field
The Dell
The Spinney
Lea House
Castle Farm
Cherry Trees
The Folly
Leasey Bridge
Wheathampstead House
LUTON ROAD
CODICOTE ROAD
CORY-WRIGHT WAY
Black Bridge
Lea Valley Walk
River Lea or Lee
WHEATHAMPSTEAD
Works
Sewage Works
Sports Ground
The Watersplash
Leasey Bridge Farm
Marford Farm
Down Green House
The Bungalow
HARPENDEN ROAD
MARFORD ROAD
Pipers Croft
Poultry Farm
High Pastures
Pipers Farm
Devil's Dyke
Wheathampstead Education Centre
Tennis Courts
Playing Field
School
Little Stocking Wood
Little Piggotts Wood
Amwell
Stocking Wood
AL4
Belgic Oppidum
Beech Hyde Farm
The Slad
Samuels Farm
Amwell Farm
Silverlands Kennels
Lane Farm Cottage
Glen Nurseries
Cricket Club
Old Beech Hyde
Memorial
Colemangreen Spring
West End Farm
Westend Cottages
NOMANSLAND COMMON
Nomansland
Pearman's Spring
Long Spinney
Kents Dell
Coleman Green
Walcy
69
90
109
B651
B653

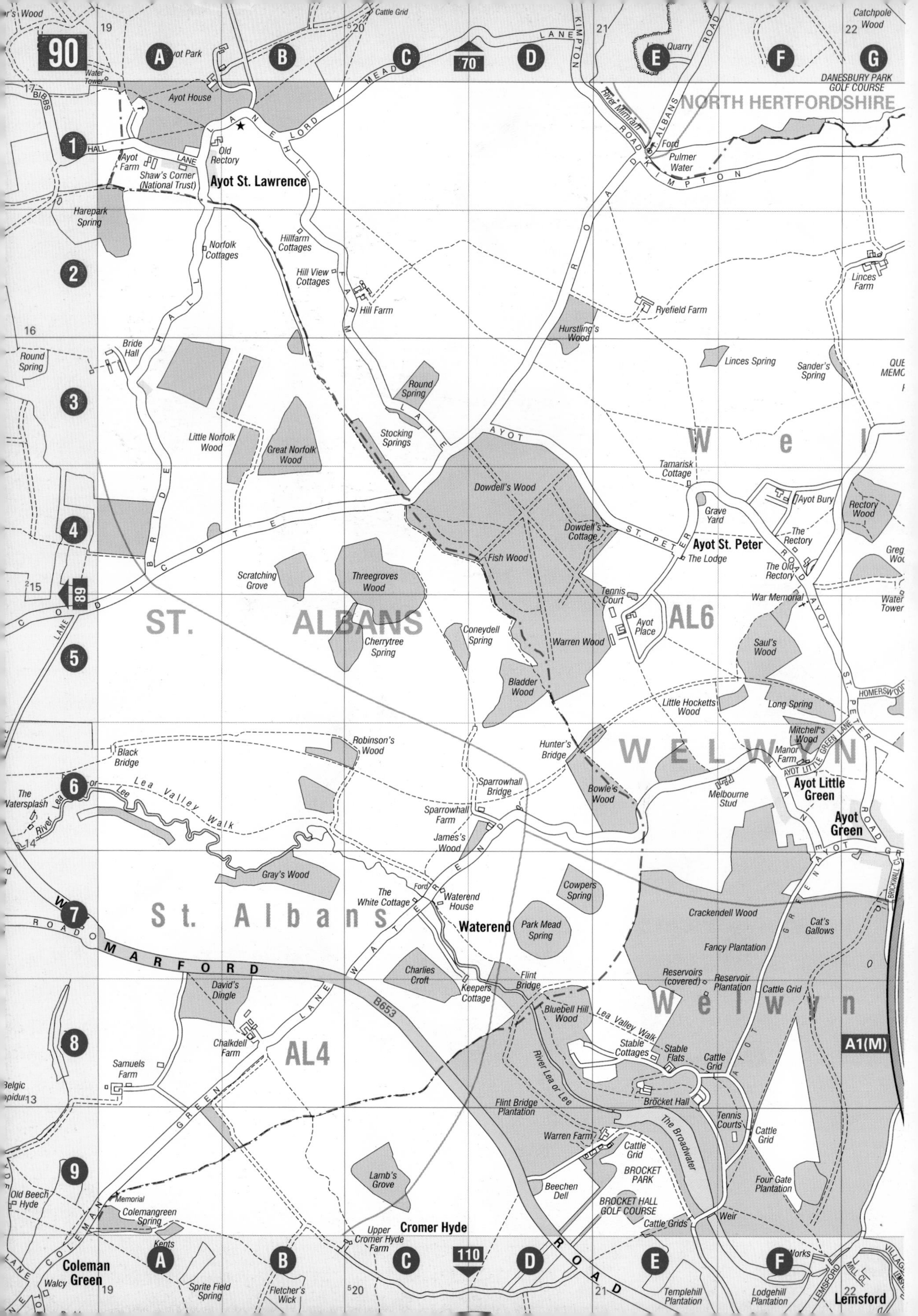

Ayot Park
Water Tower
Ayot House
Ayot Farm
Shaw's Corner (National Trust)
Old Rectory
Ayot St. Lawrence
Harepark Spring
Norfolk Cottages
Hillfarm Cottages
Hill View Cottages
Hill Farm
Bride Hall
Round Spring
Little Norfolk Wood
Great Norfolk Wood
Round Spring
Stocking Springs
Hurstling's Wood
Ryefield Farm
Lince's Spring
Sander's Spring
Linces Farm
Catchpole Wood
DANESBURY PARK GOLF COURSE
NORTH HERTFORDSHIRE
Pulmer Water
Ford
River Mimram
Dowdell's Wood
Dowdell's Cottage
Fish Wood
Tamarisk Cottage
Grave Yard
Ayot St. Peter
The Lodge
Ayot Bury
Rectory Wood
The Rectory
The Old Rectory
War Memorial
Water Tower
Scratching Grove
Threegroves Wood
Cherrytree Spring
Coneydell Spring
Warren Wood
Tennis Court
Ayot Place
AL6
ST. ALBANS
Saul's Wood
Bladder Wood
Little Hocketts Wood
Long Spring
Mitchell's Wood
Manor Farm
Ayot Little Green
Ayot Green
WELWYN
Welwyn
Hunter's Bridge
Bowle's Wood
Melbourne Stud
Robinson's Wood
Black Bridge
Sparrowhall Bridge
Sparrowhall Farm
James's Wood
The Watersplash
River Lea or Lee
Lea Valley Walk
Gray's Wood
The White Cottage
Ford
Waterend House
Waterend
Cowpers Spring
Park Mead Spring
Crackendell Wood
Cat's Gallows
Fancy Plantation
Reservoirs (covered)
Reservoir Plantation
Cattle Grid
St. Albans
MARFORD ROAD
B653
David's Dingle
Charlies Croft
Keepers Cottage
Flint Bridge
Bluebell Hill Wood
Stable Cottages
Stable Flats
Chalkdell Farm
AL4
Samuels Farm
Flint Bridge Plantation
Brocket Hall
Tennis Courts
The Broadwater
Warren Farm
Cattle Grid
BROCKET PARK
Beechen Dell
BROCKET HALL GOLF COURSE
Cattle Grids
Weir
Four Gate Plantation
A1(M)
Lamb's Grove
Old Beech Hyde
Memorial
Colemangreen Spring
Kents
Coleman Green
Walcy
Sprite Field Spring
Fletcher's Wick
Upper Cromer Hyde Farm
Cromer Hyde
Templehill Plantation
Lodgehill Plantation
Works
Lemsford
AYOT ST. PETER ROAD
AYOT GREEN
LEMSFORD
KIMPTON ROAD
LORD MEAD LANE
HILL FARM LANE
BRIDE HALL LANE
CODICOTE ROAD
COLEMAN GREEN LANE
WATEREND LANE
AYOT LITTLE GREEN LANE
70
89
110

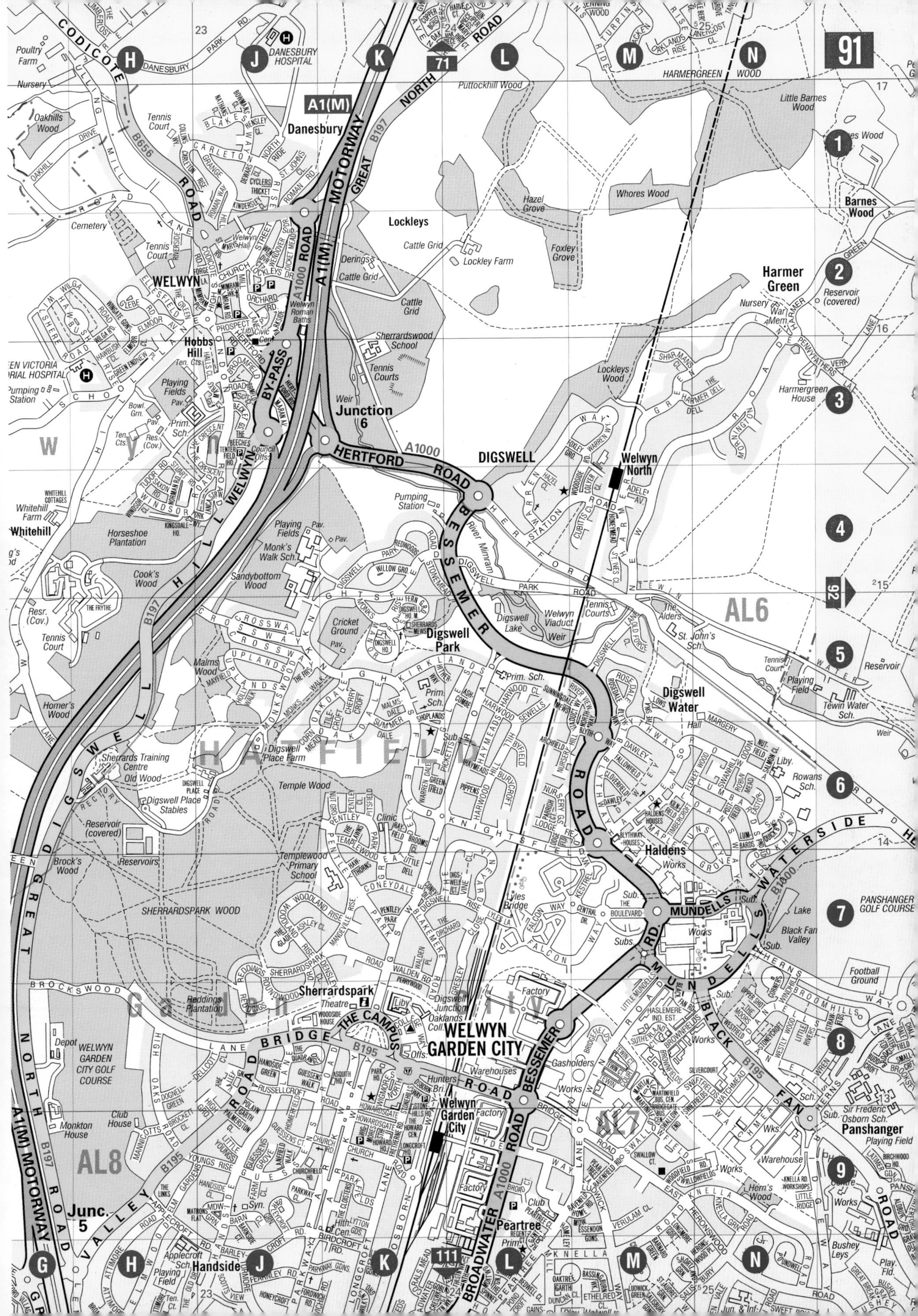
91
71
111
92
A1(M)
A1(M) MOTORWAY
GREAT NORTH ROAD
BY-PASS
Junction 6
Junc. 5
Danesbury
DANESBURY HOSPITAL
Poultry Farm
Nursery
Oakhills Wood
Cemetery
Tennis Court
WELWYN
Welwyn Hall
Welwyn Roman Baths
Hobbs Hill
Playing Fields
Prim. Sch.
Council Offs.
Whitehill Farm
Whitehill
Horseshoe Plantation
Cook's Wood
THE FRYTHE
Resr. (Cov.)
Homer's Wood
Malms Wood
Sherrards Training Centre
Old Wood
Digswell Place Farm
Digswell Place Stables
Temple Wood
Reservoir (covered)
Reservoirs
Brock's Wood
Templewood Primary School
SHERRARDSPARK WOOD
Reddings Plantation
Depot
WELWYN GARDEN CITY GOLF COURSE
Monkton House
Club House
AL8
Lockleys
Cattle Grid
Lockley Farm
Derings
Sherrardswood School
Tennis Courts
Puttockhill Wood
Hazel Grove
Whores Wood
Foxley Grove
Little Barnes Wood
Barnes Wood
Harmer Green
Reservoir (covered)
War Mem.
Harmergreen House
HARMERGREEN WOOD
Lockleys Wood
DIGSWELL
Welwyn North
HERTFORD ROAD
A1000
Pumping Station
Playing Fields
Monk's Walk Sch.
Sandybottom Wood
Cricket Ground
Digswell Park
River Mimram
Digswell Lake
Welwyn Viaduct
Weir
Tennis Courts
The Alders
St. John's Sch.
AL6
Reservoir
Playing Field
Tewin Water Sch.
Digswell Water
Rowans Sch.
HATFIELD
BESSEMER ROAD
Haldens
Works
MUNDELLS
WATERSIDE
Lake
Black Fan Valley
PANSHANGER GOLF COURSE
Football Ground
Sherrardspark
Theatre
THE CAMPUS
Digswell Junction
Oakland Coll.
WELWYN GARDEN CITY
Factory
Garden City
BRIDGE ROAD
Gasholders
Warehouses
Hunters Bri.
Welwyn Garden City
HASLEMERE IND. EST.
AL7
BLACK FAN ROAD
Panshanger
Playing Field
Sir Frederic Osborn Sch.
Warehouse
Hern's Wood
BROADWATER ROAD
Peartree
Handside
Applecroft Sch.
Playing Field
VALLEY ROAD
Bushey Leys
Play. Fld.
H J K L M N
1 2 3 4 5 6 7 8 9
G H J K L M N
23 24 25
17 16 15 14 13

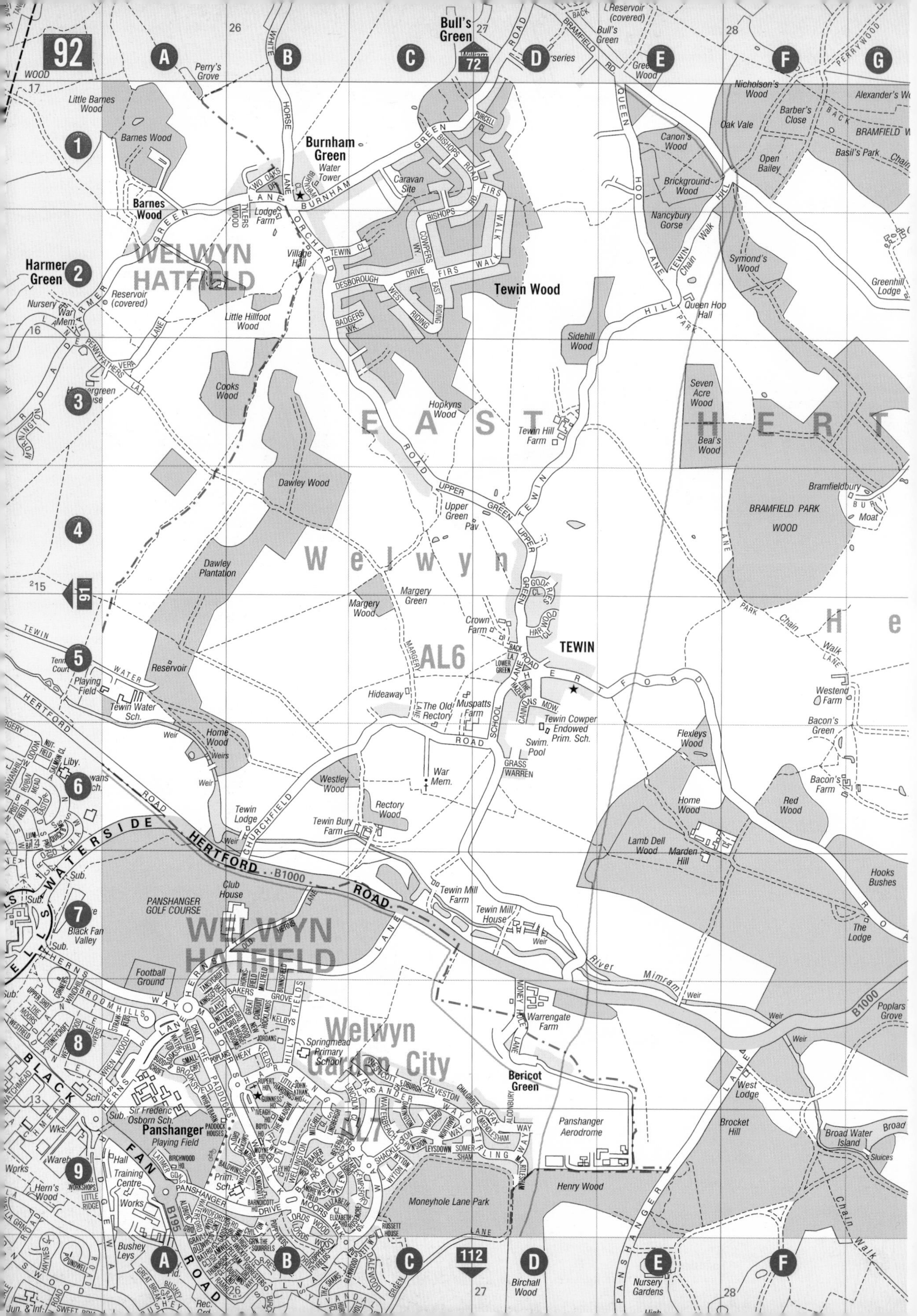
92
A
B
C
D
E
F
G
1
2
3
4
5
6
7
8
9
26
27
28
17
16
15
14
13
Bull's Green
72
91
112
Perry's Grove
Little Barnes Wood
Barnes Wood
Barnes Wood
Harmer Green
Burnham Green
Water Tower
Caravan Site
Lodge Farm
Village Hall
WELWYN HATFIELD
Reservoir (covered)
Little Hillfoot Wood
Nursery
War Mem.
Cooks Wood
Tewin Wood
Hopkyns Wood
EAST HERT
Dawley Wood
Dawley Plantation
Upper Green
Pav
Welwyn
Margery Green
Margery Wood
Crown Farm
AL6
TEWIN
Hideaway
The Old Rectory
Muspatts Farm
Tewin Cowper Endowed Prim. Sch.
Swim. Pool
GRASS WARREN
War Mem.
Westley Wood
Rectory Wood
Tewin Bury Farm
Tewin Lodge
Reservoir
Playing Field
Tewin Water Sch.
Home Wood
Weir
Weirs
Liby.
HERTFORD ROAD
B1000
WATERSIDE
Sub.
Club House
PANSHANGER GOLF COURSE
Black Fan Valley
Football Ground
Tewin Mill Farm
Tewin Mill House
River Mimram
Money Hole Lane
Warrengate Farm
Bericot Green
Springmead Primary School
Welwyn Garden City
AL7
Panshanger Aerodrome
Henry Wood
Moneyhole Lane Park
Panshanger Playing Field
Sir Frederic Osborn Sch.
Training Centre
Works
Hern's Wood
Bushey Leys
Birchall Wood
Nursery Gardens
Nicholson's Wood
Alexander's W
Barber's Close
Oak Vale
BRAMFIELD
Basil's Park
Canon's Wood
Open Bailey
Brickground Wood
Nancybury Gorse
QUEEN HOO LANE
TEWIN HILL
Chain Walk
Symond's Wood
Queen Hoo Hall
Greenhill Lodge
Sidehill Wood
Seven Acre Wood
Beal's Wood
Tewin Hill Farm
Bramfieldbury
BRAMFIELD PARK WOOD
Moat
Park Chain Walk
Westend Farm
Bacon's Green
Bacon's Farm
Flexleys Wood
Home Wood
Red Wood
Lamb Dell Wood
Marden Hill
Hooks Bushes
The Lodge
Poplars Grove
B1000
West Lodge
Brocket Hill
Broad Water Island
Sluices
PANSHANGER LANE
UPPER GREEN ROAD
TEWIN ROAD
HERTFORD ROAD
BURNHAM GREEN
SCHOOL LANE
CHURCHFIELD
HERNS WAY
BLACK FAN ROAD
B195
PANSHANGER DRIVE
YOSANDER
STIRLING WAY
ORCHARD ROAD
HORSE WHITE LANE

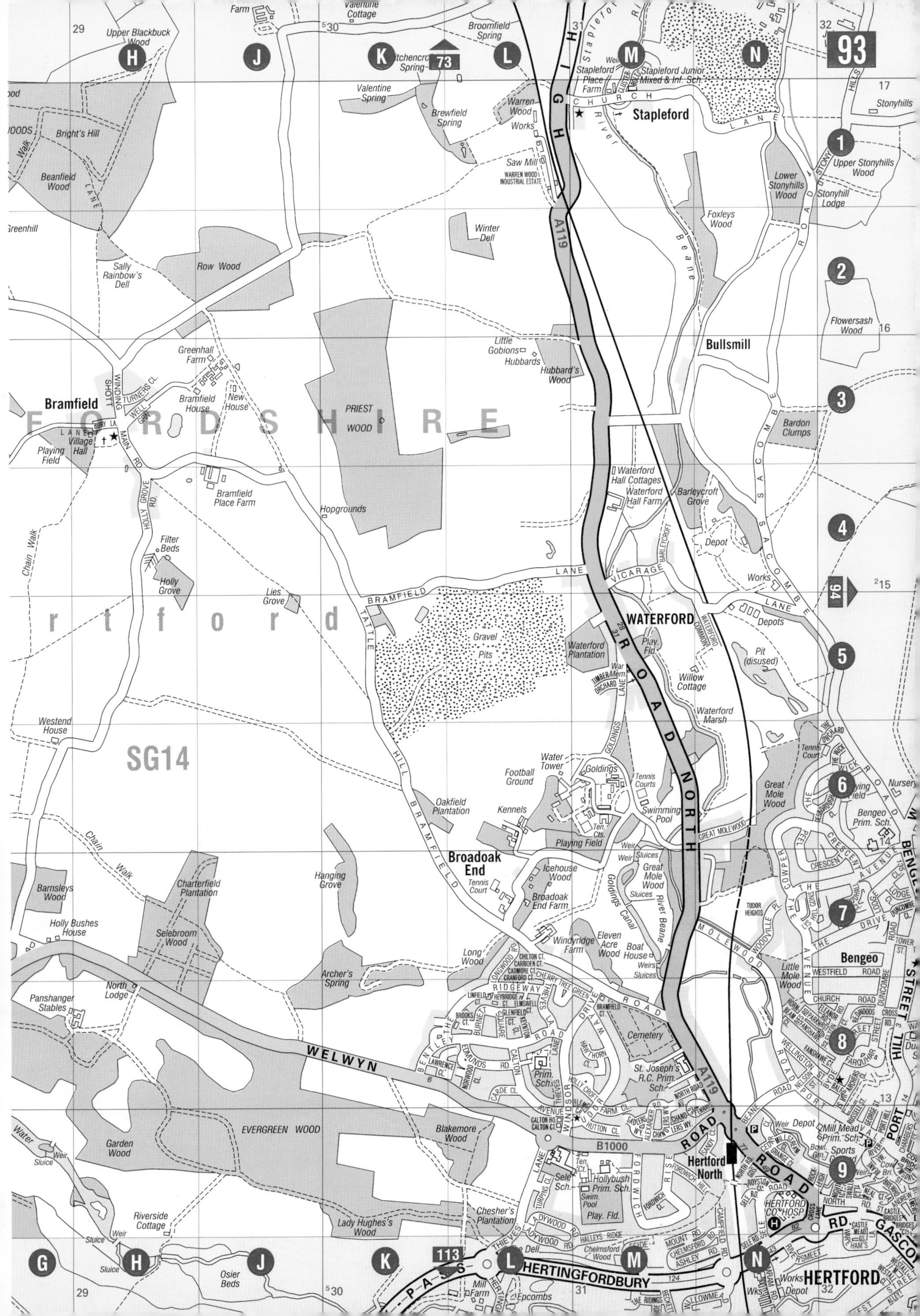

93
Upper Blackbuck Wood
Valentine Cottage
Broomfield Spring
73
Valentine Spring
Brewfield Spring
Warren Wood
Works
Saw Mill
WARREN WOOD INDUSTRIAL ESTATE
Stapleford Place Farm
Stapleford Junior Mixed & Inf. Sch.
Stapleford
CHURCH LANE
River Beane
Stonyhills
Upper Stonyhills Wood
Lower Stonyhills Wood
Stonyhill Lodge
STONY HILLS ROAD
Bright's Hill
Beanfield Wood
Greenhill
Winter Dell
Foxleys Wood
Row Wood
Sally Rainbow's Dell
A119
Flowersash Wood
Bullsmill
Little Gobions
Hubbards
Hubbard's Wood
Greenhall Farm
TURNERS CL.
WINDING SHOTT
Bramfield House
New House
PRIEST WOOD
Bramfield
BURY LA.
LANE
Village Hall
Playing Field
MAIN RD.
WELL GRN.
HERTFORDSHIRE
Bardon Clumps
Bramfield Place Farm
HOLLY GROVE RD.
Hopgrounds
Waterford Hall Cottages
Waterford Hall Farm
Barleycroft Grove
SACOMBE ROAD
Depot
Filter Beds
Holly Grove
Chain Walk
Lies Grove
BRAMFIELD LANE
VICARAGE LANE
BARLEYCROFT
Works
94
LANE
Depots
WATERFORD
WATERFORD COMMON
Hertford
Gravel Pits
Waterford Plantation
Play. Fld.
Pit (disused)
TIMBER ORCHARD
War Mem.
ORCHARD LANE
Willow Cottage
Waterford Marsh
ROAD NORTH
Westend House
SG14
GOLDINGS
Water Tower
Goldings
Tennis Courts
Football Ground
THE ORCHARD
Tennis Court
THE WICK
Playing Field
Nursery
Oakfield Plantation
Kennels
Swimming Pool
Great Mole Wood
GREAT MOLEWOOD
Bengeo Prim. Sch.
PEEL CRESCENT
Playing Field
Chain Walk
Charterfield Plantation
Broadoak End
Tennis Court
Icehouse Wood
Weir
Sluices
Great Mole Wood
Hanging Grove
Barnsleys Wood
Broadoak End Farm
Goldings Canal
River Beane
TUDOR HEIGHTS
WOODVILLE PL.
COWPER CRESCENT
AVENUE
THE DRIVE
Holly Bushes House
Selebroom Wood
Windyridge Farm
Eleven Acre Wood
MOLEWOOD
Bengeo
Long Wood
Boat House
Weirs
Sluices
Little Mole Wood
WESTFIELD ROAD
CHILTON CT.
CARRIDEN CT.
CADMORE CT.
CRANFORD CT.
CHERRY TREE GREEN
LONGWOOD RD.
RIDGEWAY
Archer's Spring
North Lodge
Panshanger Stables
LINFIELD CT.
HEYBRIDGE CT.
ELMSWELL CT.
GLENFIELD CT.
CHURCH ROAD
BROOKS CT.
BURNEAT
SQUARE
Cemetery
BRAMFIELD ROAD
DRIVE
WAYE
HAWTHORN CL.
WELWYN
BENTLEY
LAWRENCE CL.
EDMUNDS RD
CALTON
NORWOOD CL.
Prim. Sch.
St. Joseph's R.C. Prim. Sch.
A119
NORTH ROAD
Evergreen Wood
Blakemore Wood
Garden Wood
CARDE CL.
AVENUE
HUTTON CL.
CALTON HO.
CALTON CT.
B1000
Hertford North
Weir
Depot
Mill Mead Prim. Sch.
Sports Gd.
Bowl. Grn.
Water
Sluice
Weir
Sele Sch.
Hollybush Prim. Sch.
Swim. Pool
Play. Fld.
FORDWICH RISE
FORDWICH HILL
HERTFORD CO. HOSP.
NORTH RD
Riverside Cottage
Lady Hughes's Wood
Chesher's Plantation
LADYWOOD RD
HALLEYS RIDGE
Chelmsford Wood
MOUNT RD
ASHLEY RD.
CAMPFIELD RD.
GASCOYNE
113
HERTINGFORDBURY
Osier Beds
Mill Farm
Epcombs
HERTFORD
Works
Depot
G
H
J
K
L
M
N
1
2
3
4
5
6
7
8
9
29
30
31
32

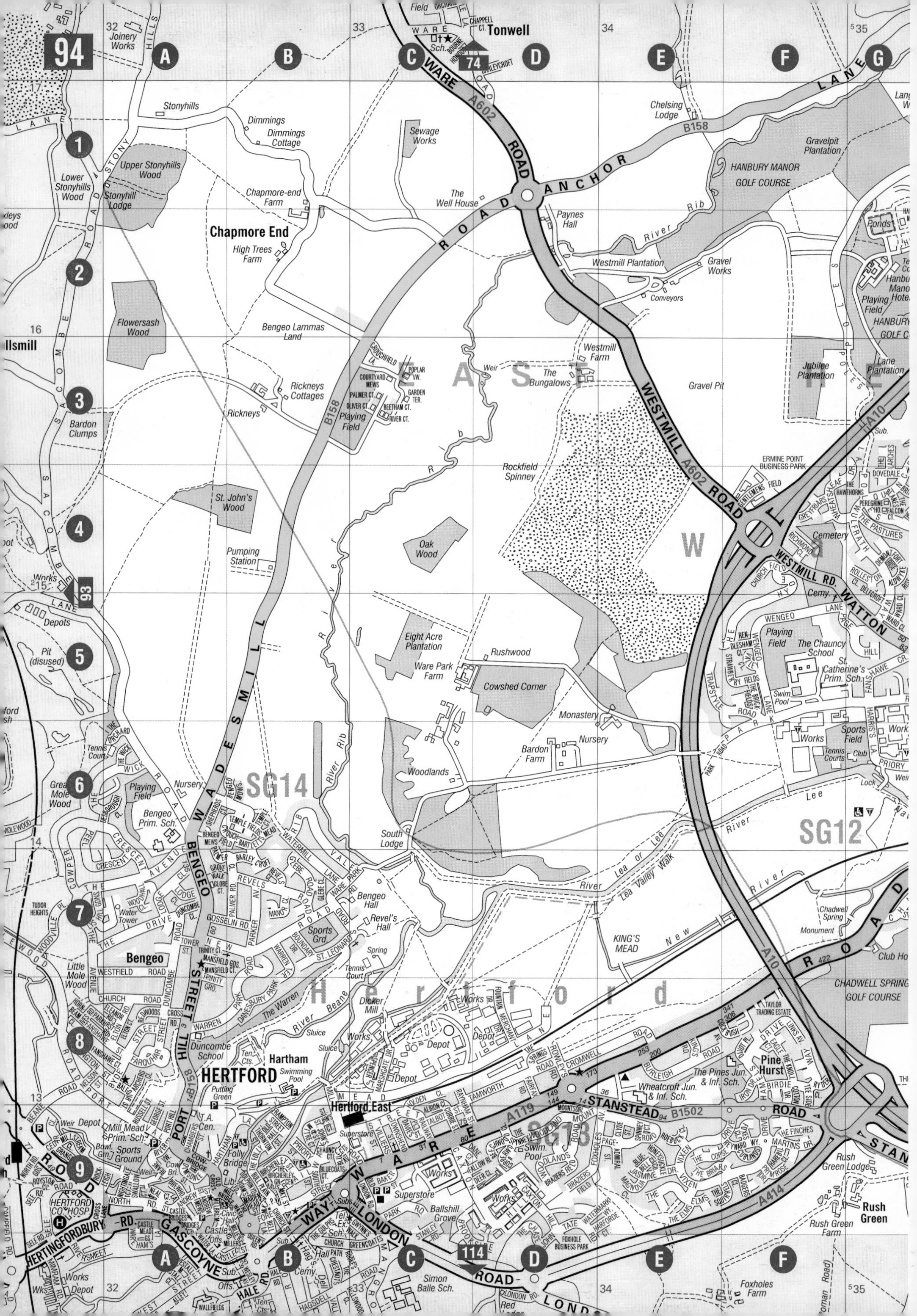

Tonwell
Joinery Works
Stonyhills
Dimmings
Dimmings Cottage
Sewage Works
Chelsing Lodge
Gravelpit Plantation
HANBURY MANOR GOLF COURSE
Upper Stonyhills Wood
Lower Stonyhills Wood
Stonyhill Lodge
Chapmore-end Farm
The Well House
Paynes Hall
ANCHOR LANE
WARE ROAD
A602
B158
Chapmore End
High Trees Farm
River Rib
Westmill Plantation
Gravel Works
Conveyors
Flowersash Wood
Bengeo Lammas Land
Westmill Farm
The Bungalows
Jubilee Plantation
Lane Plantation
Gravel Pit
Rickneys Cottages
Rickneys
Playing Field
Bardon Clumps
SACOMBE ROAD
WESTMILL ROAD
ERMINE POINT BUSINESS PARK
Rockfield Spinney
St. John's Wood
Oak Wood
Cemetery
Pumping Station
WESTMILL RD.
WATTON
Works
93
Depots
Pit (disused)
Eight Acre Plantation
Rushwood
Ware Park Farm
Cowshed Corner
Playing Field
The Chauncy School
St. Catherine's Prim. Sch.
Swim Pool
Monastery
Nursery
Bardon Farm
Woodlands
Sports Field
Tennis Courts
Club
PARK ROAD
WADESMILL
SG14
SG12
Great Mole Wood
Playing Field
Bengeo Prim. Sch.
South Lodge
River Lee
Lea Valley Walk
River Lea or Lee
New River
Bengeo Hall
Revel's Hall
Chadwell Spring
Monument
KING'S MEAD
Sports Grd.
Water Tower
Bengeo
BENGEO
Little Mole Wood
Tennis Court
A10
R 422
CHADWELL SPRING GOLF COURSE
Hertford
River Beane
Dicker Mill
Works
Depot
TAYLOR TRADING ESTATE
Pine Hurst
Sluice
Duncombe School
Hartham
Hartham Swimming Pool
HERTFORD
PORT HILL
STREET
The Pines Jun. & Inf. Sch.
Wheatcroft Jun. & Inf. Sch.
STANSTEAD ROAD
B1502
A119
SG13
WARE ROAD
Hertford East
Superstore
T.A. Cen.
Mill Mead Prim. Sch.
Sports Ground
Folly Bridge
Swim. Pool
Works
Rush Green Lodge
Rush Green
HERTFORD CO. HOSP
HERTINGFORDBURY RD.
GASCOYNE WAY
LONDON ROAD
Castle
Civic Hall
Ballshill Grove
FOXHOLE BUSINESS PARK
A414
Rush Green Farm
114
Simon Balle Sch.
Foxholes Farm
Cemy.
HALE RD.
Works
Depot
A B C D E F G
1 2 3 4 5 6 7 8 9
32 33 34 35
17 16 15 14 13

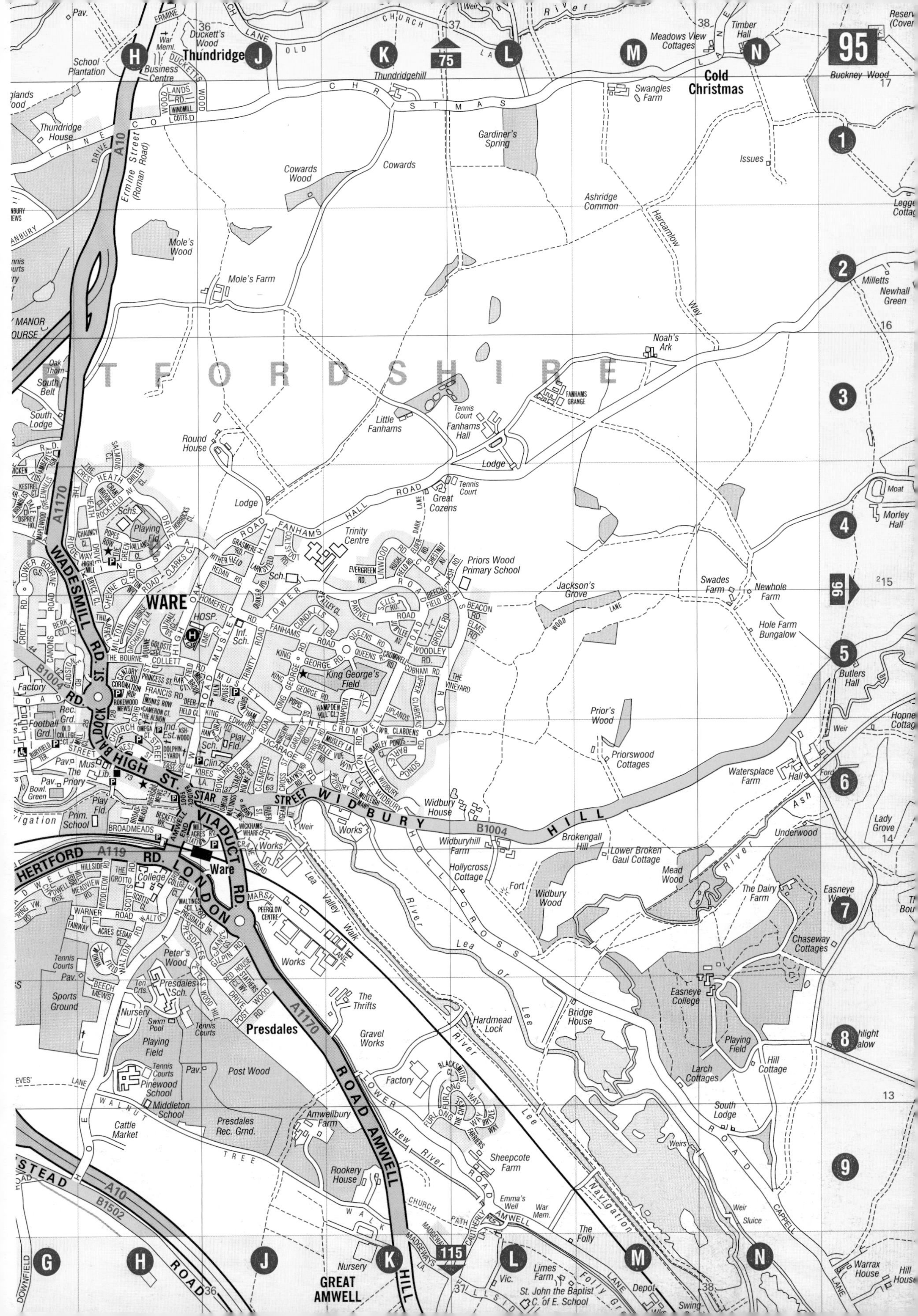

95
75
96
115
Thundridge
Duckett's Wood
War Meml.
Business Centre
School Plantation
Thundridge House
Thundridgehill
Old Church Lane
Christmas Lane
Meadows View Cottages
Timber Hall
Cold Christmas
Swangles Farm
Buckney Wood
Ermine Street (Roman Road)
A10
A1170
Gardiner's Spring
Cowards Wood
Cowards
Issues
Ashridge Common
Harcamlow Way
Mole's Wood
Mole's Farm
Milletts
Newhall Green
Noah's Ark
HERTFORDSHIRE
Fanhams Grange
Oak Thorn
South Belt
South Lodge
Little Fanhams
Tennis Court
Fanhams Hall
Round House
Lodge
Great Cozens
Fanhams Hall Road
Moat
Morley Hall
Trinity Centre
Priors Wood Primary School
Jackson's Grove
Wood Lane
Swades Farm
Newhole Farm
Hole Farm Bungalow
WARE
Hosp.
Inf. Sch.
King George's Field
Wadesmill Rd.
Baldock St.
High St.
Star Street
Widbury Hill
B1004
Butlers Hall
Prior's Wood
Priorswood Cottages
Watersplace Farm
Hall
Ford
Weir
Widbury House
Widbury Farm
Brokengall Hill
Lower Broken Gaul Cottage
Hollycross Cottage
Fort
Widbury Wood
Mead Wood
Underwood
Lady Grove
The Dairy Farm
Easneye Wood
Factory
Rec. Grd.
Football Grd.
Prim. School
Broadmeads
Hertford Rd.
A119
London Rd.
Viaduct Rd.
Ware
College
Works
Lea Valley Walk
River Lea or Lee
Hollycross
Peerglow Centre
Chaseway Cottages
Easneye College
Playing Field
Hill Cottage
Larch Cottages
Peter's Wood
Presdales Sch.
Presdales
Post Wood
The Thrifts
Gravel Works
Hardmead Lock
Bridge House
Tennis Courts
Sports Ground
Swim Pool
Pinewood School
Middleton School
Walnut Tree Walk
Cattle Market
Presdales Rec. Grnd.
Amwellbury Farm
Lower Road
Road Amwell Hill
A1170
New River
Sheepcote Farm
Rookery House
South Lodge
Weirs
Weir
Sluice
Cappell Road
Navigation
Church Path
Emma's Well
War Mem.
Amwell Lane
The Folly
Madgeways La.
Nursery
GREAT AMWELL
Vic.
Limes Farm
St. John the Baptist C. of E. School
Depot
Folly Lane
Warrax House
Hill House
Hertingfordbury Road
A10
B1502
Downfield
G
H
J
K
L
M
N
1
2
3
4
5
6
7
8
9
13
14
15
16
17
36
37
38

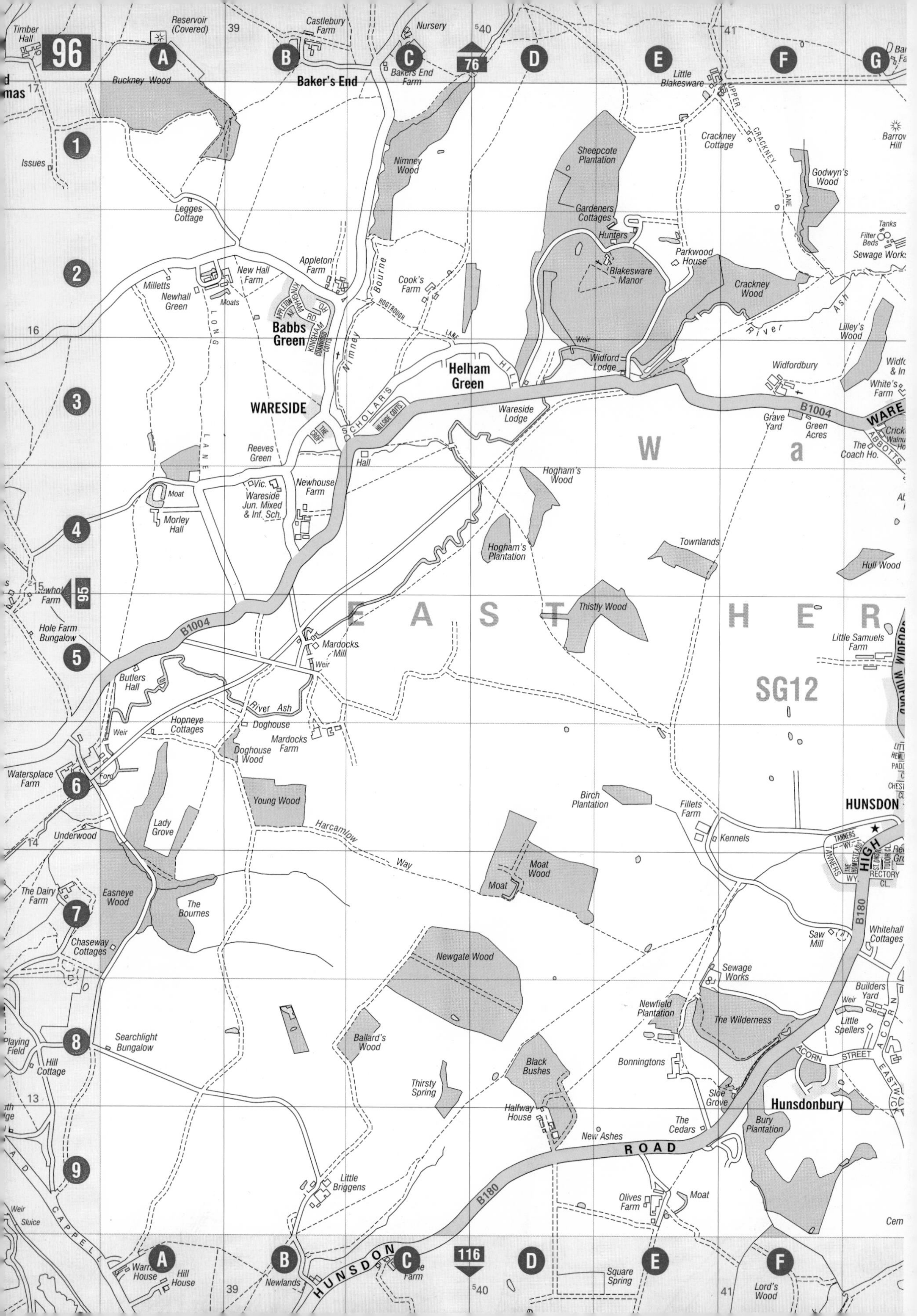

96
Timber Hall
Reservoir (Covered)
Castlebury Farm
Nursery
76
Baker's End
Bakers End Farm
Buckney Wood
Little Blakesware
Issues
Crackney Cottage
Sheepcote Plantation
Nimney Wood
Godwyn's Wood
Barrow Hill
Legges Cottage
Gardeners Cottages
Hunters
Blakesware Manor
Parkwood House
Tanks
Filter Beds
Sewage Works
Appleton Farm
New Hall Farm
Milletts
Newhall Green
Moats
Cook's Farm
Crackney Wood
Babbs Green
Helham Green
Weir
Widford Lodge
River Ash
Lilley's Wood
Widfordbury
White's Farm
WARESIDE
Wareside Lodge
B1004
Grave Yard
Green Acres
The Coach Ho.
Reeves Green
Hall
Newhouse Farm
Moat
Vic.
Wareside Jun. Mixed & Inf. Sch.
Morley Hall
Hogham's Wood
Hogham's Plantation
Townlands
Hull Wood
95
Thistly Wood
EAST HERTS
Hole Farm Bungalow
Mardocks Mill
Little Samuels Farm
Butlers Hall
SG12
Hopneye Cottages
Doghouse
Mardocks Farm
Doghouse Wood
Watersplace Farm
Ford
Young Wood
Birch Plantation
Fillets Farm
HUNSDON
Lady Grove
Harcamlow Way
Kennels
Underwood
Moat Wood
The Dairy Farm
Easneye Wood
The Bournes
Saw Mill
Whitehall Cottages
Chaseway Cottages
Newgate Wood
Sewage Works
Builders Yard
Newfield Plantation
The Wilderness
Little Spellers
Searchlight Bungalow
Ballard's Wood
Playing Field
Hill Cottage
Black Bushes
Bonningtons
ACORN STREET
Thirsty Spring
Sloe Grove
Hunsdonbury
Halfway House
The Cedars
Bury Plantation
New Ashes
ROAD
B180
Little Briggens
Olives Farm
Moat
Weir
Sluice
CAPPELL
HUNSDON
116
Hill House
Newlands
Square Spring
Lord's Wood
Cem

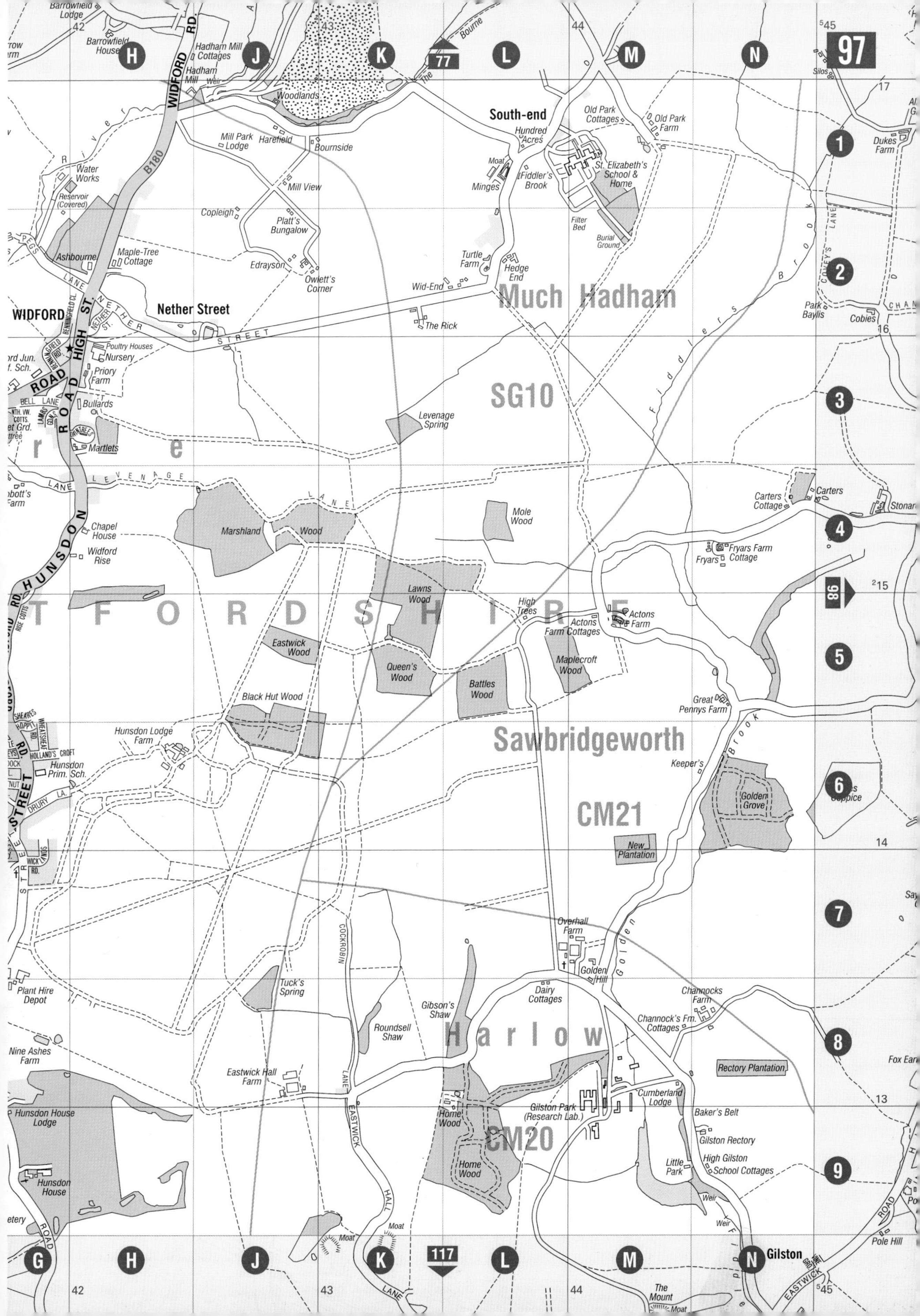
Much Hadham
SG10
Sawbridgeworth
CM21
Harlow
CM20
WIDFORD
Nether Street
South-end
Gilston
HERTFORDSHIRE
Barrowfield Lodge
Barrowfield House
Hadham Mill Cottages
Hadham Mill
Woodlands
Mill Park Lodge
Harefield
Bournside
Water Works
Reservoir (Covered)
Mill View
Copleigh
Platt's Bungalow
Ashbourne
Maple-Tree Cottage
Edrayson
Owlett's Corner
Old Park Cottages
Old Park Farm
Hundred Acres
Moat
Minges
Fiddler's Brook
St. Elizabeth's School & Home
Filter Bed
Burial Ground
Turtle Farm
Hedge End
Wid-End
The Rick
Dukes Farm
Park Baylis
Cobies
Poultry Houses
Nursery
Priory Farm
Bullards
Martlets
Levenage Spring
Carters Cottage
Carters
Stonard
Chapel House
Widford Rise
Marshland Wood
Mole Wood
Fryars Farm Cottage
Fryars
Lawns Wood
High Trees
Actons Farm
Actons Farm Cottages
Eastwick Wood
Queen's Wood
Battles Wood
Maplecroft Wood
Black Hut Wood
Great Pennys Farm
Hunsdon Lodge Farm
Hunsdon Prim. Sch.
Keeper's
Golden Grove
New Plantation
Overhall Farm
Golden Hill
Plant Hire Depot
Tuck's Spring
Gibson's Shaw
Dairy Cottages
Channocks Farm
Channock's Fm. Cottages
Roundsell Shaw
Nine Ashes Farm
Eastwick Hall Farm
Rectory Plantation
Fox End
Gilston Park (Research Lab.)
Cumberland Lodge
Baker's Belt
Hunsdon House Lodge
Home Wood
Gilston Rectory
High Gilston School Cottages
Little Park
Hunsdon House
Weir
Moat
The Mount
Pole Hill
B180
WIDFORD RD.
HIGH ST.
HUNSDON ROAD
LEVENAGE LANE
NETHER STREET
COCKROBIN LANE
EASTWICK HALL LANE
EASTWICK ROAD
DRURY LA.
BELL LANE
COVEY'S LANE
Fiddlers Brook
Golden Brook
77
117
96

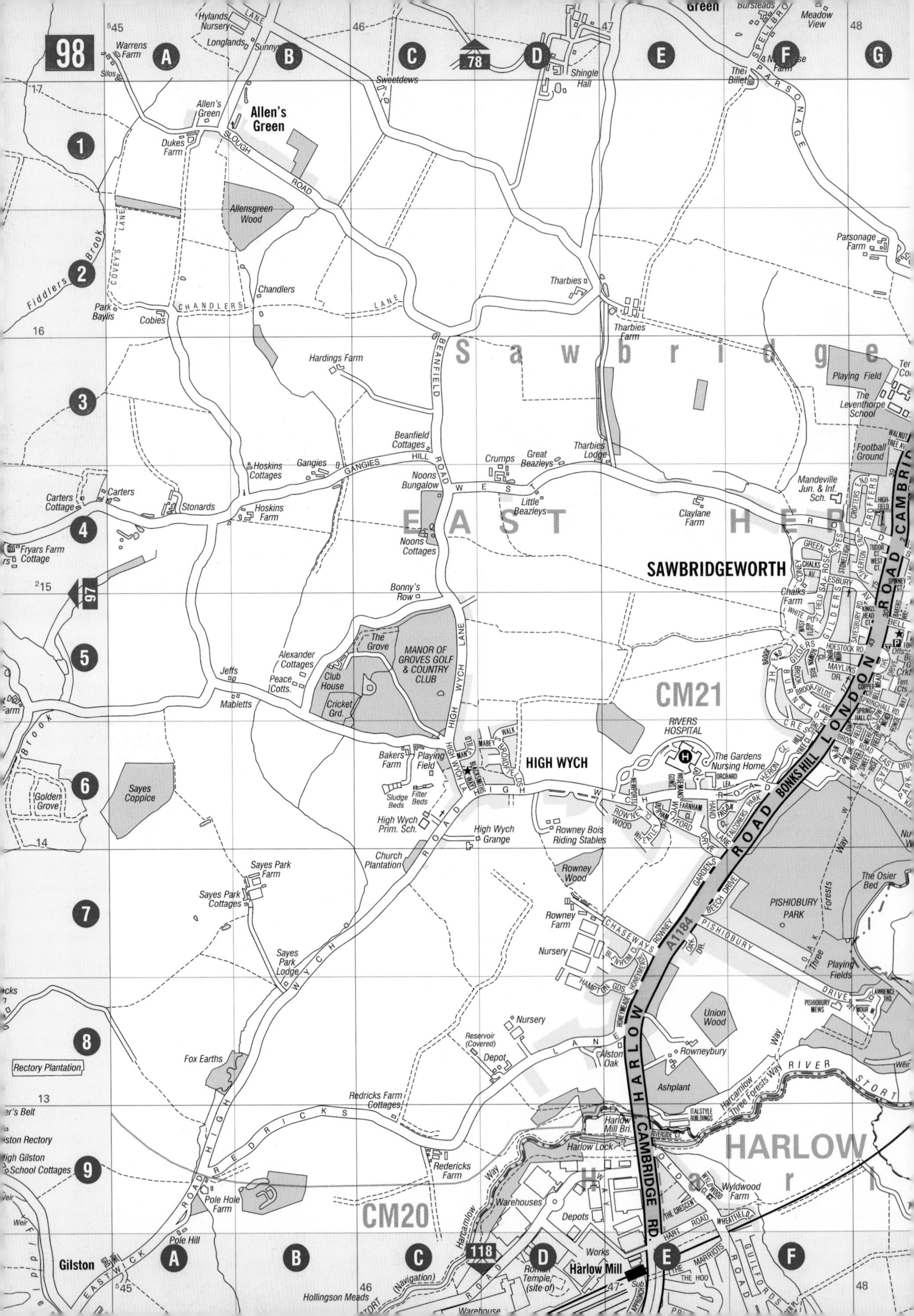

Warrens Farm
Hylands Nursery
Longlands
Sweetdews
78
Shingle Hall
Meadow View
The Billet
Allen's Green
Dukes Farm
SLOUGH ROAD
Allensgreen Wood
COVEY'S LANE
Fiddlers Brook
Chandlers
CHANDLERS LANE
Park Baylis
Cobies
Tharbies
Tharbies Farm
Parsonage Farm
PARSONAGE
Sawbridge
Hardings Farm
BEANFIELD ROAD
Playing Field
The Leventhorpe School
Football Ground
Beanfield Cottages
Tharbies Lodge
Gangies
GANGIES HILL
Hoskins Cottages
Crumps
Great Beazleys
Noons Bungalow
WEST ROAD
Carters Cottage
Carters
Stonards
Hoskins Farm
Little Beazleys
Mandeville Jun. & Inf. Sch.
Claylane Farm
EAST HERT
Fryars Farm Cottage
Noons Cottages
SAWBRIDGEWORTH
97
Bonny's Row
Chalks Farm
The Grove
MANOR OF GROVES GOLF & COUNTRY CLUB
Alexander Cottages
Club House
Cricket Grd.
HIGH WYCH LANE
Jeffs
Peace Cotts.
Mabletts
CM21
Brook
RIVERS HOSPITAL
Bakers Farm
Playing Field
HIGH WYCH
The Gardens Nursing Home
Sayes Coppice
Golden Grove
Sludge Beds
Filter Beds
High Wych Prim. Sch.
HIGH WYCH ROAD
High Wych Grange
Rowney Bois Riding Stables
Church Plantation
Rowney Wood
Sayes Park Farm
Sayes Park Cottages
Rowney Farm
CHASEWAYS
PISHIOBURY PARK
The Osier Bed
Nursery
A1184
PISHIOBURY DRIVE
Three Forests Way
Playing Fields
Sayes Park Lodge
HAMPTON GDS
Union Wood
Nursery
Reservoir (Covered)
Depot
Alston Oak
Rowneybury
HARLOW ROAD
LONDON ROAD
BONKS HILL
RIVER STORT
Rectory Plantation
Fox Earths
Ashplant
Harcamlow Three Forests Way
Redricks Farm Cottages
REDRICKS LANE
Harlow Mill Bri.
ITALSTYLE BUILDINGS
HARLOW
Harlow Lock
CAMBRIDGE RD.
High Gilston School Cottages
Redericks Farm
Wyldwood Farm
Pole Hole Farm
Warehouses
CM20
Depots
THE CRESCENT
HART ROAD
WHEATFIELDS
Pole Hill
118
Works
Gilston
EASTWICK ROAD
Roman Temple (site of)
Hârlow Mill
THE MARRIOTS
GUILFORDS
Hollingson Meads
(Navigation)
Warehouse

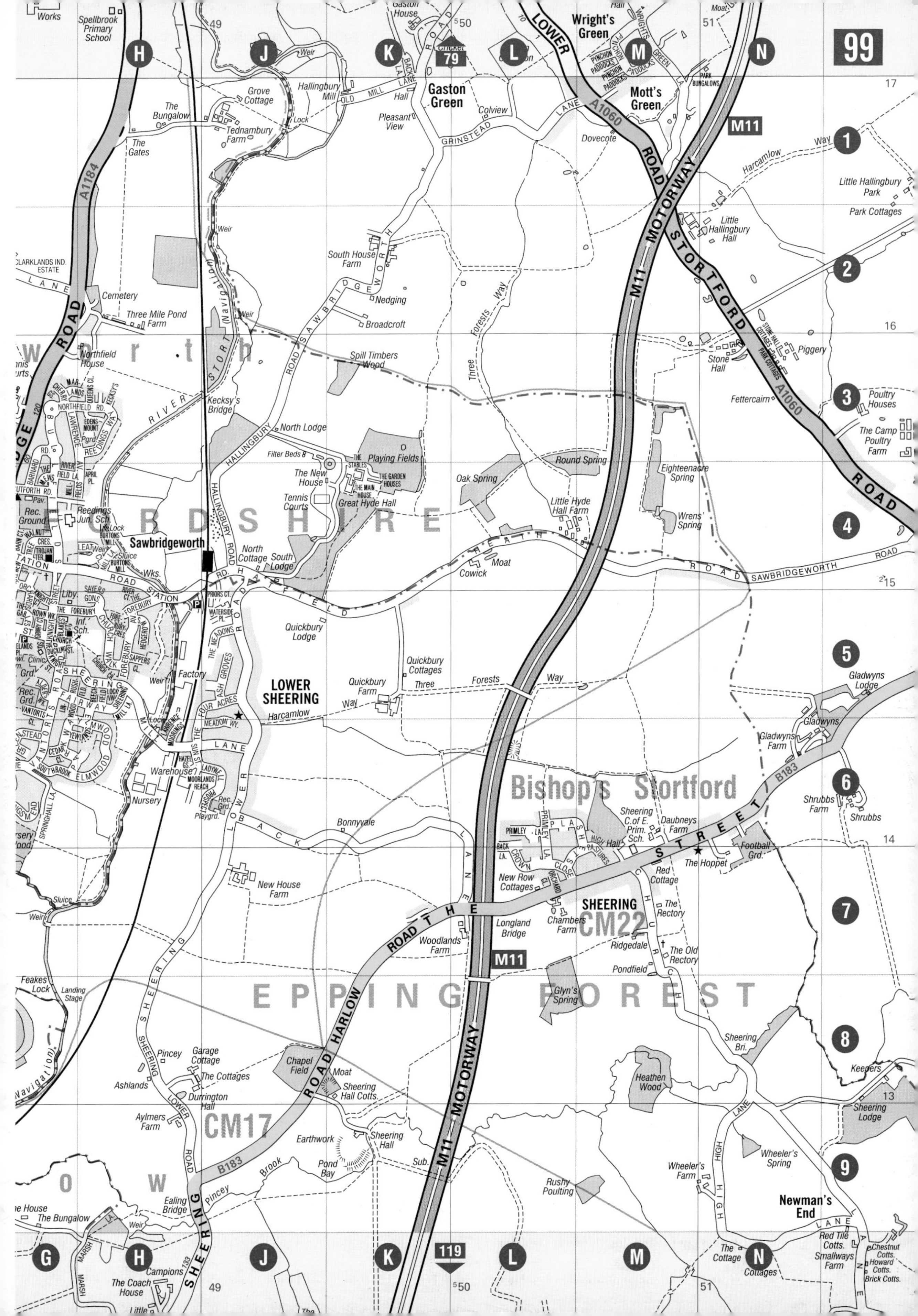
Spellbrook Primary School
Works
Gaston House
Wright's Green
Lower Road
Mott's Green
Gaston Green
Hallingbury Mill
Old Mill Lane
Hall
Back Lane
79
Grove Cottage
The Bungalow
Tednambury Farm
The Gates
Pleasant View
Colview
Grinstead Lane
Dovecote
A1060
M11
Harcamlow Way
Little Hallingbury Park
Park Cottages
Little Hallingbury Hall
Stortford Road
M11 Motorway
A1184
Road
Clarklands Ind. Estate
Lane
Cemetery
Three Mile Pond Farm
South House Farm
Nedging
Broadcroft
Sawbridgeworth Road
Three Forests Way
Stone Hall
Piggery
Spill Timbers Wood
River Stort
Stort Navigation
Weir
Northfield House
Kecksy's Bridge
North Lodge
Fettercairn
Poultry Houses
The Camp Poultry Farm
Hallingbury Road
Filter Beds
The New House
Playing Fields
The Stables
The Garden Houses
The Main House
Great Hyde Hall
Tennis Courts
Oak Spring
Round Spring
Eighteenacre Spring
Little Hyde Hall Farm
Wrens' Spring
Rec. Ground
Reedings Jun. Sch.
Sawbridgeworth
North Cottage
South Lodge
Heath Road
Moat
Cowick
Sawbridgeworth Road
Station Road
Liby.
Inf. Sch.
Church
Clinic
Hadfield Road
Quickbury Lodge
Quickbury Cottages
Quickbury Farm
Three Forests Way
Factory
Lower Sheering
Harcamlow Way
Gladwyns Lodge
Gladwyns
Gladwyns Farm
Warehouse
Nursery
Bishop's Stortford
B183
Shrubbs Farm
Shrubbs
Bonnyvale
Back Lane
Sheering C.of E. Prim. Sch.
Daubneys Farm
Football Grd.
The Hoppet
The Street
New House Farm
New Row Cottages
Red Cottage
The Rectory
Sheering
CM22
Chambers Farm
Longland Bridge
Woodlands Farm
Ridgedale
The Old Rectory
Pondfield
Church Lane
Harlow Road
Epping Forest
Glyn's Spring
Feakes Lock
Landing Stage
Sheering Lower Road
Pincey
Garage Cottage
The Cottages
Ashlands
Chapel Field
Moat
Sheering Hall Cotts.
Sheering Bri.
Heathen Wood
Keepers
Sheering Lodge
Durrington Hall
Aylmers Farm
CM17
Earthwork
Sheering Hall
Wheeler's Spring
Wheeler's Farm
High Lane
Pond Bay
Sub.
Rushy Poulting
Newman's End
Brook
Pincey
B183
Ealing Bridge
Sheering
The House
The Bungalow
Marsh Lane
Campions
The Coach House
Red Tile Cotts.
Smallways Farm
Chestnut Cotts.
Howard Cotts.
Brick Cotts.
The Cottage
Cottages
119
G H J K L M N
49 550 51
13 14 15 16 17
1 2 3 4 5 6 7 8 9

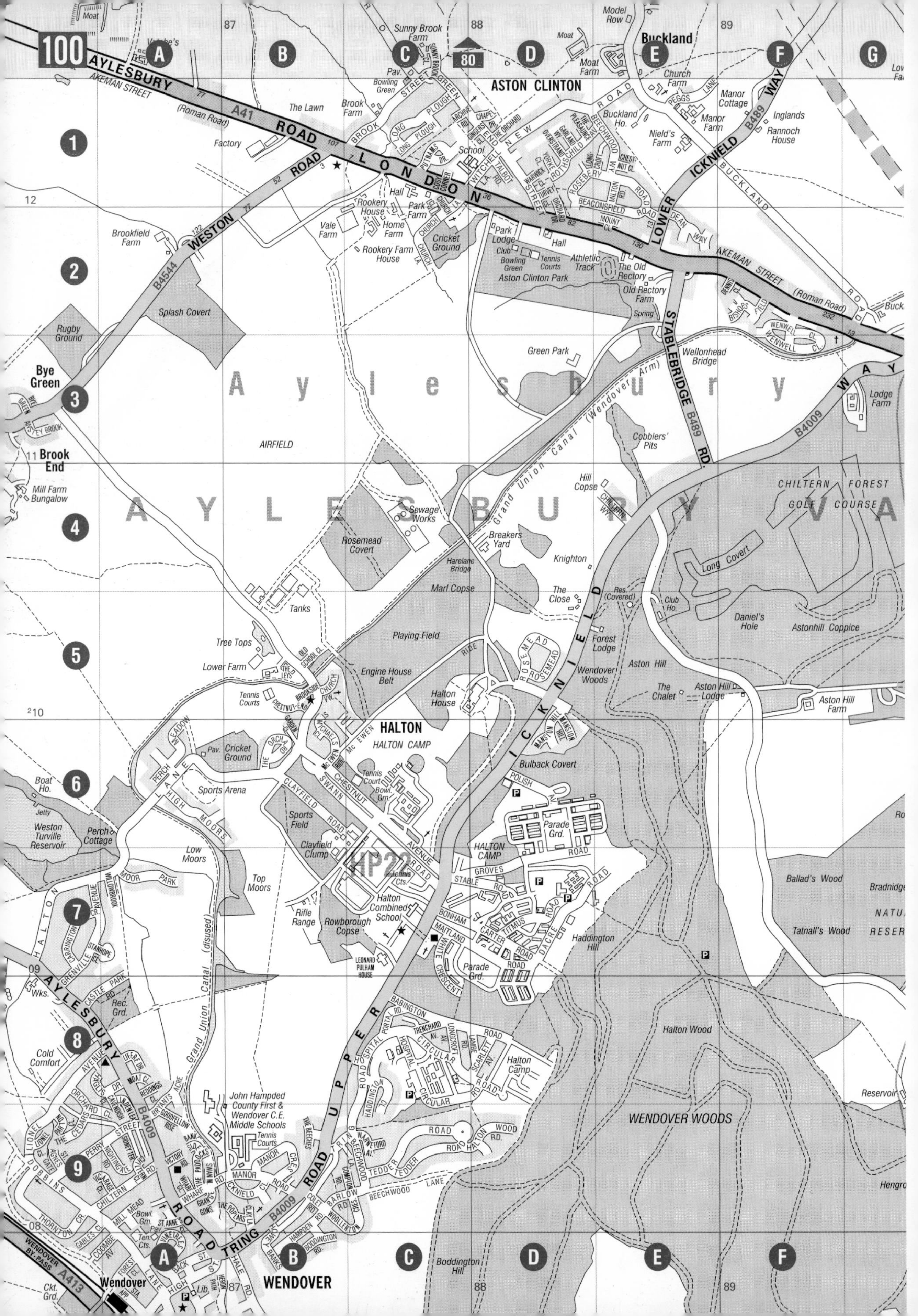
ASTON CLINTON
Buckland
HALTON
HALTON CAMP
WENDOVER
Wendover
Aylesbury
AYLESBURY VALE
AYLESBURY ROAD
AKEMAN STREET
(Roman Road)
A41
LONDON ROAD
WESTON ROAD
B4544
Bye Green
Brook End
Mill Farm Bungalow
Rugby Ground
Splash Covert
Brookfield Farm
Factory
The Lawn
Brook Farm
Sunny Brook Farm
Bowling Green
Pav.
Model Row
Moat
Moat Farm
Church Farm
Manor Cottage
Manor Farm
Buckland Ho.
Nield's Farm
Inglands
Rannoch House
ICKNIELD WAY
B489
LOWER ICKNIELD WAY
BUCKLAND ROAD
School
Rookery House
Park Farm
Home Farm
Vale Farm
Rookery Farm House
Cricket Ground
Park Lodge
Club
Bowling Green
Tennis Courts
Athletic Track
Aston Clinton Park
The Old Rectory
Old Rectory Farm
Spring
STABLEBRIDGE B489 RD.
Wellonhead Bridge
Green Park
Grand Union Canal (Wendover Arm)
B4009
WAY
Lodge Farm
Cobblers' Pits
Hill Copse
AIRFIELD
Sewage Works
Rosemead Covert
Breakers Yard
Harelane Bridge
Knighton
Marl Copse
Tanks
The Close
Res. (Covered)
Playing Field
CHILTERN FOREST GOLF COURSE
Long Covert
Club Ho.
Daniel's Hole
Astonhill Coppice
Forest Lodge
Wendover Woods
Aston Hill
The Chalet
Aston Hill Lodge
Aston Hill Farm
Tree Tops
Lower Farm
Engine House Belt
Halton House
Tennis Courts
ICKNIELD
Cricket Ground
Pav.
Sports Arena
Bulback Covert
Boat Ho.
Jetty
Weston Turville Reservoir
Perch Cottage
Sports Field
Clayfield Clump
Parade Grd.
HP22
Low Moors
Top Moors
MOOR PARK
Rifle Range
Rowborough Copse
Halton Combined School
LEONARD PULHAM HOUSE
Haddington Hill
Parade Grd.
Grand Union Canal (disused)
Wks.
Rec. Grd.
Cold Comfort
Ballad's Wood
Bradnidge
Tatnall's Wood
NATURE RESERVE
Halton Wood
Halton Camp
Reservoir
John Hampden County First & Wendover C.E. Middle Schools
Tennis Courts
WENDOVER WOODS
UPPER ICKNIELD WAY
B4009
Boddington Hill
Hengrove
Bowl. Grn.
Ten. Cts.
Lib.
Cwt. Grd.
WENDOVER BY-PASS
A413
TRING ROAD
87
88
89
12
11
10
09
08
80

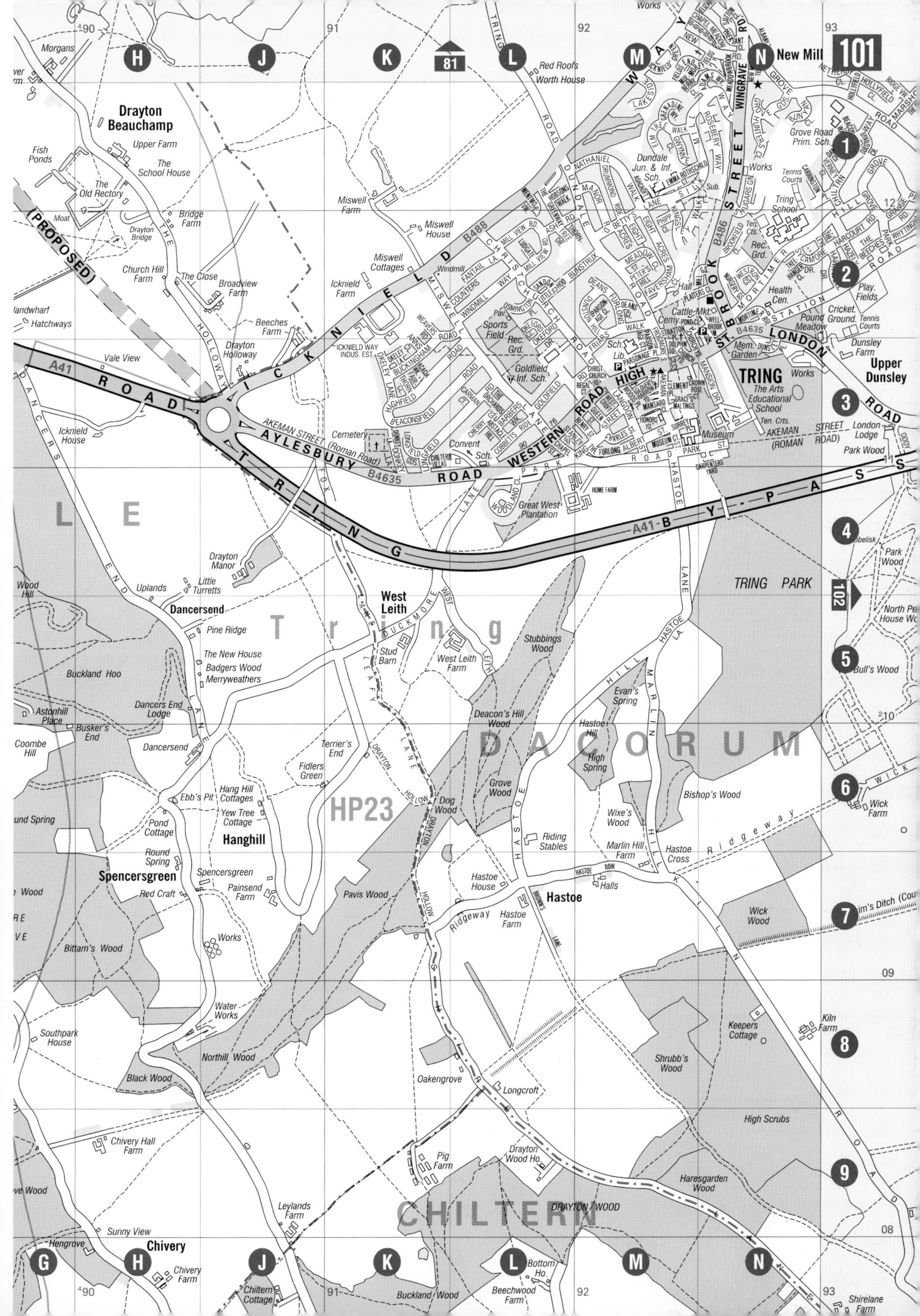

New Mill
Drayton Beauchamp
Upper Farm
The School House
The Old Rectory
Fish Ponds
Morgans
Moat
Bridge Farm
Drayton Bridge
Church Hill Farm
The Close
Broadview Farm
Hatchways
Beeches Farm
Drayton Holloway
Vale View
Icknield House
(PROPOSED)
A41 ROAD
ICKNIELD WAY
B488
AYLESBURY ROAD
TRING
Red Roofs
Worth House
Miswell Farm
Miswell House
Miswell Cottages
Icknield Farm
Windmill
ICKNIELD WAY INDUS. EST.
Sports Field
Rec. Grd.
Goldfield Inf. Sch.
Cemetery
AKEMAN STREET (Roman Road)
B4635
Convent
Sch.
WESTERN ROAD
HIGH ST
Dundale Jun. & Inf. Sch.
Works
Grove Road Prim. Sch.
Tennis Courts
Tring School
Rec. Grd.
Health Cen.
Play. Fields
Cricket Ground
Tennis Courts
Pound Meadow
Cattle Mkt.
Cemy.
Hall
Sch.
Lib.
Mem. Garden
Dunsley Farm
Upper Dunsley
LONDON ROAD
Works
The Arts Educational School
Ten. Crts.
AKEMAN STREET (ROMAN ROAD)
London Lodge
Park Wood
Museum
HOME FARM
Great West Plantation
A41 BY-PASS
TRING PARK
Obelisk
Park Wood
North Pe
House Wo
Drayton Manor
Little Turretts
Uplands
Dancersend
Pine Ridge
The New House
Badgers Wood
Merryweathers
Buckland Hoo
Wood Hill
Astonhill Place
Busker's End
Coombe Hill
Dancers End Lodge
Dancersend
West Leith
BUCKMORE
Stud Barn
West Leith Farm
Stubbings Wood
Deacon's Hill Wood
Evan's Spring
Hastoe Hill
High Spring
Bishop's Wood
Bull's Wood
LE
Tring
DACORUM
HP23
Terrier's End
Fidlers Green
Hang Hill Cottages
Ebb's Pit
Yew Tree Cottage
Pond Cottage
Hanghill
Round Spring
Spencersgreen
Red Craft
Painsend Farm
Spencersgreen
Dog Wood
Grove Wood
Wixe's Wood
Riding Stables
Marlin Hill Farm
Hastoe Cross
Ridgeway
Wick Farm
Hastoe House
Hastoe Row
Halls
Hastoe
Hastoe Farm
Pavis Wood
Wick Wood
Grim's Ditch (Cou
Works
Bittam's Wood
Water Works
Southpark House
Northill Wood
Black Wood
Oakengrove
Longcroft
Keepers Cottage
Kiln Farm
Shrubb's Wood
High Scrubs
Chivery Hall Farm
Pig Farm
Drayton Wood Ho.
Haresgarden Wood
DRAYTON WOOD
CHILTERN
Leylands Farm
Sunny View
Hengrove
Chivery
Chivery Farm
Chiltern Cottage
Buckland Wood
Bottom Ho.
Beechwood Farm
Shirelane Farm
HASTOE LANE
MARLIN HILL
KILN ROAD
DRAYTON LANE
LEAFY LANE
HOLLOW
TRING ROAD
THE HOLLOWAY
DANCERS END LANE
ROAD
G
H
J
K
L
M
N
1
2
3
4
5
6
7
8
9
90
91
92
93
08
09
210
12
81
102

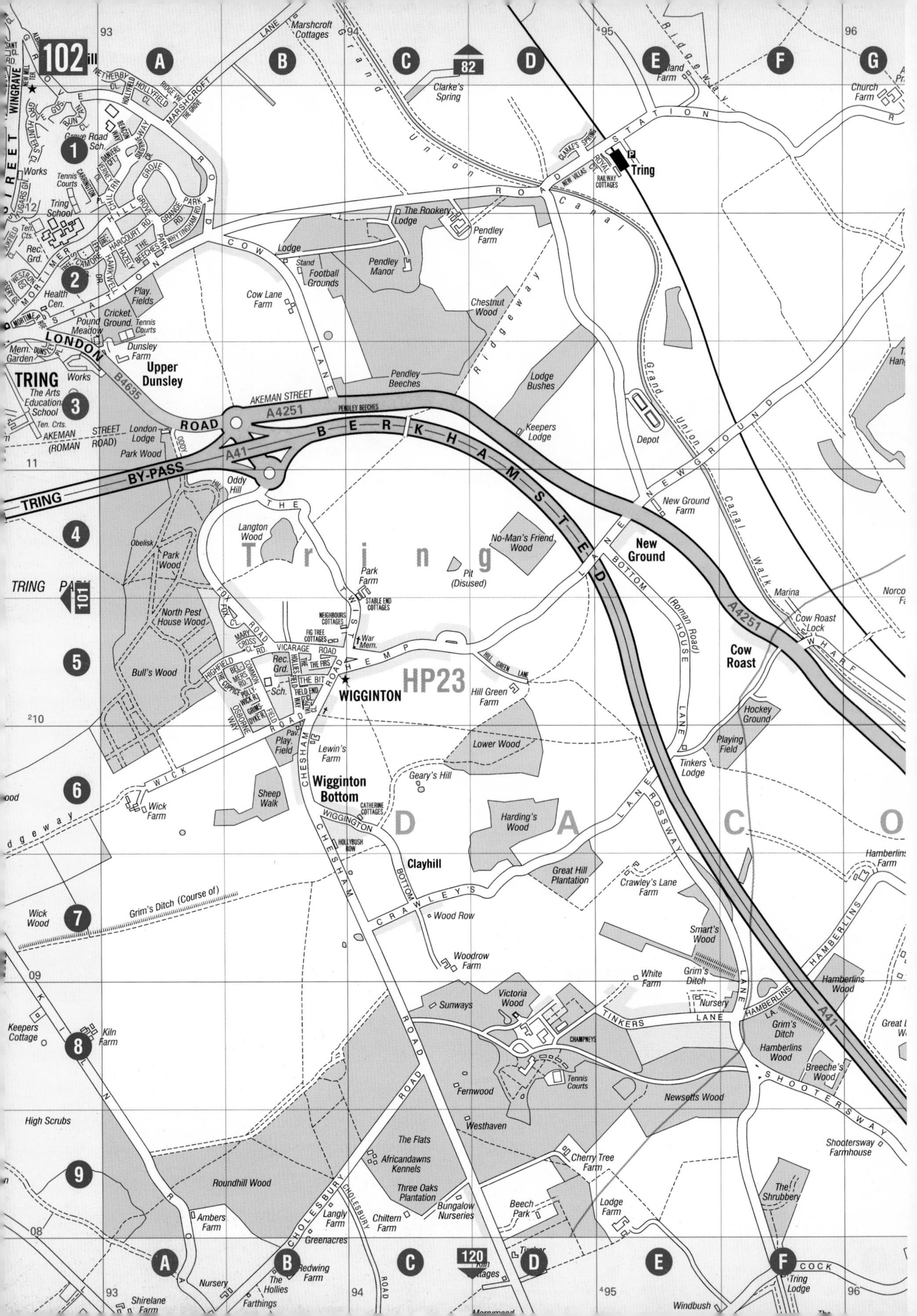

82
120
101
A
B
C
D
E
F
G
1
2
3
4
5
6
7
8
9
93
94
95
96
12
11
10
09
08
TRING
Upper Dunsley
Tring
New Ground
Cow Roast
WIGGINTON
Wigginton Bottom
Clayhill
HP23
TRING PARK
Marshcroft Cottages
Clarke's Spring
Church Farm
Grand Union Canal
Grove Road Sch.
Tring School
Works
Tennis Courts
Rec. Grd.
Health Cen.
Play. Fields
Cricket Ground
Pound Meadow
Dunsley Farm
Mem. Garden
The Arts Educational School
London Lodge
Park Wood
Oddy Hill
STATION ROAD
LONDON ROAD
AKEMAN STREET (ROMAN ROAD)
TRING BY-PASS
BERKHAMSTEAD BY-PASS
A41
A4251
B4635
The Rookery
Lodge
Pendley Farm
Pendley Manor
Football Grounds
Cow Lane Farm
COW LANE
Chestnut Wood
Pendley Beeches
Lodge Bushes
Keepers Lodge
Depot
Ridgeway
NEW GROUND ROAD
New Ground Farm
Langton Wood
No-Man's Friend Wood
Pit (Disused)
Park Farm
Obelisk
Park Wood
North Pest House Wood
Bull's Wood
Hill Green Farm
Lower Wood
Lewin's Farm
Geary's Hill
Sheep Walk
Wick Farm
Harding's Wood
Great Hill Plantation
Crawley's Lane Farm
Tinkers Lodge
Hockey Ground
Playing Field
Marina
Cow Roast Lock
Hamberlins Farm
Smart's Wood
Grim's Ditch
Grim's Ditch (Course of)
Wick Wood
Wood Row
Woodrow Farm
White Farm
Nursery
Sunways
Victoria Wood
CHAMPNEYS
TINKERS LANE
HAMBERLINS LA.
Hamberlins Wood
Breeche's Wood
Newsetts Wood
SHOOTERSWAY
Shootersway Farmhouse
Keepers Cottage
Kiln Farm
High Scrubs
Roundhill Wood
Ambers Farm
Fernwood
Westhaven
The Flats
Africandawns Kennels
Three Oaks Plantation
Cherry Tree Farm
Beech Park
Lodge Farm
Bungalow Nurseries
Chiltern Farm
Langly Farm
Greenacres
Redwing Farm
The Hollies
Farthings
Shirelane Farm
Kiln Cottages
Windbush
Tring Lodge
The Shrubbery
CHESHAM ROAD
CHOLESBURY ROAD
CRAWLEY'S LANE
WICK ROAD
HEMP LANE
VICARAGE ROAD
ROSSWAY LANE
BOTTOM HOUSE LANE
(Roman Road)
WHARF
D A C O

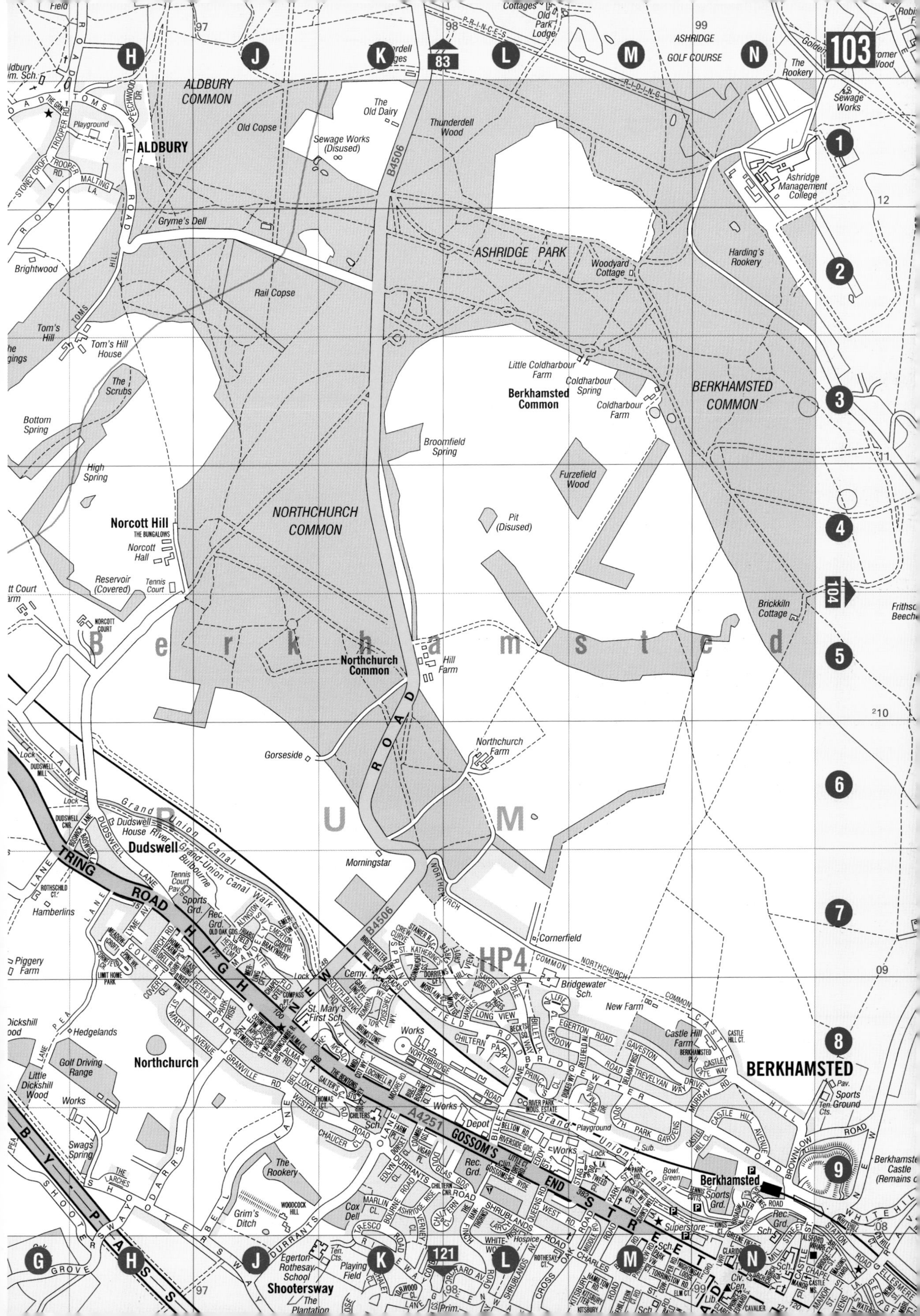
ALDBURY COMMON
ALDBURY
Old Copse
The Old Dairy
Thunderdell Wood
Sewage Works (Disused)
ASHRIDGE GOLF COURSE
PRINCE'S RIDING
The Rookery
Sewage Works
Ashridge Management College
Gryme's Dell
Brightwood
ASHRIDGE PARK
Woodyard Cottage
Harding's Rookery
Rail Copse
Tom's Hill
Tom's Hill House
The Scrubs
Bottom Spring
High Spring
Little Coldharbour Farm
Berkhamsted Common
Coldharbour Spring
Coldharbour Farm
BERKHAMSTED COMMON
Broomfield Spring
Furzefield Wood
Pit (Disused)
NORTHCHURCH COMMON
Norcott Hill
Norcott Hall
Reservoir (Covered)
Tennis Court
Brickkiln Cottage
Northchurch Common
Hill Farm
Berkhamsted
Gorseside
Northchurch Farm
Grand Union Canal
Dudswell House
Dudswell
Morningstar
TRING ROAD
HIGH STREET
Hamberlins
Piggery Farm
Cornerfield
HP4
Bridgewater Sch.
New Farm
St. Mary's First Sch.
Hedgelands
Northchurch
Golf Driving Range
Little Dickshill Wood
Works
Castle Hill Farm
BERKHAMSTED
Sports Ground
A4251 GOSSOM'S END
Swags Spring
The Rookery
Grim's Ditch
Cox Dell
Berkhamsted
Superstore
Berkhamsted Castle (Remains of)
Egerton Rothesay School
Playing Field
Shootersway
The Plantation
B4506
83
104
121

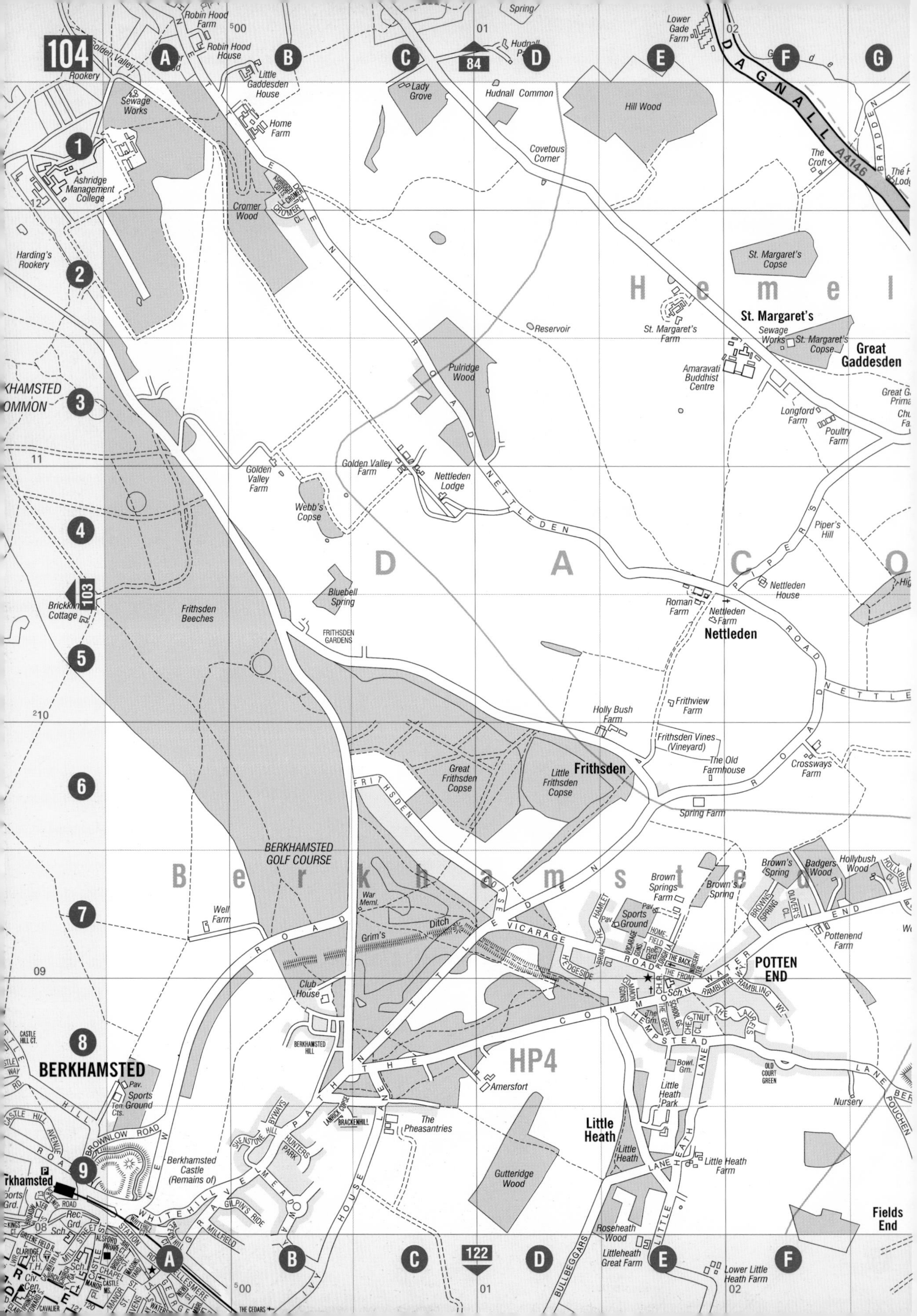
Robin Hood Farm
Robin Hood House
Golden Valley
Rookery
Little Gaddesden House
Lady Grove
84
Hudnall Common
Lower Gade Farm
DAGNALL ROAD
A4146
Sewage Works
Home Farm
Hill Wood
Covetous Corner
The Croft
BRADDEN
Ashridge Management College
Cromer Wood
ASHRIDGE COTTS.
CROMER CL.
Harding's Rookery
St. Margaret's Copse
Hemel
St. Margaret's
Reservoir
St. Margaret's Farm
Sewage Works
St. Margaret's Copse
Great Gaddesden
Pulridge Wood
Amaravati Buddhist Centre
KHAMSTED COMMON
Longford Farm
Poultry Farm
Golden Valley Farm
Golden Valley Farm
Nettleden Lodge
Webb's Copse
NETTLEDEN ROAD
Piper's Hill
PIPERS
DACO
Bluebell Spring
Nettleden House
103
Brickkiln Cottage
Frithsden Beeches
Roman Farm
Nettleden Farm
Nettleden
FRITHSDEN GARDENS
NETTLEDEN ROAD
Frithview Farm
Holly Bush Farm
Frithsden Vines (Vineyard)
The Old Farmhouse
Great Frithsden Copse
Little Frithsden Copse
Frithsden
Crossways Farm
FRITHSDEN COPSE
Spring Farm
BERKHAMSTED GOLF COURSE
Berkhamsted
Brown's Spring
Badgers Wood
Hollybush Wood
HOLLYBUSH CL.
Brown Springs Farm
Brown's Spring
War Meml.
Grim's Ditch
Well Farm
Sports Ground
VICARAGE ROAD
BROWNS SPRING
OLIVER'S CL.
Pottenend Farm
POTTEN END
WATER END
RAMBLING WY.
HEDGESIDE
THE HAMLET
BRIAR
HOMEFIELD
THE BACK
THE FRONT
Club House
NETTLEDEN ROAD
COMMON
HEMPSTEAD
THE LAURELS
CHESTNUT
SCHOOL
THE GREEN
CASTLE HILL CT.
BERKHAMSTED HILL
HP4
BERKHAMSTED
Amersfort
Bowl. Grn.
OLD COURT GREEN
POUCHEN END LANE
Pav.
Sports Ground
Ten. Cts.
Little Heath Park
Nursery
CASTLE HILL AVENUE
BROWNLOW ROAD
BYWAYS
LANRICK COPSE
BRACKENHILL
The Pheasantries
Little Heath
SHENSTONE HILL
HUNTERS PARK
Gutteridge Wood
Little Heath
LITTLE HEATH LANE
Little Heath Farm
Berkhamsted Castle (Remains of)
NEW ROAD
WHITEHILL
GRAVEMEAD
GILPIN'S RIDE
IVY HOUSE LANE
Roseheath Wood
Fields End
Rec. Grd.
MILLFIELD
STATION ROAD
ELLESMERE
122
Littleheath Great Farm
Lower Little Heath Farm
BULLBEGGARS
THE CEDARS
CAVALIER
Sch.
Civ. Cen.
T.H.
CASTLE ST
CHAPEL ST
MILL STREET
BROADWATER
CLARIDGE
KINGS CT.
GREENE FIELD R.
00
01
02
08
09
10
11
12

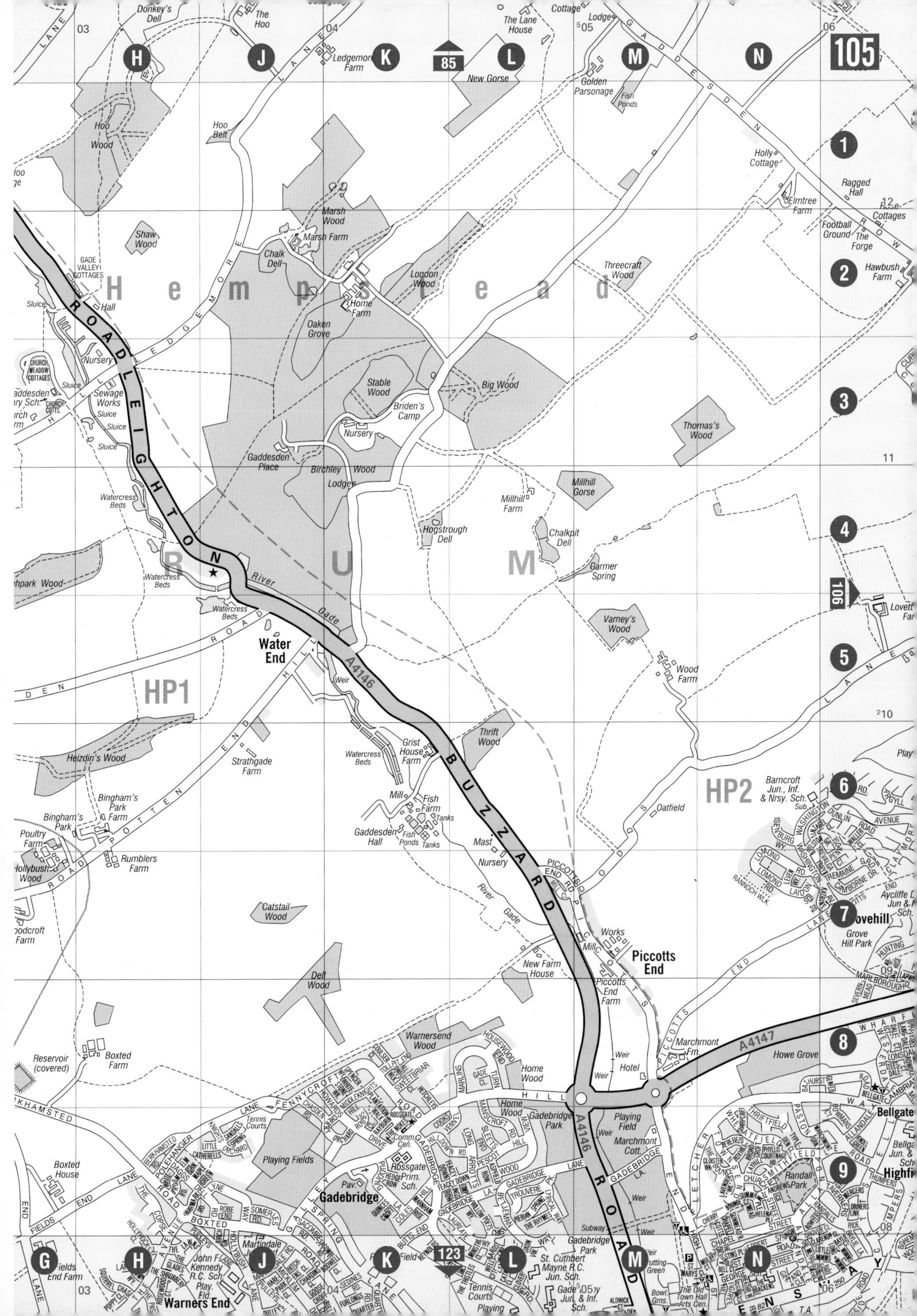
Donkey's Dell
The Hoo
Ledgemore Farm
The Lane House
New Gorse
Golden Parsonage
Fish Ponds
Hoo Wood
Hoo Belt
Holly Cottage
Ragged Hall
Elmtree Farm
Football Ground
The Forge
Hawbush Farm
Shaw Wood
Marsh Wood
Marsh Farm
Chalk Dell
London Wood
Threecraft Wood
GADE VALLEY COTTAGES
Hall
Home Farm
Oaken Grove
Hempstead
CHURCH MEADOW COTTAGES
Nursery
Sewage Works
Sluice
Stable Wood
Big Wood
Briden's Camp
Thomas's Wood
Gaddesden Place
Birchley Wood
Lodge
Millhill Gorse
Millhill Farm
Watercress Beds
Hogstrough Dell
Chalkpit Dell
Garmer Spring
BUM
River Gade
Varney's Wood
Water End
Wood Farm
A4146
LEIGHTON BUZZARD ROAD
HP1
Heizdin's Wood
Strathgade Farm
Grist House Farm
Thrift Wood
Bingham's Park Farm
Bingham's Park
POTTEN END HILL
Mill
Fish Farm
Tanks
Gaddesden Hall
Fish Ponds
Mast
Nursery
Oatfield
HP2
Barncroft Jun., Inf. & Nrsy. Sch.
Poultry Farm
Hollybush Wood
Rumblers Farm
PICCOTTS END RD.
Catstail Wood
Grovehill
Grove Hill Park
Works
Piccotts End
New Farm House
Piccotts End Farm
Dell Wood
Warnersend Wood
Marchmont Fm.
A4147
Howe Grove
Reservoir (covered)
Boxted Farm
Home Wood
Hotel
Weir
Bellgate
Gadebridge Park
Playing Field
Marchmont Cott.
Tennis Courts
Playing Fields
Rossgate Prim. Sch.
Boxted House
Gadebridge
Randall Park
Pav.
Fields End Farm
John F. Kennedy R.C. Sch.
Martindale
St. Cuthbert Mayne R.C. Jun. Sch.
Gadebridge Park
Gade Jun. & Inf. Sch.
Warners End
Subway
Cutting Green
The Old Town Hall Arts Cen.
Bowl. Grns.
85
106
123

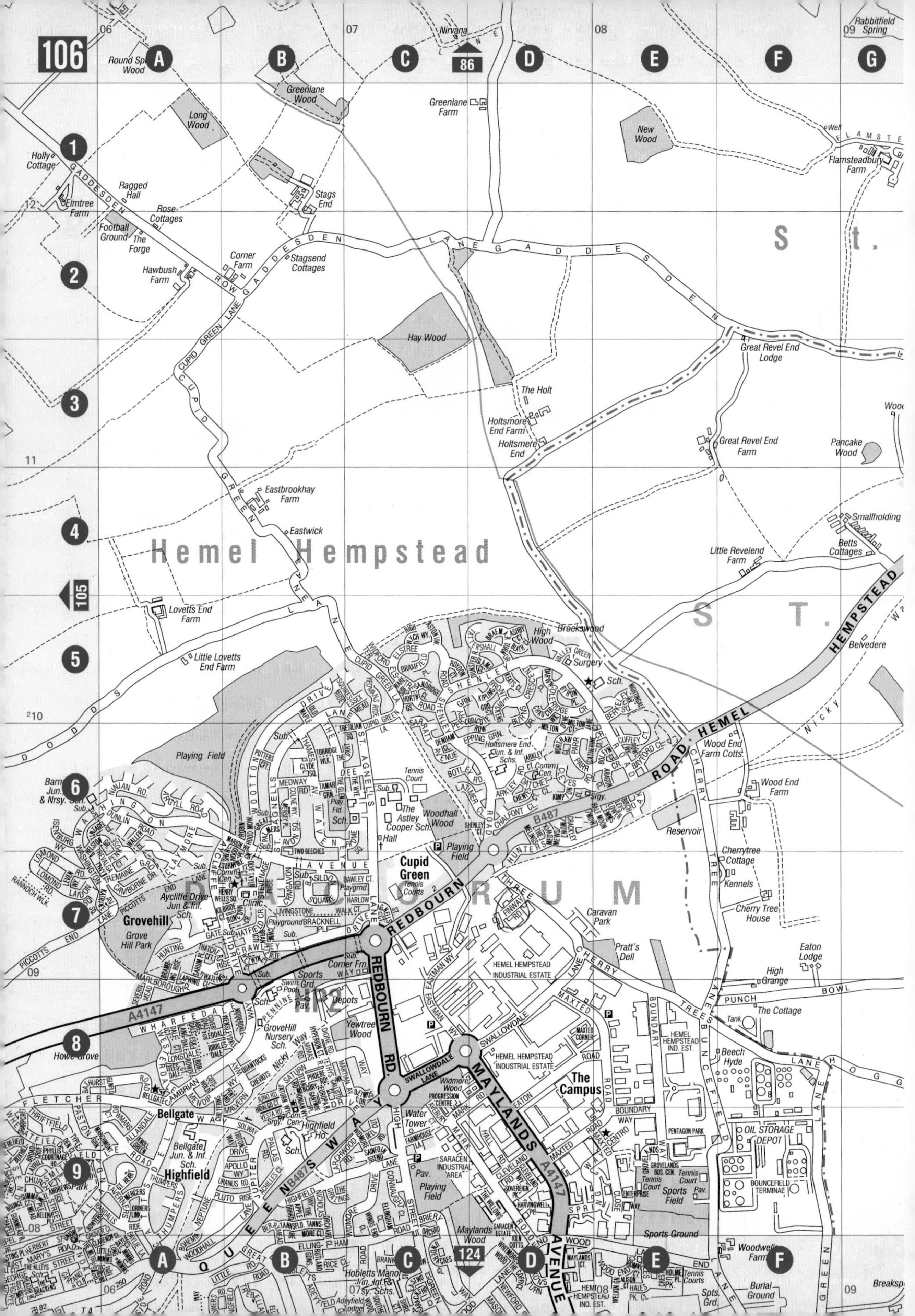

106
A
B
C
D
E
F
G
1
2
3
4
5
6
7
8
9
86
105
124
06
07
08
09
12
11
10
Round Spring Wood
Nirvana
Rabbitfield Spring
Greenlane Wood
Greenlane Farm
Long Wood
New Wood
Flamsteadbury Farm
Holly Cottage
Ragged Hall
Elmtree Farm
Stags End
Rose Cottages
Football Ground
The Forge
Corner Farm
Stagsend Cottages
Hawbush Farm
GADDESDEN ROW
GADDESDEN LANE
CUPID GREEN LANE
Hay Wood
Great Revel End Lodge
The Holt
Holtsmere End Farm
Holtsmere End
Great Revel End Farm
Pancake Wood
Eastbrookhay Farm
Eastwick
Smallholding
Betts Cottages
Little Revelend Farm
Hemel Hempstead
Lovetts End Farm
Little Lovetts End Farm
DODDS
Breckswood
High Wood
Belvedere
Surgery
Sch.
Playing Field
Wood End Farm Cotts.
Wood End Farm
Reservoir
Cherrytree Cottage
Kennels
Cherry Tree House
Caravan Park
Pratt's Dell
Eaton Lodge
High Grange
The Cottage
PUNCH BOWL
HEMEL HEMPSTEAD ROAD
B487
CHERRY TREE LANE
REDBOURN ROAD
Cupid Green
Woodhall Wood
The Astley Cooper Sch.
Grovehill
Grove Hill Park
Aycliffe Drive Jun. & Inf. Sch.
Holtsmere End Jun. & Inf. Schs.
HEMEL HEMPSTEAD INDUSTRIAL ESTATE
HEMEL HEMPSTEAD IND. EST.
A4147
HP2
Depots
Yewtree Wood
GroveHill Nursery Sch.
Howe Grove
Bellgate
Bellgate Jun. & Inf. Sch.
Highfield
Highfield Ho.
Water Tower
SARACEN INDUSTRIAL AREA
MAYLANDS AVENUE
SWALLOWDALE LANE
The Campus
PENTAGON PARK
OIL STORAGE DEPOT
BOUNCEFIELD TERMINAL
Beech Hyde
HOGG LANE
Sports Field
Sports Ground
Maylands Wood
Woodwells Farm
Burial Ground
Hobletts Manor Jun. Inf. & Sy. Schs.
QUEENSWAY
FLETCHER WAY
PICCOTTS END
Playing Field
BOUNDARY WAY
BUNCEFIELD LANE
GREEN LANE

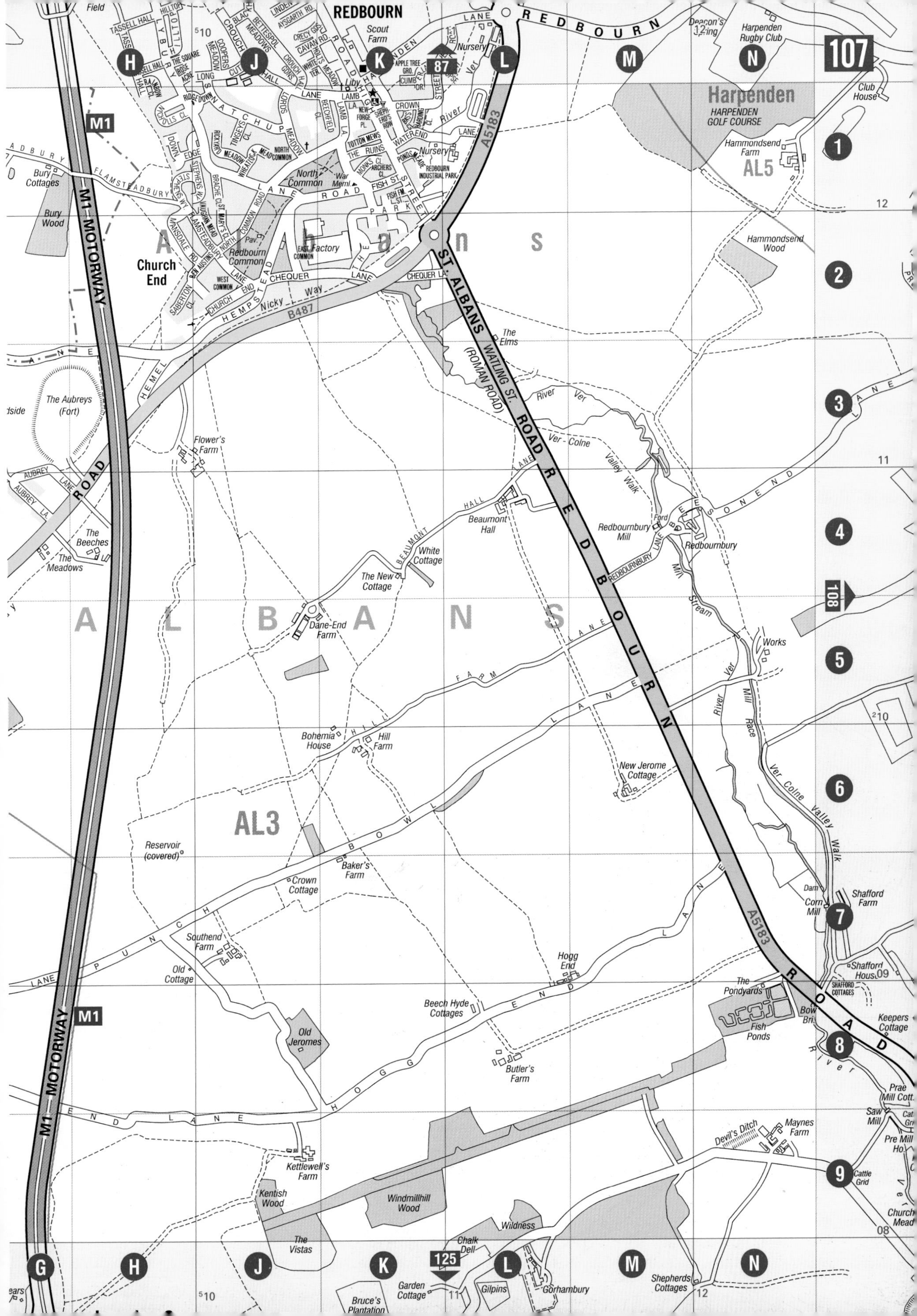
107
REDBOURN
Harpenden
HARPENDEN GOLF COURSE
Harpenden Rugby Club
Club House
Hammondsend Farm
Hammondsend Wood
AL5
AL3
Scout Farm
Nursery
Redbourn Common
North Common
Church End
Bury Cottages
Bury Wood
M1
M1 MOTORWAY
A5183
B487
ST. ALBANS ROAD
WATLING ST. (ROMAN ROAD)
REDBOURN ROAD
HEMEL HEMPSTEAD ROAD
Nicky Way
CHEQUER LANE
The Aubreys (Fort)
AUBREY LANE
The Beeches
The Meadows
Flower's Farm
The Elms
River Ver
Ver - Colne Valley Walk
Beaumont Hall
White Cottage
The New Cottage
Dane-End Farm
Redbournbury Mill
Redbournbury
REDBOURNBURY LANE
Mill Stream
Works
Mill Race
Bohemia House
Hill Farm
HILL FARM LANE
New Jerome Cottage
Reservoir (covered)
Baker's Farm
Crown Cottage
PUNCHBOWL LANE
Southend Farm
Old Cottage
Hogg End
HOGG END LANE
Beech Hyde Cottages
Old Jeromes
Butler's Farm
The Pondyards
Fish Ponds
Bow Bri.
Shafford Farm
Shafford House
Dam
Corn Mill
Keepers Cottage
Prae Mill Cott.
Saw Mill
Pre Mill Ho.
Maynes Farm
Devil's Ditch
Cattle Grid
Kettlewell's Farm
Kentish Wood
Windmillhill Wood
The Vistas
Wildness
Chalk Dell
Garden Cottage
Gilpins
Gorhambury
Shepherds Cottages
Bruce's Plantation
Church Mead
87
108
125
G H J K L M N
1 2 3 4 5 6 7 8 9

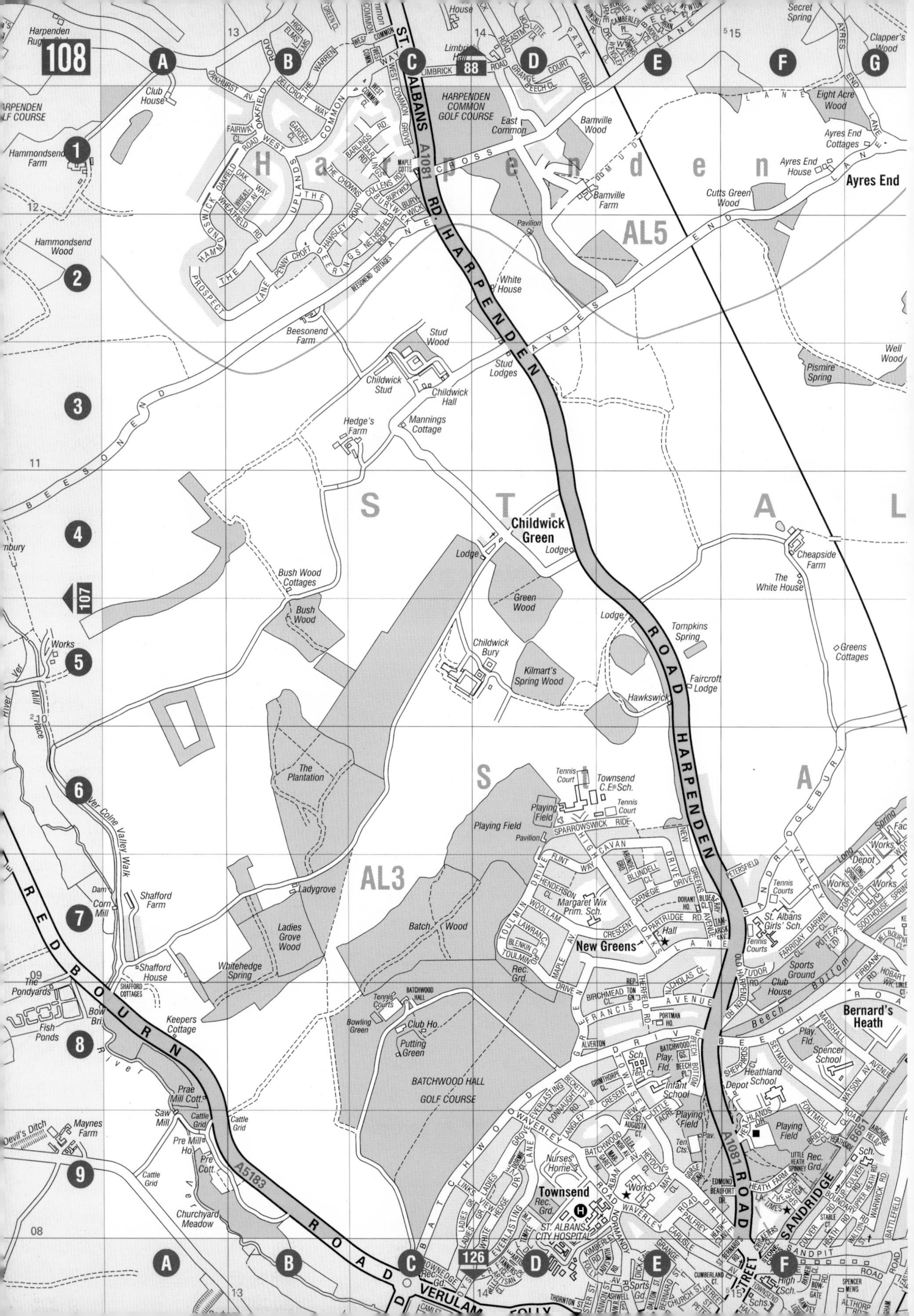
Harpenden
AL5
AL3
Harpenden Common Golf Course
East Common
Bamville Wood
Bamville Farm
Pavilion
White House
Beesonend Farm
Stud Wood
Stud Lodges
Childwick Stud
Childwick Hall
Hedge's Farm
Mannings Cottage
Eight Acre Wood
Ayres End Cottages
Ayres End House
Ayres End
Cutts Green Wood
Clapper's Wood
Secret Spring
Well Wood
Pismire Spring
Hammondsend Farm
Hammondsend Wood
Club House
Childwick Green
Lodge
Bush Wood Cottages
Bush Wood
Green Wood
Childwick Bury
Kilmart's Spring Wood
Tompkins Spring
Faircroft Lodge
Hawkswick
Cheapside Farm
The White House
Greens Cottages
Works
River Ver
Mill Trace
The Plantation
Townsend C.E. Sch.
Tennis Court
Playing Field
Pavilion
Ver Colne Valley Walk
Shafford Farm
Dam
Corn Mill
Ladygrove
Batch Wood
Ladies Grove Wood
Whitehedge Spring
New Greens
Margaret Wix Prim. Sch.
Hall
Rec. Grd.
Shafford House
Shafford Cottages
The Pondyards
Bow Bri.
Fish Ponds
Keepers Cottage
Batchwood Hall
Bowling Green
Club Ho.
Putting Green
Batchwood Hall Golf Course
Prae Mill Cott.
Saw Mill
Cattle Grid
Pre Mill Ho.
Pre Cott.
Maynes Farm
Devil's Ditch
Churchyard Meadow
Redbourn Road
A5183
St. Albans Rd.
A1081
Harpenden Road
Townsend
St. Albans City Hospital
Nurses Home
Infant School
Playing Field
St. Albans Girls' Sch.
Sports Ground
Bernard's Heath
Spencer School
Heathland School
Depot
Sandridge Road
B651
Verulam Road
High Sch.
Beesonend Lane
Ayres End Lane
Cross Lane
Beech Bottom
Batchwood Drive
107
88
126

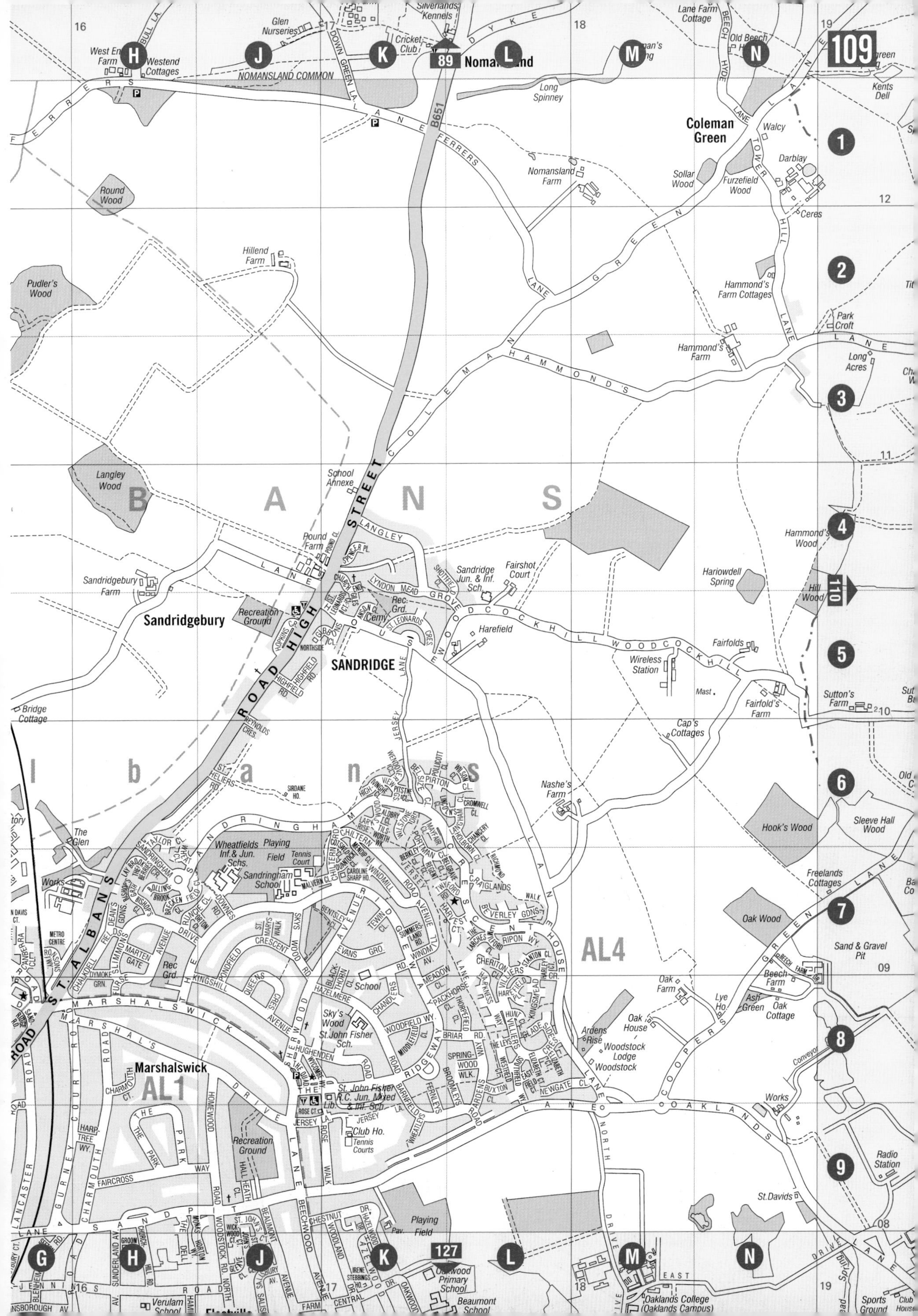

109
16
17
18
19
H
J
K
L
M
N
G
1
2
3
4
5
6
7
8
9
12
11
10
09
08
89
127
110
West End Farm
Westend Cottages
BULL LA.
Glen Nurseries
Silverlands Kennels
Cricket Club
Nomansland
Lane Farm Cottage
Old Beech
NOMANSLAND COMMON
FERRERS LANE
DOWN GREEN LA.
B651
Long Spinney
Kents Dell
Coleman Green
Walcy
Darblay
Sollar Wood
Furzefield Wood
Ceres
Nomansland Farm
Round Wood
Hillend Farm
Pudler's Wood
Hammond's Farm Cottages
Park Croft
Hammond's Farm
Long Acres
COLEMAN GREEN LANE
HAMMOND'S LANE
TOWER HILL LANE
BEECH HYDE LANE
Langley Wood
School Annexe
B A N S
HIGH STREET
LANGLEY LANE
Pound Farm
Sandridgebury Farm
Sandridge Jun. & Inf. Sch.
Fairshot Court
Hammond's Wood
Hariowdell Spring
Hill Wood
Recreation Ground
Rec. Grd.
Cemy.
Sandridgebury
LYNDON MEAD
GROVE
WOODCOCK HILL
Harefield
Fairfolds
Wireless Station
Mast
Fairfold's Farm
Sutton's Farm
SANDRIDGE
HOUSE LANE
JERSEY LANE
HIGHFIELD RD.
Bridge Cottage
ROAD
Cap's Cottages
REYNOLDS CRES.
ST. HELIERS RD.
SIRDANE HO.
l b a n s
Nashe's Farm
Hook's Wood
Sleeve Hall Wood
The Glen
SANDRINGHAM
Wheatfields Inf.& Jun. Schs.
Playing Field
Tennis Court
Sandringham School
CAROLINE SHARP HO.
Works
METRO CENTRE
Freelands Cottages
Oak Wood
Sand & Gravel Pit
ST. ALBANS ROAD
MARSHALSWICK LANE
KINGSHILL
QUEENS CRES.
School
Rec Grd.
AL4
CRAIGLANDS
BEVERLEY GDNS.
RIPON WY.
Oak Farm
Beech Farm
Lye Ho.
Ash Green
Oak Cottage
Sky's Wood
St.John Fisher Sch.
Ardens Rise
Oak House
Woodstock Lodge
Woodstock
Conveyor
Marshalswick
AL1
St. John Fisher R.C. Jun. Mixed & Inf. Sch.
Lib.
Club Ho.
Tennis Courts
Recreation Ground
OAKLANDS LANE
COOPERS GREEN LANE
NORTH DRIVE
Works
Radio Station
RIDGEWAY
MARSHAL'S DRIVE
BEECHWOOD AVENUE
Playing Field
Pav.
St.Davids
SANDPIT LANE
Oakwood Primary School
Beaumont School
Oaklands College (Oaklands Campus)
Sports Ground
JENNINGS ROAD
Verulam School
LANCASTER ROAD
GURNEY COURT ROAD
CHARMOUTH ROAD
FAIRCROSS WAY
THE PARK
HOMEWOOD
DRIVE LANE
EAST

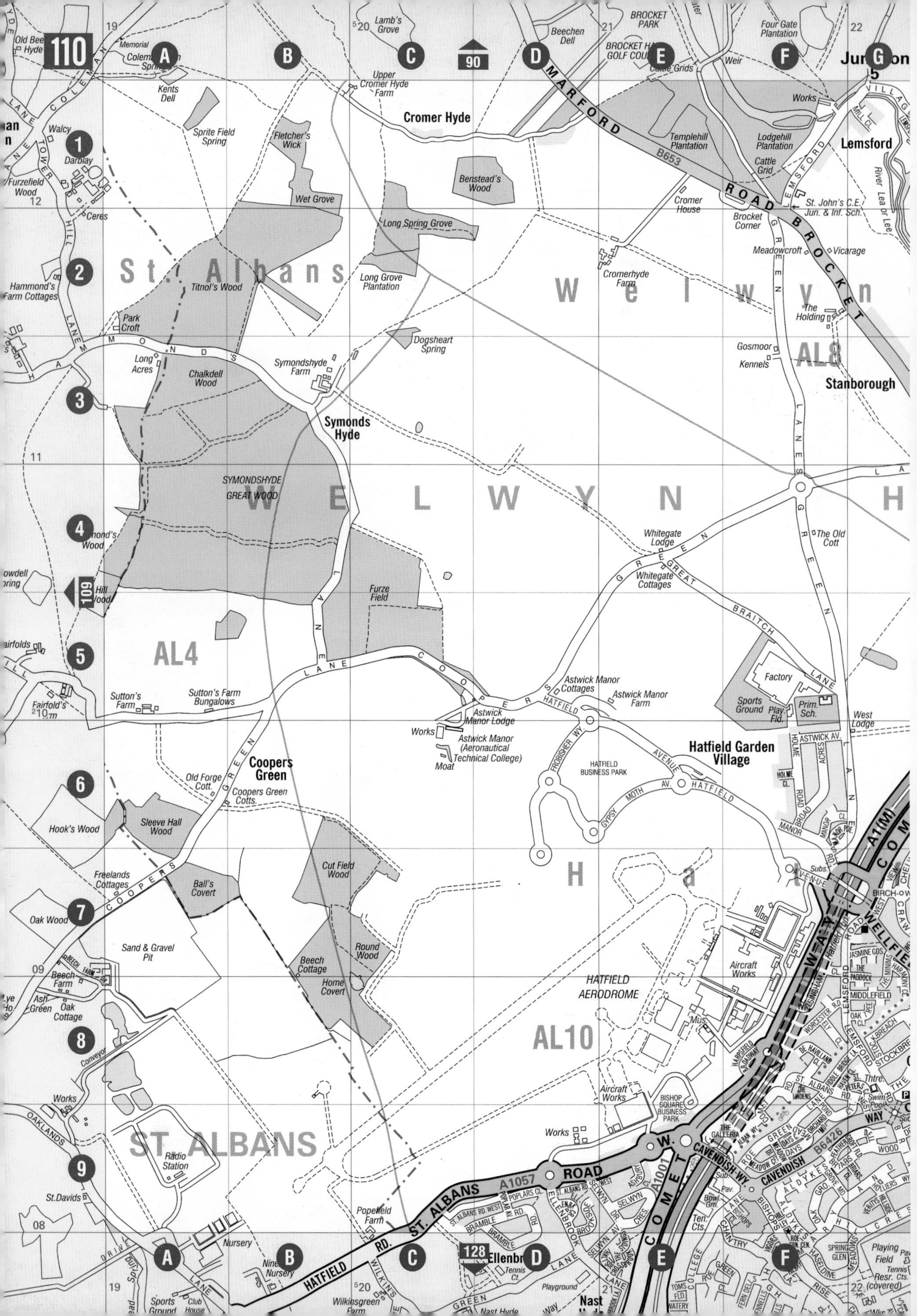

Old Bee Hyde
Memorial
Kents Dell
Lamb's Grove
Upper Cromer Hyde Farm
Cromer Hyde
90
Beechen Dell
BROCKET PARK
Cattle Grids
Weir
Four Gate Plantation
Works
Lemsford
MARFORD ROAD
B653
Templehill Plantation
Lodgehill Plantation
Cattle Grid
Walcy
Darblay
Furzefield Wood
Ceres
Sprite Field Spring
Fletcher's Wick
Wet Grove
Benstead's Wood
Long Spring Grove
Cromer House
Brocket Corner
St. John's C.E. Jun. & Inf. Sch.
Meadowcroft
Vicarage
BROCKET ROAD
St. Albans
Hammond's Farm Cottages
Titnol's Wood
Long Grove Plantation
Cromerhyde Farm
Welwyn
Park Croft
The Holding
HAMMONDS LANE
Long Acres
Chalkdell Wood
Symondshyde Farm
Dogsheart Spring
Gosmoor
Kennels
AL8
Stanborough
Symonds Hyde
SYMONDSHYDE GREAT WOOD
WELWYN
Whitegate Lodge
The Old Cott
Whitegate Cottages
GREAT BRAITCH LANE
Furze Field
109
AL4
Factory
Sports Ground
Play. Fld.
Prim. Sch.
West Lodge
Sutton's Farm
Sutton's Farm Bungalows
COOPERS LANE
Astwick Manor Cottages
Astwick Manor Farm
Astwick Manor Lodge
Works
Astwick Manor (Aeronautical Technical College)
Moat
HATFIELD AVENUE
FROBISHER WY.
HATFIELD BUSINESS PARK
GYPSY MOTH AV.
Hatfield Garden Village
ASTWICK AV.
HOLME CL.
BROAD ACRES
MANOR RD.
Coopers Green
Old Forge Cott.
Coopers Green Cotts.
Hook's Wood
Sleeve Hall Wood
Freelands Cottages
Ball's Covert
Cut Field Wood
Oak Wood
Sand & Gravel Pit
Beech Cottage
Round Wood
Home Covert
Beech Farm
Ash Green
Oak Cottage
Aircraft Works
HATFIELD AERODROME
AL10
Conveyor
Works
A1(M)
Aircraft Works
BISHOP SQUARE BUSINESS PARK
Works
ST. ALBANS
Radio Station
OAKLANDS
St.Davids
ST. ALBANS ROAD
A1057
COMET WAY
A1001
CAVENDISH WY.
CAVENDISH WAY
B6426
Popefield Farm
Nursery
Nine Nursery
HATFIELD RD.
128
Ellenbrook
Tennis Ct.
Playground
Wilkinsgreen Farm
Sports Ground
Club House
Playing Field
Tennis Resr. Cts. (covered)

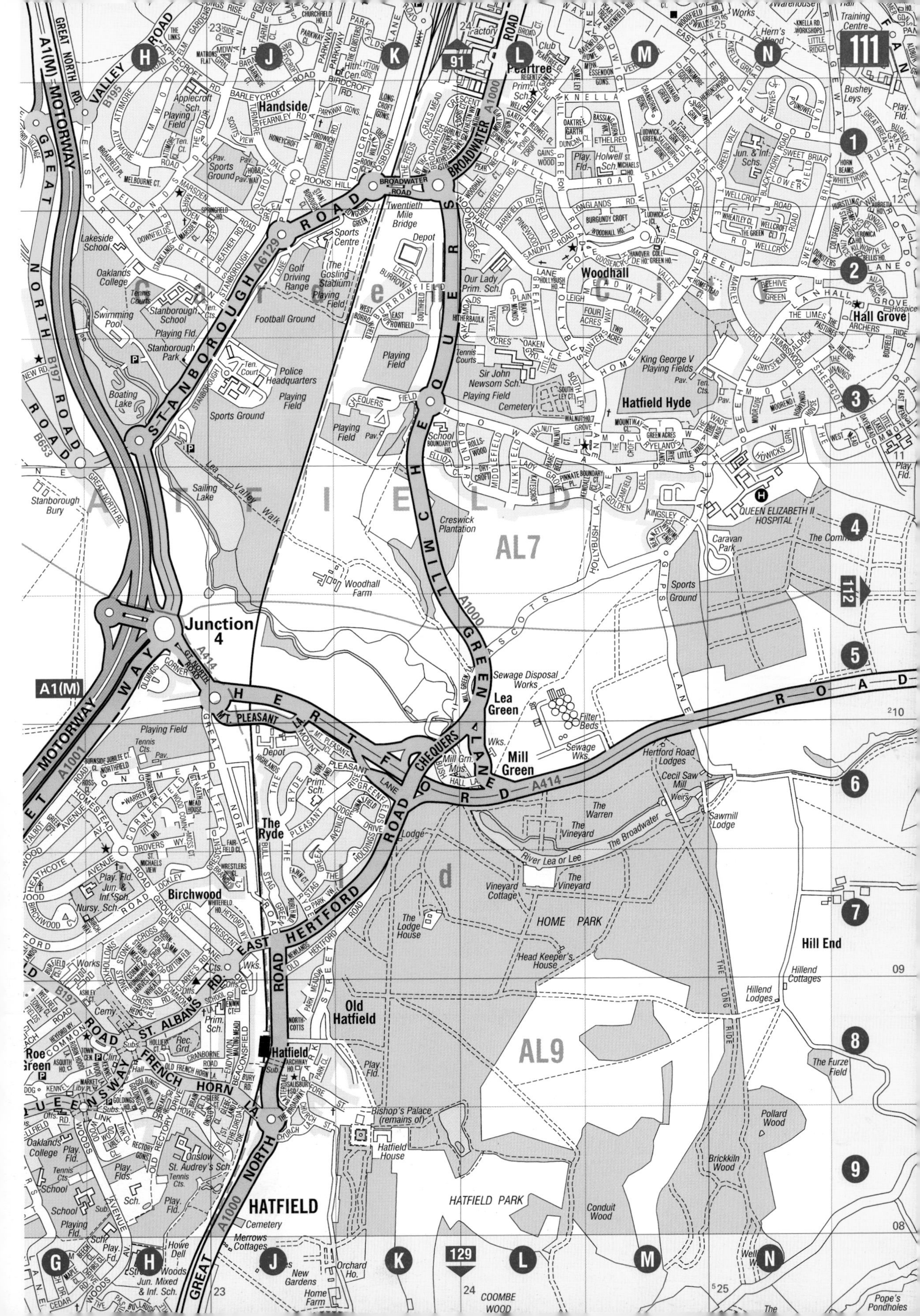
Handside
Applecroft Sch.
Playing Field
Pav. Sports Ground
Lakeside School
Oaklands College
Swimming Pool
Stanborough School
Playing Fld.
Stanborough Park
Boating Lake
Sports Ground
Police Headquarters
Golf Driving Range
The Gosling Stadium
Football Ground
Twentieth Mile Bridge
Depot
Sports Centre
Peartree
Holwell Sch.
Woodhall
Our Lady Prim. Sch.
Sir John Newsom Sch.
Playing Field
Cemetery
Hatfield Hyde
King George V Playing Fields
Hall Grove
QUEEN ELIZABETH II HOSPITAL
Caravan Park
Sports Ground
Creswick Plantation
Woodhall Farm
AL7
Sailing Lake
Lea Valley Walk
Stanborough Bury
Junction 4
A1(M)
MOTORWAY
Sewage Disposal Works
Lea Green
Filter Beds
Sewage Wks.
Mill Green
Hertford Road Lodges
Cecil Saw Mill
Sawmill Lodge
The Warren
The Vineyard
The Broadwater
River Lea or Lee
Vineyard Cottage
HOME PARK
The Lodge House
Head Keeper's House
Hill End
Hillend Cottages
Hillend Lodges
The Ryde
Birchwood
Old Hatfield
Hatfield
AL9
The Furze Field
Pollard Wood
Bishop's Palace (remains of)
Hatfield House
Brickkiln Wood
Conduit Wood
HATFIELD PARK
HATFIELD
Cemetery
Merrows Cottages
Howe Dell
Roe Green
Oaklands College
Onslow St. Audrey's Sch.
New Gardens
Orchard Ho.
Home Farm
COOMBE WOOD
Pope's Pondholes
STANBOROUGH ROAD
BROADWATER ROAD
QUEENSWAY
HERTFORD ROAD
GREAT NORTH ROAD
MILL GREEN LANE
A1000
A414
A6129
91
112
129

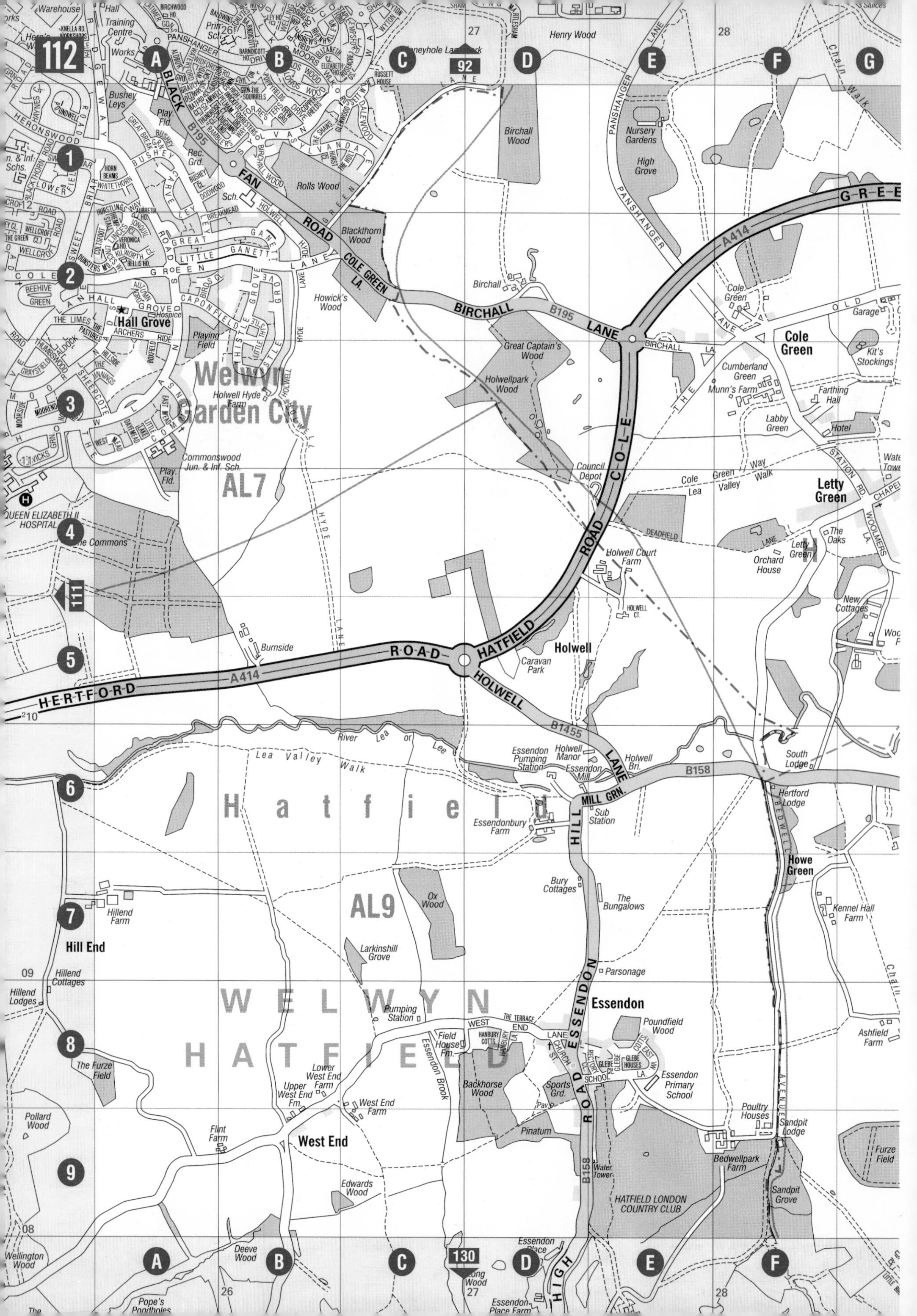
Welwyn Garden City
AL7
AL9
Hatfield
WELWYN HATFIELD
Hall Grove
Cole Green
Letty Green
Holwell
Essendon
West End
Hill End
Howe Green
Henry Wood
Birchall Wood
Nursery Gardens
High Grove
Rolls Wood
Blackthorn Wood
Howick's Wood
Great Captain's Wood
Holwellpark Wood
Holwell Hyde Farm
Commonswood Jun. & Inf. Sch.
QUEEN ELIZABETH II HOSPITAL
The Commons
Burnside
Caravan Park
Council Depot
Holwell Court Farm
Cumberland Green
Munn's Farm
Farthing Hall
Labby Green
Kit's Stockings
Orchard House
The Oaks
New Cottages
Essendon Pumping Station
Holwell Manor
Essendon Mill
Holwell Bri.
South Lodge
Hertford Lodge
Essendonbury Farm
Sub Station
Bury Cottages
The Bungalows
Ox Wood
Larkinshill Grove
Kennel Hall Farm
Hillend Farm
Hillend Cottages
Hillend Lodges
Parsonage
Pumping Station
Poundfield Wood
Ashfield Farm
The Furze Field
Field House Fm.
Lower West End Farm
Upper West End Fm.
West End Farm
Backhorse Wood
Sports Grd.
Essendon Primary School
Poultry Houses
Sandpit Lodge
Pinatum
Bedwellpark Farm
Furze Field
Pollard Wood
Flint Farm
Edwards Wood
Water Tower
HATFIELD LONDON COUNTRY CLUB
Sandpit Grove
Wellington Wood
Deeve Wood
Essendon Place
Long Wood
Essendon Place Farm
Pope's Pondholes
HERTFORD ROAD A414
COLE GREEN
HATFIELD ROAD
COLE ROAD
BIRCHALL LANE B195
BLACK FAN ROAD B195
COLE GREEN LA.
HOLWELL LANE B1455
B158
MILL GRN.
HILL
ESSENDON ROAD
HIGH
WEST END LANE
BEDWELL AVENUE
PANSHANGER LANE
River Lea or Lee
Lea Valley Walk
Cole Green Way
Chain Walk
92
111
130
A B C D E F G
1 2 3 4 5 6 7 8 9
26 27 28
08 09 10

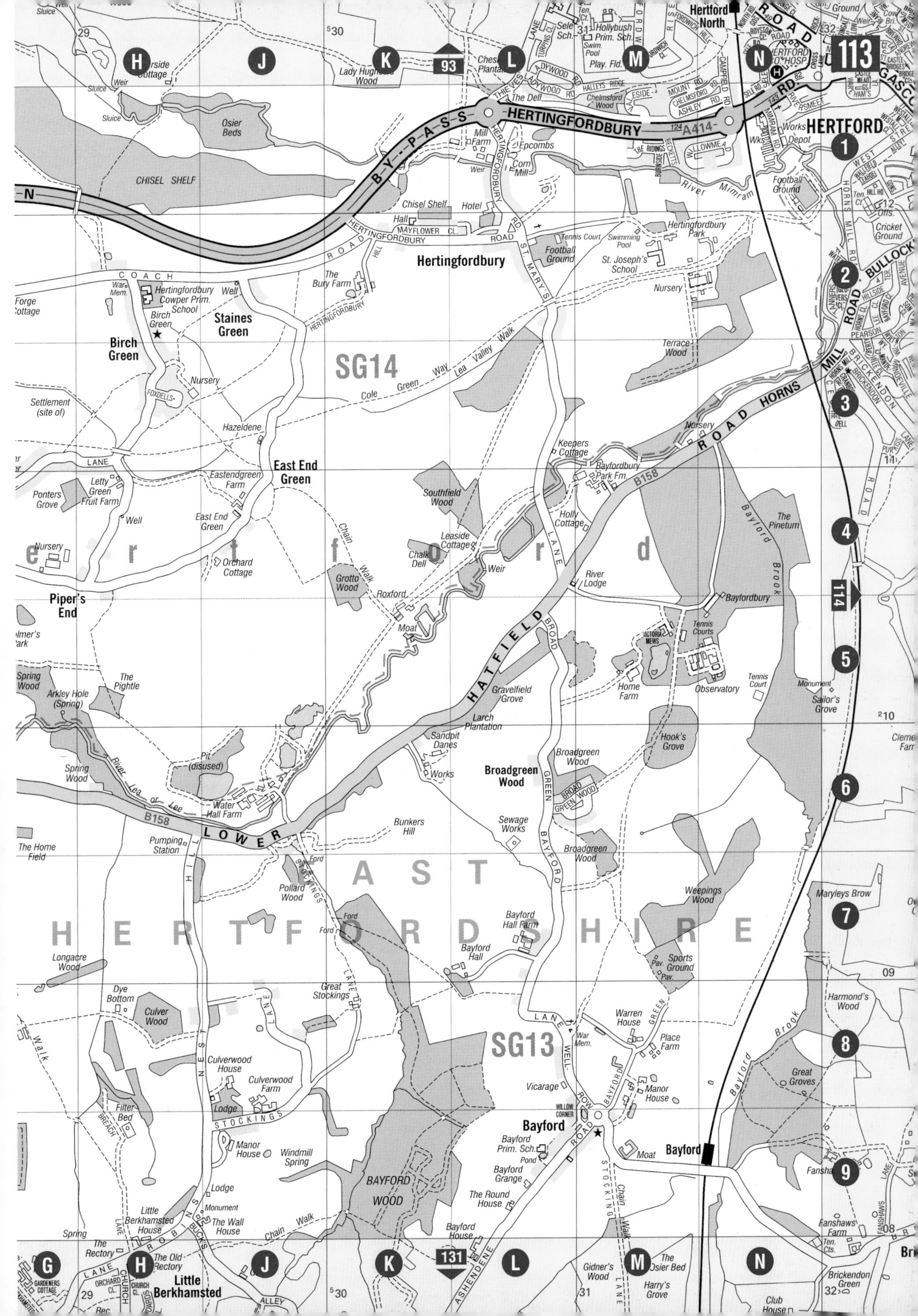
113
93
114
131
H
J
K
L
M
N
G
1
2
3
4
5
6
7
8
9
29
530
31
32
210
09
08
Hertford North
HERTFORD
Sluice
Weir
Osier Beds
CHISEL SHELF
Lady Hughes Wood
Hollybush Prim. Sch.
Swim. Pool
Play. Fld.
The Dell
Chelmsford Wood
HERTINGFORDBURY
BY-PASS
A414
Mill Farm
Epcombs
Corn Mill
River Mimram
Chisel Shelf Hotel
Hall
MAYFLOWER CL.
Hertingfordbury
Tennis Court
Swimming Pool
Football Ground
Hertingfordbury Park
St. Joseph's School
Nursery
COACH ROAD
War Mem.
Hertingfordbury Cowper Prim. School
Well
Forge Cottage
Birch Green
Staines Green
The Bury Farm
SG14
Lea Valley Walk
Cole Green Way
Terrace Wood
HORNS ROAD
HORNS MILL
Football Ground
Cricket Ground
BULLOCK
BRICKENDON
Settlement (site of)
FOXDELLS
Hazeldene
Keepers Cottage
Bayfordbury Park Fm.
B158
LANE
Letty Green Fruit Farm
Ponters Grove
Eastendgreen Farm
East End Green
Southfield Wood
Holly Cottage
The Pinetum
Bayford Brook
Nursery
Well
Chain Walk
Leaside Cottage
Chalk Dell
Orchard Cottage
Grotto Wood
Weir
River Lodge
Piper's End
Roxford
Bayfordbury
Moat
VICTORIA MEWS
Tennis Courts
HATFIELD
BROAD
Spring Wood
Arkley Hole (Spring)
The Pightle
Gravelfield Grove
Home Farm
Observatory
Tennis Court
Monument
Sailor's Grove
Larch Plantation
Sandpit Danes
Hook's Grove
Broadgreen Wood
Works
Pit (disused)
Spring Wood
River Lea or Lee
Water Hall Farm
Sewage Works
BROAD GREEN WOOD
LOWER
The Home Field
Pumping Station
Bunkers Hill
Broadgreen Wood
Ford
STOCKINGS
Pollard Wood
EAST
HERTFORDSHIRE
Maryleys Brow
Weepings Wood
Bayford Hall Farm
Bayford Hall
Pav.
Sports Ground
Longacre Wood
Dye Bottom
Culver Wood
Great Stockings
LANE
Harmond's Wood
Warren House
SG13
War Mem.
Place Farm
Culverwood House
Culverwood Farm
NEST
Great Groves
Vicarage
Manor House
Filter Bed
Lodge
STOCKINGS
WILLOW CORNER
Bayford
Bayford Prim. Sch.
Manor House
Windmill Spring
Moat
Bayford
Pond
Bayford Grange
BAYFORD WOOD
Lodge
The Round House
Fanshaws
Monument
Little Berkhamsted House
The Wall House
Chain Walk
Bayford House
Fanshaws Farm
Ten. Cts.
Spring
The Rectory
The Old Rectory
Little Berkhamsted
ASHENDENE
Gidner's Wood
The Osier Bed
Harry's Grove
Brickendon Green
Club House
ALLEY
ORCHARD CL.
CHURCH CL.
GARDENERS COTTAGE

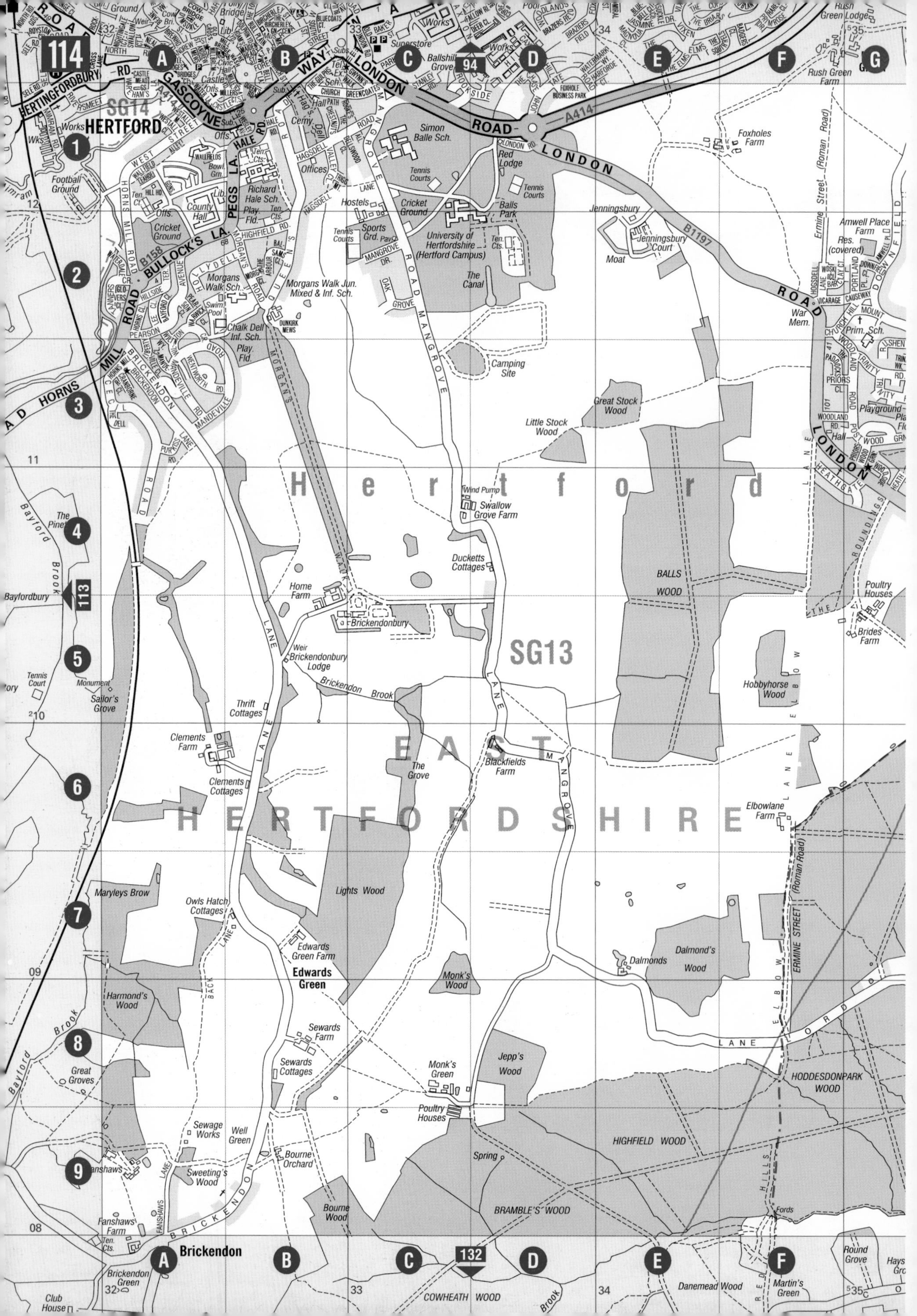
HERTFORD
SG14
SG13
Hertford
EAST
HERTFORDSHIRE
GASCOYNE WAY
LONDON ROAD
A414
B1197
B158
BULLOCK'S LA.
PEGS LA.
HALE RD.
HERTINGFORDBURY RD
MILL ROAD
HORNS MILL ROAD
HORNS ROAD
BRICKENDON LANE
MANGROVE ROAD
MANGROVE LANE
MORGAN'S WALK
QUEEN'S ROAD
MORGAN'S ROAD
HIGHFIELD RD.
ERMINE STREET (Roman Road)
ELBOW LANE
LORD LANE
DOWNFIELD ROAD
Simon Balle Sch.
Richard Hale Sch.
County Hall
Cricket Ground
Football Ground
Morgans Walk Sch.
Morgans Walk Jun. Mixed & Inf. Sch.
Chalk Dell Inf. Sch.
University of Hertfordshire (Hertford Campus)
Balls Park
Red Lodge
Hostels
Sports Grd.
Tennis Courts
The Canal
Camping Site
Jenningsbury
Jenningsbury Court
Moat
Foxholes Farm
Rush Green Lodge
Rush Green Farm
Amwell Place Farm
Res. (covered)
War Mem.
Prim. Sch.
Playground
Ballshill Grove
Superstore
Castle
Great Stock Wood
Little Stock Wood
Wind Pump
Swallow Grove Farm
Ducketts Cottages
Home Farm
Brickendonbury
Weir
Brickendonbury Lodge
Brickendon Brook
BALLS WOOD
Hobbyhorse Wood
Poultry Houses
Brides Farm
Thrift Cottages
Clements Farm
Clements Cottages
The Grove
Blackfields Farm
Elbowlane Farm
Lights Wood
Maryleys Brow
Owls Hatch Cottages
Edwards Green Farm
Edwards Green
Monk's Wood
Dalmonds
Dalmond's Wood
Harmond's Wood
Sewards Farm
Sewards Cottages
Monk's Green
Jepp's Wood
HODDESDONPARK WOOD
HIGHFIELD WOOD
Great Groves
Sewage Works
Well Green
Bourne Orchard
Spring
Sweeting's Wood
Bourne Wood
BRAMBLE'S WOOD
Fanshaws
Fanshaws Farm
Brickendon
Brickendon Green
Club House
COWHEATH WOOD
Danemead Wood
Martin's Green
Round Grove
Fords
Bayford Brook
Bayfordbury
The Pines
Monument
Sailor's Grove
Tennis Court
A B C D E F G
1 2 3 4 5 6 7 8 9
94
113
132

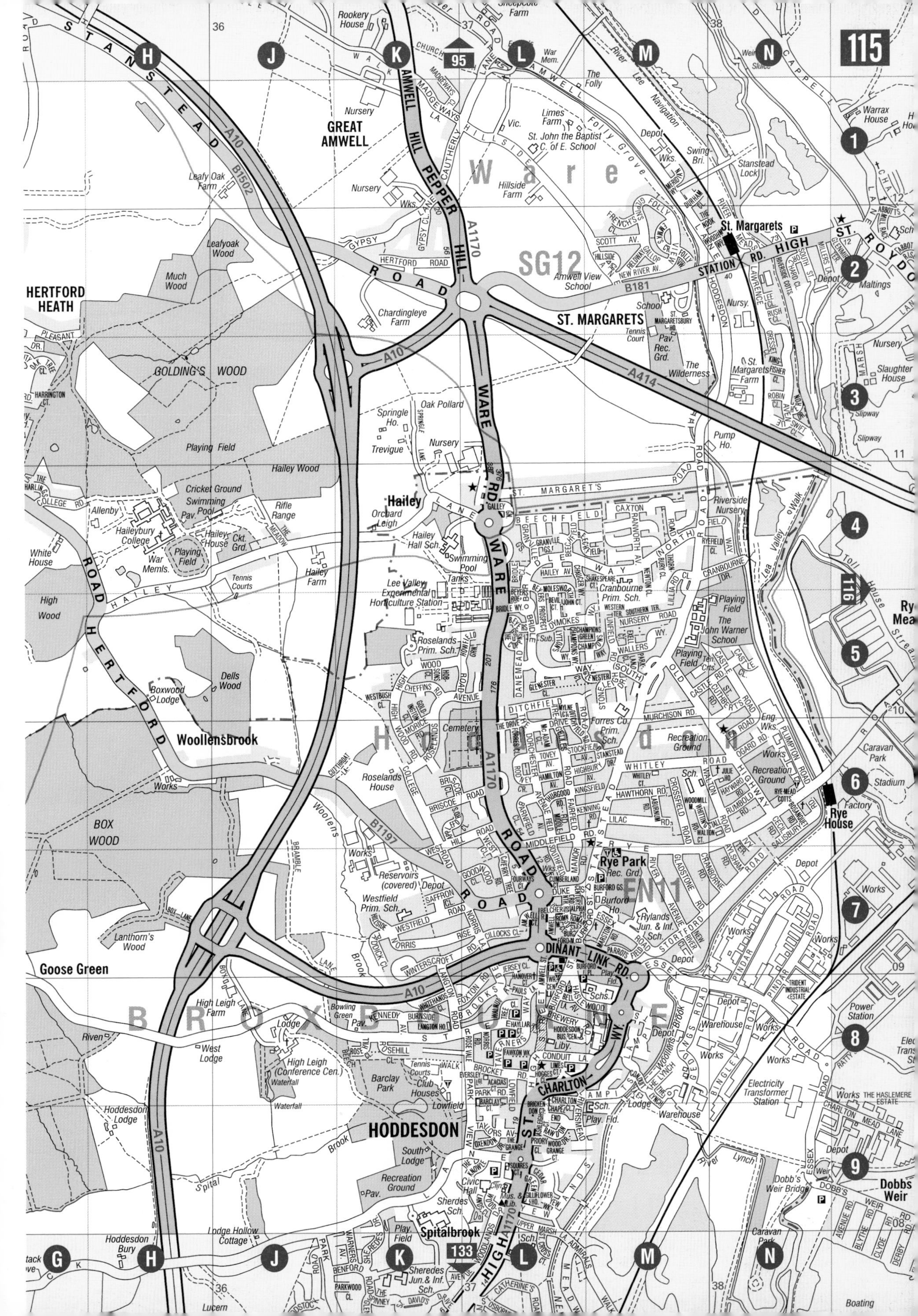

H
J
K
L
M
N
G
95
116
133
36
37
38
1
2
3
4
5
6
7
8
9
10
11
12
09
08
Rookery House
Sheepcote Farm
War Mem.
The Folly
River Lee Navigation
Weir
Sluice
Warrax House
Nursery
GREAT AMWELL
Vic.
Limes Farm
St. John the Baptist C. of E. School
Depot
Wks.
Swing Bri.
Stanstead Lock
Ware
Leafy Oak Farm
Hillside Farm
Wks.
St. Margarets
Leafyoak Wood
Much Wood
SG12
Amwell View School
Maltings
HERTFORD HEATH
Chardingleye Farm
ST. MARGARETS
School
Tennis Court
Pav.
Rec. Grd.
Nursy.
Nursery
Slaughter House
GOLDING'S WOOD
The Wilderness
St. Margarets Farm
Springle Ho.
Oak Pollard
Trevigue
Nursery
Pump Ho.
Slipway
Playing Field
Hailey Wood
Cricket Ground
Swimming Pool
Pav.
Rifle Range
Hailey
Orchard Leigh
Riverside Nursery
Allenby
Haileybury College
Hailey House
Ckt. Grd.
Playing Field
War Memls.
Hailey Hall Sch.
Swimming Pool
Tanks
White House
Tennis Courts
Hailey Farm
Lee Valley Experimental Horticulture Station
Cranbourne Prim. Sch.
Playing Field
The John Warner School
High Wood
Roselands Prim. Sch.
Playing Field
Dells Wood
Boxwood Lodge
Forres Co. Prim. Sch.
Eng. Wks.
Caravan Park
Stadium
Hoddesdon
Cemetery
Recreation Ground
Woollensbrook
Works
Recreation Ground
Roselands House
Works
Rye House
Factory
BOX WOOD
Works
Rye Park
Rec. Grd.
Reservoirs (covered)
Depot
Westfield Prim. Sch.
EN11
Rylands Jun. & Inf. Sch.
Depot
Works
Lanthorn's Wood
Goose Green
DINANT LINK RD.
Play Fld.
Schs.
Depot
Power Station
High Leigh Farm
Bowling Green
Pav.
BROXBOURNE
Warehouse
Works
Riven
West Lodge
Lodge
Liby.
High Leigh (Conference Cen.)
Waterfall
Tennis Courts
Club Houses
Lowfield
Works
Electricity Transformer Station
Works
THE HASLEMERE ESTATE
TRIDENT INDUSTRIAL ESTATE
Barclay Park
Waterfall
Hoddesdon Lodge
HODDESDON
Sch.
Play. Fld.
Lodge
Warehouse
South Lodge
Depot
Recreation Ground
Pav.
Civic Hall
Clinic
Mus. & Lib.
Sherdes Sch.
Dobb's Weir Bridge
Dobbs Weir
Play. Field
Spitalbrook
Lodge Hollow Cottage
Hoddesdon Bury
Caravan Park
Sheredes Jun. & Inf. Sch.
Boating
Lucern
A10
A1170
A414
B1502
B181
B1197
STANSTEAD ROAD
HERTFORD ROAD
AMWELL HILL
PEPPER HILL
WARE ROAD
HAILEY LANE
ST. MARGARET'S ROAD
STATION RD.
HIGH ST.
CHARLTON WY.
AMWELL ST.
BURFORD ST.
STANSTEAD RD.
ESSEX RD.
HIGH RD.
RYE RD.
CAPPELL LANE

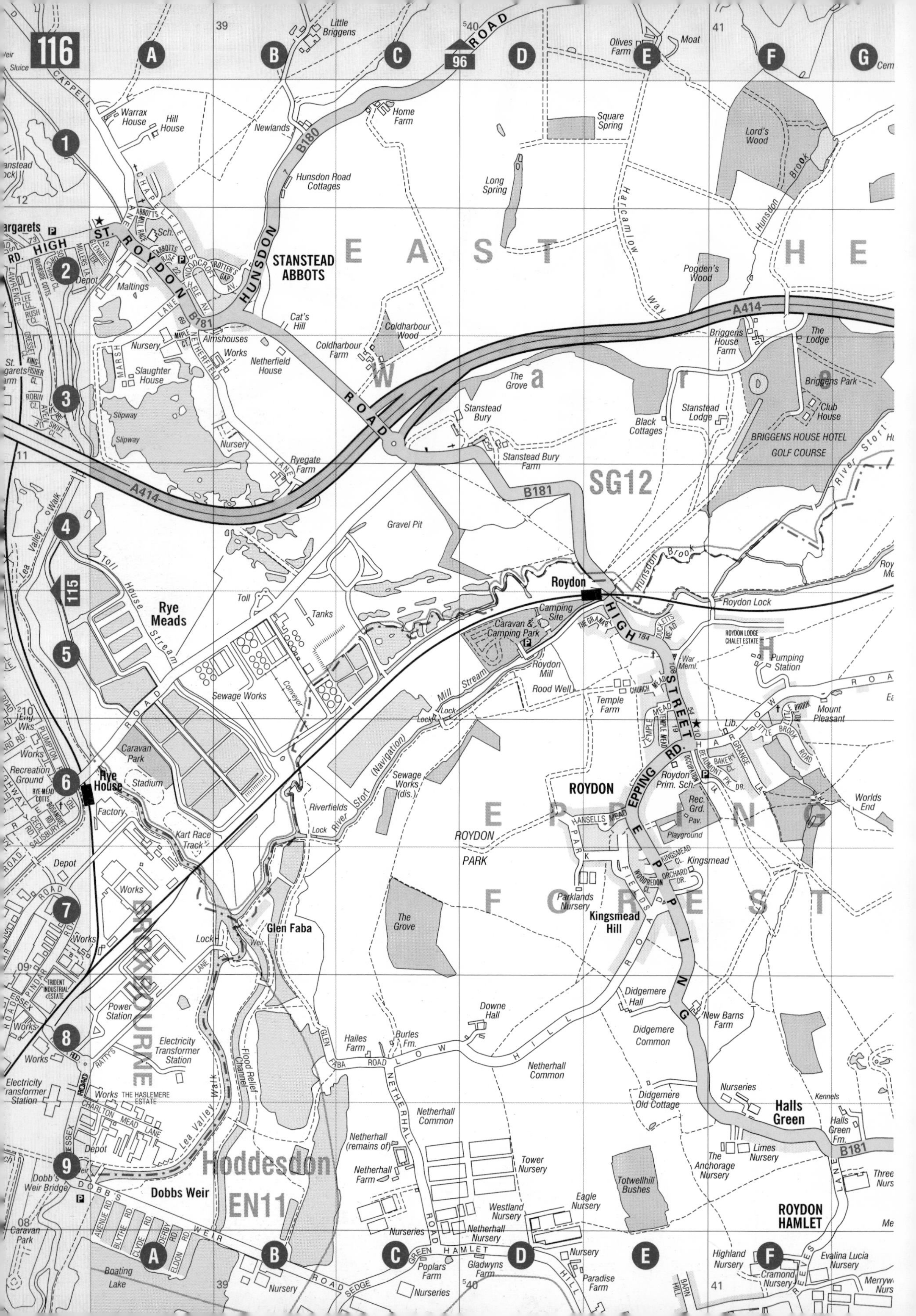
A
B
C
D
E
F
G
1
2
3
4
5
6
7
8
9
39
40
41
12
11
10
09
08
96
115
Little Briggens
Olives Farm
Moat
Cappell
Warrax House
Hill House
Newlands
Home Farm
Hunsdon Road Cottages
Square Spring
Lord's Wood
Long Spring
Hunsdon Brook
Harcamlow Way
Hunsdon
St. Margarets
High Rd.
St. Lawrence
Chapelfields
Abbotts
Millrace
Sch.
Woodcroft
Trotter's Gap
Roydon Rd.
Hunsdon Road
B180
B181
Stanstead Abbots
EAST HERTS
Pogden's Wood
Depot
Maltings
Cat's Hill
Coldharbour Wood
Coldharbour Farm
A414
Nursery
Almshouses
Works
Netherfield House
Netherfield La.
Marsh La.
Slaughter House
Slipway
Rye Meads
Ware
The Grove
Stanstead Bury
Black Cottages
Stanstead Lodge
Briggens House Farm
The Lodge
Briggens Park
Club House
BRIGGENS HOUSE HOTEL GOLF COURSE
River Stort
Ryegate Farm
Stanstead Bury Farm
SG12
Gravel Pit
Lea Valley Walk
Toll House Stream
Toll
Tanks
Roydon
Roydon Lock
Camping Site
Caravan & Camping Park
The Gramar
Roydon Lodge Chalet Estate
Pumping Station
Roydon Mill
Rood Well
Mill Stream
War Meml.
Church Mead
Temple Farm
High Street
Sewage Works
Conveyor
Lock
River Stort (Navigation)
Sewage Works (dis.)
Riverfields
Temple Mead
Lib.
Low Hall Lane
Grange
Bakery Cl.
Little Brook Road
Mount Pleasant
Epping Rd.
Occupation La.
Roydon Prim. Sch.
Rec. Grd.
Pav.
Playground
Worlds End
Roydon
EPPING FOREST
Hansells Mead
Park La.
Roydon Park
Kingsmead Cl.
Kingsmead
Orchard Dr.
Woodedon Cl.
Parklands Nursery
Kingsmead Hill
The Grove
Glen Faba
Caravan Park
Stadium
Rye House
Factory
Kart Race Track
Recreation Ground
Works
Depot
Plumpton Rd.
Eng. Wks.
Rye Mead Cotts.
Salisbury Rd.
Broxbourne
Weir
Lock
Trident Industrial Estate
Pindar Rd.
Essex Rd.
Power Station
Electricity Transformer Station
Flood Relief Channel
Didgemere Hall
Downe Hall
New Barns Farm
Hailes Farm
Burles Fm.
Glen Faba Road
Low Hill
Didgemere Common
Netherhall Common
Didgemere Old Cottage
Nurseries
Kennels
Halls Green
Halls Green Fm.
Works
The Haslemere Estate
Charlton Mead Lane
Ratty's La.
Netherhall Road
Netherhall Common
Netherhall (remains of)
Netherhall Farm
Tower Nursery
Totwellhill Bushes
The Anchorage Nursery
Limes Nursery
Roydon Hamlet
Hoddesdon
EN11
Dobb's Weir Bridge
Dobbs Weir
Dobbs Weir Road
Avenue Rd.
Blythe Rd.
Clyde Rd.
Derby Rd.
Eldon Rd.
Caravan Park
Boating Lake
Westland Nursery
Eagle Nursery
Nurseries
Netherhall Nursery
Green Hamlet
Poplars Farm
Gladwyns Farm
Nursery
Paradise Farm
Hill
Sedge Green Road
Highland Nursery
Evalina Lucia Nursery
Cramond Nursery
Reeves La.
Barn Hill
Lane
Merryw Nurs
Three Nurs
Me
Cem
Roy Me
Ea

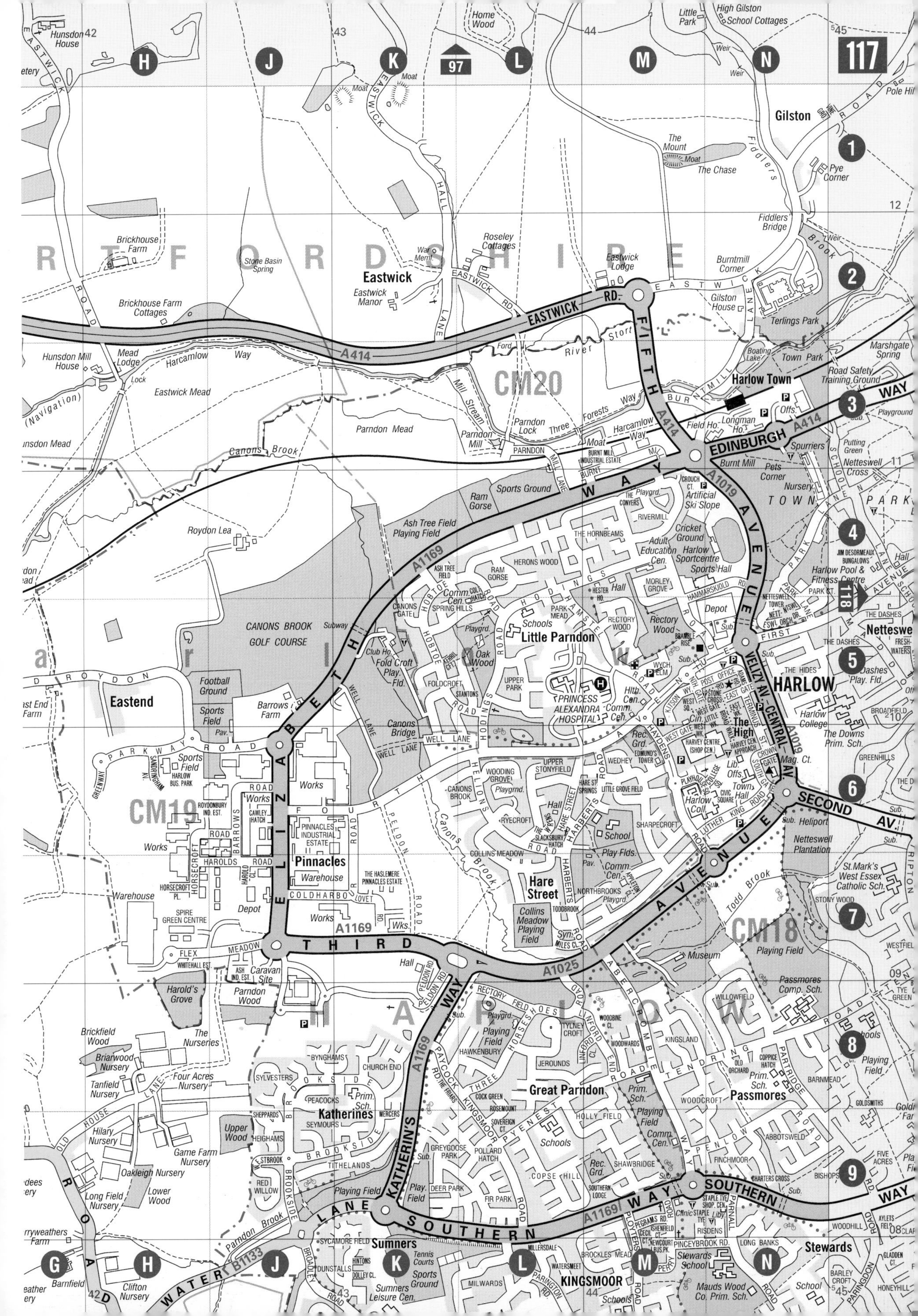
Hunsdon House
Home Wood
Little Park
High Gilston
School Cottages
97
118
Moat
Weir
Gilston
Pole Hill
Pye Corner
The Mount
The Chase
Fiddlers Bridge
Brickhouse Farm
Stone Basin Spring
Roseley Cottages
War Meml.
Eastwick Lodge
Burntmill Corner
Eastwick
Eastwick Manor
Gilston House
Terlings Park
Brickhouse Farm Cottages
EASTWICK RD.
A414
River Stort
Hunsdon Mill House
Mead Lodge
Harcamlow Way
Eastwick Mead
(Navigation)
CM20
Ford
Boating Lake
Town Park
Marshgate Spring
Road Safety Training Ground
Harlow Town
Parndon Mead
Parndon Lock
Parndon Mill
Three Forests Way
Canons Brook
EDINBURGH WAY
FIFTH AVENUE
Field Ho.
Longman Ho.
Burnt Mill
Burnt Mill Industrial Estate
Putting Green
Netteswell Cross
Pets Corner
Nursery
Ram Gorse
Sports Ground
Artificial Ski Slope
TOWN PARK
Roydon Lea
Ash Tree Field Playing Field
A1169
A1019
The Hornbeams
Cricket Ground
Adult Education Cen.
Harlow Sportcentre
Sports Hall
Herons Wood
Jim Desormeaux Bungalows
Harlow Pool & Fitness Centre
Canons Brook Golf Course
Subway
Little Parndon
Schools
Rectory Wood
Depot
Oak Wood
Club Ho.
Fold Croft Play. Fld.
Upper Park
Princess Alexandra Hospital
Hltb. Cen.
Comm. Cen.
Netteswell
HARLOW
The Dashes Play. Fld.
ROYDON ROAD
Football Ground
Eastend
Sports Field
Barrows Farm
Canons Bridge
Well Lane
The High
Harvey Centre
Harlow College
The Downs Prim. Sch.
PARKWAY ROAD
Harlow Bus. Park
Works
Pinnacles
Pinnacles Industrial Estate
Warehouse
CM19
Harlow Coll.
Town Hall
Civic Square
Hall
School
Play Flds.
SECOND AV.
Heliport
Netteswell Plantation
St.Mark's West Essex Catholic Sch.
Hare Street
Collins Meadow Playing Field
Spire Green Centre
Depot
Todd Brook
CM18
THIRD AVENUE
A1025
Harold's Grove
Caravan Site
Parndon Wood
Museum
Playing Field
Passmores Comp. Sch.
Brickfield Wood
The Nurseries
Briarwood Nursery
Tanfield Nursery
Four Acres Nursery
Church End
Playing Field
Katherines
Prim. Sch.
Great Parndon
Prim. Sch.
Passmores
Hilary Nursery
Upper Wood
Game Farm Nursery
Oakleigh Nursery
Schools
Comm. Cen.
Rec. Grd.
Long Field Nursery
Lower Wood
KATHERIN'S WAY
SOUTHERN WAY
A1169
Play. Field
Deer Park
Fir Park
Stewards
Parndon Brook
WATER LANE
B1133
Sumners
Tennis Courts
Sports Ground
Sumners Leisure Cen.
Kingsmoor
Stewards School
Mauds Wood Co. Prim. Sch.
Barnfield
Clifton Nursery

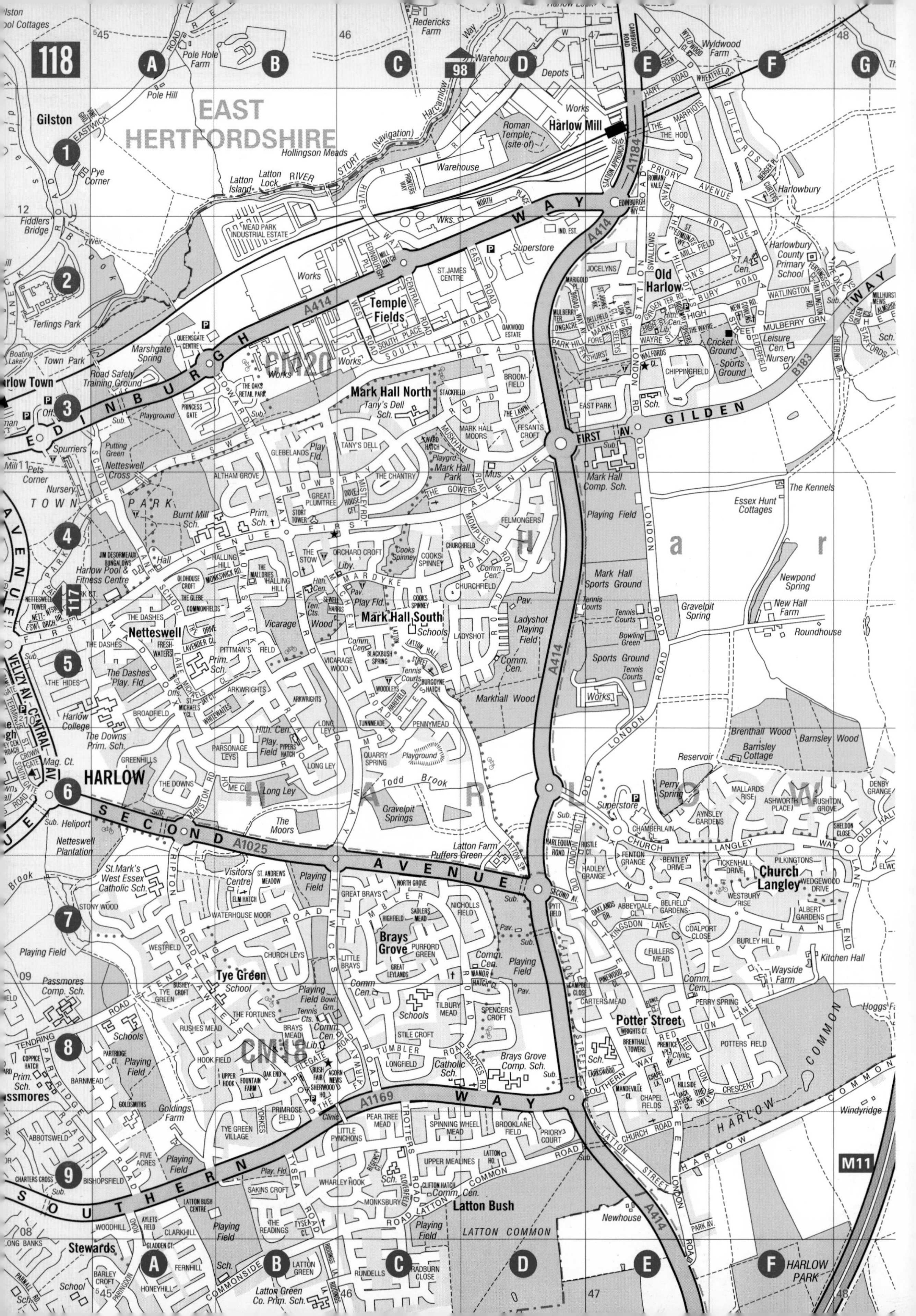

118
A
B
C
D
E
F
G
1
2
3
4
5
6
7
8
9
45
46
47
48
12
11
10
09
08
98
117
EAST HERTFORDSHIRE
Gilston
Pole Hill
Pole Hole Farm
Redericks Farm
Warehouse
Depots
Works
Harlow Mill
Wyldwood Farm
Roman Temple, (site of)
Hollingson Meads
Latton Lock
Latton Island
RIVER STORT (Navigation)
Pye Corner
Fiddlers' Bridge
Terlings Park
Mead Park Industrial Estate
Wks.
Superstore
Ind. Est.
St. James Centre
Temple Fields
Oakwood Estate
Queensgate Centre
Marshgate Spring
Town Park
Boating Lake
Road Safety Training Ground
Harlow Town
CM20
Mark Hall North
Tany's Dell Sch.
The Oaks Retail Park
Princess Gate
Playground
Putting Green
Netteswell Cross
Spurriers
Pets Corner
Nursery
TOWN PARK
Burnt Mill Sch.
Prim. Sch.
Stort Tower
Great Plumtree
Dove House Cft.
The Chantry
Tany's Dell
Glebelands
Play Fld.
Altham Grove
Mark Hall Moors
Fesants Croft
Broom Field
The Lawn
Mark Hall Park
Mus.
The Gowers
Felmongers
Mark Hall Comp. Sch.
Playing Field
Jocelyns
Old Harlow
Harlowbury
Harlowbury County Primary School
T.A. Cen.
Watlington
Mulberry Grn.
Leisure Cen.
Nursery
Cricket Ground
Sports Ground
Chippingfield
East Park
Sch.
FIRST AV.
GILDEN WAY
B183
A414
A1184
EDINBURGH WAY
A414
The Kennels
Essex Hunt Cottages
Harlow Pool & Fitness Centre
Jim Desormeaux Bungalows
The Stow
Orchard Croft
Cooks Spinney
Churchfield
Comm. Cen.
Liby.
Mardyke
Play Fld.
Vicarage
Wood
Mark Hall South
Schools
Ladyshot
Ladyshot Playing Field
Mark Hall Sports Ground
Tennis Courts
Bowling Green
Sports Ground
Newpond Spring
New Hall Farm
Roundhouse
Gravelpit Spring
Netteswell
The Dashes
The Dashes Play. Fld.
The Hides
Pittman's Field
Prim. Sch.
Arkwrights
Vicarage Wood
Blackbush Spring
Woodleys
Burgoyne Hatch
Comm. Cen.
Markhall Wood
Works
Harlow College
The Downs Prim. Sch.
Broadfield
Greenhills
Parsonage Leys
Hlth. Cen.
Play. Field
Long Ley
Quarry Spring
Playground
Tunnmeade
Pennymead
Brenthall Wood
Barnsley Wood
Barnsley Cottage
Reservoir
Perry Spring
Superstore
Mallards Rise
Ashworth Place
Rushton Grove
Denby Grange
HARLOW
Mag. Ct.
The Downs
Long Ley
Todd Brook
Gravelpit Springs
The Moors
Heliport
Netteswell Plantation
SECOND AVENUE
A1025
Latton Farm
Puffers Green
Aynsley Gardens
Chamberlain Cl.
Church Langley Way
Church Langley
Fenton Grange
Bentley Drive
Tickenhall Drive
Wedgewood Drive
Westbury Rise
Albert Gardens
Hadley Grange
Harlequin Road
St. Mark's West Essex Catholic Sch.
Visitors Centre
Playing Field
Great Brays
North Grove
Nicholls Field
Stony Wood
Waterhouse Moor
Westfield
Church Leys
Brays Grove
Purford Green
Little Brays
Great Leylands
Comm. Cen.
Playing Field
Abbeydale Cl.
Belfield Gardens
Kingsdon Lane
Coalport Close
Burley Hill
Fullers Mead
Kitchen Hall
Wayside Farm
Playing Field
Passmores Comp. Sch.
Tye Green
School
Tye Green
Playing Field
Schools
Tilbury Mead
Spencers Croft
Comm. Cen.
Carters Mead
Perry Spring
Potter Street
Hoggs Fa
Rushes Mead
Brays Mead
Tennis Cts.
Lib.
CM18
Stile Croft
Partridge Ct.
Playing Field
Hook Field
Oak End
Fountain Farm
Longfield
Catholic Sch.
Brays Grove Comp. Sch.
Potters Field
Sch.
Clinic
Brenthall Towers
Southern Way
Chapel Fields
Hillside
Crescent
HARLOW COMMON
Windyridge
Passmores
Barnmead
Goldings Farm
Tye Green Village
Primrose Field
Clinic
A1169
SOUTHERN WAY
Pear Tree Mead
Little Pynchons
Spinning Wheel Mead
Brooklane Field
Priory Court
Church Road
Latton Street
M11
Abbotsweld
Five Acres
Playing Field
Charters Cross
Bishopsfield
Play. Fld.
Wharley Hook
Upper Mealines
Sakins Croft
Comm. Cen.
Monksbury
Latton Bush
Latton Common
Newhouse
A414
Park Av.
Latton Bush Centre
Woodhill
Aylets Field
Clarkhill
Playing Field
The Readings
Playing Field
Stewards
Gladden Ct.
Fernhill
Sch.
Latton Green
Rundells
Radburn Close
Harlow Park
Honeyhill
Barley Croft
School
Commonside
Latton Green Co. Prim. Sch.

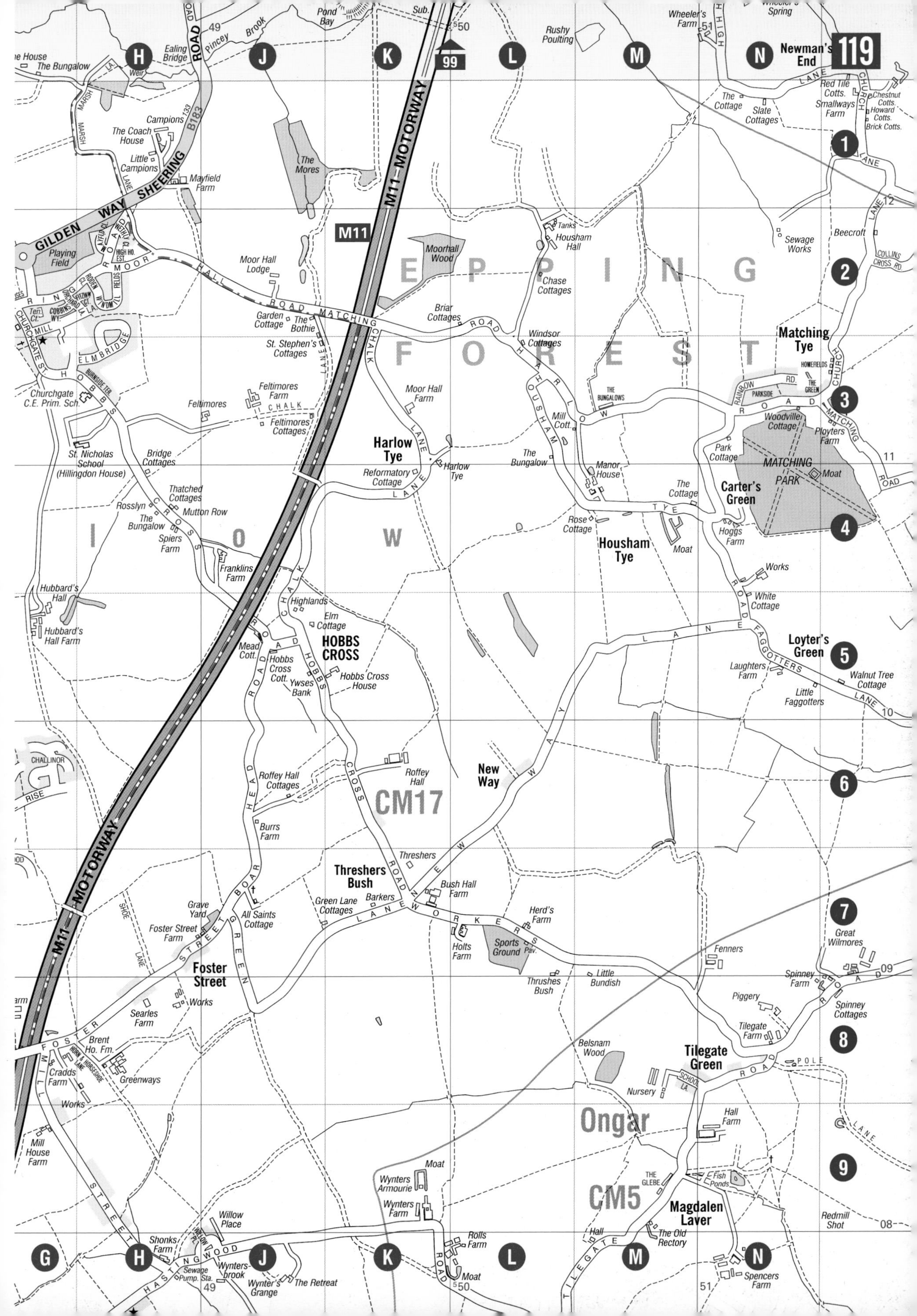

H
J
K
L
M
N
99
Newman's End
1
2
3
4
5
6
7
8
9
G
H
J
K
L
M
N
EPPING FOREST
LOW
M11 MOTORWAY
M11
CM17
CM5
Ongar
Matching Tye
Carter's Green
Housham Tye
Harlow Tye
HOBBS CROSS
New Way
Threshers Bush
Foster Street
Tilegate Green
Magdalen Laver
Loyter's Green
MATCHING PARK
Moorhall Wood
Playing Field
The Mores
Belsnam Wood
Sports Ground
GILDEN WAY
SHEERING ROAD
B183
MOOR HALL ROAD
MATCHING ROAD
CHALK LANE
HARLOW TYE LANE
HOUSHAM TYE
FAGGOTTERS LANE
NEW WAY LANE
HOBBS CROSS ROAD
HEAD ROAD
BOAR STREET
GREEN LANE
WORKERS LANE
HASTINGWOOD ROAD
MILL STREET
POLE ROAD
TILEGATE ROAD
CHURCH LANE
The Bungalow
Ealing Bridge
Pincey Brook
Pond Bay
Rushy Poulting
Wheeler's Farm
Campions
The Coach House
Little Campions
Mayfield Farm
Moor Hall Lodge
Garden Cottage
The Bothie
St. Stephen's Cottages
Feltimores
Feltimores Farm
Feltimores Cottages
Churchgate C.E. Prim. Sch.
St. Nicholas School (Hillingdon House)
Bridge Cottages
Thatched Cottages
Mutton Row
Rosslyn
The Bungalow
Spiers Farm
Franklins Farm
Hubbard's Hall
Hubbard's Hall Farm
Highlands
Elm Cottage
Mead Cott.
Hobbs Cross Cott.
Ywses Bank
Hobbs Cross House
Roffey Hall Cottages
Roffey Hall
Burrs Farm
Threshers
Barkers
Green Lane Cottages
Bush Hall Farm
Grave Yard
All Saints Cottage
Foster Street Farm
Herd's Farm
Holts Farm
Searles Farm
Works
Brent Ho. Fm.
Cradds Farm
Greenways
Mill House Farm
Shonks Farm
Willow Place
Wynters-brook
Wynter's Grange
The Retreat
Sewage Pump. Sta.
Wynters Armourie
Wynters Farm
Moat
Rolls Farm
Thrushes Bush
Little Bundish
Fenners
Nursery
Hall Farm
The Glebe
Fish Ponds
The Old Rectory
Hall
Spencers Farm
Redmill Shot
Great Wilmores
Spinney Farm
Spinney Cottages
Piggery
Tilegate Farm
Laughters Farm
Little Faggotters
Walnut Tree Cottage
White Cottage
Works
Hoggs Farm
Moat
Rose Cottage
The Cottage
Manor House
The Bungalow
Mill Cott.
Park Cottage
Woodville Cottage
Ploycers Farm
Moor Hall Farm
Reformatory Cottage
Briar Cottages
Windsor Cottages
Chase Cottages
Housham Hall
Tanks
Sewage Works
Beecroft
The Cottage
Slate Cottages
Red Tile Cotts.
Smallways Farm
Chestnut Cotts.
Howard Cotts.
Brick Cotts.
The Bungalows
Homefields
Rainbow Rd.
Parkside
The Green
Collins Cross Rd.
Challinor
Rise
Elmbridge
Churchgate St.
Mill
Cobbins Wy.
Hobbs
Burnside Ter.

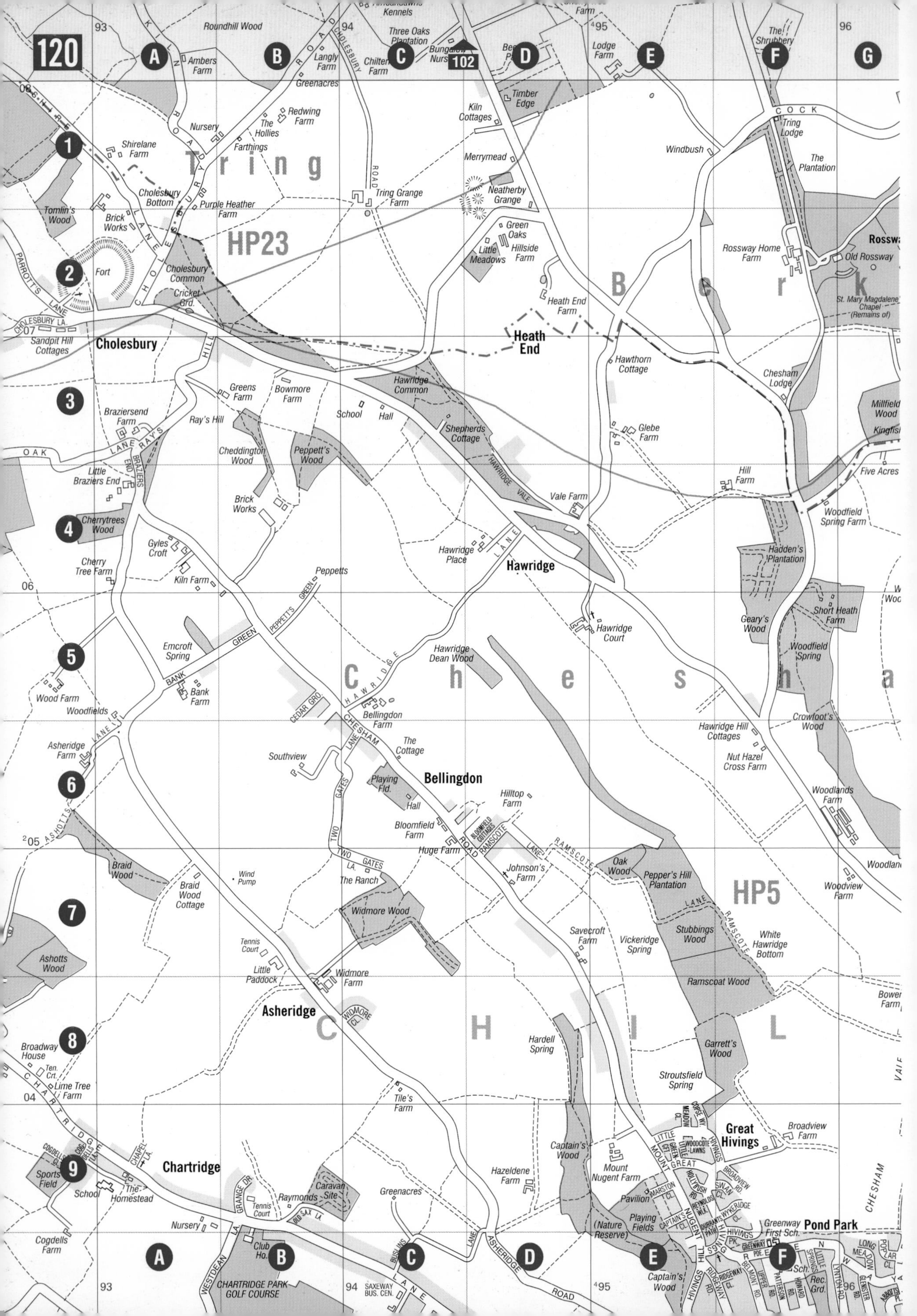

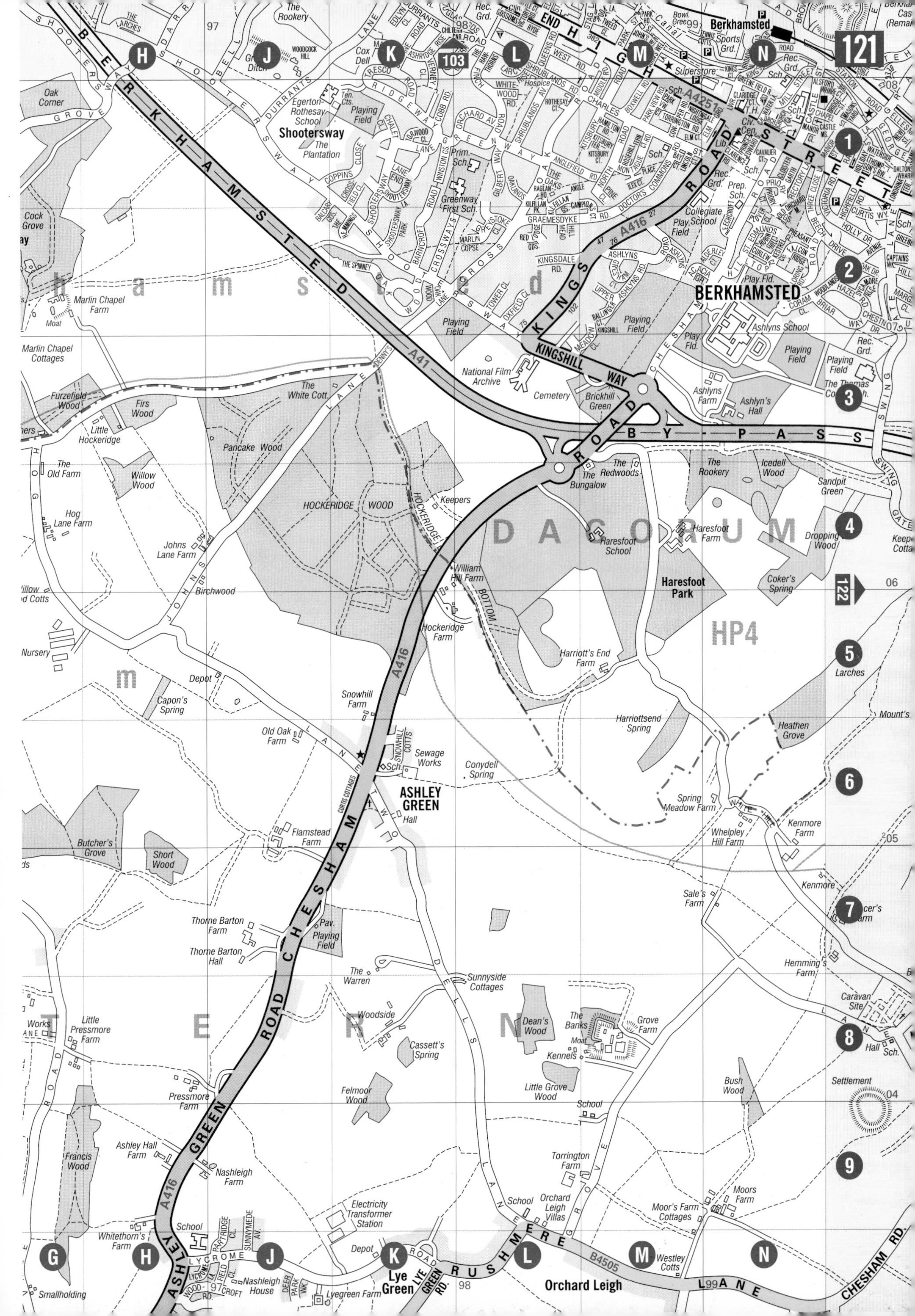
121
BERKHAMSTED
Berkhamsted
Shootersway
Egerton-Rothesay School
The Plantation
Oak Corner
Cock Grove
Marlin Chapel Farm
Marlin Chapel Cottages
Furzefield Wood
Firs Wood
Little Hockeridge
The Old Farm
Willow Wood
Hog Lane Farm
Johns Lane Farm
Birchwood
Nursery
Depot
Capon's Spring
Old Oak Farm
Pancake Wood
HOCKERIDGE WOOD
The White Cott.
Keepers
National Film Archive
Cemetery
Brickhill Green
KINGSHILL WAY
KINGS ROAD
BERKHAMSTED BYPASS
A41
A416
A4251
B4505
The Redwoods
The Bungalow
The Rookery
Icedell Wood
Sandpit Green
DACORUM
Haresfoot School
Haresfoot Farm
Haresfoot Park
Dropping Wood
Coker's Spring
HP4
William Hill Farm
Hockeridge Farm
Harriott's End Farm
Harriottsend Spring
Larches
Heathen Grove
Snowhill Farm
Sewage Works
Conydell Spring
ASHLEY GREEN
Hall
Spring Meadow Farm
Whelpley Hill Farm
Kenmore Farm
Flamstead Farm
Butcher's Grove
Short Wood
Sale's Farm
Thorne Barton Farm
Thorne Barton Hall
Pav. Playing Field
The Warren
Sunnyside Cottages
Woodside
Cassett's Spring
Dean's Wood
The Banks
Grove Farm
Kennels
Little Grove Wood
Hemming's Farm
Caravan Site
Settlement
Bush Wood
Little Pressmore Farm
Pressmore Farm
Felmoor Wood
Francis Wood
Ashley Hall Farm
Nashleigh Farm
Torrington Farm
School
Orchard Leigh Villas
Moor's Farm Cottages
Moors Farm
Electricity Transformer Station
Whitethorn's Farm
Nashleigh House
Lyegreen Farm
Lye Green
Orchard Leigh
Westley Cotts
Smallholding
Works
CHESHAM ROAD
ASHLEY GREEN ROAD
RUSHMERE LANE
DELLS LANE
JOHNS LANE
HOG LANE
WHITE HILL
LYCROME ROAD
122
103
97
98
99
04
05
06
08

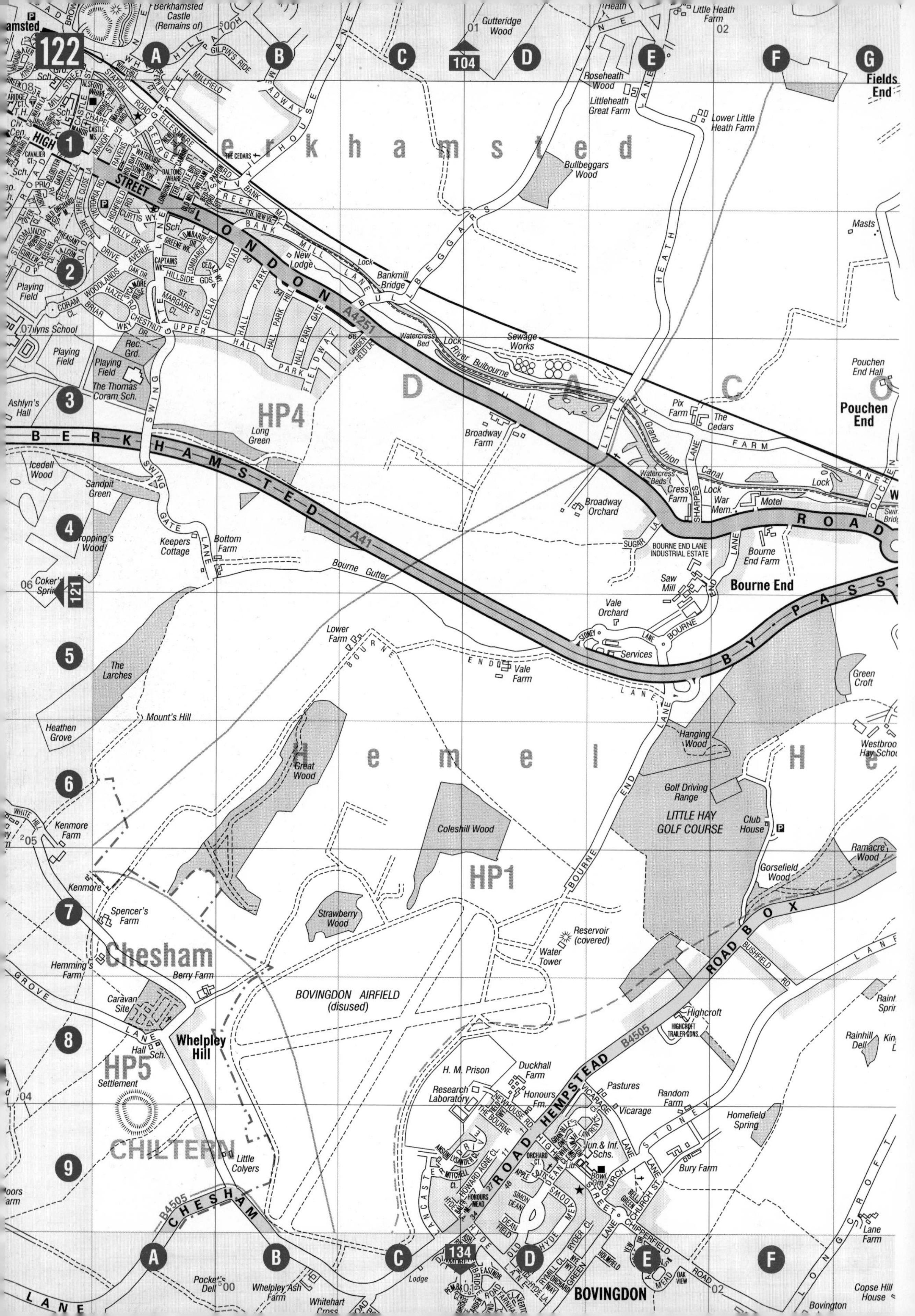

122
Berkhamsted Castle (Remains of)
Gutteridge Wood
104
Little Heath Farm
Fields End
Roseheath Wood
Littleheath Great Farm
Lower Little Heath Farm
Berkhamsted
Bullbeggars Wood
HIGH STREET
LONDON ROAD
A4251
The Cedars
Masts
New Lodge
Bankmill Bridge
Lock
Watercress Bed
River Bulbourne
Sewage Works
Playing Field
Rec. Grd.
The Thomas Coram Sch.
Ashlyn's Hall
HP4
Long Green
Broadway Farm
Pix Farm
The Cedars
Grand Union Canal
Pouchen End Hall
Pouchen End
BERKHAMSTED BY-PASS
A41
Icedell Wood
Sandpit Green
Watercress Beds
Cress Farm
War Mem.
Motel
Broadway Orchard
Keepers Cottage
Bottom Farm
Bourne Gutter
BOURNE END LANE INDUSTRIAL ESTATE
Bourne End Farm
Saw Mill
Bourne End
Vale Orchard
Services
Lower Farm
Vale Farm
The Larches
Green Croft
Heathen Grove
Mount's Hill
Hemel Hempstead
Hanging Wood
Westbrook Hay School
Great Wood
Golf Driving Range
LITTLE HAY GOLF COURSE
Club House
Coleshill Wood
Kenmore Farm
Ramacre Wood
Gorsefield Wood
HP1
Kenmore
Spencer's Farm
Strawberry Wood
Reservoir (covered)
Water Tower
Chesham
Hemming's Farm
Berry Farm
BOX ROAD
BOVINGDON AIRFIELD (disused)
Caravan Site
Highcroft
HIGHCROFT TRAILER CONS.
Rainhill Dell
Whelpley Hill
HP5
Settlement
H. M. Prison
Duckhall Farm
Pastures
Research Laboratory
Honours Fm.
Vicarage
Random Farm
HEMPSTEAD ROAD
B4505
Homefield Spring
CHILTERN
Little Colyers
Jun.& Inf. Schs.
Bury Farm
CHESHAM
Lane Farm
A B C D E F G
1 2 3 4 5 6 7 8 9
134
121
Pocket's Dell
Whelpley Ash Farm
Whitehart Cross
Lodge
BOVINGDON
Copse Hill House
Bovington

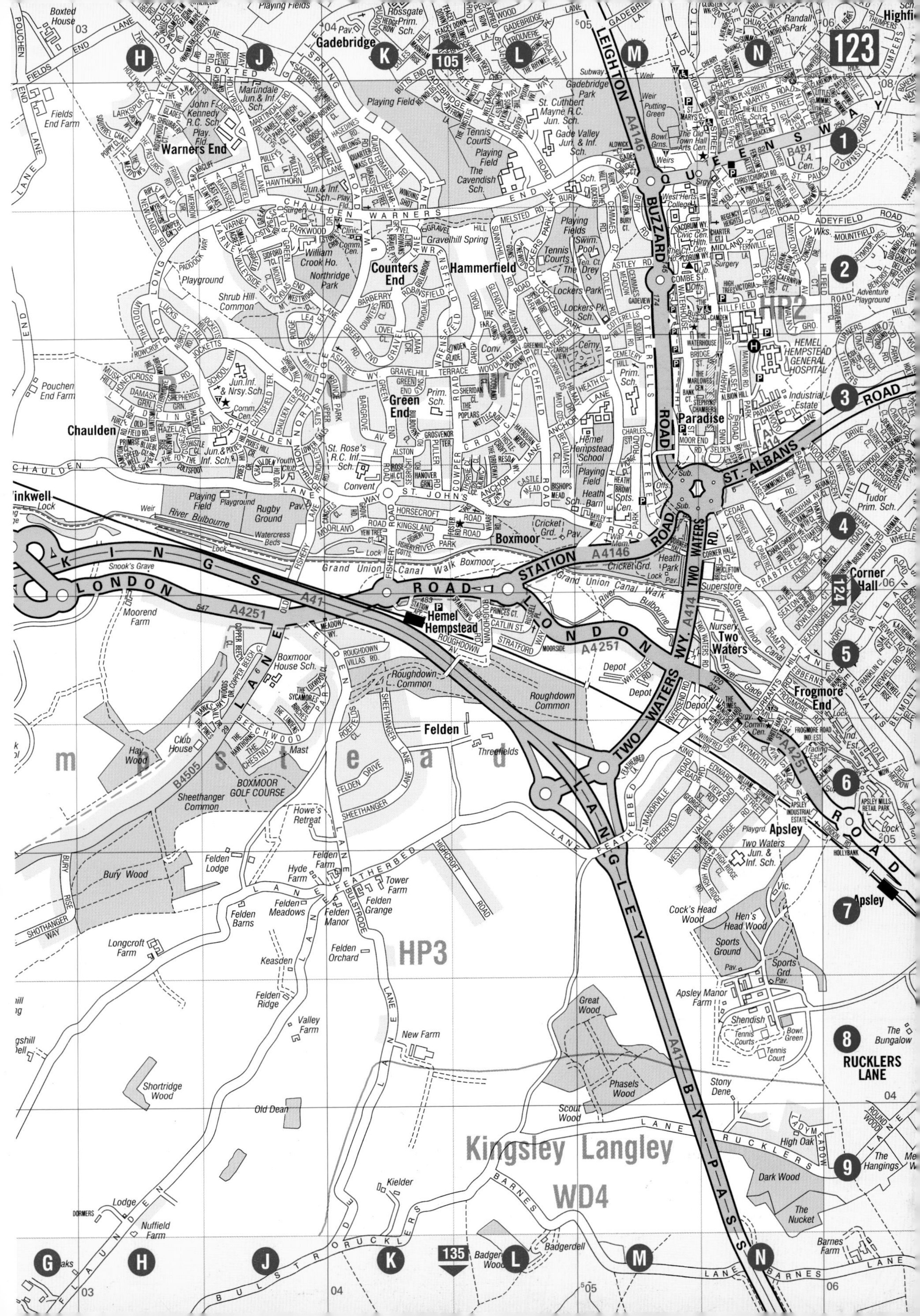

Gadebridge
Warners End
Counters End
Hammerfield
Green End
Chaulden
Paradise
Boxmoor
Hemel Hempstead
Two Waters
Frogmore End
Apsley
Felden
Corner Hall
Kingsley Langley
HP2
HP3
WD4
RUCKLERS LANE
Highfield
LEIGHTON BUZZARD ROAD
ST. ALBANS ROAD
STATION ROAD
LONDON ROAD
KINGS LANGLEY BY-PASS
TWO WATERS ROAD
TWO WATERS WY.
QUEENSWAY
A4146
A4251
A414
A41
B487
B4505
Grand Union Canal Walk
River Bulbourne
Grand Union Canal
HEMEL HEMPSTEAD GENERAL HOSPITAL
Gadebridge Park
Playing Fields
Rugby Ground
Watercress Beds
Snook's Grave
Moorend Farm
Boxmoor House Sch.
Roughdown Common
Hay Wood
BOXMOOR GOLF COURSE
Sheethanger Common
Bury Wood
Felden Lodge
Hyde Farm
Felden Farm
Tower Farm
Felden Grange
Felden Barns
Felden Meadows
Felden Manor
Longcroft Farm
Keasden
Felden Orchard
Felden Ridge
Valley Farm
New Farm
Shortridge Wood
Old Dean
Great Wood
Phasels Wood
Scout Wood
Stony Dene
Cock's Head Wood
Hen's Head Wood
Sports Ground
Apsley Manor Farm
Shendish
Dark Wood
The Nucket
High Oak
The Hangings
The Bungalow
Barnes Farm
Badgerdell
Badger Wood
Kielder
Lodge
Nuffield Farm
Pouchen End Farm
Fields End Farm
Boxted House
Shrub Hill Common
Northridge Park
William Crook Ho.
Lockers Park
Lockers Pk. Sch.
Hemel Hempstead School
Heath Barn
Cricket Grd.
Heath Park
Superstore
Tudor Prim. Sch.
Two Waters Jun. & Inf. Sch.
Threefields
Howe's Retreat
105
124
135

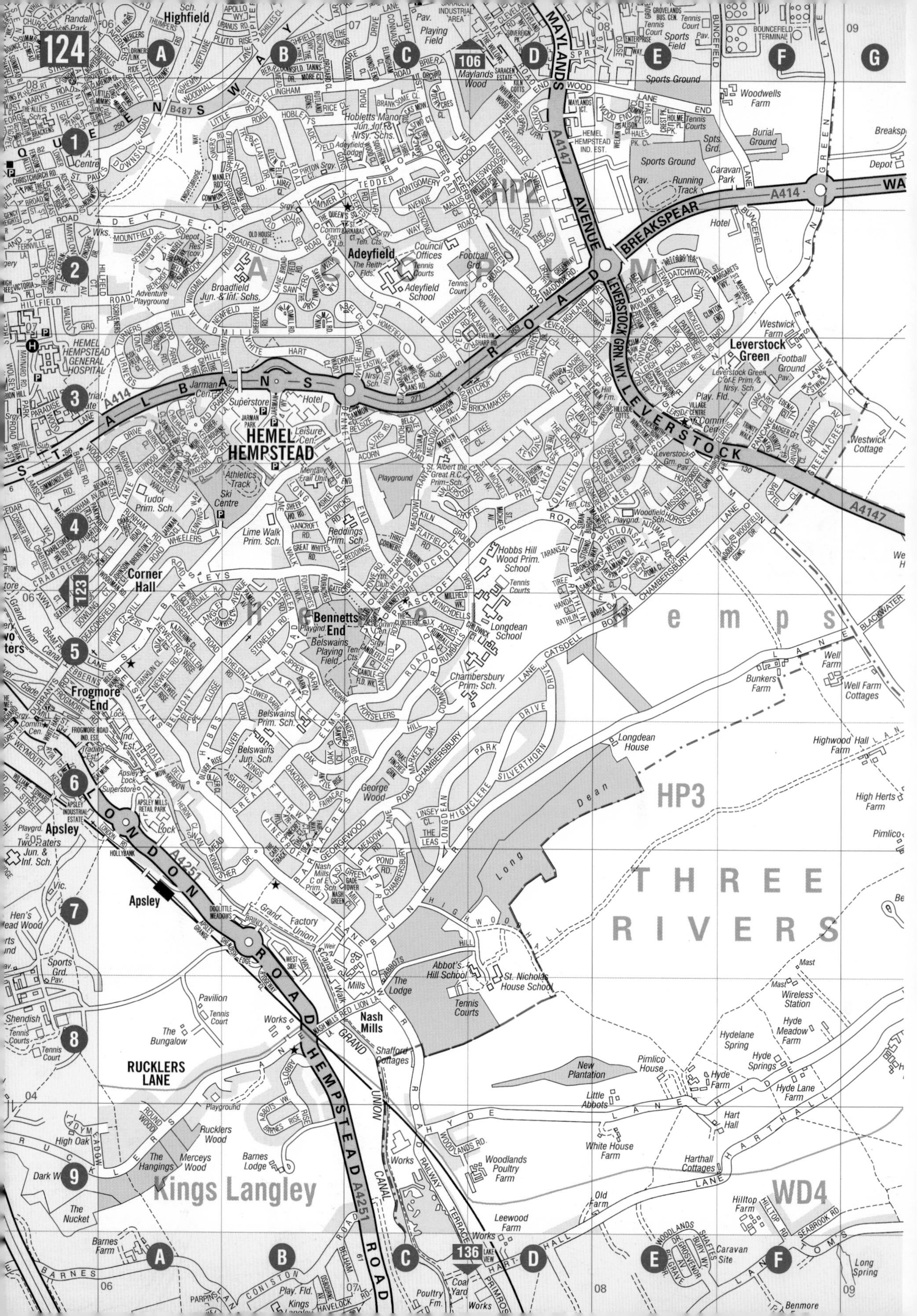

124
Highfield
A
B
C
D
E
F
G
1
2
3
4
5
6
7
8
9
106
123
136
MAYLANDS
Maylands Wood
Sports Field
Sports Ground
Woodwells Farm
Burial Ground
Breakspear
Depot
Caravan Park
Running Track
A414
A4147
A4251
B487
BREAKSPEAR
AVENUE
HP2
HP3
WD4
Hemel Hempstead Ind. Est.
Hobletts Manor Jun. Inf.& Nrsy. Schs.
Adeyfield
Council Offices
Adeyfield School
Football Grd.
Broadfield Jun. & Inf. Schs.
Adventure Playground
HEMEL HEMPSTEAD GENERAL HOSPITAL
Hotel
Westwick Farm
Leverstock Green
Football Ground
Westwick Cottage
ST. ALBANS ROAD
Superstore
HEMEL HEMPSTEAD
Leisure Cen.
Athletics Track
Ski Centre
Tudor Prim. Sch.
Playground
Lime Walk Prim. Sch.
Reddings Prim. Sch.
Hobbs Hill Wood Prim. School
Corner Hall
Bennetts End
Belswains Playing Field
Longdean School
Chambersbury Prim. Sch.
Frogmore End
Belswains Prim. Sch.
Belswains Jun. Sch.
George Wood
Longdean House
Well Farm
Well Farm Cottages
Bunkers Farm
Highwood Hall Farm
High Herts Farm
Pimlico
Apsley
LONDON ROAD
Grand Union Canal
Long Dean
THREE RIVERS
Nash Mills C of E Prim. Sch.
Abbot's Hill School
St. Nicholas House School
Tennis Courts
The Lodge
Nash Mills
Shafford Cottages
Wireless Station
Hyde Meadow Farm
Hydelane Spring
Hyde Springs
Hyde Farm
Hyde Lane Farm
Pimlico House
New Plantation
Little Abbots
Hart Hall
White House Farm
Harthall Cottages
Hen's Head Wood
Sports Grd.
Shendish
Pavilion
The Bungalow
RUCKLERS LANE
Rucklers Wood
High Oak
Dark Wood
The Hangings
Merceys Wood
Barnes Lodge
Woodlands Poultry Farm
Kings Langley
The Nucket
Old Farm
Leewood Farm
Hilltop Farm
Caravan Site
Long Spring
Barnes Farm
Coal Yard
Poultry Fm.
Works
HEMPSTEAD ROAD
Benmore
06
07
08
09
04

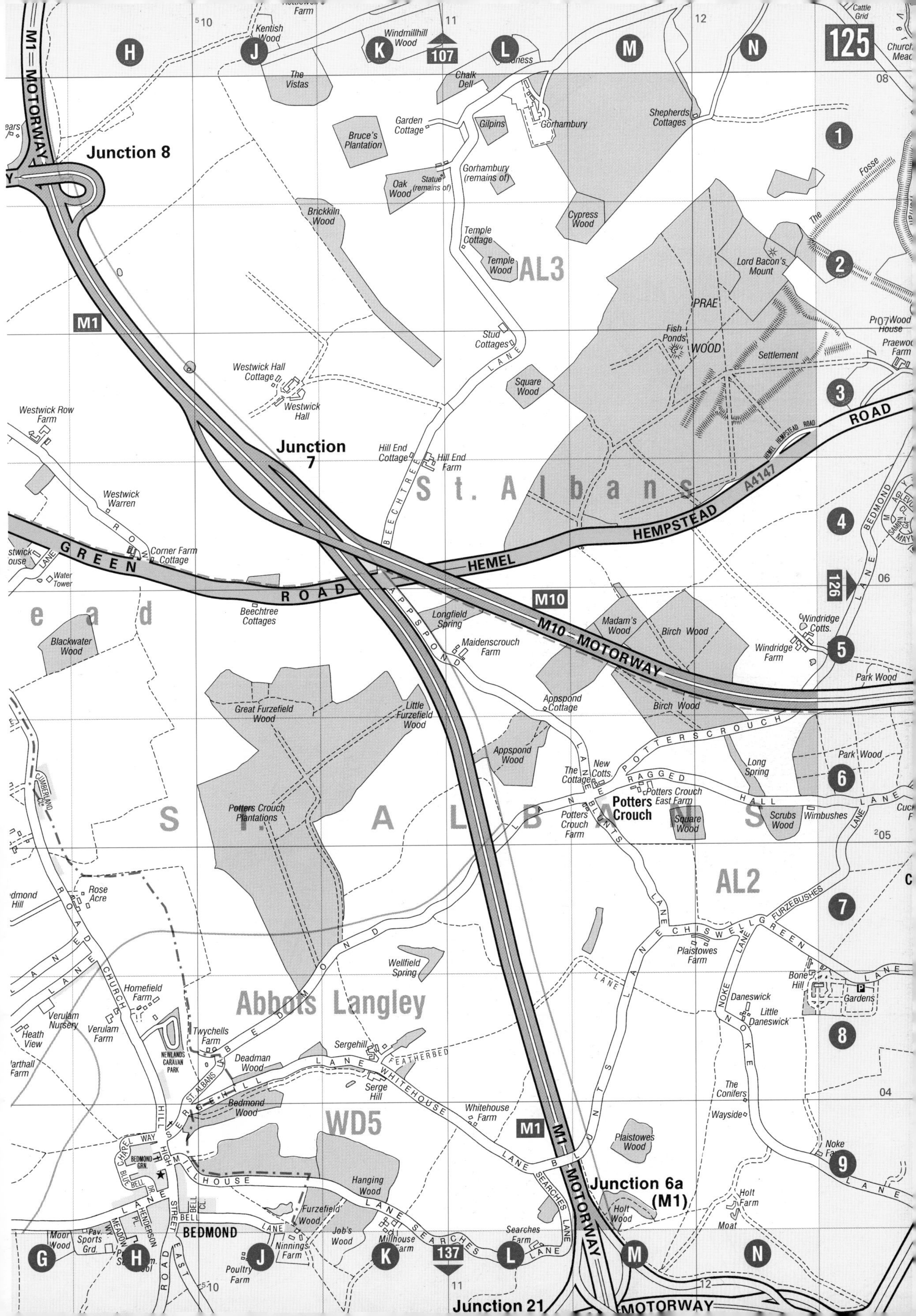
Junction 8
M1 MOTORWAY
Kentish Wood
Windmillhill Wood
107
The Vistas
Chalk Dell
Shepherds Cottages
Garden Cottage
Bruce's Plantation
Gilpins
Gorhambury
Gorhambury (remains of)
Statue (remains of)
Oak Wood
Brickkiln Wood
Cypress Wood
Lord Bacon's Mount
Temple Cottage
Temple Wood
AL3
PRAE
WOOD
Fish Ponds
Settlement
Stud Cottages
Westwick Hall Cottage
Westwick Hall
Square Wood
Westwick Row Farm
Junction 7
Hill End Cottage
Hill End Farm
St. Albans
Westwick Warren
BEECHTREE LANE
HEMEL HEMPSTEAD ROAD
A4147
Corner Farm Cottage
Water Tower
GREEN ROAD
Beechtree Cottages
M10
M10 MOTORWAY
Blackwater Wood
Longfield Spring
Maidenscrouch Farm
APPSPOND LANE
Madam's Wood
Birch Wood
Windridge Cotts.
Windridge Farm
Park Wood
Great Furzefield Wood
Little Furzefield Wood
Appspond Cottage
Appspond Wood
POTTERSCROUCH
The Cottage
New Cotts.
Long Spring
RAGGED HALL LANE
Potters Crouch
Potters Crouch East Farm
Potters Crouch Farm
Potters Crouch Plantations
ST. ALBANS
Square Wood
Scrubs Wood
Wimbushes
AL2
Rose Acre
BLUNTS LANE
FURZEBUSHES
CHISWELL GREEN LANE
Plaistowes Farm
Wellfield Spring
BEDMOND LANE
Homefield Farm
Abbots Langley
Bone Hill
Gardens
Daneswick
Little Daneswick
NOKE LANE
Verulam Nursery
Verulam Farm
Heath View
Twychells Farm
NEWLANDS CARAVAN PARK
Deadman Wood
Sergehill
FEATHERBED LANE
WHITEHOUSE LANE
Serge Hill
Bedmond Wood
WD5
Whitehouse Farm
The Conifers
Wayside
Plaistowes Wood
CHAPEL WAY
HIGH STREET
BEDMOND GRN.
MILLHOUSE LANE
Hanging Wood
Noke Farm
Junction 6a (M1)
Holt Wood
Holt Farm
Moat
Moor Wood
Pav. Sports Grd.
HENDERSON PL.
BEDMOND
Furzefield Wood
Job's Wood
Millhouse Farm
SEARCHES LANE
Searches Farm
Ninnings Farm
Poultry Farm
137
EAST ROAD
Junction 21
MOTORWAY
Pre Wood House
Praewood Farm
Park Wood
Church Mead
Cattle Grid
126

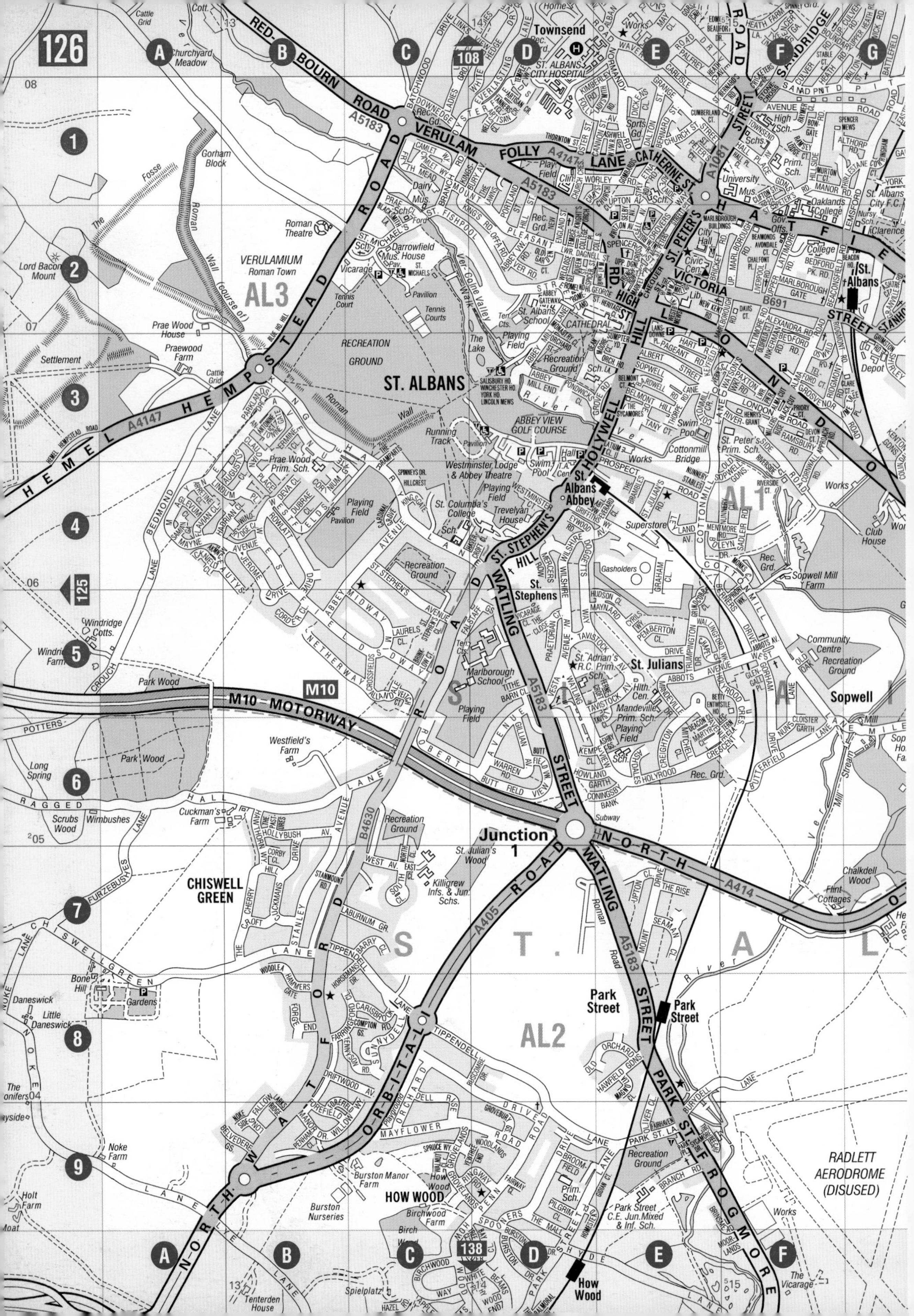
126
ST. ALBANS
VERULAMIUM
Roman Town
AL3
AL1
AL2
Townsend
St. Albans City Hospital
Gorham Block
Lord Bacon Mount
Roman Theatre
Prae Wood House
Praewood Farm
Settlement
RECREATION GROUND
Roman Wall
The Lake
ABBEY VIEW GOLF COURSE
Westminster Lodge & Abbey Theatre
St. Albans Abbey
CATHEDRAL
St. Columba's College
Trevelyan House
St. Stephens
St. Julians
Sopwell
Sopwell Mill Farm
Community Centre
Marlborough School
Prae Wood Prim. Sch.
Windridge Cotts.
Park Wood
M10 MOTORWAY
Westfield's Farm
Long Spring
Scrubs Wood
Wimbushes
Cuckman's Farm
Junction 1
St. Julian's Wood
Killigrew Infs. & Jun. Schs.
CHISWELL GREEN
Bone Hill
Gardens
Daneswick
Little Daneswick
Noke Farm
Holt Farm
Park Street
Burston Manor Farm
HOW WOOD
Burston Nurseries
Birchwood Farm
Birch Wood
How Wood
Park Street C.E. Jun.Mixed & Inf. Sch.
RADLETT AERODROME (DISUSED)
Works
The Vicarage
Tenterden House
Chalkdell Wood
Flint Cottages
NORTH ORBITAL ROAD
HEMEL HEMPSTEAD ROAD
REDBOURN ROAD
VERULAM ROAD
FOLLY LANE
CATHERINE ST.
HOLYWELL HILL
ST. STEPHEN'S HILL
WATLING STREET
KING HARRY LANE
WATFORD ROAD
FROGMORE
LONDON ROAD
VICTORIA STREET
HATFIELD ROAD
SANDRIDGE ROAD
RAGGED HALL LANE
POTTERS CROUCH
CHISWELL GREEN LANE
NOKE LANE
A4147
A5183
A1081
B691
A414
A405
B4630
108
125
138

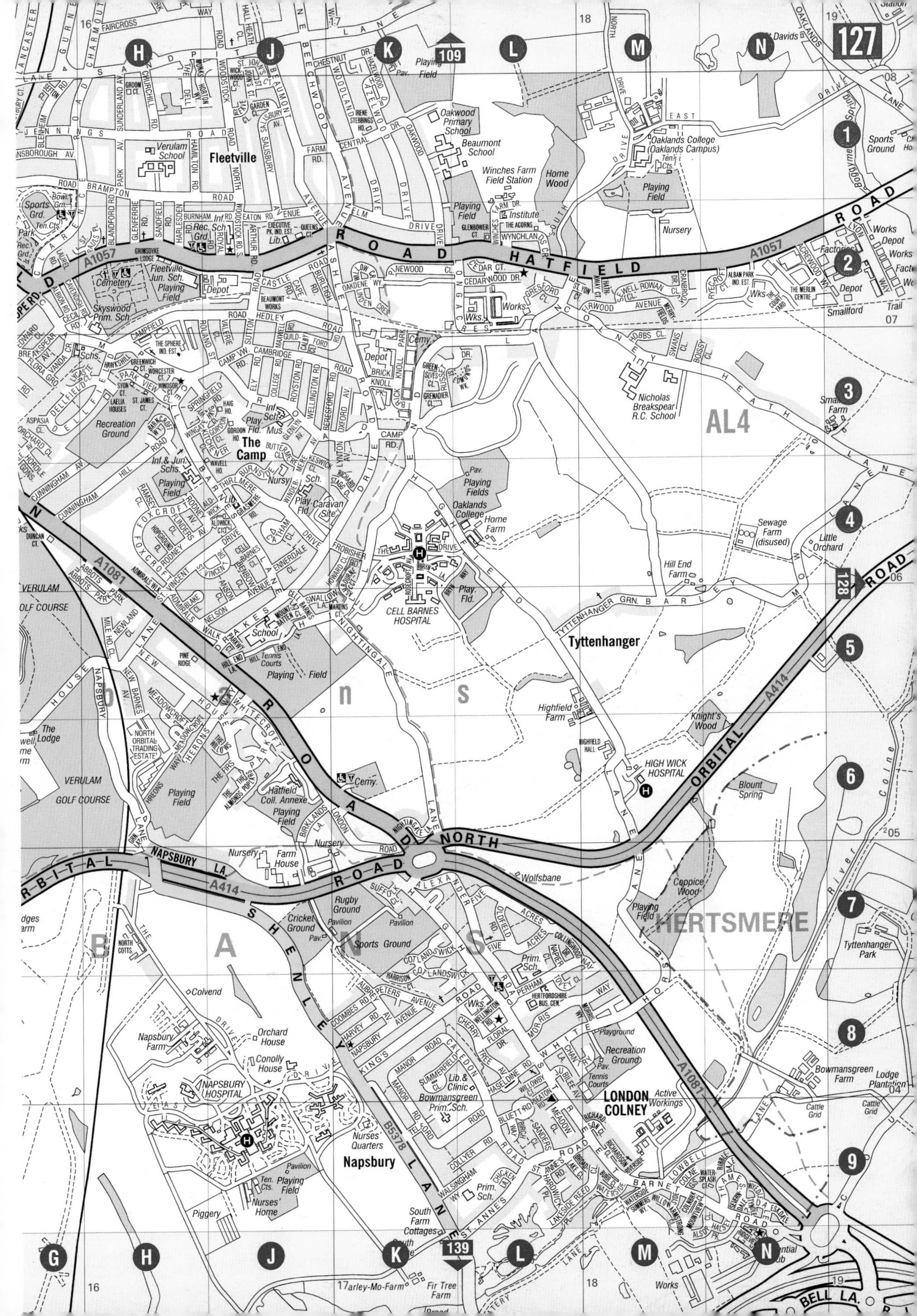
127
109
128
139
Fleetville
The Camp
Tyttenhanger
London Colney
Napsbury
Smallford
AL4
HERTSMERE
HATFIELD ROAD
A1057
NORTH ORBITAL ROAD
A414
A1081
SHENLEY LANE
B5378
NAPSBURY LA.
Oakwood Primary School
Beaumont School
Verulam School
Winches Farm Field Station
Home Wood
Oaklands College (Oaklands Campus)
Playing Field
Nursery
Institute
Fleetville Jun. Sch.
Skyswood Prim. Sch.
Cemetery
Recreation Ground
Nicholas Breakspear R.C. School
Small Farm
Oaklands College
Home Farm
Sewage Farm (disused)
Little Orchard
Hill End Farm
Cell Barnes Hospital
Playing Fields
Caravan Site
Highfield Farm
Knight's Wood
High Wick Hospital
Blount Spring
Verulam Golf Course
The Lodge
North Orbital Trading Estate
Hatfield Coll. Annexe
Farm House
Wolfsbane
Coppice Wood
Tyttenhanger Park
Rugby Ground
Cricket Ground
Sports Ground
Colvend
Napsbury Farm
Orchard House
Conolly House
Napsbury Hospital
Nurses' Quarters
Nurses' Home
Piggery
South Farm Cottages
Fir Tree Farm
Bowmansgreen Prim. Sch.
Lib.& Clinic
Hertfordshire Bus. Cen.
Active Workings
Bowmansgreen Farm
Lodge Plantation
Cattle Grid
Works
River Colne
BELL LA.
Sports Ground
Works Depot
Trail
St Davids

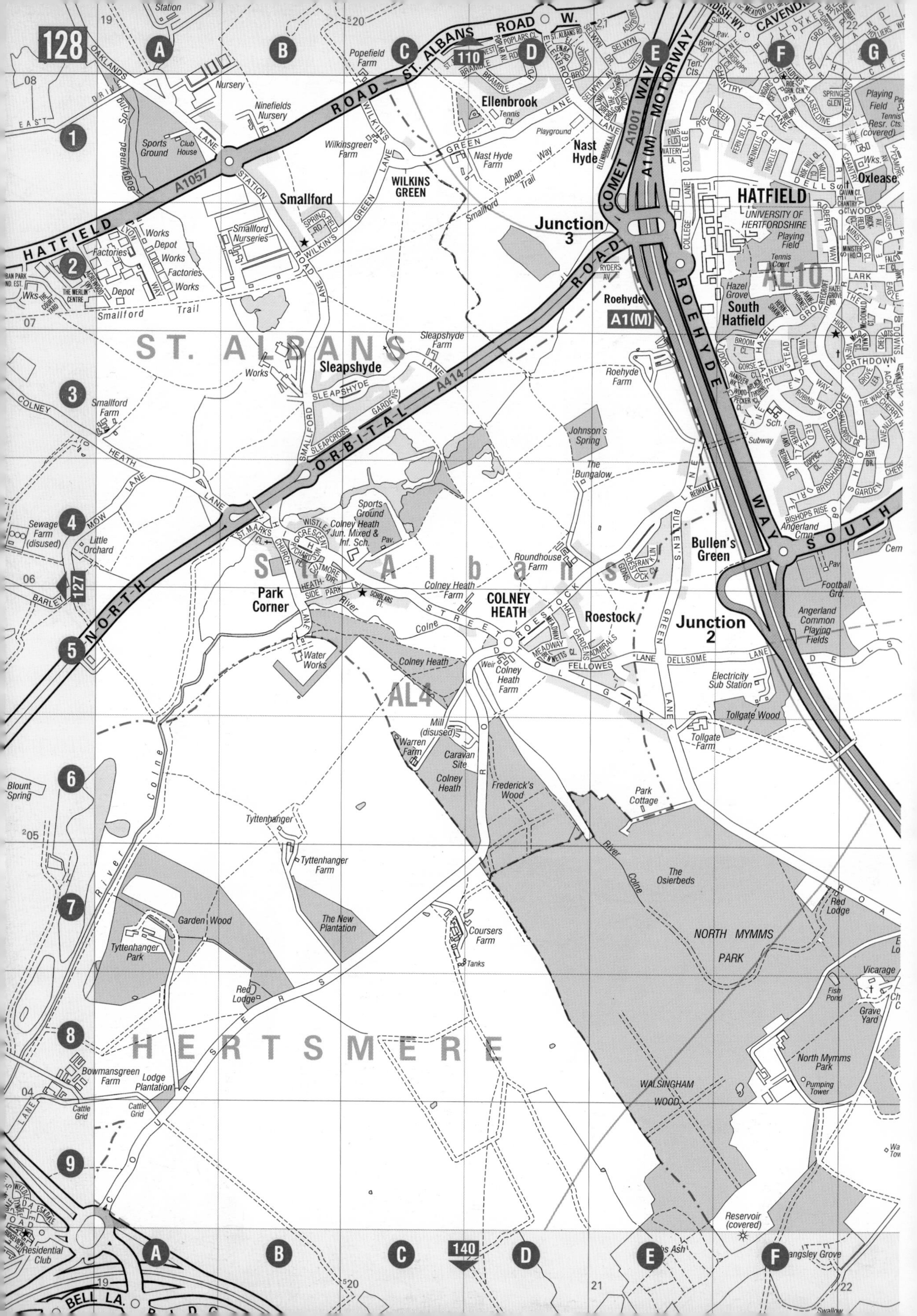
A
B
C
D
E
F
G
1
2
3
4
5
6
7
8
9
110
127
140
HATFIELD ROAD
ST. ALBANS ROAD
ST. ALBANS ROAD W.
A1057
Popefield Farm
Nursery
Ninefields Nursery
Sports Ground
Club House
Boggymead Spring
Oaklands
Station
Smallford
Wilkins Green Lane
Wilkinsgreen Farm
WILKINS GREEN
Ellenbrook
Tennis Ct.
Playground
Nast Hyde
Nast Hyde Farm
Alban Way
Smallford Trail
Junction 3
Works
Depot
Factories
Smallford Nurseries
The Merlin Centre
Wks.
ST. ALBANS
Sleapshyde Farm
Sleapshyde
Smallford Farm
Colney Heath Lane
Roehyde
A1(M)
ROEHYDE WAY
COMET WAY
A1001
MOTORWAY
HATFIELD
UNIVERSITY OF HERTFORDSHIRE
Playing Field
Tennis Court
AL10
Hazel Grove
South Hatfield
Oxlease
Playing Field
Tennis Resr. Cts. (covered)
Roehyde Farm
Johnson's Spring
The Bungalow
Subway
NORTH ORBITAL ROAD
A414
Sewage Farm (disused)
Little Orchard
Sports Ground
Colney Heath Jun. Mixed & Inf. Sch.
Pav.
St. Albans
Roundhouse Farm
Bullen's Green
Bullen's Green Lane
Park Corner
Colney Heath Farm
COLNEY HEATH
Roestock
Junction 2
Angerland Cmn.
Football Grd.
Angerland Common Playing Fields
SOUTH WAY
River Colne
Water Works
Colney Heath
Weir
Colney Heath Farm
Fellowes Lane
Dellsome Lane
Electricity Sub Station
Tollgate Wood
Tollgate Farm
TOLLGATE ROAD
AL4
Mill (disused)
Warren Farm
Caravan Site
Colney Heath
Frederick's Wood
Park Cottage
Blount Spring
Tyttenhanger
Tyttenhanger Farm
The Osierbeds
Garden Wood
The New Plantation
Tyttenhanger Park
Coursers Farm
Tanks
COURSERS ROAD
NORTH MYMMS PARK
Red Lodge
Red Lodge
Vicarage
Fish Pond
Grave Yard
HERTSMERE
Bowmansgreen Farm
Lodge Plantation
Cattle Grid
Cattle Grid
North Mymms Park
Pumping Tower
WALSINGHAM WOOD
Reservoir (covered)
Residential Club
BELL LA.
19
20
21
22
04
05
06
07
08

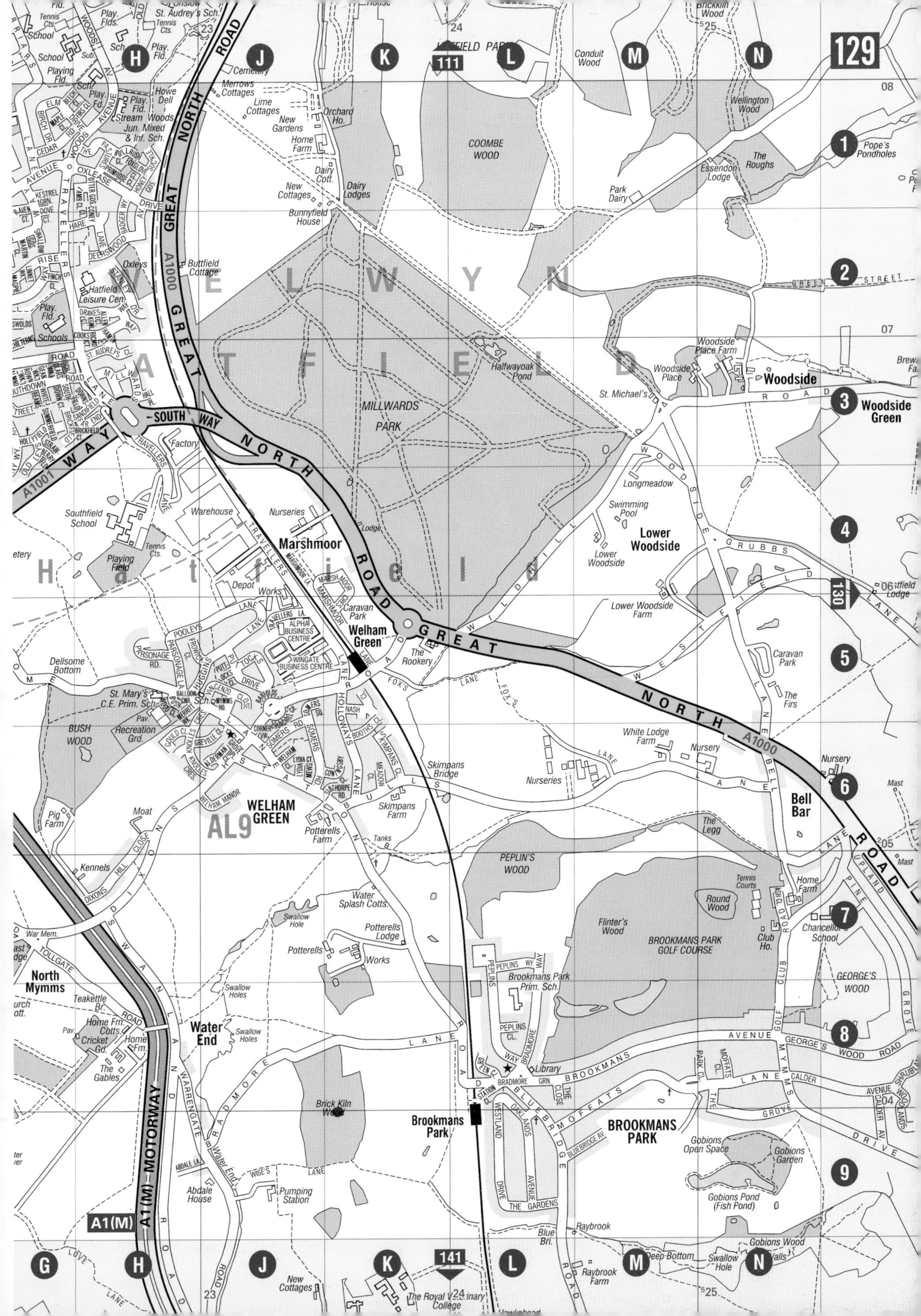

129
H
J
K
L
M
N
G
111
141
130
1
2
3
4
5
6
7
8
9
GREAT NORTH ROAD
A1000
A1001
SOUTH WAY
A1(M) MOTORWAY
A1(M)
WELWYN HATFIELD
Hatfield
AL9
WELHAM GREEN
Welham Green
Marshmoor
Woodside
Woodside Green
Lower Woodside
Bell Bar
BROOKMANS PARK
Brookmans Park
North Mymms
Water End
COOMBE WOOD
MILLWARDS PARK
Halfwayoak Pond
Conduit Wood
Wellington Wood
The Roughs
Essendon Lodge
Pope's Pondholes
Park Dairy
Cemetery
Merrows Cottages
Lime Cottages
New Gardens
Orchard Ho.
Home Farm
Dairy Cott.
Dairy Lodges
New Cottages
Bunnyfield House
Buttfield Cottage
Oxleys
Hatfield Leisure Cen.
Stream Woods Jun. Mixed & Inf. Sch.
Southfield School
Playing Field
Warehouse
Factory
Nurseries
Depot
Works
Caravan Park
ALPHA BUSINESS CENTRE
WINGATE BUSINESS CENTRE
The Rookery
Dellsome Bottom
St. Mary's C.E. Prim. Sch.
Recreation Grd.
BUSH WOOD
Pig Farm
Moat
Kennels
Skimpans Bridge
Skimpans Farm
Potterells Farm
Tanks
White Lodge Farm
Nursery
Lower Woodside Farm
Longmeadow
Swimming Pool
Woodside Place Farm
Woodside Place
St. Michael's
Caravan Park
The Firs
The Legg
PEPLIN'S WOOD
Flinter's Wood
Round Wood
BROOKMANS PARK GOLF COURSE
Club Ho.
Home Farm
Tennis Courts
Chancellor's School
GEORGE'S WOOD
Water Splash Cotts.
Swallow Hole
Potterells Lodge
Potterells
Works
Swallow Holes
Brookmans Park Prim. Sch.
Library
Brick Kiln Wood
Abdale House
Pumping Station
Teakettle Br.
Home Fm. Cotts.
Cricket Gd.
Home Fm.
The Gables
War Mem.
Gobions Open Space
Gobions Garden
Gobions Pond (Fish Pond)
Gobions Wood
Raybrook
Raybrook Farm
Deep Bottom
Swallow Hole
Blue Bri.
New Cottages
The Royal Veterinary College
GREEN STREET
WOODSIDE ROAD
WILDHILL
GRUBBS LANE
WESTFIELD
FOX'S LANE
SHEPHERDS LANE
BELL LANE
DIXONS HILL CLOSE
DIXONS HILL ROAD
SWANLAND ROAD
WARRENGATE ROAD
RADMORE LANE
WISE'S LANE
BRADMORE WAY
BROOKMANS AVENUE
GEORGE'S WOOD ROAD
MOFFATS LANE
BLUEBRIDGE
THE GROVE
CALDER AVENUE
PEPLINS WAY
PEPLINS CL.
WESTLAND DRIVE
OAKLANDS AVENUE
THE GARDENS
STATION
GOLF CLUB ROAD
UPLANDS
TOLLGATE ROAD
LOVE LANE
TRAVELLERS LANE
POOLEYS LANE
PARSONAGE RD.
DRIVE
OXLEASE DRIVE
WOODS AVENUE

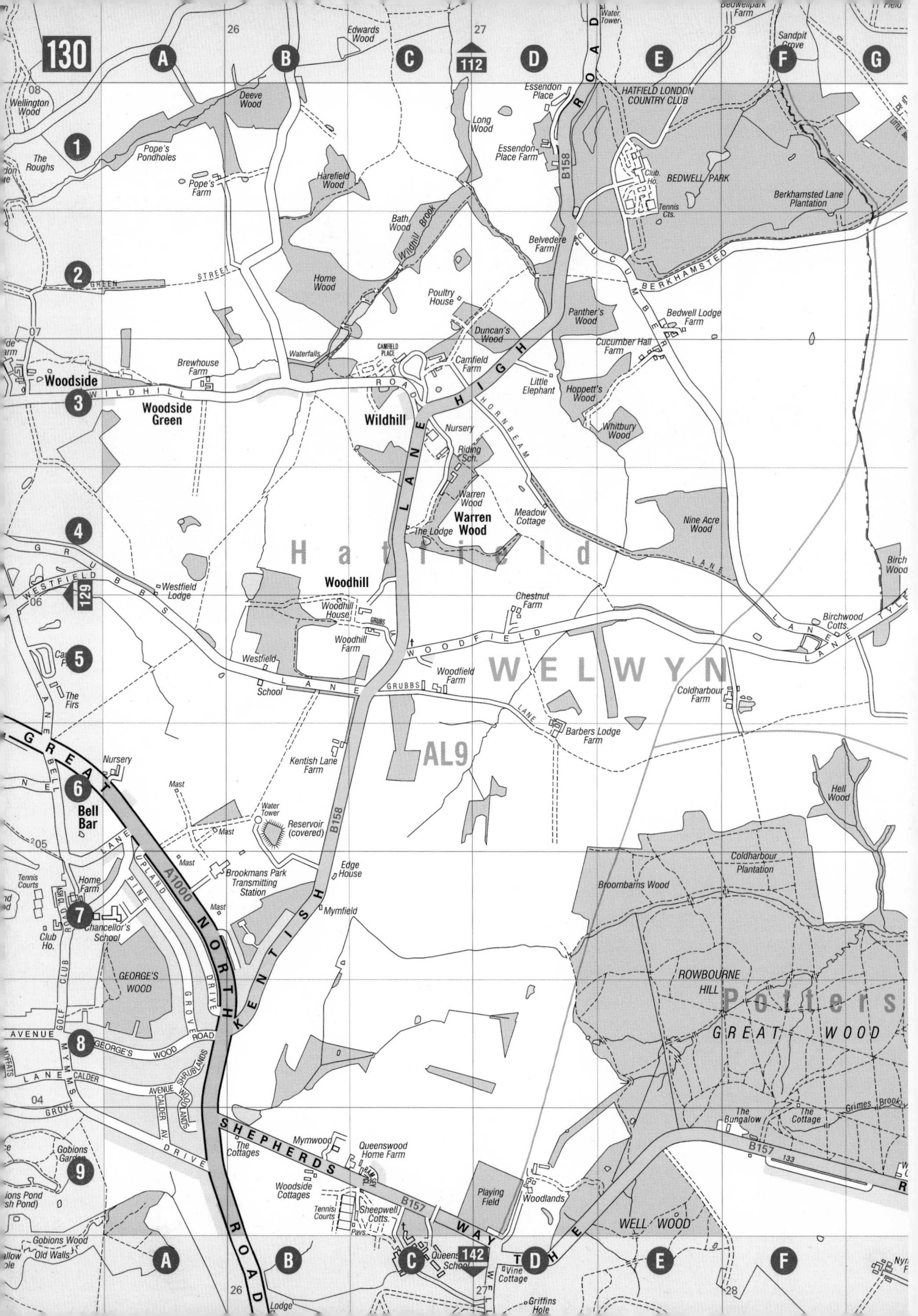

A B C D E F G
1 2 3 4 5 6 7 8 9
26
27
28
112
129
142
133
Edwards Wood
Deeve Wood
Wellington Wood
The Roughs
Pope's Pondholes
Pope's Farm
Harefield Wood
Long Wood
Essendon Place
Essendon Place Farm
HATFIELD LONDON COUNTRY CLUB
Club Ho.
BEDWELL PARK
Tennis Cts.
Berkhamsted Lane Plantation
Sandpit Grove
Bath Wood
Wildhill Brook
Belvedere Farm
Home Wood
Poultry House
GREEN STREET
Panther's Wood
Bedwell Lodge Farm
Duncan's Wood
Cucumber Hall Farm
Brewhouse Farm
Waterfalls
CAMFIELD PLACE
Camfield Farm
Little Elephant
Hoppett's Wood
Woodside
WILDHILL ROAD
Woodside Green
Wildhill
HIGH LANE
B158
HIGH ROAD
CUCUMBER LANE
BERKHAMSTED
HORNBEAM LANE
Whitbury Wood
Nursery
Riding Sch.
Warren Wood
Meadow Cottage
Nine Acre Wood
The Lodge
Hatfield
Birch Wood
GRUBBS LANE
WESTFIELD
Westfield Lodge
Woodhill
Woodhill House
Chestnut Farm
Birchwood Cotts.
Woodhill Farm
WOODFIELD LANE
TYLERS
Westfield
WELWYN
School
Woodfield Farm
Coldharbour Farm
Caravan Park
The Firs
Barbers Lodge Farm
AL9
Kentish Lane Farm
GREAT NORTH ROAD
BELL LANE
Nursery
Mast
Bell Bar
Water Tower
Reservoir (covered)
Hell Wood
KENTISH LANE
Brookmans Park Transmitting Station
Edge House
Coldharbour Plantation
Tennis Courts
Home Farm
UPLAND DRIVE
PINE GROVE
A1000
Broombarns Wood
Mymfield
Chancellor's School
ASH CL.
Club Ho.
GOLF CLUB ROAD
GEORGE'S WOOD
ROWBOURNE HILL
Potters
GREAT WOOD
AVENUE
GEORGE'S WOOD ROAD
MOFFATS LANE
MYMMS
CALDER AVENUE
CALDER AV.
SHRUBLANDS
WOODLANDS
04
05
06
07
08
GROVE DRIVE
SHEPHERDS WAY
B157
Grimes Brook
The Bungalow
The Cottage
Gobions Garden
The Cottages
Mymwood
Queenswood Home Farm
RAMS CL.
Gobions Pond (Bush Pond)
Woodside Cottages
Tennis Courts
Sheepwell Cotts.
Pavs.
Playing Field
Woodlands
WELL WOOD
THE WALK
Gobions Wood
Old Walls
Queens School
Vine Cottage
Griffins Hole
Lodge
Water Tower
Bedwellpark Farm

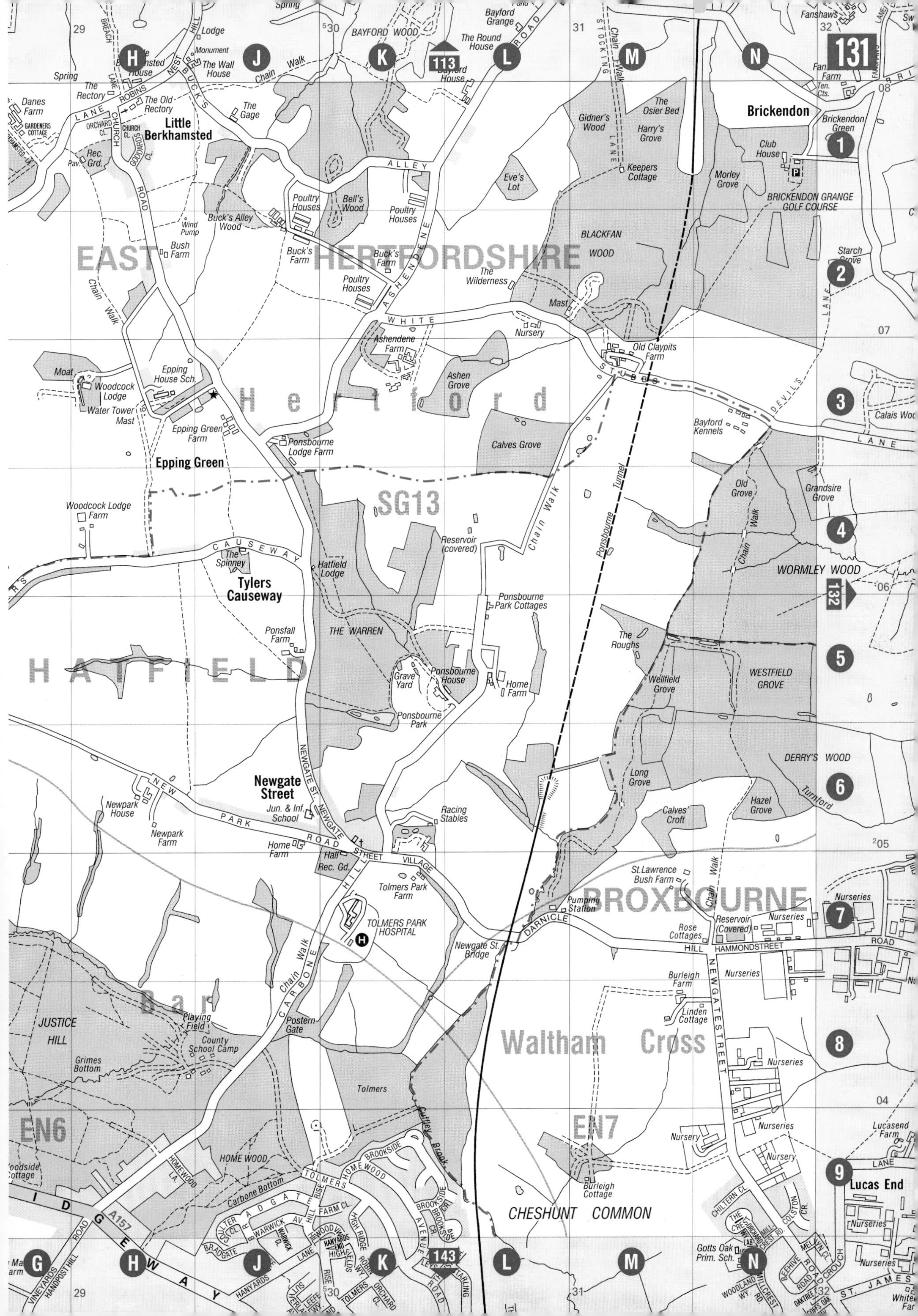

Little Berkhamsted
Brickendon
EAST HERTFORDSHIRE
Hertford
Epping Green
SG13
Tylers Causeway
HATFIELD
Newgate Street
BROXBOURNE
Waltham Cross
EN6
EN7
CHESHUNT COMMON
Lucas End
TOLMERS PARK HOSPITAL
BLACKFAN WOOD
WORMLEY WOOD
WESTFIELD GROVE
DERRY'S WOOD
JUSTICE HILL
BRICKENDON GRANGE GOLF COURSE
113
132
143

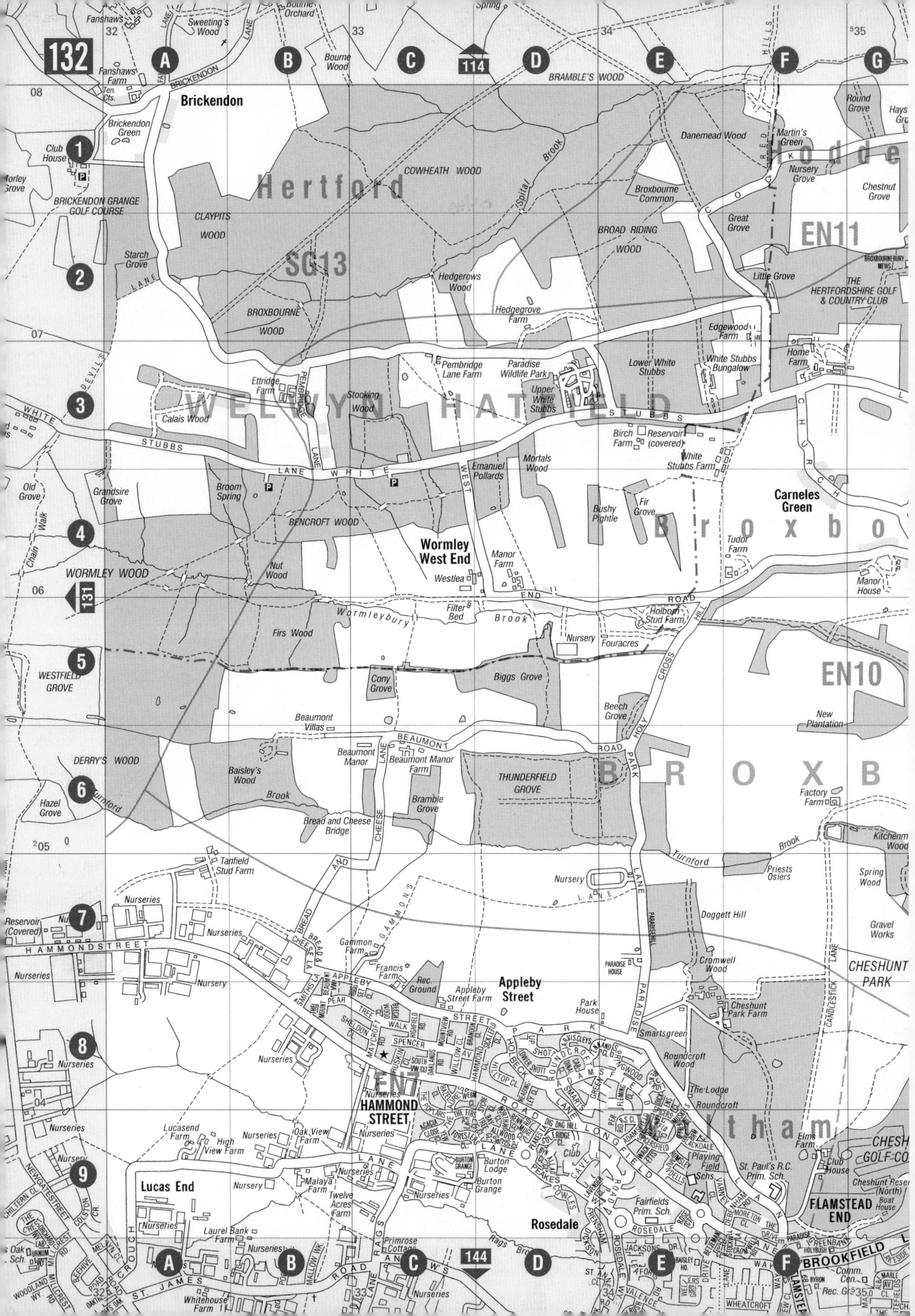

A
B
C
D
E
F
G
114
131
144
Brickendon
Brickendon Green
Fanshaws Farm
Sweeting's Wood
Bourne Wood
BRAMBLE'S WOOD
Round Grove
Danemead Wood
Martin's Green
Club House
BRICKENDON GRANGE GOLF COURSE
Hertford
COWHEATH WOOD
CLAYPITS WOOD
Spital Brook
Broxbourne Common
Nursery Grove
Chestnut Grove
Great Grove
BROAD RIDING WOOD
EN11
SG13
Starch Grove
Little Grove
THE HERTFORDSHIRE GOLF & COUNTRY CLUB
Hedgerows Wood
Hedgegrove Farm
BROXBOURNE WOOD
Edgewood Farm
Home Farm
Pembridge Lane Farm
Paradise Wildlife Park
Lower White Stubbs
White Stubbs Bungalow
Ettridge Farm
Stocking Wood
WELWYN HATFIELD
Upper White Stubbs
Calais Wood
WHITE STUBBS LANE
Birch Farm
Reservoir (covered)
White Stubbs Farm
Emanuel Pollards
Mortals Wood
Old Grove
Grandsire Grove
Broom Spring
Carneles Green
Bushy Pightle
Fir Grove
BENCROFT WOOD
Broxbourne
Wormley West End
Manor Farm
Tudor Farm
WORMLEY WOOD
Nut Wood
Westlea
Manor House
Filter Bed
Wormleybury Brook
Holborn Stud Farm
Firs Wood
Nursery
Fouracres
WESTFIELD GROVE
Cony Grove
Biggs Grove
EN10
Beech Grove
New Plantation
Beaumont Villas
BEAUMONT ROAD
Beaumont Manor
Beaumont Manor Farm
DERRY'S WOOD
Baisley's Wood
THUNDERFIELD GROVE
BROXB
Hazel Grove
Turnford Brook
Bramble Grove
Bread and Cheese Bridge
Factory Farm
Kitchenm Wood
Tanfield Stud Farm
Priests Osiers
Spring Wood
Nurseries
Doggett Hill
Gravel Works
Reservoir (Covered)
HAMMONDSTREET
Gammon Farm
Francis Farm
Rec. Ground
Appleby Street Farm
Appleby Street
Paradise House
Cromwell Wood
CHESHUNT PARK
Park House
Cheshunt Park Farm
Smartsgreen
Roundcroft Wood
EN7
HAMMOND STREET
The Lodge
Roundcroft
Waltham
Lucasend Farm
High View Farm
Oak View Farm
Burton Lodge
Burton Grange
Playing Field
Schs.
St. Paul's R.C. Prim. Sch.
Elms Farm
Club House
Cheshunt Reservoir (North)
Lucas End
Malaya Farm
Twelve Acres Farm
Fairfields Prim. Sch.
Rosedale
FLAMSTEAD END
Laurel Bank Farm
Primrose Cottage
Whitehouse Farm
BROOKFIELD

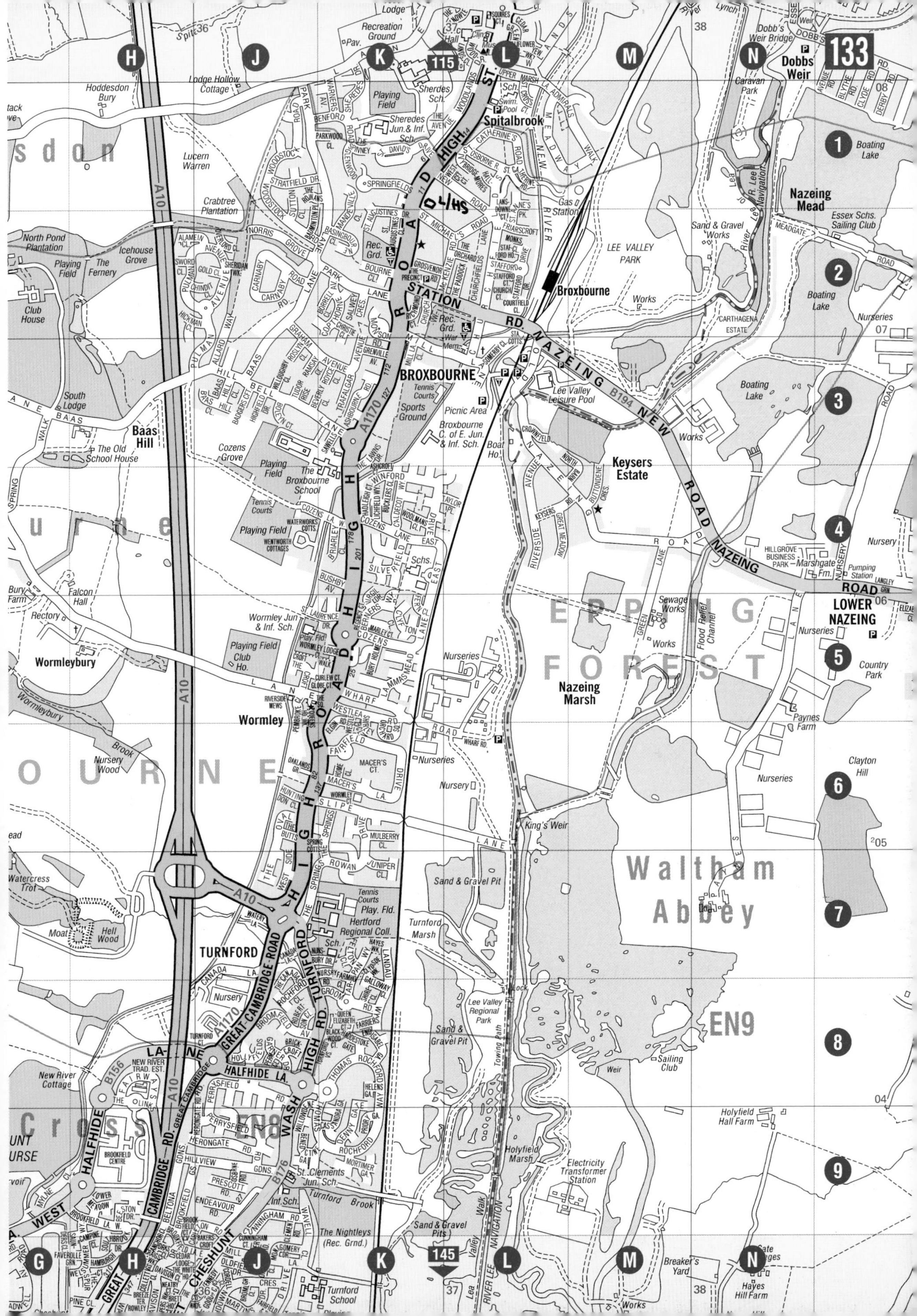

115
Dobbs Weir
Recreation Ground
Playing Field
Sheredes Sch.
Spitalbrook
Hoddesdon Bury
Lodge Hollow Cottage
Lucern Warren
Crabtree Plantation
North Pond Plantation
Icehouse Grove
Playing Field
The Fernery
Club House
South Lodge
Baas Hill
The Old School House
Cozens Grove
The Broxbourne School
Playing Field
BROXBOURNE
Broxbourne
STATION RD.
NAZEING NEW ROAD
Lee Valley Leisure Pool
Keysers Estate
Lee Valley Park
Sand & Gravel Works
Nazeing Mead
Essex Schs. Sailing Club
Boating Lake
Carthagena Estate
Nurseries
Works
Hillgrove Business Park
Marshgate Fm.
Pumping Station
LOWER NAZEING
Country Park
Paynes Farm
Clayton Hill
Nazeing Marsh
EPPING FOREST
Waltham Abbey
Flood Relief Channel
Sewage Works
King's Weir
Sand & Gravel Pit
Turnford Marsh
Lee Valley Regional Park
Sailing Club
EN9
Weir
Holyfield Hall Farm
Holyfield Marsh
Electricity Transformer Station
Breaker's Yard
Hayes Hill Farm
Falcon Hall
Bury Farm
Rectory
Wormleybury
Wormley Jun & Inf. Sch.
Playing Field Club Ho.
Wormley
Nursery Wood
Watercress Trot
Moat
Hell Wood
TURNFORD
Hertford Regional Coll.
New River Cottage
New River Trad. Est.
HALFHIDE LA.
GREAT CAMBRIDGE ROAD
A10
A1170
B194
B156
B176
HIGH ROAD
TURNFORD HIGH RD.
WASH
CHESHUNT
EN8
Brookfield Centre
St. Clements Jun. Sch.
Turnford Brook
The Nightleys (Rec. Grnd.)
Turnford School
145
River Lee Navigation
Towing Path
Lea Valley Walk
H J K L M N G
1 2 3 4 5 6 7 8 9

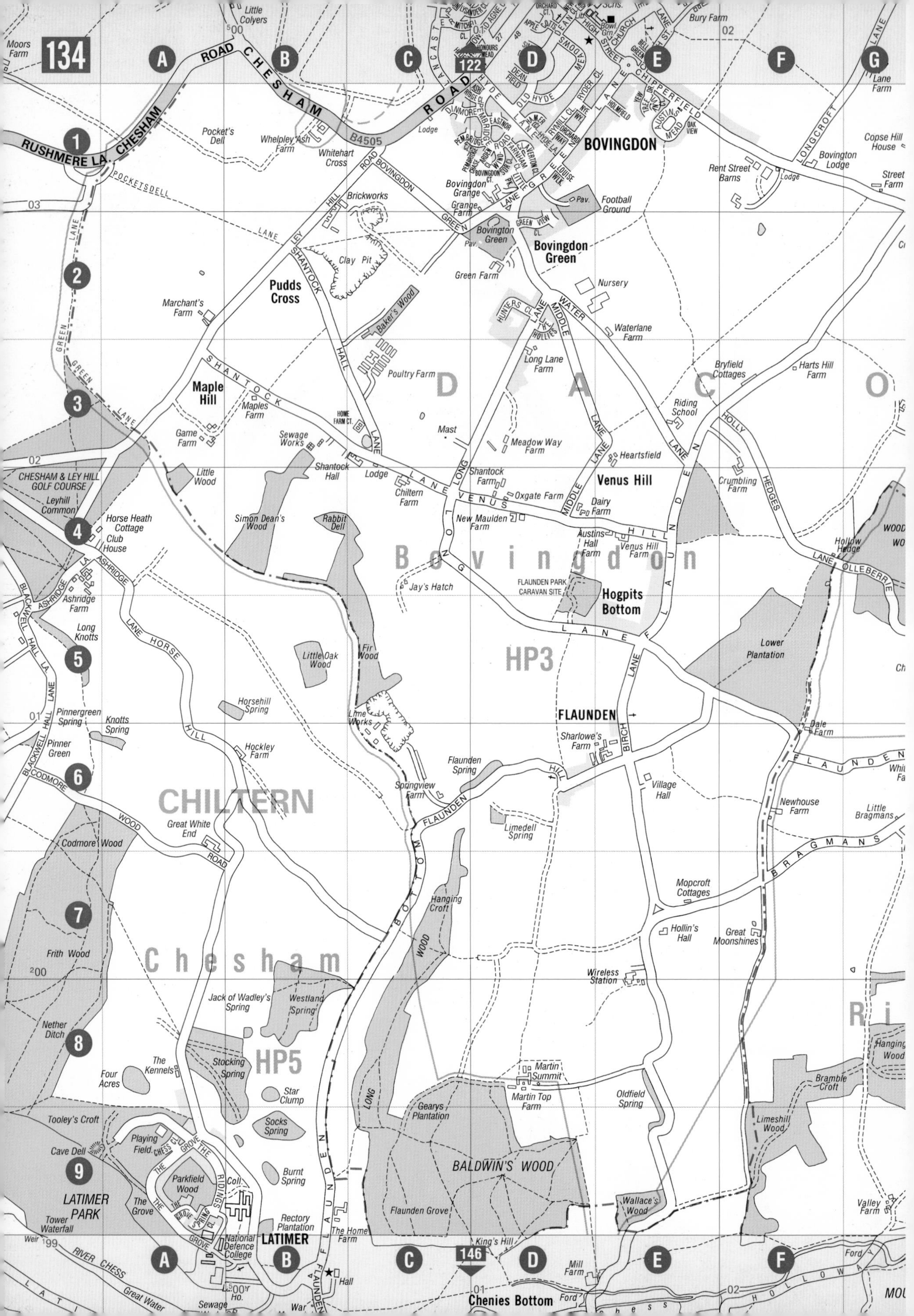

134

Moors Farm

Little Colyers

A B C **122** D E F G

1 RUSHMERE LA. CHESHAM ROAD CHESHAM ROAD
B4505
Pocket's Dell
Whelpley Ash Farm
Whitehart Cross
Lodge
Bovingdon
Bow Grn
BOVINGDON
Copse Hill House
Bovington Lodge
Lane Farm

03
POCKETSDELL
HILL
Brickworks
Bovingdon Grange
Grange
Green Farm
Rent Street Barns
Lodge
Street Farm

2
Marchant's Farm
Pudds Cross
Clay Pit
Baker's Wood
Green Farm
Bovington Green
Pav
Bovingdon Green
Nursery
Waterlane Farm
Bryfield Cottages
Harts Hill Farm

GREEN LANE
SHANTOCK HALL LANE

3
Maple Hill
Maples Farm
HOME FARM CT.
Poultry Farm
Long Lane Farm
Riding School
Crumbling Farm

02
CHESHAM & LEY HILL GOLF COURSE
Little Wood
Shantock Hall
Lodge
Chiltern Farm
Shantock Farm
Mast
Meadow Way Farm
Heartsfield
Venus Hill
Dairy Farm
Hollow Hedge
WOOD WO

4
Horse Heath Cottage Club House
Leyhill Common
Simon Dean's Wood
Rabbit Dell
Game Farm
Sewage Works
New Maulden Farm
Oxgate Farm
Austins Hall Farm
Venus Hill Farm
OLLEBERRIE LANE

ASHRIDGE
Ashridge Farm
Jay's Hatch
FLAUNDEN PARK CARAVAN SITE
Hogpits Bottom
Lower Plantation

5
Long Knotts
B o v i n g d o n
Little Oak Wood
Fir Wood

01
Pinnergreen Spring
Knotts Spring
Horsehill Spring
Lime Works
HP3
FLAUNDEN
Sharlowe's Farm
Dale Farm
FLAUNDEN

6
Pinner Green
CODMORE
CHILTERN
Hockley Farm
Springview Farm
Flaunden Spring
Village Hall
Newhouse Farm
Little Bragmans
BRAGMANS

WOOD ROAD
Great White End
FLAUNDEN BOTTOM
Limedell Spring
Mopcroft Cottages

7
Frith Wood
C h e s h a m
Hanging Croft
Hollin's Hall
Great Moonshines

²00
Jack of Wadley's Spring
Westland Spring
Wireless Station
Hanging Wood

8
Nether Ditch
The Kennels
Stocking Spring
HP5
Martin Summit
Martin Top Farm
Oldfield Spring
Bramble Croft

Four Acres
Star Clump
Gearys Plantation
Limeshill Wood

Tooley's Croft
Socks Spring
LONG
Burnt Spring
BALDWIN'S WOOD
Wallace's Wood
Valley Farm

9
Cave Dell
Playing Field
Parkfield Wood
Coll.
LATIMER PARK
The Grove
National Defence College
Rectory Plantation
Flaunden Grove
King's Hill
Mill Farm
Ford
HOLLOW MOU

Tower Waterfall
Weir 199
RIVER CHESS
The Grove
LATIMER
The Home Farm
War
Hall
146
Chenies Bottom
Ford
01
02

A B C **146** D E F

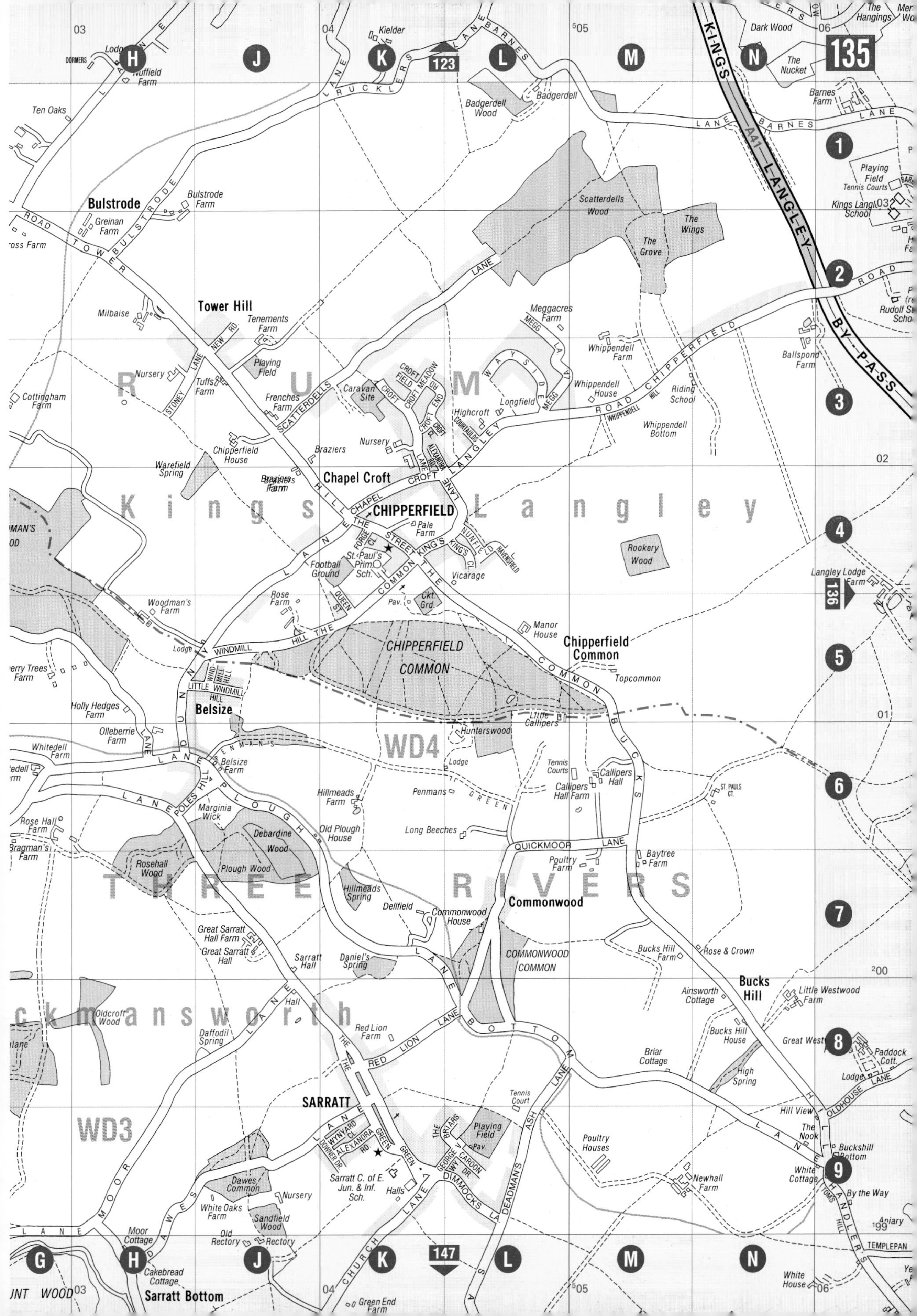

Bulstrode
Bulstrode Farm
Greinan Farm
Ten Oaks
Nuffield Farm
Kielder
Badgerdell Wood
Badgerdell
Dark Wood
The Hangings
The Nucket
Barnes Farm
Playing Field
Tennis Courts
Scatterdells Wood
The Grove
The Wings
Tower Hill
Milbaise
Tenements Farm
Meggacres Farm
Whippendell Farm
Ballspond Farm
Playing Field
Nursery
Tuffs Farm
Cottingham Farm
Caravan Site
Frenches Farm
Longfield
Whippendell House
Riding School
Highcroft
Whippendell Bottom
Chipperfield House
Braziers
Nursery
Warefield Spring
Chapel Croft
CHIPPERFIELD
Pale Farm
Kings Langley
Rookery Wood
St. Paul's Prim. Sch.
Football Ground
Vicarage
Langley Lodge Farm
Rose Farm
Pav.
Ckt. Grd.
Woodman's Farm
Manor House
Chipperfield Common
CHIPPERFIELD COMMON
Topcommon
Holly Hedges Farm
Belsize
Little Callipers
Hunterswood
Olleberrie Farm
WD4
Whitedell Farm
Belsize Farm
Lodge
Tennis Courts
Callipers Hall
Callipers Hall Farm
Hillmeads Farm
Penmans
Rose Hall Farm
Marginia Wick
Debardine Wood
Old Plough House
Long Beeches
Bragman's Farm
Rosehall Wood
Plough Wood
Poultry Farm
Baytree Farm
THREE RIVERS
Hillmeads Spring
Dellfield
Commonwood House
Commonwood
Great Sarratt Hall Farm
Great Sarratt Hall
Sarratt Hall
Daniel's Spring
COMMONWOOD COMMON
Bucks Hill Farm
Rose & Crown
Ainsworth Cottage
Bucks Hill
Little Westwood Farm
Oldcroft Wood
Hall
Rickmansworth
Daffodil Spring
Red Lion Farm
Bucks Hill House
Briar Cottage
Paddock Cott.
Lodge
High Spring
Tennis Court
SARRATT
Hill View
The Nook
WD3
Playing Field
Pav.
Poultry Houses
Buckshill Bottom
Sarratt C. of E. Jun. & Inf. Sch.
Halls
Newhall Farm
White Cottage
By the Way
Dawes Common
Nursery
White Oaks Farm
Sandfield Wood
Old Rectory
Rectory
Moor Cottage
Cakebread Cottage
Sarratt Bottom
Green End Farm
White House
Apiary
TOWER ROAD
BULSTRODE LANE
RUCKLERS LANE
BARNES LANE
KINGS LANGLEY BY-PASS
A41
CHIPPERFIELD ROAD
SCATTERDELLS LANE
THE STREET
CHAPEL CROFT
THE COMMON
WINDMILL HILL
DUNNY LANE
LITTLE WINDMILL HILL
PENMANS GREEN
PLOUGH LANE
POLES HILL
QUICKMOOR LANE
BUCKS HILL
BOTTOM LANE
RED LION LANE
DAWES LANE
MOOR LANE
DIMMOCKS LA.
DEADMAN'S ASH LANE
CHURCH LANE
HOLLY HEDGES LANE
OLDHOUSE LANE
TOMS HILL
HANDLERS
TEMPLEPAN
123
136
147

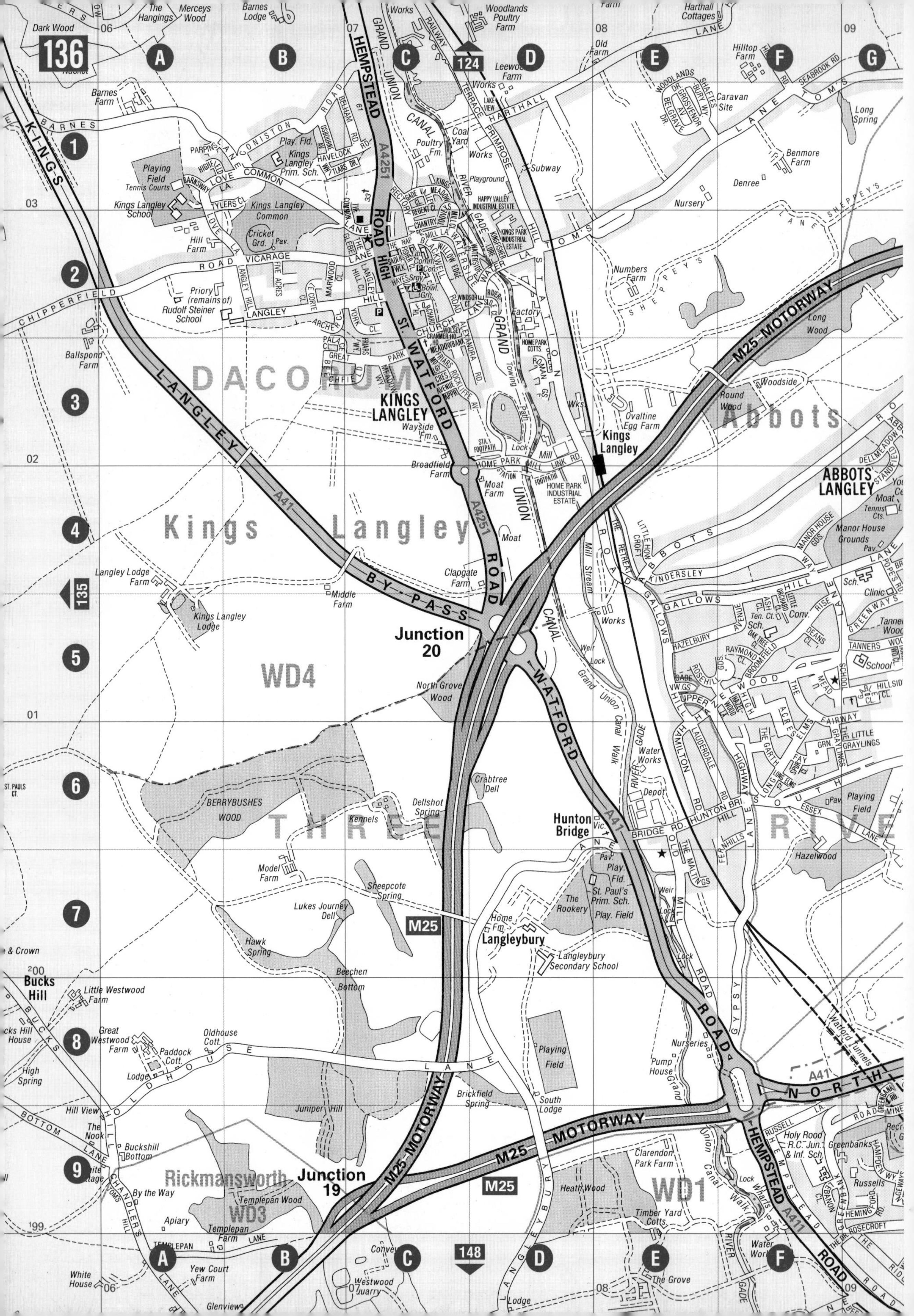

Dark Wood
The Hangings
Merceys Wood
Barnes Lodge
Works
Woodlands Poultry Farm
Harthall Cottages
124
Old Farm
Leewood Farm
Hilltop Farm
Barnes Farm
Caravan Site
Long Spring
Benmore Farm
Denree
Nursery
Playing Field
Tennis Courts
Kings Langley School
Play. Fld.
Kings Langley Prim. Sch.
Kings Langley Common
Cricket Grd.
Pav.
Hill Farm
Coal Yard
Poultry Fm.
Works
Subway
Playground
HAPPY VALLEY INDUSTRIAL ESTATE
KINGS PARK INDUSTRIAL ESTATE
Numbers Farm
Priory (remains of)
Rudolf Steiner School
Factory
HOME PARK COTTS.
Ballspond Farm
DACORUM
KINGS LANGLEY
Wayside Fm.
Long Wood
Woodside
Round Wood
Ovaltine Egg Farm
Abbots
Kings Langley
Broadfield Farm
Moat Farm
HOME PARK INDUSTRIAL ESTATE
ABBOTS LANGLEY
Moat
Tennis Cts.
Manor House Grounds
Kings Langley
Moat
Langley Lodge Farm
135
Middle Farm
Clapgate Farm
Kings Langley Lodge
Works
Junction 20
WD4
North Grove Wood
Weir
Lock
Grand Union Canal Walk
Water Works
Depot
ST. PAULS CT.
Crabtree Dell
BERRYBUSHES WOOD
Dellshot Spring
Kennels
THREE
Hunton Bridge
RIVERS
Playing Field
Hazelwood
Model Farm
Sheepcote Spring
The Rookery
St. Paul's Prim. Sch.
Play. Field
Lukes Journey Dell
M25
Home Fm.
Langleybury
Langleybury Secondary School
Hawk Spring
Beechen Bottom
Bucks Hill
Little Westwood Farm
Great Westwood Farm
Oldhouse Cott.
Paddock Cott.
Lodge
High Spring
Playing Field
Nurseries
Pump House
Watford Tunnels
A41
Brickfield Spring
South Lodge
Juniper Hill
Hill View
The Nook
Buckshill Bottom
M25 MOTORWAY
Clarendon Park Farm
Holy Rood R.C. Jun. & Inf. Sch.
Greenbanks
Russells
Rickmansworth
Junction 19
WD3
Templepan Wood
Heath Wood
WD1
By the Way
Apiary
Templepan Farm
Timber Yard Cotts.
Water Works
Yew Court Farm
White House
Westwood Quarry
The Grove
148
Lodge
Glenview

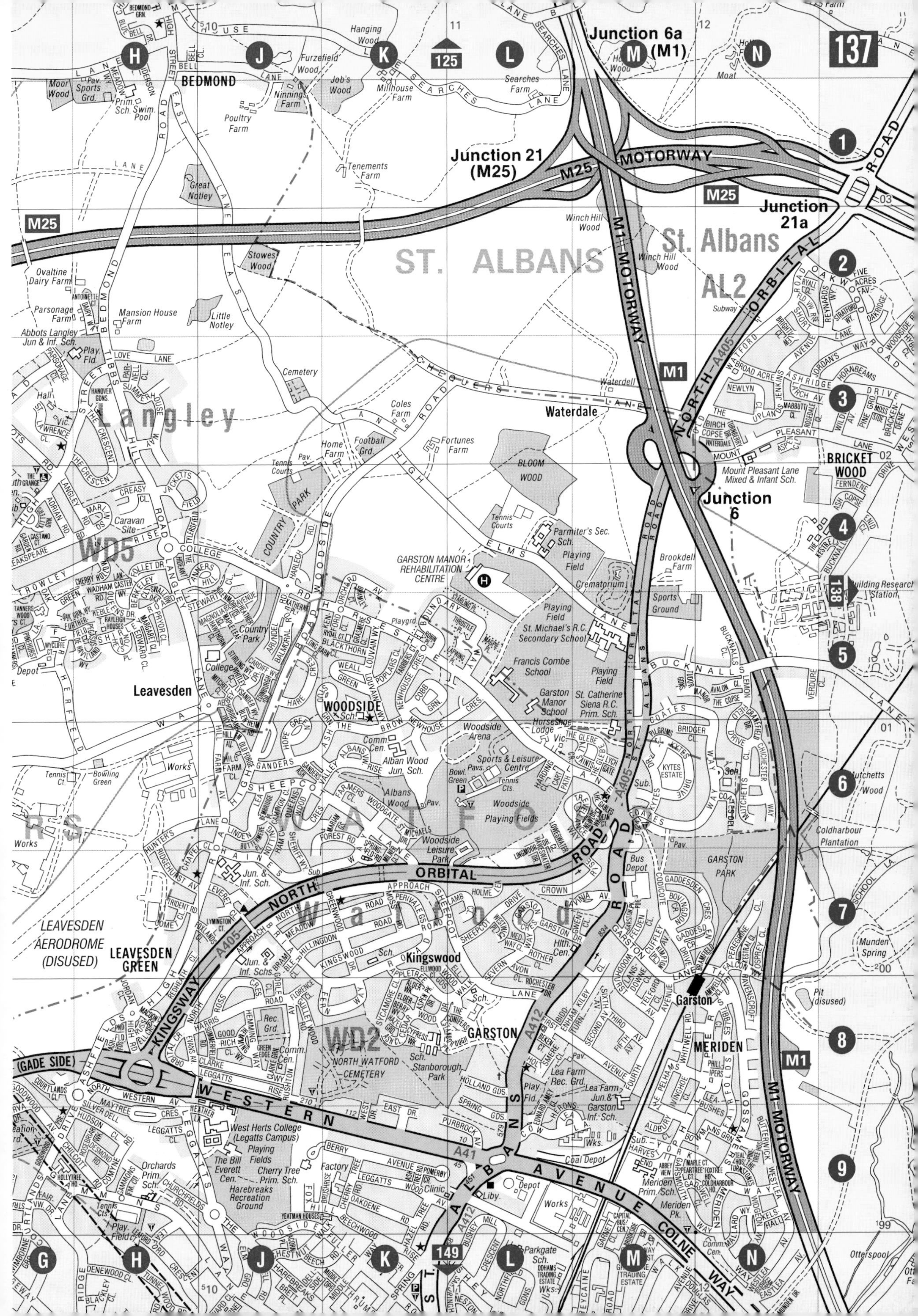
125
Junction 6a
(M1)
Hanging Wood
Furzefield Wood
Job's Wood
Millhouse Farm
Searches Farm
Moat
BEDMOND
Moor Wood
Pav.
Sports Grd.
Prim. Sch.
Swim. Pool
Ninnings Farm
Poultry Farm
Tenements Farm
Junction 21
(M25)
M25
MOTORWAY
Junction 21a
Great Notley
Winch Hill Wood
St. Albans
AL2
ST. ALBANS
Stowes Wood
Ovaltine Dairy Farm
Parsonage Farm
Mansion House Farm
Little Notley
Abbots Langley Jun & Inf. Sch.
Play. Fld.
Cemetery
Langley
M1 MOTORWAY
M1
Waterdell
Waterdale
Coles Farm
Home Farm
Football Grd.
Fortunes Farm
BLOOM WOOD
Mount Pleasant Lane Mixed & Infant Sch.
Junction 6
BRICKET WOOD
Tennis Courts
COUNTRY PARK
Caravan Site
WD5
Parmiter's Sec. Sch.
Playing Field
GARSTON MANOR REHABILITATION CENTRE
Brookdell Farm
Crematorium
Sports Ground
138
Building Research Station
Country Park
College
Playing Field
St. Michael's R.C. Secondary School
Francis Combe School
Garston Manor School
St. Catherine Siena R.C. Prim. Sch.
Leavesden
WOODSIDE
Woodside Arena
Sports & Leisure Centre
Horseshoe Lodge
Comm. Cen.
Alban Wood Jun. Sch.
KYTES ESTATE
Works
Tennis Ct.
Bowling Green
Bowl. Green
Albans Wood
Woodside Playing Fields
Hutchetts Wood
Coldharbour Plantation
Woodside Leisure Park
WATFORD
ORBITAL
NORTH ORBITAL ROAD
A405
Bus Depot
GARSTON PARK
Jun. & Inf. Sch.
Watford
LEAVESDEN AERODROME (DISUSED)
LEAVESDEN GREEN
Kingswood
Hlth. Cen.
Munden Spring
Pit (disused)
Garston
WD2
Rec. Grd.
Comm. Cen.
NORTH WATFORD CEMETERY
Stanborough Park
GARSTON
MERIDEN
Lea Farm Rec. Grd.
Lea Farm Jun. & Garston Inf. Sch.
(GADE SIDE)
WESTERN AVENUE
A41
West Herts College (Legatts Campus)
Playing Fields
The Bill Everett Cen.
Cherry Tree Prim. Sch.
Harebreaks Recreation Ground
Orchards Prim. Sch.
Coal Depot
Wks.
Depot
Liby.
Clinic
Factory
Works
Meriden Prim. Sch.
Meriden Pk.
Comm. Cen.
Otterspool
M1 MOTORWAY
COLNE WAY
ST. ALBANS ROAD
A412
149
Parkgate Sch.
GREYCAINE TRADING ESTATE
ODHAMS TRADING ESTATE
Wks.
Play. Field
KINGSWAY
H
J
K
L
M
N
G
1
2
3
4
5
6
7
8
9
10
11
12

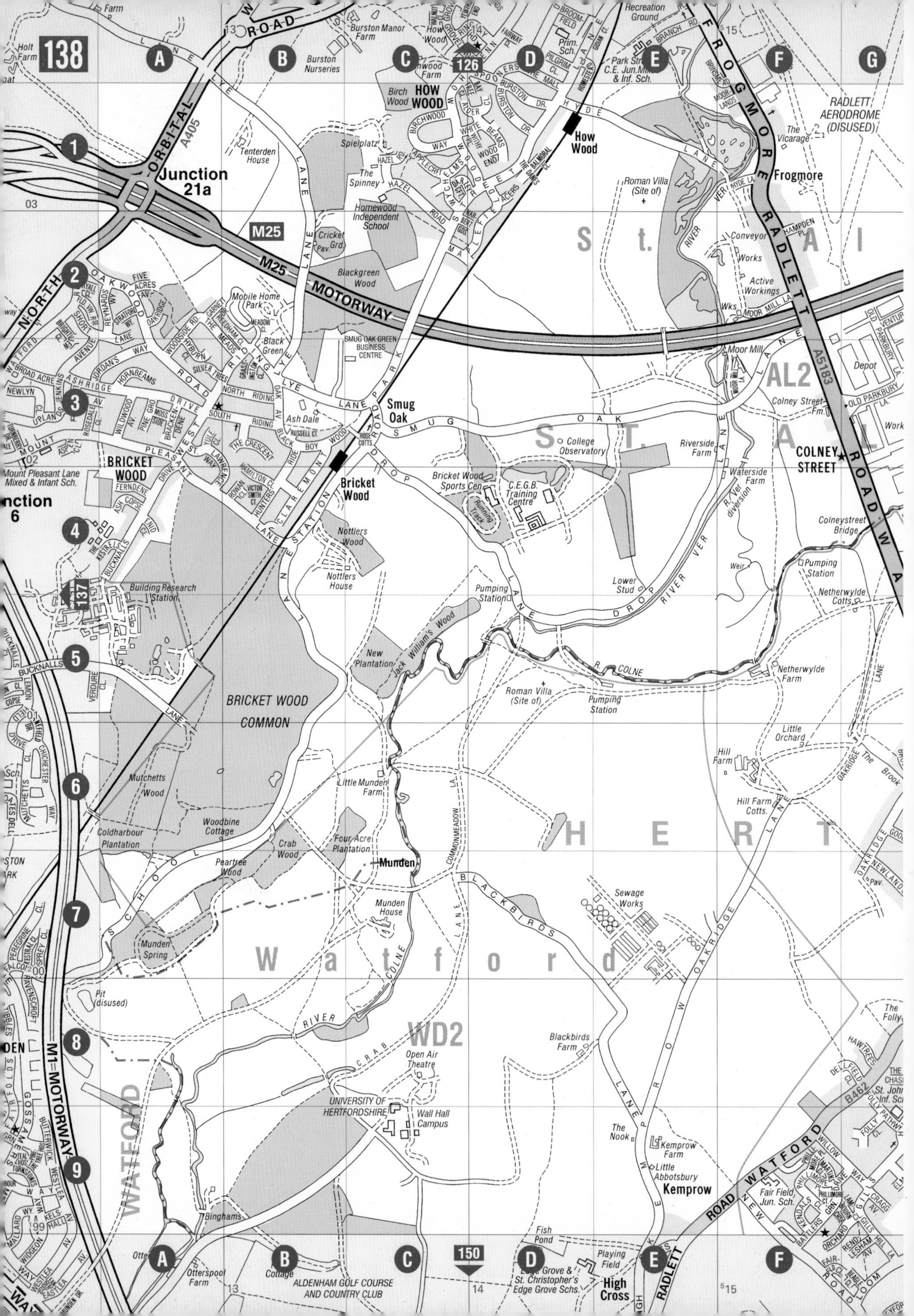

Junction 21a
M25
M25 MOTORWAY
NORTH ORBITAL ROAD
A405
HOW WOOD
How Wood
Birch Wood
Homewood Farm
Burston Manor Farm
Burston Nurseries
Tenterden House
Spielplatz
The Spinney
Homewood Independent School
Cricket Grd.
Pav.
Blackgreen Wood
Black Green
Mobile Home Park
SMUG OAK GREEN BUSINESS CENTRE
Smug Oak
SMUG OAK
Ash Dale
Bricket Wood
BRICKET WOOD
Mount Pleasant Lane Mixed & Infant Sch.
Building Research Station
BRICKET WOOD COMMON
Nottlers Wood
Nottlers House
New Plantation
Jack William's Wood
Mutchetts Wood
Coldharbour Plantation
Woodbine Cottage
Crab Wood
Peartree Wood
Four Acre Plantation
Little Munden Farm
Munden
Munden House
Munden Spring
Pit (disused)
Watford
WATFORD
WD2
RIVER COLNE
CRAB
Open Air Theatre
UNIVERSITY OF HERTFORDSHIRE
Wall Hall Campus
Binghams
Otterspool Farm
Cottage
ALDENHAM GOLF COURSE AND COUNTRY CLUB
M1 MOTORWAY
Recreation Ground
Park Street C.E. Jun. Mixed & Inf. Sch.
FROGMORE
Frogmore
RADLETT AERODROME (DISUSED)
The Vicarage
Roman Villa (Site of)
Conveyor
Works
Active Workings
Wks
Moor Mill
AL2
A5183
Depot
Colney Street Fm.
COLNEY STREET
Riverside Farm
Waterside Farm
R. Ver diversion
College Observatory
Bricket Wood Sports Cen.
C.E.G.B. Training Centre
Running Track
Pumping Station
Lower Stud
Weir
Colneystreet Bridge
Netherwylde Cotts.
Netherwylde Farm
R. COLNE
Little Orchard
Hill Farm
Hill Farm Cotts.
Sewage Works
Blackbirds Farm
The Nook
Kemprow Farm
Little Abbotsbury
Kemprow
Fair Field Jun. Sch.
St. John's Inf. Sch.
The Folly
Fish Pond
Playing Field
Edge Grove & St. Christopher's Edge Grove Schs.
High Cross
RADLETT
WATFORD ROAD
B462
S t. A l b a n s
S H E R T
W a t f o r d
126
137
150
03
02
01
00
99
13
14
15

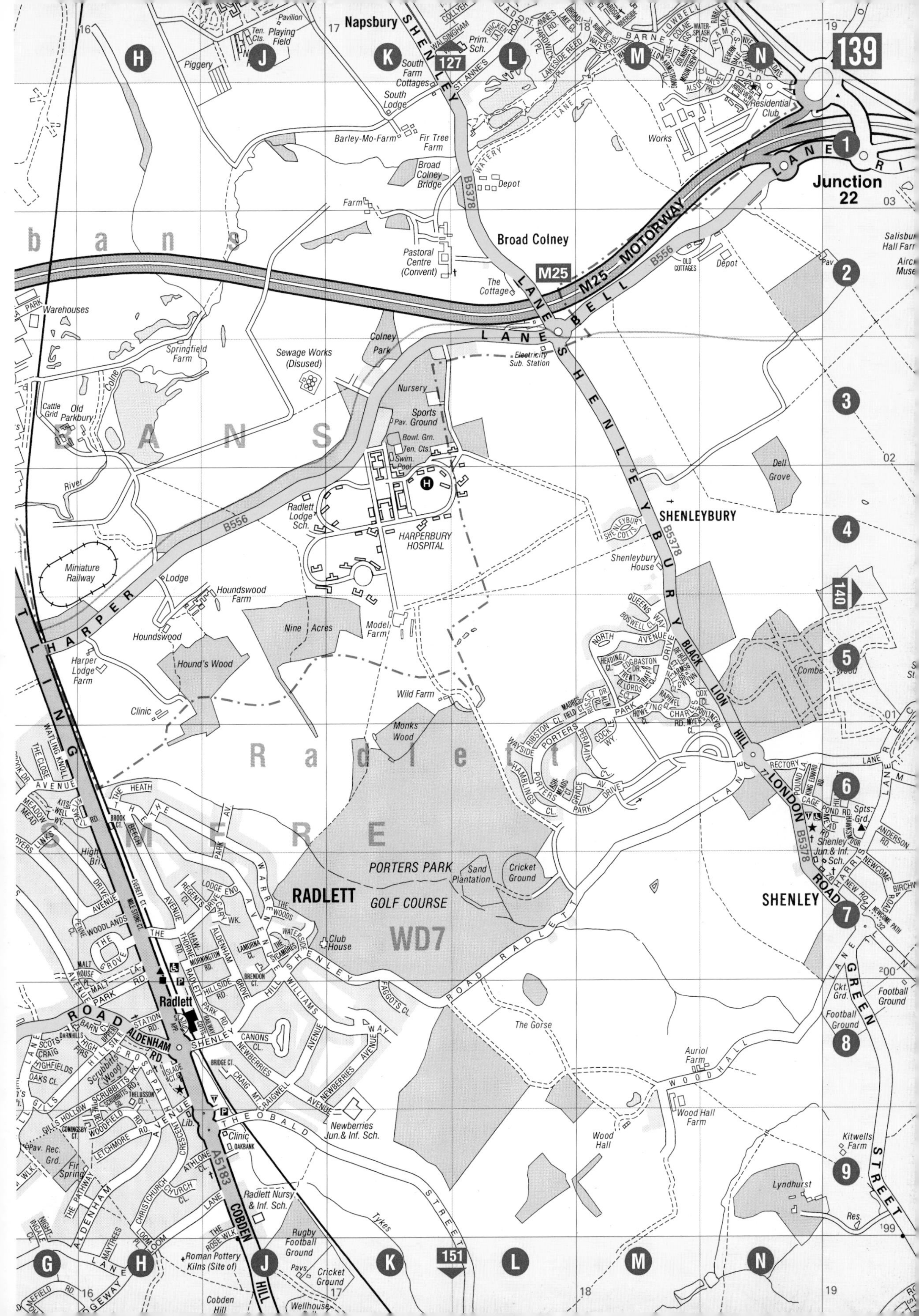
Napsbury
Broad Colney
M25 MOTORWAY
Junction 22
SHENLEYBURY
HARPERBURY HOSPITAL
PORTERS PARK
GOLF COURSE
RADLETT
WD7
Radlett
SHENLEY
Shenley Jun.& Inf. Sch.
Newberries Jun.& Inf. Sch.
Radlett Nursy & Inf. Sch.
Radlett Lodge Sch.
Miniature Railway
Nine Acres
Hound's Wood
Monks Wood
Wild Farm
Model Farm
Houndswood Farm
Springfield Farm
Sewage Works (Disused)
Colney Park
Nursery
Sports Ground
Electricity Sub. Station
Pastoral Centre (Convent)
Barley-Mo-Farm
Fir Tree Farm
Broad Colney Bridge
South Farm Cottages
South Lodge
Playing Field
Piggery
Residential Club
Works
Depot
Dell Grove
Shenleybury House
Sand Plantation
Cricket Ground
Club House
The Gorse
Auriol Farm
Wood Hall Farm
Wood Hall
Kitwells Farm
Lyndhurst
Rugby Football Ground
Cricket Ground
Roman Pottery Kilns (Site of)
Cobden Hill
Wellhouse
Old Parkbury
Harper Lodge Farm
Houndswood
Clinic
Warehouses
SHENLEY LANE
BELL LANE
HARPER LANE
WATLING STREET
BLACK LION HILL
LONDON ROAD
GREEN STREET
RADLETT ROAD
WOOD HALL LANE
THEOBALD STREET
ALDENHAM ROAD
COBDEN HILL
B5378
B556
A5183
M25
127
140
151

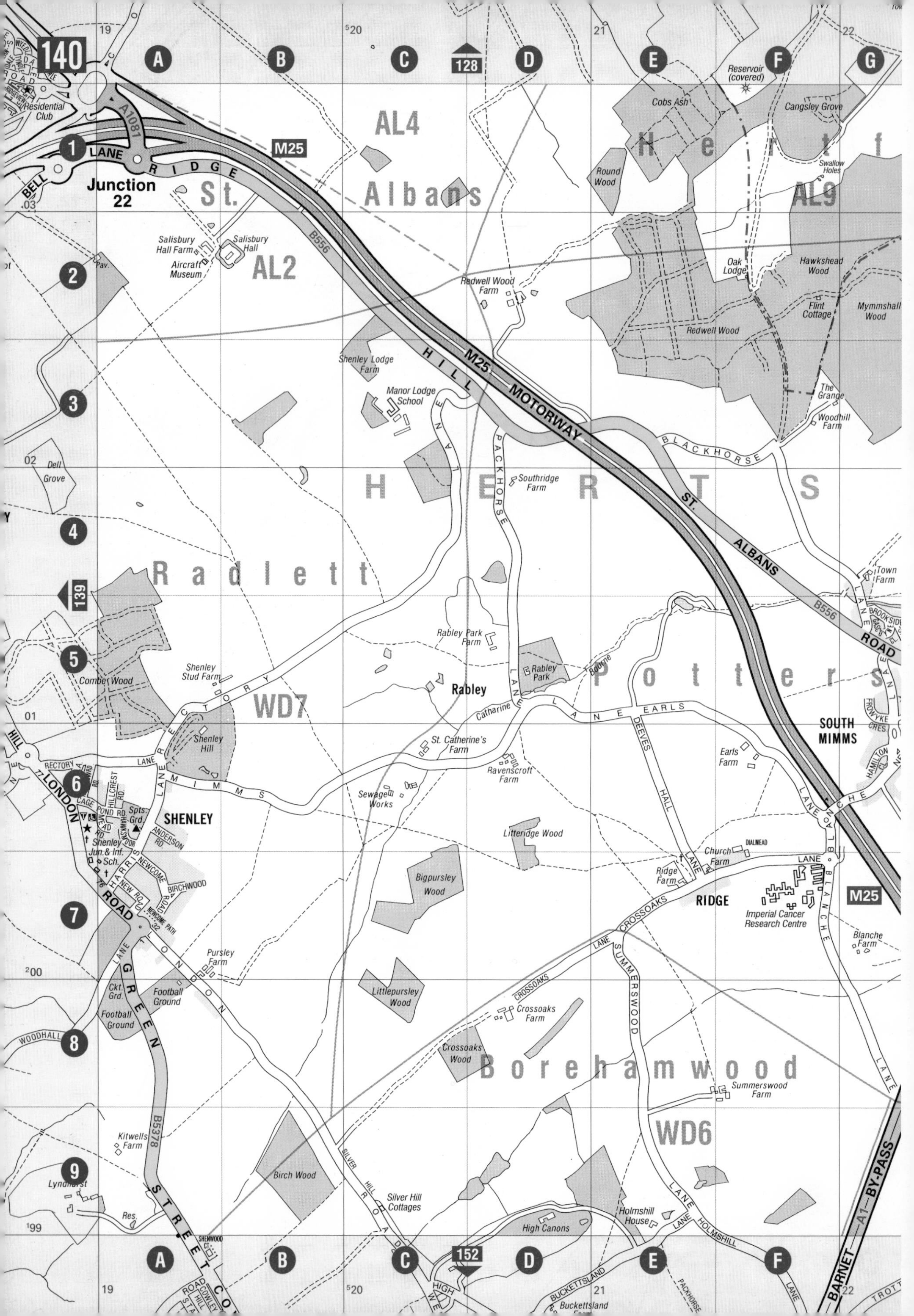

128
Junction 22
M25
A1081
BELL LANE
RIDGE HILL
St. Albans
AL4
AL2
Salisbury Hall Farm
Salisbury Hall
Aircraft Museum
Residential Club
Cobs Ash
Reservoir (covered)
Cangsley Grove
Round Wood
Swallow Holes
AL9
Oak Lodge
Hawkshead Wood
Flint Cottage
Mymmshall Wood
Redwell Wood
Redwell Wood Farm
The Grange
Woodhill Farm
Shenley Lodge Farm
Manor Lodge School
M25 MOTORWAY
B556
BLACKHORSE
PACKHORSE
Southridge Farm
HERTS
Dell Grove
Radlett
139
ST. ALBANS ROAD
Town Farm
Rabley Park Farm
Rabley Park
Rabley
Potters
Combe Wood
Shenley Stud Farm
RECTORY LANE
WD7
Catharine LANE
EARLS LANE
DEEVES HALL LANE
SOUTH MIMMS
Shenley Hill
St. Catherine's Farm
Ravenscroft Farm
Earls Farm
MIMMS LANE
Sewage Works
SHENLEY
LONDON ROAD
HILLCREST RD.
CAGE POND RD.
Spts. Grd.
ANDERSON RD
Shenley Jun.& Inf. Sch.
NEWCOME RD
BIRCHWOOD
HARRIS LANE
NEW RD
Litteridge Wood
Church Farm
DIALMEAD
Ridge Farm
RIDGE
Imperial Cancer Research Centre
BLANCHE LANE
Blanche Farm
Bigpursley Wood
CROSSOAKS LANE
SUMMERSWOOD
Pursley Farm
GREEN STREET
B5378
Ckt. Grd.
Football Ground
Littlepursley Wood
Crossoaks Farm
Crossoaks Wood
WOODHALL
Borehamwood
Summerswood Farm
WD6
Kitwells Farm
Lyndhurst
Birch Wood
SILVER HILL ROAD
Silver Hill Cottages
Res.
High Canons
Holmshill House
HOLMSHILL LANE
BARNET A1 BY-PASS
152
BUCKETTSLAND
Bucketsland
PACKHORSE
HIGH
COWLEY HILL

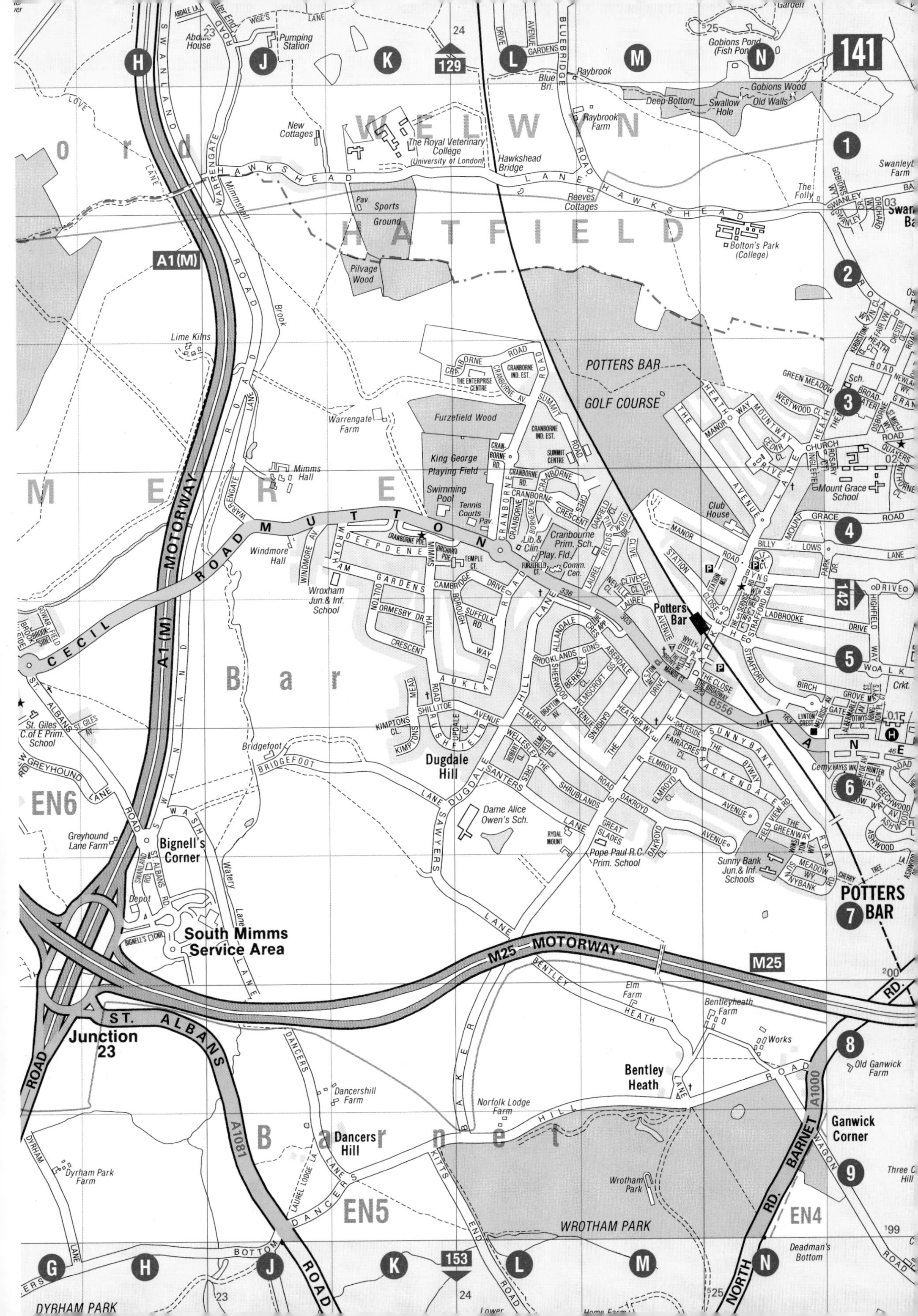

141
WELWYN
HATFIELD
MERETON
Bar
Barnet
The Royal Veterinary College (University of London)
New Cottages
Pumping Station
Abdale House
Raybrook
Raybrook Farm
Gobions Pond (Fish Pond)
Gobions Wood
Deep Bottom
Swallow Hole
Old Walls
Hawkshead Bridge
HAWKSHEAD LANE
Reeves Cottages
Sports Ground
Pilvage Wood
Bolton's Park (College)
Swanley Farm
The Folly
A1(M)
A1(M) MOTORWAY
Lime Kilns
POTTERS BAR GOLF COURSE
Warrengate Farm
Furzefield Wood
King George Playing Field
Swimming Pool
Tennis Courts
Mimms Hall
Windmore Hall
MUTTON LANE
CECIL ROAD
Wroxham Jun.& Inf. School
Cranbourne Prim. Sch.
Club House
Mount Grace School
Potters Bar
St. Giles C.of E Prim. School
Dugdale Hill
Bridgefoot
Dame Alice Owen's Sch.
Pope Paul R.C. Prim. School
Sunny Bank Jun.& Inf. Schools
Greyhound Lane Farm
Bignell's Corner
South Mimms Service Area
POTTERS BAR
EN6
M25 MOTORWAY
M25
Junction 23
ST. ALBANS ROAD
A1081
Elm Farm
Bentleyheath Farm
Works
Bentley Heath
Old Ganwick Farm
Ganwick Corner
Dancershill Farm
Norfolk Lodge Farm
Dancers Hill
Dyrham Park Farm
Wrotham Park
WROTHAM PARK
EN5
EN4
A1000
BARNET RD.
Three Cr Hill
Deadman's Bottom
DYRHAM PARK
129
142
153

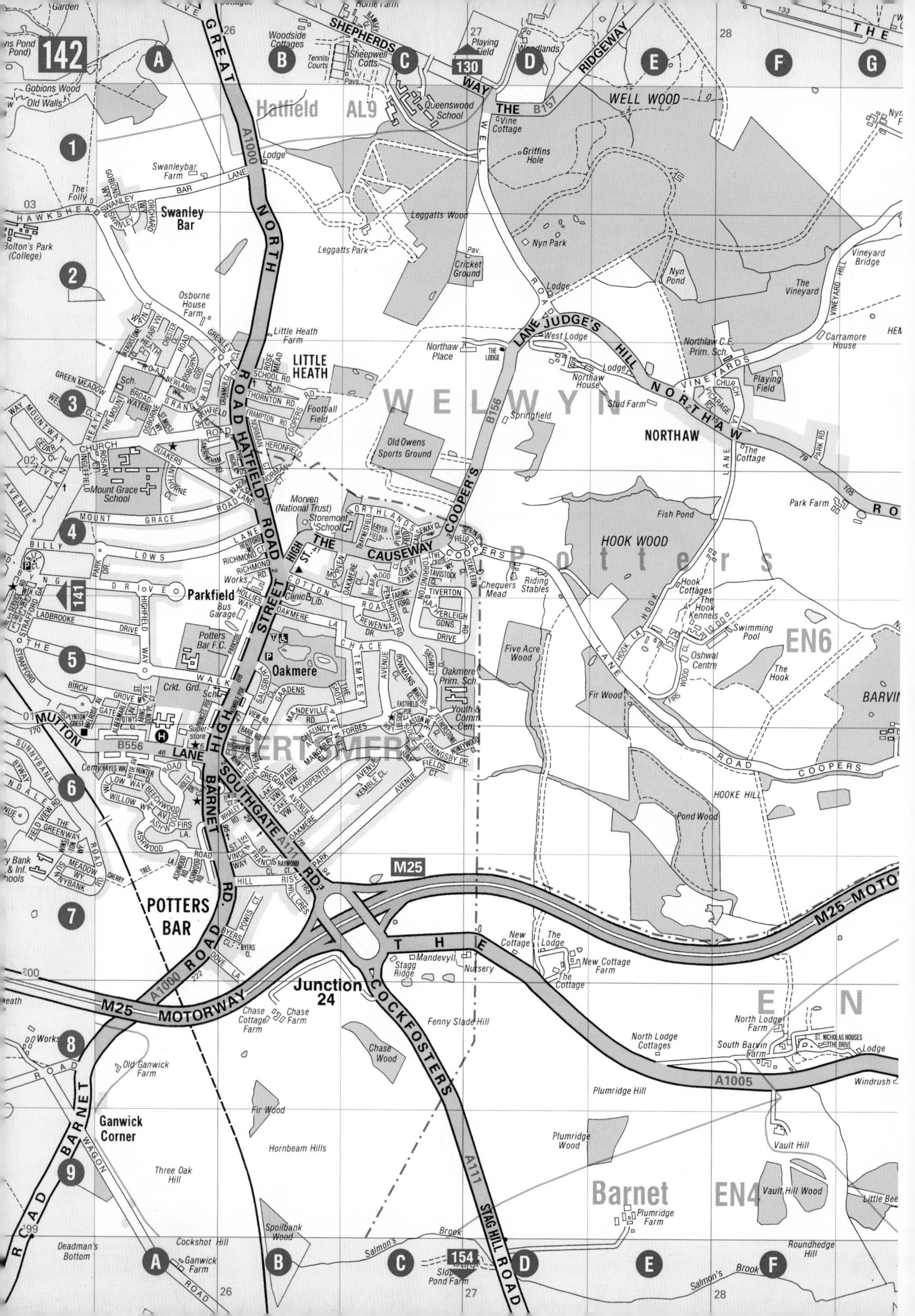

A
B
C
D
E
F
G
1
2
3
4
5
6
7
8
9
26
27
28
130
141
154
Hatfield AL9
Gobions Wood
Old Walls
Woodside Cottages
Tennis Courts
Sheepwell Cotts.
Playing Field
Woodlands
SHEPHERDS WAY
RIDGEWAY
THE RIDGEWAY
Queenswood School
WELL WOOD
Vine Cottage
Griffins Hole
Lodge
Swanleybar Farm
The Folly
Swanley Bar
HAWKSHEAD
Bolton's Park (College)
Leggatts Wood
Leggatts Park
Nyn Park
Cricket Ground
Pav.
Lodge
Nyn Pond
The Vineyard
Vineyard Bridge
VINEYARD HILL
Carramore House
Osborne House Farm
Little Heath Farm
LITTLE HEATH
Northaw Place
THE LODGE
West Lodge
JUDGE'S HILL
Northaw C.E. Prim. Sch.
Playing Field
Northaw House
Stud Farm
NORTHAW
VINEYARDS
CHURCH
VICARAGE
PARK RD.
The Cottage
WELWYN
GREAT NORTH ROAD
HATFIELD ROAD
A1000
Football Field
Old Owens Sports Ground
Springfield
B156
B157
COOPER'S LANE
Mount Grace School
MOUNT GRACE ROAD
CHURCH ROAD
QUAKERS
BILLY LOWS LANE
Morven (National Trust)
Storemont School
NORTHLANDS
THE CAUSEWAY
HIGH ST.
Park Farm
Fish Pond
HOOK WOOD
Potters
Chequers Mead
Riding Stables
Hook Cottages
The Hook Kennels
Swimming Pool
EN6
Oshwal Centre
The Hook
Five Acre Wood
Fir Wood
HOOK LANE
BARVIN
Parkfield
Bus Garage
Potters Bar F.C.
Oakmere
LADBROOKE DRIVE
HIGHFIELD WAY
THE WALK
CHACE AVENUE
TEMPEST AVENUE
Oakmere Prim. Sch.
Youth & Comm. Cen.
Crkt. Grd.
Sch.
Super store
MUTTON LANE
B556
HERTSMERE
HIGH STREET
SOUTHGATE RD.
BARNET RD.
A111
COOPERS ROAD
HOOKE HILL
Pond Wood
M25
POTTERS BAR
New Cottage
The Lodge
New Cottage Farm
The Cottage
Mandevyll
Stagg Ridge
Nursery
THE RIDGEWAY
Junction 24
COCKFOSTERS
A1060
M25 MOTORWAY
Chase Cottage Farm
Chase Farm
Fenny Slade Hill
EN
North Lodge Farm
North Lodge Cottages
South Barvin Farm
ST. NICHOLAS HOUSES
THE DRIVE
Lodge
A1005
Windrush
Works
Old Ganwick Farm
Chase Wood
Plumridge Hill
Fir Wood
Ganwick Corner
BARNET ROAD
WAGON ROAD
Hornbeam Hills
Plumridge Wood
Vault Hill
Three Oak Hill
Barnet
EN4
Vault Hill Wood
Little Bee
Plumridge Farm
STAG HILL ROAD
Spoilbank Wood
Brook
Salmon's
Deadman's Bottom
Cockshot Hill
Ganwick Farm
Slope Pond Farm
Roundhedge Hill
Salmon's Brook

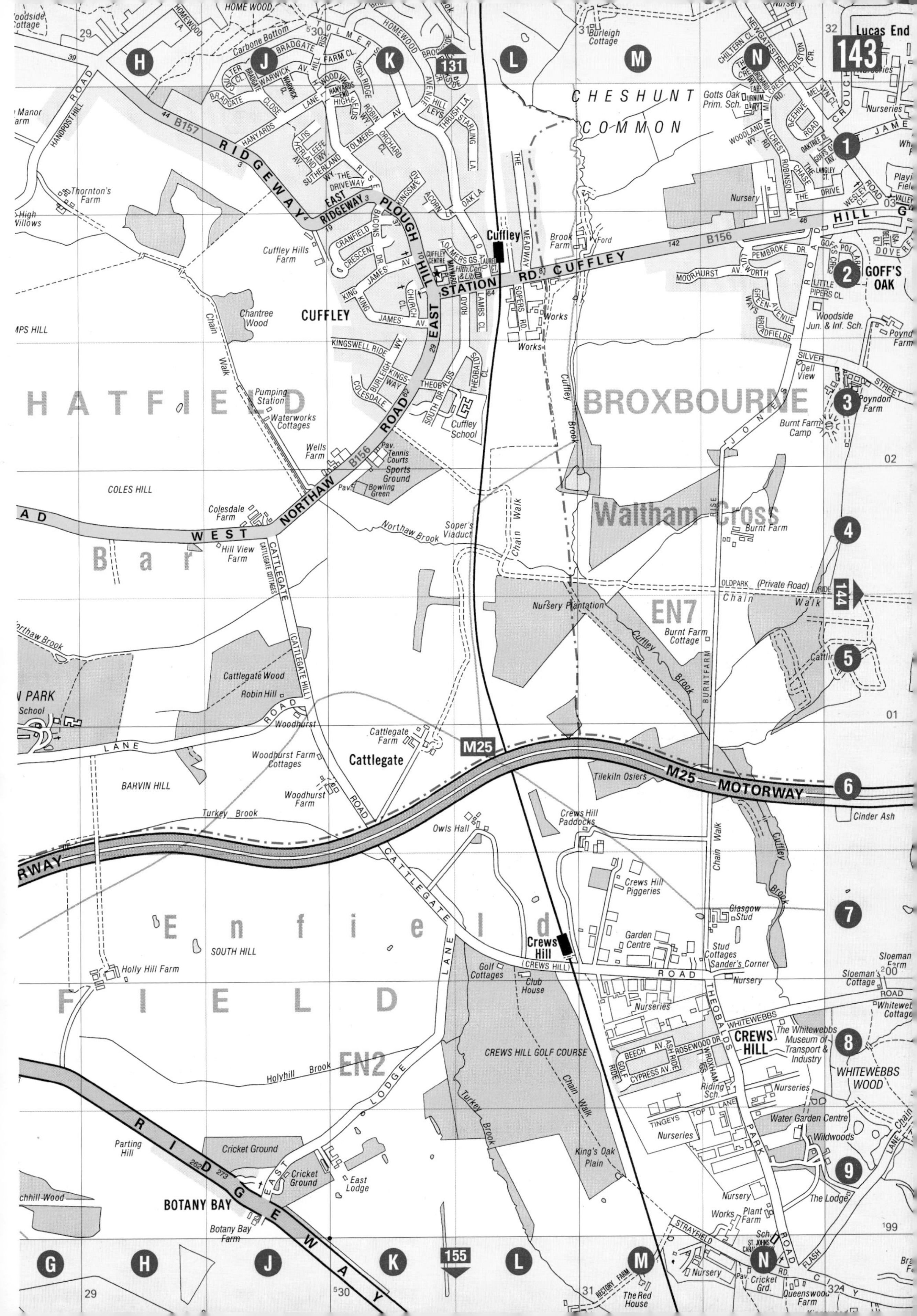
143
Lucas End
CHESHUNT
COMMON
HATFIELD
BROXBOURNE
Waltham Cross
EN7
EN2
Bar
Enfield
FIELD
CUFFLEY
Cuffley
Cattlegate
CREWS HILL
Crews Hill
GOFF'S OAK
BOTANY BAY
M25
M25 MOTORWAY
RIDGEWAY
EAST RIDGEWAY
PLOUGH HILL
EAST RIDGEWAY
NORTHAW ROAD EAST
NORTHAW ROAD WEST
STATION RD.
CUFFLEY HILL
CATTLEGATE ROAD
CATTLEGATE HILL
THEOBALDS PARK ROAD
CREWS HILL ROAD
WHITEWEBBS ROAD
EAST LODGE LANE
JONES ROAD
BURNTFARM RISE
SILVER STREET
Chain Walk
Cuffley Brook
Turkey Brook
Northaw Brook
Holyhill Brook
Soper's Viaduct
Thornton's Farm
Cuffley Hills Farm
Chantree Wood
Pumping Station
Waterworks Cottages
Wells Farm
COLES HILL
Colesdale Farm
Hill View Farm
Cattlegate Wood
Robin Hill
Woodhurst
Woodhurst Farm Cottages
Woodhurst Farm
Cattlegate Farm
BAHVIN HILL
SOUTH HILL
Holly Hill Farm
Parting Hill
Cricket Ground
East Lodge
Botany Bay Farm
Owls Hall
Crews Hill Paddocks
Crews Hill Piggeries
Garden Centre
Glasgow Stud
Stud Cottages
Sander's Corner
Golf Cottages
Club House
CREWS HILL GOLF COURSE
King's Oak Plain
Nurseries
Riding Sch.
Water Garden Centre
Wildwoods
The Lodge
The Whitewebbs Museum of Transport & Industry
WHITEWEBBS WOOD
Sloeman's Cottage
Burnt Farm
Burnt Farm Camp
Burnt Farm Cottage
Poyndon Farm
Nursery Plantation
Tilekiln Osiers
Cinder Ash
Brook Farm
Works
Cuffley School
Sports Ground
Tennis Courts
Bowling Green
Gotts Oak Prim. Sch.
Woodside Jun. & Inf. Sch.
Burleigh Cottage
The Red House
Queenswood Farm
131
144
155
G H J K L M N
1 2 3 4 5 6 7 8 9
29 30 31 32
199 00 01 02 03

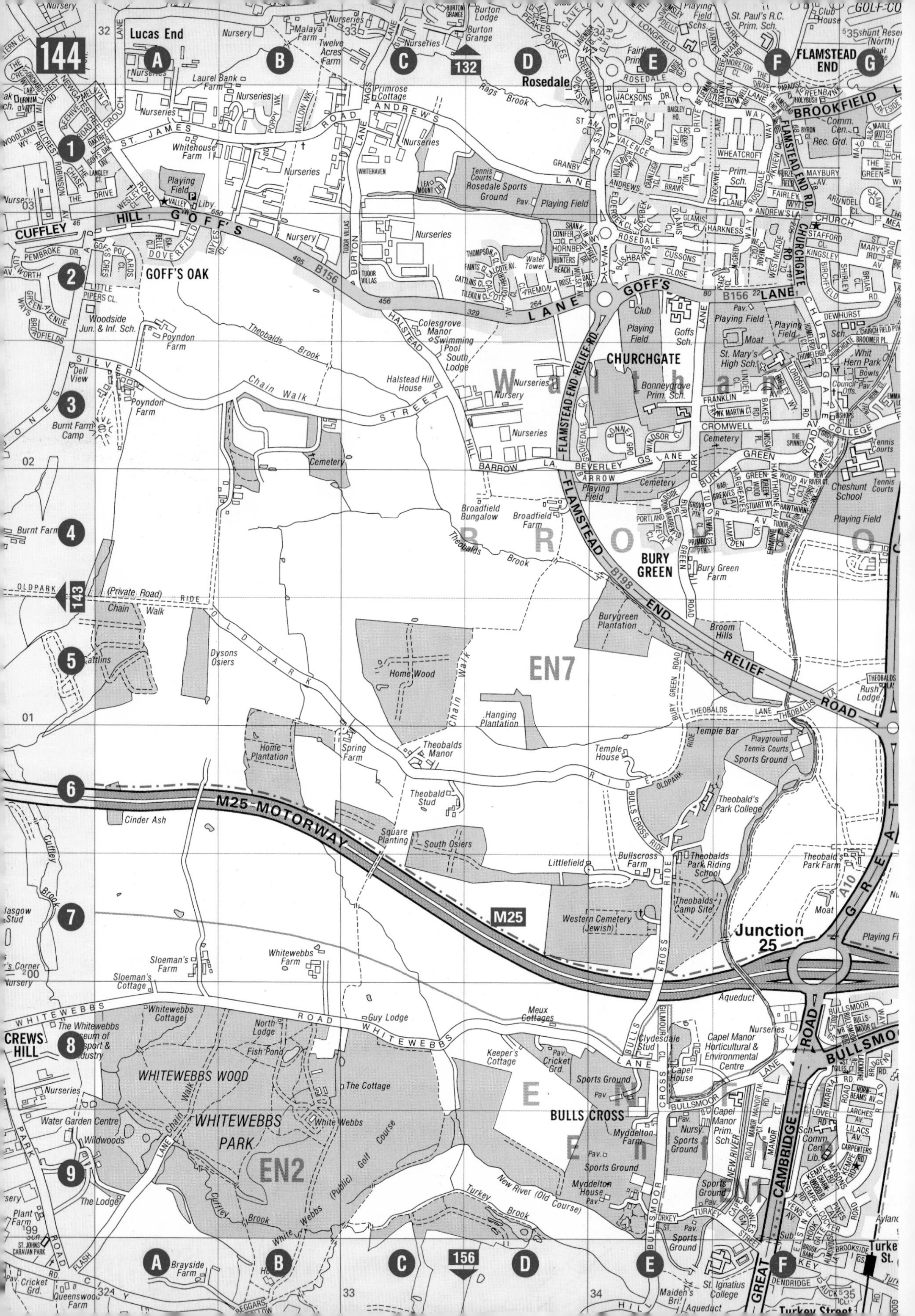

144
Lucas End
Nursery
Malaya Farm
Twelve Acres Farm
Burton Grange
Burton Lodge
132
Rosedale
FLAMSTEAD END
St. Paul's R.C. Prim. Sch.
Laurel Bank Farm
Nurseries
ST. JAMES ROAD
ANDREW'S LANE
Primrose Cottage
Rags Brook
BROOKFIELD LANE
Whitehouse Farm
Playing Field
CUFFLEY HILL
GOFF'S LANE
GOFF'S OAK
Tennis Courts
Rosedale Sports Ground
Playing Field
Water Tower
CHURCHGATE
Woodside Jun. & Inf. Sch.
Poyndon Farm
Theobalds Brook
Colesgrove Manor
Swimming Pool
South Lodge
Halstead Hill House
Chain Walk
SILVER STREET
Dell View
Burnt Farm Camp
Cemetery
Waltham
Bonneygrove Prim. Sch.
St. Mary's High Sch.
Cheshunt School
BARROW LA.
BEVERLEY GS.
Broadfield Bungalow
Broadfield Farm
Burnt Farm
BROXBOURNE
BURY GREEN
Bury Green Farm
OLDPARK RIDE
(Private Road)
143
Chain Walk
FLAMSTEAD END RELIEF ROAD
B198
Burygreen Plantation
Broom Hills
Cattlins
Dysons Osiers
Home Wood
EN7
Rush Lodge
Hanging Plantation
Home Plantation
Spring Farm
Theobalds Manor
Temple Bar
Temple House
Sports Ground
Theobald Stud
Theobald's Park College
Cinder Ash
M25 MOTORWAY
Square Planting
South Osiers
Littlefield
Bullscross Farm
Theobalds Park Riding School
Theobald's Park Farm
Theobalds Camp Site
Cuffley Brook
Western Cemetery (Jewish)
M25
Junction 25
Moat
A10
Glasgow Stud
Sloeman's Farm
Whitewebbs Farm
Sloeman's Cottage
Aqueduct
WHITEWEBBS ROAD
Whitewebbs Cottage
Guy Lodge
Meux Cottages
CREWS HILL
The Whitewebbs Museum of Transport & Industry
North Lodge
Fish Pond
Keeper's Cottage
Clydesdale Stud
Capel Manor Horticultural & Environmental Centre
BULLSMOOR
WHITEWEBBS WOOD
The Cottage
Capel House
WHITEWEBBS PARK
White Webbs
BULLS CROSS
Water Garden Centre
Wildwoods
Myddelton House
Capel Manor Prim. Sch.
EN2
Enfield
EN1
White Webbs (Public) Golf Course
New River (Old Course)
Turkey Brook
CAMBRIDGE ROAD
The Lodge
Plant Farm
St. Johns Caravan Park
Brayside Farm
156
St. Ignatius College
Maiden's Bri.
Queenswood Farm
Turkey Street
GREAT CAMBRIDGE ROAD

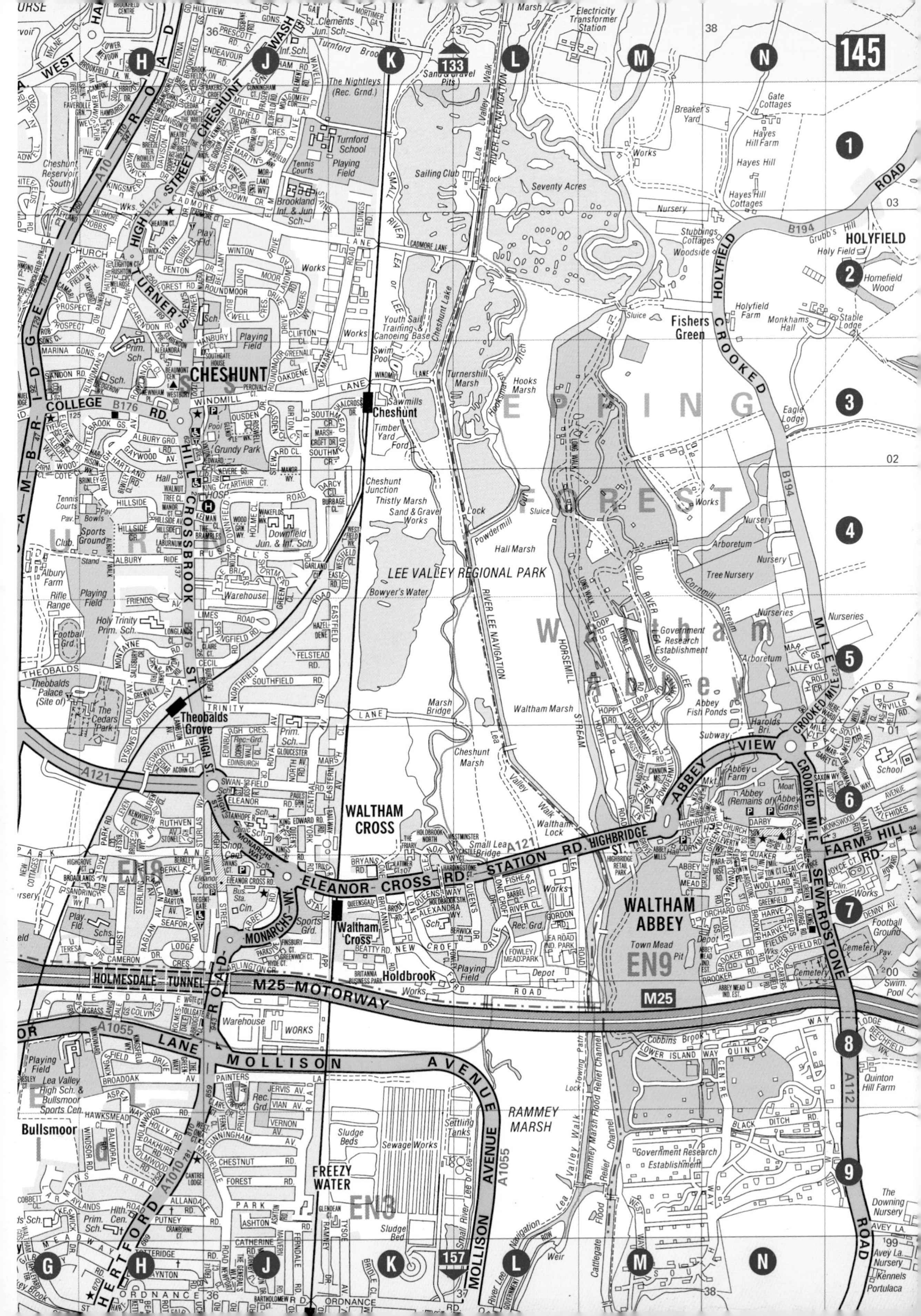

CHESHUNT
WALTHAM CROSS
WALTHAM ABBEY
EN9
EN8
EN3
HOLYFIELD
Fishers Green
Holdbrook
FREEZY WATER
Bullsmoor
EPPING FOREST
Waltham Abbey
LEE VALLEY REGIONAL PARK
Theobalds Grove
Cheshunt
Waltham Cross
HOLMESDALE TUNNEL
M25 MOTORWAY
M25
MOLLISON AVENUE
HERTFORD ROAD
GREAT CAMBRIDGE ROAD
HIGH STREET
CROSSBROOK ST.
COLLEGE RD.
TURNER'S HILL
ELEANOR CROSS RD.
STATION RD.
HIGHBRIDGE ST.
ABBEY VIEW
CROOKED MILE
SEWARDSTONE ROAD
FARM HILL RD.
HOLYFIELD ROAD
RIVER LEE NAVIGATION
LEA VALLEY WALK
SMALL RIVER LEA
Cheshunt Lake
Turnershill Marsh
Hooks Marsh
Seventy Acres
Hall Marsh
Waltham Marsh
Cheshunt Marsh
Thistly Marsh
Bowyer's Water
RAMMEY MARSH
Sewage Works
Sludge Beds
Settling Tanks
Government Research Establishment
Abbey Fish Ponds
Town Mead
Turnford School
The Nightleys (Rec. Grnd.)
Sailing Club
Youth Sail Training & Canoeing Base
Grundy Park
Downfield Jun. & Inf. Sch.
Holy Trinity Prim. Sch.
Theobalds Palace (Site of)
The Cedars Park
Albury Farm
Rifle Range
Lea Valley High Sch. & Bullsmoor Sports Cen.
Cheshunt Reservoir (South)
Electricity Transformer Station
Breaker's Yard
Gate Cottages
Hayes Hill Farm
Hayes Hill Cottages
Stubbings Cottages
Woodside
Homefield Wood
Holyfield Farm
Monkhams Hall
Stable Lodge
Eagle Lodge
Arboretum
Tree Nursery
Cornmill Stream
Quinton Hill Farm
The Downing Nursery
Avey La. Nursery
Kennels
Portulaca
B194
B176
A10
A121
A1055
A1010
A112
B198
133
157
H J K L M N
G H J K L M N
1 2 3 4 5 6 7 8 9
36 37 38
03 02 01 00 99

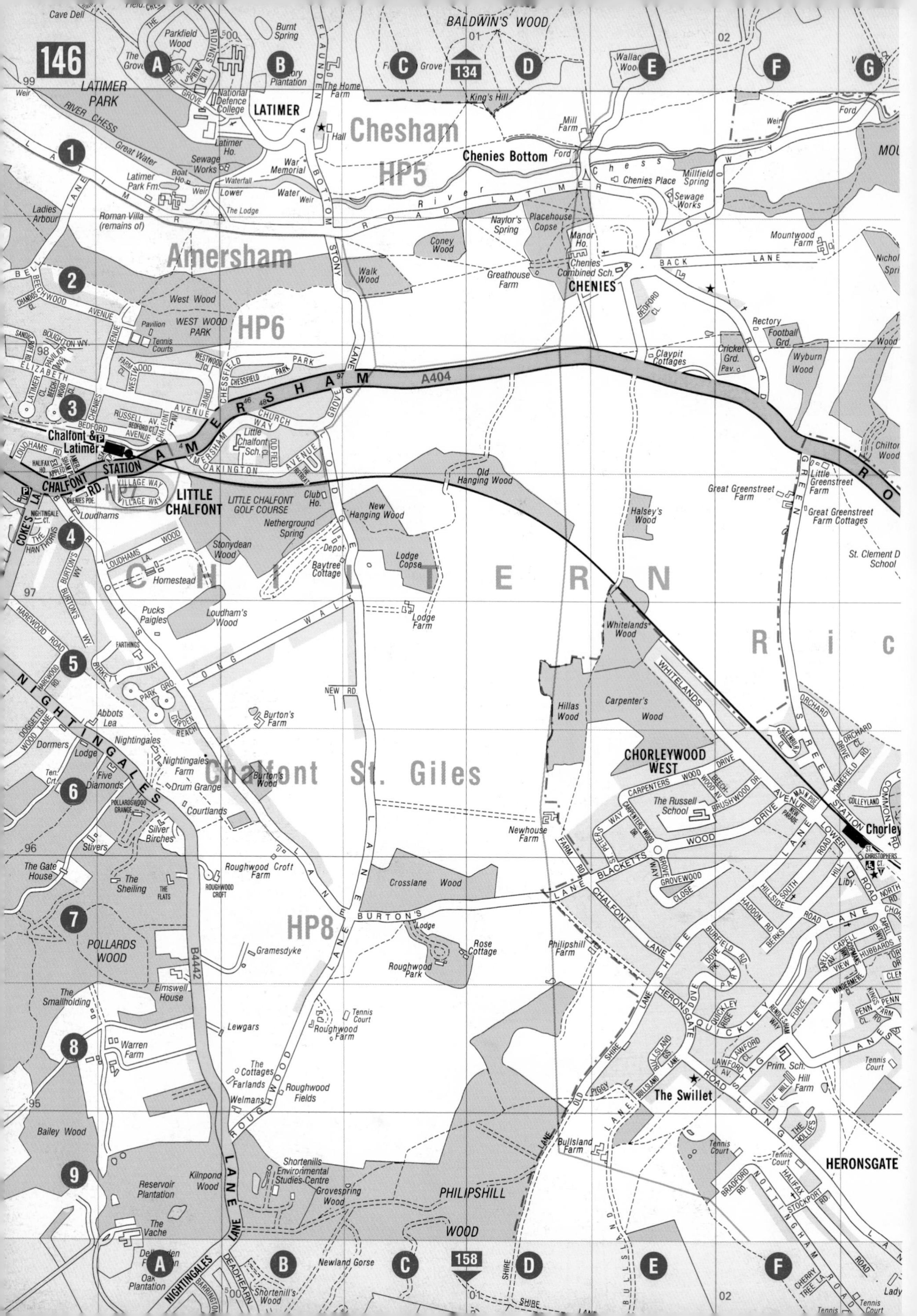

146
134
158
Cave Dell
Parkfield Wood
The Grove
Burnt Spring
BALDWIN'S WOOD
Home Farm
King's Hill
Wallace Wood
LATIMER PARK
RIVER CHESS
Great Water
National Defence College
LATIMER
Hall
Chesham
HP5
Mill Farm
Chenies Bottom
Ford
Weir
Chess
Chenies Place
Millfield Spring
Sewage Works
Latimer Ho.
Latimer Park Fm.
Boat Ho.
Waterfall
Lower
War Memorial
Water
The Lodge
Ladies Arbour
Roman Villa (remains of)
LATIMER ROAD
STONY BOTTOM
FLAUNDEN BOTTOM
Naylor's Spring
Placehouse Copse
Coney Wood
Manor Ho.
Chenies Combined Sch.
CHENIES
Greathouse Farm
BACK LANE
Mountwood Farm
Amersham
Walk Wood
West Wood
WEST WOOD PARK
HP6
Pavilion
Tennis Courts
Rectory
Football Grd.
Cricket Grd.
Pav.
Wyburn Wood
Claypit Cottages
BEDFORD CL.
BEECHWOOD AVENUE
BOUGHTON WAY
ELIZABETH
CHESSFIELD PARK
AMERSHAM ROAD
A404
LOWER ROAD
Chalfont & Latimer
STATION
CHALFONT RD.
HP7
VILLAGE WAY
LITTLE CHALFONT
Little Chalfont Sch.
OAKINGTON
LITTLE CHALFONT GOLF COURSE
Club Ho.
Old Hanging Wood
New Hanging Wood
Netherground Spring
Stonydean Wood
Depot
Baytree Cottage
Lodge Copse
Loudhams
Homestead
CHILTERN
Halsey's Wood
Little Greenstreet Farm
Great Greenstreet Farm
Great Greenstreet Farm Cottages
St. Clement D School
GREEN STREET
Pucks Paigles
Loudham's Wood
LONG WALK
Lodge Farm
Whitelands Wood
WHITELANDS
Ric
Abbots Lea
Dormers
Nightingales
Nightingale's Farm
Drum Grange
Burton's Farm
NEW RD
Hillas Wood
Carpenter's Wood
CHORLEYWOOD WEST
Chalfont St. Giles
Burton's Wood
Courtlands
Five Diamonds
Silver Birches
Stivers
The Gate House
The Sheiling
THE FLATS
Roughwood Croft Farm
Crosslane Wood
Newhouse Farm
The Russell School
BLACKETTS
GROVEWOOD CLOSE
CHALFONT LANE
BURTON'S LANE
Lodge
Rose Cottage
Roughwood Park
Philipshill Farm
HP8
POLLARDS WOOD
Gramesdyke
Elmswell House
B4442
The Smallholding
Lewgars
Tennis Court
Roughwood Farm
Warren Farm
The Cottages
Farlands
Welmans
Roughwood Fields
ROUGHWOOD LANE
The Swillet
Hill Farm
Prim. Sch.
Bullsland Farm
HERONSGATE
Bailey Wood
Reservoir Plantation
Kilnpond Wood
Shortenills Environmental Studies Centre
Grovespring Wood
PHILIPSHILL WOOD
The Vache
Oak Plantation
Newland Gorse
Shortenill's Wood
NIGHTINGALES LANE
DEADHEARN LANE
SHIRE LANE
Chorley
Liby.
NOTTINGHAM ROAD

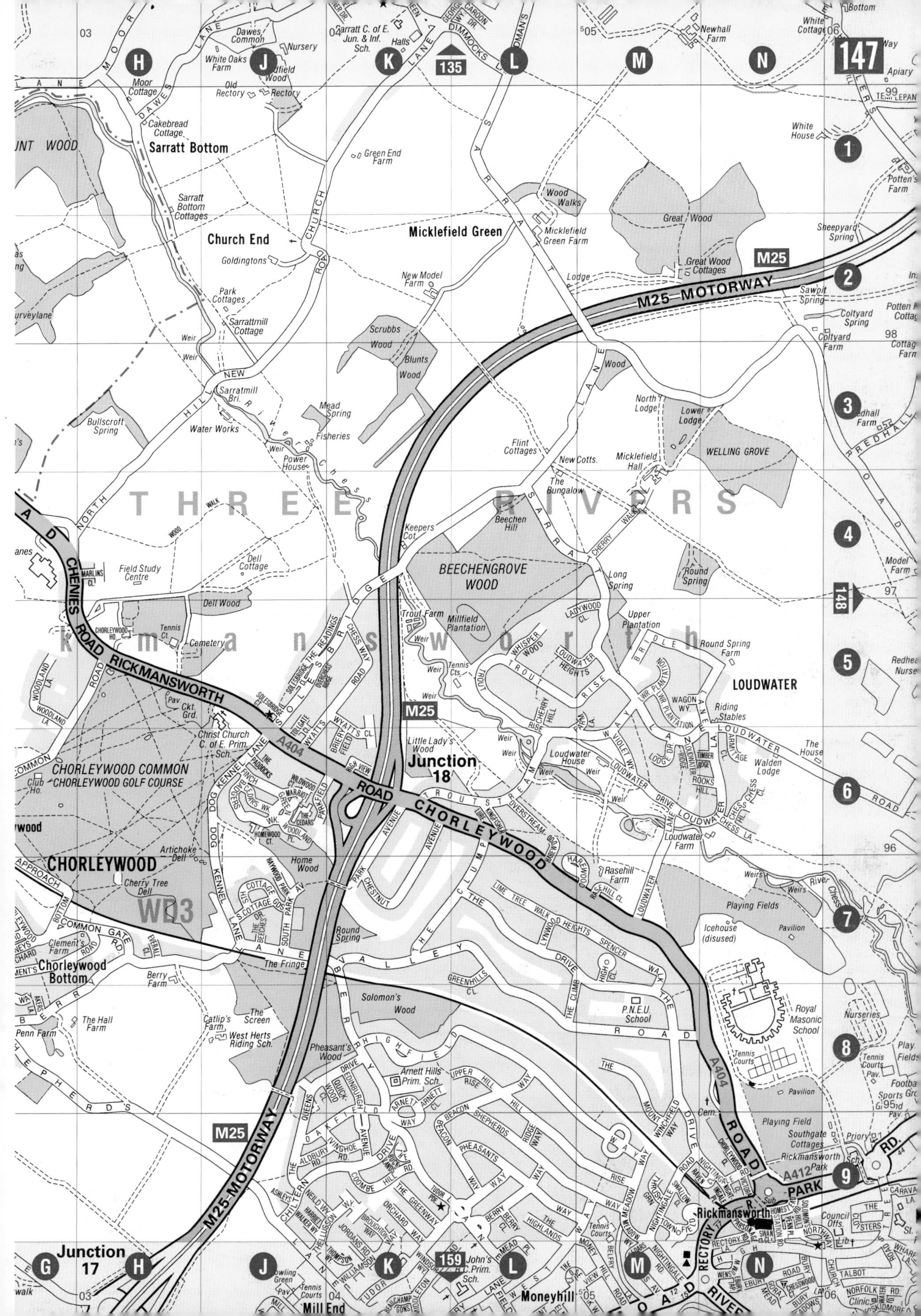

THREE RIVERS
Rickmansworth
Sarratt Bottom
Church End
Micklefield Green
Dawes Common
White Oaks Farm
Moor Cottage
Cakebread Cottage
Sarratt Bottom Cottages
Goldingtons
Park Cottages
Sarrattmill Cottage
Sarrattmill Bri.
Water Works
Bullscroft Spring
Green End Farm
New Model Farm
Scrubbs Wood
Blunts Wood
Mead Spring
Fisheries
Power House
River Chess
Wood Walks
Micklefield Green Farm
Great Wood
Great Wood Cottages
Lodge
M25 MOTORWAY
Sheepyard Spring
Sawpit Spring
Coltyard Spring
Coltyard Farm
White House
Newhall Farm
Apiary
North Lodge
Lower Lodge
WELLING GROVE
Flint Cottages
New Cotts.
Micklefield Hall
The Bungalow
Beechen Hill
Keepers Cot.
BEECHENGROVE WOOD
Long Spring
Round Spring
Model Farm
Field Study Centre
Dell Cottage
Dell Wood
Cemetery
Trout Farm
Millfield Plantation
Upper Plantation
Round Spring Farm
LOUDWATER
Riding Stables
Walden Lodge
The House
Loudwater House
Loudwater Farm
Rasehill Farm
Junction 18
Little Lady's Wood
CHORLEYWOOD COMMON
CHORLEYWOOD GOLF COURSE
Christ Church C. of E. Prim. Sch.
Ckt. Grd.
CHORLEYWOOD
Artichoke Dell
Cherry Tree Dell
Home Wood
Round Spring
WD3
Chorleywood Bottom
Clement's Farm
Berry Farm
The Fringe
Solomon's Wood
The Screen
Catlip's Farm
West Herts Riding Sch.
The Hall Farm
Penn Farm
Pheasant's Wood
Arnett Hills Prim. Sch.
P.N.E.U. School
Playing Fields
Icehouse (disused)
Pavilion
Royal Masonic School
Tennis Courts
Nurseries
Southgate Cottages
Rickmansworth Park
Junction 17
John's R.C. Prim. Sch.
Moneyhill
Mill End
Tennis Courts
A404
A412
RICKMANSWORTH ROAD
CHORLEYWOOD ROAD
CHENIES ROAD
NORTH HILL
CHURCH LANE
SARRATT LANE
DAWES LANE
LOUDWATER LANE
VALLEY ROAD
HIGHFIELD WAY
PARK ROAD
135
148
159

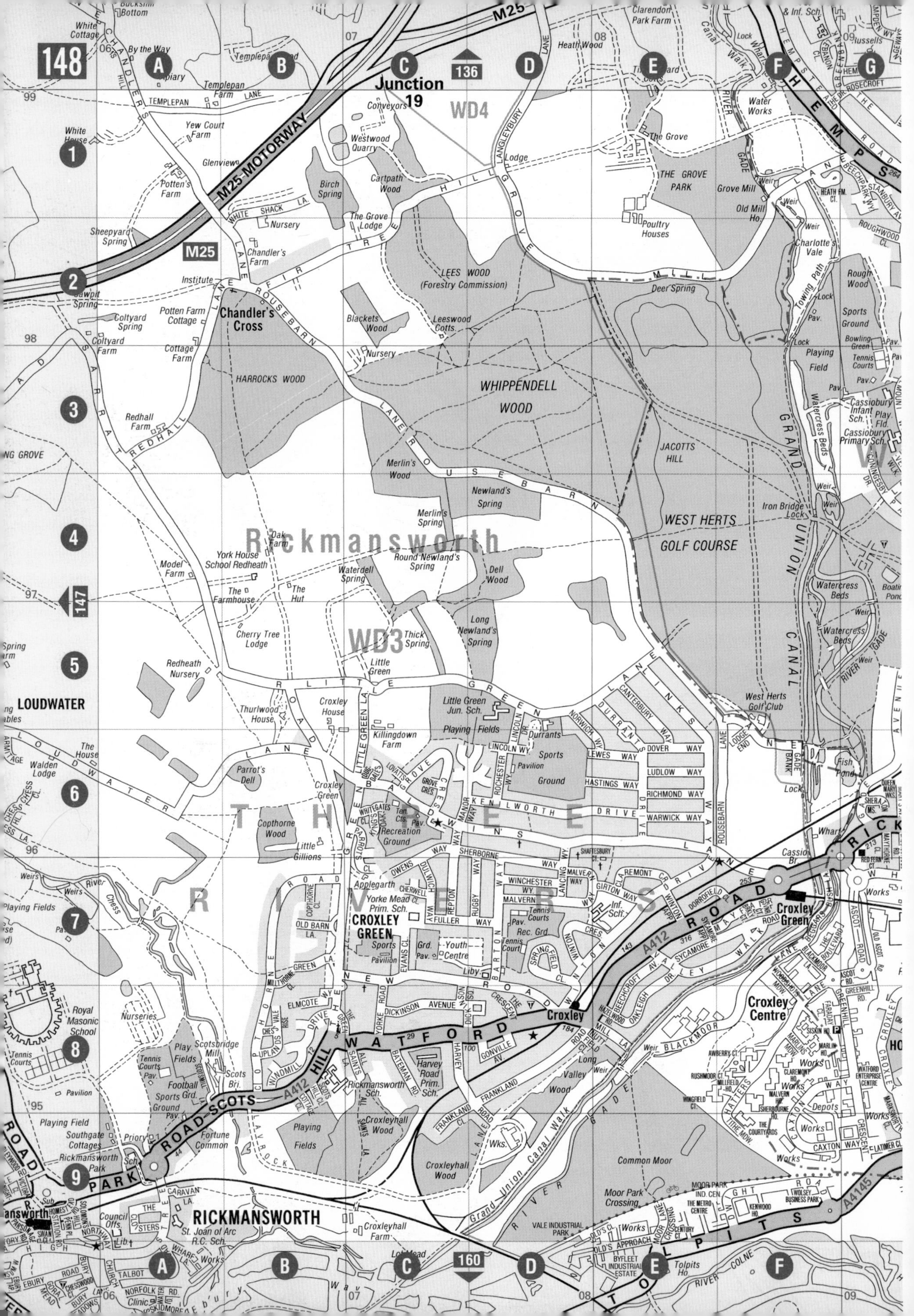

148
A
B
C
D
E
F
G
136
Junction 19
WD4
M25
M25 MOTORWAY
Templepan Farm
TEMPLEPAN LANE
By the Way
Apiary
White Cottage
White House
Yew Court Farm
Glenview
Potten's Farm
Sheepyard Spring
Chandler's Farm
Institute
Sawpit Spring
Coltyard Spring
Coltyard Farm
Potten Farm Cottage
Chandler's Cross
Cottage Farm
HARROCKS WOOD
Redhall Farm
REDHALL LANE
SARRATT ROAD
Conveyors
Westwood Quarry
Birch Spring
Cartpath Wood
The Grove Lodge
WHITE SHACK LA.
Nursery
FIR TREE HILL
Lodge
LANGLEYBURY LANE
GROVE MILL LANE
LEES WOOD (Forestry Commission)
Blackets Wood
Leeswood Cotts.
ROUSEBARN LANE
Heath Wood
Clarendon Park Farm
The Grove
THE GROVE PARK
Grove Mill
Old Mill Ho.
Poultry Houses
Deer Spring
Water Works
Lock
Weir
Charlotte's Vale
Towing Path
Rough Wood
Sports Ground
Bowling Green
Tennis Courts
Playing Field
Pav.
Cassiobury Infant Sch.
Cassiobury Primary Sch.
Play. Fld.
WHIPPENDELL WOOD
JACOTTS HILL
GRAND UNION CANAL
Watercress Beds
Iron Bridge Lock
WEST HERTS GOLF COURSE
Merlin's Wood
Newland's Spring
Merlin's Spring
Rickmansworth
Oak Farm
York House School Redheath
Model Farm
Round Newland's Spring
Waterdell Spring
Dell Wood
The Farmhouse
The Hut
147
Cherry Tree Lodge
WD3
Thick Spring
Long Newland's Spring
Little Green
Redheath Nursery
LITTLE GREEN LANE
Little Green Jun. Sch.
Playing Fields
Durrants
Sports Ground
Pavilion
CANTERBURY WAY
DURRANTS DRIVE
NORWICH WY.
LINCOLN DR.
LINCOLN WY
ROCHESTER DR.
LEWES WAY
DOVER WAY
LUDLOW WAY
HASTINGS WAY
RICHMOND WAY
WARWICK WAY
KENILWORTH DRIVE
LINKS WAY
ROUSEBARN LANE
West Herts Golf Club
LODGE END
GADE BANK
Fish Pond
RIVER GADE
Croxley House
Killingdown Farm
Thurlwood House
LOUDWATER
LOUDWATER LANE
The House
Walden Lodge
Parrot's Dell
Croxley Green
Copthorne Wood
Little Gillions
Recreation Ground
Tennis Cts.
BALDWINS LANE
THREE RIVERS
SHERBORNE WAY
WINCHESTER WY.
MALVERN WAY
GIRTON WAY
CLAREMONT CRES
DORROFIELD CL.
Cassio Br.
Wharf
Croxley Green
Works
River Chess
Weirs
Playing Fields
Applegarth
OWENS WAY
Yorke Mead Prim. Sch.
CROXLEY GREEN
Sports Pavilion
Grd. Pav.
Youth Centre
Tennis Courts
Rec. Grd.
Liby.
FULLER WAY
RUGBY WAY
REPTON WAY
BARTON WAY
NEW ROAD
A412 WATFORD ROAD
SYCAMORE AV
SCOTS HILL
Royal Masonic School
Tennis Courts
Pavilion
Nurseries
Play. Fields
Scotsbridge Mill
Scots Bri.
Football Grd.
Sports Grd.
Playing Field
Southgate Cottages
Rickmansworth Park
Priory
Fortune Common
Rickmansworth Sch.
Playing Fields
Croxleyhall Wood
Harvey Road Prim. Sch.
ELMCOTE WAY
DICKINSON AVENUE
Croxley
Long Valley Wood
FRANKLAND ROAD
Croxleyhall Wood
Grand Union Canal Walk
Common Moor
Croxley Centre
Works
Depots
CAXTON WAY
WATFORD ENTERPRISE CENTRE
ASCOT ROAD
Moor Park Crossing
MOOR PARK IND. CEN.
THE METRO CENTRE
KENWOOD HO.
WOLSEY BUSINESS PARK
A4145 TOLPITS LANE
VALE INDUSTRIAL PARK
BYFLEET INDUSTRIAL ESTATE
OLD'S APPROACH
Tolpits Ho.
RIVER COLNE
RIVER GADE
RICKMANSWORTH
Council Offs.
St. Joan of Arc R.C. Sch.
Croxleyhall Farm
Lot Mead
160
PARK ROAD
HIGH STREET
CHURCH STREET
BURY LANE
EBURY ROAD
TALBOT
NORFOLK RD.
Clinic
1
2
3
4
5
6
7
8
9
06
07
08
09
95
96
97
98
99

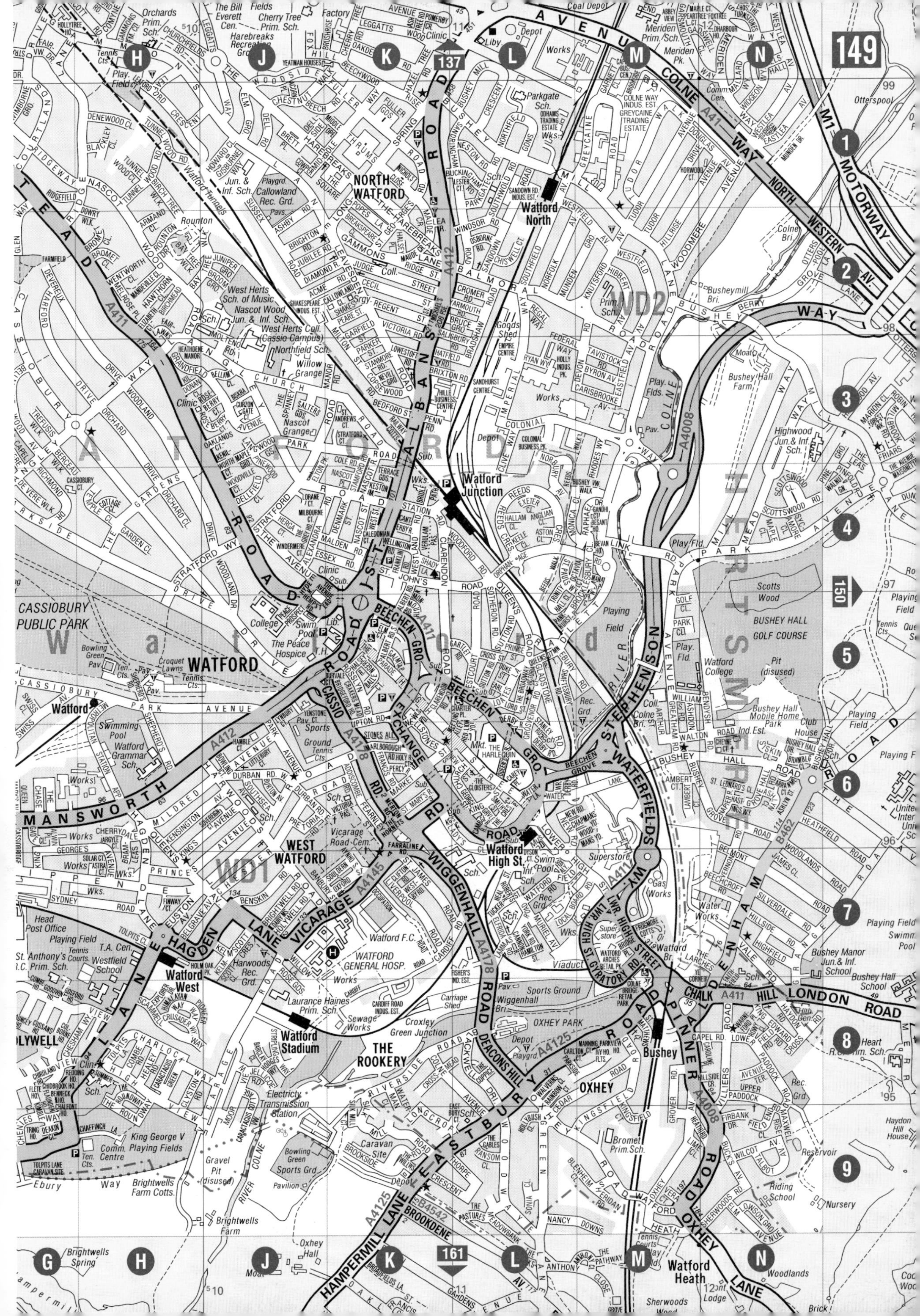

NORTH WATFORD
Watford North
Watford Junction
WATFORD
CASSIOBURY PUBLIC PARK
WEST WATFORD
WD1
WD2
Watford High St.
Watford West
Watford Stadium
THE ROOKERY
OXHEY
Bushey
BUSHEY HALL GOLF COURSE
Scotts Wood
Watford F.C.
WATFORD GENERAL HOSP.
OXHEY PARK
Watford Heath
M1 MOTORWAY
NORTH WESTERN AV.
COLNE WAY
ST. ALBANS ROAD
HEMPSTEAD ROAD
RICKMANSWORTH ROAD
STEPHENSON WAY
WATERFIELDS WY.
LONDON ROAD
PINNER ROAD
HAGDEN LANE
VICARAGE ROAD
WIGGENHALL ROAD
EASTBURY ROAD
HAMPERMILL LANE
OXHEY LANE
137
150
161

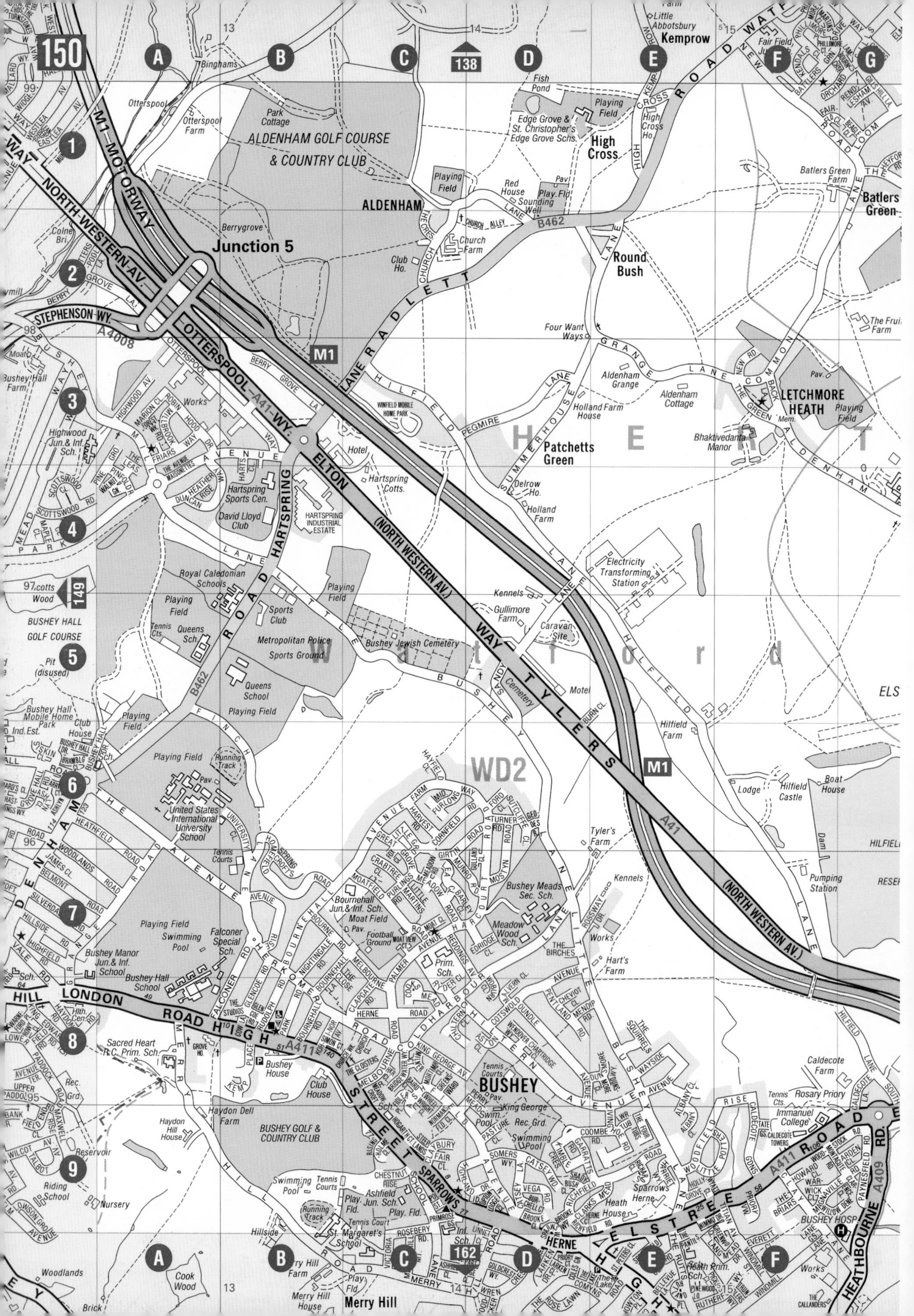
Junction 5
M1 MOTORWAY
NORTH WESTERN AV.
ALDENHAM GOLF COURSE
& COUNTRY CLUB
ALDENHAM
High Cross
Kemprow
Round Bush
Patchetts Green
LETCHMORE HEATH
Batlers Green
Bushey Jewish Cemetery
WD2
BUSHEY
BUSHEY GOLF & COUNTRY CLUB
BUSHEY HALL GOLF COURSE
Merry Hill
ELTON WAY
TYLERS WAY
HIGH STREET
LONDON ROAD
ELSTREE ROAD
HEATHBOURNE RD.
Royal Caledonian Schools
Metropolitan Police Sports Ground
United States International University School
Hartspring Sports Cen.
Aldenham Grange
Hilfield Castle
Caldecote Farm
Immanuel College
138
149
162

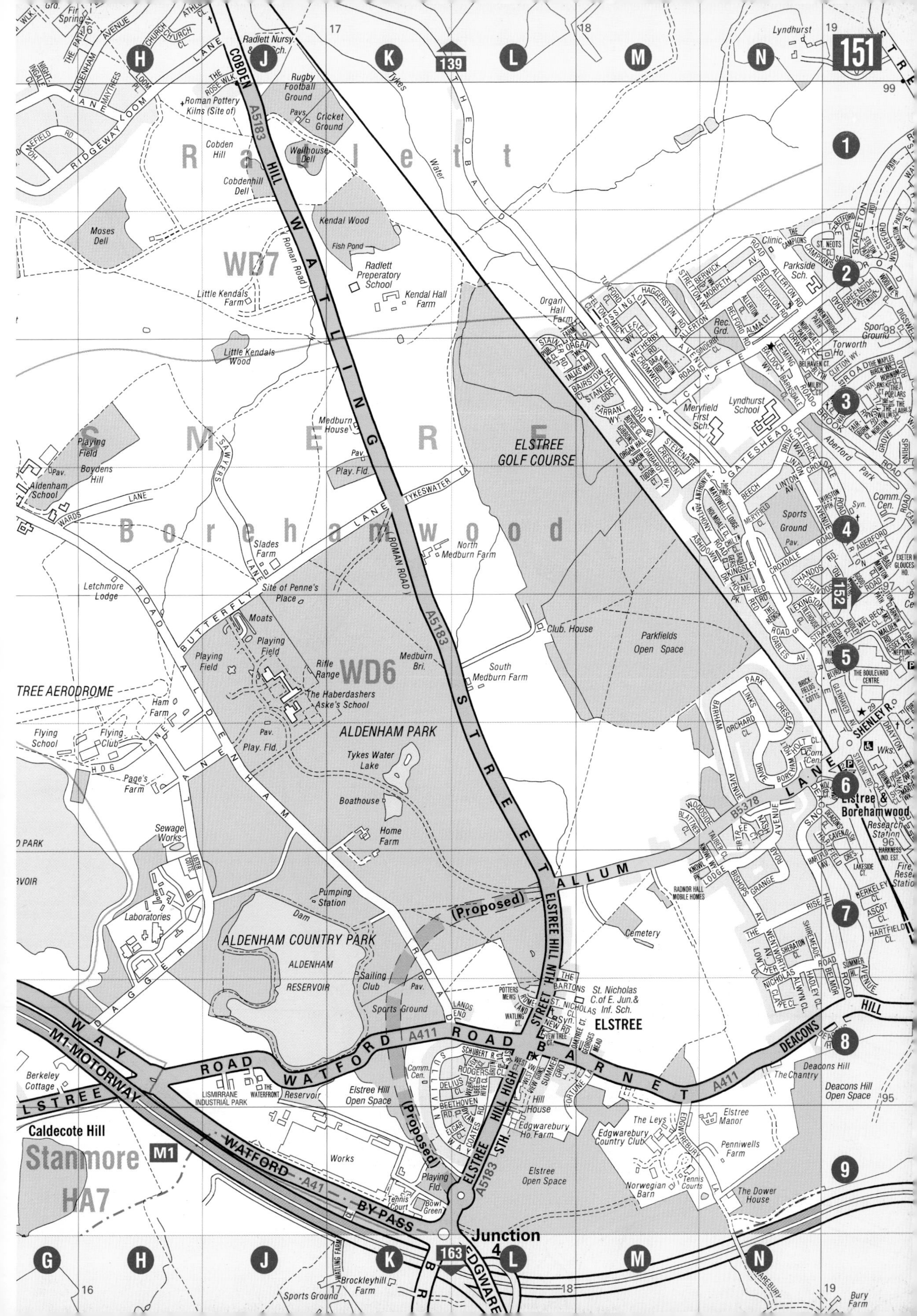
H
J
K
L
M
N
139
Radlett Nursy. & Inf. Sch.
Rugby Football Ground
Cricket Ground
Roman Pottery Kilns (Site of)
Cobden Hill
Wellhouse Dell
Cobdenhill Dell
Radlett
Moses Dell
Kendal Wood
Fish Pond
Radlett Preparatory School
Kendal Hall Farm
WD7
Little Kendals Farm
Little Kendals Wood
Tykes Water
THEOBALD STREET
WATLING STREET
COBDEN HILL
A5183
Roman Road
RIDGEWAY
LOOM LANE
Lyndhurst
Organ Hall Farm
Clinic
Parkside Sch.
Rec. Grd.
Torworth Ho.
Sports Ground
Meryfield First Sch.
Lyndhurst School
ELSTREE GOLF COURSE
Medburn House
Playing Field
Boydens Hill
Aldenham School
Play. Fld.
TYKESWATER LANE
SAWYERS LANE
WARDS LANE
Borehamwood
Slades Farm
North Medburn Farm
Letchmore Lodge
Site of Penne's Place
BUTTERFLY LANE
Moats
Club. House
Parkfields Open Space
Medburn Bri.
Rifle Range
WD6
South Medburn Farm
The Haberdashers Aske's School
ELSTREE AERODROME
Ham Farm
Flying School
Flying Club
HOG LANE
ALDENHAM PARK
Tykes Water Lake
Page's Farm
Boathouse
Home Farm
ALDENHAM ROAD
Sewage Works
Comm. Cen.
Sports Ground
Syn.
THE BOULEVARD CENTRE
SHENLEY R.
Elstree & Borehamwood
Research Station
Fire, Rescue Station
B5378
ALLUM LANE
RADNOR HALL MOBILE HOMES
Cemetery
Pumping Station
Dam
(Proposed)
Laboratories
ALDENHAM COUNTRY PARK
ALDENHAM RESERVOIR
Sailing Club
ELSTREE HILL NTH.
St. Nicholas C.of E. Jun.& Inf. Sch.
ELSTREE
DAGGER LANE
M1-MOTORWAY
WATFORD WAY
A411 ROAD
BARNET LANE
DEACONS HILL
Deacons Hill
The Chantry
Deacons Hill Open Space
Berkeley Cottage
LISMIRRANE INDUSTRIAL PARK
Reservoir
Elstree Hill Open Space
Hill House
Edgwarebury Ho. Farm
The Leys
Elstree Manor
Edgwarebury Country Club
Penniwells Farm
Caldecote Hill
Stanmore
HA7
M1
Works
WATFORD BY PASS
A41
Playing Fld.
Tennis Court
Bowl Green
Elstree Open Space
Norwegian Barn
Tennis Courts
The Dower House
Junction 4
163
G
Brockleyhill Farm
Sports Ground
EDGWARE
Bury Farm
16
17
18
19
95
96
97
98
99
1
2
3
4
5
6
7
8
9
152

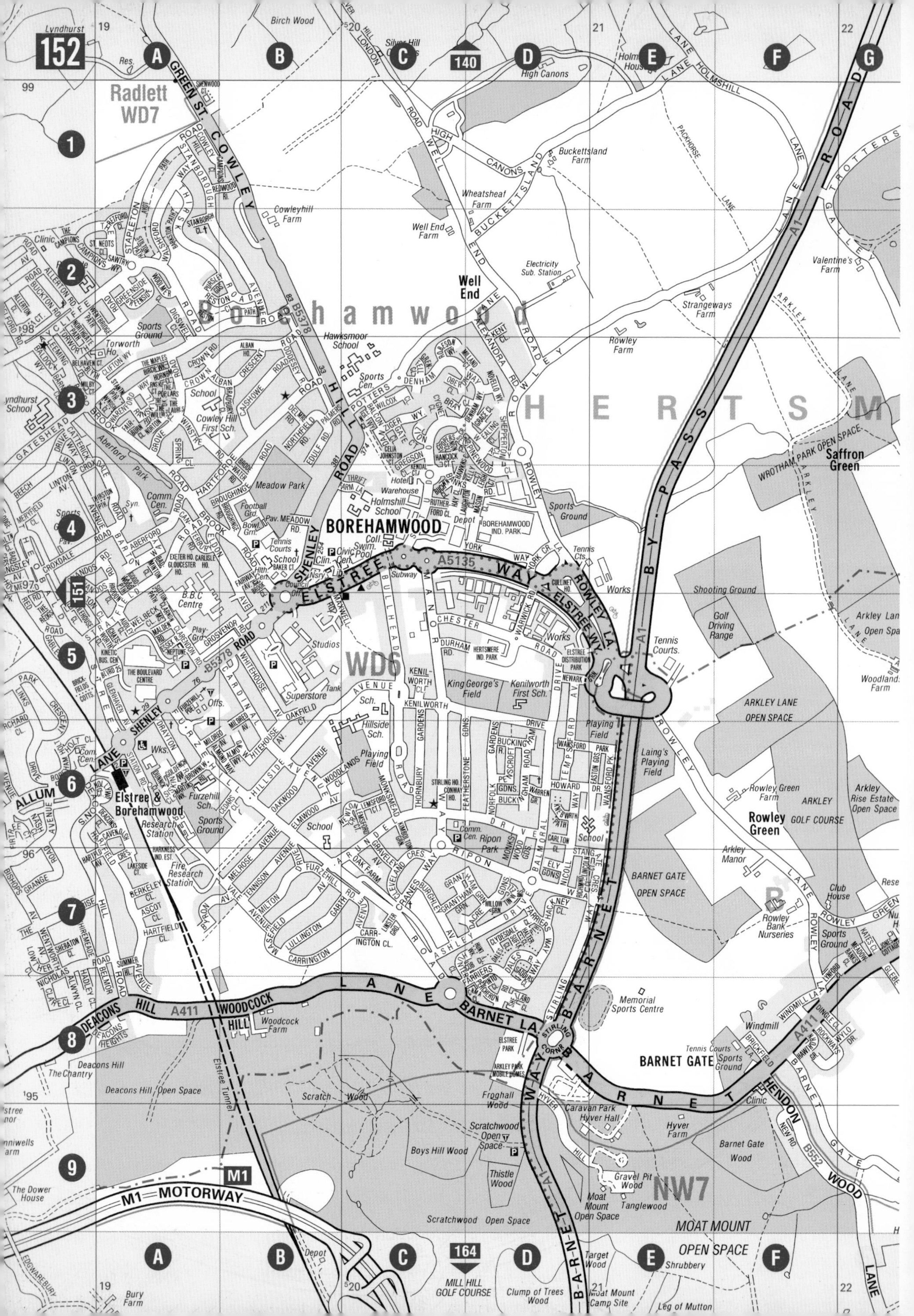

152
140
164
151
Radlett
WD7
Borehamwood
BOREHAMWOOD
WD6
NW7
HERTS
Well End
Saffron Green
Rowley Green
BARNET GATE
Elstree & Borehamwood
ELSTREE WAY
A5135
SHENLEY ROAD
B5378
COWLEY HILL
GREEN ST.
BARNET BY PASS
A1
BARNET LANE
A411
DEACONS HILL
WOODCOCK HILL
M1 MOTORWAY
BARNET ROAD
HENDON WOOD LANE
B552
ROWLEY LANE
ARKLEY LANE
Meadow Park
King George's Field
Kenilworth First Sch.
Hillside Sch.
Studios
Superstore
The Boulevard Centre
B.B.C Centre
Aberford Park
Hawksmoor School
Holmshill School
Cowley Hill First Sch.
Furzehill Sch.
Ripon Park
Memorial Sports Centre
Laing's Playing Field
Golf Driving Range
Shooting Ground
Arkley Lane Open Space
Barnet Gate Open Space
Arkley Golf Course
Arkley Rise Estate Open Space
Wrotham Park Open Space
Deacons Hill Open Space
Scratch Wood
Scratchwood Open Space
Boys Hill Wood
Thistle Wood
Froghall Wood
Gravel Pit Wood
Moat Mount Open Space
Tanglewood
Barnet Gate Wood
Hyver Farm
Caravan Park Hyver Hall
Woodcock Farm
Cowleyhill Farm
Well End Farm
Wheatsheaf Farm
Buckettsland Farm
Strangeways Farm
Rowley Farm
Valentine's Farm
High Canons
Birch Wood
Silver Hill
Holmshill Housing
Rowley Green Farm
Arkley Manor
Rowley Bank Nurseries
Elstree Tunnel
Research Station
Fire Research Station
Mill Hill Golf Course
Clump of Trees Wood
Moat Mount Camp Site
Leg of Mutton
Target Wood
Shrubbery
Bury Farm
The Dower House
The Chantry
A B C D E F G
1 2 3 4 5 6 7 8 9
19 20 21 22
99 98 97 96 95

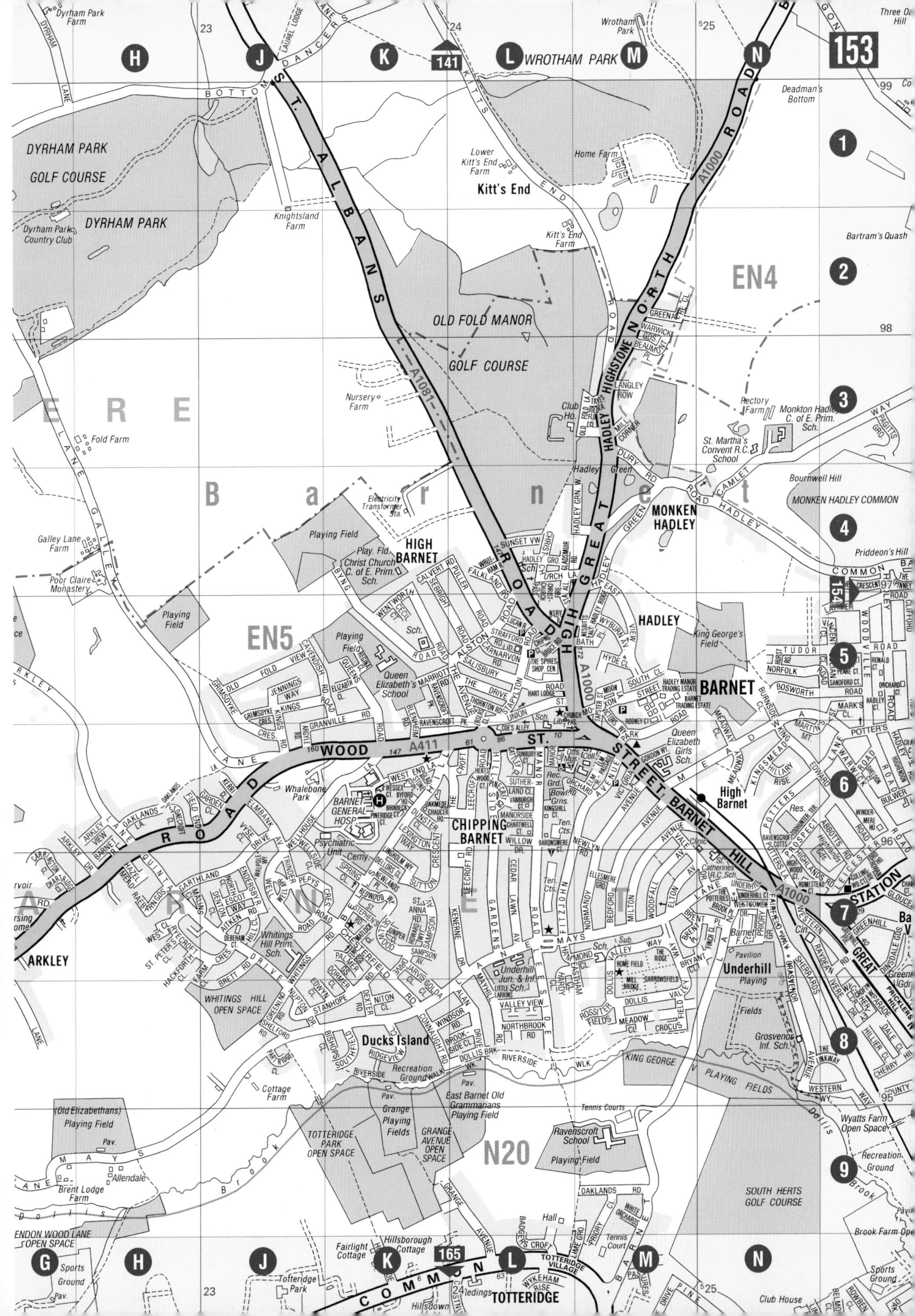
153
H
J
K
141
L
WROTHAM PARK
M
N
Dyrham Park Farm
Wrotham Park
Three Oaks Hill
Deadman's Bottom
DYRHAM PARK GOLF COURSE
DYRHAM PARK
Dyrham Park Country Club
Knightsland Farm
Lower Kitt's End Farm
Kitt's End
Kitt's End Farm
Home Farm
Bartram's Quash
EN4
OLD FOLD MANOR GOLF COURSE
Nursery Farm
Fold Farm
Club Ho.
Rectory Farm
Monkton Hadley C. of E. Prim. Sch.
St. Martha's Convent R.C. School
Hadley Green
Bournwell Hill
MONKEN HADLEY COMMON
MONKEN HADLEY
Electricity Transformer Sta.
Galley Lane Farm
Poor Claire Monastery
Playing Field
Play. Fld.
Christ Church C. of E. Prim. Sch.
HIGH BARNET
Priddeon's Hill
154
EN5
HADLEY
King George's Field
Queen Elizabeth's School
THE SPIRES SHOP. CEN.
BARNET
Queen Elizabeth Girls Sch.
High Barnet
Whalebone Park
BARNET GENERAL HOSP.
Psychiatric Unit
CHIPPING BARNET
Whitings Hill Prim. Sch.
WHITINGS HILL OPEN SPACE
ARKLEY
Underhill Jun. & Inf. Sch.
Ducks Island
Recreation Ground
Underhill
Barnet F.C.
Grosvenor Inf. Sch.
KING GEORGE PLAYING FIELDS
Cottage Farm
East Barnet Old Grammarians Playing Field
Grange Playing Fields
TOTTERIDGE PARK OPEN SPACE
GRANGE AVENUE OPEN SPACE
N20
Ravenscroft School
Playing Field
Tennis Courts
Wyatts Farm Open Space
Recreation Ground
(Old Elizabethans) Playing Field
Allendale
Brent Lodge Farm
ENDON WOOD LANE OPEN SPACE
SOUTH HERTS GOLF COURSE
Brook Farm Open Space
Sports Ground
Fairlight Cottage
Hillsborough Cottage
165
TOTTERIDGE VILLAGE
TOTTERIDGE
Totteridge Park
Club House
G
H
J
K
L
M
N
1
2
3
4
5
6
7
8
9
ST. ALBANS ROAD
A1081
GREAT NORTH ROAD
A1000
HIGH STREET
WOOD ST.
A411
BARNET HILL
STATION

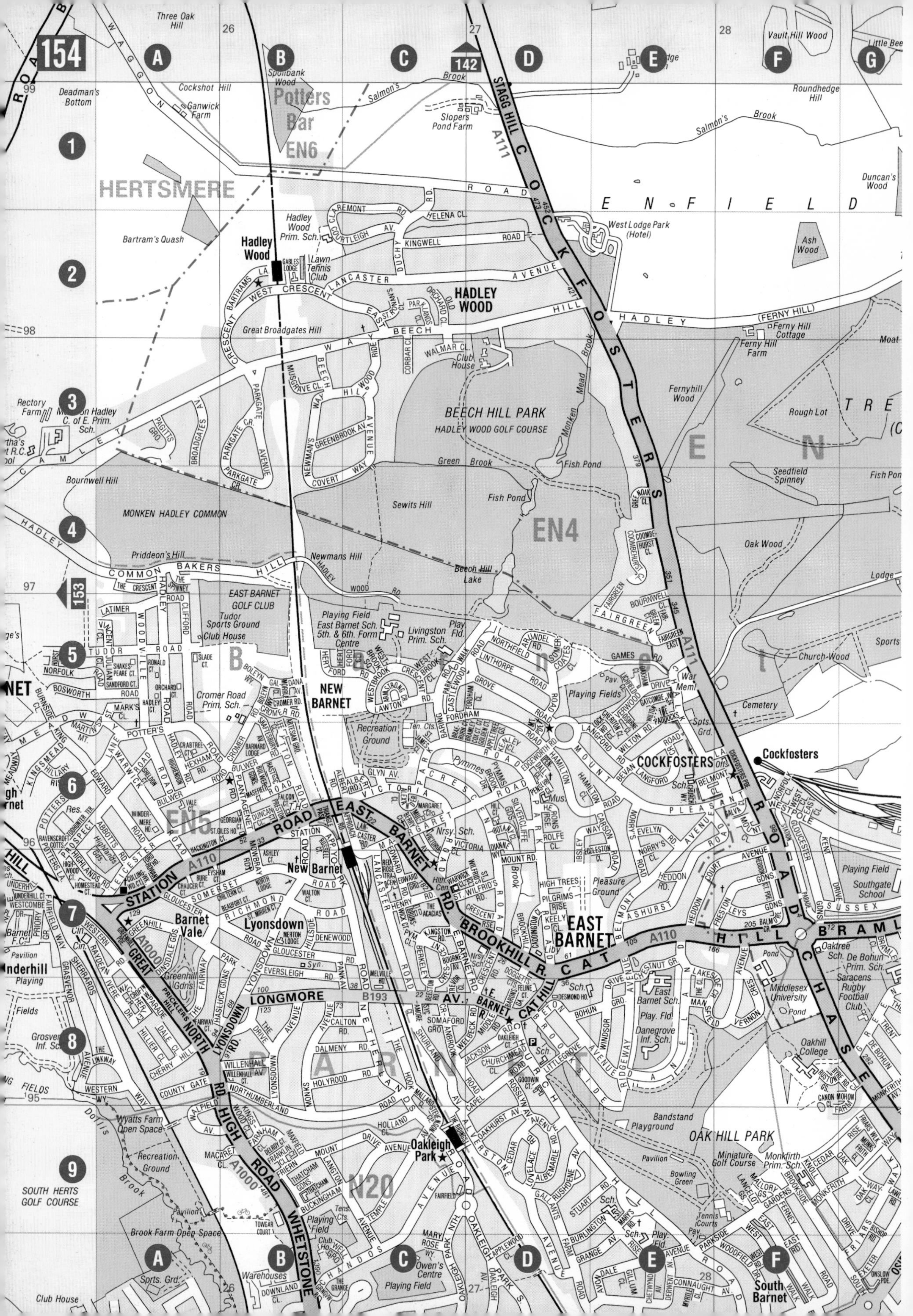

154
142
153
HERTSMERE
Potters Bar
EN6
ENFIELD
HADLEY WOOD
Hadley Wood
BEECH HILL PARK
HADLEY WOOD GOLF COURSE
MONKEN HADLEY COMMON
EN4
EN5
N20
NEW BARNET
New Barnet
COCKFOSTERS
Cockfosters
EAST BARNET
Barnet Vale
Lyonsdown
Oakleigh Park
OAK HILL PARK
SOUTH HERTS GOLF COURSE
South Barnet
EAST BARNET GOLF CLUB
Three Oak Hill
Deadman's Bottom
Cockshot Hill
Ganwick Farm
Spoilbank Wood
Slopers Pond Farm
Salmon's Brook
Vault Hill Wood
Roundhedge Hill
Duncan's Wood
Ash Wood
West Lodge Park (Hotel)
Bartram's Quash
Great Broadgates Hill
Rectory Farm
Bournwell Hill
Priddeon's Hill
Newmans Hill
Sewits Hill
Fish Pond
Beech Hill Lake
Green Brook
Monken Mead Brook
Ferny Hill Cottage
Ferny Hill Farm
Fernyhill Wood
Rough Lot
Seedfield Spinney
Oak Wood
Church Wood
Cemetery
Playing Fields
Recreation Ground
Pleasure Ground
Wyatts Farm Open Space
Brook Farm Open Space
Middlesex University
Oakhill College
Miniature Golf Course
Bandstand
Playground
Owen's Centre
Playing Field
A111
A110
A1000
B193
STAGG HILL
COCKFOSTERS ROAD
CHASE ROAD
HADLEY (FERNY HILL)
STATION ROAD
EAST BARNET RD.
BROOKHILL R.
CAT HILL
LONGMORE AV.
GREAT NORTH RD.
HIGH ROAD WHETSTONE
LYONSDOWN RD.
COMMON
BAKERS HILL
HADLEY WOOD RD.
BEECH HILL
CAMLET WAY

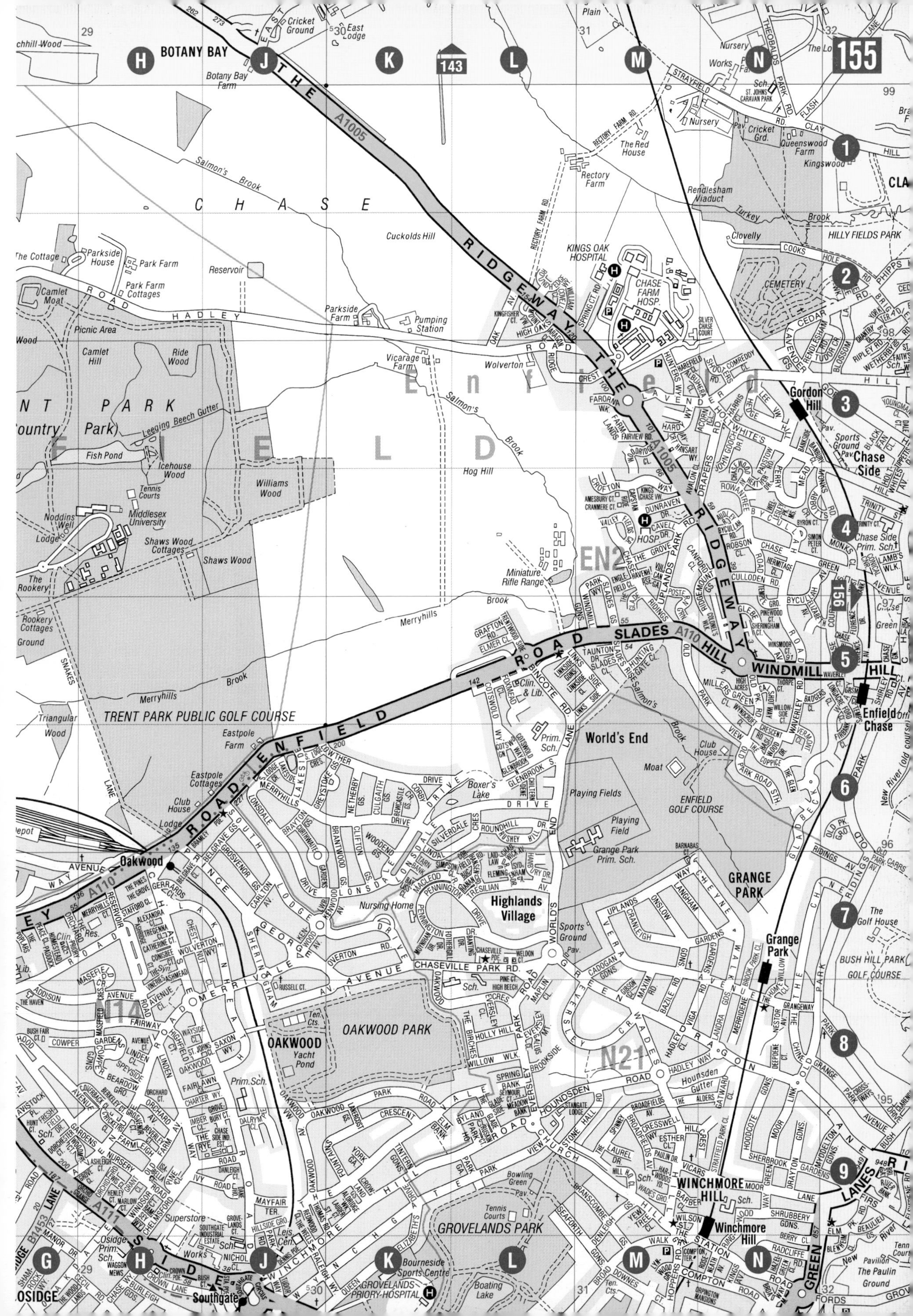
BOTANY BAY
Botany Bay Farm
Cricket Ground
East Lodge
143
THE RIDGEWAY
A1005
Salmon's Brook
CHASE
Cuckolds Hill
Rectory Farm
The Red House
Rendlesham Viaduct
Turkey Brook
Clovelly
HILLY FIELDS PARK
KINGS OAK HOSPITAL
CHASE FARM HOSP.
CEMETERY
The Cottage
Parkside House
Park Farm
Park Farm Cottages
Camlet Moat
Reservoir
HADLEY ROAD
Parkside Farm
Pumping Station
Picnic Area
Camlet Hill
Ride Wood
Vicarage Farm
Wolverton
Enfield
TRENT PARK (Country Park)
Leeging Beech Gutter
Fish Pond
Icehouse Wood
Williams Wood
Hog Hill
Gordon Hill
Chase Side
Sports Ground
Middlesex University
Tennis Courts
Noddins Well
Lodge
Shaws Wood Cottages
Shaws Wood
The Rookery
Rookery Cottages
Miniature Rifle Range
EN2
Merryhills Brook
SLADES HILL
A110
WINDMILL HILL
Enfield Chase
TRENT PARK PUBLIC GOLF COURSE
Triangular Wood
SNAKES LANE
Eastpole Farm
Eastpole Cottages
Club House
Lodge
ENFIELD ROAD
World's End
Moat
Playing Fields
ENFIELD GOLF COURSE
Grange Park Prim. Sch.
GRANGE PARK
Oakwood
Highlands Village
Nursing Home
Sports Ground
Grange Park
The Golf House
BUSH HILL PARK GOLF COURSE
N14
OAKWOOD
OAKWOOD PARK
Yacht Pond
N21
WINCHMORE HILL
Winchmore Hill
GROVELANDS PARK
Tennis Courts
Bowling Green
Boating Lake
Bourneside Sports Centre
GROVELANDS PRIORY HOSPITAL
Superstore
Southgate
GREEN LANES
The Paulin Ground
New River
Pavilion
H J K L M N
G H J K L M N
1 2 3 4 5 6 7 8 9
29 30 31 32
99 98 97 96 95
156

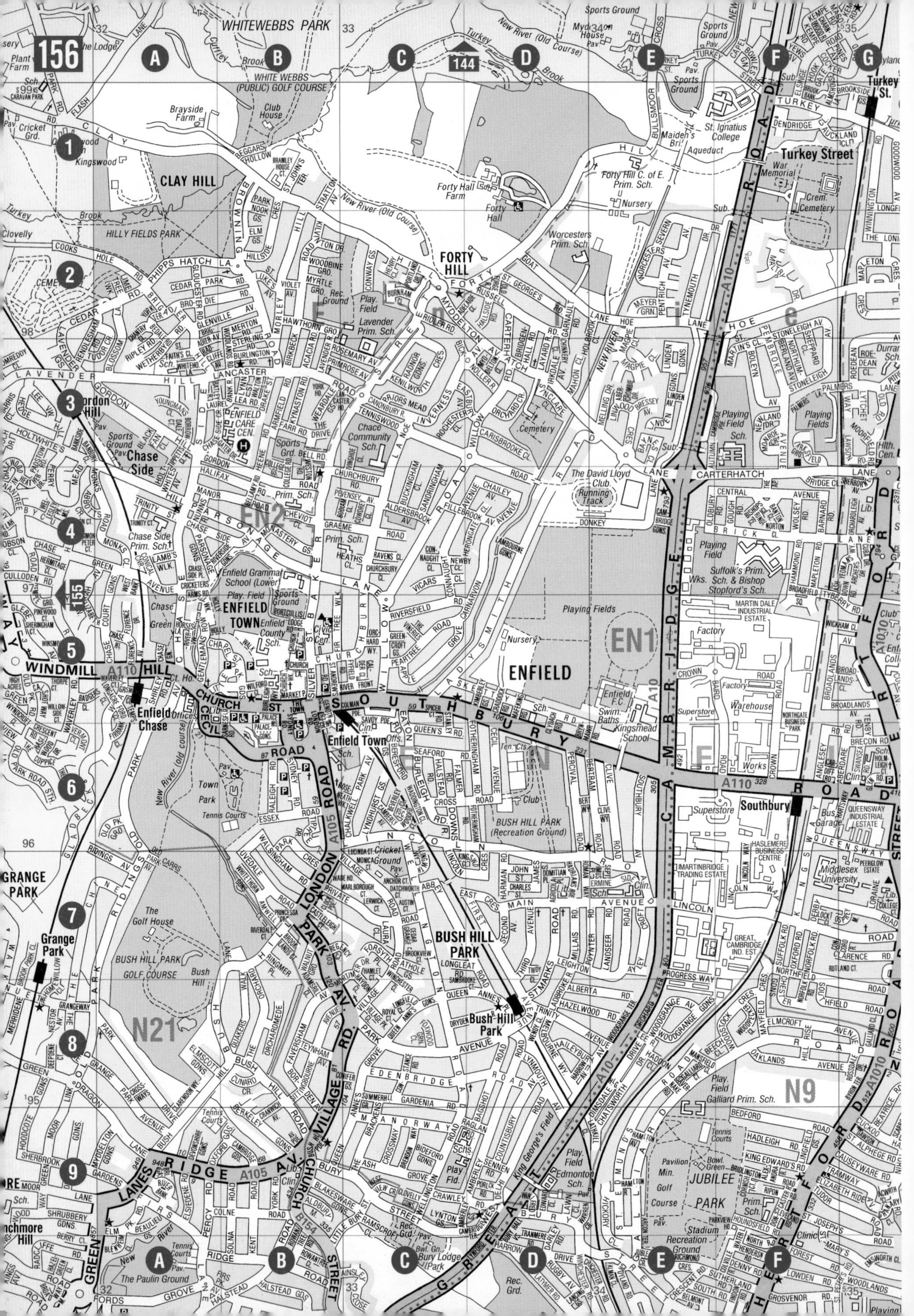
156
WHITEWEBBS PARK
WHITE WEBBS (PUBLIC) GOLF COURSE
144
155
Brayside Farm
Club House
Kingswood
CLAY HILL
HILLY FIELDS PARK
Turkey Brook
New River (Old Course)
Sports Ground
Myddelton House
St. Ignatius College
Maiden's Bri.
Aqueduct
Turkey Street
War Memorial
Crem. Cemetery
Forty Hall Farm
Forty Hall
Forty Hill C. of E. Prim. Sch.
Nursery
Worcesters Prim. Sch.
FORTY HILL
Lavender Prim. Sch.
Play. Field
Enfield Care Cen.
Gordon Hill
Chase Side
Sports Ground
Chase Community Sch.
Cemetery
Playing Field Sch.
Playing Fields
The David Lloyd Club
Running Track
Chase Side Prim. Sch.
EN2
Enfield Grammar School (Lower)
Sports Ground
ENFIELD TOWN
Enfield County Sch.
Civic Cen.
Chase Green
Suffolk's Prim. Sch. & Bishop Stopford's Sch.
MARTIN DALE INDUSTRIAL ESTATE
Factory
Playing Fields
EN1
ENFIELD
Nursery
Enfield F.C.
Swim. Baths
Kingsmead School
Warehouse
Superstore
NORTHGATE BUSINESS PARK
WINDMILL HILL
A110
Enfield Chase
CHURCH ST.
CECIL ROAD
SOUTHBURY ROAD
Enfield Town
Town Park
Tennis Courts
BUSH HILL PARK (Recreation Ground)
Southbury
QUEENSWAY INDUSTRIAL ESTATE
HASLEMERE BUSINESS CENTRE
MARTINBRIDGE TRADING ESTATE
Middlesex University
GRANGE PARK
Grange Park
The Golf House
BUSH HILL PARK GOLF COURSE
Bush Hill
N21
LONDON ROAD
A105
Cricket Ground
BUSH HILL PARK
Bush Hill Park
GREAT CAMBRIDGE IND. EST.
GREAT CAMBRIDGE ROAD
A10
HERTFORD ROAD
A1010
N9
Galliard Prim. Sch.
JUBILEE PARK
Min. Golf Course
Stadium
Recreation Ground
RIDGE AV.
VILLAGE RD.
CHURCH STREET
Edmonton Sch.
King George's Field
Bury Lodge Park
Rec. Grd.
The Paulin Ground
Winchmore Hill
A B C D E F G
1 2 3 4 5 6 7 8 9

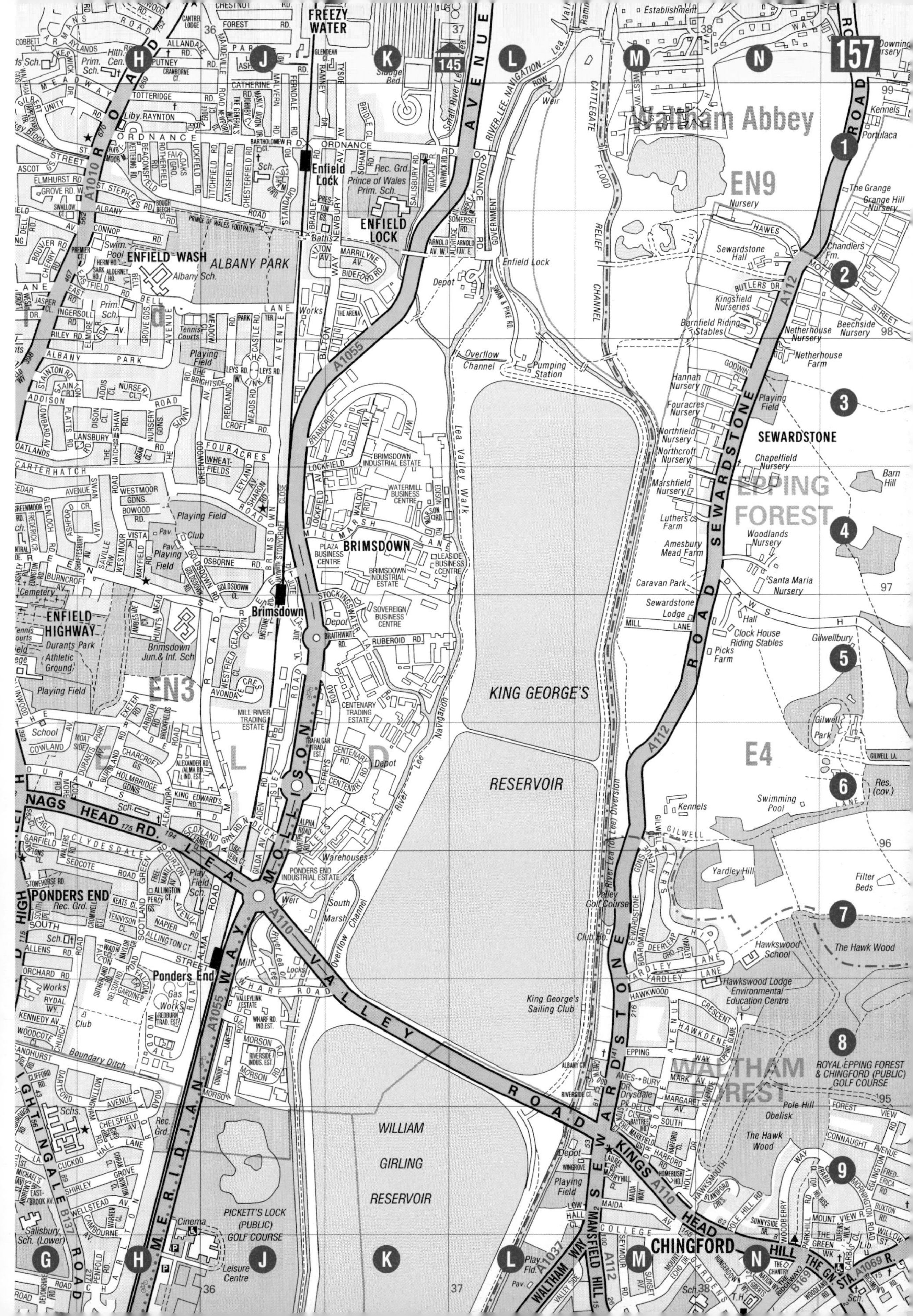
FREEZY WATER
145
Waltham Abbey
EN9
ENFIELD LOCK
Enfield Lock
Prince of Wales Prim. Sch.
ENFIELD WASH
ALBANY PARK
Albany Sch.
BRIMSDOWN
Brimsdown
BRIMSDOWN INDUSTRIAL ESTATE
WATERMILL BUSINESS CENTRE
PLAZA BUSINESS CENTRE
LEASIDE BUSINESS CENTRE
SOVEREIGN BUSINESS CENTRE
CENTENARY TRADING ESTATE
MILL RIVER TRADING ESTATE
PONDERS END INDUSTRIAL ESTATE
ENFIELD HIGHWAY
Durants Park
Brimsdown Jun.& Inf. Sch.
EN3
PONDERS END
Ponders End
Rec. Grd.
KING GEORGE'S
RESERVOIR
WILLIAM
GIRLING
RESERVOIR
PICKETT'S LOCK (PUBLIC) GOLF COURSE
Leisure Centre
Cinema
King George's Sailing Club
Valley Golf Course
SEWARDSTONE
EPPING FOREST
Sewardstone Hall
Sewardstone Lodge
Gilwell Park
E4
Yardley Hill
Hawkswood School
Hawkswood Lodge Environmental Education Centre
WALTHAM FOREST
ROYAL EPPING FOREST & CHINGFORD (PUBLIC) GOLF COURSE
Pole Hill Obelisk
The Hawk Wood
CHINGFORD
A1010
A1055
A110
A112
A1037
A1069
LEA VALLEY ROAD
MERIDIAN WAY
MOLLISON AVENUE
SEWARDSTONE ROAD
NAGS HEAD RD.
KINGS HEAD HILL
MANSFIELD HILL
HERTFORD ROAD
HIGH STREET
OCKINGALE ROAD
ORDNANCE RD.
River Lee Navigation
Lea Valley Walk
Overflow Channel
FLOOD RELIEF CHANNEL
H J K L M N G
1 2 3 4 5 6 7 8 9
36 37 38
95 96 97 98 99

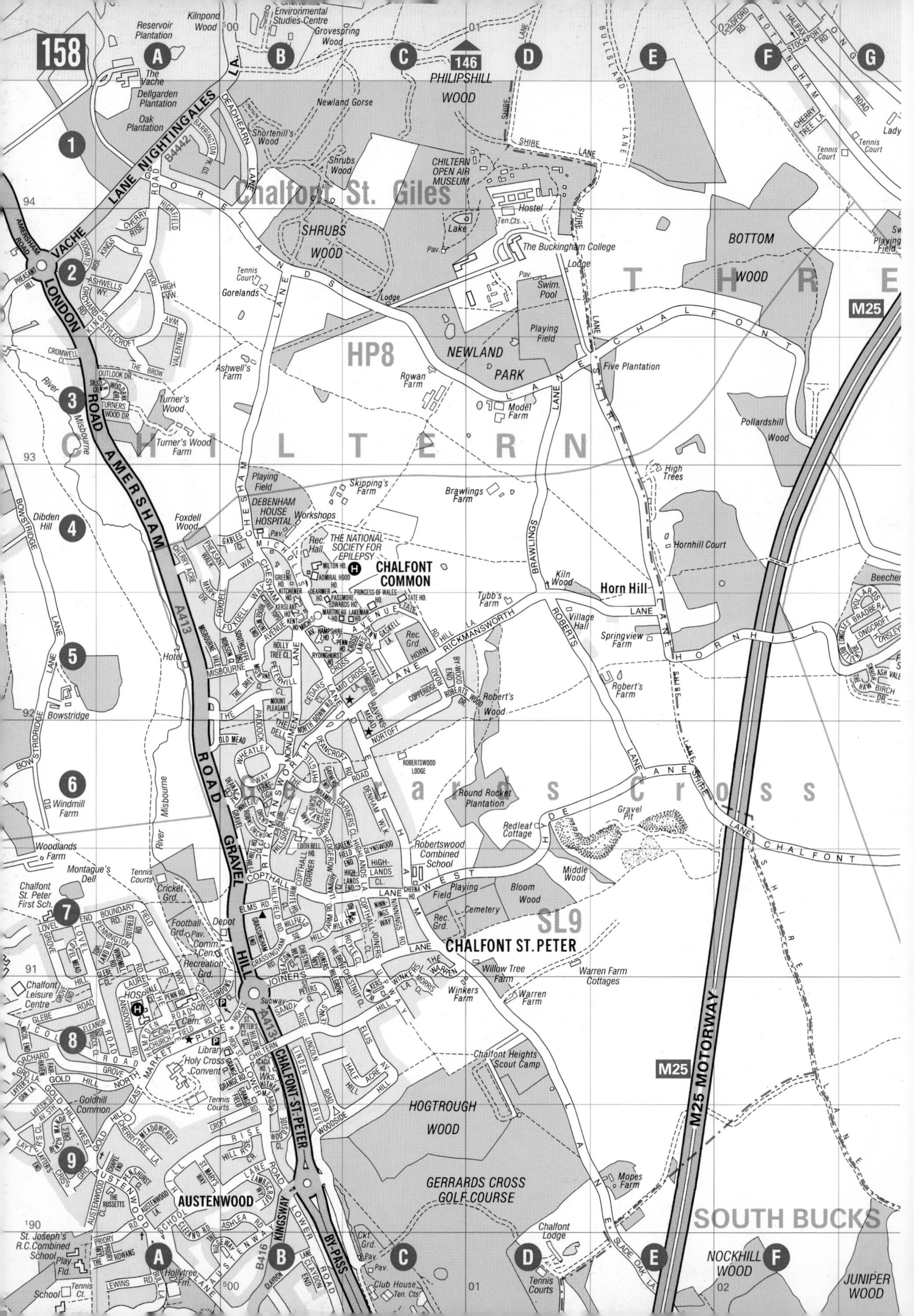
146
Reservoir Plantation
Kilnpond Wood
Environmental Studies Centre
Grovespring Wood
The Vache
Dellgarden Plantation
Oak Plantation
PHILIPSHILL WOOD
Newland Gorse
Shortenill's Wood
Shrubs Wood
CHILTERN OPEN AIR MUSEUM
Chalfont St. Giles
SHRUBS WOOD
Hostel
Lake
The Buckingham College
Lodge
Swim. Pool
Playing Field
BOTTOM WOOD
Gorelands
HP8
NEWLAND PARK
Five Plantation
Rowan Farm
Model Farm
Ashwell's Farm
Turner's Wood
Turner's Wood Farm
Pollardshill Wood
C H I L T E R N
T H R E
High Trees
Skipping's Farm
Brawlings Farm
DEBENHAM HOUSE HOSPITAL
Workshops
Foxdell Wood
Dibden Hill
THE NATIONAL SOCIETY FOR EPILEPSY
CHALFONT COMMON
Hornhill Court
Kiln Wood
Horn Hill
Tubb's Farm
Village Hall
Springview Farm
Robert's Farm
Robert's Wood
Bowstridge
Hotel
ROBERTSWOOD LODGE
Round Rocket Plantation
Gerrards Cross
Windmill Farm
Redleaf Cottage
Gravel Pit
Woodlands Farm
Montague's Dell
Robertswood Combined School
Middle Wood
Chalfont St. Peter First Sch.
Cricket Grd.
Playing Field
Cemetery
Bloom Wood
SL9
Football Grd.
Depot
Comm. Cen.
Recreation Grd.
CHALFONT ST. PETER
Willow Tree Farm
Warren Farm Cottages
Winkers Farm
Warren Farm
Chalfont Leisure Centre
Library
Holy Cross Convent
Chalfont Heights Scout Camp
Goldhill Common
HOGTROUGH WOOD
M25 MOTORWAY
M25
GERRARDS CROSS GOLF COURSE
Mopes Farm
AUSTENWOOD
SOUTH BUCKS
St. Joseph's R.C. Combined School
Hollytree Fm.
Club House
Chalfont Lodge
Tennis Courts
NOCKHILL WOOD
JUNIPER WOOD
LONDON ROAD
AMERSHAM ROAD
GRAVEL HILL
CHALFONT-ST-PETER BY-PASS
LANE NIGHTINGALES
A413
B4442
B416
A B C D E F G
1 2 3 4 5 6 7 8 9

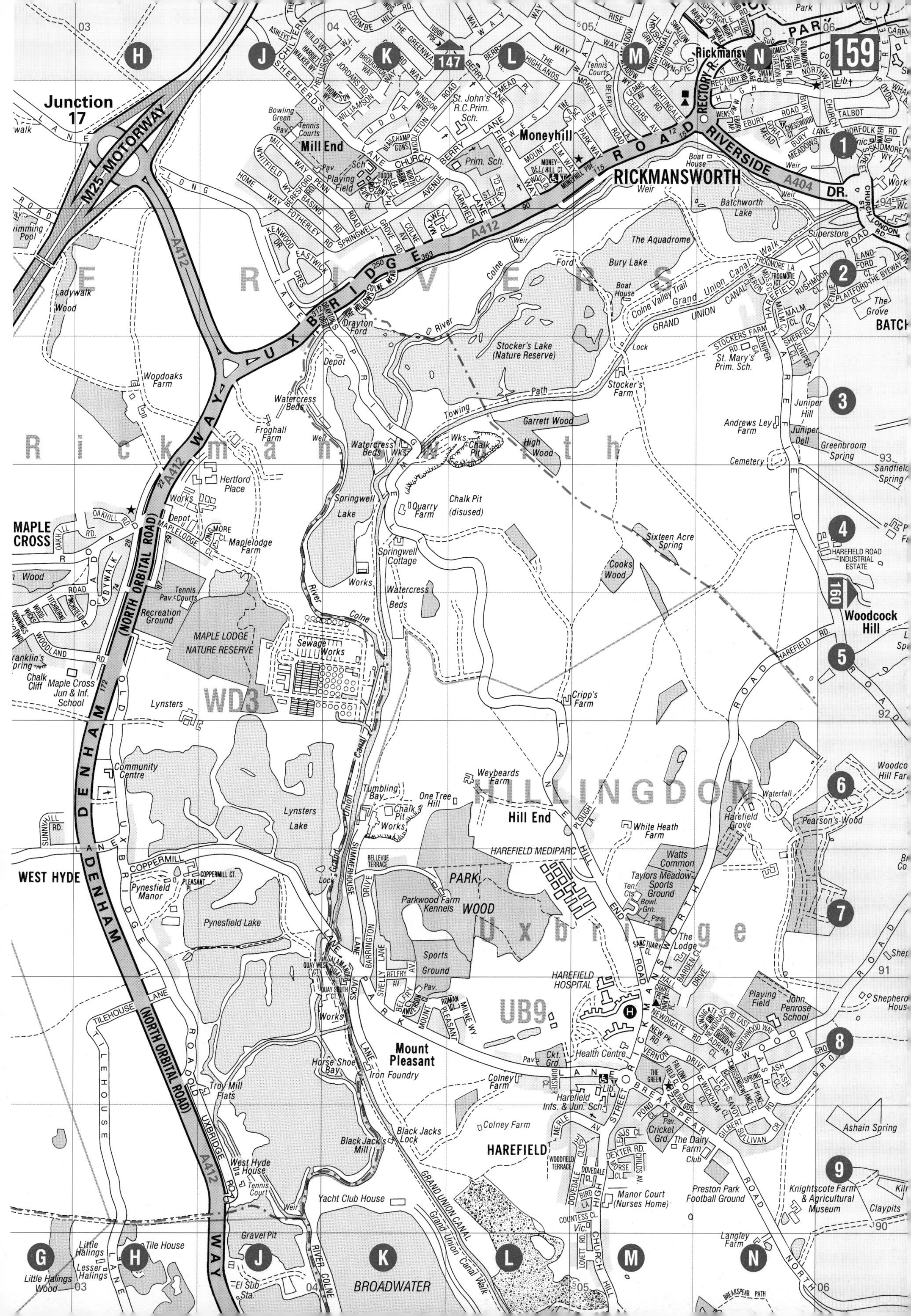

Junction 17
M25 MOTORWAY
Mill End
Moneyhill
RICKMANSWORTH
Rickmansworth
RIVERSIDE DR.
A404
A412
UXBRIDGE ROAD
UXBRIDGE WAY
St. John's R.C.Prim. Sch.
Prim. Sch.
Playing Field
Batchworth Lake
The Aquadrome
Bury Lake
Superstore
Colne Valley Trail
Grand Union Canal Walk
GRAND UNION CANAL
Stocker's Lake (Nature Reserve)
Stockers Farm
St. Mary's Prim. Sch.
Drayton Ford
Ladywalk Wood
Woodoaks Farm
Froghall Farm
Watercress Beds
Garrett Wood
High Wood
Chalk Pit
Towing Path
Juniper Hill
Juniper Dell
Andrews Ley Farm
Greenbroom Spring
Sandfield Spring
Cemetery
Hertford Place
Springwell Lake
Quarry Farm
Chalk Pit (disused)
Sixteen Acre Spring
Cooks Wood
HAREFIELD ROAD INDUSTRIAL ESTATE
Woodcock Hill
MAPLE CROSS
Maplelodge Farm
Springwell Cottage
Recreation Ground
MAPLE LODGE NATURE RESERVE
Sewage Works
Maple Cross Jun & Inf. School
Chalk Cliff
Lynsters
WD3
Cripp's Farm
DENHAM WAY (NORTH ORBITAL ROAD)
Community Centre
Weybeards Farm
HILLINGDON
Hill End
Tumbling Bay
One Tree Hill
White Heath Farm
Waterfall
Harefield Grove
Pearson's Wood
Lynsters Lake
HAREFIELD MEDIPARC
Watts Common
Taylors Meadow Sports Ground
WEST HYDE
Pynesfield Manor
PARK WOOD
Parkwood Farm Kennels
Pynesfield Lake
Uxbridge
Sports Ground
HAREFIELD HOSPITAL
UB9
John Penrose School
Mount Pleasant
Horse Shoe Bay
Iron Foundry
Colney Farm
Health Centre
Harefield Infs. & Jun. Sch.
Troy Mill Flats
Black Jacks Lock
Black Jack's Mill
HAREFIELD
Cricket Grd.
The Dairy Farm Club
Ashain Spring
Knightscote Farm & Agricultural Museum
Claypits
West Hyde House
Yacht Club House
Preston Park Football Ground
Manor Court (Nurses Home)
Langley Farm
Gravel Pit
Tile House
Little Halings
Lesser Halings
Little Halings Wood
BROADWATER
RIVER COLNE
El Sub Sta.
147
160

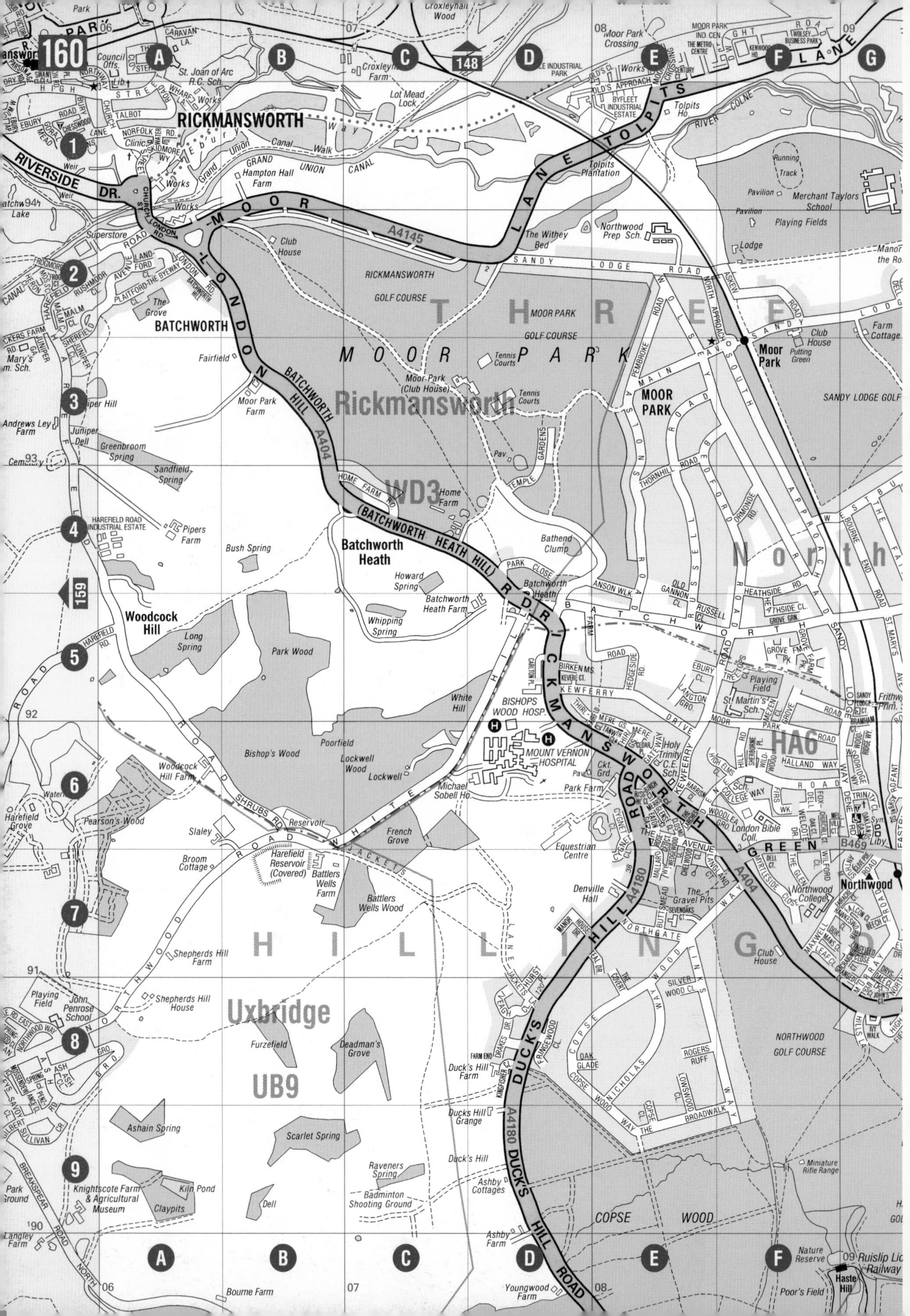

160
148
159
RICKMANSWORTH
BATCHWORTH
Batchworth Heath
Woodcock Hill
MOOR PARK
Moor Park
Rickmansworth
WD3
THREE
North
HA6
Northwood
HILLINGDON
Uxbridge
UB9
RIVERSIDE DR.
MOOR LANE
TOLPITS LANE
A4145
SANDY LODGE ROAD
LONDON RD.
BATCHWORTH HILL
A404
(BATCHWORTH HEATH HILL) RD.
RICKMANSWORTH ROAD
A4180
DUCK'S HILL
DUCK'S HILL ROAD
GREEN LANE
B469
HAREFIELD ROAD
NORTHWOOD ROAD
SHRUBS RD.
WHITE HILL
JACKETS LANE
BREAKSPEAR ROAD NORTH
Grand Union Canal
Ebury Way
River Colne
Moor Park Crossing
Croxleyhall Wood
Croxley Farm
Lot Mead Lock
Hampton Hall Farm
Tolpits Plantation
Tolpits Ho.
Byfleet Industrial Estate
Moor Park Ind. Cen.
The Metro Centre
Wolsey Business Park
Running Track
Merchant Taylors School
Playing Fields
Pavilion
Lodge
The Withey Bed
Northwood Prep Sch.
Club House
Rickmansworth Golf Course
Moor Park Golf Course
Moor Park (Club House)
Tennis Courts
Sandy Lodge Golf
Putting Green
Farm Cottage
Fairfield
Moor Park Farm
Home Farm
Bathend Clump
Batchworth Heath
Howard Spring
Batchworth Heath Farm
Whipping Spring
Juniper Hill
Andrews Ley Farm
Juniper Dell
Greenbroom Spring
Sandfield Spring
Cemetery
Harefield Road Industrial Estate
Pipers Farm
Bush Spring
Long Spring
Park Wood
White Hill
Bishop's Wood
Poorfield
Lockwell Wood
Lockwell
Bishops Wood Hosp.
Mount Vernon Hospital
Michael Sobell Ho.
Park Farm
Holy Trinity C.E. Sch.
St. Martin's Sch.
Playing Field
London Bible Coll.
Northwood College
Equestrian Centre
Denville Hall
The Gravel Pits
Woodcock Hill Farm
Pearson's Wood
Harefield Grove
Slaley
Reservoir
Broom Cottage
Harefield Reservoir (Covered)
Battlers Wells Farm
Battlers Wells Wood
French Grove
Shepherds Hill Farm
Shepherds Hill House
John Penrose School
Furzefield
Deadman's Grove
Duck's Hill Farm
Ducks Hill Grange
Duck's Hill
Club House
Northwood Golf Course
Ashain Spring
Scarlet Spring
Raveners Spring
Ashby Cottages
Badminton Shooting Ground
Knightscote Farm & Agricultural Museum
Kiln Pond
Claypits
Dell
Copse Wood
Ashby Farm
Miniature Rifle Range
Nature Reserve
Ruislip Lido Railway
Haste Hill
Poor's Field
Bourne Farm
Youngwood Farm
Langley Farm
Park Ground
Superstore
Council Offs.
St. Joan of Arc R.C. Sch.
Works
Weir
Batchworth Lake
Mary's Sch.
Frithwood Prim.
A B C D E F G
1 2 3 4 5 6 7 8 9
06 07 08 09
94 93 92 91 90

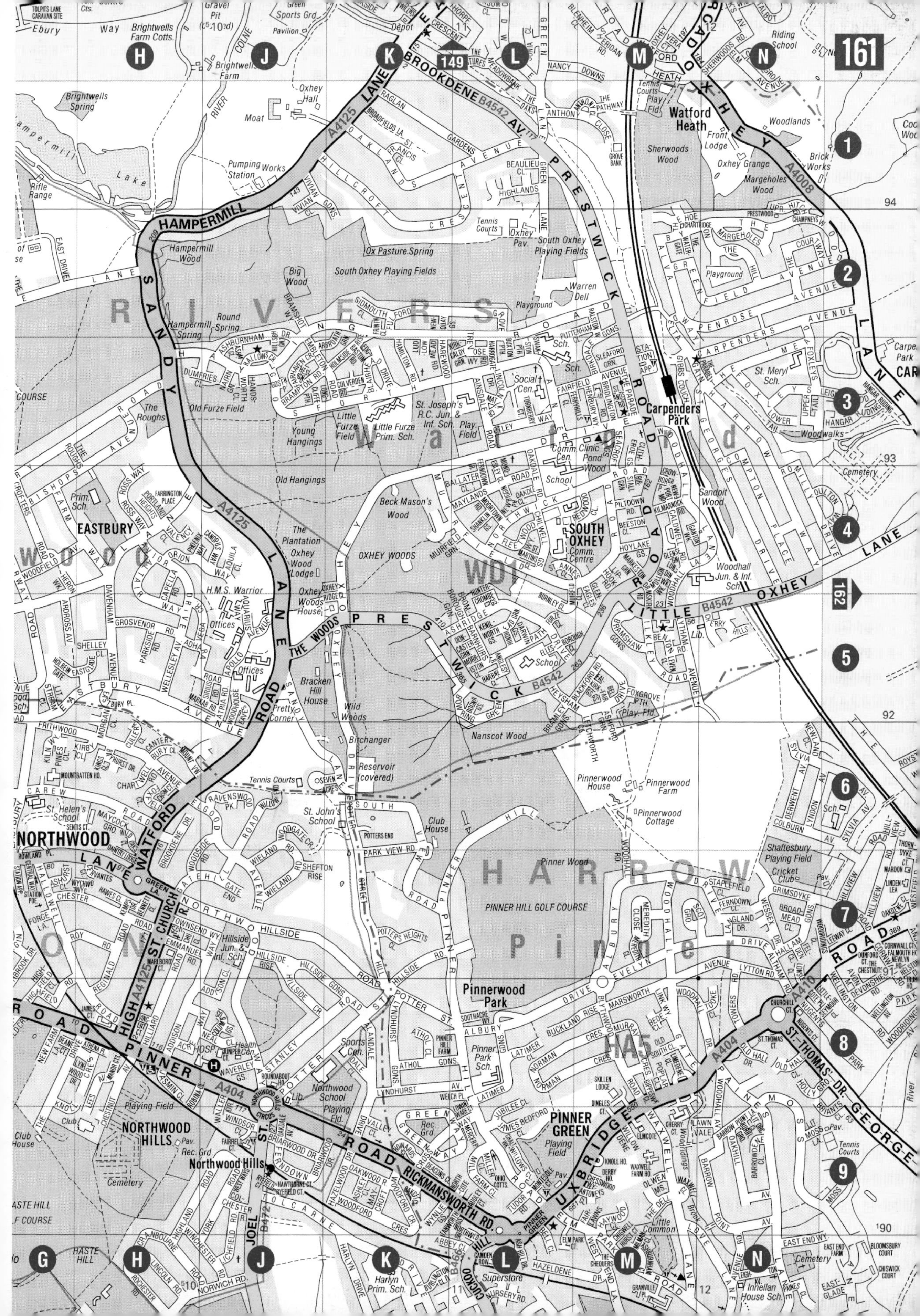
H
J
K
L
M
N
149
Brightwells Farm Cotts.
Brightwells Farm
Brightwells Spring
Hampermill Lake
Rifle Range
Pumping Station
Works
Moat
Oxhey Hall
HAMPERMILL LANE
SANDY LANE
BROOKDENE AV.
PRESTWICK ROAD
Watford Heath
Sherwoods Wood
Oxhey Grange
Margeholes Wood
Woodlands
Brick Works
OXHEY LANE
A4008
A4125
B4542
Hampermill Wood
Big Wood
South Oxhey Playing Fields
Ox Pasture Spring
Warren Dell
Playground
RIVERS
Round Spring
Hampermill Spring
Old Furze Field
The Roughs
Young Hangings
Little Furze Field
Little Furze Prim. Sch.
St. Joseph's R.C. Jun. & Inf. Sch.
Play. Field
Watford
Carpenders Park
St. Meryl Sch.
Woodwalks
Cemetery
Clinic
Comm. Cen.
Pond Wood
School
Sandpit Wood
Old Hangings
Beck Mason's Wood
EASTBURY
The Plantation
Oxhey Wood Lodge
OXHEY WOODS
SOUTH OXHEY
Comm. Centre
WD1
H.M.S. Warrior
Offices
Oxhey Woods House
THE WOODS
LITTLE OXHEY LANE
Woodhall Jun. & Inf. Sch.
162
Bracken Hill House
Wild Woods
Pretty Corner
Birchanger
Nanscot Wood
Reservoir (covered)
Tennis Courts
Pinnerwood House
Pinnerwood Farm
Pinnerwood Cottage
St. Helen's School
NORTHWOOD
WATFORD ROAD
St. John's School
Club House
Pinner Wood
HARROW
Shaftesbury Playing Field
Cricket Club
PINNER HILL GOLF COURSE
Pinner
Hillside Jun. & Inf. Sch.
Pinnerwood Park
Pinner Park Sch.
HA5
Health Cen.
HOSP.
Sports Cen.
Northwood School Playing Fld.
Rec. Grd.
PINNER GREEN
Playing Field
NORTHWOOD HILLS
Playing Field
Club House
Cemetery
Northwood Hills
PINNER ROAD
A404
RICKMANSWORTH RD.
UXBRIDGE ROAD
ST. THOMAS' DR.
GEORGE V AVENUE
Little Common
Tennis Courts
Harlyn Prim. Sch.
Superstore
Innellan House Sch.
Cemetery
HASTE HILL
G
H
J
K
L
M
N
1
2
3
4
5
6
7
8
9
94
93
92
90
10
11
12

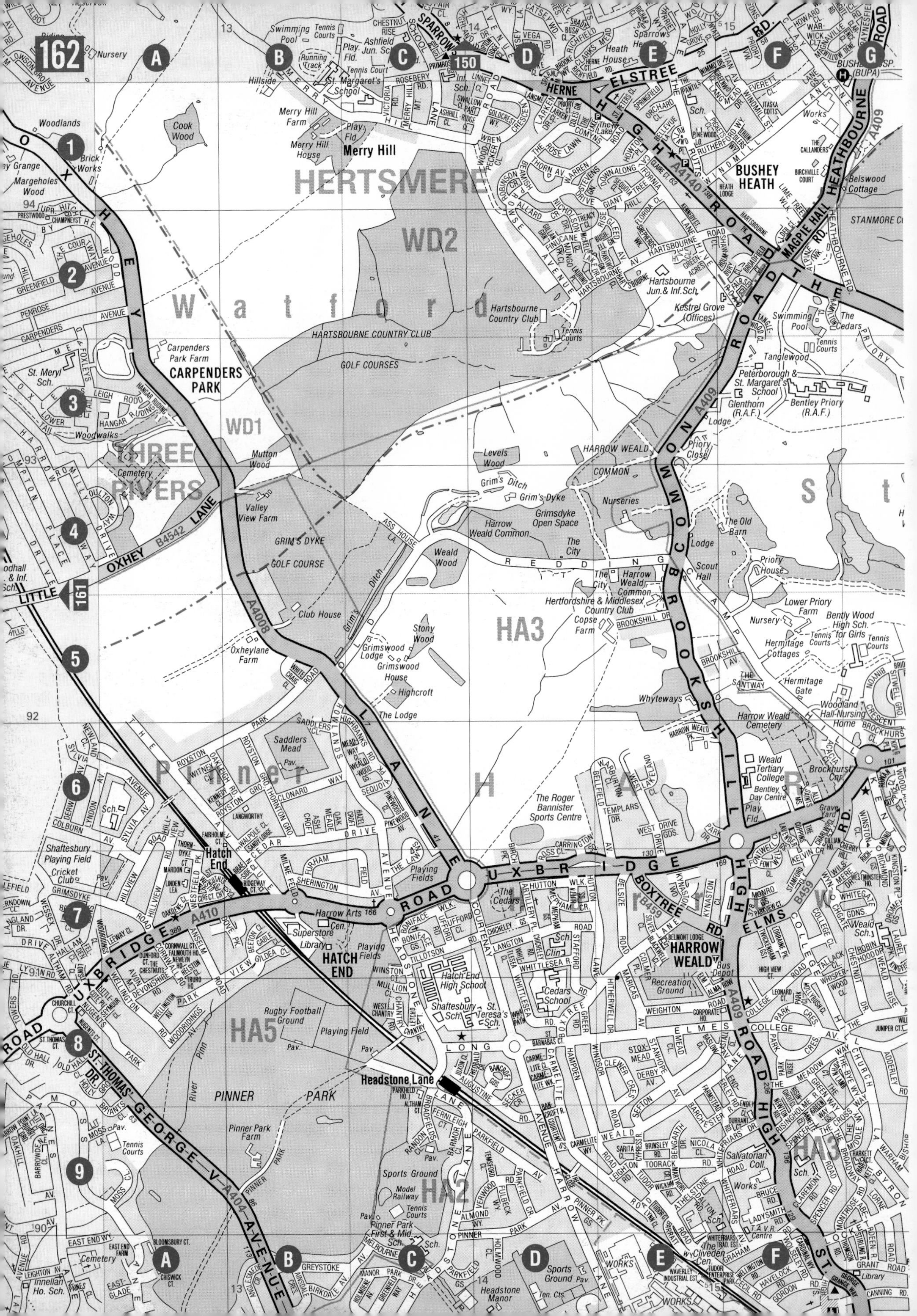

HERTSMERE
WD2
WD1
Watford
THREE RIVERS
Pinner
HA3
HA5
HA2
Merry Hill
BUSHEY HEATH
CARPENDERS PARK
HATCH END
HARROW WEALD
Headstone Lane
150
161
A B C D E F G
1 2 3 4 5 6 7 8 9
Woodlands
Cook Wood
Brick Works
Margeholes Wood
Merry Hill Farm
Merry Hill House
Swimming Pool
Tennis Courts
Running Track
St. Margaret's School
Ashfield Jun. Sch.
Play. Fld.
Hillside
Nursery
HARTSBOURNE COUNTRY CLUB
GOLF COURSES
Hartsbourne Country Club
Hartsbourne Jun.& Inf.Sch.
Kestrel Grove (Offices)
Carpenders Park Farm
St. Meryl Sch.
Woodwalks
Cemetery
Mutton Wood
Valley View Farm
GRIM'S DYKE GOLF COURSE
Club House
Oxheylane Farm
Levels Wood
HARROW WEALD COMMON
Grim's Ditch
Grim's Dyke
Grimsdyke Open Space
Harrow Weald Common
The City
Weald Wood
Nurseries
Stony Wood
Grimswood Lodge
Grimswood House
Highcroft
The Lodge
Hertfordshire & Middlesex Country Club
Copse Farm
Whyteways
Harrow Weald Cemetery
Weald Tertiary College
Bentley Day Centre
Brockhurst Cnr.
Peterborough & St. Margaret's School
Bentley Priory (R.A.F.)
Glenthorn (R.A.F.)
Tanglewood
The Cedars
Belswood Cottage
STANMORE
The Old Barn
Scout Hall
Priory House
Lower Priory Farm
Bently Wood High Sch. for Girls
Hermitage Cottages
Hermitage Gate
Woodland Hall-Nursing Home
Saddlers Mead
The Roger Bannister Sports Centre
Shaftesbury Playing Field
Cricket Club
Harrow Arts Cen.
Superstore
Library
Hatch End High School
Shaftesbury Sch.
St. Teresa's Sch.
Cedars School
Recreation Ground
Bus Depot
Rugby Football Ground
Playing Field
PINNER PARK
River Pinn
Pinner Park Farm
Sports Ground
Model Railway
Pinner Park First & Mid. Sch.
Salvatorian Coll.
Works
T.A.V.R. Centre
The Clivedon Cen.
Headstone Manor
Innellan Ho. Sch.
BUSHEY HEATH
OXHEY LANE
UXBRIDGE ROAD
ELSTREE RD.
HIGH ROAD
COMMON
BROOKSHILL
HEATHBOURNE ROAD
MAGPIE HALL RD.
REDDING
LONG ELMES
ST. THOMAS' DRIVE
GEORGE V AVENUE
HEADSTONE LANE
A4008
A4140
A409
A410
B4542
B459
A404

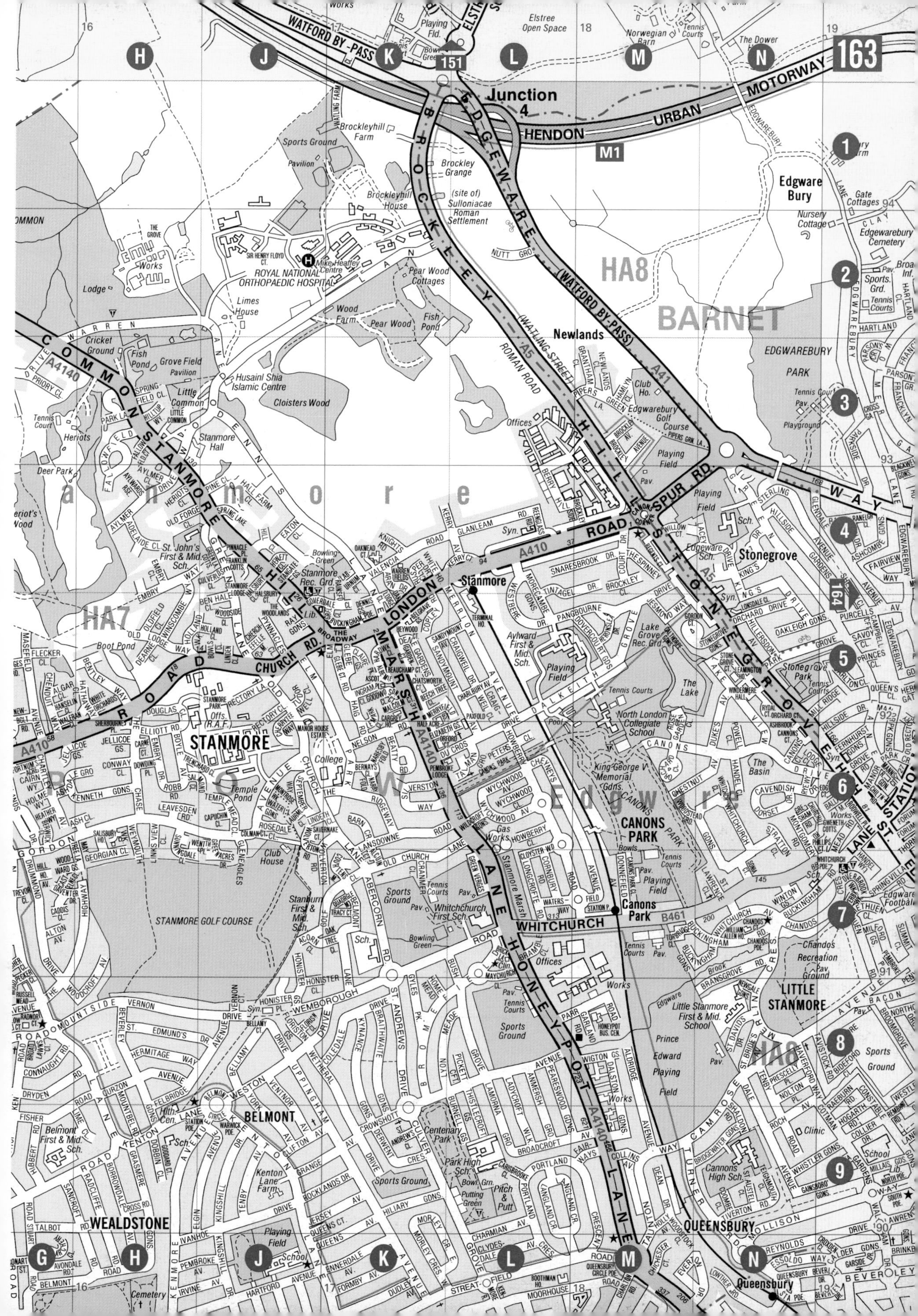

163
WATFORD BY-PASS
Elstree Open Space
Norwegian Barn
The Dower
Junction 4
HENDON URBAN MOTORWAY
M1
151
Brockleyhill Farm
Sports Ground
Pavilion
Brockley Grange
(site of) Sulloniacae Roman Settlement
Brockleyhill House
EDGWARE
BROCKLEY
Edgware Bury
Gate Cottages
Nursery Cottage
Edgwarebury Cemetery
ROYAL NATIONAL ORTHOPAEDIC HOSPITAL
SIR HENRY FLOYD CT.
Pear Wood Cottages
Works
Lodge
Limes House
Wood Farm
Pear Wood
Fish Pond
HA8
BARNET
Newlands
(WATFORD BY-PASS)
(WATLING STREET)
A5
ROMAN ROAD
A41
EDGWAREBURY PARK
Cricket Ground
Grove Field Pavilion
Husaini Shia Islamic Centre
Cloisters Wood
Little Common
COMMON
STANMORE
A4140
Heriots
Deer Park
Stanmore Hall
Club Ho.
Edgwarebury Golf Course
Playing Field
Tennis Court
Playground
SPUR RD.
WAY
Stanmore
St. John's First & Mid. Sch.
Stanmore Rec. Grd.
LONDON ROAD
A410
Syn.
HA7
Boot Pond
CHURCH RD.
THE BROADWAY
MARSH
Stonegrove
STONEGROVE
Edgware Sch.
Aylward First & Mid. Sch.
Playing Field
Lake Grove Rec. Grd.
The Lake
Stonegrove Park
North London Collegiate School
King George V Memorial Gdns.
CANONS PARK
The Basin
STANMORE
College
Temple Pond
Club House
STANMORE GOLF COURSE
Gas Works
Stanmore Marsh
Sports Ground
Whitchurch First Sch.
Stanburn First & Mid. Sch.
Bowling Green
Tennis Courts
WHITCHURCH
Canons Park
B461
Offices
Works
Chandos Recreation Ground
LITTLE STANMORE
Little Stanmore First & Mid. School
Prince Edward Playing Field
HONEYPOT LANE
Sports Ground
HONEYPOT BUS. CEN.
Sports Ground
BELMONT
Belmont First & Mid. Sch.
Kenton Lane Farm
Centenary Park
Park High Sch.
Pitch & Putt
Putting Green
Canons High Sch.
Clinic
School
QUEENSBURY
Queensbury
WEALDSTONE
Playing Field
School
Cemetery

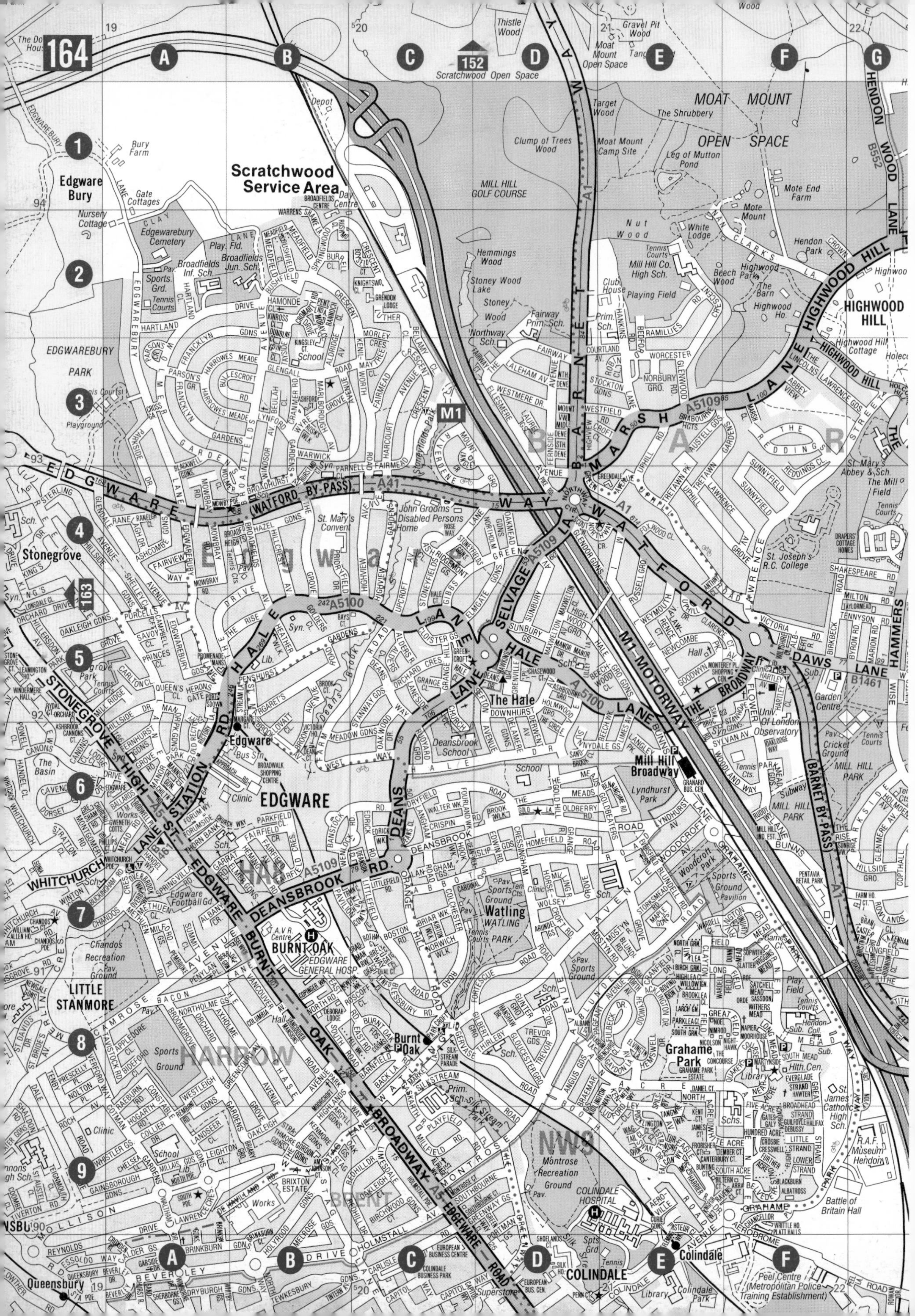

152
163
Scratchwood Open Space
Thistle Wood
Gravel Pit Wood
Moat Mount Open Space
MOAT MOUNT OPEN SPACE
The Shrubbery
Target Wood
Clump of Trees Wood
Moat Mount Camp Site
Leg of Mutton Pond
Mote End Farm
Mote Mount
Hendon Park
Bury Farm
Edgware Bury
Gate Cottages
Nursery Cottage
Edgwarebury Cemetery
Play. Fld.
Broadfields Jun. Sch.
Broadfields Inf. Sch.
Sports Grd.
Tennis Courts
Scratchwood Service Area
Depot
Day Centre
MILL HILL GOLF COURSE
Nut Wood
White Lodge
Hemmings Wood
Stoney Wood Lake
Stoney Wood
Mill Hill Co. High Sch.
Club House
Playing Field
Beech Wood
Highwood Park
The Barn
Highwood Ho.
HIGHWOOD HILL
Highwood Hill Cottage
Fairway Prim. Sch.
Northway Sch.
Prim. Sch.
EDGWAREBURY PARK
Playground
M1
A1
A41
A5109
A5100
A5
B552
B1461
EDGWARE WAY (WATFORD BY-PASS)
BARNET WAY
MARSH LANE
WATFORD WAY
HIGHWOOD HILL
HENDON WOOD LANE
HALE LANE
SELVAGE LANE
DEANS LANE
DEANSBROOK RD.
STATION RD.
HIGH ST.
STONEGROVE
EDGWARE RD.
BURNT OAK BROADWAY
DAWS LANE
HAMMERS LANE
THE BROADWAY
M1 MOTORWAY
BARNET BY-PASS
Stonegrove
Sch.
St. Mary's Convent
John Grooms Disabled Persons Home
Lib.
Syn.
Edgware
Bus Stn.
Clinic
EDGWARE
The Hale
Deansbrook School
School
Mill Hill Broadway
Lyndhurst Park
St. Mary's Abbey & Sch.
The Mill Field
Tennis Courts
St. Joseph's R.C. College
Hall
Garden Centre
Univ. Of London Observatory
Cricket Ground
MILL HILL PARK
Tennis Cts.
Sub.
Subway
Woodcroft Park
Sports Ground
Pavilion
Watling
WATLING PARK
Sports Ground
Edgware Football Gd.
A.V.R. Centre
BURNT OAK
EDGWARE GENERAL HOSP.
Chandos Recreation Ground
LITTLE STANMORE
HARROW
Sports Ground
Burnt Oak
Silk Stream Park
Prim. Sch.
Grahame Park
Library
Hlth. Cen.
Hendon Sub. Coll.
St. James Catholic High Sch.
R.A.F. Museum Hendon
Battle of Britain Hall
NW9
Montrose Recreation Ground
COLINDALE HOSPITAL
Colindale
COLINDALE
Peel Centre (Metropolitan Police Training Establishment)
Library
Colindale Park
Superstore
Queensbury
Clinic
School
Works
BRENT
Games Park
Play. Field
Schs.
The Basin
Stonegrove Park

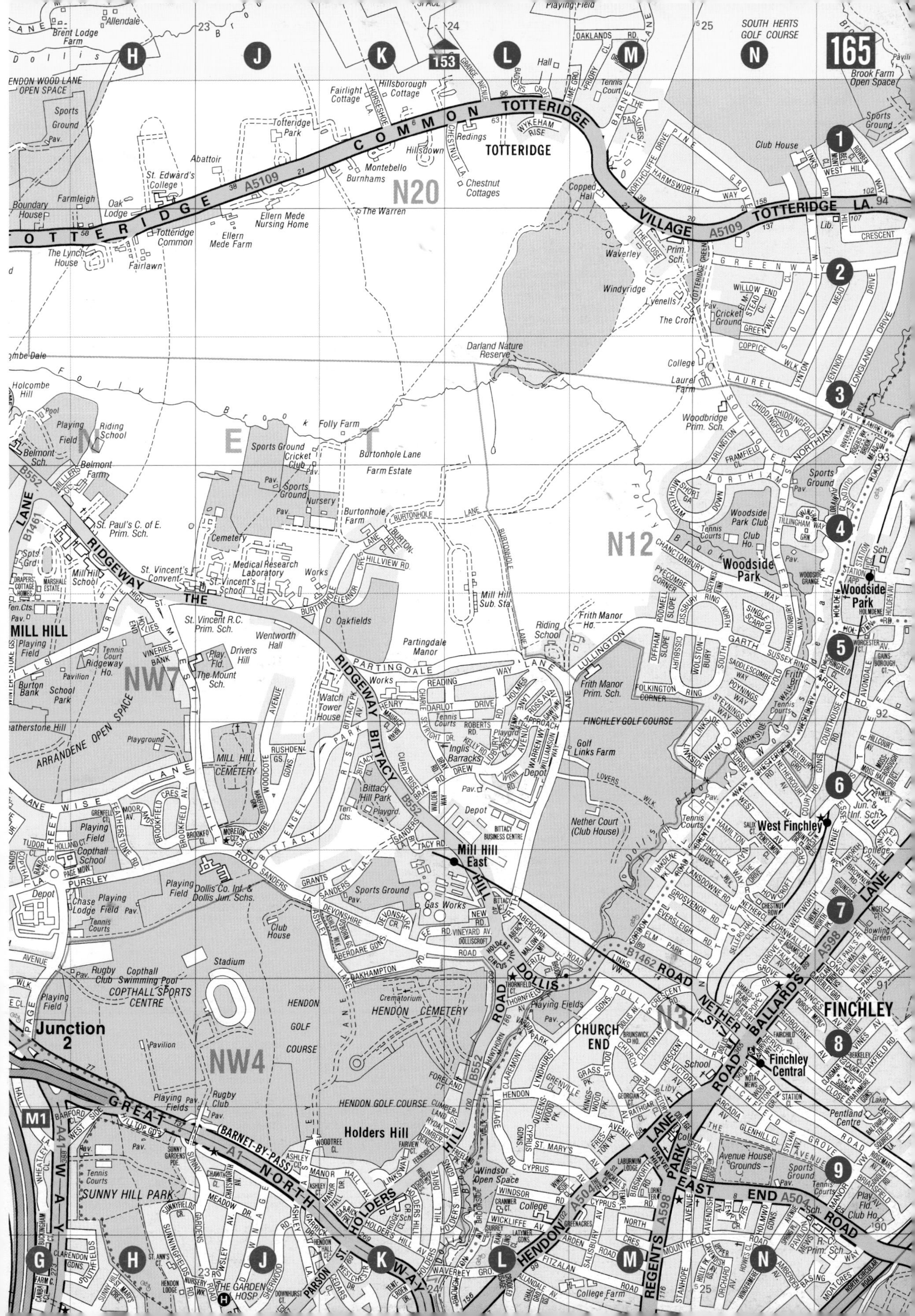

H
J
K
153
L
M
N
SOUTH HERTS GOLF COURSE
Brook Farm Open Space
HENDON WOOD LANE OPEN SPACE
Sports Ground
TOTTERIDGE COMMON
TOTTERIDGE
TOTTERIDGE LA.
A5109
N20
VILLAGE
Totteridge Park
Hillsborough Cottage
Fairlight Cottage
Redings
Hillsdown
Montebello
Burnhams
Chestnut Cottages
The Warren
Abattoir
St. Edward's College
Farmleigh
Oak Lodge
Boundary House
Ellern Mede Nursing Home
Ellern Mede Farm
Totteridge Common
The Lynch House
Fairlawn
Copped Hall
Waverley
Windyridge
Lyenells
The Croft
Club House
GREENWAY
Cricket Ground
Darland Nature Reserve
College
Laurel Farm
Woodbridge Prim. Sch.
Folly Brook
Folly Farm
Holcombe Hill
Playing Field
Riding School
Belmont Sch.
Belmont Farm
Sports Ground
Cricket Club
Burtonhole Lane Farm Estate
Nursery
Burtonhole Farm
St. Paul's C. of E. Prim. Sch.
Cemetery
Medical Research Laboratory
St. Vincent's Convent
St. Vincent's School
Mill Hill School
THE RIDGEWAY
MILL HILL
Works
Oakfields
Mill Hill Sub. Sta.
N12
Woodside Park Club
Woodside Park
NORTHIAM
Sports Ground
St. Vincent R.C. Prim. Sch.
Wentworth Hall
Partingdale Manor
Riding School
Frith Manor Ho.
Frith Manor Prim. Sch.
NW7
Ridgeway Ho.
School Park
Burton Bank
Drivers Hill
The Mount Sch.
Watch Tower House
Inglis Barracks
FINCHLEY GOLF COURSE
Golf Links Farm
ARRANDENE OPEN SPACE
Featherstone Hill
MILL HILL CEMETERY
Bittacy Hill Park
Depot
Nether Court (Club House)
West Finchley
Copthall School
Mill Hill East
Sports Ground
Gas Works
Playing Field
Dollis Co. Inf. & Dollis Jun. Schs.
Chase Lodge
Club House
Stadium
Rugby Club
Copthall Swimming Pool
COPTHALL SPORTS CENTRE
Junction 2
HENDON GOLF COURSE
Crematorium
HENDON CEMETERY
NW4
DOLLIS
CHURCH END
N3
FINCHLEY
Finchley Central
BALLARDS LANE
Playing Fields
Pentland Centre
Avenue House Grounds
Rugby Club
Holders Hill
Windsor Open Space
SUNNY HILL PARK
GREAT NORTH WAY
BARNET-BY-PASS
A1
M1
A41
A504
A598
B552
B1462
REGENTS PARK ROAD
EAST END ROAD
HENDON LANE
College
Club Ho.
G
H
J
K
L
M
N
1
2
3
4
5
6
7
8
9

INDEX TO PLACES & AREAS

Names in this index shown in CAPITAL LETTERS, followed by their Postcode District(s), are Posttowns.

ABBOTS LANGLEY. (WD5) —3G **137**
Adeyfield. —1C **124**
ALBURY. (SG11) —3K **57**
Albury End. —5J **57**
ALDBURY. (HP23) —1H **103**
ALDENHAM. (WD2) —2C **150**
ALEY GREEN. (LU1) —6B **66**
ALLEN'S GREEN. (CM21) —1B **98**
Amwell. —8J **89**
Ansells End. —6G **69**
ANSTEY. (SG9) —5D **28**
Appleby Street. —8C **132**
Apsley. —6A **124**
Apsley End. —4N **19**
ARDELEY. (SG2) —7L **37**
ARKLEY. (EN5) —7G **153**
ARLESEY. (SG15) —8A **10**
Ashbrook. —6C **34**
ASHERIDGE. (HP5) —8B **120**
ASHLEY GREEN. (HP5) —6K **121**
Ashridge. —9L **83**
ASHWELL. (SG7) —9M **5**
Ashwell End. —8J **5**
ASPENDEN. (SG9) —5H **39**
ASTON. (SG2) —7D **52**
ASTON CLINTON. (HP22) —1C **100**
ASTON END. (SG2) —4D **52**
ASTROPE. (HP23) —4F **80**
Astwick. —2E **10**
Austage End. —2H **49**
Austenwood. —9A **158**
Ayot Green. —6F **90**
Ayot Little Green. —6F **90**
AYOT ST LAWRENCE. (AL6) —1A **90**
AYOT ST PETER. (AL6) —4F **90**
Ayres End. —1G **108**

Baas Hill. —3H **133**
Babbs Green. —2B **96**
BALDOCK. (SG7) —3M **23**
Ballingdon Bottom. —7J **85**
BARKWAY. (SG8) —9N **15**
BARLEY. (SG8) —3C **16**
Barleycroft. —6L **41**
Barnes Wood. —1A **92**
BARNET. (EN4 & EN5) —6L **153**
Barnet Gate. —8F **152**
Barnet Vale. —7A **154**
BARTON-LE-CLAY. (MK45) —9E **18**
Barwick. —4N **75**
Barwick Ford. —6A **76**
BASSINGBOURN. (SG8) —1M **7**
Bassus Green. —1K **53**
Batchworth. —2A **160**
BATCHWORTH HEATH. (WD3) —4C **160**
Batford. —4E **88**
Batlers Green. —9F **138**
BAYFORD. (SG13) —9M **113**
BEDMOND. (WD5) —9H **125**
Bedwell. —4M **51**
Beecroft. —9C **44**
Bell Bar. —6N **129**
Bellgate. —8A **106**
BELLINGDON. (HP5) —5C **120**
Belmont. —8J **163**
Belsize. —5J **135**
BENDISH. (SG4) —9J **49**
Bengeo. —7A **94**
BENINGTON. (SG2) —5K **53**
Bennetts End. —5C **124**
Bentfield Bower. —1L **59**
Bentfield Bury. —9K **43**
Bentfield End. —2M **59**
Bentfield Green. —2L **59**
Bentley Heath. —8M **141**
BERDEN. (CM23) —2D **42**
Bericot Green. —8D **92**
BERKHAMSTED. (HP4) —8J **103**
Berkhamsted Common. —3L **103**
Bernard's Heath. —8G **108**
BIDWELL. (LU5) —3D **44**
Bignell's Corner. —6H **141**
BIRCHANGER. (CM23) —7M **59**
BIRCH GREEN. (SG14) —2H **113**
Birchwood. —7H **111**
Bird Green. —3N **29**
Bisgcot. —7E **46**
BISHOP'S STORTFORD. (CM22 & CM23) —1H **79**
Blackhall. —7L **29**
Blackmore End. —1J **89**
Blue Hill. —2H **73**
BOREHAMWOOD. (WD6) —5A **152**
Botany Bay. —9J **143**
Bourne End. —3F **122**
BOVINGDON. (HP3) —2D **134**
Bovingdon Green. —2D **134**
Bower Heath. —1D **88**
Boxmoor. —4L **123**
Bragbury End. —1C **72**
BRAMFIELD. (SG14) —3H **93**
BRAUGHING. (SG11) —2C **56**
Braughing Friars. —3G **56**
Brays Grove. —7C **118**
BREACHWOOD GREEN. (SG4) —8F **48**
BRENT PELHAM. (SG9) —9K **29**
BRICKENDON. (SG13) —1A **132**
BRICKET WOOD. (AL2) —3A **138**
Brick House End. —5D **42**
Bridgefoot. —3N **9**
BRIMSDOWN. (EN3) —4J **157**
Broad Colney. —1L **139**
Broad Green. —1M **17**
Broadgreen Wood. —6L **113**
Broadoak End. —7L **93**
Broadwater. —8M **51**
Bromley. —1F **76**
Brook End. —3A **100**
(Aston Clinton)
Brook End. —3A **38**
(Cottered)
Brook End. —3C **82**
(Pitstone)
Brook End. —7E **10**
(Stotfold)
BROOKMANS PARK. (AL9) —8L **129**
BROXBOURNE. (EN10) —2K **133**
BUCKLAND. (HP22) —1E **100**
(Aston Clinton)
BUCKLAND. (SG9) —3H **27**
(Buntingford)
BUCKS HILL. (WD4) —8N **135**
Building End. —5L **17**
BULBOURNE. (HP23) —7A **82**
Bullen's Green. —4E **128**
Bulls Cross. —8E **144**
Bull's Green. —9D **72**
Bullsmill. —3M **93**
Bullsmoor. —9G **144**
Bulstrode. —2H **135**
BUNTINGFORD. (SG9) —3J **39**
Burge End. —6D **20**
Burnham Green. —1B **92**
Burn's Green. —7L **53**
Burnt Oak. —8C **164**
Bury End. —1N **19**
Bury Green. —1A **78**
(Bishop's Stortford)
Bury Green. —4E **144**
(Cheshunt)
Bury Park. —9E **46**
BUSHEY. (WD2) —9C **150**
Bushey Heath. —1E **162**
Bush Hill Park. —8D **156**
Bye Green. —3A **100**
BYGRAVE. (SG7) —7B **12**

CADDINGTON. (LU1) —4A **66**
Cadwell. —6N **21**
CALDECOTE. (SG7) —3K **11**
Caldecote Hill. —9F **150**
California. —2D **64**
Camp, The. —3H **127**
Campus, The. —9E **106**
Canons Park. —7M **163**
Carneles Green. —4F **132**
Carpenders Park. —3M **161**
Carter's Green. —4N **119**
Cattlegate. —6K **143**
CHALFONT COMMON. (SL9) —5C **158**
CHALFONT ST PETER. (SL9) —8B **158**
Chalk Hill. —5B **44**
CHANDLER'S CROSS. (WD3) —2B **148**
Chapel Croft. —4K **135**
Chapel End. —7H **81**
Chapel Green. —9E **14**
CHAPMORE END. (SG12) —2B **94**
CHARLTON. (SG5) —6L **33**
CHARTRIDGE. (HP5) —9A **120**
Chase Side. —3B **156**
Chatter End. —2E **58**
Chaulden. —3J **123**
Chaul End. —9M **45**
Cheapside. —3E **28**
CHEDDINGTON. (LU7) —9M **61**
Chells. —3A **52**
Chells Manor. —2C **52**
CHENIES. (WD3) —2E **146**
Chenies Bottom. —1D **146**
Cherry Green. —9H **39**
CHESHUNT. (EN7 & EN8) —1H **145**
Cheverell's Green. —3M **85**
Childwick Green. —4D **108**
CHILTERN GREEN. (LU2) —5B **68**
Chingford. —9N **157**
CHIPPERFIELD. (WD4) —4K **135**
Chipperfield Common. —5L **135**
CHIPPING. (SG9) —7G **27**
Chipping Barnet. —6L **153**
Chiswell Green. —7N **125**
CHIVERY. (HP23) —9H **101**
CHOLESBURY. (HP23) —2A **120**
CHORLEYWOOD. (WD3) —7G **146**
Chorleywood Bottom. —7G **147**
Chorleywood West. —6E **146**
CHRISHALL. (SG8) —1N **17**
Church End. —5A **10**
(Arlesey)
Church End. —2C **56**
(Braughing)
Church End. —5J **63**
(Edlesborough)
CHURCH END. (N3) —8M **165**
(Finchley)
Church End. —5G **65**
(Kensworth)
Church End. —7N **57**
(Little Hadham)
Church End. —4C **82**
(Pitstone)
Church End. —2J **107**
(Redbourn)
Church End. —2J **147**
(Sarratt)
Church End. —1M **63**
(Totternhoe)
Church End. —9C **24**
(Weston)
Churchgate. —3E **144**
Church Langley. —7F **118**
Clapgate. —3M **57**
Clay End. —2K **53**
Clay Hill. —1A **156**
(Enfield)
Clayhill. —7C **102**
(Wigginton)
Clement's End. —4G **84**
CLOTHALL. (SG7) —7D **24**
COCKERNHOE. (LU2) —6N **47**
COCKFOSTERS. (EN4) —6F **154**
CODICOTE. (SG4) —7F **70**
Codicote Bottom. —7D **70**
Cold Christmas. —9N **75**
Cold Harbour. —3D **88**
Cole Green. —8K **29**
(Brent Pelham)
COLE GREEN. (SG14) —2F **112**
(Hertford)
Coleman Green. —1N **109**
Colemans Green. —8E **48**
Colindale. —9E **164**
COLNEY HEATH. (AL4) —4B **128**
COLNEY STREET. (AL2) —3G **138**
Commonwood. —7L **135**
Coney Acre. —1M **43**
Coopers Green. —6B **110**
Copt Hall. —4N **67**
Corey's Mill. —9H **35**
Corner Hall. —4N **123**
COTTERED. (SG9) —3N **37**
Counters End. —2K **123**
COW ROAST. (HP23) —5F **102**
Cox Green. —3H **49**
Crabb's Green. —4B **42**
Cradle End. —9B **58**
CRAFTON. (LU7) —4E **60**
Crawley End. —1N **17**
Crews Hill. —8M **143**
CROMER. (SG2) —5J **37**
Cromer Hyde. —1C **110**
Crouch Green. —2E **70**
Croxley Centre. —8F **148**
CROXLEY GREEN. (WD3) —6C **148**
Cuckolds Cross. —5L **69**
CUFFLEY. (EN6) —2K **143**
Cumberlow Green. —5K **25**
Cupid Green. —6C **106**
Cutting Hill. —8M **53**

DAGNALL. (HP4) —2N **83**
Damask Green. —2A **36**
Dancersend. —5H **101**
Dancers Hill. —9K **141**
Dane End. —8F **14**
(Therfield)
DANE END. (SG12) —1C **74**
(Watton At Stone)
Danesbury. —9J **71**
Darleyhall. —8D **48**
Dassels. —7B **40**
DATCHWORTH. (SG3) —5C **72**
Datchworth Green. —7C **72**
Daw's End. —6E **28**
Dewes Green. —1B **42**
Diamond End. —2D **68**
DIGSWELL. (AL6) —4L **91**
Digswell Park. —5K **91**
Digswell Water. —5M **91**
Downside. —1H **65**
DRAYTON BEAUCHAMP. (HP22) —1H **101**
Driver's End. —4G **70**
Duck End. —8N **59**
Ducks Island. —8K **153**
DUDSWELL. (HP4) —6H **103**
Dugdale Hill. —6L **141**
DUNSTABLE. (LU5 & LU6) —9E **44**
DUNTON. (SG18) —1F **4**

EAST BARNET. (EN4) —8D **154**
Eastbury. —4H **161**
Eastend. —5H **117**
(Harlow)
East End. —6N **41**
(Furneux Pelham)
EAST END GREEN. (SG14) —5J **113**
Easthall. —7B **50**
EAST HYDE. (LU2) —9A **68**
EASTWICK. (CM20) —2L **117**
EATON BRAY. (LU6) —2J **63**
EDGWARE. (HA8) —6A **164**
Edgware Bury. —1N **163**
EDLESBOROUGH. (LU6) —4J **63**
Edwards Green. —7B **114**
EDWORTH. (SG18) —7C **4**
Ellenbrook. —9D **110**
ELSTREE. (WD6) —8L **151**
ENFIELD. (EN1 to EN3) —5B **156**
Enfield Highway. —4H **157**
Enfield Lock. —1K **157**
Enfield Town. —5B **156**
Enfield Wash. —1H **157**
ESSENDON. (AL9) —8D **112**

Farley Hill. —2D **66**
FARNHAM. (CM23) —3F **58**
Farnham Green. —2D **58**
FINCHLEY. (N3) —8N **165**
Fisher's Green. —1H **51**
(Stevenage)
Fishers Green. —2M **145**
(Waltham Abbey)
FLAMSTEAD. (AL3) —5D **86**
Flamstead End. —1F **144**
Flanders Green. —4B **38**
FLAUNDEN. (HP3) —6E **134**
Fleetville. —2J **127**
Flints, The. —8B **32**
Folly, The. —5J **89**
Ford End. —7N **29**
Forty Hill. —2C **156**
Foster Street. —7H **119**
Freezy Water. —9H **145**
Friar's Wash. —4E **86**
FRITHSDEN. (HP1 & HP4) —6D **104**
FROGMORE. (AL2) —1F **138**
(St Albans)
Frogmore. —6K **49**
(Whitwell)
Frogmore End. —5A **124**
FURNEUX PELHAM. (SG9) —6K **41**
Further Ford End. —5N **29**

GADDESDEN ROW. (HP2) —8L **85**
Gadebridge. —9K **105**
Ganwick Corner. —9A **142**
Gardners End. —7N **37**
Garston. —8L **137**
Gaston Green. —9K **79**
Gatley End. —7D **6**
GILSTON. (CM20) —9N **97**
GOFF'S OAK. (EN7) —1A **144**
Goose Green. —7G **115**
GOSMORE. (SG4) —7N **33**
Gover's Green. —8C **72**
Grahame Park. —8F **164**
Grange Park. —8N **155**
GRAVELEY. (SG4) —6J **35**
Gravesend. —1L **57**
GREAT AMWELL. (SG12) —1K **115**
GREAT CHISHILL. (SG8) —2H **17**
GREAT GADDESDEN. (HP1 & HP2) —3G **105**
Great Gap. —1C **82**
GREAT HALLINGBURY. (CM22) —4N **79**
Great Hivings. —9E **120**
GREAT HORMEAD. (SG9) —2D **40**
GREAT MUNDEN. (SG11) —4H **55**
Great Offley. —7D **32**
Great Parndon. —8L **117**
Great Seabrook. —1N **81**
GREAT WYMONDLEY. (SG4) —4E **34**
Green End. —2B **56**
(Braughing)
Green End. —8B **54**
(Dane End)
Green End. —3K **123**
(Hemel Hempstead)
Green End. —4B **26**
(Sandon)
Green End. —9B **24**
(Weston)
Green Street. —9A **58**
Green Tye. —7M **77**
Grovehill. —7B **106**
GUBBLECOTE. (HP23) —5J **81**
GUILDEN MORDEN. (SG8) —1A **6**
Gustard Wood. —2K **89**

Hadham Cross. —6J **77**
Hadham Ford. —9L **57**
Hadley. —4M **153**
Hadley Wood. —2B **154**
HAILEY. (SG13) —4L **115**
Haldens. —6M **91**
Hale, The. —5D **164**
Hall Grove. —2A **112**
Halls Green. —9F **116**
(Roydon)
Hall's Green. —4D **36**
(Weston)
Hammerfield. —2L **123**
Hammond Street. —8C **132**
Handside. —9J **91**
HANGHILL. (HP23) —6J **101**
HAREFIELD. (UB9) —8M **159**
Haresfoot Park. —4M **121**
HARE STREET. (SG9) —2A **40**
(Buntingford)
Hare Street. —4L **37**
(Cottered)
Hare Street. —6L **117**
(Harlow)
HARLOW. (CM17 to CM20) —5N **117**
Harlow Tye. —3K **119**
Harmer Green. —2A **92**
HARPENDEN. (AL5) —6B **88**
Harpendenbury. —7J **87**
HARROW WEALD. (HA3) —7F **162**
Hartham. —8B **94**
Hart Hill. —9H **47**
HASTOE. (HP23) —7L **101**
HATCH END. (HA5) —7A **162**
Hatching Green. —9B **88**
HATFIELD. (AL9 & AL10) —8H **111**
Hatfield Garden Village. —6E **110**
HAULTWICK. (SG11) —6D **54**
HAWRIDGE. (HP5) —4D **120**
Hay Green. —6D **14**
Hay Street. —9B **40**
Hazel End. —4J **59**
Heath End. —2D **120**
Heath, The. —7E **48**
Hebing End. —7L **53**
Helham Green. —3C **96**
HEMEL HEMPSTEAD. (HP1 to HP3) —1N **123**
HERONSGATE. (WD3) —9F **146**
Herringworth Hall. —6G **55**
HERTFORD. (SG13 & SG14) —9A **94**
HERTFORD HEATH. (SG13) —2G **114**
Hertingfordbury. —1L **113**
HEXTON. (SG5) —9K **19**
Higham Gobion. —5J **19**
HIGH BARNET. (EN5) —5L **153**
High Cross. —1E **150**
(Radlett)
HIGH CROSS. (SG11) —6J **75**
(Ware)
Highfield. —9B **106**
Highlands Village. —7L **155**
High Town. —9G **47**
Highwood Hill. —3F **164**
HIGH WYCH. (CM21) —6C **98**
Hill End. —6L **159**
(Harefield)
Hill End. —8N **111**
(Hatfield)
Hillfoot End. —2N **19**
HINXWORTH. (SG7) —7E **4**
HITCHIN. (SG4 & SG5) —3M **33**
Hitchin Hill. —5N **33**
Hobbs Cross. —5J **119**
Hobbs Hill. —3J **91**
Hockerill. —1J **79**
HODDESDON. (EN11) —8L **115**
Hogpits Bottom. —5E **134**
Holdbrook. —7K **145**
Holders Hill. —9K **165**
Holwell. —5D **112**
(Hatfield)
HOLWELL. (SG5) —4J **21**
(Hitchin)
Holwellbury. —1J **21**
Holyfield. —2N **145**
Holywell. —8H **149**
Hoo End. —4L **69**
Hook's Cross. —2E **72**
Horn Hill. —5D **158**
HORTON. (LU7) —5M **61**
Houghton Hall Park. —5F **44**
Houghton Park. —3H **45**
HOUGHTON REGIS. (LU5) —5E **44**
Housham Tye. —4M **119**
Howe Green. —6M **79**
(Bishop's Stortford)
HOWE GREEN. (SG13)
(Hertford) —7F **112**
How Wood. —9D **126**
Hudnall. —8C **84**
HUNSDON. (SG12) —6G **96**
Hunsdonbury. —8F **96**
Hunton Bridge. —6E **136**

ICKLEFORD. (SG5) —7M **21**
IVINGHOE. (LU7) —2C **82**
IVINGHOE ASTON. (LU7) —7E **62**

Jockey End. —7K **85**

Katherines. —9K **117**
KELSHALL. (SG8) —7B **14**
Kemprow. —9E **138**
KENSWORTH. (LU6) —6G **65**
Kensworth Common. —8H **65**
Kensworth Lynch. —7K **65**
Kettle Green. —7G **76**
Keysers Estate. —4M **133**
Killem's Green. —8K **17**
KIMPTON. (SG4) —7L **69**
KINGS LANGLEY. (WD4) —2C **136**

INDEX TO STREETS

HOW TO USE THIS INDEX

1. Each street name is followed by its Postal District (or, if outside the London Postal Districts, by its Posttown or Postal Locality), and then by its map reference; e.g. Abbey Av. *St Alb* —5B **126** is in the St Albans Posttown and is found in square 5B on page **126**. The page number being shown in bold type.
   A strict alphabetical order is followed in which Av., Rd., St. etc. (though abbreviated) are read in full and as part of the street name; e.g. Abbeydale Clo. appears after Abbey Ct. but before Abbey Dri.

2. Streets and a selection of Subsidiary names not shown on the Maps, appear in this index in *Italics* with the thoroughfare to which it is connected shown in brackets; e.g. *Abbey Mills. Wal A —6M **145** (off Highbridge St.)*

3. With the now general usage of Postcodes for addressing mail, it is not recommended that this index be used for such a purpose.

GENERAL ABBREVIATIONS

All : Alley
App : Approach
Arc : Arcade
Av : Avenue
Bk : Back
Boulevd : Boulevard
Bri : Bridge
B'way : Broadway
Bldgs : Buildings
Bus : Business
Cvn : Caravan
Cen : Centre
Chu : Church
Chyd : Churchyard
Circ : Circle
Cir : Circus
Clo : Close
Comn : Common
Cotts : Cottages
Ct : Court
Cres : Crescent
Dri : Drive
E : East
Embkmt : Embankment
Est : Estate
Gdns : Gardens
Ga : Gate
Gt : Great
Grn : Green
Gro : Grove
Ho : House
Ind : Industrial
Junct : Junction
La : Lane
Lit : Little
Lwr : Lower
Mnr : Manor
Mans : Mansions
Mkt : Market
M : Mews
Mt : Mount
N : North
Pal : Palace
Pde : Parade
Pk : Park
Pas : Passage
Pl : Place
Quad : Quadrant
Rd : Road
S : South
Sq : Square
Sta : Station
St : Street
Ter : Terrace
Trad : Trading
Up : Upper
Vs : Villas
Wlk : Walk
W : West
Yd : Yard

POSTTOWN AND POSTAL LOCALITY ABBREVIATIONS

Ab L : Abbots Langley
Alb : Albury
Ald : Aldbury
A'ham : Aldenham
Al G : Aley Green
A Grn : Allens Green
Amer : Amersham
Ans : Anstey
Ard : Ardeley
Ark : Arkesden
A'ly : Arkley
Arl : Arlesey
Asher : Asheridge
Ash G : Ashley Green
A'wl : Ashwell
Ast : Aston
Ast C : Aston Clinton
Ast E : Aston End
Ay L : Ayot St Lawrence
Bald : Baldock
B'wy : Barkway
Bar : Barley
Barn : Barnet
Bar C : Barton-le-Clay
Bass : Bassingbourn
B Hth : Batchworth Heath
B'frd : Bayford
Bayf : Bayfordbury
Bedm : Bedmond
Bell : Bellingdon
Bend : Bendish
B'tn : Benington
Ber : Berden
Berk : Berkhamsted
Bid : Bidwell
Big : Biggleswade
Bir : Birchanger
Bir G : Birch Green
Bis S : Bishop's Stortford
Borwd : Borehamwood
Bov : Bovingdon
B'fld : Bramfield
Brau : Braughing
Braz E : Braziers End
B Grn : Breachwood Green
Bre P : Brent Pelham
Brick : Brickendon
Brick W : Bricket Wood
Brk P : Brookmans Park
Brox : Broxbourne
Buck : Buckland
Buck C : Buckland Common
Bul : Bulbourne
Bunt : Buntingford
Bush : Bushey
Byg : Bygrave
Cad : Caddington
Chal G : Chalfont St Giles
Chal P : Chalfont St Peter
Chal : Chalton
Chan X : Chandlers Cross
Chap E : Chapmore End
Chart : Chartridge
Ched : Cheddington
Chen : Chenies
Che : Chesham
Chesh : Cheshunt
C'bry : Childwickbury
Chfd : Chipperfield
Chipp : Chipping
C'bry : Cholesbury
Chor : Chorleywood
Chris : Chrishall
Clot : Clothall
Clot C : Clothall Common
C'hoe : Cockernhoe
Cockf : Cockfosters
Cod : Codicote
Col G : Cole Green
Col H : Colney Heath
Col S : Colney Street
Cot : Cottered
Cro : Cromer
Crox G : Croxley Green
Cuff : Cuffley
Dagn : Dagnall
D End : Dane End
D'wth : Datchworth
Deb : Debden
Dig : Digswell
Dud : Dudswell
Dunst : Dunstable
Dun : Dunton
E Barn : East Barnet
E Hyde : East Hyde
Eat B : Eaton Bray
Edgw : Edgware
Edl : Edlesborough
Els : Elstree
Enf : Enfield
Ess : Essendon
Farnh : Farnham
Fel : Felden
Flam : Flamstead
Flau : Flaunden
Flit : Flitton
Fox P : Foxholes Business Park
F'den : Frithsden
Frog : Frogmore
Fur P : Furneux Pelham
Gad R : Gaddesden Row
Ger X : Gerrards Cross
Gil : Gilston
G Oak : Goffs Oak
G'bry : Gorhambury
Gos : Gosmore
G'ley : Graveley
Gt Amw : Great Amwell
Gt Chi : Great Chishill
Gt Gad : Great Gaddesden
Gt Hal : Great Hallingbury
Gt Hor : Great Hormead
Gt Mun : Great Munden
Gt Wym : Great Wymondley
Gub : Gubblecote
G Mor : Guilden Morden
Hail : Hailey
Hal : Halton
Hal C : Halton Camp
Hal V : Halton Village
Hare : Harefield
Hare S : Hare Street
H'low : Harlow
Hpdn : Harpenden
Harr : Harrow
Har W : Harrow Weald
H'wd : Hastingwood
Hast : Hastoe
H End : Hatch End
Hat : Hatfield
Hat H : Hatfield Heath
Haul : Haultwick
Hawr : Hawridge
Hem H : Hemel Hempstead
Hem I : Hemel Hempstead Ind. Est.
Henl : Henlow
Herons : Heronsgate
Hert : Hertford
Hert H : Hertford Heath
H'tn : Hexton
H Bar : High Barnet
H Cro : High Cross
H Lav : High Laver
H Wych : High Wych
Hinx : Hinxworth
Hit : Hitchin
Hockl : Hockliffe
Hod : Hoddesdon
Hol : Holwell
Hort : Horton
H Reg : Houghton Regis
Hun : Hunsdon
Ickl : Ickleford
I'hoe : Ivinghoe
I Ast : Ivinghoe Aston
Kens : Kensworth
K Lan : Kings Langley
K Wal : Kings Walden
Kim : Kimpton
Kneb : Knebworth
Lang : Langford
Langl : Langley
Lang U : Langley Upper Green
Lat : Latimer
Leag : Leagrave
Leav : Leavesden
Lem : Lemsford
Let H : Letchmore Heath
Let : Letchworth
Let G : Letty Green
Lil : Lilley
Lit : Litlington
L Berk : Little Berkhamsted
L Buzz : Leighton Buzzard
L Chal : Little Chalfont
L Gad : Little Gaddesden
L Had : Little Hadham
L Hall : Little Hallingbury
L Hth : Little Heath
L Wym : Little Wymondley
Lon C : London Colney
Lut A : London Luton Airport
Stan A : London Stansted Airport
Long M : Long Marston
Loud : Loudwater
Lwr C : Lower Caldecote
L Ston : Lower Stondon
Lut : Luton
Mag L : Magdalen Laver
Man : Manuden
Mark : Markyate
Marsh : Marshalswick
Mars : Marsworth
Mat T : Matching Tye
Mee : Meesden
Mel : Melbourn
Ment : Mentmore
Mill E : Mill End
M Hud : Much Hadham
Naps : Napsbury
Naze : Nazeing
New Bar : New Barnet
New S : Newgate Street
Newn : Newnham
N'all : Northall
N'thaw : Northaw
N'chu : Northchurch
N Har : North Harrow
N Mym : North Mymms
N'wd : Northwood
Nuth : Nuthampstead
Oakl : Oaklands
Odsey : Odsey
Offl : Offley
Old G : Oldhall Green
Old K : Old Knebworth
Ong : Ongar
Orch : Orchard Leigh
Oving : Oving
Pan A : Panshanger Aerodrome
Par I : Paradise Ind. Est.
Park : Park Street
Pep : Pepperstock
P Grn : Peters Green
Pic E : Piccotts End
Pim : Pimlico
Pinn : Pinner
Pir : Pirton
Pit : Pitstone
Pott E : Potten End
Pot B : Potters Bar
Pres : Preston
Puck : Puckeridge
Pull : Pulloxhill
Putt : Puttenham
Rad : Radlett
Radw : Radwell
Redb : Redbourn
Reed : Reed
R Grn : Rickling Green
Rick : Rickmansworth
Ridge : Ridge
R'way : Ridgeway, The
Ring : Ringshall
Roy : Roydon
R'ton : Royston
Rush : Rushden
Sac : Sacombe
Saf W : Saffron Walden
St Alb : St Albans
St I : St Ippolyts
St Pau : St Pauls Walden
S'don : Sandon
Sandr : Sandridge
Sarr : Sarratt
Saw : Sawbridgeworth
S'hoe : Sharpenhoe
Srng : Sheering
Shenl : Shenley
Shil : Shillington
Sils : Silsoe
Slap : Slapton
S End : Slip End
Smal : Smallford
S Mim : South Mimms
Spel : Spellbrook
Stdn : Standon
Stan : Stanmore
Stan A : Stanstead Abbotts
Stans : Stansted
Stfrd : Stapleford
Stpl M : Steeple Morden
Stev : Stevenage
Stoc P : Stocking Pelham
Stot : Stotfold
Streat : Streatley
Stud : Studham
S'dn : Sundon
Tew : Tewin
Ther : Therfield
Thor : Thorley
Thr B : Threshers Bush
Thro : Throcking
Thun : Thundridge
Ton : Tonwell
Tot : Totternhoe
Town I : Townsend Ind. Est.
Tring : Tring
T'frd : Tringford
Turn : Turnford
Tyngr : Tyttenhanger
Ugley : Ugley
Up Ston : Upper Stondon
Wad : Wadesmill
Walk : Walkern
Wall : Wallington
Wal A : Waltham Abbey
Wal X : Waltham Cross
Ware : Ware
W'side : Wareside
Wat E : Water End
W'frd : Waterford
Wat : Watford
Wat S : Watton At Stone
W'stone : Wealdstone
Well E : Well End
Welw : Welwyn
Wel G : Welwyn Garden City
Wend : Wendover
W Hyd : West Hyde
W Lth : West Leith
W'mll : Westmill
W'ton : Weston
W'ton T : Weston Turville
Wheat : Wheathampstead
Whip : Whipsnade
W'wll : Whitwell
Widd : Widdington
Wid : Widford
Wig : Wigginton
W'ian : Willian
Will : Willingale
Wils : Wilstone
Wils G : Wilstone Green
Wing : Wing
W'fld : Wingfield
W'grv : Wingrave
Wood : Woodside
Wood E : Woodside Estate
Wool G : Woolmer Green
Worm : Wormley
Wyd : Wyddial

INDEX TO STREETS

Abbey Av. *St Alb* —5B **126**
Abbey Clo. *Pinn* —9K **161**
Abbey Ct. *Wal A* —7M **145**
Abbeydale Clo. *H'low* —7E **118**
Abbey Dri. *Ab L* —5J **137**
Abbey Dri. *Lut* —8J **47**
Abbey Gateway. *St Alb* —2D **126**
Abbey Mead Ind. Est. *Wal A* —7N **145**
Abbey M. *Dunst* —2F **64**
Abbey Mill End. *St Alb* —3D **126**
Abbey Mill La. *St Alb* —3D **126**
*Abbey Mills. Wal A —6M **145** (off Highbridge St.)*
Abbey Rd. *Enf* —7C **156**
Abbey Rd. *Wal X* —7J **145**
Abbey View. *NW7* —3F **164**
Abbey View. *St Alb* —4E **126**
Abbey View. *Wal A* —6M **145**
Abbey View. *Wat* —9M **137**
Abbey View Rd. *St Alb* —2D **126**
Abbey Wlk. *H Reg* —3H **45**
Abbis Orchard. *Ickl* —6M **21**
Abbots Av. *St Alb* —5F **126**
Abbots Av. W. *St Alb* —5E **126**
Abbots Clo. *D'wth* —7C **72**
Abbots Ct. *Lut* —8J **47**
Abbots Gro. *Stev* —5M **51**
Abbots Hill. *Hem H* —7C **124**
Abbots Pk. *St Alb* —4H **127**
Abbots Rise. *K Lan* —8B **124**
Abbots Rd. *Ab L* —4E **136**
Abbots Rd. *Edgw* —7C **164**
Abbots View. *K Lan* —9B **124**
Abbotsweld. *H'low* —9N **117**
Abbotswood Pde. *Lut* —8J **47**
Abbots Wood Rd. *Lut* —8J **47**
Abbott John M. *Wheat* —6L **89**
Abbotts. *Stan A* —2A **116**
Abbotts Clo. *Lit* —3H **7**
Abbotts Cres. *Enf* —4N **155**
Abbotts La. *Wid* —3G **96**
Abbotts Pl. *Che* —9G **120**
Abbotts Rise. *Stan A* —2A **116**
Abbotts Rd. *Let* —5D **22**
Abbotts Rd. *New Bar* —6A **154**
Abbotts Way. *Bis S* —5G **78**
Abbotts Way. *W'grv* —4A **60**
Abdale La. *N Mym* —9H **129**
Abel Clo. *Hem H* —2B **124**
Abercorn Clo. *NW7* —7L **165**
Abercorn Rd. *NW7* —7L **165**
Abercorn Rd. *Lut* —6J **45**
Abercorn Rd. *Stan* —7K **163**
Abercrombie Dri. *Enf* —3E **156**
Abercrombie Way. *H'low* —7M **117**
Aberdale Gdns. *Pot B* —5M **141**
Aberdare Gdns. *NW7* —7K **165**
Aberdare Rd. *Enf* —6G **156**
Aberdeen Rd. *Harr* —9G **162**
Aberford Rd. *Borwd* —4A **152**
Abigail Clo. *Lut* —6F **46**
Abigail Ct. *Lut* —6F **46**
Abingdon Pl. *Pot B* —5A **142**
Abingdon Rd. *Lut* —6M **45**
Abinger Clo. *Stev* —6L **51**
Abington Rd. *Lit* —1G **6**
Abram's La. *Chris* —1M **17**
Abridge Clo. *Wal X* —8H **145**
Abstacle Hill. *Tring* —3L **101**
Acacia Clo. *G Oak* —9C **132**
Acacia Clo. *Stan* —6F **162**
Acacia Gro. *Berk* —2M **121**
Acacia Ho. *Ger X* —8B **158**
Acacia Rd. *Enf* —3B **156**
Acacias Ct. *Hod* —8L **115**
Acacias, The. *Barn* —7C **154**
Acacia St. *Hat* —3G **128**
Acacia Wlk. *Hpdn* —9E **88**
Acacia Wlk. *Tring* —3K **101**
Acers. *Park* —1D **138**
Achilles Clo. *Hem H* —9B **106**
Acklington Dri. *NW9* —8E **164**
Ackroyd Rd. *R'ton* —5E **8**
Acme Rd. *Wat* —2J **149**
Acorn Clo. *Enf* —3N **155**
Acorn Clo. *Lut* —6H **47**
Acorn Clo. *Stan* —7J **163**
Acorn Ct. *Wal X* —6H **145**
Acorn La. *Cuff* —1K **143**
Acorn M. *H'low* —8B **118**

Acorn Pl.—Ash Clo.

Acorn Pl. Wat —1J 149
Acorn Rd. Hem H —3C 124
Acorns Clo. N3 —7N 165
Acorns, The. Lut —5N 45
Acorns, The. St Alb —2L 127
Acorn St. Hun —8F 96
Acremore St. Ware —1L 77
Acre Piece. Hit —4A 34
Acre Way. N'wd —8H 161
Acre Wood. Hem H —3A 124
Acrewood Way. St Alb —2N 127
Acton Clo. Chesh —4J 145
Acworth Clo. N9 —9G 156
Acworth Ct. Lut —4M 45
Acworth Cres. Lut —4M 45
Adams Clo. N3 —7N 165
Adams Ct. R'ton —7D 8
Adamsfield. Chesh —8D 132
Adams Ho. H'low —5N 117
Adamsrill Clo. Enf —8B 156
Adams Way. Tring —1N 101
Adam's Yd. Hert —9B 94
Adderley Rd. Bis S —1H 79
Adderley Rd. Harr —8G 162
Addis Clo. Enf —3H 157
Addiscombe Rd. Wat —6K 149
Addison Av. N14 —8G 155
Addison Clo. N'wd —8J 161
Addison Rd. Enf —3G 157
Addison Way. N'wd —8H 161
Adelaide Clo. Enf —2C 156
Adelaide Clo. Stan —4H 163
Adelaide St. Lut —1F 66
Adelaide St. St Alb —1E 126
Adele Av. Welw —4M 91
Aden Rd. Enf —6J 157
Adeyfield Gdns. Hem H —1B 124
Adeyfield Rd. Hem H —2A 124
Adhara Rd. N'wd —5H 161
Adia Ho. Borwd —4C 152
Adlington Ct. Lut —5M 45
Admiral Hood Ho. Ger X —4B 158
Admirals Clo. Col H —5E 128
Admiral St. Hert —9E 94
Admirals Wlk. Hod —1L 133
Admirals Wlk. St Alb —5H 127
Admiral Way. Berk —8K 103
Adrian Clo. Hare —8N 159
Adrian Rd. Ab L —4G 137
Adstone Rd. Cad —5B 66
Aerodrome Rd. NW9 & NW4 —9F 164
Aeroville. NW9 —9E 164
Agricola Pl. Enf —7D 156
Aidans Clo. Dunst —8B 44
Ailsworth Rd. Lut —3B 46
Ainsdale Cres. Pinn —9B 162
Ainsdale Rd. Wat —3L 161
Ainsley Clo. N9 —9C 156
Aintree Rd. R'ton —7F 8
Aintree Way. Stev —1B 52
Airedale. Hem H —8A 106
Airport Executive Pk. Lut —9L 47
Airport Way. Lut —5G 67
Aitken Rd. Barn —7J 153
Akeman Clo. St Alb —4A 126
Akeman St. Tring —3M 101
Akers La. Chor —8G 147
Alamein Clo. Brox —2H 133
Alandale Dri. Pinn —8K 161
Alan Dri. Barn —8L 153
Alban Av. St Alb —9E 108
Alban Ct. St Alb —2J 127 (off Burleigh Rd.)
Alban Cres. Borwd —3A 152
Alban Ho. Borwd —3B 152
Alban Pk. Ind. Est. St Alb —2N 127
Alban Rd. Let —8J 23
Albans View. Wat —6K 137
Alban Way. Hat —9F 110
Albany Clo. Bush —9E 150
Albany Ct. NW9 —8D 164
Albany Ct. Hpdn —7D 88
Albany Cres. Edgw —7A 164
Albany Ga. St Alb —3E 126 (off Belmont Hill)
Albany M. St Alb —9B 126 (off N. Orbital Rd.)
Albany M. Ware —6J 95
Albany Pk. Av. Enf —3G 157
Albany Rd. Enf —1H 157
Albany Ter. Tring —9N 81
Albatross. NW9 —9F 164
Albemarle Av. Chesh —1G 144
Albemarle Av. Pot B —5A 142
Albemarle Pk. Stan —5K 163
Albemarle Rd. E Barn —9D 154
Albermarle Clo. Lut —6J 45
Alberta Rd. Enf —8D 156
Albert Ct. Dunst —1F 64
Albert Gdns. H'low —7F 118
Albert Pl. N3 —8N 165
Albert Rd. NW7 —5F 164
Albert Rd. Arl —8A 10
Albert Rd. Barn —6B 154
Albert Rd. Lut —2G 67
Albert Rd. N. Wat —5K 149
Albert Rd. S. Wat —5K 149
Albert St. Mark —2A 86
Albert St. St Alb —3E 126
Albert St. Stev —2J 51
Albert St. Tring —3M 101
Albion Clo. Hert —9C 94
Albion Ct. Dunst —9E 44
Albion Ct. Lut —9G 46
Albion Hill. Hem H —3N 123
Albion Pl. Tring —3M 101 (off Akeman St.)
Albion Rd. Lut —9G 46
Albion Rd. Pit —2B 82
Albion Rd. St Alb —2G 127
Albion St. Dunst —9E 44
Albion, The. Ware —5H 95
Albuhera Clo. Enf —3M 155
Albury Clo. Lut —9C 30
Albury Dri. Pinn —8L 161
Albury Gro. Rd. Chesh —3H 145
Albury Ride. Chesh —4H 145
Albury Rd. L Had —7M 57
Albury Wlk. Chesh —3G 145 (in two parts)
Alconbury. Bis S —8K 59
Alconbury. Wel G —9D 92
Alcorns, The. Stans —2N 59
Alcuin Ct. Stan —7K 163
Aldbanks. Dunst —8B 44
Aldbury Clo. St Alb —6K 109
Aldbury Clo. Wat —9M 137
Aldbury Gdns. Tring —9N 81 (off Morefields.)
Aldbury Gro. Wel G —9A 92
Aldbury M. N9 —9B 156
Aldbury Rd. Rick —9J 147
Aldeburgh Clo. Stev —9G 35
Aldenham Av. Rad —9H 139
Aldenham Clo. Lut —6J 45
Aldenham Gro. Rad —7J 139
Aldenham Rd. Els —5H 151
Aldenham Rd. Let H & Borwd —3F 150
Aldenham Rd. Rad —8H 139
Aldenham Rd. Wat & Bush —8N 149
Alderbury Rd. Stans —1N 59
Alder Clo. Bald —4L 23
Alder Clo. Bis S —4F 78
Alder Clo. Park —1D 138
Alder Cres. Lut —5C 46
Alderley Ct. Berk —2N 121
Alderman Clo. N Mym —6J 129
Alderney Ho. Enf —2H 157
Aldersbrook Av. Enf —4C 156
Alders Clo. Edgw —5C 164
Alders End La. Hpdn —5A 88
Alders Rd. Edgw —5C 164
Alders, The. N21 —8N 155
Alders Wlk. Saw —5G 99
Alderton Clo. Lut —8M 47
Alderton Dri. L Gad —7L 83
Alder Wlk. Wat —8K 137
Aldhous Clo. Lut —4D 46
Aldock. Wel G —3N 111
Aldock Rd. Stev —2L 51
Aldridge Av. Edgw —3B 164
Aldridge Av. Enf —2L 157
Aldridge Av. Stan —8M 163
Aldridge Wlk. N14 —9K 155
Aldwick. St Alb —4J 127
Aldwickbury Cres. Hpdn —6E 88
Aldwick Ct. Hem H —1M 123
Aldwick Ct. St Alb —4J 127
Aldwick Rd. Hpdn —7F 88
Aldwyke Rise. Ware —4G 94
Aldykes. Hat —9F 110
Alesia Rd. Lut —3B 46
Alexander Clo. Barn —6C 154
Alexander Ga. Stev —1B 52
Alexander Rd. Hert —9M 93
Alexander Rd. Lon C —7K 127
Alexander Rd. Stot —6F 10
Alexandra Av. Lut —6E 46
Alexandra Ct. N14 —7H 155
Alexandra Ct. Chesh —3H 145
Alexandra Gro. N12 —5N 165
Alexandra Rd. N9 —9F 156
Alexandra Rd. Borwd —2D 152
Alexandra Rd. Chfd —3K 135
Alexandra Rd. Enf —6H 157
Alexandra Rd. Hem H —1N 123
Alexandra Rd. Hit —1N 33
Alexandra Rd. K Lan —2C 136
Alexandra Rd. Sarr —9K 135
Alexandra Rd. St Alb —2F 126
Alexandra Rd. Wat —4J 149
Alexandra Way. Wal X —7K 145
Alex Ct. Hem H —1N 123
Aleyn Way. Bald —3A 24
Alfred St. Dunst —9F 44
Alfriston Clo. Lut —6L 47
Algar Clo. Stan —5G 163
Alien Clo. Wheat —8L 89
Alington La. Let —8F 22
Alison Ct. Hem H —1E 124
Allandale. Hem H —9N 105
Allandale. St Alb —5C 126
Allandale Av. N3 —9L 165
Allandale Cres. Pot B —5L 141
Allandale Rd. Enf —9H 145
Allard Clo. Chesh —9D 132
Allard Cres. Bush —1D 162
Allard Way. Brox —3J 133
Alldicks Rd. Hem H —4B 124
Allenby Av. Dunst —8K 45
Allen Clo. Dunst —9G 44
Allen Clo. Shenl —5M 139
Allen Ct. Hat —2H 129
Allendale. Lut —9C 30
Allens Rd. Enf —7G 157
Allerton Clo. Borwd —2N 151
Allerton Rd. Borwd —2M 151
Alleyns Rd. Stev —2K 51
Alleys, The. Hem H —1N 123
Allied Bus. Cen. Hpdn —3D 88
Allington Ct. Enf —7H 157
Allison. Let —6J 23
All Saints Clo. Bis S —9J 59
All Saints Cres. Wat —6M 137
All Saints La. Crox G —8C 148
All Saints M. Harr —6F 162
All Saints Rd. H Reg —4E 44
Allum La. Els —7M 151
Allwood Rd. Chesh —9D 132
Alma Ct. Borwd —2N 151
Alma Ct. N'chu —8J 103
Alma Cut. St Alb —3F 126
Alma Link. Lut —1F 66
Alma Rd. Enf —7J 157
Alma Rd. N'chu —8J 103
Alma Rd. St Alb —3F 126
Alma Rd. Ind. Est. Enf —6H 157
Alma Row. Harr —8E 162
Alma St. Lut —1F 66
Alma St. Pas. Lut —1F 66 (off Alma St.)
Almhouses, The. Chesh (off Turner's Hill) —3H 145
Almond Clo. Lut —4C 46 (in two parts)
Almonds La. Stev —9L 35
Almonds, The. St Alb —6J 127
Almond Wlk. Hat —3G 129
Almond Way. Borwd —6B 152
Almond Way. Harr —9C 162
Almshouse La. Enf —1F 156
Alms La. A'wl —9M 5
Alnwick Dri. Tring —9D 60
Alpha Bus. Cen. N Mym —5J 129
Alpha Ct. Hod —7L 115
Alpha Pl. Bis S —9H 59
Alpha Rd. Enf —6J 157
Alpine Clo. Hit —5A 34
Alpine Wlk. Stan —2F 162
Alpine Way. Lut —1N 45
Alsa St. Stans —9N 43
Alsford Wharf. Berk —1A 122
Alsop Clo. H Reg —4E 44
Alsop Clo. Lon C —1M 139
Alston Rd. Barn —5L 153
Alston Rd. Hem H —3K 123
Altair Way. N'wd —4H 161
Altham Gro. H'low —4B 118
Altham Rd. Pinn —7N 161
Althorp Rd. Lut —8E 46
Althorp Rd. St Alb —1G 126
Alton Av. Stan —7G 163
Alton Rd. Lut —3H 67
Altwood. Hpdn —6E 88
Alva Way. Wat —2M 161
Alverstone Av. E Barn —9D 154
Alverton. St Alb —8D 108
Alwin Pl. Wat —6G 149
Alwyn Clo. Els —8N 151
Alwyn Clo. Lut —7G 46
Alyngton. N'chu —7J 103
Alzey Gdns. Hpdn —7E 88
Amberden Av. N3 —9N 165
Amberley Clo. Hpdn —5C 88
Amberley Clo. Lut —5M 47
Amberley Clo. Wat —8N 149 (off Villiers Rd.)
Amberley Gdns. Enf —9C 156
Amberley Grn. Ware —4G 95
Amberley Rd. Enf —9D 156
Amberry Ct. H'low —5N 117 (off Netteswell Dri.)
Ambleside. Lut —4B 46
Ambleside Cres. Enf —5H 157
Ambrose La. Hpdn —3A 88
Amenbury La. Hpdn —6A 88
Amersham Ho. Wat —9G 149 (off Chenies Way)
Amersham Pl. Amer —3A 146
Amersham Rd. Chal G & Chal P (in two parts) —2A 158
Amersham Rd. L Chal & Chor —3A 146
Amersham Way. Amer —3A 146
Amesbury Ct. Enf —4M 155
Amesbury Dri. E4 —8M 157
Ames Clo. Lut —9B 30
Amhurst Rd. Lut —6J 45
Amor Way. Let —5H 23
Amwell Clo. Enf —7B 156
Amwell Clo. Wat —8N 137
Amwell Comn. Wel G —1A 112
Amwell Ct. Hod —7L 115
Amwell End. Ware —6H 95
Amwell Hill. Gt Amw —9K 95
Amwell La. Gt Amw & Stan A —9L 95
Amwell La. Wheat —8J 89
Amwell Pl. Hert H —2G 114
Amwell St. Hod —7L 115
Amy Johnson. Edgw —9B 164
Anchor Clo. Chesh —1H 145
Anchor Cotts. Ware —9H 75
Anchor Ct. Enf —7C 156
Anchor La. Hem H —4L 123
Anchor La. Wad —1E 94
Anchor Rd. Bald —4M 23
Anchor St. Bis S —2J 79
Ancient Almshouses. Wal X (off Turner's Hill) —3H 145
Anderson Clo. Hare —8K 159
Anderson Clo. Man —8H 43
Anderson Rd. Shenl —6A 140
Anderson Rd. Stev —3C 52
Anderson's La. Gt Hor —9D 28
Andover Clo. Lut —3M 45
Andrews Clo. Hem H —9N 105
Andrewsfield. Wel G —9B 92
Andrew's La. Chesh —1C 144
Anelle Rise. Hem H —6B 124
Anershall. W'grv —5A 60
Angel Cotts. Offl —8E 32
Angell's Meadow. A'wl —9M 5
Angel Pavement. R'ton —7D 8 (off High St. Royston,)
Angels La. H Reg —4E 44
Anglefield Rd. Berk —1L 121
Angle Pl. Berk —1L 121
Anglesey Clo. Bis S —1E 78
Anglesey Rd. Enf —6F 156
Anglesey Rd. Wat —5L 161
Anglesmede Cres. Pinn —9B 162
Angle Ways. Stev —7N 51
Anglian Bus. Pk. R'ton —6C 8
Anglian Clo. Wat —4L 149
Angotts Mead. Stev —3H 51
Angus Clo. Lut —6K 45
Angus Gdns. NW9 —8D 164
Anmer Gdns. Lut —5L 45
Anmersh Gro. Stan —8L 163
Annables La. Hpdn —3H 87
Annette Clo. Harr —9F 162
Anns Clo. Tring —3K 101
Ansell Ct. Stev —9H 35
Anselm Rd. Pinn —7A 162
Anson Clo. Bov —9C 122
Anson Clo. Sandr —5K 109
Anson Clo. St Alb —4J 127
Anson Wlk. N'wd —4E 160
Anstee Rd. Lut —3L 45
Anstey Brook. W'ton T —3A 100
Anthony Clo. NW7 —4E 164
Anthony Clo. Wat —1L 161
Anthony Gdns. Lut —3F 66
Anthony Rd. Borwd —4N 151
Anthorne Clo. Pot B —4A 142
Anthus M. N'wd —7G 160
Antlers Hill. E4 —7M 157
Antoinette Ct. Ab L —2H 137
Antoneys Clo. Pinn —9M 161
Antonine Ct. St Alb —3B 126
Antonine Ga. St Alb —3B 126
Anvil Av. Lit —4H 7
Anvil Clo. Bov —1E 134
Anvil Ct. Lut —4A 46
Anvil Ho. Hpdn —5B 88
Apex Bus. Cen. Dunst —7F 44
Aplins Clo. Hpdn —5A 88
Apollo Av. N'wd —5J 161
Apollo Clo. Dunst —1G 65
Apollo Way. Hem H —9B 106
Apollo Way. Stev —1B 52
Appleby Gdns. Dunst —1E 64
Appleby St. Chesh —8C 132
Apple Cotts. Bov —9D 122
Applecroft. L Ston —1J 21
Applecroft. N'chu —8J 103
Applecroft. Park —1C 138
Applecroft Rd. Lut —5L 47
Applecroft Rd. Wel G —9H 91
Appledore Clo. Edgw —8A 164
Applefield. Amer —3A 146
Appleford's Clo. Hod —6K 115
Apple Glebe. Bar C —9E 18
Apple Gro. Enf —5C 156
Apple Gro. Lut —5J 45
Apple Orchard, The. Hem H —9B 106
Appleton Av. W'side —2B 96
Appleton Clo. H'low —7M 117
Appleton Fields. Bis S —4G 79
Appletree Gdns. Barn —6D 154
Apple Tree Gro. Redb —9K 87
Appletrees. Hit —4M 33 (off Wratten Rd. W.)
Appletree Wlk. Wat —7K 137
Applewood Clo. N20 —9H 154
Applewood Clo. Hpdn —4N 87
Appleyard Ter. Enf —1G 157
Approach Rd. Barn —6C 154
Approach Rd. Edgw —6A 164
Approach Rd. St Alb —3F 126
Approach, The. Enf —4F 156
Approach, The. Pot B —5M 141
Appspond La. Hem H —5K 125
April Pl. Saw —4H 99
Apsley Clo. Bis S —4H 79
Apsley End Rd. Shil —6M 19
Apsley Grange. Hem H —7A 124
Apsley Ind. Est. Hem H —6N 123
Apsley Mills Retail Pk. Hem H —6A 124
Apton Ct. Bis S —1H 79
Apton Fields. Bis S —2H 79
Apton Rd. Bis S —2H 79
Aquarius Way. N'wd —5J 161
Aquila Clo. N'wd —4J 161
Arabia Clo. E4 —9N 157
Aragon Clo. Enf —2L 155
Aragon Clo. Hem H —6E 106
Aran Clo. Hpdn —9E 88
Aran Dri. Stan —4K 163
Arbour Clo. Lut —9C 30
Arbour Rd. Enf —5N 157
Arbour, The. Hert —2B 114
Arbroath Grn. Wat —3J 161
Arbroath Rd. Lut —1N 45
Arcade, The. Hat —8H 111 (off Wellfield Rd.)
Arcade, The. Let —5F 22
Arcade, The. Lut —8E 46
Arcade Wlk. Hit —3M 33
Arcadia Av. N3 —8N 165
Arcadian Ct. Hpdn —5B 88
Archer Clo. K Lan —2B 136
Archer Rd. Stev —3M 51
Archers. Bunt —2K 39
Archers Clo. Hert —8A 94
Archers Clo. Redb —1K 107
Archers Dri. Enf —4G 156
Archers Fields. St Alb —9G 108
Archers Ride. Wel G —2A 112
Archers Way. Let —5D 22
Arches, The. Let —4G 23
Archfield. Wel G —6L 91
Archive Rd. Ast C —1C 100
Arch Rd. Gt Wym —6D 34
Archway Ct. Hem H —1N 123 (off Chapel St.)
Archway Ho. Hat —8J 111
Archway Pde. Lut —5B 46 (off Marsh Rd.)
Archway Rd. Lut —5A 46
Arcon Ter. N9 —9E 156
Arden Clo. Bov —1D 134
Arden Clo. Bush —9G 150
Arden Gro. Hpdn —6C 88
Arden Pl. Lut —8G 47
Arden Press Way. Let —5H 23
Arden Rd. N3 —9M 165
Ardens Way. St Alb —9L 109
Ardentinny. St Alb —3F 126 (off Grosvenor Rd.)
Ardleigh Grn. Lut —8M 47
Ardley Clo. Dunst —3F 64
Ardross Av. N'wd —5G 161
Arena Pde. Let —5F 22
Arenson Way. H Reg —7E 44
Argyle Ct. Wat —6H 149
Argyle Rd. N12 —5N 165
Argyle Rd. Barn —6J 153
Argyle Way. Stev —4H 51
Argyll Av. Lut —7E 46
Argyll Gdns. Edgw —9B 164
Argyll Rd. Hem H —6A 106
Aricola Pl. Enf —7D 156
Arkley Ct. Hem H —6D 106
Arkley Dri. Barn —6G 153
Arkley La. Barn —2F 152
Arkley Pk. Mobile Homes. Barn —8D 152
Arkley Rd. Hem H —6D 106
Arkley View. Barn —6H 153
Arkwrights. H'low —5B 118
Arlesey Rd. Arl & Stot —5D 10
Arlesey Rd. Ickl —8M 21
Arlesey-Stotfold By-Pass. Arl —4A 10
Arlington. N12 —3N 165
Arlington Cres. Wal X —7J 145
Armand Clo. Wat —2H 149
Armfield Rd. Enf —3B 156
Armitage Clo. Loud —6N 147
Armitage Gdns. Lut —8N 45
Armour Rise. Hit —9B 22
Armstrong Clo. Lon C —9M 127
Armstrong Cres. Cockf —5C 154
Armstrong Gdns. Shenl —5M 139
Armstrong Pl. Hem H —9N 105 (off High St. Hemel Hempstead,)
Arncliffe Cres. Lut —8G 46
Arndale Cen. Lut —1G 66
Arndale Ct. Lut —9H 47 (off Moulton Rise)
Arnett Clo. Rick —8K 147
Arnett Way. Rick —8K 147
Arnold Av. E. Enf —2L 157
Arnold Av. W. Enf —2K 157
Arnold Clo. Bar C —9E 18
Arnold Clo. Hit —2B 34
Arnold Clo. Lut —6J 47
Arnold Clo. Stev —8K 35
Arnold Ct. Dunst —1D 64
Arran Clo. Hem H —4E 124
Arran Ct. NW9 —9F 164
Arran Ct. Lut —1F 66
Arranmore Ct. Bush —6N 149
Arran Way. Turn —8K 133
Arretine Clo. St Alb —4A 126
Arrow Clo. Lut —3A 46
Artesian Gro. Barn —6B 154
Arthur Gibbens Ct. Stev —9N 35
Arthur Rd. St Alb —2J 127
Arthur St. Bush —5M 149
Arthur St. Lut —2G 66
Artillery Pl. Harr —7D 162
Artisan Cres. St Alb —1D 126 (in two parts)
Art School Yd. St Alb —2E 126 (off Chequer St.)
Arundel Clo. Ast —6D 52
Arundel Clo. Chesh —1F 144
Arundel Clo. Hem H —1D 124
Arundel Dri. Borwd —7C 152
Arundel Gdns. Edgw —7D 164
Arundel Gro. St Alb —7E 108
Arundel Ho. Borwd —6C 152
Arundel Rd. Ab L —5J 137
Arundel Rd. Cockf —5D 154
Arundel Rd. Lut —6C 46
Arwood M. Bald —3M 23
Ascot Clo. Bis S —9L 59
Ascot Clo. Els —7A 152
Ascot Cres. Stev —9A 36
Ascot Gdns. Enf —1G 157
Ascot Ind. Est. Let —4H 23
Ascot Pl. Stan —5K 163
Ascot Rd. Lut —7D 46
Ascot Rd. R'ton —7F 8
Ascot Rd. Wat —7G 148
Ascots La. Hat —5L 111
Ashanger La. Clot —7C 24
Ashbourne Clo. Let —8H 23
Ashbourne Ct. St Alb —5K 127
Ashbourne Gro. NW7 —5D 164
Ashbourne Rd. Brox —3K 133
Ashbourne Sq. N'wd —6G 160
Ashbrook. Edgw —6N 163
Ashbrook La. St I —7B 34
Ashburnham Clo. Wat —3J 161
Ashburnham Ct. Pinn —9M 161
Ashburnham Dri. Wat —3J 161
Ashburnham Rd. Lut —1D 66
Ashburnham Wlk. Stev —8M 51
Ashbury Clo. Hat —9E 110
Ashby Ct. Hem H —5D 106
Ashby Dri. Bar C —8E 18
Ashby Gdns. St Alb —6E 126
Ashby Rise. Bis S —8K 59
Ashby Rd. N'chu —7H 103
Ashby Rd. Wat —2J 149
Ash Clo. Ab L —5F 136
Ash Clo. Brk P —7N 129
Ash Clo. Edgw —4C 164
Ash Clo. Hare —8N 159

Ash Clo.—Batchwood Hall

Ash Clo. Stan —6H 163
Ash Clo. Wat —8K 137
Ashcombe. Wel G —5L 91
Ashcombe Gdns. Edgw —4A 164
Ash Copse. Brick W —4A 138
Ashcroft. Dunst —8C 44
Ash Croft. Pinn —6B 162
Ashcroft Clo. Hpdn —7F 88
Ashcroft Ct. Brox —4K 133
Ashcroft Rd. Lut —5K 47
Ashcroft Ter. Tring —1M 101
Ashdale. Bis S —4F 78
Ashdale Gdns. Lut —9C 30
Ashdale Gro. Stan —6G 163
Ashdales. St Alb —6E 126
Ashdon Rd. Bush —5M 149
Ashdown. Let —2E 22
Ashdown Cres. Chesh —1J 145
Ashdown Dri. Borwd —4M 151
Ashdown Rd. Enf —4G 156
Ashdown Rd. Stev —1A 72
Ash Dri. Hat —3G 128
Ash Dri. St I —6A 34
Ashendene Rd. B'frd —2K 131
Asheridge Rd. Che —9D 120
Ashfield Av. Bush —8C 150
Ashfields. Wat —8H 137
Ashfield Way. Lut —3C 46
Ashford Ct. Edgw —3B 164
Ashford Cres. Enf —4G 157
Ashford Grn. Wat —5M 161
Ash Gro. Dunst —9G 44
Ash Gro. Enf —9C 156
Ash Gro. Hare —8N 159
Ash Gro. Hem H —6B 124
Ash Gro. Mel —1J 9
Ash Gro. Wheat —6K 89
Ash Groves. Saw —5J 99
Ash Hill Clo. Bush —1C 162
Ash Hill Dri. Pinn —9L 161
Ash Ind. Est. H'low —7J 117
Ashlea Rd. Chal P —9B 158
Ashleigh. Stev —5A 52
Ashleigh Ct. N14 —9H 155
Ashleigh Ct. Hod —9L 115
Ashley Clo. NW4 —9J 165
Ashley Clo. Ched —8M 61
Ashley Clo. Hem H —4B 124
Ashley Clo. Pinn —9K 161
Ashley Clo. Wel G —7J 91
Ashley Ct. NW4 —9J 165
Ashley Ct. Barn —7B 154
Ashley Ct. Hat —8H 111
Ashley Dri. Borwd —7C 152
Ashley Gdns. Hpdn —4M 87
Ashley Grn. Rd. Che —9H 121
Ashley La. NW4 —9J 165
Ashley Rd. Enf —4G 157
Ashley Rd. Hert —1M 113
Ashley Rd. St Alb —2K 127
Ashleys. Rick —9J 147
Ashley Wlk. NW7 —7J 165
Ashlyn Clo. Bush —6N 149
Ashlyn Ct. Wat —6N 149
Ashlyns Ct. Berk —2M 121
Ashlyns Rd. Berk —2M 121
Ashmead. N14 —7H 155
Ash Meadow. M Hud —6J 77
Ashmeads Ct. Shenl —6L 139
Ash Mill. B'wy —9N 15
Ashmore Gdns. Hem H —3D 124
Ashotts La. Chart —6A 120
Ash Ride. Enf —8M 143
Ashridge Clo. Bov —1D 134
Ashridge Cotts. Berk —1B 104
Ashridge Ct. N14 —7H 155
Ashridge Dri. Brick W —3N 137
Ashridge Dri. Wat —5L 161
Ashridge Ho. Wat —9G 149 (off Chenies Way)
Ashridge La. Che —5A 134
Ashridge Rise. Berk —9K 103
Ash Rd. Lut —9D 46
Ash Rd. Tring —2L 101
Ash Rd. Ware —4L 95
Ashton Rd. Dunst —8E 44
Ashton Rd. Enf —9J 145
Ashton Rd. Lut —3G 66
Ashton's La. Bald —5M 23
Ashton Sq. Dunst —9E 44
Ash Tree Field. H'low —4K 117
Ash Tree Rd. H Reg —3E 44
Ash Tree Rd. Wat —9K 137
Ashtree Way. Hem H —3K 123
Ashurst Clo. N'wd —7G 161
Ashurst Rd. Barn —7E 154
Ash Vale. Rick —5G 158
Ashville Way. Bald —2N 23
Ash Way. R'ton —7F 8
Ashwell. Stev —8J 35 (off Coreys Mill La.)
Ashwell Av. Lut —1M 45
Ashwell Clo. G'ley —6H 35
Ashwell Comn. G'ley —6H 35
Ashwell Pde. Lut —1M 45 (off Ashwell Av.)
Ashwell Pk. Hpdn —6E 88
Ashwell Rd. A'wl & Stpl M —6A 6
Ashwell Rd. Bald & Byg —1A 24
Ashwell Rd. Hinx —8F 4
Ashwell Rd. Newn —4M 11
Ashwell St. A'wl —1B 12
Ashwell St. St Alb —1E 126
Ashwells Way. Chal G —2A 158
Ashwell Wlk. H Reg —3H 45
Ashwood. Ware —6H 95
Ashwood Houses. H End (off Avenue, The) —7B 162
Ashwood Rd. Pot B —6A 142
Ashworth Pl. H'low —6F 118
Askew Rd. N'wd —2F 160
Aspasia Clo. St Alb —3G 127
Aspen Clo. Brick W —3N 137
Aspen Clo. Stev —1A 72
Aspenden Rd. Bunt —5J 39 (in two parts)
Aspen Pk. Dri. Wat —8K 137
Aspens, The. Bis S —7K 59
Aspens, The. Hit —4A 34
Aspen Way. Enf —8H 145
Aspfield Row. Hem H —9L 105
Aspley Clo. Lut —6H 45
Asquith Ct. Stev —1B 72
Asquith Ho. Wel G —8K 91
Ass Ho. La. Harr —4C 162
Astall Clo. Harr —8F 162
Aster Clo. Bis S —2F 78
Astley Grn. Lut —7N 47 (off Kempsey Clo.)
Astley Rd. Hem H —2M 123
Aston Clo. Bush —8D 150
Aston Clo. Stev —8J 35 (off Coreys Mill La.)
Aston Clo. Wat —4L 149
Aston End Rd. Ast —7D 52
Aston La. Ast —7D 52
Aston La. Stev —1C 72
Aston Rise. Hit —4B 34
Aston Rd. Stdn —7A 56
Astons Rd. N'wd —3E 160
Aston View. Hem H —5C 106
Aston Way. Pot B —5C 142
Astra Ct. Lut —7H 47
Astra Ct. Wat —7H 149
Astrope La. Long M —4F 80
Astwick Av. Hat —6F 110
Astwick Rd. Stot —3E 10
Athelstan Rd. Hem H —5B 124
Athelstan Wlk. N. Wel G —1L 111
Athelstan Wlk. S. Wel G —1K 111
Athelstone Rd. Harr —9E 162
Athena Pl. N'wd —8H 161
Atherstone Rd. Lut —8N 45
Atherton End. Saw —4G 98
Athlone Clo. Rad —9H 139
Athol Clo. Pinn —8K 161
Athole Gdns. Enf —7C 156
Athol Gdns. Pinn —8K 161
Atholl Clo. Lut —1N 45
Atria Rd. N'wd —5J 161
Attimore Clo. Wel G —1H 111
Attimore Rd. Wel G —1H 111
Aubretia Ho. Wel G —2A 112
Aubrey Av. Lon C —8K 127
Aubrey Gdns. Lut —3L 45 (off Toddington Rd.)
Aubrey La. Redb —4G 107
Aubreys. Let —9F 22
Aubrey's Rd. Hem H —3H 123
Aubries. Walk —1G 52
Auckland Clo. Enf —1F 156
Auckland Rd. Pot B —5K 141
Audley Clo. Borwd —5A 152
Audley Ct. Pinn —9L 161
Audley Gdns. Wal A —7N 145
Audley Pl. Lut —8J 47
Audley Rd. Enf —4N 155
Audrey Gdns. Bis S —4H 79
Audwick Clo. Chesh —1J 145
Augustine Rd. Harr —8C 162
Augustus Clo. St Alb —4B 126
Augustus Ga. Stev —1C 52
Austell Gdns. NW7 —3E 164
Austen Paths. Stev —3B 52
Austenway. Chal P —9B 158
Austenwood Clo. Chal P —9A 158
Austenwood La. Ger X —9A 158
Austin Ct. Enf —7C 156
Austin Rd. Lut —5D 46
Austins Mead. Bov —1E 134
Austins Pl. Hem H —1N 123
Autumn Clo. Enf —3E 156
Autumn Glades. Hem H —4E 124
Autumn Gro. Wel G —2A 112
Avalon Clo. Enf —4M 155
Avalon Clo. Wat —5N 137
Avebury Av. Lut —5F 46
Avebury Ct. Hem H —9C 106
Aveley La. Hit —5G 34
Avenue App. K Lan —3C 136
Avenue Clo. N14 —8H 155
Avenue Ct. N14 —8H 155
Avenue Grimaldi. Lut —6C 46
Avenue One. Let —4J 23
Avenue Pde. N21 —9B 156
Avenue Rise. Bush —7B 150
Avenue Rd. N14 —9H 155
Avenue Rd. Bis S —2J 79
Avenue Rd. Hod —9A 116
Avenue Rd. Pinn —9N 161
Avenue Rd. St Alb —1F 126
Avenue Ter. Wat —8N 149
Avenue, The. N3 —9N 165
Avenue, The. Barn —5L 153
Avenue, The. Bush —7A 150
Avenue, The. Dunst —1B 64
Avenue, The. Harr —8G 162
Avenue, The. H End —6A 162
Avenue, The. Hem H —1H 123
Avenue, The. Hert —7N 93
Avenue, The. Hit —3A 34
Avenue, The. Hod —1K 133
Avenue, The. Lut —4N 45
Avenue, The. N'wd —6E 160
Avenue, The. Pot B —4N 141
Avenue, The. Rad —7J 139
Avenue, The. Stev —1J 51
Avenue, The. Stot —6F 10
Avenue, The. Wat —4J 149
Avenue, The. Welw —8K 71
Avey La. Wal A & Lou —9N 145
Avia Clo. Hem H —6N 123
Avion Cres. NW9 —8G 164
Avior Dri. N'wd —4H 161
Avocet. Let —2E 22
Avon Clo. Wat —7L 137
Avon Ct. Hpdn —6C 88
Avon Ct. Lut —9E 46
Avon Ct. Pinn —6B 162 (off Avenue, The)
Avondale Av. N12 —5N 165
Avondale Av. Barn —9E 154
Avondale Ct. St Alb —2F 126
Avondale Cres. Enf —5J 157
Avondale Rd. Harr —9G 163
Avondale Rd. Lut —9E 46
Avon M. Pinn —7A 162
Avon Sq. Hem H —6B 106
Awberry Ct. Wat —8E 148
Axe Clo. Lut —3A 46
Axholme Av. Edgw —8A 164
Aycliffe Dri. Hem H —7A 106
Aycliffe Rd. Borwd —3M 151
Aydon Rd. Lut —3D 46
Aylands Rd. Enf —9H 145
Aylesbury Rd. Ast C —9A 80
Aylesbury Rd. Tring —3J 101
Aylesbury Rd. Wend —8A 100
Aylesbury Rd. Wing —2A 60
Aylesham Clo. NW7 —7G 164
Aylets Field. H'low —9A 118
Ayley Croft. Enf —7E 156
Ayllots, The. Wat S —4J 73
Aylmer Clo. Stan —4H 163
Aylmer Dri. Stan —4H 163
Aylotts Clo. Bunt —2H 39
Aylsham Rd. Hod —7N 115
Aylward Dri. Stev —5A 52
Aylwards Rise. Stan —4H 163
Aynho St. Wat —7K 149
Aynscombe Clo. Dunst —9C 44
Aynsley Gdns. H'low —6E 118
Aynsworth Av. Bis S —7J 59
Ayot Grn. Wel G —8F 90 (in two parts)
Ayot Lit. Grn. La. Welw —6F 90
Ayot Path. Borwd —1A 152
Ayot St Peter Rd. Welw —3D 90
Ayr Clo. Stev —1B 52
Ayres End La. C'bry —2D 108
Ayres End La. Hpdn —8F 88
Aysgarth Clo. Hpdn —7C 88
Aysgarth Rd. Redb —9J 87

Baas Hill. Brox —3H 133
Baas Hill Clo. Brox —3J 133
Baas La. Brox —3J 133
Babbage Rd. Stev —4G 51
Babington Rd. Wend —8C 100
Back La. Buck —3H 27
Back La. Chen —2E 146
Back La. Cot —7A 38
Back La. D'wth —7D 72
Back La. Edgw —8C 164
Back La. Hert —8A 114
Back La. Let H —3F 150
Back La. Let —5K 23
Back La. L Hall —9K 79
Back La. Mel —1H 9
Back La. Pres —3K 49
Back La. Saw —6J 99
Back La. Srng —6L 99
Back La. Tew —5D 92
Back St. A'wl —1B 12
Back St. Lut —9G 47
Back St. Wend —9A 100
Back, The. Pott E —7E 104
Bacon La. Edgw —8A 164
Bacons Dri. Cuff —2K 143
Bacon's Yd. A'wl —9M 5
Baddeley Clo. Stev —7A 52
Bader Clo. Stev —9M 35
Bader Clo. Wel G —9B 92
Badger Clo. Kneb —2M 71
Badger Croft. Hem H —3F 124
Badgers. Bis S —3G 78
Badgers Clo. Borwd —4N 151
Badgers Clo. Enf —4N 155
Badgers Clo. Hert —9F 94
Badgers Clo. Stev —5L 51
Badgers Croft. N20 —9L 153
Badgers Croft. Brox —3J 133
Badgers Wlk. Chor —6J 147
Badgers Wlk. Tew —2B 92
Badger Way. Hat —2H 129
Badingham Dri. Hpdn —6N 87
Badminton Clo. Borwd —4A 152
Badminton Clo. Stev —1A 72
Badminton Pl. Brox —2J 133
Bagshot Rd. Enf —9D 156
Bagwicks Clo. Lut —2A 46
Bailey's Clo. Hit —9F 48
Baileys M. Hem H —9N 105 (off High St. Hemel Hempstead,)
Bailey St. Lut —2H 67
Baines La. D'wth —5B 72
Baird Clo. Bush —8C 150
Baird Rd. Enf —5F 156
Bairstow Clo. Borwd —3M 151
Baisley Ho. Chesh —1E 144
Baker Av. Stot —6F 10
Baker Ct. Borwd —4B 152
Bakers Ct. Bis S —1J 79 (off Hockerill St.)
Bakerscroft. Chesh —1J 145
Bakers Gro. Wel G —8B 92
Bakers Hill. New Bar —4A 154
Bakers La. Bar —1C 16
Baker's La. Cod —7F 70
Bakers La. Kens —8H 65
Bakers Rd. Chesh —3F 144
Baker St. Enf —5B 156
Baker St. Hert —9C 94
Baker St. Lut —3G 67 (in two parts)
Baker St. Pot B —8L 141
Baker St. Stev —2J 51
Bakers Wlk. Saw —5G 98
Bakery Clo. Roy —6F 116
Bakery Ct. Stans —3M 59
Bakery Path. Edgw —5B 164 (off St Margaret's Rd.)
Bakewell Clo. Lut —8M 45
Balcary Gdns. Berk —2J 121
Balcombe Clo. Lut —5L 47
Balcon Way. Borwd —3C 152
Baldock Clo. Lut —6J 45
Baldock La. W'ian —9H 23
Baldock Rd. Bunt —3E 38
Baldock Rd. Let —8F 22
Baldock Rd. Odsey —5H 13
Baldock Rd. Stot —7G 10
Baldock St. R'ton —7C 8
Baldock St. Ware —6H 95
Baldock Way. Borwd —3N 151
Baldways Clo. W'grv —5B 60
Baldwins. Wel G —9B 92
Baldwins La. Crox G —6C 148
Balfour Ct. Hpdn —4D 88 (off Station Rd.)
Balfour M. Bov —9D 122
Balfour St. Hert —8A 94
Balfour Ter. N3 —9N 165
Baliol Rd. Hit —2N 33
Ballards La. N3 & N12 —8N 165
Ballards M. Edgw —6A 164
Ballater Clo. Wat —4L 161
Ballenger Ct. Wat —5K 149
Ballinger Ct. Berk —2M 121
Balloon Corner. N Mym —5H 129
Ballslough Hill. Kim —7L 69
Balmoral Clo. Park —1D 138
Balmoral Clo. Stev —1B 72
Balmoral Dri. Borwd —7D 152
Balmoral Rd. Ab L —5J 137
Balmoral Rd. Enf —9H 145
Balmoral Rd. Hit —1M 33
Balmoral Rd. Wat —2L 149
Balmore Cres. Barn —7F 154
Balmore Wood. Lut —9D 30
Balsams Clo. Hert —2B 114
Bampton Rd. Lut —8L 45
Banbury Clo. Enf —3N 155
Banbury Clo. Lut —5B 46
Banbury St. Wat —7J 149
Bancroft. Hit —3N 33
Bancroft Gdns. Harr —8D 162
Bancroft Rd. Harr —9D 162
Bancroft Rd. Lut —4D 46
Bandley Rise. Stev —6B 52
Bank Clo. Lut —5M 45
Bank Ct. Hem H —3M 123
Bank Grn. Bell —5A 120
Bank Mill. Berk —1B 122
Bank Mill La. Berk —2B 122
Bankside. Enf —3N 155
Bankside. Wend —9A 100
Banks Rd. Borwd —4C 152
Banstock Rd. Edgw —6B 164
Banting Dri. N21 —7L 155
Banton Clo. Enf —4F 156
Barbel Clo. Wal X —7L 145
Barber Clo. N21 —9M 155
Barberry Rd. Hem H —2K 123
Barbers La. Lut —1G 66 (off Guildford St.)
Barbers Wlk. Tring —3L 101
Barchester Rd. Harr —9E 162
Barclay Clo. Wat —8J 149
Barclay Ct. Hert H —2F 114
Barclay Ct. Hod —8L 115
Barclay Ct. Lut —9H 47
Barclay Cres. Stev —2L 51
Barden Clo. Hare —7M 159
Bards Corner. Hem H —1L 123
Bardwell Ct. St Alb —3E 126 (off Belmont Hill)
Bardwell Rd. St Alb —3E 126
Barfolds. N Mym —5J 129
Barford Clo. NW4 —9G 165
Barford Rise. Lut —8M 47
Bargrove Av. Hem H —3K 123
Barham Av. Els —5N 151
Barham Rd. Stev —4B 52
Baring Rd. Cockf —6C 154
Barkers Mead. L Hall —7K 79
Barkham Clo. Ched —9L 61
Barking Clo. Lut —3L 45
Barkston Path. Borwd —2A 152
Barkway Rd. R'ton —8D 8
Barkway St. R'ton —8D 8
Barley Brow. Dunst —6B 44
Barley Clo. Bush —7C 150
Barleycorn, The. Lut —9F 46 (off Brook St.)
Barley Croft. Bunt —4J 39
Barley Croft. H'low —9A 118
Barley Croft. Hem H —2E 124
Barleycroft. Hert —4M 93
Barleycroft. Stev —6B 52
Barleycroft. Ton —9D 74
Barley Croft. W'frd —7B 94
Barleycroft Grn. Wel G —9J 91
Barleycroft Rd. Wel G —1J 111
Barleyfield Way. H Reg —5D 44
Barley Hills. Bis S —4G 78
Barley La. Lut —4M 45
Barley Mow La. St Alb —5M 127
Barley Ponds Clo. Ware —6K 95
Barley Ponds Rd. Ware —6K 95
Barley Rise. Bald —3A 24
Barley Rd. Bar —1D 16
Barley Rd. Gt Chi —2E 16
Barleyvale. Lut —1C 46
Barlings Rd. Hpdn —1C 108
Barlow Rd. Wend —9B 100
Barmor Clo. Harr —9C 162
Barnabas Ct. N21 —7N 155
Barnacres Rd. Hem H —7B 124
Barnard Grn. Wel G —1M 111
Barnard Lodge. New Bar —6B 154
Barnard Rd. Enf —4F 156
Barnard Rd. Lut —1C 66
Barnard Rd. Saw —4G 99
Barnard Way. Hem H —3A 124
Barn Clo. Hem H —5B 124
Barn Clo. Rad —8H 139
Barn Clo. Wel G —9J 91
Barn Ct. Saw —4G 98
Barn Cres. Stan —6K 163
Barncroft. Ware —2M 57
Barncroft Rd. Berk —2K 121
Barncroft Way. St Alb —3H 127
Barndell Clo. Stot —6F 10
Barndicott. Wel G —9B 92
Barndicott Ho. Wel G —9B 92
Barnes La. K Lan —9L 123
Barnes Rise. K Lan —9B 124
Barnet By-Pass Rd. Borwd & Barn —8D 152
Barnet Ga. La. Barn —8F 152
Barnet Hill. Barn —6M 153
Barnet La. N20 & Barn —1M 165
Barnet La. Els —8M 151
Barnet Rd. Barn —8D 152
Barnet Rd. Lon C —9M 127
Barnet Rd. Pot B —9N 141
Barnet Trading Est. H Bar —5M 153
Barnet Way. NW7 —3D 164
Barnfield. Hem H —5B 124
Barnfield Av. Lut —4F 46
Barnfield Clo. Hod —6L 115
Barnfield Ct. Hpdn —7D 88
Barnfield Rd. Edgw —8C 164
Barnfield Rd. Hpdn —7D 88
Barnfield Rd. St Alb —8K 109
Barnfield Rd. Wel G —2L 111
Barn Hill. Roy —9E 116
Barnhurst Path. Wat —5L 161
Barn Lea. Mill E —1K 159
Barnmead. H'low —8N 117
Barnsdale Clo. Borwd —3N 151
Barns Dene. Hpdn —5N 87
Barnside Ct. Wel G —9J 91
Barnston Clo. Lut —8M 47
Barnsway. K Lan —1A 136
Barnwell. Stev —6A 52
Baron Ct. Stev —9H 35
Barons Ga. Barn —8D 154
Baronsmere Ct. Barn —6L 153
Barons Row. Hpdn —8E 88
Barons, The. Bis S —3F 78
Barra Clo. Hem H —5E 124
Barratt Ind. Pk. Lut —2L 67
Barratt Way. Harr —9E 162
Barrells Down Rd. Bis S —8G 59
Barrett La. Bis S —1H 79
Barrie Av. Dunst —6B 44
Barrie Ct. New Bar —7B 154 (off Lyonsdown Rd.)
Barrington Dri. Hare —7K 159
Barrington Pk. Gdns. Chal G —1A 158
Barrington Rd. Let —7F 22
Barrowby Clo. Lut —8M 47
Barrowdene Clo. Pinn —9N 161
Barrow La. Chesh —4D 144
Barrow Point Av. Pinn —9N 161
Barrow Point La. Pinn —9N 161
Barrows Rd. H'low —6J 117
Barr Rd. Pot B —6B 142
Barry Clo. St Alb —7C 126
Bartel Clo. Hem H —4F 124
Bartholomew Ct. Enf —1J 157
Bartholomew Ct. Shopping Cen. Chesh —6J 145
Bartholomew Rd. Bis S —2H 79
Bartlett Gdns. R'ton —8C 8
Bartlett Pl. Wheat —6L 89
Bartletts Mead. Hert —6B 94
Barton Av. Dunst —9G 45
Barton Clo. Hpdn —4D 88
Barton Hill Rd. Streat & Lil —4D 30
Barton Ind. Est. Bar C —7C 18
Barton Rd. Hit —1J 31
Barton Rd. Lut —7D 30
Barton Rd. Pull —3B 18
Barton Rd. S'hoe —9B 18
Barton Rd. Sils —1E 18
Barton Rd. Streat —4C 30
Barton Rd. Wheat —7K 89
Bartons, The. Els —8L 151
Barton Way. Borwd —4A 152
Barton Way. Crox G —7D 148
Bartrams La. Barn —2B 154
Basbow La. Bis S —1H 79
Basildon Sq. Hem H —7B 106
Basils Rd. Stev —2J 51
Basingbourne Clo. Brox —2K 133
Basing Rd. Mill E —1J 159
Basing Way. N3 —9N 165
Baslow Clo. Harr —8E 162
Bassett Clo. Redb —1K 107
Bassil Rd. Hem H —3N 123
Bassingbourn Rd. Lit —3J 7
Bassingburn Wlk. Wel G —1M 111
Batchelors. Puck —7B 56
Batchwood Dri. St Alb —9C 108
Batchwood Gdns. St Alb —8E 108
Batchwood Hall. St Alb —8C 108

Batchwood View—Birtley Croft

Batchwood View. St Alb —9D 108
Batchworth Heath Hill. Moor P —4C 160
Batchworth Hill. Rick —2A 160 (in two parts)
Batchworth La. N'wd —5E 160
Bateman Rd. Crox G —8C 148
Bates Ho. Stev —3L 51
Batford Clo. Wel G —1A 112
Batford Rd. Hpdn —4E 88
Bath Pl. Barn —5M 153
Bath Rd. Lut —7F 46
Bathurst Rd. Hem H —8N 105
Batley Rd. Enf —3A 156
Batterdale. Hat —8J 111
Battlefield Rd. St Alb —9G 108
Battlers Grn. Dri. Rad —9F 138
Battleview. Wheat —7M 89
Baud Clo. L Had —7A 58
Baulk, The. Ched —9L 61
Baulk, The. I'hoe —2D 82
Baulk, The. Lut —8M 31
Bawdsey Clo. Stev —1H 51
Bay Clo. Lut —3L 45
Bay Ct. Berk —1M 121
Bayford Clo. Hem H —6E 106
Bayford Clo. Hert —2A 114
Bayford Grn. B'frd —8M 113
Bayford La. B'frd —6L 113
Bayhurst Dri. N'wd —6H 161
Baylam Dell. Lut —8N 47
Baylie Ct. Hem H —1A 124
Baylie La. Hem H —1A 124
Bayliss Clo. N21 —7K 155
Baynes Clo. Enf —3E 156
Bays Ct. Edgw —5B 164
Bay Tree Clo. Chesh —9D 132
Bay Tree Clo. Park —1D 138
Baytree Ho. E4 —9M 157
Bay Tree Wlk. Wat —2H 149
Bayworth. Let —6H 23
Bazile Rd. N21 —8M 155
Beacon Av. Dunst —1B 64
Beacon Clo. Chal P —7B 158
Beacon Ho. St Alb —2G 126
Beacon Rd. Ring —5H 83
Beacon Rd. Ware —5L 95
Beaconsfield. Lut —9K 47
Beaconsfield Ct. Leav —5K 137 (off Horsehoe La.)
Beaconsfield Rd. Ast C —1D 100
Beaconsfield Rd. Enf —1H 157
Beaconsfield Rd. Hat —8J 111
Beaconsfield Rd. St Alb —2F 126
Beaconsfield Rd. Tring —3K 101
Beacon Way. Rick —9K 147
Beacon Way. Tring —1A 102
Beadles, The. L Hall —8K 79
Beadlow Rd. Lut —5J 45
Beagle Clo. Rad —1G 150
Beale Clo. Stev —3B 52
Beale St. Dunst —8D 44
Beamish Dri. Bush —1D 162
Beamonds. St Alb —2F 126
Beane Av. Stev —3C 52
Beane River View. Hert —9A 94
Beane Rd. Hert —9N 93
Beane Rd. Wat S —4J 73
Beaneside, The. Wat S —4J 73
Beane Wlk. Stev —3C 52
Beanfield Rd. Saw —3C 98
Beanley Clo. Lut —7N 47
Beardow Gro. N14 —8H 155
Beard's La. Saf W —2N 29
Bear La. A'wl —9M 5
Bearton Av. Hit —2M 33
Bearton Grn. Hit —1L 33
Bearton Rd. Hit —1L 33
Bearwood Clo. Pot B —4C 142
Beatrice Rd. N9 —9G 156
Beatty Rd. Stan —6K 163
Beatty Rd. Wal X —7K 145
Beauchamp Ct. Stan —5K 163
Beauchamp Gdns. Rick —1K 159
Beaufort Ct. New Bar —7B 154
Beaulieu Clo. Wat —1L 161
Beaulieu Gdns. N21 —9A 156
Beaumayes Clo. Hem H —3L 123
Beaumont Av. St Alb —9J 109
Beaumont Cen. Chesh —3H 145
Beaumont Clo. Hit —2L 33
Beaumont Ct. Hpdn —6C 88
Beaumont Ga. Rad —8J 139
Beaumont Hall La. St Alb —4K 107
Beaumont Pk. Dri. Roy —6E 116
Beaumont Pl. Barn —3M 153
Beaumont Rd. Brox —6C 132
Beaumont Rd. Lut —7D 46
Beaumont View. Chesh —8B 132
Beaumont Works. St Alb —2J 127
Beazley Clo. Ware —5J 95
Beckbury Clo. Lut —7N 47
Becket Gdns. Welw —3J 91
Beckets Sq. Berk —8L 103
Beckets Wlk. Ware —6H 95
Becketts. Hert —1M 113
Beckett's Av. St Alb —8D 108
Beckfield La. S'don —4A 26
Beckham Clo. Lut —2F 46
Becks Clo. Mark —2N 85
Bedale Rd. Enf —2A 156
Bede Clo. Pinn —8M 161
Bede Ct. L Gad —7N 83
Bedford Av. Amer —3A 146
Bedford Av. Barn —7M 153
Bedford Clo. Chen —2E 146
Bedford Ct. H Reg —5E 44
Bedford Ct. L Chal —3A 146
Bedford Cres. Enf —8J 145
Bedford Gdns. Lut —9F 46
Bedford Ho. Stev —3H 51
Bedford Pk. Rd. St Alb —2F 126
Bedford Rd. N9 —9F 156
Bedford Rd. NW7 —2E 164
Bedford Rd. Bar C —8E 18
Bedford Rd. Hol —4L 21
Bedford Rd. H Reg —1C 44
Bedford Rd. Let —4D 22
Bedford Rd. N'wd —3E 160
Bedford Rd. St Alb —3F 126
Bedford Sq. H Reg —5E 44
Bedford St. Berk —1A 122
Bedford St. Hit —3L 33
Bedford St. Wat —3K 149
Bedmond Grn. Ab L —9H 125
Bedmond La. Bedm —8J 125
Bedmond La. St Alb —4A 126
Bedmond Rd. Ab L —2H 137
Bedmond Rd. Hem H —3E 124
Bedwell Av. Ess —6F 112
Bedwell Clo. Wel G —1L 111
Bedwell Cres. Stev —4L 51
Bedwell La. Stev —4L 51
Bedwell Rise. Stev —4L 51
Beech Av. Enf —8M 143
Beech Av. Rad —6H 139
Beech Bottom. St Alb —8E 108
Beech Clo. N9 —8E 156
Beech Clo. Hpdn —1D 108
Beech Clo. Hat —1G 129
Beech Ct. Hpdn —4A 88
Beech Ct. N'wd —7G 160
Beech Cres. Wheat —8L 89
Beechcroft. Berk —2N 121
Beechcroft. D'wth —7C 72
Beechcroft Av. Crox G —8E 148
Beechcroft Rd. Bush —7N 149
Beech Dri. Berk —2N 121
Beech Dri. Borwd —4N 151
Beech Dri. Saw —7E 98
Beech Dri. Stev —6A 52
Beechen Gro. Wat —5K 149
Beeches, The. B'wy —7D 8
Beeches, The. Chor —7J 147
Beeches, The. Hit —4A 34
Beeches, The. Park —9E 126
Beeches, The. Tring —2A 102
Beeches, The. Wat —5K 149 (off Halsey Rd.)
Beeches, The. Welw —3J 91
Beeches, The. Wend —9B 100
Beech Farm Dri. St Alb —7N 109
Beechfield. Hod —4L 115
Beechfield. K Lan —3B 136
Beechfield. Saw —5H 99
Beechfield Clo. Redb —1K 107
Beechfield Rd. Hem H —3L 123
Beechfield Rd. Ware —5K 95
Beechfield Rd. Wel G —2L 111
Beechfield Wlk. Wal A —8N 145
Beech Grn. Dunst —8C 44
Beech Hill. Barn —2C 154
Beech Hill. Let —4D 22
Beech Hill. Lut —2L 47
Beech Hill Av. Barn —3B 154
Beech Hill Ct. Berk —9A 104
Beech Hill Path. Lut —8D 46
Beech Hyde La. Wheat —8N 89
Beeching Clo. Hpdn —3C 88
Beechlands. Bis S —3H 79
Beech M. Ware —8H 95
Beecholm M. Wal X —1J 145 (off Lawrence Gdns.)
Beechpark Way. Wat —1G 148
Beech Pl. St Alb —8E 108
Beech Ridge. Bald —5M 23
Beech Rd. Dunst —4G 65
Beech Rd. Lut —9E 46
Beech Rd. St Alb —8F 108
Beech Rd. Wat —1J 149
Beech Tree Clo. Stan —5K 163
Beechtree La. G'bry —4K 125
Beech Tree Way. H Reg —4E 44
Beech Wlk. NW7 —6E 164
Beech Wlk. Hod —8K 115
Beech Wlk. Tring —2A 102 (off Mortimer Hill.)
Beech Way. Wheat —1J 89
Beechwood Av. Amer —2A 146
Beechwood Av. Chor —6F 146
Beechwood Av. Mel —1J 9
Beechwood Av. Pot B —6A 142
Beechwood Av. St Alb —9J 109
Beechwood Clo. NW7 —5E 164
Beechwood Clo. Amer —3A 146
Beechwood Clo. Bald —6M 23
Beechwood Clo. Chesh —8C 132
Beechwood Clo. Hert —9D 94
Beechwood Clo. Hit —9L 21
Beechwood Ct. Dunst —1C 64
Beechwood Dri. Ald —1H 103
Beechwood La. Wend —9C 100
Beechwood Mobile Homes. Cad —4A 66
Beechwood Pk. Hem H —6J 123
Beechwood Rise. Wat —9K 137
Beechwood Rd. Lut —5N 45
Beechwood Way. Ast C —1E 100
Beecroft La. Walk —8H 37
Beecroft Way. Dunst —9C 44
Beehive Clo. Els —8L 151
Beehive Grn. Wel G —2N 111
Beehive La. Wel G —3N 111
Beehive Rd. G Oak —1N 143
Beesonend Cotts. Hpdn —2C 108
Beesonend La. St Alb —4N 107
Beeston Clo. Wat —4M 161
Beeston Dri. Chesh —9H 133
Beeston Rd. Barn —8C 154
Beetham Ct. Ware —3C 94
Beethoven Rd. Els —8K 151
Beeton Clo. Pinn —7B 162
Beggarman's La. Ware —9H 55
Beggars Bush La. Wat —7F 148
Beggars Hollow. Enf —1B 156
Beken Ct. Wat —8L 137
Belcham's La. Saf W —2M 43
Belcher Rd. Hod —7L 115
Beldam Av. R'ton —8D 8
Beldams La. Bis S —3K 79
Belfield Gdns. H'low —7E 118
Belford Rd. Borwd —2N 151
Belfry Av. Hare —7K 159
Belfry La. Rick —1M 159
Belfry, The. Lut —3G 47
Belgrave Av. Wat —7H 149
Belgrave Clo. N14 —7H 155
Belgrave Clo. St Alb —7K 109
Belgrave Dri. K Lan —1E 136
Belgrave Gdns. N14 —6J 155
Belgrave Gdns. Stan —5K 163
Belgrave Ho. Bis S —9K 59
Belgrave Rd. Lut —4N 45
Belham Rd. K Lan —1C 136
Belhaven Ct. Borwd —3N 151
Bell Acre. Let —7H 23
Bell Acre Gdns. Let —7H 23
Bellamy Clo. Kneb —4M 71
Bellamy Clo. Wat —3J 149
Bellamy Ct. Edg —2C 164
Bellamy Ct. Stan —8J 163
Bellamy Dri. Stan —8J 163
Bellamy Rd. Chesh —2J 145
Bellamy Rd. Enf —4B 156
Bell Clo. Bedm —9H 125
Bell Clo. Hit —4B 34
Bell Clo. Kneb —3N 71
Bell Clo. Pinn —9L 161
Bellerby Rise. Lut —3L 45
Bellevue La. Bush —1E 162
Belle Vue Rd. Ware —6J 95
Bellevue Ter. Hare —7K 159
Bellfield Av. Harr —6E 162
Bellgate. Hem H —8A 106
Bell Grn. Bov —9E 122
Bellis Ho. Wel G —2A 112
Bell La. Amer —2A 146
Bell La. Bedm —9H 125
Bell La. Brk P —6N 129
Bell La. Brox —3J 133
Bell La. Enf —2H 157
Bell La. Hert —9B 94
Bell La. Hod —8L 115
Bell La. Lon C —2M 139
Bell La. N'chu —9J 103
Bell La. Stev —2J 51
Bell La. Wid —3G 97
Bell Leys. W'grv —5A 60
Bell Mead. Saw —5G 98
Bellmount Wood Av. Wat —3G 148
Bell Rd. Enf —3B 156
Bells Clo. Shil —2A 20
Bells Hill. Barn —7K 153
Bells Hill. Bis S —1G 79
Bells Meadow. G Mor —1B 6
Bell St. Saw —5G 98
Bell Wlk. W'grv —5A 60
Belmers Rd. Wig —5B 102
Belmont Av. N9 —9E 156
Belmont Av. Barn —7E 154
Belmont Circ. Harr —8J 163
Belmont Clo. N20 —1N 165
Belmont Clo. Cockf —6E 154
Belmont Ct. St Alb —3E 126
Belmont Hill. St Alb —3E 126
Belmont La. Stan —7K 163
Belmont Lodge. Har W —7E 162
Belmont Rd. Bush —7N 149
Belmont Rd. Harr —9G 163
Belmont Rd. Hem H —6A 124
Belmont Rd. Lut —1E 66
Belmor. Els —8A 152
Belper Rd. Lut —7N 45
Belsham Pl. Lut —7N 47
Belsize Clo. Hem H —3C 124
Belsize Clo. St Alb —6K 109
Belsize Rd. Harr —7E 162
Belsize Rd. Hem H —3C 124
Belsize Rd. Lut —6H 45
Belswains Grn. Hem H —5A 124
Belswains La. Hem H —5A 124
Beltona Gdns. Chesh —9H 133
Belton Rd. Berk —9L 103
Belvedere Gdns. St Alb —9B 126
Belvedere Rd. Lut —4D 46
Belvedere Strand. NW9 —9F 164
Bembridge Gdns. Lut —2B 46
Bembridge Pl. Wat —6J 137
Ben Austins. Redb —2J 107
Benbow Clo. St Alb —4J 127
Benchley Hill. Hit —2C 34
Benchleys Rd. Hem H —4J 123
Bench Mnr. Cres. Chal P —9A 158
Bencroft. Chesh —8E 132
Bencroft Rd. Hem H —2A 124
Bendish La. W'wll —9J 49
Bendysh Rd. Bush —5N 149
Benedictine Ga. Wal X —9J 133
Benford Rd. Hod —1K 133
Bengarth Dri. Harr —9E 162
Bengeo Meadows. Hert —6B 94
Bengeo M. Hert —6A 94
Bengeo St. Hert —7A 94
Ben Hale Clo. Stan —5J 163
Benhooks Av. Bis S —3G 78
Benhooks Pl. Bis S —3G 79
Benington Clo. Lut —4G 47
Benington Rd. Ast —7D 52
Benington Rd. Qalk —2F 52
Benneck Ho. Wat —8G 149
Bennett Clo. N'wd —7H 161
Bennett Clo. Wel G —4M 111
Bennett Ct. Let —6G 23
Bennetts Clo. Col H —5D 128
Bennetts Clo. Dunst —1E 64
Bennetts End Clo. Hem H —4B 124
Bennetts End Rd. Hem H —3B 124
Bennettsgate. Hem H —5C 124
Benning Av. Dunst —9C 44
Benningfield Clo. Wid —3G 97
Benningfield Rd. Wid —3G 97
Benningholme Rd. Edgw —6E 164
Benskin Rd. Wat —7J 149
Benskins Clo. Ber —2C 42
Benslow La. Hit —3A 34
Benslow Rise. Hit —3A 34
Benson Clo. Lut —2B 46
Benstede. Stev —9B 52
Bentfield End Causeway. Stans —2M 59
Bentfield Gdns. Stans —2M 59
Bentfield Grn. Stans —2L 59
Bentfield Rd. Stans —1M 59
Bentick Way. Cod —6F 70
Bentley Clo. Bis S —3H 79
Bentley Ct. Lut —9E 46 (off Moor St.)
Bentley Dri. H'low —7E 118
Bentley Heath La. Barn —7L 141
Bentley Rd. Hert —8K 93
Bentley Way. Stan —5H 163
Benton Rd. Wat —5M 161
Bentons, The. Berk —8K 103
Bentsley Clo. St Alb —7K 109
Berceau Wlk. Wat —3G 149
Berefield. Hem H —9N 105
Beresford Gdns. Enf —6C 156
Beresford Rd. Lut —8C 46
Beresford Rd. Rick —1J 159
Beresford Rd. St Alb —3J 127
Berger M. Hpdn —6C 88
Bericot Way. Wel G —9B 92
Berkeley. Let —7G 23
Berkeley Clo. Ab L —5H 137
Berkeley Clo. Els —7A 152
Berkeley Clo. Hit —2L 33
Berkeley Clo. Pot B —5L 141
Berkeley Clo. Stev —9N 51
Berkeley Clo. Ware —5G 95
Berkeley Ct. N3 —8N 165
Berkeley Ct. Crox G —7F 148
Berkeley Ct. Hpdn —5B 88
Berkeley Cres. Barn —7C 154
Berkeley Gdns. N21 —9B 156
Berkeley Path. Lut —9G 46
Berkeley Sq. Hem H —5E 106
Berkhamstead La. Ess —2E 130
Berkhamsted By-Pass. Tring —3B 102
Berkhamsted Hill. Pott E —8B 104
Berkhamsted Pl. Berk —8N 103
Berkhamsted Rd. Hem H —8G 104 (in two parts)
Berkley Av. Wal X —7H 145
Berkley Clo. St Alb —7K 109
Berkley Ct. Berk —1N 121 (off Mill St.)
Berkley Pl. Wal X —7H 145
Berks Hill. Chor —7F 146
Bernard Clo. Dunst —8F 44
Bernard St. St Alb —1E 126
Bernays Clo. Stan —6K 163
Berners Dri. St Alb —5F 126
Berners Way. Brox —5K 133
Bernhardt Cres. Stev —3B 52
Berridge Grn. Edgw —7A 164
Berries, The. Sandr —7H 109
Berrow Clo. Lut —7N 47
Berry Av. Wat —9K 137
Berry Clo. N21 —9N 155
Berry Clo. Rick —9L 147
Berryfield. Ched —9L 61
Berry Gro. La. Wat —2N 149 (in two parts)
Berry Hill. Stan —4L 163
Berry La. Chor —8G 147
Berry Leys. Lut —2A 46
Berrymead. Hem H —9B 106
Berry Way. Rick —9L 147
Bert Collins Ct. Lut —1E 66 (off Wolston Clo.)
Bertram Ho. Stev —3L 51
Bertram Rd. Enf —6E 156
Bert Way. Enf —6D 156
Berwick Clo. Stan —6G 163
Berwick Clo. Wal X —7L 145
Berwick Rd. Borwd —2N 151
Besant Ho. Wat —4M 149
Besford Clo. Lut —7N 47
Bessemer Clo. Hit —9M 21
Bessemer Dri. Stev —5H 51
Bessemer Rd. Wel G —4L 91
Bethune Clo. Lut —2D 66
Bethune Ct. Lut —2D 66
Betjeman Clo. Chesh —1E 144
Betjeman Way. Hem H —9L 105
Betony Vale. R'ton —8E 8
Bettespol Meadows. Redb —9J 87
Betty Entwistle Ho. St Alb —5F 126
Betty's La. Tring —2M 101
Beulah Clo. Edgw —3B 164
Bevan Clo. Hem H —4A 124
Bevan Ho. Wat —4M 149
Bevan Rd. Barn —2E 154
Beverley Clo. Enf —6C 156
Beverley Ct. N14 —9H 155
Beverley Dri. Edgw —9A 164
Beverley Gdns. Chesh —3D 144
Beverley Gdns. St Alb —7L 109
Beverley Gdns. Stan —8H 163
Beverley Gdns. Wel G —9B 92
Beverley Rd. Lut —8B 46
Beverley Rd. Stev —8A 36
Beverly Clo. Brox —3J 133
Bevil Ct. Hod —5L 115
Bewcastle Gdns. Enf —6K 155
Bewdley Clo. Hpdn —9E 88
Bewley Clo. Chesh —4H 145
Bexhill Rd. Lut —7M 47
Beyers Gdns. Hod —5L 115
Beyers Prospect. Hod —4L 115
Beyers Ride. Hod —5L 115
Bibbs Hall La. Kim —1L 89
Bibshall Cres. Dunst —2F 64
Bibsworth Rd. N3 —9M 165
Bicknoller Rd. Enf —3C 156
Biddenham Turn. Wat —8L 137
Bideford Clo. Edgw —8A 164
Bideford Gdns. Enf —9C 156
Bideford Gdns. Lut —5F 46
Bideford Rd. Enf —2K 157
Bidwell Clo. H Reg —4E 44
Bidwell Clo. Hert —6H 23
Bidwell Hill. H Reg —4D 44
Bidwell Path. H Reg —5E 44
Biggin Hill. Bunt —3A 28
Biggin La. Hit —4N 33
Biggleswade Rd. Dun —1C 4
Bigthan Rd. Dunst —9F 44
Billet La. Berk —9L 103 (in two parts)
Billington Rd. L Buzz —1C 62
Billy Lows La. Pot B —4N 141
Bilton Rd. Hit —9N 21
Bilton Way. Enf —3J 157
Bilton Way. Lut —9B 46
Bincote Rd. Enf —5L 155
Binder Clo. Lut —5H 45
Binder Ct. Lut —5H 45 (off Binder Clo.)
Bingen Rd. Hit —1K 33
Bingley Rd. Hod —8N 115
Binham Clo. Lut —2F 46
Binyon Cres. Stan —5G 162
Birchall La. Col G —2D 112
Birchalls. Stans —1N 59
Birchall Wood. Wel G —1B 112
Birchanger Ind. Est. Bis S —7K 59
Birchanger La. Bir —6L 59
Birch Copse. Brick W —3N 137
Birch Ct. N'wd —6E 160
Birch Dri. Hat —1G 129
Birch Dri. Rick —5G 158
Birchen Gro. Lut —6H 47
Bircherley Ct. Hert —9B 94 (off Priory St.)
Bircherley Grn. Cen., The. Hert —9B 94
Bircherley St. Hert —9B 94
Birches, The. N21 —8L 155
Birches, The. Bush —7D 150
Birches, The. Cod —8G 70
Birches, The. Hem H —5J 123
Birches, The. Let —3E 22
Birchfield Rd. Chesh —2F 144
Birch Grn. NW9 —7E 164
Birch Grn. Hem H —1J 123
Birch Gro. Pot B —5N 141
Birch Gro. Welw —8L 71
Birch La. Flau —6E 134
Birch Leys. Hem H —6E 106
Birch Link. Lut —8E 46
Birchmead. Wat —2H 149
Birchmead Clo. St Alb —8E 108
Birch Pk. Harr —7D 162
Birch Rd. N'chu —7H 103
Birch Rd. Wool G —7A 72
Birch Side. Dunst —2G 65
Birchside Path. Dunst —2G 65
Birch Tree Wlk. Wat —1H 149
Birch Wlk. Borwd —3A 152
Birch Way. Hpdn —7D 88
Birchway. Hat —7H 111
Birch Way. Lon C —9L 127
Birchwood. Bir —7M 59
Birchwood. Shenl —7A 140
Birchwood Av. Hat —7G 110
Birchwood Clo. Hat —7G 111
Birchwood Ct. Edgw —9C 164
Birchwood Ho. Wel G —9A 92
Birchwood Way. Park —1C 138
Birdcroft Rd. Wel G —1K 111
Birdie Way. Hert —8F 94
Bird La. Hare —9M 159
Birdlington Rd. N9 —9F 156
Birds Clo. Wel G —2A 112
Birdsfoot La. Lut —4D 46
Birds Hill. Let —5G 22
Birkbeck Rd. NW7 —5F 164
Birkbeck Rd. Enf —3B 156
Birkdale Av. Pinn —9B 162
Birkdale Gdns. Wat —3M 161
Birken M. N'wd —5D 160
Birkett Way. Chal G —5A 146
Birklands La. St Alb —6J 127
Birling Dri. Lut —4L 47
Birnbeck Ct. Barn —6K 153
Birstall Grn. Wat —4M 161
Birtley Croft. Lut —8N 47

A-Z Hertfordshire 171

Bridgefoot—Burymead

Bridgefoot. Ware —6H 95
Bridgefoot La. Pot B —6J 141
Bridgeford Ho. Bis S —2H 79 (off South St.)
Bridgeford Ho. Wat —5K 149
Bridge Ga. N21 —9A 156
Bridgegate Bus. Cen. Wel G —9M 91
Bridgeman Dri. H Reg —4G 45
Bridgend Rd. Enf —8G 144
Bridgenhall Rd. Enf —3D 156
Bridge Pl. Wat —7M 149
Bridger Clo. Wat —6M 137
Bridge Rd. K Lan —6E 136
Bridge Rd. Let —5F 22
Bridge Rd. Stev —3H 51
Bridge Rd. Wel G —8J 91
Bridge Rd. Wool G —6N 71
Bridge Rd. E. Wel G —9L 91
Bridges Ct. Hert —9A 94
Bridges Rd. Stan —5G 163
Bridge St. Berk —1A 122
Bridge St. Bis S —1H 79
Bridge St. Hem H —3M 123
Bridge St. Hit —4M 33
Bridge St. Lut —1G 66
Bridgewater Ct. L Gad —7N 83
Bridgewater Gdns. Edgw —9N 163
Bridgewater Hill. N'chu —7K 103
Bridgewater Rd. Berk —8L 103
Bridgewater Way. Bush —8C 150
Bridle Clo. Enf —1K 157
Bridle Clo. Hod —4L 115
Bridle Clo. St Alb —9F 108
Bridle La. Loud —5M 147
Bridle Path. Wat —4K 149
Bridle Way. Berk —8L 103
Bridle Way. Gt Amw —9L 95
Bridle Way. Hod —5L 115
Bridle Way. (North), Hod —4L 115
Bridle Way. (South), Hod —5L 115
Bridlington Rd. N9 —9F 156
Bridlington Rd. Wat —3M 161
Brierley Clo. Dunst —3F 64
Brierley Clo. Lut —7M 47
Briery Field. Chor —6K 147
Briery Way. Hem H —9C 106
Brigadier Av. Enf —2A 156
Brigadier Hill. Enf —2A 156
Brighton Rd. Wat —2J 149
Brighton Way. Stev —1G 50
Brightside, The. Enf —3J 157
Brightview Clo. Brick W —2N 137
Brightwell Av. Tot —1N 63
Brightwell Rd. Wat —7J 149
Brill Clo. Lut —7M 47
Brimfield Clo. Lut —7N 47 (off Kempsey Clo.)
Brimsdown Av. Enf —4J 157
Brimsdown Ind. Est. Enf (in two parts) —3K 157
Brimstone Wlk. Berk —8K 103
Brindley Way. Hem H —7B 124
Brinkburn Clo. Edgw —9B 164
Brinkburn Gdns. Edgw —9A 164
Brinklow Ct. St Alb —5C 126
Brinley Clo. Chesh —4H 145
Brinsley Rd. Harr —9E 162
Brinsmead. Frog —9E 126
Briscoe Clo. Hod —6K 115
Briscoe Rd. Hod —6K 115
Bristol Ho. Borwd —4A 152
Bristol Rd. Lut —5C 46
Briston M. NW7 —7G 164
Britain St. Dunst —9F 44
Britannia. Puck —7B 56
Britannia Av. Lut —4D 46
Britannia Bus. Pk. Wal X —7K 145
Britannia Rd. Wal X —7K 145
Brittains Rise. L Ston —1F 20
Brittain Way. Stev —5A 52
Brittany Ct. Dunst —9F 44 (off High St. S.)
Britten Clo. Els —8L 151
Britton Av. St Alb —2E 126
Brive Rd. Dunst —1H 65
Brixham Clo. Stev —2H 51
Brixton Est. Edgw —9B 164
Brixton La. Bis S —6J 43
Brixton Rd. Wat —3K 149
Broad Acre. Brick W —3N 137
Broad Acres. Hat —6F 110
Broadacres. Lut —3F 46
Broad Ct. Wel G —9L 91
Broadcroft. Hem H —9N 105
Broadcroft. Let —9F 22
Broadcroft Av. Stan —9L 163
Broadfield. Bis S —7H 59
Broadfield. H'low —5A 118
Broadfield Clo. M Hud —7H 77
Broadfield Ct. Bush —2F 162
Broadfield Ct. N Har —8C 162 (off Broadfields)
Broadfield Heights. NW7 —4B 164
Broadfield Pl. Wel G —1H 111
Broadfield Rd. Hem H —2B 124
Broadfield Rd. Wool G —7A 72
Broadfields. G Oak —2N 143
Broadfields. Hpdn —5A 88
Broadfields. Harr —9C 162
Broadfields. H Wych —6D 98
Broadfields Av. N21 —9M 155
Broadfields Av. Edgw —4B 164
Broadfields Cen. Edgw —1B 164
Broadfields La. Wat —1K 161
Broadfield Sq. Enf —4F 156
Broadfield Way. M Hud —7J 77
Broadgates Av. Barn —3A 154
Broad Grn. B'frd —5L 113
Broad Grn. Wood. B'frd —6L 113
Broadhall Way. Stev —7K 51
Broadhead Strand. NW9 —8F 164
Broadhurst Av. Edgw —4B 164
Broadlake Clo. Lon C —9L 127
Broadlands Av. Enf —5F 156
Broadlands Clo. Enf —5G 156
Broadlands Clo. Wal X —7G 145
Broadlawns Ct. Harr —8G 163
Broadleaf Av. Bis S —4F 78
Broadley Rd. H'low —9J 117
Broadmead. Hit —5A 34
Broad Mead. Lut —6C 46
Broadmead Clo. Pinn —7N 161
Broadmeadow Ride. St I —6A 34
Broadmeads. Ware —6H 95
Broadoak Av. Enf —8H 145
Broad Oak Ct. Lut —6M 47 (off Handcross Rd.)
Broad Oak Way. Stev —7M 51
Broadstone Rd. Hpdn —9D 88
Broad St. Hem H —1N 123
Broadview. Stev —3L 51
Broadview Rd. Che —9F 120
Broad Wlk. N21 —9M 155
Broad Wlk. Dunst —8E 44
Broad Walk. H'low —5N 117
Broadwalk Shopping Cen. Edgw —6B 164
Broadwalk, The. N'wd —9E 160
Broadwater. Berk —9N 103
Broadwater. Pot B —3A 142
Broadwater. Stev —8A 52
Broadwater Av. Let —6E 22
Broadwater Cres. Stev —7M 51
Broadwater Cres. Wel G —1K 111
Broadwater Dale. Let —6E 22
Broadwater La. Ast —8B 52 (in two parts)
Broadwater Rd. Wel G —1K 111
Broadway. Let —7E 22
Broadway Av. H'low —2D 118
Broadway M. N21 —9N 155
Broadway, The. N14 —9J 155
Broadway, The. NW7 —5E 164
Broadway, The. Hat —9J 111
Broadway, The. Pot B —5M 141
Broadway, The. Stan —5K 163
Broadway, The. Wat —5L 149
Broadway, The. W'stone —9F 162
Broadway, The. Wheat —2J 89
Brocas Way. Hort —5M 61
Brockenhurst Gdns. NW7 —5E 164
Brocket Ct. Lut —3N 45
Brocket Rd. Hod —8L 115
Brocket Rd. Lem —2F 110
Brockett Clo. Wel G —9H 91
Brocket View. Wheat —6L 89
Brockhurst Clo. Stan —6G 162
Brocklesbury Clo. Wat —5L 149
Brockles Mead. H'low —9M 117
Brockley Av. Stan —3M 163
Brockley Clo. Stan —4M 163
Brockley Hill. Stan —1K 163
Brockley Side. Stan —4M 163
Brockswood La. Wel G —8G 91
Brockwell Shott. Walk —9G 37
Brodewater Rd. Borwd —4B 152
Brodie Rd. Enf —2A 156
Bromborough Grn. Wat —5L 161
Bromefield. Stan —8K 163
Bromet Clo. Wat —2H 149
Bromleigh Clo. Chesh —1J 145
Bromley. Long M —3F 80
Bromley Gdns. H Reg —4G 44
Brompton Clo. Lut —1B 46
Bronte Cres. Hem H —5D 106
Bronte Paths. Stev —3B 52
Brook Av. Edgw —6B 164
Brook Bank. Enf —1F 156
Brookbridge La. D'wth —6C 72
Brook Clo. NW7 —7L 165
Brook Clo. Borwd —4B 152
Brook Cotts. Stans —4N 59
Brook Ct. Edgw —5B 164
Brook Ct. Lut —8F 46
Brook Ct. Rad —6H 139
Brookdene Av. Wat —9K 149
Brookdene Dri. N'wd —7H 161
Brook Dri. Rad —6G 139
Brook Dri. Stev —9A 52
Brooke Clo. Bush —9D 150
Brooke Cres. Bis S —1L 79
Brook End. Saw —5F 98
Brook End. Stpl M —2D 6
Brooke Rd. R'ton —5D 8
Brooker Rd. Wal A —7N 145
Brooke Way. Bush —9D 150
Brook Field. Ast —7D 52
Brookfield Av. NW7 —6H 165
Brookfield Av. H Reg —4F 44
Brookfield Cen. Chesh —9H 133
Brookfield Clo. NW7 —6H 165
Brookfield Clo. Tring —2N 101
Brookfield Ct. Chesh —1H 145
Brookfield Cres. NW7 —6H 165
Brookfield Gdns. Chesh —9H 133
Brookfield La. Ast —6D 52
Brookfield La. E. Chesh —9H 133
Brookfield La. W. Chesh (in two parts) —1F 144
Brookfield Pk. H Reg —4F 44
Brookfield Park Cvn. Pk. Tot —1K 63
Brookfields. Enf —6H 157
Brookfields. Saw —5F 98
Brookfield Wlk. H Reg —5G 44
Brookhill. Stev —9M 51
Brookhill Clo. E Barn —7D 154
Brookhill Rd. Barn —7D 154
Brooklands Clo. Lut —3M 45
Brooklands Ct. N21 —7B 156
Brooklands Gdns. Pot B —5L 141
Brook La. Berk —9M 103
Brook La. M Hud —8N 77
Brook La. Saw —5F 98
Brooklane Field. H'low —9D 118
Brooklea Clo. NW9 —8E 164
Brookmans Av. Brk P —8M 129
Brook Meadow. N12 —3N 165
Brook Pk. Clo. N21 —8N 155
Brook Pl. Barn —7N 153
Brook Rd. Bass —2K 7
Brook Rd. Borwd —3A 152
Brook Rd. Saw —6F 98
Brook Rd. Stans —3N 59
Brook Rd. Wal X —7K 145
Brooks Ct. Hert —8L 93
Brooksfield. Wel G —8A 92
Brookshill. Harr —5E 162
Brookshill Av. Harr —5E 162
Brookshill Dri. Harr —5E 162
Brookside. N21 —8L 155
Brookside. E Barn —8D 154
Brookside. Hal —5B 100
Brookside. H'low —9J 117
Brookside. Hat —9D 110
Brookside. Hert —9C 94
Brookside. Hod —8L 115
Brookside. Let —6F 22
Brookside. Shil —2N 19
Brookside. S Mim —5G 140
Brookside. Wat —1M 149
Brookside Clo. Barn —8L 153
Brookside Cres. Cuff —9K 131
Brookside Gdns. Enf —1G 156
Brookside Rd. Wat —9K 149
Brookside S. E Barn —9F 154
Brookside Wlk. N12 —6N 165
Brook St. Ast C —1C 100
Brook St. Edl —4K 63
Brook St. Lut —9F 46
Brook St. Stot —6E 10
Brook St. Tring —2N 101
Brook View. Hit —4C 34
Brookview Ct. Enf —7C 156
Brook Wlk. Edgw —6D 164
Broom Clo. Chesh —9E 132
Broom Clo. Hat —3F 128
Broomer Pl. Chesh —3G 144
Broomfield. H'low —3D 118
Broomfield. Park —9D 126
Broomfield Av. Brox —8J 133
Broomfield Clo. Welw —3J 91
Broomfield Ho. Stan —3H 163 (off Stanmore Hill)
Broomfield Rise. Ab L —5F 136
Broomfield Rd. Welw —3J 91
Broom Gro. Kneb —3M 71
Broom Gro. Wat —2J 149
Broomgrove Gdns. Edgw —8A 164
Broom Hill. Hem H —3H 123
Broom Hill. Welw —9N 71
Broomhills. Wel G —8N 91
Broomleys. St Alb —8L 109
Brooms Clo. Wel G —6K 91
Brooms Rd. Lut —9J 47
Broom Wlk. Stev —4L 51
Broughinge Rd. Borwd —4B 152
Broughton Av. N3 —9L 165
Broughton Av. Lut —4E 46
Broughton Hill. Let —5G 23
Broughton Way. Rick —9K 147
Browneymead La. Gt Hor —1E 40
Brownfield. St Alb —1J 89
Brownfields. Wel G —8M 91
Browning Dri. Hit —2B 34
Browning Rd. Enf —1B 156
Browning Rd. Hpdn —5D 88
Browning Rd. Lut —7K 45
Brownlow Av. Edl —5K 63
Brownlow La. Ched —9M 61
Brownlow Rd. N3 —7N 165
Brownlow Rd. Berk —9N 103
Brownlow Rd. Borwd —6A 152
Brown's Clo. Lut —4N 45
Brown's La. Hast —7L 101
Browns Spring. Pott E —7F 104
Brow, The. Chal G —3A 158
Brow, The. Wat —6K 137
Broxbournebury M. Brox —2G 132
Brox Dell. Stev —3L 51
Broxley Mead. Lut —4M 45
Bruce Gro. Wat —2L 149
Bruce Rd. Barn —5L 153
Bruce Rd. Harr —9F 162
Bruce Way. Wal X —6H 145
Brunel Ct. Hem H —4N 123
Brunel Ct. Lut —6H 45
Brunel Rd. Lut —6H 45
Brunel Rd. Stev —2N 51
Brunswick Ct. Barn —7C 154
Brunswick Ct. Hod —9L 115 (off Rawdon Dri.)
Brunswick Ho. N3 —8M 165
Brunswick St. Lut —9G 47
Brushrise. Wat —9K 137
Brushwood Dri. Chor —6F 146
Brussels Way. Lut —9A 30
Bryan Rd. Bis S —9H 59
Bryanston Ct. Hem H —3N 123
Bryanstone Rd. Wal X —7K 145
Bryant Clo. Barn —7M 153
Bryant Ct. Hpdn —4B 88
Bryants Acre. Wend —9A 100
Bryants Clo. Shil —1A 20
Bryce Clo. Ware —4H 95
Bryn Av. St Alb —4K 127
Brynmawr Rd. Enf —6D 156
Bryn Way. St Alb —5K 127
Bryony Way. Dunst —8B 44
Buchanan Clo. N21 —7L 155
Buchanan Clo. Borwd —4C 152
Buchanan Ct. Lut —9K 47
Buchanan Dri. Lut —9K 47
Bucketsland La. Borwd —2D 152
Buckingham Av. N20 —9B 154
Buckingham Clo. Enf —4C 156
Buckingham Dri. Lut —7M 47
Buckingham Gdns. Edgw —7N 163
Buckingham Gro. Borwd —6D 152
Buckingham Pde. Stan —5K 163
Buckingham Rd. Borwd —6D 152
Buckingham Rd. Edgw —7N 163
Buckingham Rd. Tring —3K 101
Buckingham Rd. Wat —1L 149
Buckland Rise. Pinn —8L 161
Buckland Rd. Buck —1F 100
Bucklands, The. Rick —9K 147
Buckle Clo. Lut —2B 46
Bucklersbury. Hit —4M 33
Bucklers Clo. Brox —4K 133
Bucknalls Clo. Wat —5N 137
Bucknalls Dri. Brick W —4A 138
Bucknalls La. Wat —5M 137
Buck's All. L Berk —9H 113
Buck's Av. Wat —9N 149
Bucks Hill. K Lan —6M 135
Buckthorn Av. Stev —5L 51
Buckton Rd. Borwd —2N 151
Buckwood Av. Dunst —8H 45
Buckwood La. Stud —8E 64
Buckwood Rd. Kens & Mark —9H 65
Budd Clo. N12 —4N 165
Buddcroft. Wel G —8A 92
Bude Cres. Stev —2G 51
Building End Rd. R'ton —5L 17
Bulbourne Clo. Berk —8K 103
Bulbourne Clo. Hem H —3K 123
Bulbourne Ct. Tring —8M 81
Bulbourne Rd. Tring —9N 81
Bullace Clo. Hem H —1K 123
Bullbeggars La. Berk —2C 122
Bullen's Grn. La. Col H —4E 128
Bullescroft Rd. Edgw —3A 164
Bullfields. Saw —3G 99
Bullhead Rd. Borwd —5C 152
Bull La. Buck —3G 27
Bull La. Chal P —9A 158
Bull La. Cot —2A 38
Bull La. Lang U —1L 29
Bull La. Wheat —9H 89
Bullock's Hill. St Pau —8A 50
Bullock's La. Hert —2A 114
Bull Plain. Hert —9B 94
Bull Pond La. Dunst —9E 44
Bull Rd. Hpdn —7C 88
Bullrush Clo. Hat —1H 129
Bull's Cross. Enf —8E 144
Bulls Cross Ride. Wal X —8E 144
Bullsland Gdns. Chor —8E 146
Bullsland La. Ger X & Chor —1E 158
Bulls La. N Mym —6K 129
Bullsmoor Clo. Wal X —8G 144
Bullsmoor Gdns. Wal X —8F 144
Bullsmoor La. Enf —8E 144
Bullsmoor Ride. Wal X —8G 144
Bullsmoor Way. Wal X —8G 144
Bull Stag Grn. Hat —7J 111
Bullwell Cres. Chesh —2J 145
Bulstrode La. Fel & Chfd —7K 123
Bulwer Gdns. Barn —6B 154
Bulwer Link. Stev —6L 51
Bulwer Rd. Barn —6A 154
Buncefield La. Hem H —8E 106
Bungalows, The. Berk —4H 103
Bungalows, The. H'low —3M 119
Bungalows, The. Hpdn —4D 88
Bunhill Clo. Dunst —9C 44
Bunkers La. Hem H —7C 124
Bunns La. NW7 —6E 164 (in two parts)
Bunsfield. Wel G —8B 92
Bunstrux. Tring —2L 101
Bunting Ct. NW9 —9E 164
Buntingford Rd. Puck —5A 56
Bunting Rd. Lut —4K 45
Bunyan Clo. Pir —7E 20
Bunyan Clo. Tring —1N 101
Bunyan Rd. Hit —2M 33
Bunyans Clo. Lut —4C 46
Burbage Clo. Chesh —4K 145
Burchell Ct. Bush —9D 150
Bure Ct. New Bar —7A 154
Burfield Clo. Hat —7G 111
Burfield Ct. Lut —6M 47
Burfield Rd. Chor —7E 146
Burford Clo. Lut —9B 30
Burford Gdns. Hod —7M 115
Burford M. Hod —7L 115
Burford Pl. Hod —7L 115
Burford St. Hod —8L 115
Burford Wlk. H Reg —4H 45
Burford Way. Hit —9K 21
Burge End La. Pir —6D 20
Burges Clo. Dunst —3G 65
Burgess La. Bunt —7C 26
Burghley Av. Bis S —9E 58
Burghley Av. Borwd —7C 152
Burghley Clo. Stev —9N 51
Burgoyne Hatch. H'low —5C 118
Burgundy Croft. Wel G —2M 111
Burhill Gro. Pinn —9N 161
Burleigh Gdns. N14 —9H 155
Burleigh Mead. Hat —7J 111
Burleigh Rd. Chesh —5J 145
Burleigh Rd. Enf —6C 156
Burleigh Rd. Hem H —3E 124
Burleigh Rd. Hert —8E 94
Burleigh Rd. St Alb —2J 127
Burleigh Way. Cuff —3K 143
Burleigh Way. Enf —5B 156
Burley. Let —2F 22
Burley Hill. H'low —7F 118
Burley Rd. Bis S —4J 79
Burlington Clo. Pinn —9K 161
Burlington Rise. E Barn —9D 154
Burlington Rd. Enf —3B 156
Burnam Clo. NW7 —7G 164
Burn Clo. Bush —5E 150
Burncroft Av. Enf —4G 157
Burnell Gdns. Stan —9L 163
Burnell Rise. Let —6D 22
Burnells Way. Stans —2N 59
Burnell Wlk. Let —6E 22
Burnet Clo. Hem H —3A 124
Burnett Sq. Hert —8L 93
Burnham Clo. Enf —2C 156
Burnham Clo. Welw —1B 92
Burnham Grn. Rd. Welw —1B 92
Burnham Rd. Lut —7K 47
Burnham Rd. St Alb —2H 127
Burnley Clo. Wat —5L 161
Burnsall Pl. Hpdn —9D 88
Burns Clo. Hit —2B 34
Burns Clo. Stev —1B 52
Burns Dri. Hem H —5D 106
Burnside. Hert —1M 113
Burnside. Hod —8K 115
Burnside. Saw —5F 98
Burnside. St Alb —4J 127
Burnside Clo. Barn —5N 153
Burnside Clo. Hat —6H 111
Burnside Ter. H'low —3H 119
Burns Rd. R'ton —5C 8
Burnt Clo. Lut —2B 46
Burntfarm Ride. Enf & Wal X —7N 143
Burnthouse La. Bald —8E 24
Burnt Mill. H'low —4M 117
Burnt Mill Ind. Est. H'low —3M 117
Burnt Oak B'way. Edgw —7B 164
Burnt Oak Fields. Edgw —8C 164
Burr Clo. Bar C —7E 18
Burr Clo. Lon C —9M 127
Burrell Clo. Edgw —2B 164
Burrowfield. Wel G —2K 111
Burrs La. B'wy —9N 15
Burrs La. Lit —3H 7
Burrs Pl. Lut —2G 67
Burr St. Dunst —9E 44
Burr St. Lut —9G 47
Bursland. Let —5D 22
Bursland Rd. Enf —6H 157
Burston Dri. Park —1D 138
Burton Av. Wat —6J 149
Burton Clo. Wheat —2K 89
Burton Grange. Chesh —9C 132
Burtonhole Clo. NW7 —4K 165
Burtonhole La. NW7 —5J 165
Burton La. Chesh —2C 144
Burton's La. Chal G & Chor —5A 146
Burtons Mill. Saw —4H 99 (in two parts)
Burton's Way. Chal G —4A 146
Burvale Ct. Wat —5K 149
Burwell Rd. Stev —5A 52
Burycroft. Wel G —6L 91
Burydale. Stev —8A 52
Burydell La. Park —9E 126
Bury End. Pir —7E 20
Buryfield Ter. Ware —6G 95
Bury Grn. Hem H —1M 123
Bury Grn. Wheat —7K 89
Bury Grn. Rd. Chesh —5E 144 (in two parts)
Bury Hall Vs. N9 —9D 156
Bury Hill. Hem H —1L 123
Bury Hill Clo. Hem H —1M 123
Bury Holme. Brox —5K 133
Bury La. B'fld —4G 92
Bury La. Chris —3N 17
Bury La. Cod —7F 70
Bury La. D'wth —4C 72
Bury La. Mel —1G 9
Bury La. Rick —1N 159
Bury La. Streat —5C 30
Bury La. Welw —8K 71
Bury Mead. Arl —5A 10
Burymead. Stev —9J 35

Cedars, The—Christchurch La.

Cedars, The. Wend —9A 100
Cedars Wlk. Chor —6J 147
Cedar Wlk. Hem H —4N 123
Cedar Wlk. Wal A —7N 145
Cedar Way. Berk —2A 122
Cedarwood Dri. St Alb —2L 127
Cedar Wood Dri. Wat —8K 137
Celadon Clo. Enf —5J 157
Celandine Dri. Lut —1C 46
Celia Johnston Ct. Borwd —3C 152
Cell Barnes Clo. St Alb —4J 127
Cell Barnes La. St Alb —3H 127
Cemetery Hill. Hem H —3M 123
Cemetery Rd. Bis S —3H 79
Cemetery Rd. Hit —4N 33
Cemetery Rd. H Reg —5E 44
Cemmaes Ct. Rd. Hem H —1M 123
Cemmaes Meadow. Hem H —2M 123
Centenary Ct. Lut —5J 45
Centenary Rd. Enf —6K 157
Centenary Trading Est. Enf —6K 157
Central Av. Enf —4F 156
Central Av. H'low —5N 117
Central Av. Henl —1J 21
Central Av. Wal X —6J 145
Central Dri. St Alb —1K 127
Central Dri. Wel G —7M 91
Central Pde. Enf —4G 156
Central Rd. H'low —2C 118
Central Way. N'wd —7G 161
Centre Way. Wal A —8N 145
Centro. Hem H —9E 106
Century Ct. Wat —9E 148
Century Rd. Hod —7L 115
Century Rd. Ware —5H 95
Cervantes Ct. N'wd —7H 161
Chace Av. Pot B —5C 142
Chace, The. Stev —8M 51
Chadbury Ct. NW7 —7G 164
Chad La. Flam —4E 86
Chadwell. Ware —7G 94
Chadwell Av. Chesh —1G 145
Chadwell Clo. Lut —8H 47
Chadwell Rise. Ware —7G 95
Chadwell Rd. Stev —5H 51
Chadwick Av. N21 —7L 155
Chadwick Ct. Dunst —8D 44
Chaffinches Grn. Hem H —6C 124
Chaffinch La. Wat —9H 149
Chagney Clo. Let —5E 22
Chailey Av. Enf —4D 156
Chalet Clo. Berk —1K 121
Chalfont Av. Amer —3A 146
Chalfont Clo. Hem H —6D 106
Chalfont Ho. Wat —8G 149
Chalfont La. Chor —7E 146
Chalfont La. Ger X & W Hyd —7F 158
Chalfont Pl. St Alb —2F 126
Chalfont Rd. Ger X & Rick —2E 158
Chalfont St Peter By-Pass. Chal P & Ger X —8B 158
Chalfont Sta. Rd. Amer —4A 146
Chalfont Wlk. Pinn —9L 161
Chalfont Way. Lut —7L 47
Chalgrove. Wel G —8C 92
Chalgrove Gdns. N3 —9L 165
Chalk Dale. Wel G —8A 92
Chalkdell Fields. St Alb —8H 109
Chalkdell Hill. Hem H —2A 124
Chalkden Path. Hit —2L 33
Chalkdown. Lut —3G 46
Chalkdown. Stev —2C 52
Chalk Field. Let —8J 23
Chalk Hill. Lut —5A 48
Chalk Hill. Wat —8M 149
Chalk Hills. Bald —6M 23
Chalk La. Barn —5E 154
Chalk La. H'low —3J 119 (Harlow)
Chalk La. H'low —3K 119 (Hobbs Cross)
Chalks Av. Saw —4F 98
Chalkwell Pk. Av. Enf —6C 156
Chalky La. R'ton —2N 17
Challinor. H'low —6G 119
Challney Clo. Lut —7N 45
Chalton Heights. Chal —1H 45
Chalton Rd. Lut —4M 45
Chamberlain Clo. H'low —6E 118
Chamberlaines. Hpdn —2J 87
Chambersbury La. Hem H —6C 124 (in two parts)
Chambers La. Ickl —7M 21
Chambers St. Hert —9A 94
Champions Grn. Hod —5L 115
Champions Way. Hod —5L 115
Champneys. Wat —2N 161
Champneys. Wig —8D 102
Chancellor Pl. NW9 —9F 164
Chancellors Rd. Stev —9J 35
Chancery Clo. St Alb —6L 109
Chanctonbury Way. N12 —4M 165
Chandlers Clo. Bis S —3E 78
Chandler's La. Chan X —9A 136
Chandlers La. H Wych —2A 98
Chandlers Rd. St Alb —8K 109
Chandlers Way. Hert —9M 93
Chandos Av. N20 —9B 154
Chandos Clo. Amer —2A 146
Chandos Ct. Edgw —7N 163
Chandos Cres. Edgw —7N 163
Chandos Pde. Edgw —7N 163
Chandos Rd. Borwd —4N 151
Chandos Rd. Lut —8B 46
Chanfield Clo. Lut —6J 45
Chantree M. Let —7J 23
Chantree Rd. Hit —3M 33
Chantry Clo. Bis S —9G 59
Chantry Clo. Enf —2A 156
Chantry Clo. K Lan —2C 136
Chantry Ct. Hat —1G 128
Chantry La. Hat —1F 128 (in two parts)
Chantry La. Hit —8F 34
Chantry La. Lon C —8L 127
Chantry Mt. Bis S —9G 59
Chantry Pl. Harr —8C 162
Chantry Rd. Bis S —9G 59
Chantry Rd. Harr —8C 162
Chantry, The. E4 —9N 157
Chantry, The. Bis S —9H 59
Chantry, The. H'low —4C 118
Chaomans. Let —8F 22
Chapel Clo. Lit —3H 7
Chapel Clo. L Gad —9A 84
Chapel Clo. Lut —1E 46
Chapel Clo. St Alb —5E 126
Chapel Clo. Wat —7H 137
Chapel Cotts. Hem H —9N 105
Chapel Croft. Chfd —4K 135
Chapel Crofts. N'chu —8J 103
Chapel Dri. Ast C —1D 100
Chapel End. Bunt —3J 39
Chapel End. Chal P —9A 158
Chapel End. Hod —9L 115
Chapel End La. Wils —7H 81
Chapel Fields. H'low —8E 118
Chapelfields. Stan A —1A 116
Chapel Hill. Stans —2N 59
Chapel La. Chart —9A 120
Chapel La. Dunst —3E 62
Chapel La. H'low —8E 118
Chapel La. I Ast —7E 62
Chapel La. Let G —4G 112
Chapel La. L Had —9K 57
Chapel La. Long M —3F 80
Chapel La. N'all —3E 62
Chapel La. Tot —1K 63
Chapel Meadow. Tring —9M 81
Chapel Path. H Reg —5E 44
Chapel Pl. Stot —7F 10
Chapel Rd. B Grn —9F 48
Chapel Rd. Flam —5D 86
Chapel Row. Bis S —2H 79 (off South St.)
Chapel Row. Hare —8M 159
Chapel Row. Hit —2N 33 (off Whinbush Rd.)
Chapel St. Berk —1N 121
Chapel St. Dun —1F 4
Chapel St. Enf —5B 156
Chapel St. Hem H —1N 123
Chapel St. Hinx —7E 4
Chapel St. Lut —2G 66 (in two parts)
Chapel St. Tring —3L 101
Chapel Viaduct. Lut —1G 66
Chapman Rd. Stev —9H 35
Chapmans End. Puck —6A 56
Chapmans, The. Hit —4M 33
Chapmans Yd. Wat —6M 149
Chappell Ct. Ware —9D 74
Chapter Ho. Rd. Lut —7K 45
Charcroft Gdns. Enf —6H 157
Chard Dri. Lut —9D 30
Chardins Clo. Hem H —1J 123
Charlbury Av. Stan —5L 163
Charle Sevright Dri. NW7 —5K 165
Charles St. Berk —1M 121
Charles St. Enf —7D 156
Charles St. Hem H —3M 123
Charles St. Lut —8H 47
Charles St. Tring —3M 101
Charlesworth Clo. Hem H —4N 123
Charlock Way. Wat —8H 149
Charlton Clo. Hod —8L 115
Charlton Mead La. Hod —9A 116
Charlton Rd. N9 —9H 157
Charlton Rd. Harr —9M 163
Charlton Rd. Hit —6L 33
Charlton Way. Hod —8L 115
Charlwood Clo. Harr —6F 162
Charlwood Rd. Lut —8L 45
Charmbury Rise. Lut —5J 47
Charmian Av. Stan —9L 163
Charmouth Ct. St Alb —8H 109
Charmouth Rd. St Alb —9H 109
Charndon Clo. Lut —9D 30
Charnwood Rd. Enf —9F 144
Charter Ct. Hem H —2N 123
Charter Pl. Wat —5L 149
Charters Cross. H'low —9N 117
Charter Way. N14 —8H 155
Chartley Av. Stan —6G 163
Chartridge. Wat —2M 161
Chartridge Clo. Barn —7G 153
Chartridge Clo. Bush —8D 150
Chartridge La. Che —8A 120
Chartridge Way. Hem H —2E 124
Chartwell Ct. Barn —6L 153
Chartwell Dri. Lut —6G 47
Chartwell Rd. N'wd —6H 161
Chasden Rd. Hem H —8J 105
Chase Bank Ct. N14 —8H 155 (off Avenue Rd.)
Chase Clo. Arl —4A 10
Chase Ct. Gdns. Enf —5A 156
Chase Grn. Enf —5A 156
Chase Grn. Av. Enf —4N 155
Chase Hill. Enf —5A 156
Chase Hill Rd. Arl —6A 10
Chase Ridings. Enf —4M 155
Chase Rd. N14 —7H 155
Chase Side. N14 —7F 154
Chase Side. Enf —4A 156
Chase Side Av. Enf —4A 156
Chaseside Clo. Ched —9M 61
Chase Side Cres. Enf —3A 156
Chase Side Pl. Enf —4A 156
Chase Side Works Ind. Est. N14 —9J 155
Chase St. Lut —3G 67
Chase, The. Arl —6A 10
Chase, The. Bis S —2H 79
Chase, The. Edgw —8B 164
Chase, The. G Oak —1N 143
Chase, The. Gt Amw —9L 95
Chase, The. Hem H —3A 124
Chase, The. Hert —9D 94
Chase, The. Rad —8G 139
Chase, The. Stan —6H 163
Chase, The. Wat —6G 149
Chase, The. Welw —9M 71
Chaseville Pde. N21 —7L 155
Chaseville Pk. Rd. N21 —7K 155
Chase Way. N14 —9H 155
Chaseways. Saw —7E 98
Chasewood Av. Enf —4N 155
Chasewood Ct. NW7 —5D 164
Chasten Hill. Let —4D 22
Chatsworth Av. NW4 —9J 165
Chatsworth Clo. NW4 —9J 165
Chatsworth Clo. Bis S —1E 78
Chatsworth Clo. Borwd —5A 152
Chatsworth Ct. St Alb —2G 126 (off Granville Rd.)
Chatsworth Ct. Stan —5K 163
Chatsworth Ct. Stev —8M 51
Chatsworth Dri. Enf —9E 156
Chatsworth Rd. Lut —8D 46
Chatteris Clo. Lut —5N 45
Chatterton. Let —6H 23
Chatton Clo. Lut —7N 47
Chaucer Clo. Berk —9K 103
Chaucer Ct. New Bar —7A 154
Chaucer Ho. Barn —6K 153
Chaucer Rd. Lut —7E 46
Chaucer Rd. R'ton —5C 8
Chaucer Wlk. Hem H —5D 106
Chaucer Way. Hit —2C 34
Chaucer Way. Hod —4L 115
Chaulden Ho. Gdns. Hem H —4J 123
Chaulden La. Hem H —4G 123
Chaulden Ter. Hem H —3J 123
Chaul End La. Lut —8A 46
Chaul End Rd. Cad —9M 45
Chaul End Rd. Lut —8L 45
Chauncey Ho. Wat —8G 148
Chauncy Av. Pot B —6B 142
Chauncy Clo. Ware —4H 95
Chauncy Ct. Hert —9B 94
Chauncy Gdns. Bald —2A 24
Chauncy Ho. Stev —3L 51
Chauncy Rd. Stev —3L 51
Chaworth Grn. Lut —4M 45
Cheapside. Lut —1G 66
Cheapside Mall. Lut —1G 66 (off Arndale Cen.)
Cheapside Sq. Lut —1G 66 (off Arndale Cen.)
Chedburgh. Wel G —8C 92
Cheddington La. Long M —3G 81
Cheddington Rd. Pit —2N 81
Cheena Ho. Ger X —7C 158
Cheffins Rd. Hod —5K 115
Chells La. Stev —2B 52 (in two parts)
Chells Way. Stev —2N 51
Chelmsford Ct. N14 —9J 155 (off Chelmsford Rd.)
Chelmsford Rd. N14 —9H 155
Chelmsford Rd. Hert —1M 113
Chelsea Clo. Edgw —9A 164
Chelsea Gdns. H Reg —4G 44
Chelsfield Av. N9 —9H 157
Chelsfield Grn. N9 —9H 157
Chelsing Rise. Hem H —3E 124
Chelsworth Clo. Lut —8M 47
Cheltenham Ct. Stan —5K 163 (off Marsh La.)
Chelveston. Wel G —8C 92
Chelwood Av. Hat —7G 110
Chelwood Clo. E4 —8M 157
Chelwood Clo. N'wd —7E 160
Chenduit Way. Stan —5G 163
Cheney Rd. Lut —4M 45
Chenies Av. Amer —3A 146
Chenies Ct. Hem H —6D 106
Chenies Grn. Bis S —2F 78
Chenies Pde. L Chal —4A 146
Chenies Rd. Chor —4G 147
Chenies, The. Hpdn —8D 88
Chenies Way. Wat —9G 149
Chennells. Hat —1F 128
Chepstow. Hpdn —5A 88
Chepstow Clo. Stev —1A 52
Chequer Ct. Lut —2H 67
Chequer La. Redb —2J 107
Chequers. Bis S —9E 58
Chequers. Wel G —3K 111
Chequers Bri. Rd. Stev —3J 51
Chequers Clo. Bunt —2H 39
Chequers Clo. Pit —3A 82
Chequers Clo. Puck —5A 56
Chequers Clo. Stot —6G 10
Chequers Field. Wel G —3K 111
Chequers Hill. Mark —5E 86
Chequers La. Pit —3A 82
Chequers La. Pres —3L 49
Chequers La. Wat —3K 137
Chequers, The. Eat B —3K 63
Chequers, The. Pinn —9M 161
Chequer St. Lut —2H 67
Chequer St. St Alb —2E 126
Cherchefelle M. Stan —5J 163
Cheriton Clo. Barn —6E 154
Cheriton Clo. St Alb —7L 109
Cherry Acre. Chal P —4A 158
Cherry Bank. Hem H —1N 123 (off Chapel St.)
Cherry Bounce. Hem H —9N 105
Cherry Clo. Kneb —4M 71
Cherry Ct. Pinn —9M 161
Cherry Croft. Wel G —5K 91
Cherrycroft Gdns. Pinn —7A 162
Cherrydale. Wat —6H 149
Cherry Dri. R'ton —6E 8
Cherry Gdns. Bis S —9J 59
Cherry Gdns. Saw —3G 99
Cherry Gdns. Tring —3L 101
Cherry Hill. Harr —6G 162
Cherry Hill. Loud —5L 147
Cherry Hill. New Bar —8A 154
Cherry Hill. St Alb —7B 126
Cherry Hills. Wat —5N 161
Cherry Hollow. Ab L —4H 137
Cherry Orchard. Hem H —9K 105
Cherry Rise. Chal G —2A 158
Cherry Rd. Enf —2G 157
Cherry Tree Av. Lon C —8L 127
Cherry Tree Clo. Arl —8A 10
Cherry Tree Clo. Lit —4H 7
Cherry Tree Clo. Lut —8J 47
Cherry Tree Grn. Hert —7L 93
Cherrytree La. Chal P —9A 158
Cherry Tree La. Hem H —6E 106
Cherry Tree La. Herons —1F 158
Cherry Tree La. Pot B —7A 142
Cherry Tree La. Wheat —6H 89
Cherry Tree M. Lut —8H 47
Cherry Tree Rise. Walk —1G 52
Cherry Tree Rd. Hod —7L 115
Cherry Tree Rd. Wat —9K 137
Cherry Trees. L Ston —1J 21
Cherry Tree Wlk. H Reg —3E 44
Cherrytree Way. Stan —6J 163
Cherry Wlk. Loud —4M 147
Cherry Way. Hat —3G 128
Chertsey Clo. Lut —9M 47
Chertsey Rise. Stev —5B 52
Cherwell Clo. Crox G —7C 148
Chesfield Clo. Bis S —3H 79
Chesford Rd. Lut —5L 47
Chesham Ct. N'wd —6H 161
Chesham La. Chal P & Chal G —4B 158
Chesham Rd. Ash G —7J 121
Chesham Rd. Bell —6C 120
Chesham Rd. Berk —3M 121
Chesham Rd. Bov —9A 122
Chesham Rd. Wig —6B 102
Chesham Way. Wat —8G 149
Cheshunt Wash. Chesh —9J 133
Cheslyn Clo. Lut —7N 47
Chess Clo. Lat —9A 134
Chess Clo. Loud —6N 147
Chessfield Pk. Amer —3B 146
Chess Hill. Loud —6N 147
Chess La. Loud —6N 147
Chess Vale Rise. Crox G —8B 148
Chess Way. Chor —5K 147
Chesswood Ct. Rick —1N 159
Chesswood Way. Pinn —9M 161
Chestbrook Ct. Enf —7C 156 (off Forsyth Pl.)
Chester Av. Lut —6A 46
Chester Clo. Lut —7B 46
Chester Clo. Pot B —2A 142
Chesterfield Flats. Barn —7K 153 (off Bells Hill)
Chesterfield Lodge. N21 —9L 155 (off Church Hill)
Chesterfield Rd. N3 —6N 165
Chesterfield Rd. Barn —7K 153
Chesterfield Rd. Enf —1J 157
Chester Gdns. Enf —8F 156
Chester Rd. Borwd —5C 152
Chester Rd. N'wd —7G 161
Chester Rd. Stev —9N 35
Chester Rd. Wat —7J 149
Chesterton Av. Hpdn —6D 88
Chestnut Av. Edgw —6M 163
Chestnut Av. Hal —6B 100
Chestnut Av. Henl —1K 21
Chestnut Av. Lut —1M 45
Chestnut Av. N'wd —9H 161
Chestnut Av. Rick —7K 147
Chestnut Av. Ware —4K 95
Chestnut Clo. N14 —7H 155
Chestnut Clo. Ast C —1E 100
Chestnut Clo. Bis S —2G 79
Chestnut Clo. Chal P —8C 158
Chestnut Clo. Dagn —2N 83
Chestnut Clo. Pott E —8E 104
Chestnut Clo. Ware —6G 96
Chestnut Ct. Hit —2L 33
Chestnut Dri. Berk —2A 122
Chestnut Dri. Harr —7G 162
Chestnut Dri. St Alb —9J 109
Chestnut End. Hal —5B 100
Chestnut Gro. Barn —7E 154
Chestnut La. N20 —1L 165
Chestnut Rise. Bush —9C 150
Chestnut Rd. Enf —9J 145
Chestnut Row. N3 —7N 165
Chestnuts, The. Cod —6F 70
Chestnuts, The. Hem H —6J 123
Chestnuts, The. Hert —1B 114
Chestnuts, The. Pinn —7A 162
Chestnut Wlk. Chal P —7B 158
Chestnut Wlk. R'ton —8E 8
Chestnut Wlk. Stev —9K 35
Chestnut Wlk. Wat —1J 149
Chestnut Wlk. Welw —8M 71
Chetwynd Av. E Barn —9E 154
Cheveralls, The. Dunst —2F 64
Cheverells Clo. Mark —2N 85
Cheviot Clo. Bush —8D 150
Cheviot Clo. Enf —4B 156
Cheviot Clo. Lut —2N 45
Cheviot Rd. Lut —2N 45
Cheviots. Hat —3G 128
Cheviots. Hem H —8B 106
Cheyne Clo. Dunst —6C 44
Cheyne Clo. Pit —3B 82
Cheyne Clo. Ware —5H 95
Cheyne Ct. Bush —6N 149
Cheyne Wlk. N21 —7N 155
Cheyney Clo. Stpl M —3C 6
Cheyneys Av. Edgw —6L 163
Cheyney St. Stpl M —4C 6
Chicheley Gdns. Harr —7D 162 (in two parts)
Chicheley Rd. Harr —7D 162
Chichester Clo. Dunst —1H 65
Chichester Ct. Edgw —6A 164 (off Whitchurch La.)
Chichester Ct. Stan —9M 163
Chichester Rd. N9 —9E 156
Chichester Way. Wat —6N 137
Chidbrook Ho. Wat —8G 149
Chiddingfold. N12 —3N 165
Chigwell Hurst Ct. Pinn —9M 161
Chilcott Rd. Wat —9G 137
Chilcourt. R'ton —7C 8
Childs Av. Hare —9M 159
Childwick Ct. Hem H —5D 124
Chilham Clo. Hem H —3A 124
Chiltern Av. Bush —8D 150
Chiltern Av. Edl —5J 63
Chiltern Clo. Berk —9K 103
Chiltern Clo. Borwd —4N 151
Chiltern Clo. Bush —8C 150
Chiltern Clo. G Oak —9N 131
Chiltern Clo. Ware —4H 95
Chiltern Clo. Wend —9A 100
Chiltern Corner. Berk —9K 103
Chiltern Ct. Dunst —8D 44
Chiltern Ct. Hpdn —6D 88
Chiltern Ct. New Bar —7B 154
Chiltern Ct. St Alb —7L 109 (off Twyford Rd.)
Chiltern Dene. Enf —6L 155
Chiltern Dri. Rick —9J 147
Chiltern Gdns. Lut —6B 46
Chiltern Hill. Chal P —8B 158
Chiltern Pk. Dunst —7G 44
Chiltern Pk. Av. Berk —8L 103
Chiltern Rise. Lut —2F 66
Chiltern Rd. Bald —5M 23
Chiltern Rd. Bar C —9E 18
Chiltern Rd. Dunst —9D 44
Chiltern Rd. Hit —3A 34
Chiltern Rd. St Alb —6K 109
Chiltern Rd. Wend —9A 100
Chiltern Rd. W'grv —5A 60
Chilterns. Hat —3G 129
Chilterns. Hem H —9A 106
Chilterns, The. Hit —4A 34
Chilterns, The. Kens —8J 65
Chiltern View. Let —6D 22
Chiltern View Caravan Pk. Eat B —3G 63
Chiltern Vs. Tring —3K 101
Chiltern Way. Ast C —4E 100
Chiltern Way. Tring —1A 102
Chilters, The. Berk —9K 103
Chilton Ct. Hert —7L 93
Chilton Grn. Wel G —9B 92
Chilton Rd. Edgw —6A 164
Chilwell Gdns. Wat —4L 161
Chindit Clo. Brox —2J 133
Chine, The. N21 —8N 155
Chinnery Clo. Enf —3D 156
Chinnery Hill. Bis S —3H 79
Chipperfield Rd. Abb L —3M 135
Chipperfield Rd. Bov —9E 122
Chipperfield Rd. Hem H —7M 123
Chipping Clo. Barn —5L 153
Chippingfield. H'low —3E 118
Chirdland Ho. Wat —8G 149
Chishill Rd. Bar —2D 16
Chishill Rd. Gt Chi —1J 17
Chiswell Ct. Wat —2L 149
Chiswellgreen La. St Alb —7M 125
Chiswick Ct. Pinn —9A 162
Chivers Bank. Bald —4L 23
Chobham St. Lut —2H 67
Chobham Wlk. Lut —2G 67
Cholesbury La. C'bry —2A 120
Cholesbury Rd. Wig —2A 120
Cholwell Rd. Stev —6B 52
Chorleywood Bottom. Chor —7G 147
Chorleywood Clo. Rick —9N 147
Chorleywood Ho. Chor —5H 147
Chorleywood Rd. Rick —6K 147
Chouler Gdns. Stev —8J 35
Chowns, The. Hpdn —1B 108
Christchurch Clo. St Alb —1D 126
Christchurch Ct. Dunst —8D 44 (off High St. N.)
Christchurch Cres. Rad —9H 139
Christchurch Ho. Tring —3M 101
Christchurch La. Barn —4L 153

Christchurch Pas.—Comet Rd.

Christchurch Pas. H Bar —4L 153
Christchurch Rd. Hem H —1N 123
Christchurch Rd. Tring —2L 101
Christie Clo. Brox —2K 133
Christie Rd. Stev —4B 52
Christopher Ct. Hem H —5N 123
Christopher Pl. St Alb —2E 126 (off Verulam Rd.)
Christy's Yd. Hinx —7F 4
Church All. Ald —2D 150
Churchbury Clo. Enf —4C 156
Churchbury La. Enf —5B 156
Churchbury Rd. Enf —4C 156
Church Clo. Ast C —1C 100
Church Clo. Bass —1M 7
Church Clo. Cod —6F 70
Church Clo. Cuff —2K 143
Church Clo. Dunst —9F 44
Church Clo. Edgw —5C 164
Church Clo. L Berk —1H 131
Church Clo. N'wd —7H 161
Church Clo. Rad —9H 139
Church Clo. Stud —3E 84
Church Cotts. Hem H —3G 105
Church Ct. Brox —2L 133
Church Cres. N3 —8M 165
Church Cres. Saw —5H 99
Church Cres. St Alb —1D 126
Church Croft. Edl —5J 63
Church Dri. Bis S —2D 42
Church End. Arl —4A 10
Church End. Bar —3D 16
Church End. Brau —2C 56
Church End. Edl —5J 63
Church End. Flam —6E 86
Church End. H'low —8K 117
Church End. H Reg —4D 44
Church End. Mark —1N 85
Church End. Redb —2J 107
Church End. Sandr —4K 109
Church End. Walk —8H 37
Church Farm La. Stpl M —4C 6
Churchfield. Bar —3D 16
Churchfield. H'low —4C 118
Churchfield. Hpdn —7D 88
Church Field. Ware —4F 94
Churchfield Ho. Wel G —9J 91
Churchfield Path. Chesh —2G 145 (in two parts)
Churchfield Rd. Chal P —8A 158
Churchfield Rd. H Reg —4E 44
Churchfield Rd. Tew —6B 92
Churchfields. Bar —3D 16
Churchfields. Brox —2L 133
Churchfields. Stdn —7B 56
Churchfields. Stans —3N 59
Churchfields La. Brox —2L 133
Churchfields Rd. Wat —9H 137
Church Ga. Berk —1N 121
Churchgate. Chesh —2F 144
Churchgate. Hit —4M 33
Churchgate Rd. Chesh —2F 144
Churchgate St. H'low —2G 119
Church Grn. Gt Wym —4E 34
Church Grn. Hpdn —6B 88
Church Grn. Tot —1M 63
Church Grn. Row. Hpdn —6B 88
Church Gro. Amer —3B 146
Church Hill. N21 —9L 155
Church Hill. Ched —8L 61
Church Hill. Hare —9M 159
Church Hill. Hert H —2F 114
Churchhill Cres. N Mym —5J 129
Church Hill Rd. Barn —8D 154
Churchill Clo. Streat —4B 30
Churchill Ct. N'wd —6F 160
Churchill Ct. Pinn —8N 161
Churchill Rd. Bar C —8E 18
Churchill Rd. Dunst —3G 65
Churchill Rd. Edgw —6N 163
Churchill Rd. Lut —8C 46
Churchill Rd. St Alb —1H 127
Church La. A'ham —2C 150
Church La. Arl —4A 10
Church La. A'wl —9M 5
Church La. Ast C —2C 100
Church La. B'wy —8N 15
Church La. Bend —9K 49
Church La. Berk —1N 121
Church La. Bis S —6F 78
Church La. Bov —9E 122
Church La. Brox —3F 132
Church La. Chal P —8A 158
Church La. Ched —9M 61
Church La. Chesh —2F 144
Church La. Col H —4B 128
Church La. D End —9D 54
Church La. Eat B —2J 63
Church La. Enf —5B 156
Church La. G'ley —6J 35
Church La. G Mor —1A 6
Church La. Harr —8G 162
Church La. Hat —9J 111
Church La. Kim —6L 69
Church La. K Lan —2C 136
Church La. L Hall —7M 99
Church La. Mars —6L 81
Church La. Mat T —3N 119
Church La. Mill E —1K 159
Church La. M Hud —4J 77
Church La. N'thaw —3F 142
Church La. Reed —7J 15
Church La. R'ton —7D 8
Church La. Sarr —2J 147
Church La. Stfrd —1M 93
Church La. Stev —2J 51
Church La. Ther —5D 14
Church La. W'ton —2C 36
Church La. W'ian —2J 23
Church Langley Way. H'low —6E 118
Church Leys. H'low —7B 118
Church Mnr. Bis S —9K 59
Church Mead. Roy —5E 116
Churchmead Clo. E Barn —8D 154
Church Meadow Cotts. Hem H —3G 105
Church Pas. Barn —6M 153
Church Path. Barn —6L 153
Church Path. Gt Amw —9K 95
Church Path. Hert —1B 114
Church Path. Ickl —7M 21
Church Path. L Wym —7F 34
Church Rd. Bar C —1F 30
Church Rd. Chris —1N 17
Church Rd. Dunst —3E 84
Church Rd. Enf —8G 157
Church Rd. Flam —5D 86
Church Rd. Gt Hal —6K 79
Church Rd. H'low —9E 118
Church Rd. Hem H —3E 124
Church Rd. Hert —8N 93 (in two parts)
Church Rd. I'hoe —2D 82
Church Rd. K Wal —6F 48
Church Rd. L Berk —1H 131
Church Rd. L Gad —8N 83
Church Rd. N'wd —7H 161
Church Rd. Pit —4C 82
Church Rd. Pott E —8E 104
Church Rd. Pot B —3N 141
Church Rd. Pull —3A 18
Church Rd. Putt —5E 80
Church Rd. Slap —2A 62
Church Rd. S End —6E 66
Church Rd. Stan —5J 163
Church Rd. Stans —3N 59
Church Rd. Stot —6F 10
Church Rd. Streat —4C 30
Church Rd. Tot —2M 63
Church Rd. Wat —3J 149
Church Rd. Wel G —9K 91 (in two parts)
Church Row. Ware —6H 95 (off Church St.)
Church St. N9 —9B 156
Church St. Bald —2L 23
Church St. Bis S —1H 79
Church St. Bov —9E 122
Church St. Bunt —2J 39
Church St. Dunst —9E 44
Church St. Dun —1F 4
Church St. Enf —5A 156
Church St. Ess —8D 112
Church St. G Mor —1A 6
Church St. Hat —9J 111
Church St. Hem H —9N 105
Church St. Hert —9B 94
Church St. Lit —3H 7
Church St. Lut —1G 67
Church St. Rick —1A 160
Church St. Saw —5G 99
Church St. Shil —3N 19
Church St. St Alb —1E 126
Church St. Stpl M —4C 6
Church St. Wal A —6N 145
Church St. Ware —6H 95
Church St. Wat —6L 149
Church St. Welw —2J 91
Church St. Wheat —7L 89
Church St. W'grv —6A 60
Church St. Ind. Est. Ware —6H 95 (off Church St.)
Church St. Mall. Lut —1G 66 (off Arndale Cen.)
Church View. Brox —2K 133
Church View. Hal —5B 100
Church View. Long M —3F 80
Church View Av. Shil —2N 19
Church Wlk. Bush —8B 150
Church Wlk. Dunst —9F 44
Church Wlk. Eat B —2J 63
Church Wlk. Enf —5B 156
Church Wlk. Saw —5H 99
Church Wlk. Wat S —5K 73
Church Way. Barn —6E 154
Church Way. Edgw —6A 164
Church Yd. Hit —3M 33
Church Yd. Tring —2M 101 (in two parts)
Churchyard Wlk. Hit —3M 33
Cicero Dri. Lut —1C 46
Cillocks Clo. Hod —7L 115
Circle, The. NW7 —6D 164
Cissbury Ring N. N12 —5M 165
Cissbury Ring S. N12 —5M 165
Civic Sq. H'low —6N 117
Claggy Rd. Kim —6J 69
Claigmar Gdns. N3 —8N 165
Claire Ct. Bush —1E 162
Claire Ct. Chesh —5J 145
Claire Ct. Pinn —7A 162
Claire Gdns. Stan —5K 163
Claire Ho. Edgw —9C 164 (off Burnt Oak B'way.)
Clamp Hill. Stan —4E 162
Clapgate Rd. Bush —8C 150
Clare Clo. Els —8N 151
Clare Ct. Enf —8J 145
Clare Ct. Lut —6B 46
Clare Ct. St Alb —3G 126
Clare Cres. Bald —5L 23
Claremont. Brick W —4B 138
Claremont. Chesh —2D 144
Claremont Cres. Crox G —7E 148
Claremont Ho. Wat —8F 148
Claremont Pk. N3 —8L 165
Claremont Rd. Barn —2B 154
Claremont Rd. Harr —9F 162
Claremont Rd. Lut —8D 46
Clarence Clo. Bush —9G 150
Clarence Ct. NW7 —5F 164
Clarence Rd. Berk —1N 121
Clarence Rd. Enf —7G 156
Clarence Rd. Hpdn —4B 88
Clarence Rd. St Alb —2G 127
Clarence Rd. Stans —2N 59
Clarendon Clo. Hem H —1N 123
Clarendon Ct. Lut —8F 46
Clarendon M. Borwd —5A 152
Clarendon Pde. Chesh —2H 145
Clarendon Rd. Borwd —5A 152
Clarendon Rd. Chesh —2H 145
Clarendon Rd. Hpdn —4C 88
Clarendon Rd. Lut —8F 46
Clarendon Rd. Wat —4K 149
Clarendon Way. N21 —8A 156
Claridge Ct. Berk —1N 121
Clarion Clo. Offl —8D 32
Clarke Grn. Wat —8J 137
Clarke's rd. Hat —8H 111
Clarke's Spring. Tring —1D 102
Clarkes Way. Bass —1N 7
Clarkes Way. H Reg —5F 44
Clarke Way. Wat —8J 137
Clarkfield. Mill E —1L 159
Clark Gro. Lut —8M 47
Clarkhill. H'low —9A 118
Clarklands Ind. Est. Saw —2G 99
Clark Rd. R'ton —6D 8
Clarks Clo. Ware —4H 95
Clarks Mead. Bush —9D 150
Claudian Pl. St Alb —3B 126
Claverley Grn. Lut —7N 47
Claverley Gro. N3 —8N 165
Claverley Vs. N3 —7N 165
Claverton Clo. Bov —1D 134
Claybury. Bush —9C 150
Claybush Rd. A'wl —1C 12
Claycroft. Wel G —8A 92
Claydon End. Chal P —9B 158
Claydon Ho. NW4 —9K 165 (off Holders Hill Rd.)
Claydon La. Chal P —9B 158
Claydown Way. S End —7D 66
Clayfield Rd. Hal —6B 100
Claygate Av. Hpdn —5N 87
Clay Hall Rd. Kens —9H 65
Clay Hill. Enf —1A 156
Clay La. Bush —9F 150
Clay La. Edgw —2A 164
Clay La. Wend —9B 100
Claymore. Hem H —7A 106
Claymore Dri. Ickl —6N 21
Claymores. Stev —3L 51
Clayponds. Bis S —1J 79
Clayton Field. NW9 —7E 164
Cleadon Clo. Enf —5J 157
Cleall Av. Wal A —7N 145
Cleave, The. Hpdn —6E 88
Cleland Rd. Chal P —9A 158
Clement Pl. Tring —3M 101
Clement Rd. Chesh —9J 133
Clements End Rd. Stud & Gad R —4G 84
Clement's Rd. Chor —7G 147
Clements St. Ware —6J 95
Clevedon Rd. Lut —7K 47
Cleveland Cres. Borwd —7C 152
Cleveland La. N9 —9F 156
Cleveland Rd. Hem I —9D 106
Cleveland Rd. Mark —2A 86
Cleveland Way. Hem I —9D 106
Cleves Rd. Hem H —6D 106
Cleviscroft. Stev —5L 51
Clewer Cres. Harr —8E 162
Clifford Ct. Bis S —1J 79
Clifford Cres. Lut —4N 45
Clifford Rd. N9 —8G 157
Clifford Rd. Barn —5A 154
Clifton Av. N3 —8M 165
Clifton Av. Stan —9J 163
Clifton Clo. Chesh —2J 145
Clifton Ct. Hem H —4N 123
Clifton Gdns. Bald —3M 23
Clifton Gdns. Enf —6K 155
Clifton Hatch. H'low —9C 118
Clifton Rd. Dunst —8D 44
Clifton Rd. Lut —9D 46
Clifton Rd. Wat —7K 149
Clifton St. St Alb —1F 126
Clifton Way. Borwd —3A 152
Clifton Way. Ware —4H 95
Climb, The. Rick —8L 147
Clinton Av. Lut —5H 47
Clinton End. Hem H —2E 124
Clitheroe Gdns. Wat —3M 161
Clive Clo. Pot B —4M 141
Clive Ct. Lut —8G 47
Clive Pde. N'wd —7G 160
Clive Rd. Enf —6E 156
Clive Way. Enf —6E 156
Clive Way. Wat —3L 149
Clock Pde. Enf —7B 156
Cloister Gdns. Edgw —5C 164
Cloister Garth. Berk —1N 121
Cloister Garth. St Alb —6F 126
Cloister Lawn. Let —7F 22
Cloisters Rd. Let —7F 22
Cloisters Rd. Lut —6L 45
Cloisters, The. Bush —8C 150
Cloisters, The. Hem H —5C 124
Cloisters, The. H Reg —3F 44 (off Sycamore Rd.)
Cloisters, The. Rick —9A 148
Cloisters, The. Wat —6L 149
Cloisters, The. Wel G —9K 91
Cloister Wlk. Hem H —9N 105
Clonard Way. Pinn —6B 162
Closemead Clo. N'wd —6E 160
Close, The. N20 —2M 165
Close, The. Bald —4L 23
Close, The. Brk P —8L 129
Close, The. Bush —8C 150
Close, The. Cod —7F 70
Close, The. E Barn —8E 154
Close, The. Hpdn —3L 87
Close, The. Harr —9D 162
Close, The. Hinx —7F 4
Close, The. Lut —4C 46
Clo., The. Mark —2A 86
Close, The. Pot B —5N 141
Close, The. Rad —6G 139
Close, The. Rick —1L 159
Close, The. R'ton —6F 8
Close, The. Rush —5K 25
Close, The. St Alb —5D 126
Close, The. Stev —9J 35
Close, The. Ware —6J 95
Clothall Rd. Bald —3M 23
Clovelly Gdns. Enf —9C 156
Clovelly Way. Stev —2G 50
Clover Av. Bis S —2D 78
Clover Clo. Lut —6K 45
Cloverfield. H'low —9C 118
Cloverfield. Wel G —6M 91
Cloverland. Hat —3F 128
Clover Way. Hem H —1L 123
Cloyster Wood. Edgw —7L 163
Clump, The. Rick —7L 147
Clusterbolts. Stfrd —1M 93
Clydach Rd. Enf —6D 156
Clyde Rd. Hod —9A 116
Clydesdale. Enf —6H 157
Clydesdale Av. Stan —9L 163
Clydesdale Clo. Borwd —7D 152
Clydesdale Ct. Lut —6K 45
Clydesdale Path. Borwd —7D 152 (off Clydesdale Clo.)
Clydesdale Rd. Lut —6K 45
Clydesdale Rd. R'ton —7E 8
Clyde Sq. Hem H —6B 106
Clyde St. Hert —9E 94
Clyfton Clo. Brox —5K 133
Clyston Rd. Wat —8H 149
Coach Dri. Hit —5N 33
Coachman's La. Bald —3K 23
Coalport Clo. H'low —7E 118
Coanwood Cotts. Ware —3B 96
Coates Dell. Wat —6N 137
Coates Rd. Els —9L 151
Coates Way. Wat —6M 137
Cobbett Clo. Enf —9G 145
Cobbetts Ride. Tring —3L 101
Cobb Grn. Wat —5K 137
Cobbins Way. H'low —2G 119
Cobblers Wick. W'grv —5A 60
Cobb Rd. Berk —1K 121
Cob Clo. Borwd —7D 152
Cobden Hill. Rad —9J 139
Cobden St. Lut —8G 47
Cobham Rd. Ware —5K 95
Cobmead. Hat —7H 111
Cockbush Av. Hert —8F 94
Cockernhoe La. Lut —7M 47
Cocker Rd. Enf —9F 144
Cockfosters Pde. Barn —6F 154
Cockfosters Rd. Pot B & Barn —8C 142
Cock Grn. H'low —8L 117
Cock Gro. Berk —1F 120
Cockhall Clo. Lit —4H 7
Cockhall La. Lit —4H 7
Cock La. Hod —1F 132
Cockle Way. Shenl —6M 139
Cockrobin La. H'low —7K 97
Codicote Dri. Wat —7M 137
Codicote Heights. Welw —7H 71
Codicote Ho. Stev —9J 35 (off Coreys Mill La.)
Codicote Rd. Welw —8G 70
Codicote Rd. Wheat & Ay P —6L 89
Codicote Rd. W'wll —2N 69
Codicote Row. Hem H —5D 106
Codmore Wood Rd. Che —6A 134
Codmore Wood Rd. Lat —6A 134
Coe's All. Barn —6L 153
Cogdells Clo. Chart —9A 120
Cogdells La. Chart —9A 120
Coke's La. Chal G —4A 146
Colborne Ho. Wat —8G 149
Colburn Av. Pinn —6N 161
Colchester Rd. Edgw —7C 164
Colchester Rd. N'wd —9J 161
Cold Christmas La. Thun —1H 95
Coldham Gro. Enf —1J 157
Coldharbour Ho. Wat —9N 137
Coldharbour La. Bush —8C 150
Coldharbour La. Hpdn —3C 88
Coldharbour Rd. H'low —7J 117
Colebrook Av. Lut —2M 45
Coledale Dri. Stan —8K 163
Cole Grn. By-Pass. Hert —3E 112
Cole Grn. Ho. Wel G —2M 111
Cole Grn. La. Wel G —2M 111
Coleman Grn. La. Wheat —3K 109
Colemans Rd. B Grn —8E 48
Coleridge Clo. Hit —2B 34
Coleridge Clo. Wal X —9D 132
Coleridge Ct. Hpdn —6C 88
Coleridge Ct. New Bar —7A 154 (off Station Rd.)
Coleridge Cres. Hem H —5D 106
Cole Rd. Wat —3K 149
Colesdale. Cuff —3K 143
Coles Grn. Bush —1D 162
Coles Hill. Hem H —9K 105
Colestrete. Stev —5M 51
Colestrete Clo. Stev —4N 51
Coleswood Rd. Hpdn —8D 88
Colesworth Ho. Edgw —9C 164 (off Burnt Oak B'way.)
Colet Rd. Wend —9B 100
Colgrove. Wel G —1J 111
Colindale Av. NW9 —9E 164
Colindale Av. St Alb —4G 126
Colindale Bus. Pk. NW9 —9C 164
Colin Rd. Lut —7H 47
College Av. Harr —8F 162
College Clo. Bis S —1F 78
College Clo. Flam —6D 86
College Clo. Harr —7F 162
College Clo. Ware —7H 95
College Ct. Chesh —3G 145
College Ct. Enf —6G 156
College Gdns. E4 —9M 157
College Gdns. Enf —3B 156
College Hill Rd. Harr —7F 162
College La. Hat —2E 128 (in two parts)
College Pl. St Alb —2D 126
College Rd. Ab L —4H 137
College Rd. Ast C —6B 80
College Rd. Chesh —3G 144
College Rd. Enf —4B 156
College Rd. Har W —8F 162
College Rd. Hert H —4G 115
College Rd. Hod —6K 115
College Rd. St Alb —3J 127
College Sq. H'low —6N 117
College St. St Alb —2E 126
College Ter. N3 —9M 165
College Way. N'wd —6F 160
College Way. Wel G —8K 91
Collens Rd. Hpdn —1C 108
Collenswood Rd. Stev —5A 52
Collett Clo. Chesh —1H 145
Collett Gdns. Chesh —1H 145
Collett Rd. Hem H —2M 123
Collett Rd. Ware —5H 95
Colleyland. Chor —6G 146
Collier Dri. Edgw —9A 164
Collingdon Ct. Lut —9F 46
Collingdon St. Lut —9F 46
Collings Wells Clo. Cad —4A 66
Collingtree. Lut —5K 47
Collingwood Ct. New Bar —7A 154
Collingwood Ct. R'ton —6D 8
Collingwood Dri. Lon C —7L 127
Collins Av. Stan —9M 163
Collins Clo. H Reg —5E 44
Collins Cross. Bis S —8K 59
Collins Cross Rd. H'low —2N 119
Collins Grn. R'ton —1C 26
Collins Meadow. H'low —6L 117
Collins Wood Residential Pk. Cad —3A 66
Collinwood Av. Enf —5G 156
Collison Clo. Hit —9C 22
Collyer Rd. Lon C —9L 127
Colman Ct. Stan —6J 163
Colman Pde. Enf —5C 156
Colmer Pl. Harr —7E 162
Colmore Rd. Enf —6G 157
Colnbrook Clo. Lon C —9M 127
Colne Av. Rick —2K 159
Colne Av. Wat —8K 149
Colne Bri. Retail Pk. Wat —7M 149
Colne Gdns. Lon C —9M 127
Colne Mead. Rick —2K 159
Colne Rd. N21 —9B 156
Colne Way. Hem H —6B 106
Colne Way. Wat —9M 137
Colne Way Ind. Est. Wat —1M 149
Colney Heath La. St Alb —3M 127
Colonade, The. Chesh —1H 145
Colonel's Wlk. Enf —5N 155
Colonial Bus. Pk. Wat —3L 149
Colonial Way. Wat —3L 149
Colonnade, The. Let —5F 22 (off Eastcheap)
Colonsay. Hem H —4E 124
Colston Cres. G Oak —9N 131
Colt Hatch. H'low —5L 117
Colts Corner. Stev —5A 52
Colts Croft. Gt Chi —2H 17
Coltsfield. Stans —1N 59
Coltsfoot. Wel G —2A 112
Coltsfoot Dri. R'ton —7E 8
Coltsfoot Grn. Lut —4K 45
Coltsfoot Rd. Ware —4J 95
Coltsfoot, The. Hem H —3H 123
Colts, The. Bis S —5G 79
Columbia Av. Edgw —8B 164
Columbus Clo. Stev —2N 51
Columbus Gdns. N'wd —8J 161
Colville Rd. N9 —9F 156
Colvin Gdns. Wal X —8H 145
Colwell Ct. Lut —7N 47
Colwell Rise. Lut —7N 47
Colwyn Clo. Stev —2H 51
Colyer Clo. Welw —4M 91
Combe Ho. Wat —8G 149
Combe Rd. R'ton —2M 13
Combe Rd. Wat —8H 149
Combe St. Hem H —2M 123
Comet Clo. Wat —7H 137
Comet Rd. Hat —9F 110

Comet Way—Cross Rd.

Comet Way. Hat —1E 128
Commerce Way. Let —5F 22
Common Field. Wig —5B 102
Commonfields. H'low —5A 118
Common Gdns. Pott E —8E 104
Common Ga. Rd. Chor —7G 147
Common La. Hpdn —2E 88
Common La. Hit —8K 19
Common La. Kim —7J 69
Common La. K Lan —1B 136
Common La. Let H & Rad —3F 150
Common La. R'ton —7K 17
Commonmeadow La. Wat —7C 138
Common Rise. Hit —1A 34
Common Rd. Chor —6G 146
Common Rd. Dunst —4C 84
Common Rd. Kens —7E 64
Common Rd. Stan —4E 162
Common Rd. Stot —4F 10
Commonside Rd. H'low —9B 118
Commons La. Hem H —1A 124
Commons, The. Wel G —3N 111
Common, The. Berk —8C 104
Common, The. Chfd —5J 135
Common, The. Hpdn —3K 87
Common, The. Hat —8G 110
Common, The. K Lan —1C 136
Common, The. Stan —3G 163
Common View. Let —3G 22
Common View Sq. Let —4G 23
Common Wharf. Ware —6J 95
(off Star St.)
Compass Point. N'chu —8J 103
Comp Ga. Eat B —2J 63
Comp, The. Eat B —2J 63
Compton Av. Lut —5N 45
Compton Clo. Edgw —7C 164
Compton Gdns. St Alb —8C 126
Compton Pl. Wat —3N 161
Compton Rd. N21 —9M 155
Compton Rd. Wend —9B 100
Compton Ter. N21 —9M 155
Comreddy Clo. Enf —3N 155
Comyne Rd. Wat —9H 137
Comyns, The. Bush —1D 162
Concorde Dri. Hem H —2N 123
Concorde St. Lut —9H 47
Concord Rd. Enf —7F 156
Concourse, The. NW9 —8E 164
Conduit La. Enf —9J 157
Conduit La. Gt Hor —1E 40
Conduit La. Hod —8L 115
Conduit La. E. Hod —8M 115
Coney Clo. Hat —2H 129
Coneydale. Wel G —7K 91
Coney Green. Saw —4F 98
Conical Corner. Enf —4A 156
Conifer Clo. Stev —2C 52
Conifer Clo. Wal X —2D 144
Conifer Ct. Bis S —9H 59
Conifer Gdns. Enf —8C 156
Conifers, The. Wat —8L 137
Conifer Wlk. Stev —2B 52
Coningesby Dri. Wat —3G 148
Coningsby Bank. St Alb —6E 126
Coningsby Clo. N Mym —6K 129
Coningsby Dri. Pot B —6C 142
Conisbee Ct. N14 —7H 155
Coniston Clo. Hem H —3E 124
Coniston Rd. K Lan —1B 136
Coniston Rd. Lut —4B 46
Connaught Av. E4 —9N 157
Connaught Av. E Barn —9E 154
Connaught Av. Enf —4C 156
Connaught Clo. Enf —4C 156
Connaught Clo. Hem H —9C 106
Connaught Gdns. Berk —7K 103
Connaught Rd. Barn —8K 153
Connaught Rd. Hpdn —5C 88
Connaught Rd. Harr —8G 163
Connaught Rd. Lut —8A 46
Connaught Rd. St Alb —8D 108
Connemara Clo. Borwd —8D 152
Conningsby Ct. Rad —9G 139
Connop Rd. Enf —2H 157
Connors Clo. G Mor —1A 6
Conquerors Hill. Wheat —7M 89
Conquest Clo. Hit —5N 33
Conquest Rd. H Reg —4H 45
Constable Clo. H Reg —4G 45
Constable Ct. Lut —7C 46
Constable Gdns. Edgw —8A 164
Constable Way. Welw —2J 91
Constance Rd. Enf —8C 156
Constantine Clo. Stev —9M 35
Constantine Pl. Bald —2A 24
Convent Clo. Hit —2N 33
Conway Clo. H Reg —4H 45
Conway Clo. Stan —6H 163
Conway Gdns. Enf —2C 156
Conway Ho. Borwd —6C 152
Conway Rd. Lut —8D 46
Conyers, The. H'low —4M 117
Cookfield Clo. Dunst —9B 44
Cook Rd. Stev —2A 52
Cooksaldick La. Saf W —3N 29
Cooks Hole Rd. Enf —2N 155
Cooks Mead. Bush —8C 150
Cook's Meadow. Edl —4J 63
Cooks Spinney. H'low —4C 118
Cooks Vennel. Hem H —9K 105
Cooks Way. Hat —3H 129
Cooks Way. Hit —1A 34
Cook Wlk. Stev —2J 51
Coombe Av. Wend —9A 100
Coombe Clo. Edgw —9N 163
Coombe Dri. Dunst —1B 64
Coombe Gdns. Berk —9K 103
Coombe Hill Rd. Rick —9K 147
Coombehurst Clo. Barn —4E 154
Coombelands Rd. R'ton —5E 8
Coombe Rd. Bush —9D 150
Coombe Rd. R'ton —2M 13
Coombes Rd. Lon C —8K 127
Cooms Wlk. Edgw —8C 164
Cooper Clo. L Ston —1F 20
Coopers Clo. Bis S —3D 78
Cooper's Clo. Kim —8J 69
Coopers Clo. Stev —5C 52
Coopers Cres. Borwd —3C 152
Coopers Field. Let —4D 22
Coopers Grn. La. Hat —5C 110
Coopers Grn. La. St Alb —8M 109
Cooper's Hill. Kim —8J 69
Cooper's La. Pot B —4C 142
Coopers La. Rd. Pot B —4C 142
Coopers Meadow. Redb —9J 87
Coopers Rd. Pot B —3B 142
Coopers Wlk. Chesh —1H 145
Cooters End La. Hpdn & Lut —3N 87
Copenhagen Clo. Lut —1N 45
Copinger Wlk. Edgw —8B 164
Copley Rd. Stan —5K 163
Copmans Wick. Chor —7G 146
Coppens, The. Stot —7G 10
Copper Beech Clo. Hem H —5J 123
Copper Beeches. Hpdn —6C 88
Copper Beeches. Welw —9K 71
Copper Ct. Saw —5G 98
Copperfields. R'ton —7C 8
Copperfields. Wel G —1B 112
Copperfields Clo. H Reg —5G 45
Copperidge. Ger X —5C 158
Coppermill Ct. W Hyd —7J 159
Coppermill La. Rick & Hare —7H 159
Copperwood. Hert —9D 94
Coppice Clo. Hat —3F 128
Coppice Clo. Stan —6G 162
Coppice Hatch. H'low —8N 117
Coppice Mead. Stot —7E 10
Coppice, The. Enf —6N 155
Coppice, The. Hem H —1D 124
Coppice, The. New Bar
(off Gt. North Rd.) —8A 154
Coppice, The. Wat —8L 149
Coppice, The. Wig —5A 102
Coppice Wlk. N20 —3N 165
Coppings, The. Hod —5L 115
Coppins Clo. Berk —1K 121
Coppins, The. Harr —6F 162
Coppins, The. Mark —2N 85
Copse Clo. N'wd —9E 160
Copse Hill. H'low —9L 117
Copse Hill. Welw —8N 71
Copse, The. Bis S —9L 59
Copse, The. Hem H —9H 105
Copse, The. Hert —9E 94
Copse, The. Wat —5N 137
Copse Way. Che —9E 120
Copse Way. Lut —1N 45
Copsewood Rd. Wat —3K 149
Copse Wood Way. N'wd —8D 160
Copthall Clo. Chal P —7C 158
Copthall Clo. Gt Hal —4N 79
Copthall Corner. Chal P —7B 158
Copthall Dri. NW7 —7G 164
Copthall Gdns. NW7 —7G 165
Copthall La. Chal P —7B 158
Copthorne. Lut —6M 47
Copthorne Av. Brox —2K 133
Copthorne Clo. Crox G —7B 148
Copthorne Rd. Crox G —8B 148
Coral Clo. Eat B —2J 63
Coral Gdns. Hem H —1B 124
Corals Mead. Wel G —1K 111
Coram Clo. Berk —2N 121
Coran Clo. N9 —9H 157
Corbar Clo. Barn —3C 154
Corbridge Dri. Lut —7N 47
Corby Clo. St Alb —7B 126
Corby Cres. Enf —6K 155
Cordell Clo. Chesh —1J 145
Corder Clo. St Alb —5B 126
Cordons Clo. Chal P —8A 158
Coreys Mill La. Stev —9H 35
Corfe Clo. Hem H —3A 124
Corinium Gdns. Lut —1C 46
Corinium Ga. St Alb —4B 126
Cornbury Rd. Edgw —7L 163
Corncastle Path. Lut —2F 66
Corncastle Rd. Lut —2E 66
Corncrake Clo. Lut —4L 47
Corncroft. Hat —7H 111
Cornel Clo. Lut —1C 66
Cornel Ct. Lut —1C 66
Corner Clo. Let —5E 22
Cornerfield. Hat —6H 111
Corner Hall. Hem H —4M 123
(in two parts)
Corner Hall Av. Hem H —4N 123
Corner Mead. NW9 —7F 164
Corners. Wel G —8N 91
Corner View. N Mym —6J 129
Corner Wood. Mark —2N 85
Cornfield Cres. N'chu —7H 103
Cornfield Rd. N21 —7L 155
Cornfield Rd. Bush —6C 150
Cornfields. Hem H —3L 123
Cornish Ct. N9 —9F 156
Corn Mead. Wel G —6J 91
Cornmill. Wal A —6M 145
Cornwall Av. N3 —7N 165
Cornwall Clo. Wal X —6J 145
Cornwall Ct. Pinn —7A 162
Cornwall Ho. Bis S —4G 78
Cornwall Rd. Hpdn —5C 88
Cornwall Rd. Pinn —7A 162
Cornwall Rd. St Alb —4F 126
Coronation Av. R'ton —8C 8
Coronation Rd. Bis S —3G 79
Coronation Rd. Ware —5H 95
Corporate Ho. Har W —8F 162
Corringham Ct. St Alb —1G 126
Corton Clo. Stev —1H 51
Cory-Wright Way. Wheat —6M 89
Cosgrove Way. Lut —8N 45
Cosy Corner. Ast C —1C 100
Cotefield. Lut —6M 45
Cotesmore Rd. Hem H —3H 123
Cotlandswick. Lon C —7K 127
Cotman Gdns. Edgw —9A 164
Cotney Croft. Stev —6C 52
Cotsmoor. St Alb —2G 126
(off Granville Rd.)
Cotswold. Hem H —8A 106
Cotswold Av. Bush —8D 150
Cotswold Clo. St Alb —6K 109
Cotswold Farm Bus. Pk. Cad —6N 65
Cotswold Gdns. Lut —2M 45
Cotswold Grn. Enf —6L 155
Cotswolds. Hat —2G 129
Cotswold Way. Enf —5L 155
Cottage Clo. Crox G —8B 148
Cottage Clo. Wat —4H 149
Cottered Rd. Thro —1C 38
Cotterells. Hem H —2M 123
Cotterells Hill. Hem H —2M 123
Cotton Dri. Hert —8F 94
Cotton La. Stev —8H 53
Cottonmill Cres. St Alb —3E 126
Cottonmill La. St Alb —4E 126
Cotton Rd. Pot B —4B 142
Coulser Clo. Hem H —8K 105
Coulson Ct. Lut —9A 46
Coulter Clo. Cuff —9J 131
Council Rd. Bis S —1K 79
Counters. Tring —2L 101
Counters Clo. Hem H —2K 123
Countess Clo. Hare —9M 159
Countisbury Av. Enf —9D 156
County Ga. New Bar —8A 154
Coupees Path. Lut —9G 46
Coursers Rd. Lon C —9A 128
Courtaulds. Chfd —3L 135
Court Dri. Dunst —8E 44
Court Dri. Stan —4M 163
Courtenay Av. Harr —7D 162
Courtenay Gdns. Harr —9D 162
Courtens M. Stan —7K 163
Courtfield Clo. Brox —2L 133
Courtfields. Hpdn —6E 88
Court Ho. Gdns. N3 —6N 165
Courthouse Rd. N12 —6N 165
Courtland Av. NW7 —2D 164
Courtlands Clo. Wat —8G 137
Courtlands Dri. Wat —1G 149
Courtleigh Av. Barn —2B 154
Court, The. Wheat —7L 89
Courtway, The. Wat —2N 161
Courtyard M. Chap E —3C 94
Courtyards, The. Wat —9F 148
Courtyard, The. Bis S —1H 79
Courtyard, The. St Alb —2N 127
Covell Ct. Enf —2L 155
(off Ridgeway, The)
Covent Garden Clo. Lut —6B 46
Coventry Clo. Stev —9N 35
Coverack Clo. N14 —8H 155
Coverdale. Hem H —8A 106
Coverdale. Lut —3L 45
Coverdale Clo. Stan —5J 163
Coverdale Ct. Enf —1J 157
Covert Clo. N'chu —8H 103
Covert Rd. N'chu —7H 103
Covert, The. N'wd —8E 160
Covert Way. Barn —4B 154
Covey's La. Saw —2A 98
Cowards La. Cod —8F 70
Cowbridge. Hert —9A 94
Cowdray Clo. Lut —6L 47
Cowdrey Clo. Enf —4C 156
Cowland Av. Enf —6G 157
Cow La. Bush —8B 150
Cow La. Edl —3J 63
Cow La. Tring —2B 102
Cow La. Wat —9L 137
Cowles. Chesh —9D 132
Cowley Hill. Borwd —1A 152
Cowlins. H'low —2F 118
Cowper Ct. Mark —2N 85
Cowper Ct. Wat —1J 149
Cowper Cres. Hert —7N 93
Cowper Gdns. N14 —8G 155
Cowper Rise. Mark —2N 85
Cowper Rd. Berk —1M 121
Cowper Rd. Hpdn —6C 88
Cowper Rd. Hem H —4L 123
Cowper Rd. Mark —2N 85
Cowper Rd. Wel G —2M 111
Cowper St. Lut —3G 66
Cowpers Way. Tew —2C 92
Cowridge Cres. Lut —9J 47
Cowslip Clo. R'ton —8F 8
Cowslip Hill. Let —4E 22
Cox Clo. Shenl —5N 139
Coxfield Clo. Hem H —3A 124
Cox La. M Hud —5F 76
Cox's Way. Arl —6A 10
Coyney Grn. Lut —8E 46
Cozens La. E. Brox —4K 133
Cozens La. W. Brox —4J 133
Cozens Rd. Ware —4K 95
Crabbles Clo. Hit —3M 33
Crabb's La. Stock P —3A 42
Crab La. Ald —8C 138
Crabtree Clo. Bush —7C 150
Crabtree Clo. Hem H —4N 123
Crabtree Ct. Hem H —4A 124
Crabtree Ct. New Bar —6A 154
Crabtree Dell. Let —8J 23
Crabtree La. Bald —5L 23
Crabtree La. Hpdn —7C 88
(in two parts)
Crabtree La. Hem H —4N 123
Crab Tree La. Pir —7E 20
Crab Tree Rd. Kneb —4M 71
Crabtree Way. Dunst —8E 44
Crackley Meadow. Hem H —6D 106
Craddock Rd. Enf —5D 156
Cradock Rd. Lut —8K 45
Craft Way. Stpl M —3C 6
Cragg Av. Rad —9G 138
Cragside. Stev —1B 72
Craigavon Rd. Hem H —7B 106
Craiglands. St Alb —7L 109
Craigmore Ct. N'wd —7G 160
Craig Mt. Rad —8J 139
Craigs Wlk. Chesh —1H 145
Craigweil Clo. Stan —5L 163
Craigweil Dri. Stan —5L 163
Craigwell Av. Rad —8J 139
Crailey Av. Enf —4D 156
Crakers Mead. Wat —5K 149
Cramwell Gdns. Bis S —8L 59
Cranborne Av. Hit —4L 33
Cranborne Av. Pot B —3L 141
Cranborne Clo. Hert —3A 114
Cranborne Clo. Pot B —4L 141
Cranborne Ct. Enf —9H 145
Cranborne Ct. Stev —9H 35
(off Ingleside Dri.)
Cranborne Cres. Pot B —4L 141
Cranborne Gdns. Wel G —1M 111
Cranborne Ind. Est. Pot B —3L 141
Cranborne Pde. Pot B —4K 141
Cranborne Rd. Chesh —5H 145
Cranborne Rd. Hat —8H 111
Cranborne Rd. Hod —7M 115
Cranborne Rd. Pot B —3K 141
Cranbourne Dri. Hpdn —9D 88
Cranbourne Dri. Hod —4N 115
Cranbourne Rd. N'wd —9H 161
Cranbrook Clo. Ware —4H 95
Cranbrook Dri. Lut —1N 45
Cranbrook Dri. St Alb —2M 127
Cranbrook Rd. Barn —8C 154
Cranefield Dri. Wat —5N 137
Crane Mead. Ware —6J 95
Cranes Way. Borwd —7C 152
Cranfield Cres. Cuff —2K 143
Cranfield Dri. NW9 —7E 164
Cranford Ct. Hpdn —6D 88
Cranford Ct. Hert —8L 93
Cranleigh Clo. Chesh —1E 144
Cranleigh Gdns. N21 —7M 155
Cranleigh Gdns. Lut —6E 46
Cranmer Clo. Pot B —3B 142
Cranmer Clo. Stan —7K 163
Cranmer Ct. N3 —9L 165
Cranmere Ct. Enf —4M 155
Cranmer Ho. K Lan —2C 136
Cranmer Rd. Edgw —3B 164
Cranmore Ct. St Alb —1G 126
(off Avenue Rd.)
Cranwich Av. N21 —9B 156
Cravells Rd. Hpdn —9C 88
Crawford Rd. Hat —7G 110
Crawley Clo. S End —7E 66
Crawley Dri. Hem H —7B 106
Crawley Grn. Rd. Lut —8L 47
Crawley Rd. Enf —9C 156
Crawley Rd. Lut —1H 67
Crawley's La. Wig —7C 102
Creamery Ct. Let —8J 23
Creasey Pk. Dri. Dunst —7C 44
Creasy Clo. Ab L —4H 137
Crecy Gdns. Redb —9J 87
Creighton Av. St Alb —6E 126
Crescent E. Barn —2B 154
Crescent Rise. Barn —7D 154
Crescent Rise. Lut —9H 47
Crescent Rd. N3 —8M 165
Crescent Rd. N9 —9E 156
Crescent Rd. Barn —6C 154
Crescent Rd. Bis S —2J 79
Crescent Rd. Enf —6N 155
Crescent Rd. Hem H —2N 123
Crescent Rd. Lut —9H 47
Crescent, The. Ab L —3H 137
Crescent, The. A'ham —2C 150
Crescent, The. Ard —7L 37
Crescent, The. Barn —4A 154
Crescent, The. Brick W —3B 138
Crescent, The. Cad —5B 66
Crescent, The. Cot —3B 38
Crescent, The. Crox G —8D 148
Crescent, The. H'low —9E 98
Crescent, The. Hit —1L 33
Crescent, The. Let —6G 23
Crescent, The. Mars —6M 81
Crescent, The. Pit —3A 82
Crescent, The. St I —7A 34
Crescent, The. Wat —6L 149
Crescent, The. Welw —3J 91
Crescent W. Barn —3B 154
Cressingham Rd. Edgw —6D 164
Cresswell. NW9 —9F 164
Cresswell Gdns. Lut —9D 30
Cresswell Way. N21 —9M 155
Cresswick. W'wll —1M 69
Cresta Clo. Dunst —7K 45
Crest Dri. Enf —2G 156
Crest Pk. Hem H —1E 124
Crest, The. Dunst —8H 45
Crest, The. G Oak —9N 131
Crest, The. Lut —2D 46
Crest, The. Saw —5F 98
Crest, The. Ware —4H 95
Crest, The. Welw —8K 71
Creswick Ct. Wel G —1K 111
Crew Curve. Berk —7K 103
Crews Hill. Enf —7L 143
Crib St. Ware —5H 95
Cricketers Arms Rd. Enf —4A 156
Cricketers Clo. N14 —9H 155
Cricketers Clo. St Alb —1F 126
Cricketer's Rd. Arl —8A 10
Cricketers Rd. Enf —4A 156
Cricketfield La. Bis S —9F 58
Crispin Field. Pit —3A 82
Crispin Rd. Edgw —6C 164
Criss Gro. Chal P —9A 158
Croasdaile Rd. Stans —1N 59
Croasdale Clo. Stans —1N 59
Crocus Field. Barn —8M 153
Croft Clo. NW7 —3E 164
Croft Clo. Chfd —3K 135
Croft Ct. Hit —3M 33
Croft End Rd. Chfd —3K 135
Crofters. Saw —4G 98
Crofters End. Saw —4G 98
Crofters Rd. N'wd —4G 161
Croft Field. Chfd —3K 135
Croft Field. Hat —9G 110
Croft Grn. Dunst —9C 44
Croft La. Chfd —3K 135
Croft La. Let —2G 22
Croft Meadow. Chfd —3K 135
Croft Meadows. Ched —9M 61
Crofton Way. Barn —8A 154
Crofton Way. Enf —4M 155
Croft Rd. Chal P —9A 158
Croft Rd. Enf —3J 157
Croft Rd. Lut —6K 47
Croft Rd. Ware —5G 95
Crofts Path. Hem H —4C 124
Crofts, The. Hem H —3D 124
Crofts, The. Stot —6F 10
Croft, The. Barn —6L 153
Croft, The. Brox —5J 133
Croft, The. Lut —1N 45
Croft, The. St Alb —7B 126
Croft, The. W'side —3B 96
Croft, The. Wel G —3M 111
(in two parts)
Croft Wlk. Brox —5J 133
Croftwell. Hpdn —7G 88
Crokesley Ho. Edgw —9C 164
(off Burnt Oak B'way.)
Cromarty Rd. Edgw —2B 164
Cromer Clo. L Gad —1B 104
Cromer Rd. New Bar —6B 154
Cromer Rd. Wat —2L 149
Cromer Way. Lut —2F 46
Crompton Rd. Stev —3G 51
Cromwell Av. Chesh —3E 144
Cromwell Clo. Bis S —1D 78
Cromwell Clo. Chal G —3A 158
Cromwell Clo. St Alb —6L 109
Cromwell Ct. Enf —7H 157
Cromwell Grn. Let —3H 23
Cromwell Hill. Lut —8F 46
Cromwell Rd. Bar C —7E 18
Cromwell Rd. Borwd —3M 151
Cromwell Rd. Chesh —1F 144
Cromwell Rd. Hert —8D 94
Cromwell Rd. Let —3H 23
Cromwell Rd. Lut —8F 46
Cromwell Rd. Stev —4B 52
Cromwell Rd. Ware —6K 95
Cromwell Way. Pir —7E 20
Crooked Mile. Wal A —6N 145
Crooked Usage. N3 —9L 165
Crookhams. Wel G —7N 91
Crop Comn. Hat —7H 111
Crosbie. NW9 —9F 164
Crosby Clo. Dunst —2F 64
Crosby Clo. Lut —7C 46
Crossbrook. Hat —1E 128
Crossbrook St. Wal X —4H 145
Crossett Grn. Hem H —4E 124
Crossfell Rd. Hem H —3E 124
Crossfield Clo. Berk —1K 121
Crossfield Rd. Hod —6M 115
Crossfields. St Alb —5C 126
Cross Ga. Edgw —3A 164
Crossgates. Stev —4L 51
Crosslands. Cad —5A 66
Cross La. Hpdn —1C 108
Cross La. Hert —9N 93
Cross Lanes. Chal P —5B 158
Cross Lanes Clo. Chal P —5C 158
Crossleys. Let —1F 22
Crossmead. Wat —8K 149
Cross Oak Rd. Berk —2L 121
Crossoaks La. Borwd & S Mim —8D 140
Crosspath. Rad —8H 139
Crosspaths. Hpdn —3L 87
Cross Rd. Enf —6C 156
Cross Rd. Hert —8A 94

Cross Rd.—Dolphin Yd.

Cross Rd. Wal X —6J 145
Cross Rd. Wat —8N 149
Cross Rd. W'stone —9H 163
Cross St. Let —4F 22
Cross St. Lut —9G 46
Cross St. St Alb —2E 126
Cross St. Ware —6J 95
Cross St. Wat —5L 149
Cross St. N. Dunst —8D 44
Crossway. Enf —9C 156
Cross Way. Hpdn —4D 88
Cross Way. Pinn —9K 161
Crossway. Wel G —5J 91
Crossways. N21 —8A 156
Crossways. Bar —3C 16
Crossways. Berk —2K 121
Crossways. Hem H —2D 124
Crossways. H Reg —4F 44
Cross Way, The. Harr —9F 162
Cross Way, The. Lut —3E 66
Crosthwaite Ct. Hpdn —5C 88
Crouch Ct. H'low —4M 117
Crouchfield. Hem H —3L 123
Crouchfield. Hert —6A 94
Crouchfield La. Chap E —3C 94
Crouch Hall Gdns. Redb —9J 87
Crouch Hall La. Redb —9J 87
Crouch La. G Oak —1A 144
Crowborough Path. Wat —4M 161
Crow Furlong. Hit —4L 33
Crowland Gdns. N14 —9K 155
Crowland Rd. Lut —4L 47
Crown Clo. NW7 —2F 164
Crown Clo. Srng —7L 99
Crownfield. Brox —3L 133
Crown Ga. H'low —6N 117
Crown La. N14 —9H 155
Crown Lodge. Arl —8A 10
Crown Pde. N14 —9H 155
Crown Pas. Wat —6L 149
Crown Rise. Wat —7L 137
Crown Rd. Borwd —3A 152
Crown Rd. Enf —5E 156
Crown Rose Ct. Tring —3M 101
Crown St. Redb —1K 107
Crown Ter. Bis S —1J 79
Crowshott Av. Stan —9K 163
Croxdale Rd. Borwd —4N 151
Croxden Clo. Edgw —9A 164
Croxley View. Wat —8G 149
Croxton Clo. Lut —2C 46
Croyland Rd. N9 —9E 156
Crozier Av. Bis S —9E 58
Crunell's Grn. Pres —4M 49
Crusader Way. Wat —8H 149
Cuba Dri. Enf —4G 156
Cubbington Clo. Lut —2C 46
Cubitt Clo. Hit —3C 34
Cubitts Clo. Welw —4M 91
Cublands. Hert —9F 94
Cuckmans Dri. St Alb —7B 126
Cuckoo Hall La. N9 —9G 156
Cuckoo Hall Rd. N9 —9G 157
Cuckoo Hill. Pinn —9L 161
Cuckoo's Nest. Lut —1J 67
Cucumber La. Ess —2D 130
Cuffley Av. Wat —7M 137
Cuffley Cen. Cuff —2K 143
Cuffley Clo. Lut —5B 46
Cuffley Ct. Hem H —6E 106
Cuffley Hill. G Oak —2L 143
Culgaith Gdns. Enf —6K 155
Cullera Clo. N'wd —6H 161
Cullinet Ho. Borwd —4D 152
Culloden Rd. Enf —4N 155
Culver Ct. M Hud —7J 77
Culverden Rd. Wat —3K 161
Culver Gro. Stan —9K 163
Culverhouse Rd. Lut —5E 46
Culverlands Clo. Stan —4J 163
Culver Rd. St Alb —1F 126
Culworth Clo. Cad —5A 66
Cumberland Clo. Pim —6G 125
Cumberland Ct. Hod —7L 115
Cumberland Ct. St Alb —1E 126
Cumberland Dri. Redb —9K 87
Cumberland Gdns. NW4 —8K 165
Cumberland St. H Reg —5E 44
Cumberland St. Lut —2G 67
Cumberlow Pl. Hem H —3E 124
Cumbria Clo. H Reg —4H 45
Cunard Cres. N21 —8B 156
Cundalls Rd. Ware —5J 95
Cunningham Av. Enf —9J 145
Cunningham Av. St Alb —4G 127
Cunningham Ct. Chesh —1J 145
Cunningham Hill Rd. St Alb —4G 127
Cunningham Rd. Chesh —9J 133
Cupid Grn. La. Hem H —3A 106
Curie Gdns. NW9 —9E 164
Curlew Clo. Berk —2N 121
Curlew Clo. Let —2E 22
Curlew Ct. Brox —5K 133
Curlew Rd. Lut —4L 47
Currie St. Hert —9C 94
Curry Rise. NW7 —6K 165
Curteys. H'low —1F 118
Curthwaite Gdns. Enf —6J 155
Curtis Clo. Rick —1K 159
Curtis Cotts. Ash G —6K 121
Curtis Rd. Hem H —3F 124
Curtis Way. Berk —2A 122
Curtlington Ho. Edgw —9C 164
(off Burnt Oak B'way.)
Curzon Av. Enf —7H 157
Curzon Av. Stan —8H 163
Curzon Ga. Ct. Wat —3J 149
Curzon Rd. Lut —8E 46
Cussans Ho. Wat —8G 149
Cussons Clo. Chesh —2E 144
Cusworth Wlk. Dunst —8B 44
Cusworth Way. Dunst —8B 44
Cutenhoe Rd. Lut —4G 67
Cutforth Rd. Saw —4G 98
Cuthbert Clo. Chesh —2D 144
Cutlers Grn. Lut —7A 48
Cutmore Dri. Col H —4B 128
Cut Throat Av. Dunst —9A 64
Cut Throat La. Bre P —9L 29
Cutthroat La. Hod —6J 115
Cuttsfield Ter. Hem H —3J 123
Cutts La. Kim —7L 69
Cuttys La. Stev —4L 51
Cwmbran Ct. Hem H —7B 106
Cyclers Thicket. Welw —1J 91
Cygnet Clo. Borwd —3C 152
Cygnet Clo. N'wd —6E 160
Cygnet Ct. Bis S —2H 79
Cypress Av. Enf —8M 143
Cypress Clo. Wal A —7N 145
Cypress Rd. Harr —9E 162
Cypress Wlk. Wat —8K 137
Cyprus Av. N3 —9L 165
Cyprus Gdns. N3 —9L 165
Cyprus Rd. N3 —9M 165
Cyrils Way. St Alb —5E 126

Dacorum Way. Hem H —2M 123
Dacre Cres. Kim —7K 69
Dacre Gdns. Borwd —7D 152
Dacre Grn. R'ton —7F 8
Dacre Rd. Hal —7D 100
Dacre Rd. Hit —2A 34
Dagger La. Els —8H 151
Daggs Dell Rd. Hem H —9H 105
Dagnall Rd. Dunst —6N 63
Dagnall Rd. Gt Gad —8D 84
Dagnalls. Let —9F 22
Dagnall Way. Edl —8K 63
Dahlia Clo. Lut —6K 47
Daintrees. Wid —3H 97
Daintry Lodge. N'wd —7H 161
Dairy M. Wat —7J 149
Dairy Way. Ab L —2H 137
Dalby Clo. Lut —6L 45
Dale Av. Edgw —8N 163
Dale Av. Wheat —2J 89
Dale Clo. Dunst —8J 45
Dale Clo. Hit —6N 33
Dale Clo. New Bar —8A 154
Dale Clo. Pinn —8K 161
Dale Ct. Saw —6F 98
Dale Rd. Dunst —8J 45
Dale Rd. Lut —1E 66
Daleside Dri. Pot B —6M 141
Dales Path. Borwd —7D 152
Dales Rd. Borwd —7D 152
Dale, The. Let —6E 22
Dalewood. Hpdn —6E 88
Dalewood. Wel G —1C 112
Dalkeith Gro. Stan —5L 163
Dalkeith Rd. Hpdn —5D 88
Dalling Dri. H Reg —4F 44
Dallow Rd. Lut —9A 46
Dalmeny Rd. New Bar —8B 154
Dalroad Ind. Est. Lut —9D 46
Dalrymple Clo. N14 —9J 155
Dalston Gdns. Stan —8M 163
Dalton Gdns. Bis S —4G 79
Dalton Rd. W'stone —9E 162
Dalton St. St Alb —1E 126
Daltons Wharf. Berk —1A 122
Dalton Way. W'wll —2M 69
Daltry Clo. Stev —8J 35
Daltry Rd. Stev —8J 35
Damask Grn. Hem H —3H 123
Damask Grn. Rd. W'ton —2A 36
Dammersey Clo. Mark —3B 86
Danby Ct. Enf —5A 156
(off Horseshoe La.)
Dancers End La. Tring —3G 101
Dancers Hill Rd. Barn —9J 141
Dancers La. Barn —8J 141
Dancote. Kneb —3M 71
Dane Acres. Bis S —9F 58
Dane Bri. La. M Hud —6L 77
Danebridge Rd. M Hud —6K 77
Dane Clo. Hpdn —3D 88
Dane Clo. Stot —4F 10
Dane Ct. Hert —9C 94
Dane End Ho. Stev —9J 35
(off Coreys Mill La.)
Dane End La. Hit —6D 36
Dane End Rd. H Cro —4H 75
Danefield Rd. Pir —7D 20
Dane Ho. N14 —9J 155
Dane Ho. Bis S —9F 58
Daneland. Barn —8E 154
Danemead. Hod —5L 115
Dane O'Coys Rd. Bis S —8F 58
Dane Pk. Bis S —9F 58
Dane Rd. Bar C —8F 18
Dane Rd. Lut —7D 46
Danesbury Pk. Hert —8B 94
Danesbury Park Cvn. Site. Welw —8K 71
Danesbury Pk. Rd. Welw —9H 71
Danescroft. Let —2F 22
Danesgate. Stev —5K 51
Daneshill Ho. Stev —4K 51
(off Danestrete.)
Danes, The. Park —1D 138
Dane St. Bis S —1J 79
(in two parts)
Danestrete. Stev —4K 51
Daniel Ct. NW9 —8E 164
Daniells. Wel G —8N 91
Danleigh Ct. N14 —9J 155
Dansbury La. Welw —8K 71
Danvers Croft. Tring —1A 102
Danvers Dri. Lut —9E 30
Danziger Way. Borwd —3C 152
Darby Dri. Wal A —6N 145
Darby Dri. Welw —5L 71
Darcy Clo. Chesh —4J 145
Darkes La. Pot B —5M 141
Dark La. Chesh —3E 144
Dark La. Hpdn —8E 88
Dark La. Haul —4C 54
Dark La. Oving —5A 60
Dark La. S'don —2N 25
Dark La. Ware —4K 95
Darley Croft. Park —1C 138
Darley Rd. N9 —9D 156
Darley Rd. B Grn —8C 48
Darley Rd. Lut —8C 48
Darnhills. Rad —8G 139
Darnicle Hill. Chesh —7L 131
Darrington Rd. Borwd —3M 151
Darr's La. N'chu —9H 103
Dartford Av. N9 —8G 157
Dart, The. Hem H —6C 106
Darwin Clo. Hem H —5D 106
Darwin Clo. St Alb —7F 108
Darwin Gdns. Wat —5L 161
Darwin Rd. Stev —3A 52
Dashes, The. H'low —5A 118
Datchet Clo. Hem H —6D 106
Datchworth Ct. Enf —7C 156
Datchworth Turn. Hem H —2E 124
Davenham Av. N'wd —5H 161
Daventer Dri. Stan —7G 163
Davies St. Hert —9C 94
Davis Ct. St Alb —2F 126
Davis Cres. Pir —6E 20
Davison Clo. Chesh —1H 145
Davison Dri. Chesh —1H 145
Davis Row. Arl —8A 10
Davys Clo. Wheat —8M 89
Dawes La. Sarr —1H 147
Dawley. Wel G —6M 91
(in three parts)
Dawley Ct. Hem H —7C 106
Dawlish Clo. Stev —1B 72
Dawlish Rd. Lut —6B 46
Daws Hill. E4 —4N 157
Daws La. NW7 —5F 164
Daw's La. Buck —3J 27
Dawson Ter. N9 —9G 156
Dayemead. Wel G —3A 112
Days Clo. Hat —9F 110
Day's Clo. R'ton —8C 8
Days Mead. Hat —9F 110
Deacon Clo. St Alb —6E 126
Deacons Clo. Els —6A 152
Deacons Clo. Pinn —9K 161
Deacons Ct. Lut —9F 46
Deaconsfield Rd. Hem H —5N 123
Deacons Heights. Els —8A 152
Deacons Hill. Borwd —8A 152
Deacons Hill. Wat —8L 149
Deacon's Hill Rd. Els —6N 151
Deacons Way. Hit —1L 33
Deadfield La. Hert —4E 112
Deadhearn La. Chal G —1B 158
Deadman's Ash La. Sarr —9L 135
Dead Woman's La. Hit —2K 49
Deakin Clo. Wat —9G 149
Deamer Ho. Ger X —5B 158
Deanacre Clo. Chal P —6B 158
Dean Ct. Edgw —6B 164
Dean Ct. Wat —6M 137
Deancroft Rd. Chal P —6B 158
Dean Dri. Stan —9M 163
Deane Ct. N'wd —8G 161
Dean Field. Bov —9D 122
Dean La. Hem H —6J 85
Dean Moore Clo. St Alb —3E 126
Deansbrook Clo. Edgw —7C 164
Deansbrook Rd. Edgw —7B 164
Deans Clo. Ab L —5F 136
Deans Clo. Edgw —6C 164
Deans Clo. Tring —2M 101
Deanscroft. Kneb —3M 71
Deans Dri. NW7 —5D 164
Deans Dri. Edgw —5D 164
Deans Furlong. Tring —2M 101
Dean's Gdns. St Alb —7H 109
Deans La. Edgw —6C 164
Deans Meadow. Dagn —2N 83
Deans Way. Edgw —5C 164
Deansway. Hem H —5B 124
Dean, The. W'grv —5A 60
Dean Wlk. Edgw —6C 164
Dean Way. Ast C —2E 100
Deard's End La. Kneb —3M 71
Deards La. Welw —5H 71
Deards Wood. Kneb —3M 71
Dearne Clo. Stan —5H 163
Debenham Ct. Barn —7J 153
Debenham Rd. Chesh —9F 132
De Bohun Av. N14 —8G 154
Deborah Lodge. Edgw —8B 164
Debussy. NW9 —9F 164
Deepdene. Pot B —4K 141
Deepdene Ct. N21 —8N 155
Deep Denes. Lut —7J 47
Deeping Clo. Kneb —4M 71
Deer Clo. Hert —9D 94
Deerfield Clo. Ware —5H 95
Deerings, The. Hpdn —1B 108
Deerleap Gro. E4 —7M 157
Deer Pk. H'low —9K 117
Deer Pk. Wlk. Che —9J 121
Deerswood Av. Hat —2H 129
Dee, The. Hem H —6B 106
Deeves Hall La. Ridge —6E 140
Defiant. NW9 —9F 164
(off Further Acre)
De Havilland Clo. Hat —8F 110
De Havilland Ct. Shenl —5M 139
De Havilland Rd. Edgw —9B 164
De Havilland Way. Ab L —5H 137
Deimos Dri. Hem H —8C 106
Delahay Rise. Berk —8M 103
Delamare Rd. Chesh —3J 145
Delamere Gdns. NW7 —6D 164
Delamere Rd. Borwd —3B 152
Delfcroft. Ware —5G 94
Delfield Gdns. Cad —4A 66
Delhi Rd. Enf —9D 156
Delius Clo. Els —8K 151
Dell Clo. Hpdn —4C 88
Dellcot Clo. Lut —4K 47
Dellcott Clo. Wel G —8J 91
Dell Ct. N'wd —7F 160
Dellcroft Way. Hpdn —9B 88
Dell Cut Rd. Hem H —9C 106
Dellfield. St Alb —3G 127
Dellfield. Wad —8H 75
Dellfield Av. Berk —8M 103
Dellfield Clo. Berk —8L 103
Dellfield Clo. Rad —8G 138
Dellfield Clo. Wat —4J 149
Dellfield Ct. H'low —2E 118
Dellfield Ct. Lut —7M 47
Dellfield Rd. Hat —9G 110
Dell La. Bis S —1J 79
Dell La. L Hall —8J 79
Dellmeadow. Ab L —3G 136
Dell Meadow. Hem H —6A 124
Dellmont Rd. H Reg —4E 44
Dellors Clo. Barn —7K 153
Dell Rise. Park —8C 126
Dell Rd. Enf —2G 157
Dell Rd. H Reg —4E 44
Dell Rd. N'chu —7H 103
Dell Rd. Wat —1J 149
Dells Clo. E4 —9M 157
Dellside. Wat —1J 149
Dellsome La. Col H —5E 128
(in two parts)
Dellsprings. Bunt —2J 39
Dells, The. Bis S —1H 79
(off South St.)
Dells, The. Hem H —3D 124
Dellswood Clo. Hert —1C 114
Dell, The. Bald —5L 23
Dell, The. Cad —5A 66
Dell, The. Chal P —6B 158
Dell, The. Hert —3A 114
Dell, The. Lut —8A 48
Dell, The. Mark —2N 85
Dell, The. N'wd —2G 160
Dell, The. Pinn —9M 161
Dell, The. Rad —9H 139
Dell, The. R'ton —8C 8
Dell, The. St Alb —9H 109
Dell, The. Stev —4L 51
Dell, The. Welw —3N 91
Dellwood Clo. Rick —1L 159
Delmar Av. Hem H —3F 124
Delmerend La. Flam —5E 86
Delphine Clo. Lut —2D 66
Delroy Ct. N20 —9B 154
Delta Gain. Wat —2M 161
Demontfort Rise. Ware —4G 94
Denbigh Clo. Hem H —3A 124
Denbigh Rd. Lut —7D 46
Denby. Let —7H 23
Denby Grange. H'low —6G 118
Dencora Way. Lut —1L 45
Dendridge Clo. Enf —1F 156
Dene Gdns. Stan —5K 163
Dene La. Ast —7C 52
Dene Rd. N'wd —6E 160
Denes, The. Hem H —7B 124
Denewood. New Bar —7B 154
Denewood Clo. Wat —1H 149
Denham Clo. Hem H —6C 106
Denham Clo. Lut —1A 46
(in three parts)
Denham La. Chal P —6C 158
Denham Wlk. Chal P —6C 158
Denham Way. Borwd —3D 152
Denham Way. Rick & Den —6H 159
Denleigh Gdns. N21 —9M 155
Denmark Clo. Lut —9A 30
Denmark St. Wat —4K 149
Dennis Clo. Ast C —2F 100
Dennis Gdns. Stan —5K 163
Dennis La. Stan —3J 163
Dennison Pl. Lut —2G 67
Dennis Pde. N14 —9J 155
Denny Av. Wal A —7N 145
Denny Ct. Bis S —7K 59
Denny Ga. Chesh —9K 133
Denny Rd. N9 —9F 156
Denny's La. Berk —3K 121
Densley Clo. Wel G —7K 91
Denton Clo. Barn —7J 153
Denton Clo. Lut —5L 45
Denton Rd. Stev —5L 51
Dents Clo. Let —8J 23
Derby Av. Harr —8E 162
Derby Ho. Pinn —9M 161
Derby Lodge. N3 —9M 165
Derby Rd. Enf —7F 156
Derby Rd. Hod —9A 116
Derby Rd. Lut —7M 45
Derby Rd. Wat —5L 149
(in two parts)
Derby Way. Stev —1A 52
Derwent Av. NW7 —6D 164
Derwent Av. Barn —9E 154
Derwent Av. Lut —2D 46
Derwent Av. Pinn —6N 161
Derwent Cres. Stan —9K 163
Derwent Dri. Dunst —3F 64
Derwent Rd. Hpdn —3L 87
Derwent Rd. Hem H —3E 124
Derwent Rd. Lut —9J 47
Desborough Clo. Hert —6A 94
Desborough Dri. Tew —2B 92
Desborough Rd. Hit —2C 34
Desmond Ho. Barn —8D 154
Desmond Rd. Wat —9H 137
De Tany Ct. St Alb —3E 126
Deva Clo. St Alb —4B 126
Devereux Dri. Wat —2G 149
De Vere Wlk. Wat —4G 149
Devil's La. Hert —3N 131
Devoils La. Bis S —1H 79
Devon Ct. St Alb —3F 126
Devon Rd. Lut —1J 67
Devon Rd. Wat —3M 149
Devonshire Clo. Stev —9N 51
Devonshire Ct. Pinn —8A 162
(off Devonshire Rd.)
Devonshire Cres. NW7 —7K 165
Devonshire Gdns. N21 —9A 156
Devonshire Rd. N9 —9G 157
Devonshire Rd. NW7 —7K 165
Devonshire Rd. Hpdn —5C 88
Devonshire Rd. Pinn —8A 162
Dewars Clo. Welw —1J 91
Dewes Grn. Rd. Ber —1B 42
Dewgrass Gro. Wal X —8H 145
Dewhurst Rd. Chesh —2F 144
Dewpond Clo. Stev —1J 51
Dewsbury Rd. Lut —3D 46
Dexter Clo. Lut —9D 30
Dexter Rd. Barn —8K 153
Dexter Rd. Hare —9M 159
Dialmead. Ridge —6F 140
Diamond Rd. Wat —2J 149
Dianne Way. Barn —6D 154
Dickens Clo. Chesh —8E 132
Dickens Clo. St Alb —1E 126
Dickens Ct. Hem H —5D 106
Dicket Mead. Welw —2J 91
Dickinson Av. Crox G —8C 148
Dickinson Sq. Crox G —8C 148
Dickson. Chesh —9D 132
Dig Dag Hill. Chesh —9D 132
Digswell Clo. Borwd —2A 152
Digswell Ct. Wel G —7L 91
Digswell Hill. Welw —6G 91
Digswell Ho. Wel G —5K 91
Digswell Ho. M. Wel G —5K 91
Digswell La. Wel G —5M 91
Digswell Pk. Rd. Wel G —4K 91
(in two parts)
Digswell Pl. Wel G —6J 91
Digswell Rise. Wel G —7K 91
Digswell Rd. Wel G —7K 91
Dimmocks La. Sarr —9L 135
Dimsdale Cres. Bis S —3K 79
Dimsdale Dri. Enf —8E 156
Dimsdale St. Hert —9A 94
Dinant Link Rd. Hod —7L 115
Dingle Clo. Barn —8F 152
Dingles Ct. Pinn —8M 161
Dinmore. Bov —1C 134
Dinsdale Gdns. New Bar —7A 154
Dione Rd. Hem H —8B 106
Dishforth La. NW9 —7E 164
Dison Clo. Enf —3H 157
Ditchfield Rd. Hod —5L 115
Ditchling Clo. Lut —6L 47
Ditchmore La. Stev —3K 51
Ditton Grn. Lut —6N 47
Divot Pl. Hert —8F 94
Dixies Clo. A'wl —1C 12
Dixon Pl. Bunt —3J 39
Dixons Hill Clo. N Mym —7H 129
Dixons Hill Rd. N Mym —7H 129
Dobbin Clo. Harr —9H 163
Dobbins La. Wend —9A 100
Dobb's Weir Rd. Hod —9A 116
Docklands. Pir —7E 20
Doctor's Commons Rd. Berk —1M 121
Dodd's La. Pic E —7M 105
Dodgen La. Bis S —8G 43
Dodwood. Wel G —1A 112
Doggetts Courts. Barn —7D 154
Doggetts Way. St Alb —4D 126
Doggetts Wood La. Chal G —5A 146
Dog Kennel La. Chor —6J 147
Dog Kennel La. Hat —8G 111
Dog Kennel La. R'ton —7D 8
Dognell Grn. Wel G —8H 91
Dolesbury Dri. Welw —8L 71
Dolley Gro. Stans —3N 59
Dollis Av. N3 —8M 165
Dollis Brook Wlk. Barn —8L 153
Dolliscroft. NW7 —7L 165
Dollis M. N3 —8N 165
Dollis Pk. N3 —8M 165
Dollis Rd. NW7 & N3 —7L 165
Dollis Valley Way. Barn —8M 153
Dolphin Dri. H Reg —4H 45
Dolphin Sq. Tring —3M 101
Dolphin Way. Bis S —9J 59
Dolphin Yd. Hert —9B 94
Dolphin Yd. St Alb —3E 126
(off Holywell Hill)
Dolphin Yd. Ware —6H 95

178 A-Z Hertfordshire

Domitian Pl.—Elm Dri.

Domitian Pl. Enf —7D 156
Doncaster Clo. Stev —1B 52
Doncaster Grn. Wat —5L 161
Doncaster Rd. N9 —9F 156
Donkey La. Enf —4E 156
Donkey La. Tring —3K 101
Donnefield Av. Edgw —7M 163
Doo Lit. La. Tot —3M 63
Doolittle Meadows. Hem H —7A 124
Dorant Ho. St Alb —7E 108
Dorchester Av. Hod —6L 115
Dorchester Clo. Dunst —8E 44
Dorchester Ct. N14 —9G 155
Dorchester Ct. Wat —8N 149
(off Chalk Hill)
Dordans Rd. Lut —5A 46
Dorel Clo. Lut —7H 47
Dormans Clo. N'wd —7F 160
Dormer Clo. Barn —7K 153
Dormers. Bov —9H 123
Dormie Clo. St Alb —9D 108
Dorriens Croft. Berk —7K 103
Dorrington Clo. Lut —8E 46
Dorrofield Clo. Crox G —7E 148
Dorset Clo. Berk —9K 103
Dorset Ct. Lut —2H 67
(off Kingsland Rd.)
Dorset Dri. Edgw —6N 163
Dorset Ho. Bis S —1H 79
(off Portland Rd.)
Dorset M. N3 —8N 165
Douglas Av. Wat —1M 149
Douglas Clo. Stan —5H 163
Douglas Cres. H Reg —6D 44
Douglas Dri. Stev —1N 51
Douglas Gdns. Berk —9K 103
Douglas Rd. Hpdn —5A 88
Douglas Rd. Lut —7C 46
Douglas Way. Wel G —9B 92
Dove Clo. Bis S —5G 78
Dove Clo. Stans —2N 59
Dove Ct. Hat —1G 129
Dovedale. Lut —3G 46
Dovedale. Stev —5A 52
Dovedale. Ware —4G 94
Dovedale Clo. Hare —9M 159
Dovehouse Clo. Edl —4K 63
Dovehouse Croft. H'low —4C 118
Dovehouse Hill. Lut —7K 47
Dovehouse La. Kens —9F 64
Dovehouse La. Stev —8F 36
Dove La. Pot B —7A 142
Dove Pk. Chor —8E 146
Dove Pk. Pinn —7B 162
Dover Clo. Lut —6C 46
Dovercourt Gdns. Stan —5M 163
Doverfield. G Oak —2A 144
Dover Way. Crox G —6E 148
Dowding Pl. Stan —6H 163
Dower Ct. Hit —5N 33
(off London Rd.)
Dowling Ct. Hem H —5N 123
Downage. NW4 —9J 165
Downalong. Bush —1E 162
Downe Clo. R'ton —7C 8
Down Edge. Redb —1H 107
Downedge. St Alb —1C 126
Downer Dri. Sarr —9K 135
Downes Ct. N21 —9M 155
Downes Rd. St Alb —7J 109
Downfield Clo. Hert H —2G 114
Downfield Rd. Chesh —4J 145
Downfield Rd. Hert H —2G 114
Downfields. Wel G —2H 111
Down Grn. La. Wheat —7J 89
Downhall Ley. Bunt —3J 39
Downhurst Av. NW7 —5D 164
Downhurst Ct. NW4 —9J 165
Downings Wood. Rick —5G 159
Downland Clo. N20 —9B 154
Downlands. Bald —2N 23
Downlands. Lut —2M 45
Downlands. R'ton —7C 8
Downlands. Stev —2C 52
Downlands Ct. Lut —7K 45
Downlands Pk. Homes. Pep —8E 66
Downsfield. Hat —3H 129
Downside. Hem H —1A 124
Downs Rd. Dunst —9G 44
Downs Rd. Enf —6C 156
Downs Rd. Lut —1E 66
Downs, The. H'low —6A 118
Downs, The. Hat —2G 128
Downs View. Lut —5N 45
Downton Ct. Lut —9F 46
Dowry Wlk. Wat —1H 149
Drakes Clo. Chesh —1H 145
Drakes Dri. N'wd —8D 160
Drakes Dri. St Alb —5J 127
Drakes Dri. Stev —2A 52
Drake St. Enf —3B 156
Drakes Way. Hat —2H 129
Drapers' Cottage Homes. NW7
(in two parts) —4G 165
Drapers M. Lut —8E 46
Drapers Rd. Enf —4N 155
Drapers Way. Stev —2J 51
Draymans Clo. Bis S —3D 78
Drayton Av. Pot B —5L 141
Drayton Ford. Rick —2K 159
Drayton Gdns. N21 —9N 155
Drayton Hollow. Tring —6K 101
Drayton Rd. Borwd —6A 152
Drayton Rd. Lut —6J 45
Drew Av. NW7 —6L 165
Drey, The. Chal P —5B 158
Driffield Ct. NW9 —8E 164
(off Pageant Av.)
Drift Way. Bunt —9M 13
Driftway. Reed —8J 15
Driftway, The. Hem H —2B 124
Driftwood Av. St Alb —8B 126
Driver's End La. Cod —4F 70
Drive, The. N3 —7N 165
Drive, The. Chal P —7B 158
Drive, The. Chesh —9F 132
Drive, The. Edgw —5B 164
Drive, The. Enf —3B 156
Drive, The. G Oak —1N 143
Drive, The. H'low —5A 118
Drive, The. Hpdn —6B 88
Drive, The. Hert —7A 94
Drive, The. H Bar —5L 153
Drive, The. Hod —6L 115
Drive, The. L Buzz —7E 62
Drive, The. Naps —7H 127
Drive, The. New Bar —8B 154
Drive, The. N'wd —8G 161
Drive, The. Pot B —5M 141
Drive, The. Rad —7J 139
Drive, The. Rick —7L 147
Drive, The. Saw —5G 98
Drive, The. St Alb —4K 127
Drive, The. Wat —1G 148
Drive, The. Welw —7N 71
Drive, The. Wheat —9J 69
Driveway, The. Cuff —1K 143
Driveway, The. Hem H —3L 123
Dromey Gdns. Harr —7G 162
Drop La. Brick W —4C 138
Drover La. Bis S —2G 42
Drovers Way. Bis S —3E 78
Drovers Way. Dunst —8C 44
Drovers Way. Hat —6H 111
Drovers Way. St Alb —2E 126
Drummond Dri. Stan —7G 163
Drummond Ride. Tring —1M 101
Drury Clo. H Reg —4F 44
Drury La. H Reg —4F 44
Drury La. Hun —6G 97
Dryburgh Gdns. NW9 —9A 164
Drycroft. Wel G —4L 111
Dryden Cres. Stev —1A 52
Dryden Rd. Enf —8C 156
Dryden Rd. Harr —8G 163
Dryfield Rd. Edgw —6C 164
Drysdale Av. E4 —9M 157
Drysdale Clo. N'wd —7G 160
Dubbs Knoll Rd. G Mor —1A 6
Dubrae Clo. St Alb —4B 126
Duchess Clo. Bis S —1D 78
Duchess Ct. Dunst —8F 44
Duchy Rd. Barn —2C 154
Ducketts La. M Hud —7N 77
Ducketts Mead. Roy —5E 116
Ducketts Wharf. Bis S —2H 79
Ducketts Wood. Thun —9H 75
Duck La. B'tn —5J 53
Duck Lees La. Enf —6J 157
Duckling La. Saw —5G 99
Duckmore La. Tring —5K 101
Ducks' Grn. Ther —7D 14
Duck's Hill Rd. N'wd & Ruis —8D 160
Du Cros Dri. Stan —6L 163
Dudley Av. Harr —9K 163
Dudley Av. Wal X —5H 145
Dudley Hill Clo. Welw —8L 71
Dudley Rd. N3 —9N 165
Dudley St. Lut —9G 46
Dudswell Corner. Dud —6G 103
Dudswell La. Dud —6H 103
Dudswell Mill. Dud —6G 103
Dugdale Ct. Hit —1K 33
Dugdale Hill La. Pot B —6L 141
Dugdales. Crox G —6C 148
Dukes Av. N3 —8N 165
Duke's Av. Edgw —6N 163
Dukes Av. Kens —8B 64
Duke's La. Hit —2N 33
Dukes Ride. Bis S —9E 58
Dukes Ride. Lut —8F 46
(off Knights Field)
Duke St. Hod —7L 115
Duke St. Lut —9G 47
Duke St. Wat —5L 149
Dukes Way. Berk —8L 103
Dulwich Way. Crox G —7C 148
Dumbarton Av. Wal X —7H 145
Dumfries Clo. Wat —3H 161
Dumfries Ct. Lut —2F 66
(off Dumfries St.)
Dumfries St. Lut —2F 66
Dunblane Clo. Edgw —2B 164
Duncan Clo. Barn —6B 154
Duncan Clo. Wel G —1L 111
Duncan Ct. St Alb —4G 127
Duncan Way. Bush —4A 150
Duncombe Clo. Hert —7A 94
Duncombe Clo. Lut —3E 46
Duncombe Ct. Dunst —7H 45
Duncombe Dri. Dunst —7H 45
Duncombe Rd. Hert —8A 94
Duncombe Rd. N'chu —8J 103
Dundale Rd. Tring —1L 101
Dunford Ct. Pinn —7A 162
Dunham's La. Let —4H 23
Dunkirk M. Hert —2B 114
Dunlin. Let —2E 22
Dunlin Rd. Hem H —6A 106
Dunmow Ct. Lut —7F 46
Dunmow Rd. Bis S —1J 79
Dunmow Rd. L Hall —1N 79
Dunn Clo. Stev —6L 51
Dunn Mead. NW9 —7F 164
Dunnock Clo. Borwd —6A 152
Dunny La. Chfd —5H 135
Dunraven Dri. Enf —4M 155
Dunsby Rd. Lut —3C 46
Dunsley Pl. Tring —3N 101
Dunsmore Clo. Bush —8E 150
Dunsmore Rd. Lut —2D 66
Dunsmore Way. Bush —8E 150
Dunstable Clo. Lut —8C 46
Dunstable Ct. Lut —8B 46
Dunstable Pl. Lut —1F 66
Dunstable Rd. Dagn —2N 83
Dunstable Rd. Dunst & Cad
(Downside) —3J 65
Dunstable Rd. Dunst —3L 63
(Eaton Bray)
Dunstable Rd. Dunst —1C 44
(Houghton Regis)
Dunstable Rd. Flam —6H 87
Dunstable Rd. H Reg —6E 44
Dunstable Rd. Kens —4C 64
Dunstable Rd. Lut & Cad —7L 45
Dunstable Rd. Redb —8J 87
Dunstable Rd. Tot —1N 63
Dunstable St. Mark —8M 65
Dunstall Rd. Bar C —9E 18
Dunstalls. H'low —9J 117
Dunster Clo. Barn —6K 153
Dunster Clo. Hare —8L 159
Dunster Rd. Hem H —5D 106
Dunsters Mead. Wel G —2N 111
Dunston Hill. Tring —2M 101
Dunton La. Big —1A 4
Durants Pk. Av. Enf —6H 157
Durants Rd. Enf —6G 157
Durban Rd. E. Wat —6J 149
Durban Rd. W. Wat —6J 149
Durbar Rd. Lut —8C 46
Durham Clo. Stan A —1M 115
Durham Clo. Saw —6E 98
Durham Ho. Borwd —4A 152
(off Canterbury Rd.)
Durham Rd. Borwd —5C 152
Durham Rd. Lut —9J 47
Durham Rd. Stev —9N 35
Durler Gdns. Lut —3F 66
Durrant Ct. Har W —9F 162
Durrants Dri. Crox G —5E 148
Durrants Hill Rd. Hem H —5N 123
Durrants La. Berk —1J 121
Durrants Path. Che —9E 120
Durrants Rd. Berk —9K 103
Dury Rd. Barn —3M 153
Duxford Clo. Lut —2D 46
Duxons Turn. Hem H —1D 124
Dwight Rd. Wat —9G 148
Dyers Rd. Eat B —1J 63
Dyes La. Hit —5E 50
Dyke La. Wheat —9L 89
Dylan Clo. Els —9L 151
Dylan Ct. H Reg —4F 44
Dymoke Grn. St Alb —7H 109
Dymoke M. Stev —1J 51
Dymokes Way. Hod —5L 115
Dyrham La. Barn —9G 141
Dyson Ct. Wat —7L 149
Dysons Clo. Wal X —6H 145
Eagle Clo. Enf —6G 157
Eagle Clo. Lut —5K 45
Eagle Ct. Bald —2L 23
Eagle Ct. Hert —8F 94
Eagle Dri. NW9 —9E 164
Eagle Way. Hat —2G 128
Ealing Clo. Borwd —3D 152
Earls Clo. Bis S —2F 78
Earls Ct. Dunst —8F 44
Earls Hill Gdns. R'ton —7C 8
Earls La. S Mim —5E 140
Earlsmead. Let —8F 22
Earls Meade. Lut —8F 46
Earl St. Wat —5L 149
Easedale Clo. Dunst —2F 64
Easington Rd. D End —1C 74
Easingwold Gdns. Lut —9B 46
E. Barnet Rd. Barn —6C 154
Eastbourne Av. Stev —3G 50
Eastbrook Av. N9 —9G 157
Eastbrook Way. Hem H —2A 124
E. Burrowfield. Wel G —2K 111
Eastbury Av. Enf —3D 156
Eastbury Av. N'wd —5H 161
Eastbury Ct. New Bar —7B 154
(off Lyonsdown Rd.)
Eastbury Ct. St Alb —1G 126
Eastbury Ct. Wat —9L 149
Eastbury Pl. N'wd —5H 161
Eastbury Rd. N'wd —6G 160
Eastbury Rd. Wat —9K 149
Eastcheap. Let —5F 22
East Clo. Barn —6F 154
East Clo. Hit —1B 34
East Clo. St Alb —7C 126
East Clo. Stev —4M 51
East Comn. Redb —2J 107
Eastcote Dri. Hpdn —9E 88
Eastcott Clo. Lut —8M 47
East Cres. Enf —7D 156
East Dri. Naps —9H 127
East Dri. N'wd —2G 161
East Dri. Oakl —1M 127
East Dri. Saw —6G 98
East Dri. Wat —9K 137
East End. H Reg —4F 44
E. End Farm. Pinn —9A 162
East End Rd. N3 & N2 —9N 165
E. End Way. Pinn —9N 161
Eastern Av. Dunst —9G 45
Eastern Av. Henl —1K 21
Eastern Av. Wal X —6J 145
Eastern Way. Let —3G 22
Eastfield Av. Wat —3M 149
Eastfield Clo. Lut —5L 47
Eastfield Ct. St Alb —8L 109
Eastfield Pde. Pot B —5C 142
Eastfield Rd. Enf —2H 157
Eastfield Rd. R'ton —7E 8
Eastfield Rd. Wal X —4K 145
E. Flint. Hem H —1J 123
East Gate. H'low —5N 117
Eastgate. Stev —5K 51
Eastglade. N'wd —5H 161
Eastglade. Pinn —9A 162
East Grn. Hem H —7B 124
Easthall Ho. Stev —9J 35
(off Coreys Mill La.)
Eastham Clo. Barn —7M 153
East Hill. Lut —3D 46
Easthill Rd. H Reg —4F 44
Eastholm. Let —3G 22
Eastholm Grn. Let —3G 22
East La. Abb L —1J 137
East La. Wheat —6L 89
Eastlea Av. Wat —1N 149
E. Lodge La. Enf —9J 143
Eastman Way. Hem I —8C 106
East Mead. Wel G —3A 112
E. Mimms. Hem H —1A 124
Eastmoor Ct. Hpdn —9D 88
Eastmoor Pk. Hpdn —8D 88
East Mt. Wheat —6L 89
Eastnor. Bov —1D 134
Easton Gdns. Borwd —6E 152
Eastor. Wel G —6N 91
East Pk. H'low —3E 118
East Pk. Saw —6G 98
E. Reach. Stev —7N 51
E. Ridgeway. Cuff —1K 143
E. Riding. Tew —2C 92
East Rd. Barn —9F 154
East Rd. Bis S —1K 79
East Rd. Edgw —8B 164
East Rd. Enf —2G 157
East Rd. H'low —2D 118
East St. Hem H —2N 123
East St. Lil —8M 31
East St. Ware —6H 95
East View. Barn —4M 153
East View. Ess —8E 112
East View. St I —8C 34
East Wlk. E Barn —9F 154
East Wlk. H'low —5N 117
Eastwick Cres. Rick —2J 159
Eastwick Hall La. H'low —9K 97
Eastwick Rd. H'low —2L 117
Eastwick Rd. Hun & Stan A —8G 96
Eastwick Row. Hem H —3C 124
E. Wing. N'chu —7H 103
Eastwood Ct. Hem H —1C 124
Easy Way. Lut A —1M 67
Eaton Bray Rd. Eat B —1J 63
(Honeywick)
Eaton Bray Rd. N'all —4G 62
(Northall)
Eaton Clo. Stan —4J 163
Eaton Ga. N'wd —6E 160
Eaton Grn. Rd. Lut —9L 47
Eaton Ho. Bis S —9K 59
Eaton Pk. Eat B —2K 63
Eaton Pl. Lut —8M 47
Eaton Rd. Enf —6C 156
Eaton Rd. Hem H —8D 106
Eaton Rd. St Alb —2J 127
Eaton Valley Rd. Lut —8K 47
Ebberns Rd. Hem H —5N 123
Ebenezer St. Lut —2F 66
Ebury App. Rick —1N 159
Ebury Clo. N'wd —5E 160
Ebury Rd. Rick —1N 159
Ebury Rd. Wat —5L 149
Eccleston Clo. Cockf —6E 154
Echo Hill. R'ton —8C 8
Eddiwick Av. H Reg —2G 44
Eddy St. Berk —9L 103
Edenbridge Rd. Enf —8C 156
Edenhall Clo. Hem H —3F 124
Edens Clo. Bis S —1K 79
Edens Mt. Saw —3H 99
Edgars Ct. Wel G —1L 111
Edgbaston Dri. Shenl —5M 139
Edgbaston Rd. Wat —3K 161
Edgecote Clo. Cad —5A 66
Edgecott Clo. Lut —9D 30
Edgehill Gdns. Lut —1M 45
Edgewood Dri. Lut —3L 47
Edgeworth Clo. Stev —8B 52
Edgeworth Rd. Cockf —6D 154
Edgwarebury Gdns. Edgw —5A 164
Edgwarebury La. Els & Edgw
(in three parts) —9M 151
Edgware Ct. Edgw —6A 164
Edgware Rd. NW9 —9C 164
Edgware Way. Edgw —1L 163
Edinburgh Av. Rick —8K 147
Edinburgh Cres. Wal X —6J 145
Edinburgh Dri. Ab L —5J 137
Edinburgh Pl. H'low —2C 118
Edinburgh Way. H'low —3N 117
Edington Rd. Enf —4G 157
Edison Rd. Enf —4K 157
Edison Rd. Stev —3A 52
Edith Bell Ho. Ger X —6B 158
Edkins Clo. Lut —4G 46
Edlyn Clo. Berk —9K 103
Edmonds Dri. Stev —5C 52
Edmund Beaufort Dri. St Alb —9F 108
Edmunds Rd. Hert —8L 93
Edmund's Tower. H'low —6M 117
Edrick Rd. Edgw —6C 164
Edrick Wlk. Edgw —6C 164
Edridge Clo. Bush —7D 150
Edulf Rd. Borwd —3B 152
Edward Amey Clo. Wat —9L 137
Edward Clo. N9 —9D 156
Edward Clo. Abb L —5H 137
Edward Clo. St Alb —3G 127
Edward Ct. Chesh —3J 145
Edward Ct. Hem H —6N 123
Edward Gro. Barn —7C 154
Edward Rd. Barn —7C 154
Edwards Ho. Stev —3L 51
Edward St. Dunst —8D 44
Edward St. Lut —8H 47
Edwick Ct. Chesh —2H 145
Edwin Rd. Edgw —6D 164
Edwin Ware Ct. Pinn —9L 161
Edworth Rd. Lang —8A 4
Edwyn Clo. Barn —8J 153
Egdon Dri. Lut —3F 46
Egerton Rd. Berk —8L 103
Eglington Rd. E4 —9N 157
Eight Acres. Tring —2M 101
(in three parts)
Eighth Av. Lut —2N 45
Eisenberg Clo. Bald —2A 24
Elaine Gdns. Wood —7C 66
Elbourn Way. Bass —1N 7
Elbow La. Hert H —8F 114
Elbow La. Stev —9A 52
Eldefield. Let —4D 22
Elderbek Clo. Chesh —2E 144
Elderberry Clo. Lut —5K 47
Elderberry Dri. St I —6A 34
Elderberry Way. Wat —8K 137
Elder Ct. Bush —2F 162
Elderfield. H'low —2F 118
Elder Rd. Ware —4K 95
Elder Way. Stev —6K 51
Eldon Av. Borwd —4A 152
Eldon Rd. Hod —9A 116
Eldon Rd. Lut —7M 45
Eleanor Av. St Alb —9E 108
Eleanor Ct. Dunst —9E 44
Eleanor Cres. NW7 —5K 165
Eleanor Cross Rd. Wal X
(in two parts) —7J 145
Eleanor Gdns. Barn —7K 153
Eleanor Rd. Chal P —8A 158
Eleanor Rd. Hert —8A 94
Eleanor Rd. Wal X —6J 145
Eleanors Ct. Dunst —9E 44
(off Albion St.)
Eleanors Cross. Dunst —9E 44
Eleanor Way. Wal X —7K 145
Elfrida Rd. Wat —7L 149
Elgar Clo. Els —9K 151
Elgar Path. Lut —9G 46
Elgin Av. Harr —9J 163
Elgin Dri. N'wd —7G 161
Elgin Ho. Hit —4A 34
Elgin Rd. Brox —6K 133
Elgin Rd. Chesh —3G 145
Elgood Av. N'wd —6J 161
Eliot Rd. R'ton —5D 8
Eliot Rd. Stev —3B 52
Elizabeth Av. Amer —3A 146
Elizabeth Av. Enf —5N 155
Elizabeth Clo. Barn —5K 153
Elizabeth Clo. Naze —5N 133
Elizabeth Clo. Wel G —9B 92
Elizabeth Ct. Lut —2F 66
(off Chapel St.)
Elizabeth Ct. St Alb —8L 109
(in two parts)
Elizabeth Ct. Wat —2H 149
Elizabeth Dri. Tring —9N 81
Elizabeth Gdns. Stan —6K 163
Elizabeth Ho. Wel G —9B 92
Elizabeth Ride. N9 —9F 156
Elizabeth Rd. Bis S —3G 78
Elizabeth St. Lut —2F 66
Elizabeth Way. H'low —7J 117
Ella Ct. Lut —8H 47
Ellenborough Clo. Bis S —3F 78
Ellenbrook Cres. Hat —9D 110
Ellenbrook La. Hat —9D 110
Ellen Clo. Hem H —1B 124
Ellen Ct. E4 —9N 157
(off Ridgeway, The)
Ellen Friend Ho. Bis S —2K 79
Ellenhall Clo. Lut —8E 46
Ellen M. Hem H —1B 124
Ellerdine Clo. Lut —5D 46
Ellerton Lodge. N3 —9N 165
Ellesborough Clo. Wat —5L 161
Ellesfield. Welw —2H 91
Ellesmere Av. NW7 —3D 164
Ellesmere Clo. Tot —2N 63
Ellesmere Gro. Barn —7M 153
Ellesmere Rd. Berk —1A 122
Ellice. Let —7H 23
Ellingham Clo. Hem H —9C 106
Ellingham Rd. Hem H —1B 124
Elliott Clo. Wel G —3K 111
Elliott Rd. Stan —6H 163
Ellis Av. Chal P —8C 158
Ellis Av. Stev —1L 51
Elliswick Rd. Hpdn —5C 88
Ellwood Ct. Wat —7K 137
Ellwood Gdns. Wat —7L 137
Ellwood Rise. Chal G —2A 158
Elm Av. Cad —4A 66
Elm Av. Wat —9N 149
Elm Bank. N14 —9K 155
Elmbank Av. Barn —6J 153
Elmbridge. H'low —3H 119
Elmbrook Clo. Bis S —4G 78
Elmbrook Dri. Bis S —5G 78
Elmcote. Pinn —9M 161
Elmcote Way. Crox G —8B 148
Elm Ct. Berk —1M 121
Elm Ct. Wat —5K 149
Elmcroft Av. N9 —8F 156
Elm Dri. Chesh —1J 145
Elm Dri. Hat —1G 129
Elm Dri. St Alb —2K 127

Elmer Clo.—Fir Pk.

Elmer Clo. Enf —5L 155
Elmer Gdns. Edgw —7B 164
Elmfield Clo. Pot B —6L 141
Elmfield Ct. Lut —8J 47
Elmfield Rd. Pot B —5L 141
Elm Gdns. Enf —2B 156
Elm Gdns. Wel G —9H 91
Elmgate Gdns. Edgw —5C 164
Elm Grn. Hem H —9H 105
Elm Gro. Berk —1N 121
Elm Gro. Bis S —1K 79
Elm Gro. Wat —1J 149
Elm Hatch. H'low —7B 118
Elm Hatch. Pinn —7A 162
(off Westfield Pk.)
Elmhurst Clo. Bis S —1G 79
Elmhurst Gdns. Shil —2A 20
Elmhurst Rd. Enf —1G 157
Elmoor Av. Welw —2H 91
Elmoor Clo. Welw —3H 91
Elmore Rd. Enf —2H 157
Elmore Rd. Lut —8J 47
Elm Pk. Bald —3M 23
Elm Pk. Stan —5J 163
Elm Pk. Clo. H Reg —3G 44
Elm Pk. Ct. Pinn —9L 161
Elm Pk. Rd. N3 —7M 165
Elm Pk. Rd. N21 —9A 156
Elm Pk. Rd. Pinn —9L 161
Elm Pas. Barn —6M 153
Elm Rd. Barn —6M 153
Elm Rd. Bis S —9G 59
Elmroyd Av. Pot B —6M 141
Elmroyd Clo. Pot B —6M 141
Elms Clo. L Wym —7E 34
Elmscott Gdns. N21 —8A 156
Elmscroft Gdns. Pot B —5M 141
Elmside. Kens —8H 65
Elmside Wlk. Hit —2M 33
Elms Rd. Chal P —7B 158
Elms Rd. Harr —7F 162
Elms Rd. Ware —5L 95
Elmstead Clo. N20 —2N 165
Elms, The. Cod —6F 70
Elms, The. Hert —9E 94
Elmswell Ct. Hert —8L 93
Elm Ter. Harr —8E 162
Elm Ter. Stan —5K 163
Elmtree Av. C'hoe —6N 47
Elm Tree Dri. Bass —1N 7
Elm Tree Wlk. Tring —1M 101
Elm Wlk. Rad —9G 139
Elm Wlk. R'ton —6F 8
Elm Wlk. Stev —6A 52
Elm Way. Rick —1L 159
Elmwood. Saw —6H 99
Elmwood. Wel G —1H 111
Elmwood Av. Bald —4M 23
Elmwood Av. Borwd —6B 152
Elmwood Ct. Bald —3M 23
Elmwood Cres. Lut —5G 46
Elsiedene Rd. N21 —9A 156
Elsinge Rd. Enf —9F 144
Elstree By-Pass. Els —9K 151
Elstree Distribution Pk. Borwd —5D 152
Elstree Hill N. Els —7L 151
Elstree Hill S. Els —9L 151
Elstree Ho. Borwd —4D 152
Elstree Pk. Borwd —8D 152
Elstree Rd. Bush & Borwd —9E 150
Elstree Rd. Hem H —5C 106
Elstree Tower. Borwd —4D 152
Elstree Way. Borwd —5B 152
Elton Av. Barn —7M 153
Elton Ct. Hert —8A 94
Elton Pk. Wat —4J 149
Elton Rd. Hert —8A 94
Elton Way. Wat —5D 150
Elveden Clo. Lut —3G 46
Elvington Gdns. Lut —9D 30
Elvington La. NW9 —8E 164
Elwood. H'low —7G 118
Ely Clo. Hat —8F 110
Ely Clo. Stev —8A 36
Ely Gdns. Borwd —7D 152
Ely Rd. St Alb —3J 127
Ely Way. Lut —5N 45
Ember Ct. NW9 —9F 164
Embleton Rd. Wat —3J 161
Embry Clo. Stan —4H 163
Embry Dri. Stan —6H 163
Embry Way. Stan —5H 163
Emerald Rd. Lut —7J 45
Emerton Ct. N'chu —7J 103
Emerton Garth. N'chu —7J 103
Emmanuel Lodge. Chesh —3G 144
Emmanuel Rd. N'wd —7H 161
Emma Rothschild Ct. Tring —1M 101
Emma's Cres. Stan A —2M 115
Emmer Grn. Lut —7A 48
Emperor Clo. Berk —7K 103
Emperors Ga. Stev —1C 52
Empire Cen. Wat —3L 149
Empress Rd. Lut —5A 46
Emsworth Clo. N9 —9G 156
Endeavour Rd. Chesh —9J 133
Enderby Rd. Lut —2E 46
Enderley Clo. Harr —9F 162
Enderley Rd. Harr —8F 162
Endersby Rd. Barn —7J 153
Endymion Ct. Hat —8J 111
Endymion Rd. Hat —8J 111
Enfield Clo. H Reg —3G 45
Enfield Rd. Enf —6J 155
Engel Pk. NW7 —6J 165
Englands Av. Dunst —6C 44
Englands La. Dunst —9F 44
Englefield. Lut —6J 47
Englefield Clo. Enf —4M 155
Englehurst. Hpdn —6E 88
Enid Clo. Brick W —4A 138
Enjakes Clo. Stev —1A 72
Ennerdale Av. Dunst —1E 64
Ennerdale Av. Stan —9K 163
Ennerdale Clo. St Alb —4J 127
Ennis Clo. Hpdn —9E 88
Ennismore Grn. Lut —8A 48
Enslow Clo. Cad —5A 66
Enstone Rd. Enf —5J 157
Enterprise Cen., The. Pot B —3L 141
Enterprise Cen., The. Stev —2H 51
Enterprise Way. Hem I —9E 106
Enterprise Way. Lut —1D 46
Epping Glade. E4 —8N 157
Epping Grn. Hem H —6C 106
Epping Rd. Roy —6E 116
Epping Way. E4 —8M 157
Epping Way. Lut —1M 45
Ereswell Rd. Lut —2C 46
Erin Clo. Lut —7C 46
Erin Ct. Lut —7C 46
Ermine Clo. Chesh —4F 144
Ermine Clo. R'ton —5D 8
Ermine Clo. St Alb —3B 126
Ermine Ct. Bunt —2J 39
Ermine Point Bus. Pk. Ware —4F 94
Ermine Side. Enf —7E 156
Ermine St. Thun —9H 75
Escarpment Av. Dunst —8A 64
Escot Way. Barn —7J 153
Eskdale. Lon C —9N 127
Eskdale. Lut —4M 45
Eskdale Ct. Hem H —8A 106
Essendon Gdns. Wel G —1M 111
Essendon Hill. Ess —8D 112
Essex Clo. Lut —2H 67
Essex Ct. Lut —2G 67
Essex Ho. Stev —3H 51
Essex La. K Lan —6F 136
Essex Mead. Hem H —5C 106
Essex Pk. N3 —6N 165
Essex Rd. Borwd —5A 152
Essex Rd. Enf —6B 156
Essex Rd. Hod —7M 115
(in two parts)
Essex Rd. Stev —1H 51
Essex Rd. Wat —4J 149
Essex St. St Alb —1F 126
Essoldo Way. Edgw —9N 163
Estcourt Rd. Wat —5L 149
Esther Clo. N21 —9M 155
Ethelred Clo. Wel G —1M 111
Etna Rd. St Alb —1E 126
Eton Av. Barn —8D 154
Europa Rd. Hem H —8B 106
European Bus. Cen. NW9 —9C 164
Euston Av. Wat —7H 149
Evans Av. Wat —8H 137
Evans Clo. Crox G —7C 148
Evans Clo. H Reg —5H 45
Evans Gro. St Alb —7K 109
Evedon Clo. Lut —3B 46
Evelyn Dri. Pinn —7M 161
Evelyn Rd. Cockf —6E 154
Evelyn Rd. Dunst —7J 45
Evelyn Sharp Ho. Hem H —2D 124
Evendale. Lut —4M 45
Everall Clo. Chor —7H 147
Everall Ct. Hod —7L 115
Everard Clo. St Alb —4E 126
Everest Clo. Arl —7B 10
Everest Way. Hem H —1C 124
Everett Clo. Bush —1F 162
Everett Ct. Rad —7H 139
Everglade Strand. NW9 —8F 164
Evergreen Clo. Wool G —6N 71
Evergreen Rd. Ware —4K 95
Evergreen Wlk. Hem H —4A 124
Evergreen Way. Lut —1C 46
Everlasting La. St Alb —1D 126
Eversfield Gdns. NW7 —6E 164
Eversleigh Rd. N3 —7M 165
Eversleigh Rd. Barn —7B 154
Eversley Clo. N21 —8L 155
Eversley Cres. N21 —8M 155
Eversley Lodge. Hod —8L 115
Eversley Mt. N21 —8L 155
Eversley Pk. Rd. N21 —8L 155
Everson M. Cod —7F 70
Everton Dri. Stan —9M 163
Evron Pl. Hert —9B 94
(off Wash, The)
Excell Pl. Lut —4M 45
Exchange Rd. Stev —4M 51
Exchange Rd. Wat —5K 149
Exchange Yd. Hit —3M 33
Executive Pk. Ind. Est. St Alb —2J 127
Exeter Clo. Stev —8A 36
Exeter Clo. Wat —4L 149
Exeter Ho. Borwd —4A 152
Exeter Rd. Enf —5H 157
Exhims M. N'chu —8J 103
Explorer Dri. Wat —8H 149
Exton Av. Lut —8J 47
Eyncourt Rd. Dunst —7F 44
Eynsford Ct. Hit —4N 33
Eysham Ct. New Bar —7A 154
Eywood Rd. St Alb —4D 126

Faggots Clo. Rad —8K 139
Faggotters La. Mat T —5N 119
Faints Clo. Chesh —2D 144
Fairacre. Hem H —6B 124
Fairacre Ct. N'wd —7G 160
Fairacres Clo. Pot B —6M 141
Fairburn Clo. Borwd —3A 152
Fairchild Ho. N3 —8N 165
Fair Clo. Bush —9C 150
Faircross Way. St Alb —9H 109
Fairfax Av. Lut —2N 45
Fairfax Rd. Hert —8D 94
Fairfield. N20 —9C 154
Fairfield. Bunt —4J 39
Fairfield Av. Edgw —6B 164
Fairfield Av. Wat —3L 161
Fairfield Clo. Dunst —8J 45
Fairfield Clo. Enf —6H 157
Fairfield Clo. Hpdn —6E 88
Fairfield Clo. Hat —6J 111
Fairfield Clo. N'wd —6D 160
Fairfield Clo. Rad —1F 150
Fairfield Ct. N'wd —9J 161
Fairfield Cres. Edgw —6B 164
Fairfield Dri. Brox —6K 133
Fairfield Rd. Dunst —8H 45
Fairfield Rd. Hod —6L 115
Fairfield Wlk. Chesh —1J 145
Fairfield Way. Barn —7N 153
Fairfield Way. Hit —2D 34
Fairfolds. Wat —9N 137
Fairford Av. Lut —4G 47
Fairgreen. Barn —5E 154
Fairgreen Ct. Barn —7F 154
Fairgreen E. Barn —5E 154
Fairgreen Rd. Cad —5B 66
Fairhaven. Chal P —8A 158
Fairhaven. Park —9E 126
Fairhaven Cres. Wat —3J 161
Fairhill. Hem H —6B 124
Fairholme Ct. H End —6A 162
Fairlands Way. Stev —4J 51
Fairlawn Clo. N14 —8H 155
Fairlawns. Pinn —9M 161
Fairlawns. Wat —2H 149
Fairley Way. Chesh —1F 144
Fairmead Av. Hpdn —7D 88
Fairmead Cres. Edgw —3C 164
Fair Oak Ct. Lut —6H 47
(off Fair Oak Dri.)
Fair Oak Dri. Lut —6H 47
Fairoaks Gro. Enf —1H 157
Fairseat Clo. Bush —2F 162
Fairthorn Clo. Tring —3K 101
Fair View. Pot B —2A 142
Fairview Ct. NW4 —9K 165
Fairview Dri. Wat —9G 137
Fairview Rd. Enf —3M 155
Fairview Rd. Stev —1H 51
Fairview Trad. Est. Dunst —8F 44
Fairview Way. Edgw —4A 164
Fairway. Bis S —2L 79
Fairway. Hem H —6B 124
Fairway. Saw —5G 99
Fairway. Ware —7G 95
Fairway Av. Borwd —4B 152
Fairway Clo. Hpdn —1B 108
Fairway Clo. Park —9D 126
Fairway Ct. NW7 —3D 164
Fairway Ct. Hem H —6B 124
Fairway Ct. New Bar —8A 154
Fairway Ho. Borwd —5B 152
Fairways. Chesh —8H 133
Fairways. Stan —9M 163
Fairway, The. N14 —8H 155
Fairway, The. NW7 —3D 164
Fairway, The. Ab L —5F 136
Fairway, The. H'low —8C 118
Fairway, The. New Bar —8A 154
Fairway, The. N'wd —4G 160
Faithfield. Bush —7N 149
Fakenham Clo. NW7 —7G 164
Fakeswell La. L Ston —1F 20
Falcon Clo. Dunst —8D 44
Falcon Clo. Hat —2G 128
Falcon Clo. N'wd —7G 160
Falcon Clo. Saw —6E 98
Falcon Clo. Stev —7C 52
Falcon Ct. New Bar —6B 154
Falcon Ct. Ware —4G 94
Falcon Cres. Enf —7H 157
Falconer Rd. Bush —8A 150
Falconers Field. Hpdn —4M 87
Falconers Pk. Saw —6F 98
Falconers Rd. Lut —8K 47
Falconer St. Bis S —3E 78
Falcon Ridge. Berk —2N 121
Falcon Rd. Enf —7H 157
Falcon Way. NW9 —9E 164
Falcon Way. Wat —7N 137
Falcon Way. Wel G —7L 91
Faldo Rd. Bar C —7C 18
(in two parts)
Falkirk Gdns. Wat —5M 161
Falkland Av. N3 —7N 165
Falkland Rd. Barn —4L 153
Fallowfield. Lut —5D 46
Fallowfield. Stan —4H 163
Fallowfield. Stev —6B 52
Fallowfield. Wel G —6M 91
Fallowfield Clo. Hare —8M 159
Fallowfield Ct. Stan —3H 163
Fallowfield Wlk. Hem H —8K 105
Fallow Rise. Hert —9D 94
Fallows Grn. Hpdn —4C 88
Falman Clo. N9 —9E 156
Falmer Rd. Enf —6C 156
Falmouth Ho. Pinn —7A 162
Falstaff Gdns. St Alb —5C 126
Falstone Grn. Lut —7N 47
Fancett Rd. Hat —8H 111
Fanhams Grange. Ware —3L 95
Fanhams Hall Rd. Ware —4J 95
Fanhams Rd. Ware —5J 95
Fanshawe Ct. Hert —8A 94
Fanshawe Cres. Ware —5G 94
Fanshawe St. Hert —8N 93
Fanshaws La. Brick —9A 114
Fantail La. Tring —2L 101
Faraday Clo. Wat —8F 148
Faraday Rd. Stev —6H 37
Fareham Way. H Reg —4H 45
Far End. Hat —3H 129
Faringdon Rd. Lut —6M 45
Faringford Clo. Pot B —4C 142
Farland Rd. Hem H —2D 124
Farley Ct. Lut —3E 66
Farley Farm Rd. Lut —3D 66
Farley Hill. Lut —4D 66
Farley Lodge. Lut —3F 66
Farm Av. Hpdn —3M 87
Farmbrook. Lut —2F 46
Farm Clo. N14 —8G 154
Farm Clo. NW4 —9G 165
Farm Clo. Amer —3A 146
Farm Clo. Barn —7J 153
Farm Clo. Borwd —2L 151
Farm Clo. Chesh —3G 145
Farm Clo. Cuff —9K 131
Farm Clo. Hert —9M 93
Farm Clo. H Reg —4F 44
Farm Clo. Let —2G 22
Farm Clo. Stev —5L 51
Farm Clo. Wel G —9J 91
Farm End. N'wd —8D 160
Farmers Clo. Wat —6K 137
Farmfield. Wat —2G 149
Farm Grn. Lut —3E 66
Farm Hill Rd. Wal A —6N 145
Farm Ho. Ct. NW7 —7G 164
Farmhouse La. Hem H —9C 106
Farmlands. Enf —3M 155
Farm La. N14 —8F 154
Farm La. Loud —5M 147
Farm La. Old G —9L 55
Farmleigh. N14 —9H 155
Farm Pl. Berk —9K 103
Farm Rd. Chor —6D 146
Farm Rd. Edgw —6B 164
Farm Rd. Lut —8J 67
Farm Rd. N'wd —5D 160
Farm Rd. St Alb —1J 127
Farmstead Rd. Harr —8E 162
Farm, The. Wheat —7L 89
Farm Way. Bush —6C 150
Farm Way. N'wd —4G 161
Farnham Clo. N20 —9B 154
Farnham Clo. Bov —1D 134
Farnham Clo. Saw —6E 98
Farorna Wlk. Enf —3M 155
Farquhar St. Hert —8A 94
Farraline Rd. Wat —6K 149
Farrant Way. Borwd —3M 151
Farrer Top. Mark —2A 86
Farriday Clo. St Alb —7F 108
Farriers. Gt Amw —9L 95
Farriers Clo. Bald —2L 23
Farriers Clo. Cod —7F 70
Farriers Ct. Leav —5K 137
Farriers End. Brox —8K 133
Farriers Way. Borwd —7D 152
Farringford Clo. St Alb —8B 126
Farrington Pl. N'wd —4H 161
Farrow Clo. Lut —9E 30
Farr Rd. Enf —3B 156
Farr's La. E Hyde —9A 68
Farthing Dri. Let —8J 23
Farthings. Chal G —5A 146
Farthings, The. Hem H —2L 123
Faulkner Ct. St Alb —9F 108
(off Boundary Rd.)
Faverolle Grn. Chesh —1G 145
Faversham Av. Enf —8B 156
Faversham Clo. Tring —2M 101
Fawcett Rd. Stev —1A 52
Fawkon Wlk. Hod —8L 115
Fawn Ct. Hat —7J 111
Fayerfield. Pot B —4C 142
Fay Grn. Ab L —6F 136
Feacey Down. Hem H —9K 105
Fearney Mead. Rick —1M 159
Fearnley Rd. Wel G —1J 111
Fearnley St. Wat —6K 149
Fears Grn. R'ton —8B 14
Featherbed La. Bedm —8K 125
Featherbed La. Hem H —7K 123
Feathers Dell. Hat —9F 110
Featherstone Gdns. Borwd —6D 152
Featherstone Rd. NW7 —6H 165
Featherston Rd. Stev —6B 52
Federal Way. Wat —3L 149
Felbridge Av. Stan —8H 163
Felbrigg Clo. Lut —7A 48
Felden Clo. Pinn —7N 161
Felden Clo. Wat —7M 137
Felden Dri. Fel —6K 123
Felden La. Fel —5J 123
Feline Ct. Barn —8D 154
Felix Av. Lut —7J 47
Fellowes La. Col H —5D 128
Fellowes Way. Stev —7M 51
Fell Path. Borwd —7D 152
(off Clydesdale Clo.)
Fells Clo. Hit —2N 33
Fell Wlk. Edgw —8C 164
Felmersham Ct. Lut —1D 66
Felmersham Rd. Lut —1C 66
Felmongers. H'low —4D 118
Felstead Clo. Lut —6G 47
Felstead Rd. Wal X —5J 145
Felstead Way. Lut —6H 47
Felton Clo. Borwd —2M 151
Felton Clo. Brox —7K 133
Felton Clo. Lut —8M 47
Fen End. Stot —4F 10
Fenhurst Gdns. Edgw —6A 164
Fennycroft Rd. Hem H —8J 105
Fensome Dri. H Reg —4H 45
Fensom's All. Hem H —1N 123
Fensom's Clo. Hem H —1N 123
Fentiman Wlk. Hert —9B 94
(off Fore St.)
Fenton Grange. H'low —6E 118
Fenwick Clo. Lut —4D 46
Fenwick Path. Borwd —2N 151
Fenwick Rd. H Reg —4H 45
Fermor Cres. Lut —8L 47
Fern Clo. Brox —5K 133
Fern Ct. Berk —1M 121
Ferndale. M Hud —6J 77
Ferndale Rd. Enf —1J 157
Ferndale Rd. Lut —1D 66
Fern Dells. Hat —1F 128
Ferndene. Brick W —4A 138
Ferndown. N'wd —9J 161
Ferndown Clo. Pinn —7N 161
Ferndown Rd. Wat —4L 161
Fern Dri. Hem H —3A 124
Fernecroft. St Alb —5E 126
Ferney Rd. E Barn —9F 154
Fern Gro. Wel G —5K 91
Fernheath. Lut —9C 30
Fernhill. H'low —9A 118
Fernhills. K Lan —7F 136
Fernhurst Gdns. Edgw —6A 164
Fernleigh Ct. Harr —9C 162
Fernleys. St Alb —8K 109
Ferns Clo. Enf —9J 145
Fernside Av. NW7 —3D 164
Fernside Ct. NW4 —9K 165
Fernsleigh Clo. Chal P —6B 158
Fernville La. Hem H —2N 123
Fern Way. Wat —8K 137
Ferny Hill. Barn —2F 154
Ferrars Clo. Lut —8L 45
Ferrers La. Hpdn —1G 109
Ferrier Rd. Stev —3B 52
Ferryhills Clo. Wat —3L 161
Feryings Clo. H'low —2F 118
Fesants Croft. H'low —3D 118
Fetherstone Clo. Pot B —5C 142
Fiddle Bri. La. Hat —8F 110
Fidler Pl. Bush —8C 150
Field Clo. Che —9J 121
Field Clo. Hpdn —8E 88
Field Clo. Sandr —7H 109
Field Cres. R'ton —6F 8
(in two parts)
Field End. Barn —6H 153
Field End Clo. Lut —5L 47
Field End Clo. Wat —9N 149
Field End Clo. Wig —5B 102
Fielders Clo. Enf —6C 156
Fieldfare. Let —2E 22
Fieldfare. Stev —6C 52
Field Fare Grn. Lut —4K 45
Fieldgate Ho. Stev —4M 51
Fieldgate Rd. Lut —6N 45
Field Ho. Ct. Hpdn —5B 88
Fieldings Rd. Chesh —2K 145
Field La. Let —7F 22
Field Mead. NW9 & NW7 —7E 164
Field Rd. Hem H —3C 124
Field Rd. Wat —8N 149
Fields Ct. Pot B —6C 142
Fields End. Tring —9M 81
Fields End La. Hem H —9G 105
Fieldside Rd. Pull —2A 18
Field View Rise. Brick W —2N 137
Field View Rd. Pot B —6N 141
Fieldway. Berk —3B 122
Field Way. Bov —9D 122
Field Way. Chal P —7A 158
Field Way. Hod —4N 115
Fieldway. Stan A —2M 115
Field Way. Rick —1L 159
Fieldway. Wig —5B 102
Fifth Av. H'low —2M 117
Fifth Av. Let —5J 23
Fifth Av. Wat —8M 137
Fig Tree Cotts. Tring —5B 102
Figtree Hill. Hem H —1N 123
Filey Clo. Stev —2G 51
Fillebrook Av. Enf —4C 156
Filliano Ct. Lut —8F 46
(off Cromwell Hill)
Filmer Rd. Lut —5A 46
Finch Clo. Barn —7N 153
Finch Clo. Hat —2G 129
Finch Clo. Lut —5K 45
Finchdale. Hem H —2K 123
Finches, The. Hert —9F 94
Finches, The. Hit —3A 34
Finch Grn. Chor —6J 147
Finch La. Bush —5A 150
Finchley Ct. N3 —6N 165
Finchley Way. N3 —7N 165
Finchmoor. H'low —9N 117
Finch Rd. Berk —9L 103
Findon Rd. N9 —9F 156
Finley Rd. Hpdn —4E 88
Finsbury Ct. Wal X —7J 145
Finsbury Rd. Lut —4N 45
Finucane Rise. Bush —2D 162
Finway. Lut —9B 46
Finway Ct. Wat —7H 149
Finway Rd. Hem I —7D 106
Firbank Clo. Enf —6A 156
Firbank Clo. Lut —1M 45
Firbank Dri. Wat —9N 149
Firbank Ind. Est. Lut —9C 46
Firbank Rd. St Alb —7G 108
Fir Clo. Stev —8M 51
Firecrest. Let —2E 22
Fire Sta. All. H Bar —5L 153
Firlands. Bis S —2G 79
Firlands Ho. Bis S —2G 78
Fir Pk. H'low —9L 117

Garners Rd.—Gt. Strand

Garners Rd. Chal P —6B 158
Garnett Clo. Wat —1M 149
Garnett Dri. Brick —2A 138
Garrard Way. Wheat —7L 89
Garrat Rd. Edgw —7A 164
Garratts Rd. Bush —9D 150
Garrett Clo. Dunst —3G 65
Garretts Mead. Lut —6K 47
Garrick Dri. NW4 —9J 165
Garrick Pk. NW4 —9K 165
Garrison Ct. Hit —3N 33
Garrowsfield. Barn —8M 153
Garside Av. Hert —9B 94
Garsmouth Way. Wat —9M 137
Garston Cres. Wat —7L 137
Garston Dri. Wat —7L 137
Garston La. Wat —7M 137
Garston Pk. Pde. Wat —7M 137
Garter Ct. Lut —8F 46 (off Knights Field)
Garthland Dri. Barn —7H 153
Garth M. W5 —5M 163
Garth Rd. Let —8E 22
Garth, The. Ab L —6F 136
Gartlet Rd. Wat —5L 149
Gartons Clo. Enf —6G 157
Gascoyne Clo. S Mim —5G 140
Gascoyne Way. Hert —1A 114
Gaskarth Rd. Edgw —8C 164
Gaskell La. Ger X —5C 158
Gas La. B'wy —9N 15
Gas Works Path. Lut —9F 46
Gatcombe Way. Barn —5E 154
Gate Clo. Borwd —3C 152
Gatecroft. Hem H —4B 124 (in two parts)
Gate End. N'wd —7J 161
Gatehill Gdns. Lut —9D 30
Gatehill Rd. N'wd —7H 161
Gater Dri. Enf —3B 156
Gates. NW9 —9F 164
Gatesbury Way. Puck —6A 56
Gatesdene Clo. L Gad —7N 83
Gateshead Rd. Borwd —4N 151
Gates Way. Stev —3J 51
Gateway Clo. N'wd —6E 160
Gatley End Farm. R'ton —7D 6
Gatting Clo. Edgw —7C 164
Gatward Clo. N21 —8N 155
Gatwick Clo. Bis S —8K 59
Gauldie Way. Stdn —7A 56
Gauntlet. NW9 —9F 164 (off Five Acre)
Gaunts Way. Let —1F 22
Gaveston Dri. Berk —8M 103
Gawlers. Ber —2C 42
Gawthorne Av. NW7 —5L 165
Gaydon La. NW9 —8E 164
Gayland Av. Lut —9K 47
Gayton Clo. Lut —5D 46
Gaywood Av. Chesh —3H 145
Gean Wlk. Hat —3G 129
Geddes Rd. Bush —6D 150
Geddings Rd. Hod —8M 115
Gelding Clo. Lut —4J 45
General's Wlk., The. Enf —1J 157
Genotin Rd. Enf —5B 156
Genotin Ter. Enf —6B 156
Gentle Ct. Bald —3L 23
Gentlemans Row. Enf —5A 156
Gentlemens Field. Ware —4F 94
George Clo. Let —5F 22
George V Av. Pinn —9A 162
George V Way. Sarr —9L 135
George Grange Way. Harr —9F 162
George Grn. L Hall —7K 79
George Grn. Vs. L Hall —8K 79
George La. R'ton —7D 8
George Leighton Ct. Stev —4A 52
George M. Enf —5B 156 (off Town, The)
Georges Mead. Els —8M 151
George St. Berk —1A 122
George St. Dunst —8E 44
George St. Hem H —1N 123
George St. Hert —9A 94
George St. Lut —1G 66
George St. Mark —2A 86
George St. St Alb —2E 126
George St. Wat —6L 149
George St. W. Lut —1G 66
George's Wood Rd. Brk P —8N 129
Georgewood Rd. Hem H —7B 124
Georgian Clo. Stan —7H 163
Georgian Ct. N3 —8M 165
Georgian Ct. New Bar —6B 154
Georgina Ct. Arl —9A 10
Gerard Av. Bis S —4G 78
Gerard Ct. Hpdn —5B 88
Gernon Rd. Let —6F 22
Gernon Wlk. Let —6F 22
Gerrards Clo. N14 —7H 155
Gervase Rd. Edgw —8C 164
Gews Corner. Chesh —2H 145
Giant Tree Hill. Bush —1E 162
Gibbons Clo. Borwd —3M 151
Gibbons Clo. Sandr —5K 109
Gibbons Way. Kneb —4M 71
Gibbs Clo. Chesh —2H 145
Gibbs Couch. Wat —3M 161
Gibbs Field. Bis S —3F 78
Gibbs Grn. Edgw —5C 164
Gibraltar Lodge. Hpdn —4E 88
Gibson Clo. N21 —8M 155
Gibson Clo. Hit —3B 34
Gidian Ct. Park —9E 126
Gifford's La. Ware —6D 54
Gilbert Gro. Edgw —8D 164
Gilbert Rd. Hare —9N 159
Gilbert St. Enf —1G 157
Gilbert Way. Berk —1L 121
Gilbey Av. Bis S —2K 79
Gilbey Cres. Stans —1N 59
Gilda Av. Enf —7J 157
Gilda Ct. NW7 —8G 164
Gildea Clo. Pinn —7B 162
Gilded Acre. Dunst —3F 64
Gilden Clo. H'low —2G 118
Gilden Way. H'low —3E 118
Gilder Clo. Lut —1C 46
Gilderdale. Lut —3L 45
Gilders. Saw —5F 98
Giles Clo. Sandr —5K 109
Gillam St. Lut —9G 47
Gillan Grn. Bush —2D 162
Gillan Way. H Reg —3H 45 (off Houghton Pk. Rd.)
Gillian Av. St Alb —6D 126
Gillian Ho. Har W —6F 162
Gilliflower Ho. Hod —9L 115
Gillison Rd. Let —6H 23
Gills Hill. Mark —6M 85
Gills Hill. Rad —8G 139
Gills Hill La. Rad —9G 138
Gills Hollow. Rad —9G 139
Gillum Clo. E Barn —9E 154
Gilmour Clo. Enf —8E 144
Gilpin Clo. H Reg —4G 44
Gilpin Grn. Hpdn —6D 88
Gilpin Rd. Ware —7J 95
Gilpin's Gallop. Stan A —1M 115
Gilpin's Ride. Berk —9A 104
Gilpin St. Dunst —7D 44
Gilwell Clo. E4 —6M 157
Gilwell La. E4 —6M 157
Gingers Clo. Ast C —1D 100
Ginns Rd. Stoc P —6N 41
Gippeswyck Clo. Pinn —8M 161
Gipsy La. Bis S —5K 59
Gipsy La. Kneb —3L 71
Gipsy La. Lut —2J 67
Gipsy La. Wel G —4M 111
Girdle Rd. Hit —9A 22
Girons Clo. Hit —4B 34
Girtin Rd. Bush —7C 150
Girton Ct. Wal X —3J 145
Girton Way. Crox G —7E 148
Gisburne Way. Wat —1J 149
Gladbeck Way. Enf —6N 155
Gladden Ct. H'low —9A 118
Gladeside. N21 —8L 155
Gladeside. St Alb —8L 109
Glades, The. Hem H —1H 123
Glade, The. N21 —9L 155
Glade, The. Bald —4L 23
Glade, The. Enf —5M 155
Glade, The. Let —8F 22
Glade, The. Wel G —7J 91
Gladsmuir Rd. Barn —4L 153
Gladstone Av. Lut —1E 66
Gladstone Ct. Stev —9N 51
Gladstone Pl. Barn —6K 153
Gladstone Rd. D End —9D 54
Gladstone Rd. Hod —7M 115
Gladstone Rd. Ware —5G 95
Gladstone Rd. Wat —5L 149
Glaigmar Gdns. N3 —8N 165
Glaisdale. Lut —4M 45
Glamis Clo. Chesh —2E 144
Glamis Clo. Hem H —5D 106
Glanfield. Hem H —8A 106
Glanleam Rd. Stan —4L 163
Gleave Clo. St Alb —1J 127
Glebe Av. Arl —5A 10
Glebe Av. Enf —5N 155
Glebe Clo. Chal P —7A 158
Glebe Clo. Ess —8E 112
Glebe Clo. Hem H —5A 124
Glebe Clo. Hert —7B 94
Glebe Clo. Pit —2B 82
Glebe Clo. Wat S —5J 73
Glebe Cotts. Ess —8E 112
Glebe Ct. Bis S —9K 59
Glebe Ct. Hat —8H 111
Glebe Ct. Stan —5K 163
Glebe Ct. Wat S —5K 73
Glebe Houses. Ess —8E 112
Glebeland. Hat —9J 111
Glebelands. H'low —3B 118
Glebe La. Barn —7G 152
Glebe Rd. Chal P —8A 158
Glebe Rd. Hert —7B 94
Glebe Rd. Let —4G 22
Glebe Rd. Stan —5K 163
Glebe Rd. Welw —2H 91
Glebe, The. Ard —3A 52
Glebe, The. H'low —5A 118
Glebe, The. K Lan —2C 136
Glebe, The. Mag L —9M 119
Glebe, The. Wat —6M 137
Gleed Av. Bush —2E 162
Glemsford Clo. Lut —3L 45
Glemsford Dri. Hpdn —5E 88
Glenbower Ct. St Alb —2L 127
Glenbrook N. Enf —6L 155
Glenbrook S. Enf —6L 155
Glencoe Rd. Bush —8B 150
Glencourse Grn. Wat —4M 161
Glendale. Hem H —2L 123
Glendale Av. Edgw —4N 163
Glendale Wlk. Chesh —3J 145
Glendean Ct. Enf —9K 145
Glendevon Clo. Edgw —3B 164
Glendor Gdns. NW7 —4D 164
Gleneagles. Stan —7J 163
Gleneagles Clo. Wat —4M 161
Gleneagles Dri. Lut —3G 47
Glenester Clo. Hod —5L 115
Glen Faba Rd. Roy —8B 116
Glenferrie Rd. St Alb —2H 127
Glenfield Ct. Hert —8L 93
Glenfield Rd. Lut —3E 46
Glengall Pl. St Alb —5F 126
Glengall Rd. Edgw —3B 164
Glenhaven Av. Borwd —5A 152
Glenhill Clo. N3 —9N 165
Glenister Rd. Che —9G 120
Glenloch Rd. Enf —4G 157
Glenlyn Av. St Alb —3J 127
Glenmere Av. NW7 —6G 164
Glenmire Ter. Stan A —2A 116
Glenmore Gdns. Ab L —5J 137
Glenshee Clo. N'wd —6E 160
Glen, The. Cad —5A 66
Glen, The. Enf —6N 155
Glen, The. Hem H —6B 106
Glen, The. N'wd —7F 160
Glenview Gdns. Hem H —2L 123
Glenview Rd. Hem H —3L 123
Glenville Av. Enf —2A 156
Glen Way. Wat —2G 148
Glenwood. Brox —1K 133
Glenwood. Wel G —1B 112
Glenwood Clo. Stev —7B 52
Glenwood Rd. NW7 —3E 164
Glevum Clo. St Alb —4A 126
Globe Clo. Hpdn —6C 88
Globe Ct. Brox —5J 133
Globe Ct. Hert —7A 94
Globe Cres. Farnh —3F 58
Gloucester Av. Wal X —6J 145
Gloucester Clo. Stev —8L 35
Gloucester Gdns. Cockf —6F 154
Gloucester Gro. Edgw —8D 164
Gloucester Ho. Borwd —4A 152
Gloucester Rd. Barn —7A 154
Gloucester Rd. Enf —2A 156
Gloucester Rd. Lut —2H 67
Glover Clo. Chesh —9D 132
Glovers Clo. Hert —2A 114
Glovers La. Tring —3M 101
Glyn Av. Barn —6C 154
Glynde, The. Stev —9A 52
Glyn Rd. Enf —6G 156
Glynswood. Chal P —7C 158
Goat La. Enf —2D 156
Gobions Way. Pot B —1A 142
Goblins Grn. Wel G —1K 111
Goddard Ct. W'stone —9H 163
Goddard End. Stev —8B 52
Goddards Clo. L Berk —1H 131
Godfrey Clo. Stev —6A 52
Godfreys Clo. Lut —2D 66
Godfreys Ct. Lut —2D 66
Godfries Clo. Tew —4D 92
Godwin Clo. E4 —3N 157
Goffs Cres. G Oak —2A 144
Goff's La. Chesh —2A 144
Goffs Oak Av. G Oak —1N 143
Golda Clo. Barn —8K 153
Goldbeaters Gro. Edgw —6E 164
Gold Clo. Brox —2J 133
Goldcrest Clo. Lut —4K 45
Goldcrest Way. Bush —1D 162
Goldcroft. Hem H —4C 124
Golden Ct. Barn —6D 154
Golden Dell. Wel G —4M 111
Golders Clo. Edgw —5B 164
Goldfield Rd. Tring —3L 101
Goldfinch Way. Borwd —6A 152
Gold Hill. Edgw —6D 164
Gold Hill E. Chal P —8A 158
Gold Hill N. Chal P —8A 158
Gold Hill W. Chal P —8A 158
Goldings. Bis S —9K 59
Goldings Cres. Hat —8H 111
Goldings Ho. Hat —8H 111
Goldings La. W'frd —6M 93
Goldington Clo. Hod —5K 115
Gold La. Edgw —6D 164
Goldon. Let —7J 23
Goldsdown Clo. Enf —4J 157
Goldsdown Rd. Enf —4H 157
Goldsmiths. H'low —9A 118
Goldstone Clo. Ware —5H 95
Goldstone Cres. Dunst —7G 45
Golf Clo. Bush —5M 149
Golf Clo. Stan —7K 163
Golf Club Rd. Brk P —8N 129
Golf Club Rd. L Gad —7L 83
Golf Ride. Enf —8M 143
Gombards. St Alb —1E 126
Gonville Av. Crox G —8D 148
Gonville Cres. Stev —7B 52
Goodey Meade. B'tn —7L 53
Goodfellow Way. Bunt —2J 39
Good Intent. Edl —4J 63
Good Intent, The. Edl —4J 63
Goodliffe Pk. Bis S —7K 59
Goodrich Clo. Wat —8J 137
Goodwin Ct. Barn —8D 154
Goodwin Ct. Chesh —1J 145
Goodwin Ho. Wat —8G 149
Goodwins Mead. Ched —9M 61
Goodwin Style. Bis S —3F 78
Goodwood Av. Enf —1G 156
Goodwood Av. Wat —8G 137
Goodwood Clo. Hod —7L 115
Goodwood Clo. Stan —5K 163
Goodwood Pde. Wat —9G 137
Goodwood Path. Borwd —4A 152
Goodwood Rd. R'ton —7F 8
Goodwyn Av. NW7 —5E 164
Goodyers Av. Rad —6G 138
Goose Acre. Ched —9L 61
Gooseacre. Wel G —2M 111
Gooseberry Hill. Lut —3D 46
Goosecroft. Hem H —1J 123
Goose La. L Hall —9M 79
Goral Mead. Rick —1N 159
Gordian Way. Stev —9B 36
Gordon Av. Stan —7G 163
Gordon Clo. St Alb —3J 127
Gordon Ct. Edgw —5N 163
Gordon Gdns. Edgw —9B 164
Gordon Hill. Enf —3A 156
Gordon Ho. St Alb —3J 127
Gordon Rd. N3 —7M 165
Gordon Rd. Enf —3A 156
Gordon Rd. Harr —9F 162
Gordon Rd. Lut —1F 66
Gordon Rd. Wal A —7L 145
Gordons Wlk. Hpdn —8D 88
Gordon Way. Barn —6M 153
Gorelands La. Chal G —1A 158
Gore La. Ware —5N 75
Gorham Dri. St Alb —5F 126
Gorham Way. Dunst —7J 45
Gorle Clo. Wat —8J 137
Gorleston Clo. Stev —9G 35
Gorse Clo. Hat —3F 128
Gorse Corner. St Alb —9E 108
Gorselands. Hpdn —8D 88
Gorst Clo. Let —6E 22
Gosford Ho. Wat —8G 149
Gosforth La. Wat —3J 161
Gosforth Path. Wat —3J 161
Goshawk Clo. Lut —5K 45
Gosling Av. Offl —8D 32
Gosmore Bygrave. Stev (off Coreys Mill La.) —8J 35
Gosmore Ley Clo. Gos —7N 33
Gosmore Rd. Hit —5N 33
Gossamers, The. Wat —9N 137
Gosselin Rd. Hert —7A 94
Gossom's End. Berk —9L 103
Gossoms Ryde. Berk —9L 103
Gothic Way. Arl —7A 10
Gough Rd. Enf —4F 156
Gould Clo. N Mym —6H 129
Government Row. Enf —2L 157
Gowar Field. S Mim —5G 141
Gower Clo. Cod —6E 70
Gower Rd. R'ton —6C 8
Gowers, The. H'low —4C 118
Goy Cres. Wend —9A 100
Grace Av. Shenl —6L 139
Grace Clo. Borwd —3D 152
Grace Clo. Edgw —7C 164
Grace Gdns. Bis S —4H 79
Grace's Maltings. Tring —3M 101
Grace Way. Stev —9L 35
Graeme Rd. Enf —4B 156
Graemesdyke Rd. Berk —2L 121
Grafton Rd. Enf —5L 155
Graham Av. Brox —2J 133
Graham Clo. St Alb —4E 126
Grahame Pk. Est. NW9 —8E 164
Grahame Pk. Way. NW7 & NW9 —7F 164
Graham Gdns. Lut —5E 46
Graham Rd. Dunst —1H 65
Graham Rd. Harr —9F 162
Grailands. Bis S —9F 58
Grammar Sch. Wlk. Hit —3M 33
Grampian Way. Lut —1M 45
Granard Bus. Cen. NW7 —6E 164
Granary Clo. N9 —9G 156
Granary Clo. Wheat —7L 89
Granary Ct. Saw —5G 99
Granary La. Hpdn —6C 88
Granary, The. Roy —5E 116
Granault Rd. Enf —2D 156
Granby Av. Hpdn —5D 88
Granby Pk. Rd. Chesh —1D 144
Granby Rd. Lut —6N 45
Granby Rd. Stev —8J 35
Grandfield Av. Wat —3H 149
Grange Av. N20 —9L 153
Grange Av. E Barn —9D 154
Grange Av. Lut —5N 45
Grange Av. Stan —9J 163
Grange Bottom. R'ton —8E 8
Grange Clo. Chal P —8B 158
Grange Clo. Edgw —5C 164
Grange Clo. Hem H —3C 124
Grange Clo. Hert —9N 93
Grange Clo. Hit —6A 34
Grange Clo. Mark —1M 85
Grange Ct. Wal A —7N 145
Grange Ct. Rd. Hpdn —9D 88
Grangedale Clo. N'wd —7G 160
Grange Dri. Chart —9B 120
Grange Dri. Stot —7F 10
Grange Field. Ger X —8B 158
Grange Gdns. Ware —7J 95
Grange Gdns. Wend —9A 100
Grange Hill. Edgw —5C 164
Grange Hill. Welw —1J 91
Grange La. Let H —3E 150
Grange La. Roy —6F 116
Grange Pk. Bis S —8H 59
Grange Pk. Av. N21 —8A 156
Grange Rise. Cod —7F 70
Grange Rd. Bar C —8D 18
Grange Rd. Bis S —1J 79
Grange Rd. Bush —7N 149
Grange Rd. Chal P —8B 158
Grange Rd. Edgw —6D 164
Grange Rd. Els —7N 151
Grange Rd. Let —3F 22
Grange Rd. Pit —2B 82
Grange Rd. Tring —2A 102
Grange Rd. Wils —6H 81
Granger Rd. Hem H —1N 123
Grangeside. Bis S —7J 59
Grange St. St Alb —1E 126
Grange, The. N20 —9B 154
Grange, The. Ab L —4G 137
Grange, The. Bis S —8H 59
Grange, The. Hod —9L 115
Grange, The. Ther —6D 14
Grangeview Rd. N20 —9B 154
Grange Wlk. Bis S —1J 79
Grange Way. H Reg —3H 45
Grangeway, The. N21 —8N 155
Grangewood. Pot B —3A 142
Gransden Clo. Lut —2C 46
Grant Clo. N14 —9H 155
Grant Gdns. Hpdn —5C 88
Grantham Clo. Edgw —3M 163
Grantham Clo. R'ton —5B 8
Grantham Gdns. Ware —5J 95
Grantham Grn. Borwd —7C 152
Grantham Rd. Lut —8C 46
Grant Rd. Harr —9G 162
Grants Clo. NW7 —7J 165
Granville Ct. St Alb —2G 126 (off Granville Rd.)
Granville Dene. Bov —9D 122
Granville Gdns. Hod —4L 115
Granville Pl. Pinn —9M 161
Granville Rd. Barn —6J 153
Granville Rd. Hit —1C 34
Granville Rd. Lut —9D 46
Granville Rd. N'chu —8J 103
Granville Rd. Wat —6L 149
Graphic Clo. Dunst —2G 64
Grasmere Av. Hpdn —5D 88
Grasmere Av. Lut —2D 46
Grasmere Clo. Dunst —1E 64
Grasmere Clo. Hem H —4D 124
Grasmere Clo. Wat —5K 137
Grasmere Gdns. Harr —9H 163
Grasmere Rd. Lut —2D 46
Grasmere Rd. St Alb —4J 127
Grasmere Rd. Ware —4J 95
Grasmere Wlk. H Reg —3F 44 (off Sycamore Rd.)
Grassingham End. Chal P —7B 158
Grassingham Rd. Chal P —7B 158
Grassington Clo. Brick W —3B 138
Grass Meadows. Stev —2C 52
Grass Pk. N3 —8M 165
Grass Warren. Tew —6D 92
Grassy Clo. Hem H —1K 123
Grasvenor Av. Barn —7N 153
Graveley Av. Borwd —7C 152
Graveley Clo. Stev —8J 35
Graveley Dell. Wel G —1A 112
Graveley La. Gt Wym —5F 34
Graveley Rd. Stev —7H 35
Gravel Hill. N3 —9M 165
Gravel Hill. Chal P —6B 158
Gravel Hill. Hem H —2K 123
Gravelhill Ter. Hem H —3K 123
Gravel La. Hem H —3K 123
Gravelly La. Ware —2B 56
Gravel Path. Berk —1A 122
Gravel Path. Hem H —2K 123
Gravely Ct. Hem H —3E 124
Grayling Ct. Berk —8K 103
Graylings, The. Ab L —6F 136
Grays Clo. Bar C —8E 18
Grays Clo. R'ton —5C 8
Grays Ct. Bis S —9G 59
Graysfield. Wel G —3N 111
Gray's La. Hit —3L 33
Grazings, The. Hem H —9B 106
Gt. Braitch La. Hat —4E 110
Gt. Brays. H'low —7C 118
Gt. Break. Wel G —1A 112
Gt. Cambridge Ind. Est. Enf —7E 156
Gt. Cambridge Rd. N9 & Enf —9C 156
Gt. Cambridge Rd. Wal X & Turn —7G 144
Gt. Conduit. Wel G —8B 92
Gt. Dell Wel G —7K 91
Gt. Elms Rd. Hem H —6B 124
Gt. Field. NW9 —8E 164
Greatfield Clo. Hpdn —3L 87
Gt. Ganett. Wel G —2A 112
Gt. Green. Pir —7E 20
Great Gro. Bush —6C 150
Gt. Hadham Rd. M Hud —4A 78
Greatham Rd. Bush —5M 149
Gt. Heart. Hem H —9A 106
Gt. Heath. Hat —6H 111
Gt. Hivings. Che —9E 120
Gt. Innings N. Wat S —5J 73
Gt. Innings S. Wat S —5J 73
Gt. Lawne. D'wth —6C 72
Gt. Ley. Wel G —2L 111
Gt. Leylands. H'low —7C 118
Gt. Meadow. Brox —4L 133
Gt. Molewood. Hert —6N 93
Gt. Northern Rd. Dunst —1F 64
Gt. North Rd. Hat —5H 111
Gt. North Rd. H Bar —4M 153
Gt. North Rd. Hinx —1L 23
Gt. North Rd. Lwr C —8B 4
Gt. North Rd. New Bar —7N 153
Gt. North Rd. Pot B —1B 142
Great N. Rd. Stev —8J 35
Gt. North Rd. Wel G —7G 91 (in two parts)
Gt. North Way. NW4 —9H 165
Great Palmers. Hem H —6B 106
Great Pk. K Lan —3B 136
Gt. Plumtree. H'low —4B 118
Great Rd. Hem H —1B 124
Gt. Slades. Pot B —6M 141
Gt. Strand. NW9 —8F 164

Gt. Sturgess Rd.—Hammers La.

Gt. Sturgess Rd. Hem H —2J 123
Great Whites Rd. Hem H —4B 124
Greenacre Clo. Barn —2M 153
Greenacres. N3 —9M 165
Greenacres. Bush —2E 162
Greenacres. Hem H —4F 124
Greenacres. L Buzz —3A 82
Green Acres. Lil —8M 31
Green Acres. Stev —8B 52
Green Acres. Wel G —3M 111
Greenacres Caravan Site. Kens —8J 65
Greenacres Dri. Stan —7J 163
Greenall Clo. Chesh —3J 145
Green Av. NW7 —4D 164
Greenbank. Chesh —1F 144
Greenbank Rd. Wat —9F 136
Greenbanks. Mel —1J 9
Greenbrook Av. Barn —3B 154
Greenbury Clo. Bar —3C 16
Greenbury Clo. Chor —6F 146
Green Bushes. Lut —3N 45
Green Clo. Brk P —8L 129
Green Clo. Chesh —5J 145
Green Clo. Lut —4M 45
Green Clo. Stev —7N 51
Greencoates. Hert —1C 114
Green Ct. Lut —4M 45
Greencourt Av. Edgw —8B 164
Greencroft. Edgw —5C 164
Green Croft. Hat —6G 111
Greencroft Gdns. Enf —5C 156
Greendale. Edgw —4E 164
Grn. Dell Way. Hem H —3E 124
Green Dragon La. N21 —8M 155
Green Drift. R'ton —7B 8
Green Edge. Wat —8J 137
Greene Field Rd. Berk —1N 121
Green End. Welw —3H 91
Grn. End Gdns. Hem H —3K 123
Grn. End La. Hem H —2J 123
Grn. End Rd. Hem H —2K 123 (in two parts)
Grn. End St. Ast C —1C 100
Greenes Ct. Berk —9N 103
Greene Wlk. Berk —2A 122
Greenfield. R'ton —6B 8
Greenfield. Wel G —6K 91
Greenfield Av. Ickl —7L 21
Greenfield Av. Wat —2M 161
Greenfield Clo. Dunst —8B 44
Greenfield End. Chal P —6C 158
Greenfield La. Ickl —7M 21
Greenfield Rd. Pull —1A 18
Greenfield Rd. Stev —2L 51
Greenfields. Hat —6K 111
Greenfields. Shil —2N 19
Greenfields. Stans —2N 59
Greenfield St. Wal A —7N 145
Greenfield Way. Harr —9C 162
Greengage Rise. Mel —1J 9
Greengate. Lut —1M 45
Greenheys Clo. N'wd —8G 160
Greenhill Av. Lut —6F 46
Green Hill Clo. Brau —2C 56
Greenhill Ct. Hem H —3L 123
Greenhill Cres. Wat —8G 148
Greenhill Pde. New Bar —7A 154
Greenhill Pk. Bis S —3F 78
Greenhill Pk. New Bar —7A 154
Greenhills. H'low —6A 118
Greenhills. Ware —4G 95
Greenhills Clo. Rick —7L 147
Green Ho. Ger X —4B 158
Greenland Rd. Barn —8J 153
Green La. A'wl —8N 5 (Ashwell)
Green La. A'wl —4D 4 (Edworth)
Green La. Bov —3A 134
Green La. Brau —2C 56
Green La. Brox —5M 133
Green La. Cod —7C 70
Green La. Crox G —7B 148
Green La. Dunst —8A 44
Green La. Dun —4D 4
Green La. Eat B —1H 63
Green La. Edgw —4N 163
Green La. Flam —8A 86
Green La. Hpdn —8E 88
Green La. Hat —4F 110
Green La. Hem H —3E 124
Green La. Hit —1B 34
Green La. I'hoe —2C 82
Green La. Kens —8H 65
Green La. Lon C —6H 127
Green La. Lut —5K 47
Green La. Mark —3B 86
Green La. N'wd —7F 160
Green La. St Alb —8D 108
Green La. Stan —4J 163
Green La. Thr B —7J 119
Green La. Wat —9L 149
Green La. Wel G —2B 112
Green La. Clo. Hpdn —7F 88
Green La. Cotts. Stan —4J 163
Greenlane Ind. Est. Let —4J 23
Green Lanes. N13 & N21 —9N 155
Green Lanes. Lem —2F 110
Green Meadow. Pot B —3N 141
Green Moor Link. N21 —9N 155
Greenmoor Rd. Enf —4G 157
Greenoak Clo. Cockf —4E 154
Green Oaks. Lut —6H 47
Greenriggs. Lut —7A 48
Green Rd. N14 —8G 154
Green Rd. Bis S —9F 42
Greenside. Borwd —2A 152
Greenside Dri. Hit —2L 33
Greensleeves Clo. St Alb —3K 127
Greenstead. Saw —6G 99
Green St. Chor —3F 146
Green St. Enf —4G 157
Green St. Hat —2N 129
Green St. R'ton —5D 8
Green St. Shenl & Borwd —8A 140
Green St. Stev —2J 51
Greensward. Bush —8C 150
Green, The. E4 —9N 157
Green, The. N21 —9M 155
Green, The. Ald —1G 103
Green, The. Bis S —4H 79
Green, The. Cad —4A 66
Green, The. Ched —9M 61
Green, The. Chesh —1G 144
Green, The. Chris —1N 17
Green, The. Cod —7E 70
Green, The. Crox —6C 148
Green, The. Edl —5K 63
Green, The. Hare —8M 159
Green, The. H Reg —5F 44
Green, The. Kim —7L 69
Green, The. Let H —3F 150
Green, The. Lut —4M 45
Green, The. Mat T —3N 119
Green, The. Newn —5M 11
Green, The. Old K —3H 71
Green, The. P Grn —5D 68
Green, The. Pit —3B 82
Green, The. Pott E —8E 104
Green, The. R'ton —7D 8
Green, The. Sarr —9K 135 (in two parts)
Green, The. Stpl M —4D 6
Green, The. Stot —5F 10
Green, The. Wal A —7N 145
Green, The. Ware —4H 95
Green, The. Welw —2H 91
Green, The. Wel G —2N 111
Green, The. Widd —2M 43
Green, The. Wils G —7J 81
Green Vale. Wel G —1N 111
Green Verges. Stan —7L 163
Green View Clo. Bov —2D 134
Green Wlk. R'ton —9D 8
Green Wlk., The. E4 —9N 157
Greenway. N20 —2N 165
Greenway. Berk —1K 121
Greenway. Bis S —2L 79
Greenway. Che —9F 120
Greenway. H'low —6H 117
Greenway. Hpdn —7E 88
Greenway. Hem H —2D 124
Greenway. Let —9G 22
Greenway. Pinn —9K 161
Greenway. Walk —1G 53
Greenway Clo. N20 —2N 165
Greenway Clo. NW9 —9D 164
Greenway Gdns. NW9 —9D 164
Greenway Gdns. Harr —9F 162
Greenway Pde. Che —9F 120
Greenways. Ab L —5G 136
Greenways. Bunt —2H 39
Greenways. Eat B —1H 63
Greenways. G Oak —2N 143
Greenways. Hert —9N 93
Greenways. Lut —4K 47
Greenways. Stev —3L 51
Greenway, The. NW9 —9D 164
Greenway, The. Enf —8H 145
Greenway, The. Pot B —6N 141
Greenway, The. Rick —9K 147
Greenway, The. Tring —1L 101
Green Way, The. W'stone —8F 162
Greenwich Ct. Chesh —7J 145
Greenwich Ct. St Alb —3H 127
Greenwood Av. Chesh —4F 144
Greenwood Av. Enf —4J 157
Greenwood Clo. Bush —9F 150
Greenwood Clo. Chesh —4F 144
Greenwood Dri. Wat —7K 137
Greenyard. Wal A —6N 145
Greer Rd. Harr —8D 162
Gregories Clo. Lut —8F 46
Gregory Av. Pot B —6J 141
Gregson Clo. Borwd —3C 152
Grenadier Clo. St Alb —3K 127
Grenadine Clo. Chesh —9D 132
Grenadine Way. Tring —1M 101
Grendon Lodge. Edgw —2C 164
Grenfell Clo. Borwd —3C 152
Grenfell Ct. NW7 —6H 165
Grenville Av. Brox —3K 133
Grenville Av. Wend —8A 100
Grenville Clo. N3 —8L 165
Grenville Clo. Wal X —5H 145
Grenville Pl. NW7 —5D 164
Grenville Way. Stev —8N 51
Gresford Clo. St Alb —2L 127
Gresham Clo. Enf —5A 156
Gresham Clo. Lut —9M 47
Gresham Ct. Berk —2M 121
Gresham Rd. Edgw —6N 163
Gresley Clo. Wel G —8L 91
Gresley Ct. Enf —8G 144
Gresley Ct. Pot B —2N 142
Gresley Way. Stev —9B 36
Gresset Clo. Ware —3N 115
Greville Clo. N Mym —6J 129
Greville Lodge. Edgw —4B 164 (off Broadhurst Av.)
Greycaine Rd. Wat —1M 149
Greycaine Trading Est. Wat —1M 149
Greydells Rd. Stev —2L 51
Greyfell Clo. Stan —5K 163
Greyfriars. Ware —4F 94
Greyfriars La. Hpdn —8B 88
Greygoose Pk. H'low —9K 117
Greyhound La. S Mim —6G 141
Grey Ho., The. Wat —4J 149
Greys Hollow. R Grn —2M 43
Greystoke Av. Pinn —9B 162
Greystoke Clo. Berk —2L 121
Greystoke Gdns. Enf —6J 155
Griffiths Way. St Alb —4D 126
Grimsdyke Cres. Barn —5J 153
Grimsdyke Lodge. St Alb —2H 127
Grimsdyke Rd. Pinn —7N 161
Grimsdyke Rd. Wig —5B 102
Grimstone Rd. L Wym —6E 34
Grimston Rd. St Alb —3G 126
Grimthorpe Clo. St Alb —8E 108
Grindcobbe Clo. St Alb —5E 126
Grinstead La. L Hall —1L 99
Groom Ct. St Alb —1H 127
Groom Rd. Turn —8K 133
Groomsby Dri. I'hoe —2C 82
Grosvenor Av. K Lan —1E 136
Grosvenor Clo. Bis S —4F 78
Grosvenor Ct. N14 —9H 155
Grosvenor Ct. NW7 —5D 164 (off Hale La.)
Grosvenor Ct. Barn —9H 155
Grosvenor Ct. Crox G —7F 148
Grosvenor Ct. Stev —2G 51
Grosvenor Gdns. N14 —7J 155
Grosvenor Ho. Bis S —9K 59
Grosvenor Rd. N3 —7M 165
Grosvenor Rd. N9 —9F 156
Grosvenor Rd. Bald —2M 23
Grosvenor Rd. Borwd —5A 152
Grosvenor Rd. Brox —2K 133
Grosvenor Rd. Lut —4D 46
Grosvenor Rd. N'wd —5H 161
Grosvenor Rd. St Alb —3F 126
Grosvenor Rd. Wat —5L 149
Grosvenor Rd. W. Bald —2M 23
Grosvenor Ter. Hem H —3K 123
Grotto, The. Ware —7H 95
Ground La. Hat —7H 111
Grove Av. N3 —7N 165
Grove Av. Hpdn —8E 88
Grove Bank. Wat —1M 161
Grovebury Clo. Dunst —2G 64
Grovebury Ct. N14 —9J 155
Grovebury Gdns. Park —9D 126
Grove Caravan Site. Wood —5D 66
Grove Clo. N14 —9H 155
Grove Ct. Arl —5A 10
Grove Ct. Wal A —6M 145
Grove Cres. Crox G —6C 148
Grovedale Clo. Chesh —3D 144
Grove End. Chal P —8A 158
Grove End. Lut —3D 66
Grove Farm Pk. N'wd —5F 160
Grove Gdns. Enf —2H 157
Grove Gdns. Tring —1N 101
Grove Grn. N'wd —5F 160
Grove Hall Rd. Bush —6N 149
Grove Hill. Chal P —7A 158
Grove Hill. Stans —2N 59
Grove Ho. Bush —8A 150
Grove Ho. Chesh —3F 144
Grovelands. Hem H —9E 106
Grovelands. Park —9C 126
Grovelands Av. Hit —9B 22
Grovelands Bus. Cen. Hem I —9E 106
Grovelands Ct. N14 —9J 155
Groveland Way. Stot —7G 10
Grove La. Chal P —8A 158
Grove La. Che —9L 121
Grove Lea. Hat —3G 128
Grove Mead. Hat —9F 110
Grove Meadow. Wel G —9B 92
Grove Mill La. Rick & Wat —1D 148
Grove Pk. Tring —1A 102
Grove Pk. Rd. Wood —5D 66
Grove Path. Chesh —4E 144
Grove Pl. Bis S —1H 79
Grove Pl. N Mym —6J 129
Grover Clo. Hem H —1N 123
Grove Rd. Borwd —3A 152
Grove Rd. Cockf —5D 154
Grove Rd. Dunst —1G 64
Grove Rd. Edgw —6A 164
Grove Rd. Hpdn —8D 88
Grove Rd. Hem H —4K 123
Grove Rd. Hit —2N 33
Grove Rd. H Reg —2F 44
Grove Rd. Lut —1F 66
Grove Rd. N'wd —5F 160
Grove Rd. Rick —2K 159
Grove Rd. S End —6D 66
Grove Rd. St Alb —3E 126
Grove Rd. Stev —2J 51
Grove Rd. Tring —9N 81
Grove Rd. Ware —5K 95
Grove Rd. W. Enf —1G 157
Grover Rd. Wat —9M 149
Groves Rd. Hal —7D 100
Grove, The. N3 —7N 165
Grove, The. N14 —7H 155
Grove, The. Brk P —8N 129
Grove, The. Crox G —6C 148 (off Dugdales)
Grove, The. Edgw —4B 164
Grove, The. Enf —4M 155
Grove, The. Lat —9A 134
Grove, The. L Had —1A 78
Grove, The. Lut —3D 66
Grove, The. Pot B —5B 142
Grove, The. Rad —7H 139
Grove, The. Stan —2H 163
Grove, The. Tring —1A 102
Grove Wlk. Hert —7A 94
Grove Way. Chor —7E 146
Grovewood Clo. Chor —7E 146
Grubbs La. Hat —4N 129 (in two parts)
Gruneisen Rd. N3 —7N 165
Guardian Ind. Est. Lut —9E 46
Guernsey Clo. Lut —6J 45
Guernsey Ho. Enf —2H 157 (off Eastfield Rd.)
Guessens Ct. Wel G —9J 91
Guessens Gro. Wel G —9J 91
Guessens Wlk. Wel G —8J 91
Guildford Rd. St Alb —3J 127
Guildford St. Lut —9G 46
Guildown Av. N12 —4N 165
Guilfords. H'low —1F 118
Guilfoyle. NW9 —9F 164
Guinevere Gdns. Wal X —4J 145
Guinness Ho. Wel G —8B 92
Gulland Clo. Bush —7D 150
Gullbrook. Hem H —2K 123
Gullet Wood Rd. Wat —8J 137
Gulphs, The. Hert —1B 114
Gun La. Kneb —3M 71
Gun Meadow Av. Kneb —4N 71
Gunnels Wood Ind. Est. Stev —6K 51
Gunnels Wood Rd. Stev —2H 51
Gun Rd. Kneb —4N 71
Gun Rd. Gdns. Kneb —4M 71
Gunter Gro. Edgw —8D 164
Gurney Ct. Eat B —2K 63
Gurney Ct. Rd. St Alb —8G 109
Gurney's La. Hol —4J 21
Gweneth Cotts. Edgw —6A 164
Gwent Clo. Wat —7M 137
Gwynfa Clo. Welw —9K 71
Gwynne Clo. Tring —1M 101
Gwynn's Wlk. Hert —9C 94
Gyfford Wlk. Chesh —4F 144
Gyles Pk. Stan —8K 163
Gypsy Clo. Gt Amw —2K 115
Gypsy La. Gt Amw —2K 115
Gypsy La. K Lan —8F 136
Gypsy Moth Av. Hat —6E 110

Hackforth Clo. Barn —7H 153
Hacklington Ct. New Bar —7A 154
Hackney Clo. Borwd —7D 152
Haddestoke Ga. Chesh —8K 133
Haddington Clo. Hal C —9C 100
Haddon Clo. Borwd —4A 152
Haddon Clo. Enf —8E 156
Haddon Clo. Hem H —3C 124
Haddon Clo. Stev —1B 72
Haddon Ct. Hpdn —6C 88
Haddon Rd. Chor —7F 146
Haddon Rd. Lut —9H 47
Hadham Ct. Bis S —9G 58
Hadham Pk. Cotts. Ware —9B 58
Hadham Rd. Bis S —8C 58
Hadham Rd. Stdn —8C 56
Hadleigh. Let —7H 23
Hadleigh Ct. Brox —4K 133
Hadleigh Ct. Hpdn —9F 88
Hadleigh Rd. N9 —9F 156
Hadley Clo. N21 —8M 155
Hadley Clo. Els —8N 151
Hadley Comn. Barn —4N 153
Hadley Ct. Lut —8F 46 (off Malzeard Rd.)
Hadley Ct. New Bar —5A 154
Hadley Grange. H'low —7E 118
Hadley Grn. Rd. Barn —4M 153
Hadley Grn. W. Barn —4M 153
Hadley Gro. Barn —4L 153
Hadley Highstone. Barn —3M 153
Hadley Mnr. Trading Est. Barn —5M 153
Hadley Ridge. Barn —5M 153
Hadley Rd. Barn —4A 154 (Barnet)
Hadley Rd. Barn & Enf (Hadley Wood) —2E 154
Hadley Way. N21 —8M 155
Hadley Wood Rd. Barn —4B 154
Hadlow Down Clo. Lut —4C 46
Hadrian Av. Dunst —7H 45
Hadrian Clo. St Alb —4A 126
Hadrians Ride. Enf —7D 156
Hadrians Wlk. Stev —1B 52
Hadrians Way. Let —4K 23
Hadwell Clo. Stev —6N 51
Hagdell Rd. Lut —3E 66
Hagden La. Wat —6H 149
Haggerston Rd. Borwd —2M 151
Haglis Dri. Wend —8A 100
Hagsdell La. Hert —1B 114
Hagsdell Rd. Hert —1B 114
Haig Clo. St Alb —3J 127
Haig Ho. St Alb —3J 127
Haig Rd. Stan —5K 163
Hailey Av. Hod —4L 115
Haileybury Av. Enf —8D 156
Hailey La. Hail —5H 115
Hailmores. Brox —1L 133
Haines Way. Wat —7J 137
Halcyon. Enf —7C 156 (off Private Rd.)
Haldens Houses. Wel G —6M 91
Hale Clo. Edgw —5C 164
Hale Ct. Edgw —5C 164
Hale Ct. Hert —1B 114 (off Hale Rd.)
Hale Dri. NW7 —6C 164
Hale Gro. Gdns. NW7 —5E 164
Hale La. NW7 —5D 164
Hale La. Edgw —5B 164
Hale Rd. Hert —1B 114
Hale Rd. Wend —9B 100
Hales Meadow. Hpdn —5B 88
Hales Pk. Hem H —1E 124
Hales Pk. Clo. Hem H —1E 124
Haleswood Rd. Hem H —1D 124
Half Acre. Stan —6K 163
Half Acre Hill. Chal P —8C 158
Half Acre La. Gt Hor —1D 40
Half Acres. Bis S —9H 59
Halfhide La. Chesh & Turn —9H 133
Halfhides. Wal A —6N 145
Half Moon La. Dunst —1G 64
Half Moon La. Mark —1B 86
Half Moon La. Pep —8E 66
Half Moon Meadow. Hem H —6E 106
Half Moon M. St Alb —2E 126
Halfway Av. Lut —8N 45
Halifax. NW9 —9E 164
Halifax Ho. L Chal —3A 146
Halifax Rd. Enf —4A 156
Halifax Rd. Herons —9F 146
Hallam Clo. Wat —4L 149
Hallam Gdns. Pinn —7N 161
Halland Way. N'wd —6F 160
Hall Clo. Rick —1K 159
Hall Dri. Hare —8M 159
Halleys Ridge. Hert —1M 113
Halley's Way. H Reg —5G 44
Hall Farm Clo. Stan —4J 163
Hall Gdns. Col H —5D 128
Hall Gro. Wel G —2A 112
Hall Heath Clo. St Alb —9J 109
Hallingbury Clo. L Hall —7K 79
Hallingbury Rd. Bis S —2J 79
Hallingbury Rd. Saw —3J 99
Halling Hill. H'low —4A 118 (in two parts)
Hall La. NW4 —8G 165
Hall La. Gt Chi —2H 17
Hall La. Gt Hor —1D 40
Hall La. Kim —8K 69
Hall La. Wool G —6N 71
Hall Mead. Let —5C 22
Hall M. Wool G —6M 71
Hallowell Rd. N'wd —7G 161
Hallowes Cres. Wat —3J 161
Hall Pk. Berk —2B 122
Hall Pk. Ga. Berk —3B 122
Hall Pk. Hill. Berk —3B 122
Hall Pl. Clo. St Alb —1F 126
Hall Pl. Gdns. St Alb —1F 126
Hall Rd. Hem I —9D 106
Halls Clo. Welw —3J 91
Hallsgreen La. W'ton —5C 36
Hallside. Dun —1E 4
Hallside Rd. Enf —2D 156
Hallwicks Rd. Lut —6K 47
Hallworth Dri. Stot —6E 10
Halsbury Clo. Stan —4J 163
Halsbury Ct. Stan —4J 163
Halsey Dri. Hit —3B 34
Halsey Pk. Lon C —9N 127
Halsey Pl. Wat —2K 149
Halsey Rd. Wat —5K 149
Halstead Gdns. N21 —9B 156
Halstead Hill. G Oak —2C 144
Halstead Rd. N21 —9B 156
Halstead Rd. Enf —6C 156
Halter Clo. Borwd —7D 152
Halton La. Wend —7A 100
Halton Wood Rd. Hal C —9D 100
Haltside. Hat —1E 128
Halwick Clo. Hem H —4L 123
Halyard Clo. Lut —3D 46
Hamberlins La. N'chu —8F 102
Hamble Ct. Wat —6J 149
Hambling Pl. Dunst —9C 44
Hamblings Clo. Shenl —6L 139
Hambridge Way. Pir —7E 20
Hambro Clo. E Hyde —9A 68
Hamburgh Ct. Chesh —1H 145
Hamels Dri. Hert —8F 94
Hamer Clo. Bov —1D 134
Hamer Ct. Lut —1F 46
Hamilton Av. N9 —9E 156
Hamilton Av. Hod —6L 115
Hamilton Clo. Brick W —4B 138
Hamilton Clo. Cockf —6D 154
Hamilton Clo. S Mim —6G 140
Hamilton Clo. Stan —2F 162
Hamilton Ct. Hat —3H 129
Hamilton Mead. Bov —9D 122
Hamilton Rd. N9 —9E 156
Hamilton Rd. Berk —1M 121
Hamilton Rd. Cockf —6D 154
Hamilton Rd. K Lan —6E 136
Hamilton Rd. St Alb —1H 127
Hamilton Rd. Wat —3K 161
Hamilton St. Wat —7L 149
Hamilton Way. N3 —6N 165
Hamlet Ct. Enf —7C 156
Hamlet Hill. Roy —9D 116
Hamlet, The. Pott E —7D 104
Hamlyn Clo. Edgw —3M 163
Hammarskjold Rd. H'low —5M 117
Hammerdell. Let —4D 22
Hammer La. Hem H —1B 124
Hammers Ga. St Alb —8B 126
Hammers La. NW7 —5G 164

Hammersmith Clo.—Hemel Hempstead Rd.

Hammersmith Clo. H Reg —4F 44
Hammersmith Gdns. H Reg —4F 44
Hammond Clo. Barn —7L 153
Hammond Clo. Chesh —8C 132
Hammond Clo. Stev —3K 51
Hammond Ct. S End —7E 66
Hammond Rd. Enf —4F 156
Hammond's La. Sandr —3L 109
Hammondswick. Hpdn —2A 108
Hamonde Clo. Edgw —2B 164
Hamonte. Let —7J 23
Hampden. Kim —7K 69
Hampden Clo. Let —3H 23
Hampden Cres. Chesh —4F 144
Hampden Hill. Ware —6K 95
Hampden Hill Clo. Ware —5K 95
Hampden Pl. Frog —2F 138
Hampden Rd. Chal P —8A 158
Hampden Rd. Harr —8D 162
Hampden Rd. Hit —1C 34
Hampden Rd. Let —3H 23
Hampden Rd. Wend —9B 100
Hampden Way. Wat —9G 136
Hampermill La. Wat —2H 161
Hampshire Ho. Ger X —5B 158
Hampshire Way. Lut —9A 30
Hampton Clo. Stev —1B 72
Hampton Gdns. Saw —8D 98
Hampton Rd. Lut —8D 46
Hamstel Rd. H'low —5L 117
Hanaper Dri. Bar —3C 16
Hanbury Clo. Chesh —2J 145
Hanbury Clo. Ware —6J 95
Hanbury Cotts. Ess —9G 112
Hanbury Dri. N21 —7L 155
Hanbury Dri. Thun —2G 94
Hanbury La. Ess —8D 112
Hanbury M. Thun —2G 94
Hancock Ct. Borwd —3C 152
Hancock Dri. Lut —3G 46
Hancroft Rd. Hem H —4B 124
Handa Clo. Hem H —5D 124
Handcross Rd. Lut —6M 47
Handel Clo. Edgw —6N 163
Handel Pde. Edgw —7A 164
(off Whitchurch La.)
Handel Way. Edgw —7A 164
Hand La. Saw —6E 98
Handpost Hill. N'thaw —1G 143
Handside Clo. Wel G —9J 91
Handside Grn. Wel G —8J 91
Handside La. Wel G —1H 111
Handsworth Clo. Wat —3J 161
Hangar Ruding. Wat —3A 162
Hanger Clo. Hem H —3L 123
Hangmans La. Welw —8M 71
Hankins La. NW7 —2E 164
Hanover Clo. Stev —8M 51
Hanover Ct. Hod —7L 115
Hanover Ct. Lut —4N 45
Hanover Ct. Wal A —6N 145
(off Quakers La.)
Hanover Gdns. Ab L —3H 137
Hanover Grn. Hem H —4K 123
Hanover Ho. Wel G —2M 111
Hanover Pl. Bar C —7E 18
Hanover Wlk. Hat —3F 128
Hansart Way. Enf —3M 155
Hanscombe End Rd. Shil —3M 19
Hanselin Clo. Stan —5G 163
Hansells Mead. Roy —6E 116
Hansen Dri. N21 —7L 155
Hanshaw Dri. Edgw —8D 164
Hanswick Clo. Lut —7K 47
Hanworth Clo. Lut —2F 46
Hanyards End. Cuff —1K 143
Hanyards La. Cuff —1J 143
Happy Valley Ind. Est. K Lan —2D 136
Harbert Gdns. Park —2C 138
Harberts Rd. H'low —6L 117
Harborne Clo. Wat —5L 161
Harbury Dell. Lut —2D 46
Harcourt Av. Edgw —3C 164
Harcourt Rd. Bush —7D 150
Harcourt Rd. Tring —2A 102
Harcourt St. Lut —3G 66
Harding Clo. Lut —2A 46
Harding Clo. Redb —1K 107
Harding Clo. Wat —6L 137
Harding Pde. Hpdn —6C 88
(off Station Rd.)
Hardings. Wel G —8B 92
Hardingstone Ct. Wal X —7K 145
Hardwick Clo. Stan —5K 163
Hardwick Clo. Stev —1B 72
Hardwick Grn. Lut —2C 46
Hardwick Pl. Lon C —9L 127
Hardy Clo. Barn —8L 153
Hardy Clo. Hit —3C 34
Hardy Dri. R'ton —5D 8
Hardy Rd. Hem H —1B 124
Hardy Way. Enf —3M 155
Harebell. Wel G —3L 111
Harebell Clo. Hert —9F 94
Harebreaks, The. Wat —1J 149
Hare Cres. Wat —5J 137
Harefield. H'low —5C 118
Harefield. Stev —6B 52
Harefield Clo. Enf —3M 155
Harefield Grn. NW7 —6J 165
Harefield Pl. St Alb —8L 109
Harefield Rd. Lut —9B 46
Harefield Rd. Rick —3N 159
Harefield Rd. Ind. Est. Rick —4A 160
Hare La. Hat —2H 129
Harepark Clo. Hem H —1J 123
Hare St. H'low —6L 117
Hare St. Rd. Bunt —3K 39
Hare St. Springs. H'low —6M 117
Harewood. Rick —6L 147
(in two parts)
Harewood Rd. Chal G —5A 146
Harewood Rd. Wat —3K 161
Harford Clo. E4 —9M 157
Harford Dri. Wat —2G 149
Harforde Ct. Hert —9E 94
Harford Rd. E4 —9M 157
Hargrave Clo. Stans —1N 59
Hargreaves Av. Chesh —4F 144
Hargreaves Clo. Chesh —4F 144
Hargreaves Rd. R'ton —8D 8
Harkett Clo. Harr —9G 162
Harkett Ct. W'stone —9G 162
Harkness. Chesh —2F 144
Harkness Ct. Hit —1B 34
(off Franklin Gdns.)
Harkness Ind. Est. Borwd —6A 152
Harkness Way. Hit —1C 34
Harkness Way. St Alb —8L 109
Harlech Rd. Ab L —4J 137
Harlequin Rd. H'low —6D 118
Harlequin, The. Wat —6L 149
Harlesden Rd. St Alb —2H 127
Harlestone Clo. Lut —9C 30
Harley Ct. St Alb —7L 109
Harley Ho. Borwd —4B 152
Harling Rd. Eat B —4L 63
Harlings, The. Hert H —4G 115
Harlington Rd. S'hoe —8A 18
Harlow Bus. Pk. H'low —6H 117
Harlow Comn. H'low —9E 118
Harlow Ct. Hem H —7C 106
Harlow Rd. Mat T —3L 119
Harlow Rd. Saw —8E 98
Harlow Rd. Srng —8N 99
Harlow Seedbed Cen. H'low
(off Lovet Rd.) —7K 117
Harlyn Dri. Pinn —9K 161
Harman Rd. Enf —7D 156
Harmer Dell. Welw —3M 91
Harmer Grn. La. Welw —4M 91
Harmony Clo. Hat —7G 110
Harmsworth Way. N20 —1M 165
Harold Clo. H'low —7J 117
Harold Cres. Wal A —5N 145
Harold Rd. Bar C —8E 18
Harolds Rd. H'low —7J 117
Harpenden La. Redb —9K 87
Harpenden Rise. Hpdn —4N 87
Harpenden Rd. C'bry —2C 108
Harpenden Rd. Wheat —7H 89
Harper Ct. Stev —4M 51
Harper La. Rad —5G 139
Harpsfield B'way. Hat —8F 110
Harps Hill. Mark —2A 86
Harptree Way. St Alb —9H 109
Harrier Rd. NW9 —9E 164
Harriet Walker Way. Rick —9J 147
Harriet Way. Bush —9E 150
Harrington Ct. Hert H —3G 115
Harrington Heights. H Reg —4D 44
Harris Clo. Enf —3N 155
Harris Ct. Bar C —7E 18
Harris La. Lut —5J 47
Harris La. Offl —8E 32
Harris La. Offl —8E 32
Harris La. Shenl —7A 140
Harrison Clo. Hit —3N 33
Harrison Clo. N'wd —6E 160
Harrison Gro. Hat —3G 129
Harrisons. Bir —7M 59
Harrison Wlk. Chesh —3H 145
Harris Rd. Wat —8J 137
Harris's La. Ware —5G 94
Harrogate Rd. Wat —3L 161
Harrow Av. Enf —8D 156
Harrow Ct. Stev —4L 51
Harrowden Ct. Lut —9K 47
Harrowdene. Stev —5B 52
Harrowden Rd. Lut —9K 47
Harrow Dri. N9 —9D 156
Harrowes Meade. Edgw —3A 164
Harrow View. Harr —9D 162
Harrow Way. Wat —3N 161
Harrow Weald Pk. Harr —6E 162
Harrow Yd. Tring —3M 101
Harry Scott Ct. Lut —3M 45
Hartfield Av. Els —6A 152
Hartfield Clo. Els —7A 152
Hartfield Ct. Ware —5H 95
Hartford Av. Harr —9J 163
Hartforde Rd. Borwd —4A 152
Harthall La. K Lan —1D 136
Hartham La. Hert —9A 94
Hart Hill Dri. Lut —9H 47
Hart Hill La. Lut —9H 47
Hart Hill Path. Lut —9H 47
Hartland Clo. Edgw —2A 164
Hartland Dri. Edgw —2A 164
Hartland Rd. Chesh —3H 145
Hart La. Lut —8J 47
Hartley Av. NW7 —5F 164
Hartley Clo. NW7 —5F 164
Hartley Rd. Lut —9H 47
Hart Lodge. H Bar —5L 153
Hartmoor M. Enf —1H 157
Hartop Ct. Lut —9M 47
Hart Rd. H'low —1E 118
Hart Rd. St Alb —3E 126
Hartsbourne Av. Bush —2D 162
Hartsbourne Clo. Bush —2E 162
Hartsbourne Pk. Bush —2F 162
Hartsbourne Rd. Bush —2E 162
Hartsbourne Way. Hem H —3E 124
Harts Clo. Bush —4B 150
Hartsfield Rd. Lut —7J 47
Hartspring Ind. Pk. Wat —4B 150
Hartspring La. Wat —4B 150
Hartsway. Enf —6G 156
Hart Wlk. Lut —8J 47
Hartwell Gdns. Hpdn —6N 87
Hartwood. Lut —9H 47
(off Hart Hill Dri.)
Hartwood Grn. Bush —2E 162
Harvest Clo. Lut —6K 45
Harvest Ct. St Alb —7L 109
Harvest Ct. Welw —9L 71
Harvest End. Wat —9M 137
Harvesters. St Alb —7K 109
(off Harvest Ct.)
Harvest Mead. Hat —7H 111
Harvest Rd. Bush —6C 150
Harvey Cen. H'low —6M 117
Harvey Cen. App. H'low —6N 117
Harveyfields. Wal A —7N 145
Harvey Rd. Crox G —8C 148
Harvey Rd. Dunst —1A 64
Harvey Rd. Lon C —8K 127
Harvey Rd. Stev —3A 52
Harveys Cotts. Ware —9B 58
Harvey's Hill. Lut —4H 47
Harvingwell Pl. Hem H —9D 106
Harwood Clo. Tew —5D 92
Harwood Clo. Wel G —5L 91
Harwood Hill. Wel G —6L 91
Harwoods Rd. Wat —6J 149
Harwoods Yd. N21 —9M 155
Hasedines Rd. Hem H —1K 123
Haseldine Meadows. Hat —1F 128
Haseldine Rd. Lon C —8L 127
Haselfoot. Let —5E 22
Haselwood Dri. Enf —6N 155
Hasketon Dri. Lut —3L 45
Haslemere. Bis S —4J 79
Haslemere Bus. Cen. Enf —7F 156
Haslemere Est., The. Hod —9A 116
Haslemere Ind. Est. Wel G —8M 91
Haslemere Pinnacles Est., The. H'low —7K 117
Haslewood Av. Hod —8L 115
Haslingden Clo. Hpdn —4M 87
Hasluck Gdns. New Bar —8B 154
Hastings Clo. Barn —6B 154
Hastings Clo. Stev —1G 50
Hastings Rd. Bar C —8E 18
Hastings St. Lut —2F 66
Hastings Way. Bush —6N 149
Hastings Way. Crox G —6E 148
Hastingwood Rd. H'wd —9H 119
Hastoe Hill. Tring —7L 101
Hastoe La. Tring —4M 101
Hastoe Row. Tring —7M 101
Hatch Grn. L Hall —8K 79
Hatching Grn. Clo. Hpdn —9B 88
Hatch La. Bald & W'ton —6M 23
Hatch, The. Enf —3H 157
Hatfield Av. Hat —5D 110
Hatfield Bus. Pk. Hat —6E 110
Hatfield Cres. Hem H —7B 106
Hatfield Rd. Ess —5D 112
Hatfield Rd. Pot B —3B 142
Hatfield Rd. St Alb & Smal —2F 126
Hatfield Rd. Wat —3K 149
Hathaway Clo. Lut —7L 45
Hathaway Clo. Stan —5H 163
Hathaway Ct. St Alb —2M 127
Hatherleigh Gdns. Pot B —5C 142
Hatters La. Wat —8F 148
Hatters Way. Lut —8L 45
Hatton Rd. Chesh —2H 145
Havelock Rise. Lut —8G 47
Havelock Rd. Harr —9F 162
Havelock Rd. K Lan —1B 136
Havelock Rd. Lut —8G 46
Haven Clo. Hat —8F 110
Havenhurst Rise. Enf —4M 155
Haven Lodge. Enf —7C 156
(off Village Rd.)
Havensfield. Chfd —4L 135
Haven, The. N14 —8G 155
Haven, The. St Alb —7D 86
Havercroft Clo. St Alb —4D 126
Haverdale. Lut —5M 45
Haverford Way. Edgw —8N 163
Havers La. Bis S —3H 79
Havers Pde. Bis S —3H 79
(off Thorley Hill)
Hawbush Clo. Welw —3H 91
Hawbush Rise. Welw —2G 91
Hawes Clo. N'wd —7H 161
Hawes La. E4 —2N 157
Haweswater Dri. Wat —6L 137
Hawfield Gdns. Park —8E 126
Hawkdene. E4 —8M 157
Hawkenbury. H'low —8L 117
Hawker. NW9 —8F 164
Hawkesworth Clo. N'wd —7G 160
Hawkfield. Let —3E 22
Hawkfields. Lut —3G 47
Hawkins Clo. NW7 —5D 164
Hawkins Clo. Borwd —4C 152
Hawkins Hall La. D'wth —6D 72
Hawkshead La. N Mym —1J 141
Hawkshead Rd. Pot B —1M 141
Hawkshill. St Alb —3H 127
Hawkshill Dri. Fel —5J 123
Hawksmead Clo. Enf —9H 145
Hawksmoor. Shenl —6A 140
Hawksmouth. E4 —9N 157
Hawkwell Dri. Tring —2A 102
Hawkwood Cres. E4 —8M 157
Hawridge La. Bell —5C 120
Hawridge Vale. Hawr —4D 120
Hawsley Rd. Hpdn —2B 108
Hawthorn Av. Lut —5K 47
Hawthorn Clo. Ab L —5J 137
Hawthorn Clo. Dunst —1F 64
Hawthorn Clo. Hpdn —8E 88
Hawthorn Clo. Hert —8M 93
Hawthorn Clo. Hit —4L 33
Hawthorn Clo. Wat —2H 149
Hawthorn Ct. Pinn —9L 161
(off Rickmansworth Rd.)
Hawthorn Cres. Cad —5A 66
Hawthorne Av. Chesh —4F 144
Hawthorne Clo. Chesh —4F 144
Hawthorne Clo. R'ton —6F 8
Hawthorne Ct. N'wd —9J 161
Hawthorne Rd. Rad —7H 139
Hawthornes. Hat —2F 128
Hawthorn Gro. Barn —8F 152
Hawthorn Gro. Enf —2B 156
Hawthorn Hill. Let —4E 22
Hawthorn La. Hem H —1J 123
Hawthorn M. NW7 —8L 165
Hawthorn Rise. Thor —5H 79
Hawthorn Rd. Hod —6M 115
Hawthorns. Wel G —7K 91
Hawthorns, The. Berk —9L 103
Hawthorns, The. Chal G —4A 146
Hawthorns, The. Hem H —6J 123
Hawthorns, The. Rick —5G 158
Hawthorns, The. Stev —5M 51
Hawthorns, The. Ware —4G 94
Hawthorn Way. L Ston —1F 20
Hawthorn Way. R'ton —6F 8
Hawthorn Way. St Alb —6B 126
Hawtrees. Rad —8G 138
Haybourn Mead. Hem H —3L 123
Hay Clo. Borwd —4C 152
Haycroft. Bis S —1L 79
Haycroft. Lut —3G 46
Haycroft Rd. Stev —2K 51
Haydens Rd. H'low —6M 117
Haydock Rd. R'ton —7F 8
Haydon Clo. Enf —8C 156
Haydon Rd. Wat —8N 149
Hayes. K Lan —2C 136
Hayes Clo. Lut —4K 47
Hayes Wlk. Pot B —6A 142
Hayfield. Stev —2C 52
Hayfield Clo. Bush —6C 150
Haygarth. Kneb —4N 71
Hayhurst Rd. Lut —7L 45
Hay La. Hpdn —6B 88
Hayley Comn. Stev —6B 52
Hayley Ct. H Reg —3F 44
Hayling Dri. Lut —6M 47
Hayling Rd. Wat —3J 161
Hayllar Ct. Hod —8L 115
Haymarket Rd. Lut —5H 45
Haymeads. Wel G —6L 91
Haymeads La. Bis S —1L 79
Haymoor. Let —4E 22
Haynes Clo. Wel G —1N 111
Haynes Mead. Berk —8L 103
Haysman Clo. Let —4H 23
Hay St. Stpl M —3C 6
Hayton Clo. Lut —8D 30
Hayward Rd. Hod —6N 115
Haywood Clo. Pinn —9M 161
Haywood La. Ther —6E 14
Haywood Pk. Chor —7J 147
Haywoods Dri. Hem H —5J 123
Haywoods La. R'ton —6E 8
Hayworth Clo. Enf —4J 157
Hazelbury Av. Ab L —5E 136
Hazelbury Cres. Lut —9E 46
Hazel Clo. Wal X —8C 132
Hazel Clo. Welw —4L 91
Hazel Ct. Hit —3A 34
Hazel Croft. Pinn —6C 162
Hazeldell. Wat S —5J 73
Hazeldell Link. Hem H —3H 123
Hazeldell Rd. Hem H —3H 123
Hazeldene. Wal X —5J 145
Hazeldene Dri. Pinn —9L 161
Hazelend Rd. Bis S —4K 59
Hazel Gdns. Edgw —4B 164
Hazel Gdns. Saw —6H 99
Hazelgreen Clo. N21 —9N 155
Hazel Gro. Hat —3F 128
Hazel Gro. Stot —7E 10
Hazel Gro. Wat —8K 137
Hazel Gro. Wel G —8A 92
Hazel Gro. Ho. Hat —2F 128
Hazel Mead. Barn —7H 153
Hazelmere Rd. St Alb —8K 109
Hazelmere Rd. Stev —9N 51
Hazel Rd. Berk —2A 122
Hazel Rd. Park —1C 138
Hazels, The. Tew —5D 92
Hazel Tree Rd. Wat —1K 149
Hazelwood Clo. Hit —2N 33
Hazelwood Clo. Lut —5K 47
Hazelwood Dri. Pinn —9K 161
Hazelwood Dri. St Alb —9K 109
Hazelwood La. Ab L —5E 136
Hazelwood Rd. Crox G —8E 148
Hazelwood Rd. Enf —8D 156
Hazely. Tring —2A 102
Heacham Clo. Lut —5L 45
Headingley Clo. Chesh —8D 132
Headingley Clo. Shenl —5M 139
Headingley Clo. Stev —1L 51
Headstone La. Harr —9C 162
Healey Rd. Wat —8H 149
Hearn Bldgs. Wat —6L 149
Hearn Pl. St Alb —2E 126
Heath Av. R'ton —7C 8
Heath Av. St Alb —9E 108
Heathbourne Rd. Bush & Stan —1F 162
Heath Brow. Hem H —4M 123
Heathbrow rd. Welw —8L 71
Heath Clo. Hpdn —8D 88
Heath Clo. Hem H —3M 123
Heath Clo. Lut —2D 66
Heath Clo. Pot B —3A 142
Heathcote Av. Hat —7G 111
Heathdene Mnr. Wat —3H 149
Heath Dri. Pot B —3N 141
Heath Dri. Ware —4H 95
Heather Clo. Ab L —5J 137
Heather Clo. Bis S —2F 78
Heather Dri. Enf —4N 155
Heather La. Wat —9J 137
Heather Mead. Eat B —3J 63
Heather Rise. Bush —4A 150
Heather Rd. Wel G —2J 111
Heather Wlk. Edgw —5B 164
Heather Way. Hem H —1N 123
Heather Way. Pot B —5M 141
Heather Way. Stan —6G 163
Heath Farm Ct. Wat —1F 148
Heath Farm La. St Alb —9F 108
Heathfield. R'ton —7B 8
Heathfield Clo. Cad —4B 66
Heathfield Clo. Pot B —3A 142
Heathfield Ct. St Alb —1F 126
(off Avenue Rd.)
Heathfield Path. Lut —4B 66
Heathfield Rd. Bush —6N 149
Heathfield Rd. Hit —1N 33
Heathfield Rd. Lut —5E 46
Heathgate. Hert H —4F 114
Heath Hill. Cod —7D 70
Heathlands. Welw —7M 71
Heathlands Dri. St Alb —9F 108
Heath La. Cod —7E 70
Heath La. Hem H —4M 123
Heath La. Hert H —4G 114
Heath Lodge. Bush —1F 162
Heathmere. Let —2F 22
Heath Rd. B Grn —8E 48
Heath Rd. Pot B —3N 141
Heath Rd. St Alb —1F 126
Heath Rd. Wat —9M 149
Heath Rd. Welw —7L 71
Heath Row. Bis S —8K 59
Heaths Clo. Enf —4C 156
Heathside. Col H —5B 128
Heathside. St Alb —9F 108
Heathside Clo. N'wd —5F 160
Heathside Rd. N'wd —4F 160
Heath, The. B Grn —8E 48
Heath, The. Rad —6H 139
Heathview. Hpdn —6C 88
(off Milton Rd.)
Heaton Ct. Chesh —2H 145
Heaton Dell. Lut —8N 47
Heay Fields. Wel G —8B 92
Hebden Clo. Lut —5L 45
Hector. NW9 —8F 164
(off Five Acre)
Heddon Ct. Av. Barn —7E 154
Heddon Ct. Pde. Barn —7F 154
Heddon Rd. Cockf —7E 154
Hedgebrooms. Wel G —8B 92
Hedge Hill. Enf —3N 155
Hedgerow. Chal P —6B 158
Hedge Row. Hem H —9K 105
Hedgerows. Saw —5H 99
Hedgerows, The. Stev —1C 52
Hedgerow Wlk. Chesh —3H 145
Hedges Clo. Hat —8H 111
Hedgeside. Pott E —7D 104
Hedgeside Rd. N'wd —5E 160
Hedley Rise. Lut —7N 47
Hedley Rd. St Alb —2J 127
Hedworth Av. Wal X —6H 145
Heene Rd. Enf —3B 156
Heighams. H'low —9J 117
Heights, The. Hem H —8B 106
Heights, The. Lut —4A 46
(off Marsh Rd.)
Helena Clo. Barn —2C 154
Helena Pl. Hem H —9N 105
Helens Ga. Chesh —8K 133
Helions Rd. H'low —6L 117
Hellards Rd. Stev —2K 51
Hellebore Ct. Stev —1A 52
Helmsley Clo. Lut —4M 45
Helston Clo. Pinn —7A 162
Helston Gro. Hem H —6N 105
Helston Pl. Ab L —5H 137
Hemel Hempstead Ind. Est. Hem H —7D 106
Hemel Hempstead Rd. Dagn —4A 84
Hemel Hempstead Rd. Hem H —5F 106

184 A-Z Hertfordshire

Hemel Hempstead Rd.—Hitchin Hill

Hemel Hempstead Rd. Redb —3H 107
Hemel Hempstead Rd. St Alb —4L 125
Hemingford Dri. Lut —3F 46
Hemingford Rd. Wat —9G 136
Heming Rd. Edgw —7B 164
Hemmings, The. Berk —2K 121
Hemming Way. Wat —8J 137
Hemp La. Wig —5C 102
Hempstall. Wel G —2A 112
Hempstead La. Pott E —8E 104
Hempstead Rd. Bov —9D 122
Hempstead Rd. K Lan —1C 136
Hempstead Rd. Wat —9F 136
Hemstead Rd. K Lan —8B 124
Hemswell Dri. NW9 —8E 164
Henbury Way. Wat —3M 161
Henderson Clo. St Alb —7D 108
Henderson Pl. Bedm —9H 125
Henderson Rd. N9 —9F 156
Hendon Av. N3 —8L 165
Hendon Hall Ct. NW4 —9K 165
Hendon La. N3 —9L 165
Hendon Lodge. NW4 —9H 165
Hendon Wood La. NW7 —9F 152
Hendy Ct. Enf —5B 156
Hendy Rd. Bis S —1H 79
Henge Way. Lut —2N 45
Henley Clo. H Reg —4H 45
Henley Ct. N14 —9H 155
Henry Clo. Enf —2C 156
Henry Darlot Dri. NW7 —5K 165
Henry Rd. Barn —7C 154
Henrys Grant. St Alb —3F 126
Henry St. Hem H —6N 123
Henry St. Tring —3M 101
Hensley Clo. Hit —4B 34
Hensley Clo. Welw —1J 91
Henstead Pl. Lut —8M 47
Heracles. NW9 —8F 164 (off Five Acre)
Herald Clo. Bis S —2F 78
Herbert St. Hem H —1N 123
Hereford Rd. Lut —6K 45
Hereward Clo. Wal A —5N 145
Herga Ct. Wat —4J 149
Heriots Clo. Stan —4H 163
Heritage Clo. St Alb —2E 126
Herkomer Clo. Bush —8C 150
Herkomer Rd. Bush —7B 150
Herm Ho. Enf —2H 157
Hermitage Clo. Enf —4N 155
Hermitage Ct. Pot B —6B 142
Hermitage Rd. Hit —3N 33
Hermitage Way. Stan —8H 163
Herne Ct. Bush —9D 150
Herne Rd. Bush —8C 150
Herne Rd. Stev —9H 35
Herneshaw. Hat —2F 128
Herns La. Wel G —8A 92
Herns Way. Wel G —7N 91
Heron Clo. Hem H —6A 124
Heron Clo. Rick —2N 159
Heron Clo. Saw —6F 98
Heron Ct. Bis S —1J 79
Heron Dri. Stan A —3N 115
Heron Dri. Lut —3G 47
Heronfield. Pot B —3B 142
Herongate Clo. Enf —4D 156
Herongate Rd. Chesh —9J 133
Heron Path. Wend —9A 100
Herons Elm. N'chu —7J 103
Herons Ga. Edgw —5A 164
Heronsgate Rd. Chor —8E 146
Herons Lea. Wat —9L 137
Heronslea Dri. Stan —5M 163
Herons Rise. New Bar —6D 154
Herons Way. St Alb —6H 127 (in two parts)
Herons Wood. H'low —4L 117
Heronswood Pl. Wel G —1N 111
Heronswood Rd. Wel G —9N 91
Heron Trading Est., The. Lut —2M 45
Heron Wlk. N'wd —4G 161
Heron Way. Hat —2G 128
Hertford Clo. Barn —5B 154
Hertford Ho. Stev —3H 51
Hertford M. Pot B —4B 142
Hertford Rd. Barn —5B 154
Hertford Rd. Dig —3J 91
Hertford Rd. Enf & Wal X —9F 156
Hertford Rd. Gt Amw —2K 115
Hertford Rd. Hat —5J 111
Hertford Rd. Hod —5H 115
Hertford Rd. Stev —8M 51
Hertford Rd. Tew —5D 92
Hertford Rd. Ware —7G 95
Hertfordshire Bus. Cen. Lon C —8L 127
Hertingfordbury Hill. Hert —2J 113
Hertingfordbury Rd. Hert (Hertford) —1L 113
Hertingfordbury Rd. Hert (Hertingfordbury) —2K 113
Hertsmere Ind. Pk. Borwd —5D 152
Hertswood Ct. Barn —6L 153
Hervey Clo. N3 —8N 165
Hervey Way. N3 —8N 165
Hester Ho. H'low —4M 117
Heswall Ct. Lut —2H 67 (off Bailey St.)
Heswell Grn. Wat —3J 161
Hetchleys. Hem H —8K 105
Hewett Clo. Stan —4J 163
Hewitt Clo. Wheat —8L 89
Hewlett Rd. Lut —4A 46
Hexham Rd. Barn —6A 154
Hexton Rd. Bar C —9E 18
Hexton Rd. Hit —2E 32
Hexton Rd. Lil —6K 31
Heybridge Ct. Hert —8L 93
Heydon Rd. Gt Chi —2H 17
Heydons Clo. St Alb —9E 108
Heyford Rd. Rad —1G 150
Heyford Way. Hat —7J 111 (Birchwood)
Heyford Way. Hat —8G 111 (Roe Green)
Heysham Dri. Wat —5L 161
Heywood Av. NW9 —8E 164
Heywood Ct. Stan —5K 163
Heywood Dri. Lut —7H 47
Hibbert Av. Wat —2M 149
Hibbert Rd. Harr —9G 163
Hibberts Ct. Let —4E 22
Hibbert St. Lut —2G 66
Hibbert St. Pas. Lut —2G 66 (off Hibbert St.)
Hickling Clo. Lut —8M 47
Hickling Way. Hpdn —4D 88
Hickman Clo. Brox —2H 133
Hickman Ct. Lut —1N 45
Hicks Rd. Mark —2A 86
Hidalgo Ct. Hem H —9B 106
Hideaway, The. Ab L —4H 137
Hides, The. H'low —5N 117
High Acres. Ab L —5F 136
High Acres. Enf —5N 155
Higham Dri. Lut —8M 47
Higham Rd. Bar C —7E 18
High Ash Rd. Wheat —8K 89
High Av. Let —6D 22
Highbanks Rd. Pinn —6C 162
Highbarns. Hem H —7C 124
High Beech. N21 —8L 155
High Beech Rd. Lut —2N 45
High Birch Ct. New Bar —6D 154 (off Park Rd.)
Highbridge Retail Pk. Wal A —7M 145
Highbridge St. Wal A —6M 145 (in two parts)
Highbury Av. Hod —6L 115
Highbury Rd. Hit —4A 34
Highbury Rd. Lut —8E 46
Highbush Rd. Stot —7E 10
High Canons. Borwd —1C 152
Highclere Ct. St Alb —1F 126 (off Avenue Rd.)
Highclere Dri. Hem H —6C 124
High Clo. Rick —7M 147
Highcroft. Stev —8M 51
Highcroft Rd. Fel —6K 123
Highcroft Trailer Gdns. Hem H —8E 122
High Cross. A'ham —1E 150
High Dane. Hit —9A 22
High Dells. Hat —1F 128
High Elms. Hpdn —9B 88
High Elms Clo. N'wd —6F 160
High Elms La. Wat —4K 137
High Elms La. Wat S —9K 53
Highfield. Chal G —1A 158
Highfield. H'low —7C 118
Highfield. K Lan —1A 136
Highfield. Let —7D 22
Highfield. Saw —4G 98
Highfield Av. Bis S —2L 79
Highfield Av. Hpdn —7D 88
Highfield Clo. N'wd —8G 161
Highfield Ct. N14 —8H 155
Highfield Ct. Ger X —5C 158
Highfield Ct. Stev —2L 51
Highfield Cres. N'wd —8G 160
Highfield Dri. Brox —3J 133
Highfield Hall. St Alb —6M 127
Highfield La. Hem H —9B 106
Highfield La. Tyngr —4K 127
Highfield Oval. Hpdn —4B 88
Highfield Rd. Berk —2A 122
Highfield Rd. Bush —7N 149
Highfield Rd. Chesh —8C 132
Highfield Rd. Hert —2B 114
Highfield Rd. Lut —8D 46
Highfield Rd. N'wd —8G 161
Highfield Rd. Sandr —5J 109
Highfield Rd. Tring —5A 102
Highfield Rd. Wig —3K 101
Highfields. Cuff —1K 143
Highfields. Deb —2N 29
Highfields. Rad —8G 139
Highfields Clo. Dunst —7K 45
Highfield Way. Pot B —5A 142
Highfield Way. Rick —8K 147
High Firs. Rad —8H 139
High Firs Cres. Hpdn —7E 88
High Gro. Wel G —8J 91
Highgrove Ct. Wal X —7G 145
High Ho. Est. H'low —2H 119
Highland Dri. Bush —9C 150
Highland Dri. Hem H —2D 124
Highland Rd. N'wd —9H 161
Highland Rd. Thor —5H 79
Highlands. Hat —6J 111
Highlands. R'ton —7E 8
Highlands. Wat —1L 161
Highlands Clo. Chal P —7C 158
Highlands End. Chal P —7C 158
Highlands La. Chal P —7C 158
Highlands Rd. Barn —7N 153
Highlands, The. Edgw —9B 164
Highlands, The. Pot B —3B 142
Highlands, The. Rick —9L 147
High La. Srng —9N 99
High La. Stans —9N 43
Highlea Clo. NW9 —7E 164
High Mead. Lut —6C 46
Highmead. Stans —1N 59
High Meads. Wheat —7K 89
Highmill. Ware —4H 95
Highmoor. Hpdn —3B 88
High Moors. Hal —6A 100
High Oak Rd. Ware —5H 95
High Oaks. Enf —2L 155
High Oaks. St Alb —6D 108
High Oaks Rd. Wel G —8H 91
Highover Clo. Lut —8K 47
Highover Rd. Let —6D 22
Highover Way. Hit —1B 34
High Pastures. Srng —6M 99
High Plash. Stev —4L 51
High Point. Lut —2F 66 (off Ruthin Clo.)
High Ridge. Cuff —9K 131
High Ridge. Hpdn —4N 87
High Ridge. Lut —8L 47
High Ridge Clo. Hem H —7N 123
High Ridge Pl. Enf —2L 155
High Ridge Rd. Hem H —7N 123
High Rd. Bush —1E 162
High Rd. Ess —3D 130
High Rd. Harr —7F 162
High Rd. Leav —8H 137
High Rd. Shil —4N 19
High Rd. Stfrd & W'frd —9M 73
High Rd. Worm —7J 133
High Rd. Turnford. Turn —8J 133
High Rd. Whetstone. N20 —9B 154
High St. Reed, Reed —7J 15
High St. Tring, Tring —3M 101
High St. Ware, Ware —6H 95
High St. Abbots Langley, Abb L —4G 137
High St. Arlesey, Arl —8A 10
High St. Ashwell, A'wl —9M 5
High St. Baldock, Bald —3M 23
High St. Barkway, B'wy —9N 15
High St. Barley, Bar —3C 16
High St. Barnet, Barn —5L 153
High St. Bassingbourn, Bass —1M 7
High St. Bedmond, Bedm —9H 125
High St. Berkhamsted, Berk —9M 103
High St. Bishop's Stortford, Bis S —1H 79
High St. Bovingdon, Bov —9D 122
High St. Buntingford, Bunt —2J 39
High St. Bushey, Bush —8B 150
High St. Chalfont St Peter, Chal P —8B 158
High St. Cheddington, Ched —9M 61
High St. Cheshunt, Chesh —2H 145
High St. Chrishall, Chris —1N 17
High St. Church End, Arl —6A 10
High St. Codicote, Cod —6E 70
High St. Colney Heath, Col H —4B 128
High St. Dunton, Dun —1F 4
High St. Eaton Bray, Eat B —2H 63
High St. Edgware, Edgw —6A 164
High St. Edlesborough, Edl —5J 63
High St. Elstree, Els —8L 151
High St. Flamstead, Flam —5D 86
High St. Gosmore, Gos —7N 33
High St. Graveley, G'ley —6J 35
High St. Great Offley, Offl —7D 32
High St. Grn. Hem H —9C 106
High St. Guilden Morden, G Mor —1A 6
High St. Harefield, Hare —9M 159
High St. Harlow, H'low (in two parts) —2E 118
High St. Harpenden, Hpdn —5B 88
High St. Hemel Hempstead, Hem H —1M 123
High St. Hinxworth, Hinx —7E 4
High St. Hitchin, Hit —3M 33
High St. Hoddesdon, Hod —8L 115
High St. Houghton Regis, H Reg —5E 44
High St. Hunsdon, Hun —6G 96
High St. Ivinghoe, I'hoe —2C 82
High St. Kimpton, Kim —7J 69
High St. Kings Langley, K Lan —2C 136
High St. London Colney, Lon C —7K 127
High St. Luton, Lut —6M 45
High St. Mill Hill, NW7 —5H 165
High St. Much Hadham, M Hud —5J 77
High St. N. Dunst —7C 44
High St. Northchurch, N'chu —7J 103
High St. Northwood, N'wd —8H 161
High St. Pirton, Pir —7E 20
High St. Ponders End, Enf —7G 157
High St. Potters Bar, Pot B —6A 142
High St. Puckeridge, Puck —6N 55
High St. Pulloxhill, Pull —3A 18
High St. Redbourn, Redb —1K 107
High St. Rickmansworth, Rick —1N 159
High St. Roydon, Roy —5E 116
High St. Royston, R'ton —7D 8
High St. Sandridge, Sandr —5J 109
High St. S. Dunst —9E 44
High St. St Albans, St Alb —2E 126
High St. Standon, Stdn —8C 56
High St. Stevenage, Stev —2J 51
High St. St Margarets, Stan A —2N 115
High St. Stotfold, Stot —6F 10
High St. Walkern, Walk —1G 52
High St. Waltham Cross, Wal X (in two parts) —6J 145
High St. Watford, Wat —5K 149
High St. Watton at Stone, Wat S —4J 73
High St. Wealdstone, W'stone —9F 162
High St. Wendover, Wend —9A 100
High St. Wheathampstead, Wheat —7L 89
High St. Whitwell, W'wll —1M 69
High St. Widford, Wid —3H 97
High St, Welwyn. Welw —2J 91
High Town Rd. Lut —9G 47
High Trees. Barn —7D 154
High Trees. Hem H —2N 123
Highview. NW7 —3D 164
High View. Bir —6L 59
High View. Chal G —2A 158
High View. Chor —6K 147
High View. Hat —2F 128
High View. Hit —4L 33
High View. Mark —3A 86
High View. Wat —8H 149
Highview Av. Edgw —4C 164
Highview Clo. Pot B —6B 142
High View Ct. Har W —7F 162
Highview Gdns. Edgw —4C 164
Highview Gdns. Pot B —6B 142
Highview Gdns. St Alb —6K 109
Highway, The. Stan —7H 163
High Wickfield. Wel G —1B 112
Highwood Av. Bush —3A 150
High Wood Clo. Lut —1B 66
Highwood Ct. Barn —7N 153
Highwood Gro. NW7 —5D 164
Highwoodhall La. Hem H —7C 124
Highwood Hill. NW7 —2F 164
High Wood Rd. Hod —5K 115
High Wych La. H Wych —5C 98
High Wych Rd. Saw —9A 98
High Wych Way. Hem H —5C 106
Hilary Rise. Arl —7B 10
Hilbury. Hat —1F 128
Hilfield La. A'ham —3C 150
Hilfield La. S. Bush —8G 150
Hiliary Gdns. Stan —9K 163
Hiljon Cres. Chal P —8B 158
Hillary Clo. Lut —2N 45
Hillary Cres. Lut —2E 66
Hillary Ho. Borwd —5B 152
Hillary Rise. Barn —6N 153
Hillary Rd. Hem H —1C 124
Hillborough Cres. H Reg —2F 44
Hillborough Rd. Lut —2F 66
Hillbrow. Let —6D 22
Hill Clo. Barn —7J 153
Hill Clo. Hpdn —3D 88
Hill Clo. Lut —2E 46
Hill Clo. Stan —4J 163
Hill Clo. W'fld —1B 44
Hill Comn. Hem H —6C 124
Hill Ct. Barn —6D 154
Hillcourt Av. N12 —6N 165
Hill Cres. N20 —2N 165
Hill Cres. Pot B —7B 142
Hillcrest. N21 —9M 155
Hillcrest. Bald —4M 23
Hillcrest. Hat —9G 110
Hillcrest. St Alb —4C 126
Hillcrest. Stev —4L 51
Hill Crest. W'wll —2M 69
Hillcrest Av. Edgw —4B 164
Hillcrest Av. Lut —1E 46
Hillcrest Caravan Pk. Wood —6B 66
Hillcrest Rd. Shenl —6A 140
Hillcroft. Dunst —8B 44
Hillcroft Clo. Lut —3M 45
Hillcroft Cres. Wat —1K 161
Hilldown Rd. Hem H —9K 105
Hill Dyke Rd. Wheat —8L 89
Hille Bus. Cen. Wat —3K 149
Hill End La. St Alb —5J 127
Hill End Rd. Hare —7M 159
Hillersdon Av. Edgw —5N 163
Hill Farm Av. Wat —6J 137
Hill Farm Clo. Wat —6J 137
Hill Farm La. St Alb —5K 107
Hill Farm La. Welw —1B 90
Hill Farm Rd. Chal P —7B 158
Hillfield. Hat —6H 111
Hillfield Av. Hit —9A 22
Hillfield Ct. Hem H —2A 124
Hillfield Rd. Chal P —7B 158
Hillfield Rd. Hem H —2N 123
Hillfield Sq. Chal P —7B 158
Hillfoot Rd. Shil —2N 19
Hillgate. Hit —8A 22
Hill Grn. La. Wig —5D 102
Hillgrove. Chal P —8B 158
Hillgrove Bus. Pk. Naze —4N 133
Hill Ho. Hert —1A 114
Hillhouse Av. Stan —7G 163
Hill Ho. Clo. N21 —9M 155
Hill Ho. Clo. Chal P —7B 158
Hilliard Rd. N'wd —8H 161
Hillier Clo. New Bar —8A 154
Hillingdon Rd. Wat —7J 137
Hill Ley. Hat —9F 110
Hill Leys. Cuff —1K 143
Hill Mead. Berk —2L 121
Hillmead. Stev —3N 51
Hillpath. Let —5H 23
Hill Rise. N9 —8F 156
Hill Rise. Chal P —9A 158
Hill Rise. Cuff —1K 143
Hill Rise. Lut —2M 45
Hill Rise. Pot B —7B 142
Hill Rise. Rick —8L 147
Hillrise Av. Wat —2M 149
Hill Rise Cres. Chal P —9B 158
Hill Rd. Cod —7E 70
Hill Rd. N'wd —6F 160
Hillsborough Grn. Wat —3J 161
Hillshot. Let —5G 22
Hillside. Barn —7B 154
Hill Side. Ched —9L 61
Hillside. Cod —7F 70
Hillside. H'low —8E 118
Hillside. Hat —9G 110
Hillside. Hod —7K 115
Hill Side. H Reg —4E 44
Hillside. R'ton —8D 8
Hillside. Stev —4M 51
Hillside. Ware —7H 95
Hillside. Wel G —3A 112
Hillside Av. Bis S —1J 79
Hillside Av. Borwd —6B 152
Hillside Av. Chesh —4H 145
Hillside Clo. Ab L —5G 136
Hillside Clo. Chal P —6B 158
Hillside Clo. Shil —2N 19
Hillside Cotts. Hem H —3E 124
Hillside Cotts. Ware —3C 96
Hillside Ct. Chesh —4H 145
Hillside Cres. Chesh —4H 145
Hillside Cres. Enf —2B 156
Hillside Cres. Stan A —2M 115
Hillside Cres. N'wd —8J 161
Hillside Cres. Wat —8N 149
Hillside Dri. Edgw —6A 164
Hillside Gdns. Barn —6L 153
Hillside Gdns. Berk —2A 122
Hillside Gdns. Edgw —4N 163
Hillside Gdns. N'wd —7J 161
Hillside Gro. N14 —9J 155
Hillside Gro. NW7 —7G 164
Hillside Ho. Stev —4M 51
Hillside La. Gt Amw —1L 115
Hillside Rise. N'wd —7J 161
Hillside Rd. Bush —7N 149
Hillside Rd. Chor —7F 146
Hillside Rd. Dunst —1G 65
Hillside Rd. Hpdn —4A 88
Hillside Rd. Lut —8F 46
Hillside Rd. N'wd —7J 161
Hillside Rd. Pinn —7K 161
Hillside Rd. Rad —8J 139
Hillside Rd. Shil —2N 19
Hillside Rd. St Alb —1F 126
Hillside Rd. Up Ston —1F 20
Hillside Ter. Hert —2A 114
Hillside Way. Welw —8N 71
Hills La. N'wd —8G 160
Hill St. St Alb —2D 126
Hill, The. H'low —2E 118
Hill, The. Wheat —7L 89
Hill Top. Bald —4L 23
Hilltop. Redb —9H 87
Hilltop Clo. Chesh —8D 132
Hilltop Cotts. Offl —7D 32
Hilltop Cotts. Ware —5H 55
Hilltop Ct. Lut —1E 66
Hilltop Gdns. NW4 —9H 165
Hilltop Rd. Berk —2N 121
Hilltop Rd. K Lan —9F 124
Hilltop Way. Stan —3H 163
Hill Tree Clo. Saw —6F 98
Hill View. Berk —7L 103
Hill View. W'wll —2M 69
Hillview Clo. Pinn —6A 162
Hillview Cres. Lut —2E 46
Hillview Gdns. Chesh —9H 133
Hillview Rd. NW7 —4K 165
Hillview Rd. Pinn —7A 162
Hillyfields. Dunst —2F 64
Hilly Fields. Wel G —8B 92
Hilmay Dri. Hem H —3L 123
Hilton Av. Dunst —2E 64
Hilton Clo. Stev —2H 51
Himalayan Way. Wat —8H 149
Hindhead Grn. Wat —5L 161
Hine Way. Hit —1K 33
Hintons. H'low —9K 117
Hinton Wlk. H Reg —3H 45
Hinxworth Rd. A'wl —9H 5 (Ashwell)
Hinxworth Rd. A'wl —2H 11 (Hinxworth)
Hipkins. Bis S —4G 78
Hitchens Clo. Hem H —1J 123
Hitchin Hill. Hit —4N 33

A-Z Hertfordshire 185

Hitchin Hill Path—Ingersoll Rd.

Hitchin Hill Path. Hit —5N 33
Hitchin Rd. Arl —1A 22
Hitchin Rd. Gos —6N 33
Hitchin Rd. Hit —4D 34
Hitchin Rd. Kim —5L 69
Hitchin Rd. Let —8E 22
Hitchin Rd. Lut —6J 47
Hitchin Rd. Pir —8E 20
Hitchin Rd. Stev —8H 35
Hitchin Rd. Stot —9D 10
Hitchin Rd. W'ton —9L 23
Hitchin Rd. Ind. Est. Lut (off Hitchin Rd.) —8H 47
Hitchin St. Bald —3L 23
Hitherbaulk. Wel G —2L 111
Hither Field. Ware —4J 95
Hitherfield La. Hpdn —5B 88
Hither Meadow. Chal P —8B 158
Hitherway. Wel G —5K 91
Hitherwell Dri. Harr —8E 162
Hive Clo. Bush —2E 162
Hive Rd. Bush —2E 162
Hivings Hill. Che —9E 120
Hivings Pk. Che —9F 120
Hoare's La. Ware —7E 40
Hoar's La. Hit —6J 33
Hobart Wlk. St Alb —7G 108
Hobbs Clo. Chesh —2H 145
Hobbs Clo. Hit —9B 34
Hobbs Clo. St Alb —3M 127
Hobbs Ct. Stev —1N 51
Hobbs Cross. H'low —3H 119
Hobbs Cross Rd. H'low —5J 119
Hobbs Hill Rd. Hem H —6A 124
Hobbs Way. Wel G —1J 111
Hobletts Rd. Hem H —1B 124
Hobsons Clo. Hod —5K 115
Hobsons Wlk. Tring —1L 101
Hobtoe Rd. H'low —5K 117
Hockerill. Wat S —5K 73
Hockerill Ct. Bis S —1J 79
Hockerill St. Bis S —1J 79
Hocklands. Wel G —8B 92
Hockwell Ring. Lut —4L 45
Hoddesdon Bus. Cen. Hod —8L 115
Hoddesdon Rd. Stan A —2N 115
Hodges Way. Wat —8J 149
Hodings Rd. H'low —5L 117
Hodwell. A'wl —9M 5
Hoecroft Ct. Enf —2G 157 (off Hoe La.)
Hoecroft La. Ware —1L 77
Hoe La. Enf —2E 156
Hoe La. Ware —9H 95
Hoestock Rd. Saw —5F 98
Hoe, The. Wat —2M 161
Hogarth Ct. Bush —9C 150
Hogarth Rd. Edgw —9A 164
Hogg End La. Hem H —8G 106
Hogges Clo. Hod —8L 115
Hog Hall La. Dunst —3L 83
Hog La. Ash G —3G 121
Hog La. Els —6H 151
Hogsdell La. Hert H —2F 114
Hog's La. Chris —1N 17
Hogtrough La. Ware —2C 96
Holbeck La. Chesh —8D 132
Holbein Ga. N'wd —5G 161
Holborn Clo. St Alb —6L 109
Holbrook Clo. Enf —3D 156
Holcombe Hill. NW7 —3G 164
Holcroft Rd. Hpdn —4E 88
Holdbrook. Hit —3B 34
Holdbrook N. Wal X —6K 145
Holdbrook S. Wal X —7K 145
Holden Av. N12 —5N 165
Holden Clo. Hert —8C 94
Holden Clo. Hit —3C 34
Holden Rd. N12 —5N 165
Holder's Hill Av. NW4 —9K 165
Holders Hill Cir. NW7 —7L 165
Holders Hill Cres. NW4 —9K 165
Holders Hill Dri. NW4 —9K 165
Holder's Hill Gdns. NW4 —9L 165
Holders Hill Rd. NW4 & NW7 —9K 165
Holders La. Ast E —4D 52
Holdings, The. Hat —7K 111
Holford Clo. Lut —3F 66
Holford Way. Lut —9D 30
Holgate Dri. Lut —6L 45
Holkham Clo. Lut —5K 45
Holland Clo. New Bar —9C 154
Holland Clo. Stan —5J 163
Holland Ct. NW7 —6G 165
Holland Gdns. Wat —8L 137
Holland Rd. Lut —7D 46
Holland's Croft. Hun —6G 97
Holland Wlk. Stan —5H 163
Hollick's La. Kens —7G 64
Holliday St. Berk —1A 122
Hollier Ct. Hat —8H 111
Holliers Wlk. Hat —9G 110
Hollies Clo. R'ton —7E 8
Hollies End. NW7 —5H 165
Hollies, The. Bov —2D 134
Hollies, The. Chor —9F 146
Hollies, The. Tring —5B 102
Hollies Way. Pot B —4B 142
Holliwick Rd. Dunst —7H 45
Holloway La. Chen —2E 146
Holloways La. N Mym —5K 129
Holloway, The. Ast C —2H 101
Hollow La. Hit —3N 33
Hollow Rd. R'ton —3N 17
Holly Av. Stan —9M 163
Hollybank. Hem H —7A 124
Hollybush. Chesh —1F 144
Hollybush Av. St Alb —6B 126
Hollybush Clo. Harr —8F 162
Hollybush Clo. Pott E —7G 104
Hollybush Clo. Wat —9L 149
Hollybush Clo. Welw —8L 71
Hollybush Hill. Lut —9A 32
Hollybush Ho. Wel G —2L 111
Hollybush La. Bend —9J 49
Hollybush La. D'wth —5B 72
Hollybush La. Flam —4C 86
Holly Bush La. Hpdn —4A 88
Hollybush La. Hem H —1J 123
Hollybush La. Wel G —2L 111 (in two parts)
Hollybush Rd. Che —9E 120
Hollybush Rd. Lut —8L 47
Hollybush Row. Wig —6B 102
Hollybush Way. Chesh —1E 144
Holly Clo. Hat —1F 128
Holly Copse. Stev —5M 51
Holly Croft. Hert —8M 93
Hollycross Rd. Ware & Stan A —7K 95
Hollydell. Hert —2A 114
Holly Dri. E4 —9M 157
Holly Dri. Berk —2A 122
Holly Dri. Pot B —6A 142
Holly Farm Clo. Cad —5A 66
Holly Field. H'low —9M 117
Hollyfield. Hat —3G 129
Hollyfield. Tring —1A 102
Hollyfield Clo. Tring —1A 102
Hollyfields. Turn —8J 133
Hollygrove. Bush —9E 150
Holly Gro. Pinn —8N 161
Holly Gro. Rd. B'fld —4H 93
Holly Hedges La. Bov —3F 134
Holly Hill. N21 —8L 155
Hollyhock Clo. Hem H —1H 123
Holly Ind. Pk. Wat —3L 149
Holly La. Hpdn —9F 68
Holly Leys. Stev —9A 52
Holly Pk. Gdns. N3 —9N 165
Holly Rd. Enf —9H 145
Holly Rd. Wool G —7N 71
Hollyshaws. Stev —7A 52
Holly St. Lut —2G 66
Holly St. Trading Est. Lut —2G 66
Holly Tree Clo. Chal P —5B 158
Holly Tree Ct. Hem H —2D 124
Hollytree Ho. Wat —9G 137
Holly Wlk. Enf —5A 156
Holly Wlk. Hpdn —6E 88
Holly Wlk. Wel G —5J 91
Hollywood Ct. Borwd —6A 152
Holmbridge Gdns. Enf —6H 157
Holmbrook Av. Lut —4E 46
Holmbury Clo. Bush —2F 162
Holmdale. Let —6G 23
Holmdale Clo. Borwd —4N 151
Holmdene. N12 —5N 165
Holmdene Av. NW7 —6G 164
Holmdene Av. Harr —9C 162
Holme Clo. Chesh —4J 145
Holme Clo. Hat —6F 110
Holmefield Rd. Bush —6B 150
Holme Lea. Wat —7L 137
Holme Pk. Borwd —4N 151
Holme Pl. Hem H —1E 124
Holme Rd. Hat —6F 110
Holmes Av. NW7 —5L 165
Holmes Ct. St Alb —1F 126 (off Carlisle Av.)
Holmesdale. Wal X —8G 145
Holme Way. Stan —6G 163
Holmfield. Bov —1E 134
Holmleigh Ct. Enf —6G 156
Holm Oak Pk. Wat —7J 149
Holmscroft Rd. Lut —3B 46
Holmshill La. Borwd —9E 140
Holmside Rise. Wat —3K 161
Holmstall Av. Edgw —9C 164
Holmstall Pde. Edgw —9C 164
Holmwood Clo. Dunst —7G 45
Holmwood Clo. Harr —9D 162
Holmwood Gdns. N3 —9N 165
Holmwood Gro. NW7 —5D 164
Holmwood Rd. Enf —9H 145
Holroyd Cres. Bald —4L 23
Holt Clo. Els —6N 151
Holts Ct. Dunst —8E 44
Holts Meadow. Redb —9K 87
Holtsmere Clo. Lut —8M 47
Holtsmere Clo. Wat —8L 137
Holt, The. Hem H —3A 124
Holt, The. Wel G —1C 112
Holtwhites Av. Enf —4A 156
Holtwhite's Hill. Enf —3N 155
Holwell. Stev —8J 35 (off Coreys Mill La.)
Holwell Hyde. Wel G —2B 112
Holwell Hyde La. Wel G —3B 112
Holwell La. Ess —5D 112
Holwell Rd. Hol —4J 21
Holwell Rd. Pir —6F 20
Holwell Rd. Wel G —1L 111
Holybush Way. Chesh —1E 144
Holy Cross Hill. Brox —6E 132
Holyfield Rd. Wal A —2N 145
Holy Rd. Ct. Wat —6K 149
Holyrood Cres. St Alb —5F 126
Holyrood Gdns. Edgw —9B 164
Holyrood Rd. New Bar —8B 154
Holywell Ct. Lut —5D 46
Holywell Hill. St Alb —3E 126
Holywell Rd. Stud —9E 64
Holywell Rd. Wat —7J 149
Homebush Ho. E4 —9M 157
Home Clo. Brox —6K 133
Home Clo. H'low —6B 118
Home Clo. Lut —5M 45
Home Clo. Stot —6F 10
Home Ct. Lut —5M 45
Homedale Dri. Lut —7N 45
Homedell Ho. Hpdn —4N 87
Home Farm. N'chu —7H 103 (off West Wing)
Home Farm. Tring —4M 101
Home Farm Ct. Bov —3C 134
Home Farm Rd. N'chu —7H 103
Home Farm Rd. Rick —4C 160
Home Field. Barn —7M 153
Homefield. Bov —1E 134
Homefield. Hinx —7F 4
Homefield. Pott E —7E 104
Homefield La. Hit —7F 50
Homefield Rd. Bush —6B 150
Homefield Rd. Chor —6G 146
Homefield Rd. Edgw —6D 164
Homefield Rd. Hem H —2C 124
Homefield Rd. Rad —1G 151
Homefield Rd. Ware —5J 95
Homefields. H'low —3N 119
Homeleigh Ct. Chesh —2F 144
Homeleigh St. Chesh —3F 144
Home Ley. Wel G —9L 91
Home Mead. Stan —8K 163
Home Meadow. Wel G —9M 91
Home Pk. Cotts. K Lan —3D 136
Home Pk. Ind. Est. K Lan —4D 136
Home Pk. Mill Link Rd. K Lan —3D 136
Homerfield. Wel G —9J 91
Homerswood La. Welw —5G 90
Homerton Rd. Lut —3C 46
Homestead Clo. Park —9D 126
Homestead Ct. Barn —7N 153
Homestead Ct. Wel G —2M 111
Homestead La. Wel G —3M 111
Homestead Moat. Stev —4L 51
Homestead Paddock. N14 —7G 155
Homestead Rd. Hat —6G 111
Homestead Rd. Rick —9N 147
Homesteads, The. Hun —7G 96
Homestead Way. Lut —3E 66
Home Way. Rick —1J 159
Homewillow Clo. N21 —8N 155
Homewood Av. Cuff —9K 131
Homewood Ct. Chor —6J 147
Homewood La. N'thaw —9H 131
Homewood Rd. St Alb —9J 109
Honeybourne. Bis S —3G 78
Honeycroft. Wel G —1J 111
Honeycross Rd. Hem H —3H 123
Honeygate. Lut —5G 47
Honeyhill. H'low —9A 118
Honey La. Bunt —2J 39
Honey La. Cot —7A 38
Honey La. Hert —9B 94 (off Market Pl.)
Honeymead. Welw —4M 91
Honeymeade. Saw —8E 98 (in two parts)
Honeypot Bus. Cen. Stan —8M 163
Honeypot La. Stan & NW9 —7L 163
Honeysuckle Clo. Hert —9E 94
Honeysuckle Gdns. Hat —1H 129
Honeysuckle La. Offl —7C 32
Honeyway. R'ton —7E 8
Honeywick La. Eat B —1J 63
Honeywood Clo. Pot B —6C 142
Honister Clo. Stan —8J 163
Honister Gdns. Stan —7J 163
Honister Pl. Stan —8J 163
Honors Yd. Tring —3M 101
Honours Mead. Bov —9D 122
Hoo Cotts. Offl —9E 32
Hood Av. N14 —8G 155
Hoodcote Gdns. N21 —9N 155
Hoo Farm Cotts. Offl —9E 32
Hookers Ct. Lut —4M 45 (off Acworth Cres.)
Hook Field. H'low —8A 118
Hook Ga. Enf —9F 144
Hook La. N'thaw —5E 142
Hook, The. New Bar —8C 154
Hook Wlk. Edgw —6C 164
Hoo La. Offl —9E 32
Hoook Wlk. Edgw —6C 164
Hoops La. Ther —6D 14
Hoo St. Lut —3G 66
Hoo, The. H'low —1E 118
Hope Grn. Wat —6J 137
Hopground Clo. St Alb —4H 127
Hopkins Cres. Sandr —5J 109
Hoppers Rd. N13 —9M 155
Hoppit Rd. Wal A —5M 145
Hopton Rd. Stev —2G 51
Hopwell Rd. Bald —3K 23
Horace Brightman Clo. Lut —2C 46
Horace Gay Gdns. Let —6E 22
Hordle Gdns. St Alb —4G 127
Hornbeam Clo. Borwd —3A 152
Hornbeam Clo. Hert —8N 93
Hornbeam La. Ess —3D 130
Hornbeams. Brick W —3A 138
Horn Beams. Wel G —1A 112
Hornbeams Av. Enf —8G 144
Hornbeam Spring. Kneb —4M 71
Hornbeams, The. H'low —4M 117
Hornbeams, The. Stev —5A 52
Hornbeam Way. Wal X —2D 144
Hornets, The. Wat —6K 149
Horneywood La. Bunt —1N 37
Horn Hill. W'wll —2L 69
Horn Hill La. Ger X —5C 158
Hornhill Rd. Rick —5E 158
Horn & Horseshoe La. H'low —8G 119
Horn Rd. Dunst —4A 44
Hornsby Clo. Lut —8L 47
Horns Clo. Hert —2A 114
Hornsfield. Wel G —8B 92
Horns Mill Rd. Hert —3N 113 (in two parts)
Horrocks Clo. Ware —4H 95
Horsecroft Pl. H'low —7H 117
Horsecroft Rd. Edgw —7D 164
Horsecroft Rd. H'low —7H 117
Horsecroft Rd. Hem H —4K 123
Horse Hill. Lat —5A 134
Horselers. Hem H —5C 124
Horsemans Dri. Park —8C 126
Horseshoe Ct. Ware —2A 116 (off Thele Av.)
Horseshoe Hill. Gt Hor —2D 40
Horseshoe La. N20 —1K 165
Horseshoe La. Ched —9L 61
Horseshoe La. Enf —5A 156
Horseshoe La. Gt Hor —3C 40
Horseshoe La. Wat —5K 137
Horseshoe, The. Hem H —4E 124
Horsham Clo. Lut —7M 47
Horsler Clo. Bar C —9E 18
Horsleys. Rick —5G 158
Horton Gdns. Hem H —5C 106
Horton Rd. Ment —5M 61
Horton Rd. Slap —2A 62
Horwood Ct. Wat —1M 149
Hospital Circular Rd. Hal C —8C 100
Hospital Rd. Arl —9A 10
Houghton Ct. H Reg —5F 44
Houghton Pde. Dunst —7D 44
Houghton Pk. Rd. H Reg —3H 45
Houghton Rd. Dunst —7D 44
Houndsden Rd. N21 —8L 155
Houndsfield Rd. N9 —9F 156
Housden Clo. Wheat —8M 89
House La. Arl —5A 10
House La. Sandr —5K 109
Housewood End. Hem H —8L 105
Housham Tye Rd. H'low —3L 119
Housman Av. R'ton —4C 8
Howard Agne Clo. Bov —9D 122
Howard Cen., The. Wel G —9K 91
Howard Clo. Bush —9F 150
Howard Clo. Lut —5C 46
Howard Clo. St Alb —4K 127
Howard Clo. Wal A —7N 145
Howard Clo. Wat —1J 149
Howard Ct. Let —7H 23
Howard Dri. Borwd —6D 152
Howard Ga. Let —7H 23
Howard Ho. Wel G —9K 91
Howard Pl. Dunst —1G 64
Howard Rd. Che —9F 120
Howards Clo. Pinn —9K 161
Howards Dri. Hem H —8K 105
Howardsgate. Wel G —9K 91 (in two parts)
Howards Wood. Let —8H 23
Howard Way. Barn —7K 153
Howard Way. H'low —3B 118
Howberry Clo. Edgw —6L 163
Howberry Rd. Stan & Edgw —6L 163
Howcroft Cres. N3 —7N 165
Howe Clo. Shenl —5M 139
Howe Dell. Hat —9H 111
Howell Hill Clo. Ment —3J 61
Howe Rd. Hem H —4C 124
Howes Clo. N3 —9N 165
Howey Banks. Wend —9B 100
How Field. Hpdn —4N 87
Howfield Grn. Hod —5L 115
Howicks Grn. Wel G —3N 111
Howland Garth. St Alb —6D 126
Howlands. Wel G —3L 111
Howlands Ho. Wel G —3N 111
Howlett's Cotts. Bre P —1L 41
Howton Pl. Bush —1E 162
How Wood. Park —1C 138
Hoylake Ct. Lut —3H 67
Hoylake Gdns. Wat —4M 161
Hubbards Rd. Chor —7G 146
Huckleberry Clo. Lut —1C 46
Hudnall La. L Gad —9A 84
Hudson. NW9 —8F 164 (off Near Acre)
Hudson Clo. St Alb —5E 126
Hudson Clo. Wat —9H 137
Hudson Rd. Stev —2A 52
Huggins La. N Mym —5J 129
Hughenden Rd. St Alb —8J 109
Hughendon. New Bar —6A 154
Hugh Vs. Bis S —3J 79
Hull La. Brau —2B 56
Humberstone Clo. Lut —7A 46
Humberstone Rd. Lut —7A 46
Humphrey Talbot Av. Kens —9C 64
Humphrys Rd. Wood E —6G 44
Hundred Acre. NW9 —9F 164
Hungerdown. E4 —9N 157
Hunsdon. Wel G —9C 92
Hunsdon Rd. Stan A —2B 116
Hunsdon Rd. Wid —4G 97
Hunston Clo. Lut —4L 45
Hunt Clo. St Alb —8L 109
Hunt Ct. N14 —9G 155
Hunter Clo. Borwd —7C 152
Hunter Clo. Pot B —6A 142
Huntercrombe Gdns. Wat —4L 161
Hunters Clo. Bov —2D 134
Hunters Clo. Stev —2C 52
Hunters Clo. Stot —6E 10
Hunters Clo. Tring —1N 101
Hunter's La. Leav —6H 137
Hunters Oak. Hem H —7D 106
Hunters Pk. Berk —9B 104
Hunters Reach. Wal X —2D 144
Hunters Ride. Brick W —4B 138
Hunters Way. Enf —3M 155
Hunters Way. R'ton —7E 8
Hunters Way. Wel G —3M 111
Hunter Wlk. Borwd —7D 152
Huntingdon Clo. Brox —6J 133
Huntingdon Rd. Stev —1H 51
Hunting Ga. Hem H —7A 106
Hunting Ga. Hit —8A 22
Hunting Ga. Clo. Enf —5M 155
Huntley Dri. N3 —6N 165
Hunton Bri. Hill. K Lan —6E 136
Hunts Clo. Lut —2E 66
Huntsmans Clo. Dagn —2N 83
Hunts Mead. Enf —5H 157
Huntsmill Rd. Hem H —3H 123
Hurlock Way. Lut —4M 45
Hurricane Way. Ab L —5J 137
Hurst Clo. Bald —2N 23
Hurst Clo. Wel G —1B 112
Hurst Dri. Wal X —7H 145
Hurstlings Way. Wel G —1A 112
Hurstmead Ct. Edgw —4B 164
Hurst Pl. N'wd —8D 160
Hurst Rise. Barn —5N 153
Hurst Way. Lut —4A 46
Hutton Clo. Hert —9M 93
Hutton Ct. N9 —9G 156 (off Tramway Av.)
Hutton Gdns. Harr —7D 162
Hutton La. Harr —7D 162
Hutton Row. Edgw —7C 164
Hutton Wlk. Harr —7D 162
Hyatt Ind. Est. Stev —4G 51
Hyburn Clo. Brick W —3A 138
Hyburn Clo. Hem H —3D 124
Hydean Way. Stev —6N 51
Hyde Av. Pot B —6A 142
Hyde Av. Stot —7E 10
Hyde Clo. Barn —5M 153
Hyde Clo. Hpdn —3C 88
Hyde Ct. Wal X —7J 145
Hyde Grn. E. Stev —6A 52
Hyde Grn. N. Stev —6A 52
Hyde Grn. S. Stev —6A 52
Hyde La. Bov —1D 134
Hyde La. Frog —1E 138
Hyde La. Lut —6C 68
Hyde Meadows. Bov —1D 134
Hyde Rd. Cad —4A 66
Hyde Rd. Wat —4J 149
Hyde, The. Stev —6B 52
Hyde, The. Ware —5F 94
Hyde Valley. Wel G —2M 111
Hyde View Rd. Hpdn —3C 88
Hyde Way. Wel G —9L 91
Hyperion Ct. Hem H —8B 106
Hyver Hill. NW7 —8D 152

Ian Sq. Enf —3H 157
Ibberson Way. Hit —3A 34
Ibsley Way. Cockf —6D 154
Ickleford. Stev —8J 35 (off Coreys Mill La.)
Ickleford Rd. Hit —1N 33
Ickley Clo. Lut —4L 45
Icknield Clo. Ickl —7M 21
Icknield Clo. St Alb —4A 126
Icknield Clo. Wend —9B 100
Icknield Grn. Let —5E 22
Icknield Grn. Tring —9M 81
Icknield Rd. Lut —5B 46
Icknield St. Dunst —9E 44
Icknield Wlk. R'ton —6E 8
Icknield Way. Bald —2L 23
Icknield Way. Hit —9J 21
Icknield Way. Let —5C 22
Icknield Way. Lut —3C 46
Icknield Way. R'ton —1N 17
Icknield Way. Tring —3J 101
Icknield Way E. Bald —2M 23
Icknield Way Ind. Est. Tring —3K 101
Idenbury Ct. Lut —1E 66
Ilex Ct. Berk —1M 121
Ilford Clo. Lut —6L 47
Ilkley Rd. Wat —5M 161
Illingworth Way. Enf —7C 156
Imber Clo. N14 —9H 155
Imberfield. Lut —6M 45
Imperial Pl. Borwd —5B 152
Imperial Way. Wat —3L 149
Indells. Hat —1F 128
Index Ct. Dunst —1G 64
Index Dri. Dunst —1G 64
Ingelheim Ct. Stev —2K 51
Ingersoll Rd. Enf —2G 157

Inglefield. Pot B —3N 141
Ingles. Wel G —6K 91
Ingleside Dri. Stev —8G 35
Ingleton. Lut —5L 45
Ingram Clo. Stan —5K 163
Ingram Gdns. Lut —2F 46
Inkerman Rd. St Alb —3F 126
Inkerman St. Lut —1F 66
Innes Ct. Hem H —5N 123
Inn's Clo. Stev —3K 51
Inskip Cres. Stev —4L 51
Inverness Av. Enf —3C 156
Ionian Way. Hem H —8B 106
Iredale View. Bald —2N 23
Irene Stebbings Ho. St Alb —1K 127
Irkdale Av. Enf —3D 156
Iron Dri. Hert —8F 94
Irvine Av. Harr —9H 163
Irving Clo. Bis S —4F 78
Irving Cres. Ched —8M 61
Isabel Ga. Chesh —8K 133
Isabella Clo. N14 —9H 155
Isabelle Clo. G Oak —2A 144
Isenburg Way. Hem H —6N 105
Isherwood Clo. R'ton —5C 8
Isle of Wight La. Kens —4C 64
Islington Way. Stev —9M 35
Islip Gdns. Edgw —7D 164
Isopad Ho. Borwd —5B 152
Italstyle Bldgs. Saw —9E 98
Itaska Cotts. Bush —1F 162
Itch La. Ware —2M 57
Ivanhoe Dri. Harr —9H 163
Ivatt Ct. Hit —3C 34
Iveagh Clo. N'wd —8D 160
Iveagh Ct. Hem H —2N 123
Iveagh Ho. Wel G —9B 92
Ivel Clo. Bar C —8F 18
Ivel Ct. Let —7J 23
Ivel Rd. Stev —2J 51
Ivel Way. Bald —5N 23
Ivel Way. Stot —4F 10
Ivere Dri. New Bar —8A 154
Ives Rd. Hert —8N 93
Ivinghoe Bus. Cen. H Reg —6E 44
Ivinghoe Clo. Enf —3C 156
Ivinghoe Clo. St Alb —6K 109
Ivinghoe Clo. Wat —8M 137
Ivinghoe Rd. Bush —9E 150
Ivinghoe Rd. Rick —9K 147
Ivinghoe Way. Edl —7J 63
Ivory Ct. Hem H —5A 124
Ivybridge. Brox —1L 133
Ivy Clo. Dunst —8B 44
Ivy Ho. Flats. Wat —8M 149
Ivy Ho. La. Berk —1B 122
Ivy Rd. N14 —9H 155
Ivy Rd. Lut —9E 46
Ivy Ter. Hod —6N 115
Ivy Wlk. N'wd —8G 160

Jackdaw Clo. Stev —5C 52
Jackdaws. Wel G —9B 92
Jackets La. Hare & N'wd —7C 160
Jacketts Field. Ab L —4H 137
Jackman's Pl. Let —5H 23
Jacks La. Hare —8K 159
Jackson Rd. Barn —8D 154
Jacksons Clo. Edl —4J 63
Jacksons Dri. Chesh —1E 144
Jackson's La. Reed —7J 15
Jackson Sq. Bis S —1H 79
Jackson St. Bald —2L 23
Jack Stevens Clo. H'low —8E 118
James Bedford Clo. Pinn —9L 161
James Clo. Bush —7N 149
James Ct. NW9 —9E 164
James Ct. Lut —7L 45
James Ct. N'wd —8H 161
Jameson Ct. St Alb —1G 126 (off Avenue Rd.)
Jameson Rd. Hpdn —4C 88
James St. Enf —7D 156
James Way. Stev —2J 51
Jane Clo. Hem H —6D 106
Jarden. Let —7J 23
Jardine Way. Dunst —1H 65
Jarman Clo. Hem H —4A 124
Jarmen Way. Hem H —3B 124
Jarvis Cleys. Chesh —8D 132
Jarvis Clo. Barn —7K 153
Jasmin Clo. Bis S —2E 78
Jasmin Clo. N'wd —8H 161
Jasmine Clo. Lut —5H 47
Jasmine Dri. Hert —9E 94
Jasmine Gdns. Hat —7G 110
Jasmin Way. Hem H —1H 123
Jasper Clo. Enf —2G 157
Jay Clo. Let —3E 22
Jay Ct. H'low —5A 118
Jaycroft. Enf —3M 155
Jaywood. Lut —3L 47
Jeans Way. Dunst —9H 45
Jeffrey Clo. R'ton —5C 8
Jeffreys Rd. Enf —6J 157
Jeffries Rd. Ware —6J 95
Jellicoe Gdns. Stan —6G 163 (in two parts)
Jellicoe Rd. Wat —8J 149
Jenkins Av. Brick W —3N 137
Jenkins Ct. W'grv —5B 60
Jenkins La. Bis S —4K 79
Jennings Clo. Stev —6L 51
Jennings Rd. St Alb —1G 127
Jennings Way. Barn —5J 153
Jennings Way. Hem H —4A 124
Jenning Wood. Welw —9M 71
Jerome Dri. St Alb —4B 126
Jerounds. H'low —8L 117
Jersey Av. Stan —9J 163
Jersey Clo. Hod —7L 115
Jersey Ho. Enf —2H 157 (off Eastfield Rd.)
Jersey La. St Alb —6K 109
Jersey Rd. Lut —6K 45
Jervis Av. Enf —8J 145
Jervis Rd. Bis S —2H 79
Jesmond Way. Stan —5M 163
Jessop Rd. Stev —1N 51
Jeve Clo. Bald —2N 23
Jillifer Rd. Lut —6K 45
Jim Desormeaux Bungalows. H'low —4A 118
Jinnings, The. Wel G —3A 112
Jocelyns. H'low —2E 118
Jocketts Hill. Hem H —2J 123
Jocketts Rd. Hem H —3H 123
Joel St. N'wd & Pinn —9J 161
Johnathhan Ho. Wel G —8B 92
John Barker Pl. Hit —1K 33
Johnby Clo. Enf —1J 157
John Ct. Hod —5L 115
John Gooch Dri. Enf —3N 155
John Lamb Ct. Harr —8F 162
John's Ct. St Alb —1J 127
Johns La. Ash G —5H 121
Johnson Ct. Hem H —4A 124
Johnson Ct. H Reg —4G 44
Johns Rd. Bis S —8J 59
John St. Enf —7D 156
John St. Lut —1G 67
John St. R'ton —7D 8
John Tate Rd. Fox P —1D 114
Joiners Clo. Chal P —7C 158
Joiner's La. Chal P —8B 158
Joiners Way. Chal P —7B 158
Joint, The. Reed —6H 15
Jones Cotts. Barn —7G 152
Jones Rd. G Oak —3N 143
Jonquil Clo. Wel G —2A 112
Jordan Clo. Leav —8H 137
Jordans. Wel G —8B 92
Jordans Rd. Rick —1K 159
Jordan's Way. Brick W —3A 138
Jowitt Ho. Stev —3L 51
Joyce Ct. Wal A —7N 145
Joystone Ct. New Bar —6D 154 (off Park Rd.)
Jubilee Av. Lon C —8L 127
Jubilee Av. Ware —5K 95
Jubilee Clo. Pinn —9L 161
Jubilee Cotts. Gt Hor —2D 40
Jubilee Ct. Hpdn —4D 88
Jubilee Ct. Hat —6H 111
Jubilee Cres. N9 —9E 156
Jubilee Cres. Arl —1N 21
Jubilee End. Stpl M —3C 6
Jubilee Memorial Av. Stev (in two parts) —1K 51
Jubilee Rd. Let —4J 23
Jubilee Rd. Stev —1H 51
Jubilee Rd. Wat —2J 149
Jubilee St. Lut —8H 47
Jubilee Trade Cen. Let —4K 23
Jubilee Way. Stpl M —3C 6
Judge's Hill. N'thaw —2D 142
Judge St. Wat —2K 149
Julia Ga. Stev —1B 52
Julian Clo. New Bar —5A 154
Julian's Ct. Stev —1J 51
Julian's Rd. Stev —1H 51
Julie Ho. Hod —6N 115
Julius Gdns. Lut —2B 46
Juniper Av. Brick W —4B 138
Juniper Clo. Barn —7K 153
Juniper Clo. Brox —7K 133
Juniper Clo. Lut —7A 46
Juniper Clo. Rick —3N 159
Juniper Ct. Harr —8G 162
Juniper Ct. N'wd —8J 161
Juniper Gdns. Welw —9L 71
Juniper Ga. Rick —3N 159
Juniper Grn. Hem H —2H 123
Juniper Gro. Wat —2J 149
Juno Rd. Hem H —8B 106
Jupiter Dri. Hem H —9B 106
Jute La. Enf —5J 157
Juxon Clo. Harr —8C 162

Kangles, The. Saf W —1N 29
Kardwell Clo. Hit —4A 34
Kates Clo. Barn —7G 152
Katescroft. Wel G —4L 111
Katherine Clo. Hem H —5A 124
Katherine Dri. Dunst —7H 45
Katherine Pl. Ab L —5J 137
Katherines Hatch. H'low (off Brookside) —8K 117
Katherines Ho. H'low —8K 117 (off Brookside)
Katherine's Way. H'low —9K 117
Katrine Sq. Hem H —7A 106
Keaton Clo. H Reg —4G 45
Keats Clo. Enf —7H 157
Keats Clo. Hem H —5D 106
Keats Clo. R'ton —5C 8
Keats Clo. Stev —2B 52
Keats Way. Hit —3C 34
Keble Ter. Ab L —5H 137
Kecksy's. Saw —3H 99
Kedyngton Ho. Edgw —9C 164 (off Burnt Oak B'way.)
Keeble Clo. Lut —8N 47
Keele Clo. Wat —4L 149
Keely Clo. Barn —7D 154
Keepers Clo. Ched —9M 61
Keepers Clo. Lut —7L 47
Kefford Clo. Bass —1N 7
Keiths Rd. Hem H —3C 124
Keiths Wood. Kneb —3M 71
Kelbys. Wel G —8B 92
Keller Clo. Stev —5A 52
Kelling Clo. Lut —1E 46
Kelly Ct. Borwd —4D 152
Kelly Rd. NW7 —6L 165
Kelman Clo. Wal X —4J 145
Kelmscott Clo. Wat —7J 149
Kelmscott Cres. Wat —7J 149
Kelsall St. Ther —7B 14
Kelshall. Wat —9N 137
Kelshall La. R'ton —8D 14
Kelvin Clo. Lut —2G 66
Kelvin Cres. Harr —7F 162
Kemble Clo. Pot B —6C 142
Kemble Pde. Pot B —5B 142
Kemp. NW9 —8F 164 (off Concourse, The)
Kempe Clo. St Alb —6D 126
Kempe Rd. Enf —9F 144 (in two parts)
Kemp Pl. Bush —8B 150
Kemprow. A'ham —9E 138
Kemps Dri. N'wd —7H 161
Kempsey Clo. Lut —7M 47
Kendal Clo. Lut —2N 45
Kendal Ct. Borwd —3C 152
Kendale. Hem H —3D 124
Kendale Rd. Hit —4N 33
Kendale Rd. Lut —7L 45
Kendall Clo. Wel G —4M 111
Kendals Clo. Rad —9F 138
Ken Davis Ct. St Alb —7G 108
Kenerne Dri. Barn —7L 153
Kenford Clo. Wat —5K 137
Kenilworth Clo. Borwd —5C 152
Kenilworth Clo. Hem H —3A 124
Kenilworth Clo. Stev —1B 72
Kenilworth Ct. Wat —3J 149
Kenilworth Cres. Enf —3C 156
Kenilworth Dri. Borwd —5C 152
Kenilworth Dri. Crox G —6D 148
Kenilworth Gdns. Wat —5L 161
Kenilworth Rd. Edgw —3C 164
Kenilworth Rd. Lut —9E 46
Kenley Av. NW9 —8E 164
Kenley Clo. Barn —6D 154
Kenmore Av. Harr —9H 163
Kenmore Gdns. Edgw —9B 164
Kenmore Rd. Harr —9L 163
Kennedy Av. Enf —8G 157
Kennedy Av. Hod —8K 115
Kennedy Clo. Chesh —1J 145
Kennedy Clo. Pinn —6A 162
Kennedy Ct. Bush —2E 162
Kennedy Rd. D End —1C 74
Kennelwood La. Hat —8H 111
Kenneth Gdns. Stan —6H 163
Kenneth Rd. Lut —8J 47
Kenning Rd. Hod —6L 115
Kennington Rd. Lut —6D 46
Kenny Rd. NW7 —6L 165
Kensington Av. Wat —6H 149
Kensington Clo. H Reg —5H 45
Kensworth Ho. Kens —6K 65
Kensworth Rd. Stud —3F 84
Kent Clo. Borwd —2D 152
Kent Ct. NW9 —9E 164
Kent Cres. Bis S —4G 78
Kent Dri. Cockf —6F 154
Kent Ho. Ger X —5B 158
Kentish La. Brk P —8B 130
Kenton Gdns. St Alb —3G 126
Kenton La. Harr —6G 162
Kent Pl. Hit —2L 33
Kent Rd. N21 —9B 156
Kent Rd. H Reg —3G 44
Kent Rd. Lut —9B 46
Kents Av. Hem H —6N 123
Kent's La. Stdn —7B 56
Kentwick Sq. H Reg —2G 44
Kenwood Av. N14 —7J 155
Kenwood Dri. Rick —2J 159
Kenwood Ho. Wat —9F 148
Kenworth Clo. Wal X —6H 145
Kerdistone Clo. Pot B —2A 142
Kernow Ct. Lut —8J 47
Kerr Clo. Kneb —3M 71
Kerri Clo. Barn —6J 153
Kerril Croft. H'low —5K 117
Kerry Av. Stan —4K 163
Kerry Ct. Stan —4L 163
Kershaw Clo. Lut —1C 46
Kershaw's Hill. Hit —4N 33 (in two parts)
Kerslake Ho. Ger X —5B 158
Kessingland Av. Stev —9G 35
Keston M. Wat —4K 149
Kestrel Clo. NW9 —9E 164
Kestrel Clo. Berk —2N 121
Kestrel Clo. Stev —7C 52
Kestrel Clo. Wat —7N 137
Kestrel Ct. Ware —4G 95
Kestrel Gdns. Bis S —2E 78
Kestrel Grn. Hat —1G 129
Kestrels, The. Brick W —4A 138
Kestrel Wlk. Let —8H 23
Kestrel Way. Lut —4K 45
Kestrel Way. Wel G —7M 91
Keswick Clo. Dunst —1E 64
Keswick Clo. St Alb —3J 127
Keswick Dri. Enf —9G 145
Kettering Rd. Enf —1H 157
Ketton Clo. Lut —1J 67
Ketton Ct. Lut —1J 67
Kevere Ct. N'wd —5D 160
Kewa Ct. Berk —1M 121 (off Cross Oak Rd.)
Kewferry Dri. N'wd —5D 160
Kewferry Rd. N'wd —6E 160
Keyfield Ter. St Alb —3E 126
Keymer Clo. Lut —6L 47
Keynton Clo. Hert —8L 93
Keysers Rd. Brox —4L 133
Kibes La. Ware —6J 95
Kidlington Way. NW9 —9D 164
Kidner Clo. Lut —4G 46
Kilbride Ct. Hem H —7B 106
Kilby Clo. Wat —8M 137
Kildonan Clo. Wat —3H 149
Kilfillan Gdns. Berk —2L 121
Kilfillan Pk. Berk —1L 121
Kilmarnock Dri. Lut —4G 47
Kilmarnock Rd. Wat —4M 161
Kiln Cotts. Hem H —1D 124
Kilncroft. Hem H —4D 124
Kilnfield. Wel G —6M 91
Kiln Ground. Hem H —4C 124
Kiln Ho. Clo. Ware —5J 95
Kiln La. H'low —7E 118
Kiln Rd. Hast —7N 101
Kiln Way. N'wd —6G 161
Kilsmore La. Chesh —1H 145
Kilvinton Dri. Enf —2B 156
Kilworth Clo. Wel G —2A 112
Kimberley. Let —2F 22
Kimberley Clo. Bis S —3J 79
Kimberley Clo. Lut —6H 45
Kimberley Gdns. Enf —5D 156
Kimberley Rd. St Alb —1D 126
Kimberley Vs. Bis S —3J 79 (off Southmill Rd.)
Kimble Clo. Wat —9G 149
Kimble Cres. Bush —9D 150
Kimbolton Cres. Stev —9M 51
Kimbolton Grn. Borwd —6C 152
Kimps Way. Hem H —5C 124
Kimpton. Stev —8J 35 (off Coreys Mill La.)
Kimpton Bottom. Hpdn —9E 68
Kimpton Clo. Hem H —6D 106
Kimpton La. Lut —1M 67
Kimpton Pl. Wat —7M 137
Kimpton Rd. Cod —7M 69
Kimpton Rd. Lut —2J 67
Kimpton Rd. P Grn & Kim —5D 68
Kimpton Rd. Welw —8D 70
Kimptons Clo. Pot B —5K 141
Kimptons Mead. Pot B —6K 141
Kinderscout. Hem H —4C 124
Kindersley Clo. Welw —1J 91
Kindersley Way. Ab L —4E 136
Kinetic Bus. Cen. Borwd —5A 152
King Arthur Ct. Chesh —3J 145
King Charles Rd. Shenl —5M 139
King Croft Rd. Hpdn —8E 88
King Edward Rd. Barn —6N 153
King Edward Rd. Shenl —6N 139
King Edward Rd. Wal X —6J 145
King Edward Rd. Wat —8N 149
King Edward's Rd. N9 —9F 156
King Edward's Rd. Enf —6H 157
King Edward's Rd. Ware —5J 95
King Edward St. Hem H —6M 123
Kingfisher Clo. Har W —7G 162
Kingfisher Clo. Stan A —3N 115
Kingfisher Clo. N'wd —8D 160
Kingfisher Clo. Wheat —6L 89
Kingfisher Ct. Enf —2L 155
Kingfisher Ct. Let —3E 22
Kingfisher Dri. Hem H —7A 124
Kingfisher Lure. K Lan —2D 136
Kingfisher Lure. Loud —6L 147
Kingfisher Rise. Stev —7C 52
Kingfisher Wlk. NW9 —9E 164
Kingfisher Way. Bis S —1J 79
King George Av. Bush —8C 150
King George Clo. Stev —3L 51
King George Rd. Wal A —7N 145
King George Rd. Ware —5J 95 (in three parts)
King George's Av. Wat —7G 149
King Georges Clo. Hit —1L 33
King George's Way. W'wll —2M 69
Kingham Rd. W'side —2B 96
Kingham Way. Lut —8G 46
King Harold Ct. Wal A —6N 145 (off Sun St.)
King Harry La. St Alb —3B 126
King Harry St. Hem H —3N 123
King Henry's M. Enf —1L 157 (off Mollison Av.)
King James Av. Cuff —2K 143
King James Way. R'ton —7D 8
Kings Av. N21 —9N 155
Kings Av. Hem H —6B 124
King's Av. Wat —6H 149
Kingsbridge Rd. Bis S —9J 59
Kingsbury Av. Dunst —8H 45
Kingsbury Av. St Alb —1D 126
Kingsbury Ct. Dunst —8F 44
Kingsbury Gdns. Dunst —8J 45
Kings Chase View. R'way —4M 155
Kings Clo. Chal G —2A 158
King's Clo. Chfd —4L 135
Kings Clo. N'wd —6H 161
King's Clo. Wat —6K 149
King's Cotts. Bis S —2H 79 (off South Rd.)
Kings Ct. Berk —9N 103
Kings Ct. Bis S —9J 59
Kings Ct. Dunst —8F 44
Kingscroft. Wel G —8A 92
Kingscroft Av. Dunst —8E 44
Kingsdale Ho. Welw —4H 91
Kingsdale Rd. Berk —2L 121
Kingsdon La. H'low —7E 118
Kingsdown. Hit —4B 34
Kingsdown Av. Lut —5F 46
King's Dri. Edgw —4N 163
Kings Farm Rd. Chor —8G 146
Kingsfield. Hod —6L 115
Kingsfield Ct. Wat —9M 149
Kingsfield Dri. Enf —8H 145
Kingsfield Rd. D End —1C 74
Kingsfield Rd. Wat —9M 149
Kingsfield Way. Enf —8H 145
Kingsgate. St Alb —4C 126
Kings Head Ct. Saw —5G 98
Kings Head Hill. E4 —9M 157
Kings Hedges. Hit —1K 33
Kingshill. Berk —2M 121
Kingshill Av. St Alb —8J 109
Kingshill Ct. Barn —6L 153
Kingshill Dri. Harr —9J 163
Kingshill La. Lut —7L 31
Kingshill Way. Berk —3L 121
Kingsland. H'low —8M 117
Kingsland Ct. Lut —2H 67 (off Kingsland Rd.)
Kingsland Rd. Hem H —4K 123
Kingsland Rd. Lut —2H 67
Kingsland Way. A'wl —9M 5
King's La. Chfd —4K 135
Kings Langley By-Pass. Hem H —4H 123
Kings Langley By-Pass. K Lan —1N 135
Kingsley Av. Borwd —4N 151
Kingsley Av. Chesh —2F 144
Kingsley Ct. Edgw —2B 164
Kingsley Ct. Wel G —4M 111
Kingsley Rd. Lut —4C 46
Kingsley Wlk. Tring —2M 101
Kingsmead. Barn —6N 153
Kingsmead. Cuff —1K 143
Kings Mead. Edl —5J 63
Kingsmead. Saw —6G 98
Kingsmead. St Alb —8L 109
Kingsmead. Wal X —1H 145
Kingsmead Clo. Roy —7E 116
Kingsmead Ct. Dunst —7D 44
Kings Meadow. K Lan —1C 136
Kingsmead Rd. Bis S —9J 59
Kings M. Hem H —1N 123 (off George St.)
Kingsmill Ct. Hat —2H 129
Kingsmoor Rd. H'low —8L 117
King's Oak. Crox G —6C 148
Kings Pk. Stev —5J 51
Kings Pk. Ind. Est. K Lan —2D 136
Kings Rd. Barn —5J 153
Kings Rd. Berk —2L 121
Kings Rd. Chal G —2A 158
King's Rd. Hert —8E 94
King's Rd. Hit —2N 33
King's Rd. Lon C —8K 127
King's Rd. St Alb —2D 126
Kings Rd. Wal X —4J 145
Kingston Pl. Harr —7G 162
Kingston Rd. Barn —7C 154
Kingston Rd. Lut —8H 47
Kingston Vale. R'ton —8E 8
King St. Bis S —1H 79
King St. Dunst —9F 44 (Dunstable)
King St. Dunst —5E 44 (Houghton Regis)
King St. Lut —1G 66
King St. Mark —2A 86
King St. R'ton —7D 8
King St. Tring —3M 101
King St. Wat —6L 149
Kings Walden Rise. Stev —2B 52
Kings Walden Rd. Pres —3L 49
King's Waldon Rd. Offl —8D 32
Kingsway. Chal P —9B 158
Kingsway. Cuff —3K 143
Kingsway. Dunst —8F 44
Kingsway. Enf —7F 156
Kingsway. Lut —8C 46
Kingsway. R'ton —5C 8
Kingsway. Stot —5F 10
Kingsway. Ware —4H 95
Kingsway Gdns. Stot —5E 10
Kingsway Ind. Est. Lut —9C 46
Kingsway N. Orbital Rd. Wat —8H 137
Kingswell Ride. Cuff —3K 143
Kingswood Av. Hit —1D 34
Kingswood Av. N20 —9B 154
Kingswood Clo. Enf —7C 156
Kingswood Pk. N3 —8M 165
Kingswood Rd. Wat —7K 137
Kingwell Rd. Barn —2C 154
King William Clo. Bar C —7F 18
Kinmoor Clo. Lut —1N 45
Kinross Clo. Edgw —2B 164
Kinross Cres. Lut —1M 45
Kinsbourne Clo. Hpdn —3L 87
Kinsbourne Cres. Hpdn —3M 87
Kinsbourne Grn. La. Hpdn —2K 87
Kipling Clo. Hit —3C 34
Kipling Gro. Hem H —5D 106
Kipling Pl. Stan —6G 163
Kipling Rd. R'ton —4E 8
Kipling Way. Hpdn —6C 88
Kirby Clo. N'wd —6H 161
Kirby Dri. Lut —9B 30

Marthorne Cres.—Mitre Ct.

Marthorne Cres. Harr —9E 162
Martian Av. Hem H —8B 106
Martinbridge Trading Est. Enf —7E 156
Martin Clo. Hat —2G 129
Martin Dale Ind. Est. Enf —5F 156
Martindale Rd. Hem H —1J 123
Martindales, The. Lut —1H 67 (off Crescent Rd.)
Martineau Ho. Ger X —5B 158
MartinField. Wel G —8M 91
Martinfield Bus. Cen. Wel G —8M 91
Martingale Rd. R'ton —7E 8
Martins Clo. Rad —9F 138
Martins Ct. St Alb —5K 127
Martins Dri. Chesh —1J 145
Martins Dri. Hert —9F 94
Martin's Ho. Stev —9N 35
Martins Mt. New Bar —6N 153
Martins Wlk. Borwd —6A 152
Martins Way. Stev —1J 51
Martin Way. Let —6D 22
Martynside. NW9 —8F 164
Martynside. NW9 —8F 164 (off Concourse, The)
Martyr Clo. St Alb —6E 126
Marwood Clo. K Lan —2B 136
Mary Brash Ct. Lut —6L 47
Mary Cross Clo. Wig —5B 102
Maryland. Hat —1F 128
Mary McArthur Pl. Stans —1N 59
Marymead Ct. Stev —9N 51
Marymead Dri. Stev —9N 51
Marymead Ind. Est. Stev —9A 52
Mary Pk. Gdns. Bis S —5H 79
Maryport Rd. Lut —7C 46
Mary Proud Ct. Welw —9L 71
Mary Rose Way. N20 —9C 154
Masefield. Hit —3C 34
Masefield Av. Borwd —7B 152
Masefield Av. Stan —5G 163
Masefield Ct. Hpdn —3C 88
Masefield Ct. New Bar —6B 154
Masefield Cres. N14 —8H 155
Masefield Rd. Hpdn —4C 88
Mason Clo. Borwd —4D 152
Mason's Ct. Bis S —1G 79
Masons Rd. Enf —9F 144
Masons Rd. Hem H —1D 124
Masons Yd. Berk —1A 122
Masters Clo. Lut —3D 66
Matching La. Bis S —9F 58
Matching Rd. H'low —2K 119
Matching Rd. Mat T —3N 119
Mathams Dri. Bis S —3F 78
Matlock Clo. Barn —7K 153
Matlock Cres. Lut —8M 45
Matlock Cres. Wat —3L 161
Matrons Flat. Wel G —9J 91
Matthew Ga. Hit —5A 34
Matthew St. Dunst —9E 44
Mattocke Rd. Hit —1K 33
Maude Cres. Wat —2K 149
Maud Jane's Clo. I'hoe —2C 82
Maulden Clo. Lut —8L 47
Maundsey Clo. Dunst —3F 64
Maurice Brown Clo. NW7 —5K 165
Maxfield Clo. N20 —9B 154
Maxim Rd. N21 —8M 155
Maxted Clo. Hem I —9E 106
Maxted Corner. Hem I —8D 106
Maxted Rd. Hem I —8D 106
Maxwell Clo. Rick —2K 159
Maxwell Rise. Wat —9N 149
Maxwell Rd. Borwd —5B 152
Maxwell Rd. N'wd —7F 160
Maxwell Rd. St Alb —3J 127
Maxwell Rd. Stev —4H 51
Maxwell's Path. Hit —2L 33
Maxwelton Av. NW7 —5D 164
Maxwelton Clo. NW7 —5D 164
Maybury Av. Chesh —1F 144
Maychurch Clo. Stan —7L 163
May Clo. Eat B —2J 63
May Clo. St Alb —9E 108
Maycock Gro. N'wd —6H 161
Maycroft. Let —2G 22
Maycroft. Pinn —9K 161
Maycroft Rd. Chesh —8C 132
Maydencroft La. Gos —6L 33
Maydwell Lodge. Borwd —4N 151
Mayes Clo. Bis S —9M 59
Mayfair. Crox —7F 148
Mayfair Clo. St Alb —6K 109
Mayfair Ter. N14 —9J 155
Mayfield. Wel G —5J 91
Mayfield Clo. H'low —2H 119
Mayfield Clo. Hpdn —4N 87
Mayfield Cres. N9 —8F 156
Mayfield Cres. L Ston —1F 20
Mayfield Pk. Bis S —5F 78
Mayfield Rd. Dunst —2G 65
Mayfield Rd. Enf —4H 157
Mayfield Rd. Lut —5K 47
Mayflower Av. Hem H —2N 123
Mayflower Clo. Cod —7F 70
Mayflower Clo. Hert —2K 113
Mayflower Gdns. Bis S —2D 78
Mayflower Rd. Park —9C 126
Mayhill Rd. Barn —8L 153
Maylands Av. Hem I —8D 106
Maylands Ct. Hem H —1D 124
Maylands Rd. Wat —4L 161
Maylin Clo. Hit —2C 34
Maylins Dri. Saw —5F 98
Maynard Dri. St Alb —5E 126
Maynard Pl. Cuff —2L 143
Maynard Rd. Hem H —3N 123
Mayne Av. Lut —4M 45
Mayne Av. St Alb —4A 126
Mayo Clo. Chesh —1G 144
Mayo Gdns. Hem H —3L 123
Mayshades Clo. Wool G —6N 71
Mays La. Barn —9H 153
May St. Gt Chi —3H 17
May St. Lut —3G 67
Maythorne Clo. Wat —6G 148
Maytree Clo. Edgw —3C 164
Maytree Cres. Wat —8H 137
Maytree La. Stan —7H 163
Maytrees. Hit —4A 34
Maytrees. Rad —1H 151
Maze Grn. Rd. Bis S —1F 78
Mazoe Clo. Bis S —3H 79
Mazoe Rd. Bis S —3H 79
Mead Clo. Harr —8E 162
Mead Clo. Stev —3M 51
Mead Ct. Stans —2M 59
Mead Ct. Wal A —7M 145
Meadfield. Edgw —2B 164
Meadfield Grn. Edgw —2B 164
Meadgate Rd. Brox —2N 133
Mead Ho. Hat —6H 111
Mead La. Hert —8C 94
Meadow Bank. N21 —8L 155
Meadow Bank. Hit —2B 34
Meadowbank. K Lan —3C 136
Meadowbank. Wat —9L 149
Meadowbanks. Barn —7G 152
Meadowbrook. Tring —1N 101
Meadow Clo. Barn —8M 153
Meadow Clo. Berk —3L 121
Meadow Clo. Brick —2B 138
Meadow Clo. Che —9E 120
Meadow Clo. D'wth —7C 72
Meadow Clo. Enf —2J 157
Meadow Clo. Lon C —9L 127
Meadow Clo. N Mym —6K 129
Meadow Clo. St Alb —8K 109
Meadow Clo. Tring —2M 101
Meadowcroft. Bush —8C 150 (off High St. Bushey,)
Meadow Croft. Cad —4B 66
Meadowcroft. Chal P —9A 158
Meadow Croft. Hat —9F 110
Meadowcroft. N'chu —7H 103
Meadowcroft. St Alb —5H 127
Meadowcroft. Stans —2N 59
Meadow Dell. Hat —9F 110
Meadow Dri. NW4 —9J 165
Meadow Gdns. Edgw —6B 164
Meadow Grn. Wel G —9J 91
Meadowlands. Bis S —7J 59
Meadow La. H Reg —4E 44
Meadow La. Pit —4C 82
Meadow Mead. Rad —6G 139
Meadow Rd. Berk —8L 103
Meadow Rd. Borwd —4B 152
Meadow Rd. Bush —7C 150
Meadow Rd. Hem H —7C 124
Meadow Rd. Lut —5D 46
Meadow Rd. Wat —7J 137
Meadows, The. Bis S —3G 78
Meadows, The. Hem H —1H 123
Meadows, The. Saw —5J 99
Meadowsweet Clo. Bis S —3E 78
Meadow, The. Hail —4J 115
Meadow, The. Wel G —9B 92
Meadow View. Bunt —4H 39
Meadow Wlk. Hpdn —7D 88
Meadow Wlk. Stdn —7B 56
Meadow Way. Bedm —9H 125
Meadow Way. Cad —4A 66
Meadow Way. Cod —7E 70
Meadow Way. Hem H —5J 123
Meadow Way. Hit —4L 33
Meadow Way. K Lan —3C 136
Meadow Way. Let —6F 22
Meadow Way. Offl —7D 32
Meadow Way. Pot B —7N 141
Meadow Way. Rick —9M 147
Meadow Way. Saw —6J 99
Meadow Way. Stev —4M 51
Meadow Way. Stot —6F 10
Meadow Way, The. Harr —8F 162
Mead Pk. Ind. Est. H'low —2B 118
Mead Pl. Rick —1L 159
Mead Rd. Edgw —6A 164
Mead Rd. Shenl —6A 140
Meads Clo. H Reg —4E 44
Meads La. Wheat —6L 89
Meads Rd. Enf —3J 157
Meads, The. Brick W —3B 138
Meads, The. Eat B —2J 63
Meads, The. Edgw —6D 164
Meads, The. Let —5E 22
Meads, The. Lut —6C 46
Meads, The. N'chu —8K 103
Meads, The. Stans —3N 59
Meads, The. Tring —2N 101 (off Mortimer Hill.)
Mead, The. Chesh —2G 145
Mead, The. Hit —9M 21
Mead, The. Wat —3N 161
Mead View. Stoc P —4A 42
Meadview Rd. Ware —7H 95
Meadway. Barn —6N 153
Meadway. Berk —9B 104
Mead Way. Bush —4N 149
Meadway. Col H —5D 128
Meadway. Dunst —1C 64
Meadway. Enf —9G 145
Meadway. Hpdn —8F 88
Meadway. Hod —1L 133
Meadway. Kneb —4M 71
Meadway. Stev —3G 50 (in two parts)
Meadway. Wel G —2M 111
Meadway Clo. Barn —5N 153
Meadway Clo. Pinn —6C 162
Meadway Ct. Dunst —1C 64
Meadway Ct. Stev —3H 51
Meadway, The. Cuff —2L 143
Meautys. St Alb —4B 126
Medalls Link. Stev —6N 51
Medalls Path. Stev —6N 51
Medcalf Rd. Enf —1K 157
Medina Rd. Lut —8C 46
Medley Clo. Eat B —3K 63
Medlows. Hpdn —5N 87
Medway Clo. Wat —7L 137
Medway Rd. Hem H —6B 106
Medwick M. Hem H —6D 106
Mees Clo. Lut —9B 30
Meeting All. Wat —6L 149
Meeting Ho. La. Bald —2L 23
Meeting La. Lit —3H 7
Megg La. Chfd —2L 135
Melbourn Clo. Stot —6F 10
Melbourne Av. Pinn —9C 162
Melbourne Clo. St Alb —7G 108
Melbourne Ct. Wel G —1H 111
Melbourne Rd. Bush —8C 150
Melbourne Way. Enf —8D 156
Melbourn Rd. R'ton —7D 8
Melford Clo. Lut —8M 47
Melings, The. Hem H —6D 106
Melling Dri. Enf —3E 156
Melne Rd. Stev —9A 52
Melrose Av. Borwd —7B 152
Melrose Av. Pot B —5N 141
Melrose Ct. Chesh —1H 145
Melrose Gdns. Edgw —9B 164
Melrose Pl. Wat —2H 149
Melson Sq. Lut —1G 66 (off Arndale Cen.)
Melson St. Lut —1G 67
Melsted Rd. Hem H —2L 123
Melton Ct. Dunst —1C 64
Melton Wlk. H Reg —3H 45
Melville Ct. N'wd —6F 160
Melville Ho. New Bar —7C 154
Melvyn Clo. G Oak —1N 143
Memorial Ct. Lut —5B 46
Memorial Rd. Lut —5B 46
Mendip Clo. St Alb —7K 109
Mendip Rd. Bush —8D 150
Mendip Way. Hem H —8A 106
Mendip Way. Lut —1M 45
Mentley La. Ware —5H 55
Mentley La. E. Puck —5A 56
Mentley La. W. Gt Mun —5M 55
Mentmore Cres. Dunst —3F 64
Mentmore Rd. Ched —8L 61
Mentmore Rd. St Alb —4E 126
Mentmore View. Tring —1L 101
Mepham Cres. Harr —7D 162
Mepham Gdns. Harr —7D 162
Meppershall Rd. Shil —1A 20
Mercer Pl. Pinn —9L 161
Mercers. H'low —9K 117
Mercers. Hem H —9A 106
Mercers Av. Bis S —4D 78
Mercers Row. St Alb —4D 126
Merchant Dri. Hert —8D 94
Merchants Wlk. Bald —2A 24
Mercury. NW9 —8F 164 (off Concourse, The)
Mercury Wlk. Hem H —8B 106
Mereden Ct. St Alb —5D 126 (off Tavistock Av.)
Meredith Clo. Pinn —7M 161
Meredith Rd. Stev —1N 51
Merefield. Saw —6G 98
Meridan Way. N18, N9 & Enf —9H 157
Meriden Way. Wat —9N 137
Meridian Way. Stan A —1M 115
Merle Av. Hare —9L 159
Merlin. NW9 —8F 164 (off Concourse, The)
Merlin Cen., The. St Alb —2N 127
Merlin Cres. Edgw —8N 163
Merling Croft. N'chu —7J 103
Mermaid Clo. Hit —3B 34
Merridene. N21 —8N 155
Merrion Av. Stan —5L 163
Merritt Wlk. N Mym —5H 129
Merrivale. N14 —8J 155
Merrow Dri. Hem H —1H 123
Merrows Clo. N'wd —6E 160
Merryfield Gdns. Stan —5K 163
Merryfields. St Alb —2M 127
Merryhill Clo. E4 —9M 157
Merry Hill Mt. Bush —1C 162
Merry Hill Rd. Bush —8A 150
Merryhills Ct. N14 —7H 155
Merryhills Dri. Enf —6J 155
Mersey Pl. Hem H —6B 106
Mersey Pl. Lut —1F 66
Merton Lodge. New Bar —7B 154
Merton Rd. Enf —2B 156
Merton Rd. Wat —6K 149
Meryfield Clo. Borwd —4N 151
Metheringham Way. NW9 —8E 164
Methuen Clo. Edgw —7A 164
Methuen Rd. Edgw —7A 164
Metro Cen. St Alb —7G 109
Metro Cen., The. Wat —9F 148
Metropolitan Sta. App. Wat —5H 149
Meux Clo. Chesh —4E 144
Mews, The. Hpdn —6C 88
Mews, The. Let —2J 23
Mews, The. L Hall —5J 79
Mews, The. Saw —4G 99
Mews, The. Stans —2N 59
Meyer Grn. Enf —2E 156
Meyrick Av. Lut —2E 66
Meyrick Ct. Lut —2E 66
Mezen Clo. N'wd —5F 160
Michaels Rd. Bis S —7J 59
Michen Rd. H'low —4B 118
Michleham Down. N12 —4M 165
Micholls Av. Ger X —4B 158
Micklefield Rd. Hem H —2E 124
Micklefield Way. Borwd —2M 151
Micklem Dri. Hem H —1J 123
Midcot Way. Berk —8K 103
Mid Cross La. Chal P —5C 158
Middle Dene. NW7 —3D 164
Middle Drift. R'ton —7C 8
Middlefield. Hat —8G 110
Middlefield. Wel G —4L 111
Middlefield Av. Hod —6L 115
Middlefield Clo. St Alb —8K 109
Middlefield Rd. Hod —6L 115
Middlefields. Let —2F 22
Middlefields Ct. Let —2F 22 (off Middlefields)
Middle Furlong. Bush —6C 150
Middlehill. Hem H —2H 123
Middleknights Hill. Hem H —8K 105
Middle La. Bov —2D 134
Middle Ope. Wat —1K 149
Middle Rd. Berk —1M 121
Middle Rd. E Barn —8D 154
Middle Rd. Wal A —5M 145
Middle Row. Bis S —2H 79
Middle Row. Stev —2J 51
Middlesborough Clo. Stev —8M 35
Middlesex Ho. Stev —3H 51
Middle St. Lit —3H 7
Middleton Rd. Lut —5M 47
Middleton Rd. Rick —1K 159
Middle Way. Wat —1J 149
Middle Way, The. Harr —9G 162
Midhurst. Let —3F 22
Midhurst Gdns. Lut —5E 46
Midland Rd. Hem H —2N 123
Midland Rd. Lut —9G 46
Midway. St Alb —5C 126
Milbourne Ct. Wat —4J 149
Milburn Clo. Lut —9D 30
Milby Ct. Borwd —3N 151
Mildmay Rd. Stev —1A 52
Mildred Av. Borwd —6A 152
Mildred Av. Wat —6H 149
Mile Clo. Wal A —6N 145
Mile Ho. Clo. St Alb —5H 127
Mile Ho. La. St Alb —6G 126
Miles Clo. H'low —7L 117
Milespit Hill. NW7 —5H 165
Milestone Clo. Stev —5C 52
Mile Stone Ct. Rad —7H 139
Milestone Rd. Hit —1L 33
Milestone Rd. Kneb —3N 71
Miletree Cres. Dunst —2G 64
Milford Clo. Marsh —7L 109
Milford Gdns. Edgw —7A 164
Milford Hill. Hpdn —3E 88
Milksey La. Hit —5J 35
Millacres. Ware —6H 95
Millais Gdns. Edgw —9A 164
Millais Rd. Enf —7D 156
Milland Ct. Borwd —3D 152
Millard Way. Hit —9C 22
Millbank. Hem H —6N 123
Mill Bri. Barn —8M 153
Mill Bridge. Hert —9A 94
Millbridge M. Hert —9A 94
Millbrook. Ware —5H 95
Millbrook Rd. Bush —3A 150
Mill Clo. Hem H —7C 124
Mill Clo. Hit —2C 34
Mill Clo. Lem —1G 110
Mill Clo. Pic E —7L 105
Mill Clo. Stot —6G 10
Mill Clo. Ware —6H 95
Mill Clo. W'grv —5A 60
Mill Corner. Barn —3M 153
Millcrest Rd. G Oak —1N 143
Millcroft. Bis S —8J 59
Mill End Clo. Eat B —4K 63
Miller Clo. Pinn —9L 161
Millers Clo. NW7 —4G 165
Millers Clo. Bis S —3E 78
Millers Ct. Hert —1B 114
Millersdale. H'low —9L 117
Millers Grn. Clo. Enf —5N 155
Millers La. Stan A —2N 115
Millers Lay. Dunst —7J 45
Millers Rise. St Alb —3F 126
Millers View. M Hud —7H 77
Millers Yd. Hert —9B 94
Mill Farm Clo. Pinn —9L 161
Millfield. Berk —9A 104
Mill Field. H'low —2E 118
Millfield. Wad —8J 75
Millfield. Wel G —8B 92
Millfield Ho. Wat —8E 148
Millfield La. Cad —5M 65
Millfield La. L Had —9N 57
Millfield La. St I —6N 33
Millfield Rd. Edgw —9C 164
Millfield Rd. Lut —6C 46
Millfields. Saw —4G 99
Millfields. Stans —3N 59
Millfield Wlk. Hem H —5C 124
Millfield Way. Cad —5N 65
Mill Gdns. Tring —2M 101
Mill Grn. La. Wel G —4K 111
Mill Grn. Rd. Wel G —1L 111
Mill Hatch. H'low —2C 118
Mill Hill. Bis S —2F 58
Mill Hill. R'ton —9E 8
Mill Hill. Stans —3N 59
Mill Hill Ind. Est. NW7 —6F 164
Millhouse La. Bedm —9J 125
Millhurst M. H'low —2G 118
Milliners Way. Lut —8E 46
Milling Rd. Edgw —7D 164
Mill La. E4 —5M 157
Mill La. Alb —3M 57
Mill La. Arl —8A 10
Mill La. Bar C —8D 18
Mill La. Bass —1L 7
Mill La. Brox —3K 133
Mill La. Chesh —1J 145
Mill La. Crox —8E 148
Mill La. Flam —6C 86
Mill La. Gos & St I —7N 33
Mill La. H'low —2G 119
Mill La. H'tn —9K 19
Mill La. K Lan —2C 136
Mill La. Mee —6K 29
Mill La. Saw —4H 99
Mill La. Stot —3F 10 (Astwick)
Mill La. Stot —6G 10 (Stotfield)
Mill La. Ther —4D 14
Mill La. Wat S —5K 73
Mill La. W'ton —1B 36
Mill La. W'grv —6B 60
Mill La. Clo. Brox —3K 133
Millmarsh La. Enf —4J 157
Mill Mead. Wend —9A 100
Mill Pl. Welw —2J 91
Mill Race. Stan A —2A 116
Mill Ridge. Edgw —5N 163
Mill River Trading Est. Enf —6J 157
Mill Rd. Hert —8B 94
Mill Rd. H Reg —5D 44
Mill Rd. R'ton —6D 8
Mill Rd. Slap —2A 62
Mill Rd. St I —7N 33
Millside. Bis S —3J 79
Mill Side. Stans —3M 59
Millstream Clo. Hert —9N 93
Mill St. A'wl —9M 5
Mill St. Berk —1N 121
Mill St. Bis S —3J 79
Mill St. H'low —8G 119
Mill St. Hem H —5N 123
Mill St. Lut —9F 46
Millthorne Clo. Crox —7B 148
Mill View Rd. Tring —2L 101
Millwards. Hat —3H 129
Millway. NW7 —4E 164
Millway. B Grn —7E 48
Mill Way. Bush —4N 149
Mill Way. Hit —8J 21
Mill Way. Rick —1J 159
Milman Clo. Pinn —9M 161
Milne Clo. Let —8H 23
Milne Feild. Pinn —7B 162
Milner Clo. Wat —7K 137
Milner Ct. Bush —8C 150
Milner Ct. Lut —9G 47
Milne Way. Hare —8L 159
Milton Av. Barn —7M 153
Milton Clo. R'ton —4C 8
Milton Ct. Hpdn —6C 88
Milton Ct. Hem H —5D 106
Milton Ct. Wal A —7N 145
Milton Dene. Hem H —6D 106
Milton Dri. Borwd —7B 152
Milton Ho. Ger X —4B 158
Milton Rd. NW7 —5G 164
Milton Rd. Ast C —1E 100
Milton Rd. Hpdn —6C 88
Milton Rd. Lut —2E 66
Milton Rd. Ware —5H 95
Milton St. Wal A —7N 145
Milton St. Wat —2K 149
Milton View. Hit —3C 34
Milton Wlk. H Reg —5G 45
Milton Way. H Reg —5G 45
Milverton Grn. Lut —2C 46
Milwards. H'low —9L 117
Mimas Rd. Hem H —8B 106
Mimms Hall Rd. Pot B —4K 141
Mimms La. Shenl & Pot B —6A 140
Mimram Clo. W'wll —1M 69
Mimram Pl. Welw —2J 91
Mimram Rd. Hert —1N 113
Mimram Rd. Welw —2J 91
Mimram Wlk. Welw —2J 91
Minehead Way. Stev —2G 50
Minerva Dri. Wat —9G 137
Minims, The. Hat —8G 110
Minister Ho. Hat —2G 128
Minorca Way. Lut —6K 45
Minsden Rd. Stev —7C 52
Minster Clo. Hat —2G 128
Minster Rd. R'ton —5C 8
Minstrel Clo. Hem H —1L 123
Misbourne Av. Chal P —5B 158
Misbourne Clo. Chal P —5B 158
Misbourne Vale. Chal P —5A 158
Missden Dri. Hem H —4E 124
Missenden Ho. Wat —9G 149 (off Chenies Way)
Miss Joans Ride. Kens —9B 64
Mistletoe Hill. Lut —9L 47
Mistley Rd. H'low —4C 118
Miswell La. Tring —2K 101
Mitchell. NW9 —8F 164 (off Concourse, The)
Mitchell Clo. Ab L —5J 137
Mitchell Clo. Bov —9C 122
Mitchell Clo. St Alb —6E 126
Mitchell Clo. Wel G —9B 92
Mitre Ct. Hert —9B 94

Mitre Gdns.—Newtondale

Mitre Gdns. Bis S —4J 79
Mixes Hill Rd. Lut —6H 47
Mixies, The. Stot —6E 10
Moakes, The. Lut —1A 46
Moat Clo. Bush —7C 150
Moat Clo. Wend —8A 100
Moat Cres. N3 —9N 165
Moatfield Rd. Bush —7C 150
Moat La. Lut —5D 46
Moat La. W'grv —6A 60
Moatside. Ans —4E 28
Moat Side. Enf —6H 157
Moat, The. Puck —6A 56
Moat View Ct. Bush —7C 150
Moatwood Grn. Wel G —1L 111
Mobbsbury Way. Stev —1A 52
Mobley Grn. Lut —6K 47
Moffats Clo. Brk P —8N 129
Moffats La. Brk P —9L 129
Moineau. NW9 —8F 164 (off Concourse, The)
Moira Clo. Lut —3N 45
Molescroft Ridge Av. Hpdn —3M 87
Molesworth. Hod —4L 115
Molewood Rd. Hert —7N 93
Mollison Av. Enf —8J 145
Mollison Way. Edgw —9N 163
Molteno Rd. Wat —2J 149
Momples Rd. H'low —6C 118
Monarchs Way. Wal X —6J 145
Monastery Clo. St Alb —2D 126
Monastery Gdns. Enf —4B 156
Moneyhill Ct. Rick —1L 159
Moneyhill Pde. Rick —1L 159
Money Hill Rd. Rick —1M 159
Money Hole La. Welw —8D 92
Monica Clo. Wat —4L 149
Monica Ct. Enf —7C 156
Monkfrith Av. N14 —8G 154
Monkfrith Clo. N14 —9G 154
Monkfrith Way. N14 —9F 154
Monklands. Let —5D 22
Monks Av. Barn —8B 154
Monksbury. H'low —9C 118
Monks Clo. Brox —2L 133
Monks Clo. Dunst —8H 45
Monks Clo. Enf —4A 156
Monks Clo. Let —5C 22
Monks Clo. Redb —1K 107
Monks Clo. St Alb —4F 126
Monks Horton Way. St Alb —9H 109
Monksmead. Borwd —6C 152
Monks Rise. Wel G —5K 91
Monks Rd. Enf —4A 156
Monks Row. Ware —5H 95
Monks View. Stev —7M 51
Monks Wlk. Bunt —3H 39
Monks Wlk. Wel G —5J 91
Monkswick Rd. H'low —4B 118
Monkswood. Wel G —6J 91
Monkswood Av. Wal A —6N 145
Monkswood Dri. Bis S —2F 78
Monkswood Gdns. Borwd —7D 152
Monkswood Retail Pk. Stev —6L 51
Monkswood Way. Stev —5L 51
Monmouth Rd. Wat —5K 149
Monroe Cres. Enf —3F 156
Monro Gdns. Harr —7F 162
Mons Clo. Hpdn —9E 88
Monson Rd. Brox —2K 133
Montacute Rd. Bush —9F 150
Montague Av. Lut —3M 45
Montague Rd. Berk —1M 121
Montayne Rd. Chesh —5H 145
Monterey Pl. Shopping Cen. NW7 —5E 164
Montesole Ct. Pinn —9L 161
Montfitchet Wlk. Stev —1C 52
Montgomerie Clo. Berk —8L 103
Montgomery Av. Hem H —1C 124
Montgomery Dri. Chesh —1J 145
Montgomery Rd. Edgw —6N 163
Monton Clo. Lut —3B 46
Montrose Av. Edgw —9C 164
Montrose Av. Lut —6D 46
Montrose Ct. NW9 —9C 164
Montrose Rd. Harr —9F 162
Montrose Wlk. Stan —6J 163
Monument La. Chal P —6B 158
Moon La. Barn —5M 153
Moorcroft. Edgw —8B 164
Moor End. Eat B —4K 63
Moorend. Wel G —3N 111
Moor End Clo. Eat B —4K 63
Moor End La. Eat B —3K 63
Moor End Rd. Hem H —3M 123
Moore Rd. Berk —8K 103
Moorfield Rd. Enf —3G 156
Moor Hall La. Thor —5D 78
Moor Hall Rd. H'low —2H 119
Moorhouse. NW9 —8F 164
Moorhouse Rd. Harr —9L 163
Moorhurst Av. G Oak —2M 143
Moorland Gdns. Lut —9F 46
Moorland Rd. Hpdn —3C 88
Moorland Rd. Hem H —4K 123
Moorlands. Frog —1F 138
Moorlands. Wel G —3N 111
Moorlands Av. NW7 —6H 165
Moorlands Reach. Saw —6H 99
Moor La. Rick —1B 160
Moor La. Sarr —9H 135
Moor La. Crossing. Wat —9E 148
Moormead Clo. Hit —4L 33
Moormead Hill. Hit —4L 33
Moor Mill La. Col S —2F 138 (in two parts)
Moor Pk. Wend —7A 100
Moor Pk. Ind. Cen. Wat —9E 148
Moor Pk. Rd. N'wd —5F 160
Moor Path. Lut —9F 46
Moorside. Hem H —5L 123
Moorside. Wel G —3N 111
Moors Ley. Walk —9F 36
Moors, The. Wel G —8N 91
Moor St. Lut —9E 46
Moors Wlk. Wel G —9B 92
Moortown Rd. Wat —4L 161
Moor View. Wat —9J 149
Moorymead Clo. Wat S —5J 73
Moray Clo. Edgw —2B 164
Morcom Rd. Dunst —2H 65
Morecambe Gdns. Stan —4L 163
Morecombe Clo. Stev —2H 51
Morefields. Tring —9M 81
Moreton Av. Hpdn —5A 88
Moreton Clo. NW7 —6J 165
Moreton Clo. Chesh —9F 132
Moreton End Clo. Hpdn —5A 88
Moreton End La. Hpdn —5A 88
Moreton Pl. Hpdn —4A 88
Moreton Rd. N. Lut —7J 47
Moreton Rd. S. Lut —7J 47
Morgan Clo. N'wd —6H 161
Morgan Clo. Stev —9K 35
Morgan's Clo. Hert —2B 114
Morgan's Rd. Hert —2B 114
Morgan's Wlk. Hert —3B 114
Morice Rd. Hod —6K 115
Morland Clo. Dunst —2D 64
Morland Way. Chesh —1J 145
Morley Cres. Edgw —2C 164
Morley Cres. E. Stan —9K 163
Morley Cres. W. Stan —9K 163
Morley Gro. H'low —4M 117
Morley Hill. Enf —2B 156
Morley La. Ware —3C 76
Mormead. Wal A —6N 145
Mornington. Welw —3N 91
Mornington Rd. E4 —9N 157
Mornington Rd. Rad —7H 139
Morpeth Av. Borwd —2N 151
Morpeth Clo. Hem H —3A 124
Morrell Clo. Lut —2C 46
Morrell Clo. New Bar —5B 154
Morris Clo. Chal P —8C 158
Morris Clo. Lut —1A 46 (in two parts)
Morriston Clo. Wat —5L 161
Morris Way. Lon C —8L 127
Morse Clo. Hare —9M 159
Morson Rd. Enf —8J 157
Mortain Dri. Berk —8K 103
Mortimer Clo. Bush —8C 150
Mortimer Clo. Lut —1B 66
Mortimer Dri. Enf —7C 156
Mortimer Ga. Chesh —9K 133
Mortimer Hill. Tring —2N 101
Mortimer Rise. Tring —2N 101
Mortimer Rd. R'ton —6E 8
Morton Clo. Pit —3A 82
Morton St. R'ton —6D 8
Morven Clo. Pot B —4B 142
Mossbank Av. Lut —9L 47
Mossborough Ct. N12 —6N 165
Moss Clo. Pinn —9A 162
Moss Clo. Rick —2N 159
Mossdale Ct. Leag —4M 45 (off Teesdale)
Mossendew Clo. Hare —8N 159
Moss Grn. Wel G —2L 111
Moss Hall Gro. N12 —6N 165
Moss La. Pinn —8N 161
Moss Rd. Wat —7K 137
Moss Side. Brick W —3A 138
Moss Way. Hit —1K 33
Moss Way. Stev —1B 52
Mostyn Rd. Bush —7D 150
Mostyn Rd. Edgw —7E 164
Mostyn Rd. Lut —5A 46
Mottingham Rd. N9 —8H 157
Motts Clo. Wat S —4J 73
Mott St. E4 & Lou —2N 157
Moulton Rise. Lut —9H 47
Mountbatten Clo. St Alb —5J 127
Mountbatten Ho. N'wd —6G 161
Mountbel Rd. Stan —8H 163
Mount Clo. Ast C —2E 100
Mount Clo. Cockf —6F 154
Mount Clo. Hem H —2J 123
Mount Dri. Park —7E 126
Mount Dri. Stans —4N 59
Mounteagle. R'ton —8D 8
Mt. Echo Dri. E4 —9M 157
Mountfield Path. Lut —7G 47
Mountfield Rd. N3 —9M 165
Mountfield Rd. Hem H —2A 124
Mountfield Rd. Lut —7G 47
Mountfitchet Rd. Stans —4N 59
Mt. Garrison. Hit —3N 33
Mt. Grace Rd. Lut —3L 47
Mt. Grace Rd. Pot B —8N 141
Mount Gro. Edgw —3C 164
Mountjoy. Hit —1C 34
Mt. Nugent. Che —9E 120
Mount Pde. Barn —6D 154
Mt. Pleasant. Barn —6D 154
Mt. Pleasant. Ger X —5B 158
Mt. Pleasant. Hare —8K 159
Mt. Pleasant. Hert H —2G 114
Mt. Pleasant. Hit —4L 33
Mt. Pleasant. St Alb —1C 126
Mt. Pleasant Clo. Hat —6J 111
Mt. Pleasant Cotts. N14 (off Wells, The) —9J 155
Mt. Pleasant La. Brick W —3N 137
Mt. Pleasant La. Hat —5J 111
Mt. Pleasant Rd. Lut —4A 46
Mount Rd. Barn —7D 154
Mount Rd. Hert —1M 113
Mount Rd. Wheat —6L 89
Mountside. Stan —8G 163
Mountsorrel. Hert —9D 94
Mount, The. Bar —3C 16
Mount, The. Chesh —8B 132
Mount, The. Lit —3H 7
Mount, The. Lut —9F 46
Mount, The. Pot B —3A 142
Mount, The. Rick —8M 147
Mount View. NW7 —3D 164
Mount View. Enf —2L 155
Mountview. Lon C —9M 127
Mount View. N'wd —6H 161
Mount View. Rick —1L 159
Mountview Av. Dunst —2H 65
Mt. View Rd. E4 —9N 157
Mountview Rd. Chesh —8C 132
Mountway. Pot B —3N 141
Mountway. Wel G —3M 111
Mountway Clo. Wel G —3M 111
Mowbray Cres. Stot —5F 10
Mowbray Gdns. Hit —5A 34
Mowbray Pde. Edgw —4A 164
Mowbray Rd. Edgw —4A 164
Mowbray Rd. H'low —4B 118
Mowbray Rd. New Bar —6B 154
Moxes Wood. Lut —2A 46
Moxon St. Barn —5M 153
Moyne Ho. Wel G —9B 92
Moynihan Dri. N21 —7K 155
Mozart Ct. Stev —4J 51
Muddy La. Let —8F 22
Mud La. Hpdn —1E 108
Muirfield. Lut —3G 47
Muirfield Clo. Wat —5L 161
Muirfield Grn. Wat —4K 161
Muirfield Rd. Wat —4K 161
Muirhead Way. Kneb —3M 71
Mulberry Clo. Barn —2C 154
Mulberry Clo. Brox —6K 133
Mulberry Clo. Lut —1D 66
Mulberry Clo. Park —1C 138
Mulberry Clo. Stot —7F 10
Mulberry Clo. Tring —1M 101
Mulberry Ct. Bis S —3J 79
Mulberry Ct. Hem H —1N 123
Mulberry Grn. H'low —2F 118
Mulberry Ter. H'low —2D 118
Mulberry Way. Hit —9L 21
Mullion Clo. Harr —8C 162
Mullion Clo. Lut —4K 47
Mullion Wlk. Wat —4M 161
Mullway. Let —5C 22
Mundells. Chesh —9E 132
Mundells. Wel G —7M 91
Munden Dri. Wat —1N 149
Munden Gro. Wat —2L 149
Munden Rd. D End —1C 74
Mundesley Clo. Stev —9H 35
Mundesley Clo. Wat —3L 161
Mungo Pk. Clo. Bush —2D 162
Munro Rd. Bush —7C 150
Muntings, The. Stev —6N 51
Munts Meadow. W'ton —1B 36
Murchison Rd. Hod —5M 115
Muriel Av. Wat —7L 149
Murray Cres. Pinn —8M 161
Murray Rd. Berk —9N 103
Murray Rd. N'wd —8G 160
Murrell La. Stot —7G 10
Murton Ct. St Alb —1F 126
Museum Ct. Tring —3M 101
Musgrave Clo. Barn —3B 154
Musgrave Clo. Chesh —9D 132
Muskalls Clo. Chesh —9E 132
Muskham Rd. H'low —3C 118
Musk Hill. Hem H —3H 123
Musleigh Mnr. Ware —6K 95
Musley Hill. Ware —5J 95
Musley La. Ware —5J 95 (in two parts)
Mussons Path. Lut —9G 46
Muswell Clo. Lut —3D 46
Mutchetts Clo. Wat —6N 137
Mutford Croft. Lut —8M 47
Mutton La. Pot B —4J 141
Myddelton Av. Enf —2C 156
Myddelton Clo. Enf —3D 156
Myddelton Gdns. N21 —9A 156
Myddelton Path. Chesh —4F 144
Myddleton Rd. Ware —7H 95
Myers Clo. Shenl —5M 139
Myles Clo. Chesh —2A 144
Mylne Clo. Chesh —9G 133
Mylne Ct. Hod —5L 115
Mymms Dri. Brk P —8N 129
Mymms Ho. N Mym —5J 129
Myrtle Clo. E Barn —9E 154
Myrtle Grn. Hem H —1H 123
Myrtle Gro. Enf —2B 156
Myrtleside Clo. N'wd —7F 160

Nags Head Rd. Enf —6G 157
Nails La. Bis S —1H 79
Nairn Clo. Hpdn —9E 88
Nairn Grn. Wat —3J 161
Nan Aires. W'grv —5A 60
Nan Clark's La. NW7 —2E 164
Nancy Downs. Wat —9L 149
Nancy's La. Saf W —3M 29
Napier. NW9 —8F 164
Napier Clo. Lon C —7L 127
Napier Ct. Chesh —1F 144
Napier Rd. Enf —7H 157
Napier Rd. Lut —1F 66
Napier Rd. Wat —6N 149
Nappsbury Rd. Lut —4N 45
Napsbury Av. Lon C —8K 127
Napsbury La. St Alb —5H 127
Nap, The. K Lan —2C 136
Nardini. NW9 —8F 164 (off Concourse, The)
Naresby Fold. Stan —6K 163
Narrowbox La. Stev —2B 52
Nascot Pl. Wat —4K 149
Nascot Rd. Wat —4K 149
Nascot St. Wat —4K 149
Nascot Wood Rd. Wat —1H 149
Naseby Rd. Lut —1D 66
Nash Clo. Els —6N 151
Nash Clo. H Reg —4G 45
Nash Clo. N Mym —5K 129
Nash Clo. Stev —3A 52
Nash Grn. Hem H —7B 124
Nash Rd. R'ton —8D 8
Nathan Ct. N9 —9G 156 (off Causeyware Rd.)
Nathaniel Wlk. Tring —1M 101
Nathans Clo. Welw —1J 91
National Westminster Ho. Borwd —5B 152
Nation Way. E4 —9N 157
Nayland Clo. Lut —8N 47
Naylor Gro. Enf —7H 157
Nazeing New Rd. Brox —3L 133
Nazeing Rd. Naze —4N 133
Neagle Clo. Borwd —3C 152
Neal Clo. N'wd —8J 161
Neal Ct. Hert —9A 94
Neal St. Wat —7L 149
Near Acre. NW9 —8F 164
Neatby Ct. Chesh —1H 145
Necton Rd. Wheat —7M 89
Needham Rd. Lut —3L 45
Neighbours Cotts. Tring —5B 102
Neild Way. Rick —9J 147
Nell Gwynn Clo. Shenl —5M 139
Nelson Av. St Alb —5J 127
Nelson Rd. Bis S —3J 79
Nelson Rd. Dagn —2N 83
Nelson Rd. Enf —8H 157
Nelson Rd. Stan —6K 163
Nelson St. Hert —8N 93
Neptune Clo. H Reg —3H 45 (off Parkside Dri.)
Neptune Ct. Borwd —5A 152
Neptune Dri. Hem H —9A 106
Neptune Sq. H Reg —3H 45
Nesbitts All. Barn —5M 153
Neston Rd. Wat —1L 149
Nestor Av. N21 —8N 155
Netherby Clo. Tring —9A 82
Netherby Gdns. Enf —6K 155
Nether Clo. N3 —7N 165
Nethercott Clo. Lut —8L 47
Nethercourt Av. N3 —6N 165
Netherfield La. Stan A —3A 116
Netherhall Rd. Roy —8C 116
Netherlands Rd. New Bar —8C 154
Netherstones. Stot —5F 10
Nether St. N3 & N12 —8N 165
Nether St. Wid —2H 97
Netherway. St Alb —5B 126
Netley Dell. Let —8H 23
Netteswell Dri. H'low —5N 117
Netteswell Orchard. H'low —5N 117
Netteswell Rd. H'low —4A 118
Netteswell Tower. H'low —5N 117
Nettle Clo. Lut —5H 45
Nettlecroft. Hem H —3L 123
Nettlecroft. Wel G —8A 92
Nettleden Rd. L Gad & Wat E —9A 84
Nevell's Grn. Let —4F 22
Nevells Rd. Let —5F 22
Neville Clo. Pot B —4M 141
Neville Rd. Lut —4C 46
Neville Rd. Pas. Lut —4C 46
Nevill Gro. Wat —3K 149
Newark Clo. R'ton —5C 8
Newark Grn. Borwd —5D 152
Newark Rd. Lut —7C 46
Newark Rd. Path. Lut —7C 46
New Barn La. L Hall —7K 79
New Barns La. M Hud —4G 77
New Bedford Rd. Lut —3E 46
Newberries Av. Rad —8J 139
Newbiggin Path. Wat —4L 161
Newbold Rd. Lut —2D 46
Newbolt Rd. Stan —5G 163
Newbury Av. Enf —2K 157
Newbury Clo. Bis S —9G 59
Newbury Clo. Lut —7A 46
Newbury Clo. Stev —9K 35
Newbury Rd. H Reg —3H 45
Newby Clo. Enf —4C 156
Newcastle Clo. Stev —7M 35
New Clo. Kneb —2M 71
New Clo. Lit —3J 7
Newcombe Pk. NW7 —5E 164
Newcombe Rd. Lut —1E 66
Newcome Path. Shenl —7A 140
Newcome Rd. Shenl —7A 140
New Cotts. Hit —4G 49
New Cotts. Mark —1A 86
New Cotts. Wal X —7G 145
New Ct. Wool G —6N 71
Newcourt Bus. Pk. H'low —9M 117
Newdigate Grn. Hare —8N 159
Newdigate Rd. Hare —8M 159
Newdigate Rd. E. Hare —8N 159
Newell La. Stev —3H 37
Newell Rise. Hem H —5A 124
Newell Rd. Hem H —5A 124
Newells Hedge. Pit —2B 82
Newells Way. Let —6K 23
New England Clo. St I —6N 33
New England St. St Alb —2D 126
New Farm La. N'wd —8G 161
Newfield La. Hem H —2A 124
Newfields. Wel G —1H 111
Newford Clo. Hem H —1D 124
New Ford Rd. Wal X —7K 145
Newgale Gdns. Edgw —8N 163
Newgate. Stev —5N 51
Newgate Clo. St Alb —8L 109
Newgate St. Hert —6J 131
Newgatestreet Rd. G Oak —1A 144
Newgate St. Village. Hert —6K 131
New Greens Av. St Alb —6E 108
Newground Rd. Ald —4E 102
Newhall Clo. Bov —9D 122
Newhaven. Stev —2A 52
Newhouse Cres. Wat —5K 137
New Ho. Pk. St Alb —5H 127
Newhouse Rd. Bov —8D 122
New Inn Rd. Hinx —9E 4
New Kent Rd. St Alb —2E 126
Newland Clo. Pinn —6N 161
Newland Clo. St Alb —5H 127
Newland Dri. Enf —3F 156
Newlands. Hat —7J 111
Newlands. Let —8G 22
Newlands Av. Rad —7G 138
Newlands Clo. Edgw —3M 163
Newlands Clo. E. Hit —6N 33
Newlands Clo. W. Hit —6N 33
Newlands La. Hit —6N 33
Newlands Pl. Barn —7K 153
Newlands Rd. Hem H —1H 123
Newlands Rd. Lut —4D 66
Newlands Wlk. Wat —6M 137
Newlands Way. Pot B —3A 142
Newlyn Clo. Brick W —3N 137
Newlyn Clo. Stev —3G 50
Newlyn Ho. Pinn —7A 162
Newlyn Rd. Barn —6M 153
Newman Av. R'ton —7F 8
Newmans Ct. Wat S —5J 73
Newmans Dri. Hpdn —5A 88
Newman's Way. Barn —3B 154
Newmarket Rd. R'ton —7E 8
New Mill Ter. Tring —9N 81
Newnham Clo. Lut —8M 47
Newnham Pde. Chesh —3H 145
Newnham Rd. Bald —5M 11
New Pde. Chor —6F 146
New Pk. Dri. Hem H —1D 124
New Pk. Rd. Hare —8M 159
New Park Rd. New S —6H 131
New Path. Bis S —2H 79
New Pl. Welw —3H 91
Newport Clo. Enf —1J 157
Newport Lodge. Enf —7C 156 (off Village Rd.)
Newport Mead. Wat —4M 161
Newports. Saw —6E 98
Newquay Gdns. Wat —2K 161
New River Av. Stan A —2M 115
New River Clo. Hod —7M 115
New River Ct. Chesh —4F 144
New River Trading Est. Chesh —8H 133
New Rd. NW7 —9F 152 (Highwood Hill)
New Rd. NW7 —7L 165 (Mill Hill)
New Rd. Ast C —1D 100
New Rd. Berk —9A 104
New Rd. Brox —1L 133
New Rd. Chal G —5B 146
New Rd. Chfd —3J 135
New Rd. Crox G —7C 148
New Rd. Els —8L 151
New Rd. H'low —2M 118
New Rd. Hert —7B 94
New Rd. Let H —3F 150
New Rd. L Had —1K 77
New Rd. Mel —1K 9
New Rd. N'chu —8J 103
New Rd. Rad —9F 138
New Rd. R'ton —1H 17
New Rd. Sarr —3J 147
New Rd. Shenl —7A 140
New Rd. S Mim —6G 140
New Rd. Ware —6H 95
New Rd. Wat —6L 149
New Rd. Welw —4M 91
New Rd. Wel G —3G 111
New Rd. Wils —7J 81
New Rd. Wool G —6N 71
Newstead. Hat —3F 128
New St. Berk —1A 122
New St. Ched —9L 61
New St. Lut —2F 66
New St. Saw —4G 98
New St. S End —7E 66
New St. Wat —6L 149
Newton Clo. Hpdn —9E 88
Newton Clo. Hod —4M 115
Newton Cres. Borwd —6C 152
Newtondale. Lut —4M 45

Newton Dri.—Old Pk. Ridings

Newton Dri. Saw —6F 98
Newton Ho. Borwd —5D 152
Newton Rd. Harr —9F 162
Newton Rd. Stev —3A 52
Newtons Way. Hit —4N 33
Newton Wlk. Edgw —8B 164
New Town. Cod —7F 70
Newtown Rd. Bis S —2H 79
New Town Rd. Lut —2G 67
New Town St. Lut —2G 67
New Villas. Tring —1D 102
New Wlk. Shil —2A 20
New Way La. Thr B —7K 119
New Wood. Wel G —8B 92
New Woodfield Grn. Dunst —2H 65
Niagara Clo. Chesh —2H 145
Nicholas Clo. St Alb —8E 108
Nicholas Clo. Wat —1K 149
Nicholas Pl. Stev —9K 35
Nicholas Rd. Els —8N 151
Nicholas Way. Dunst —9E 44
Nicholas Way. Hem H —9B 106
Nicholas Way. N'wd —9E 160
Nichol Clo. N14 —9J 155
Nicholls Clo. Bar C —8E 18
Nicholls Clo. Redb —1H 107
Nicholls Field. H'low —7C 118
Nichols Clo. Lut —7L 47
Nicholson Dri. Bush —1D 162
Nicola Clo. Harr —9E 162
Nicol Clo. Chal P —8A 158
Nicoll Way. Borwd —7D 152
Nicol Rd. Chal P —8A 158
Nicolson. NW9 —8E 164
Nidderdale. Hem H —8B 106
Nigel Ct. N3 —7N 165
Nighthawk. NW9 —8F 164
Nightingale Clo. Lut —3L 47
Nightingale Clo. Rad —9G 139
Nightingale Ct. Chal G —4A 146
Nightingale Ct. Hert —9A 94
Nightingale Ct. Lut —9E 46
(off Waldeck Rd.)
Nightingale La. St Alb —5K 127
Nightingale Lodge. Berk —1M 121
Nightingale Pl. Rick —9N 147
Nightingale Rd. N9 —8G 157
Nightingale Rd. Bush —7B 150
Nightingale Rd. Hit —2N 33
Nightingale Rd. Rick —9M 147
Nightingale Rd. Wend —9A 100
Nightingales La. Chal G —5A 146
Nightingale Ter. Arl —9A 10
Nightingale Wlk. Hem H —5E 106
Nightingale Wlk. Stev —4B 52
Nightingale Way. Bald —5L 23
Nimbus Way. Hit —3C 34
Nimmo Dri. Bush —9E 150
Nimrod. NW9 —8E 164
Ninesprings Way. Hit —4B 34
Ninfield Ct. Lut —6L 47
(off Telscombe Way)
Ninian Rd. Hem H —6A 106
Ninning's La. Welw —6L 71
Ninnings Rd. Chal P —7C 158
Ninnings Way. Chal P —7C 158
Ninth Av. Lut —2N 45
Niton Clo. Barn —8K 153
Niven Clo. Borwd —3C 152
Nobles, The. Bis S —2F 78
Nodes Dri. Stev —8N 51
Noel. NW9 —8E 164
Noke La. St Alb —8N 125
Noke Shot. Hpdn —3D 88
Noke Side. St Alb —9B 126
Nokeside. Stev —9A 52
Nokes, The. Hem H —9K 105
Noke, The. Stev —9A 52
Nolton Pl. Edgw —8N 163
Nook, The. Ware —2M 115
Norbury Av. Wat —3L 149
Norbury Gro. NW7 —3E 164
Norcott Clo. Dunst —1G 64
Norcott Ct. Berk —5H 103
Norfolk Av. Wat —2L 149
Norfolk Clo. Barn —6F 154
Norfolk Gdns. Borwd —6D 152
Norfolk Rd. Barn —5N 153
Norfolk Rd. Bunt —2J 39
Norfolk Rd. Dunst —2J 65
Norfolk Rd. Enf —8F 156
Norfolk Rd. Lut —1J 67
Norfolk Rd. Rick —1A 160
Norfolk Way. Bis S —4G 79
Norman Av. Bis S —2F 78
Norman Clo. Wal A —6N 145
Norman Ct. Pot B —3B 142
Norman Ct. Stans —2N 59
Norman Cres. Pinn —8L 161
Normandy Av. Barn —7M 153
Normandy Ct. Hem H —1N 123
Normandy Dri. Berk —8M 103
Normandy Rd. St Alb —9E 108
Norman Rd. Bar C —7E 18
Norman Rd. Lut —7D 46
Norman Rd. Welw —4H 91
Normans Clo. Let —2F 22
Normans Field Clo. Bush —9C 150
Norman's La. R'ton —8D 8
Normans La. Welw —6L 71
Norman's Way. Stans —2N 59
Norman Way. Dunst —9B 44
Normill Ter. Ast C —9A 80
Norris. NW9 —8F 164
(off Concourse, The)
Norris Clo. Bis S —1L 79
Norris Gro. Brox —2J 133
Norris La. Hod —7L 115
Norris Rise. Hod —7K 115
Norris Rd. Hod —8L 115
Norry's Clo. Cockf —6E 154
Norry's Rd. Cockf —6E 154
North Acre. NW9 —8E 164
Northall Clo. Eat B —2H 63
Northall Rd. Eat B —3H 63
Northampton Rd. Enf —6J 157
North App. N'wd —2E 160
North App. Wat —8H 137
North Av. Let —3H 23
North Av. Shenl —5M 139
Northaw Clo. Hem H —6D 106
Northaw Rd. E. Cuff —4J 143
Northaw Rd. W. N'thaw —3E 142
North Barn. Brox —3M 133
N. Barnes Av. St Alb —5H 127
Northbridge Rd. Berk —8K 103
Northbrook Dri. N'wd —8G 160
N. Brook End. Stpl M —2C 6
Northbrook Rd. Barn —8L 153
Northbrooks. H'low —7M 117
Northchurch Comn. Berk —7K 103
N. Circular Rd. N3 —9N 165
Northcliffe. Eat B —2J 63
Northcliffe. Eat B —2J 63
Northcliffe Dri. N20 —1M 165
North Clo. Barn —7J 153
North Clo. R'ton —5C 8
North Clo. St Alb —7C 126
North Common. Redb —1J 107
North Comn. Rd. Redb —2J 107
Northcote. Pinn —9L 161
North Cotts. Naps —7H 127
Northcotts. Hat —8J 111
North Ct. Mark —2A 86
North Ct. Mill E —1K 159
North Cres. N3 —9M 165
North Dene. NW7 —3D 164
N. Down Rd. Chal P —6B 158
Northdown Rd. Hat —3G 128
N. Drift Way. Lut —2D 66
North Dri. H Cro —6J 75
North Dri. Oakl —9M 109
North End. Bass —1L 7
Northend. Hem H —4D 124
Northern Av. Henl —1J 21
Northfield. Brau —2C 56
Northfield. Hat —6H 111
Northfield. Puck —7B 56
Northfield Gdns. Wat —1L 149
Northfield Rd. Barn —5D 154
Northfield Rd. Borwd —3B 152
Northfield Rd. Enf —7F 156
Northfield Rd. Hpdn —3D 88
Northfield Rd. Saw —3G 99
Northfield Rd. Tring —9B 82
Northfield Rd. Wal X —5J 145
Northfields. Dunst —6D 44
Northfields. Let —2F 22
N. Forge Pl. Redb —1K 107
North Ga. H'low —5M 117
Northgate. N'wd —7E 160
Northgate. Stev —4K 51
Northgate Bus.Pk. Enf —5F 156
Northgate End. Bis S —9H 59
Northgate Path. Borwd —2N 151
Northgate Pl. Bis S —9H 59
(off Northgate End)
North Grn. NW9 —7E 164
North Gro. H'low —7C 118
North Hill. Chor —4H 147
Northiam. N12 —4N 165
(in two parts)
Northlands. Pot B —4C 142
N. Lodge. New Bar —7B 154
N. Luton Ind. Est. Lut —2L 45
Northolm. Edgw —4D 164
Northolme Gdns. Edgw —8A 164
Northolt Av. Bis S —8K 59
N. Orbital Rd. Rick & Den —6H 159
N. Orbital Rd. St Alb & Lon C —9B 126
N. Orbital Rd. Wat & St Alb —6M 137
North Orbital Trad. Est. St Alb —6H 127
North Pde. Edgw —9A 164
North Pl. H'low —1D 118
North Pl. Hit —1L 33
North Pl. Wal A —6M 145
North Ride. Welw —1J 91
Northridge Way. Hem H —3J 123
N. Riding. Brick W —3B 138
North Rd. N9 —9F 156
North Rd. Berk —1M 121
North Rd. Chor —7G 146
North Rd. Edgw —8B 164
North Rd. G'ley & Stev —7J 35
North Rd. Hert —6M 93
North Rd. Hod —7L 115
North Rd. Wal X —6J 145
North Rd. Av. Hert —8M 93
North Rd. Gdns. Hert —9N 93
Northside. Sandr —5J 109
N. Station Way. Dunst —8C 44
North St. Bis S —9H 59
North St. Lut —9G 46
(in three parts)
North Ter. Bis S —9H 59
Northumberland Av. Enf —3F 156
Northumberland Rd. New Bar —8B 154
N. View Cotts. Ware —3G 97
Northview Rd. H Reg —7D 44
Northview Rd. Lut —7H 47
North Way. NW9 —9B 164
Northway. Rick —9N 147
Northway. Wel G —5M 91
Northway Cir. NW7 —4D 164
Northway Cres. NW7 —4D 164
Northwell Dri. Lut —9A 30
N. Western Av. Wat —8F 136
Northwick Rd. Wat —4L 161
Northwold Dri. Pinn —9L 161
Northwood. Wel G —9C 92
Northwood Clo. Chesh —9D 132
Northwood Hills Cir. N'wd —8J 161
Northwood Rd. Hare —8M 159
Northwood Way. Hare —8N 159
Northwood Way. N'wd —7H 161
Nortoft Rd. Chal P —6C 158
Norton Almshouses. Chesh —3H 145
(off Turner's Hill)
Norton Bury La. Let —1J 23
Norton Clo. Borwd —3A 152
Norton Clo. Enf —4F 156
Norton Cres. Bald —3L 23
Norton Green Rd. Stev —5J 51
Norton Mill La. Let —9K 11
Norton Rd. Let —3G 22
Norton Rd. Lut —5B 46
Norton Rd. Stev —5K 51
Norton Rd. Stot —7G 10
Nortonstreet La. W'ton —2A 70
Norton Way N. Let —4G 22
Norton Way S. Let —5G 22
Norvic Rd. Mars —6M 81
Norwich Clo. Stev —9A 36
Norwich Ho. Borwd —4A 152
Norwich Rd. HA6 —9J 161
Norwich Wlk. Edgw —7C 164
Norwich Way. Crox G —5D 148
Norwood Clo. Hert —8L 93
Notley La. R'ton —2C 26
Nottingham Clo. Wat —6J 137
Nottingham Rd. Herons —9F 146
Novello Way. Borwd —3D 152
Nugents Ct. Pinn —8N 161
Nugents Pk. Pinn —8N 161
Nunfield. Chfd —4L 135
Nunnery Clo. St Alb —4F 126
Nunnery La. Lut —4D 46
Nunnery Stables. St Alb —4E 126
Nunns Rd. Enf —4A 156
Nunsbury Dri. Chesh —7J 133
Nun's Clo. Hit —3M 33
Nuns La. St Alb —6F 126
Nup End Clo. W'grv —5A 60
Nup End Ind. Est. Old K —4H 71
Nup End La. W'grv —5A 60
Nupton Dri. Barn —8J 153
Nurseries Rd. Wheat —8M 89
Nurseries, The. Eat B —2J 63
Nursery Clo. Bis S —2H 79
Nursery Clo. Dunst —9D 44
Nursery Clo. Enf —3H 157
Nursery Clo. Stev —9N 51
Nursery Fields. Saw —5F 98
Nursery Gdns. Enf —3H 157
Nursery Gdns. Tring —2N 101
Nursery Gdns. Ware —6J 95
Nursery Gdns. Wel G —6L 91
Nursery Hill. Wel G —6L 91
Nursery Pde. Lut —4A 46
Nursery Rd. N14 —9H 155
Nursery Rd. Bis S —2H 79
Nursery Rd. Hod —5M 115
Nursery Rd. Lut —4B 46
Nursery Rd. Naze —4N 133
Nursery Rd. Pinn —9L 161
Nursery Row. Barn —5L 153
Nursery Ter. Pott E —7E 104
Nursery Wlk. NW4 —9H 165
Nutcroft. D'wth —6C 72
Nutfield. Wel G —6N 91
Nut Gro. Wel G —6K 91
Nutleigh Gro. Hit —1L 33
Nut Slip. Bunt —4J 39
Nuttfield Clo. Crox G —8E 148
Nutt Gro. Edgw —2L 163
Nye Way. Bov —1D 134
Nymans Clo. Lut —6M 47

Oak Av. Brick W —3B 138
Oak Av. Enf —2L 155
Oakbank. Rad —9J 139
Oak Clo. N14 —9G 154
Oak Clo. Dunst —9G 44
Oak Clo. Hem H —6B 124
Oak Ct. N'wd —6F 160
Oakcroft Clo. Pinn —9K 161
Oakdale. N14 —9G 155
Oakdale. Wel G —6K 91
Oakdale Av. N'wd —9J 161
Oakdale Clo. Wat —4L 161
Oakdale Rd. Wat —3L 161
Oakdene. Chesh —3J 145
Oakdene Av. N'wd —9J 161
Oakdene Clo. Pinn —7A 162
Oakdene Pk. N3 —7M 165
Oakdene Rd. Hem H —6B 124
Oakdene Rd. Wat —9K 137
Oakdene Way. St Alb —2K 127
Oak Dri. Berk —2A 122
Oak Dri. Saw —7E 98
Oak End. Bunt —3H 39
Oak End. H'low —8B 118
Oaken Gro. Wel G —3L 111
Oak Farm. Borwd —7C 152
Oakfield. Rick —9J 147
Oakfield Av. Hit —5B 34
Oakfield Clo. Pot B —4M 141
Oakfield Ct. Borwd —5B 152
Oakfield Rd. N3 —8N 165
Oakfield Rd. Hpdn —1A 108
Oakfields. Stev —8A 52
Oakfields Av. Kneb —2N 71
Oakfields Clo. Stev —8B 52
Oakfields Rd. Kneb —2N 71
Oak Gdns. Edgw —9C 164
Oak Glade. N'wd —8D 160
Oak Grn. Ab L —5G 137
Oak Grn. Way. Ab L —5G 137
Oak Gro. Hat —9F 110
Oak Gro. Hert —2C 114
Oak Hall. Bis S —9G 58
Oakham Clo. Barn —5E 154
Oakhampton Rd. NW7 —7K 165
Oakhill. Let —7K 23
Oakhill Av. Pinn —9N 161
Oakhill Dri. Welw —1G 91
Oakhill Rd. Rick —4G 159
Oakhurst Av. Barn —9D 154
Oakhurst Av. Hpdn —9A 88
Oakhurst Rd. Enf —9H 145
Oakington. Wel G —9C 92
Oakington Av. Amer —3A 146
Oaklands. Berk —1L 121
Oaklands Av. N9 —8F 156
Oaklands Av. Brk P —9L 129
Oaklands Av. Wat —1K 161
Oaklands Clo. Bis S —7K 59
Oaklands Ct. Wat —3J 149
Oaklands Dri. Bis S —7K 59
Oaklands Dri. H'low —7E 118
Oaklands Ga. N'wd —6G 160
Oaklands Gro. Brox —6J 133
Oaklands La. Barn —6H 153
Oaklands La. Smal —9N 109
Oaklands Pk. Bis S —7K 59
Oaklands Rise. Welw —9M 71
Oaklands Rd. N20 —9M 153
Oaklands Rd. Chesh —8C 132
Oak La. Braz E —3A 120
Oak La. Cuff —1L 143
Oak La. G'ley —6H 35
Oaklea. Welw —9L 71
Oaklea Clo. Welw —8L 71
Oaklea Wood. Welw —9L 71
Oakleigh Av. N20 —9D 154
Oakleigh Av. Edgw —9B 164
Oakleigh Ct. Barn —8D 154
Oakleigh Ct. Bis S —9F 58
Oakleigh Ct. Edgw —9C 164
Oakleigh Dri. Crox G —8E 148
Oakleigh Gdns. Edgw —5N 163
Oakleigh Pk. N. N20 —9C 154
Oakleigh Pk. S. N20 —9D 154
Oakleigh Rd. Pinn —6A 162
Oakley Clo. Lut —5N 45
Oakley Rd. Hpdn —8E 88
Oakley Rd. Leag —5N 45
Oak Lodge Clo. Stan —5K 163
Oaklodge Way. NW7 —6F 164
Oakmead Ct. Stan —4K 163
Oak Meade. Pinn —6B 162
Oakmead Gdns. Edgw —4D 164
Oakmede. Barn —6K 153
Oakmere Av. Pot B —6B 142
Oakmere Clo. Pot B —4C 142
Oakmere La. Pot B —5B 142
Oak Path. Bush —8C 150
(off Mortimer Clo.)
Oak Piece Welw —9K 71
Oak Piece Ct. Welw —9L 71
Oakridge. Brick W —2A 138
Oakridge Av. Rad —7G 138
Oakridge La. A'ham & Rad —7E 138
Oak Rd. Lut —9D 46
Oak Rd. Wool G —7A 72
Oakroyd Av. Pot B —6M 141
Oakroyd Clo. Pot B —6M 141
Oaks Clo. Hit —5N 33
Oaks Clo. Rad —8G 139
Oaks Cross. Stev —8A 52
Oaks Retail Pk., The. H'low —3B 118
Oaks, The. Berk —1L 121
Oaks, The. Borwd —3A 152
Oaks, The. Enf —5N 155
(off Bycullah Rd.)
Oaks, The. Lut —5N 45
Oaks, The. S End —7E 66
Oaks, The. Wat —1L 161
Oak St. Bis S —2H 79
Oak St. Hem H —6B 124
Oak Tree Clo. Ab L —5F 136
Oaktree Clo. Bis S —1H 79
Oaktree Clo. G Oak —1N 143
Oak Tree Clo. Hat —8G 110
Oak Tree Clo. Hert —3G 115
Oak Tree Clo. Stan —7K 163
Oaktree Ct. Els —8L 151
Oak Tree Ct. Welw —8L 71
Oak Tree Dri. N20 —1N 165
Oaktree Garth. Wel G —1L 111
Oak View. Bov —1E 134
Oakview Clo. Chesh —1F 144
Oak Wlk. Saw —7F 98
Oak Way. N14 —9G 154
Oak Way. Hpdn —1B 108
Oakway. Stud —9E 64
Oakwell Clo. Dunst —1C 64
Oakwell Clo. Stev —1C 72
Oak Wood. Berk —2K 121
Oakwood Av. N14 —9J 155
Oakwood Av. Borwd —6B 152
Oakwood Av. Dunst —2G 65
Oakwood Clo. N14 —8H 155
Oakwood Clo. Stev —7B 52
Oakwood Cres. N21 —8K 155
Oakwood Dri. Edgw —6C 164
Oakwood Dri. Lut —1M 45
Oakwood Dri. St Alb —1K 127
Oakwood Est. H'low —2D 118
Oakwood Lodge. N14 —8H 155
(off Avenue Rd.)
Oakwood Pk. Rd. N14 —9J 155
Oakwood Rd. Brick W —2A 138
Oakwood Rd. Pinn —9K 161
Oakwood View. N14 —8J 155
Oatfield Clo. Lut —5J 45
Oatlands Rd. Enf —3G 157
Oberon Clo. Borwd —3C 152
Occupation La. Roy —6E 116
Occupation Rd. Wat —7K 149
Octavia Ct. Wat —4M 149
Oddesey Rd. Borwd —3B 152
Oddy Hill. Wig —3A 102
Odhams Trading Est. Wat —1L 149
Offa Rd. St Alb —2D 126
Offas Way. Wheat —7L 89
Offham Slope. N12 —5M 165
Offley Hill. Offl —7D 32
Offley Rd. Hit —4L 33
Ogard Rd. Hod —6N 115
Ohio Cotts. Pinn —9L 161
Okeford Clo. Tring —2L 101
Okeford Dri. Tring —3L 101
Okeley La. Tring —3K 101
Old Airfield Ind. Est. Long M —1J 81
Old Barn La. Crox G —7B 148
Old Bedford Rd. Lut —3F 46
Old Bell Clo. Stans —3M 59
Old Bell Ct. Hem H —1N 123
Oldberry Rd. Edgw —6D 164
Old Brew Ho., The. Wheat —7K 89
Oldbury Rd. Enf —4E 156
Old Chantry. Stev —8G 34
Old Charlton Rd. Hit —4M 33
Old Chu. La. Stan —5J 163
Old Church La. Thun —9H 75
(in two parts)
Old Coach Rd., The. Col G —3E 112
Old College Ct. Ware —6G 95
Old Cotts. St Alb —2M 139
Old Ct. Grn. Pott E —8F 104
Old Crabtree La. Hem H —3A 124
Old Cross. Hert —9A 94
Old Dean. Bov —1D 134
Old Dri., The. Wel G —1H 111
Olden Mead. Let —8H 23
Old Farm. L Buzz —3B 82
Old Farm Av. N14 —9H 155
Old Field Clo. Chal G —3B 146
Oldfield Clo. Chesh —1J 145
Oldfield Clo. Stan —5H 163
Oldfield Ct. St Alb —3F 126
Oldfield Dri. Chesh —1J 145
Oldfield Rise. W'wll —1M 69
Oldfield Rd. Hem H —3H 123
Oldfield Rd. Lon C —7L 127
Old Fishery La. Hem H —5J 123
Old Fold Clo. Barn —3M 153
Old Fold La. Barn —3M 153
Old Fold View. Barn —5J 153
Old Forge Clo. Stan —4H 163
Old Forge Clo. Wat —6J 137
Old Forge Clo. Wel G —5M 91
Old Forge Rd. Enf —2D 156
Old French Horn La. Hat —8H 111
Old Gannon Clo. N'wd —4E 160
Old Garden Ct. St Alb —2D 126
Old Hale Way. Hit —1M 33
Old Hall Clo. Pinn —8N 161
Oldhall Ct. W'ton —1M 69
Old Hall Dri. Pinn —8N 161
Old Hall Rise. H'low —6G 118
Oldhall St. Hert —9B 94
Old Harpenden Rd. St Alb —7F 108
Old Herns La. Wel G —7B 92
Old Hertford Rd. Hat —7J 111
Old Highway. Hod —5M 115
Oldhill. Dunst —2F 64
Old Ho. Ct. Hem H —2B 124
Oldhouse Croft. H'low —4A 118
Oldhouse La. K Lan —8A 136
Old House La. Roy —9G 117
Old Ho. Rd. Hem H —2B 124
Oldings Corner. Hat —5H 111
Old Knebworth La. Old K —2J 71
Old La. Kneb —3N 71
Old Leys. Hat —4G 129
Old Lodge Way. Stan —5H 163
Old London Rd. H'low —7D 118
Old London Rd. Hert —9C 94
Old London Rd. St Alb —3F 126
Old Maltings, The. Bis S —1J 79
(off Hockerill St.)
Old Maple. Hem H —5B 106
Old Mead. Chal P —6B 158
Old Mill Gdns. Berk —1A 122
Old Mill La. L Hall —1K 99
Old Mill Rd. K Lan —6E 136
Old Nazeing Rd. Brox —3L 133
Old North Rd. R'ton —1B 8
Old Oak. St Alb —5F 126
Old Oak Clo. Arl —4A 10
Old Oak Gdns. N'chu —7J 103
Old Orchard. H'low —8N 117
Old Orchard. Lut —3F 66
Old Orchard. Park —8D 126
Old Orchard Clo. Barn —2C 154
Old Orchard M. Berk —2N 121
Old Pk. Av. Enf —7A 156
Old Parkbury La. Col S —3G 138
Old Pk. Gro. Enf —6A 156
Oldpark Ride. Wal X —5N 143
Old Pk. Ridings. N21 —8N 155

A-Z Hertfordshire 193

Old Pk. Rd.—Partingdale La.

Old Pk. Rd. Enf —5N 155
Old Pk. Rd. Hit —3M 33
Old Pk. Rd. S. Enf —6N 155
Old Pk. View. Enf —5M 155
Old Rectory Clo. Hpdn —5B 88
Old Rectory Dri. Hat —9H 111
Old Rectory Gdns. Edgw —6A 164
Old Rectory Gdns. Wheat —6L 89
Old Redding. Harr —5C 162
Old Rd. Bar C —9E 18
Old Rd. Enf —3G 156
Old Rd. H'low —9E 98
Old's App. Wat —1E 160
Old Sax La. Chart —9B 120
Old School Clo. Cod —7F 70
Old School Clo. Hal —5B 100
Old School Ct. Eat B —2J 63
Old School Grn. B'tn —5J 53
Old School Orchard. Wat S —5K 73
Old School Wlk. Arl —8A 10
Old School Wlk. S End —7E 66
Old's Clo. Wat —9E 148
Old Shire La. Chor —8D 146
Old Sopwell Gdns. St Alb —4F 126
Old South Clo. H End —8M 161
Old Uxbridge Rd. Rick —5H 159
Old Vicarage Gdns. Mark —2N 85
Old Walled Garden, The. Stev —9J 35
Old Watford Rd. Brick W —3N 137
Old Watling St. Flam —3B 86
Oldwood. Welw —9K 71
Oliver Clo. Hem H —6A 124
Oliver Clo. Park —9E 126
Oliver Ct. Chap E —3C 94
Oliver Rise. Hem H —6A 124
Oliver Rd. Hem H —6B 124
Oliver's Clo. Pott E —7F 104
Oliver's La. Stot —6F 10
Olive Taylor Ct. Hem H —7B 106
Olivia Ct. Enf —3A 156 (off Chase Side)
Olivia Gdns. Hare —8M 159
Olleberrie La. Sarr —4G 134
Olma Rd. Dunst —7D 44
Olwen M. Pinn —9M 161
Olympic Clo. Lut —9A 30 (in three parts)
Omega Ct. Ware —6H 95
Omega Maltings. Ware —6J 95
Onslow Clo. Hat —9H 111
Onslow Gdns. N21 —7M 155
Onslow Pde. N14 —9G 154
Onslow Rd. Lut —4N 45
On the Hill. Wat —2N 161
Opening, The. Cod —8F 70
Openshaw Way. Let —5F 22
Oram Pl. Hem H —5N 123
Orange Hill Rd. Edgw —7C 164
Orbital Cres. Wat —8H 137
Orchard Av. N3 —9N 165
Orchard Av. N14 —8H 155
Orchard Av. Berk —1L 121
Orchard Av. Hpdn —6A 88
Orchard Av. Wat —5K 137
Orchard Clo. Bar C —1E 30
Orchard Clo. Bush —1E 162
Orchard Clo. Chor —6G 146
Orchard Clo. Cuff —1K 143
Orchard Clo. Edgw —6M 163
Orchard Clo. Els —6N 151
Orchard Clo. Hem H —9B 106
Orchard Clo. H Reg —6E 44
Orchard Clo. Let —3F 22
Orchard Clo. L Berk —1H 131
Orchard Clo. Stan A —2N 115
Orchard Clo. Rad —1F 150
Orchard Clo. Srng —7L 99
Orchard Clo. St Alb —3G 127
Orchard Clo. St I —7N 33
Orchard Clo. Ware —5H 95
Orchard Clo. Wat —4H 149
Orchard Clo. Wend —8A 100
Orchard Clo. W'grv —6A 60
Orchard Ct. N14 —8H 155
Orchard Ct. Bov —9D 122
Orchard Ct. Edgw —5N 163
Orchard Ct. New Bar —5A 154
Orchard Cres. Edgw —5C 164
Orchard Cres. Enf —3D 156
Orchard Cres. Stev —2J 51
Orchard Croft. H'low —4C 118
Orchard Dri. Ast C —1D 100
Orchard Dri. Chor —5F 146
Orchard Dri. Edgw —5N 163
Orchard Dri. Park —9C 126
Orchard Dri. Roy —7E 116
Orchard Dri. Wat —3H 149
Orchard End. Edl —4J 63
Orchard Gdns. Wal A —7N 145
Orchard Gro. Chal P —8A 158
Orchard Gro. Edgw —8A 164
Orchard Ho. La. St Alb —3E 126
Orchard La. H'low —2G 119
Orchard Lea. Saw —6E 98
Orchardleigh Av. Enf —4G 156
Orchard Mead. Hat —9F 110
Orchardmede. N21 —8B 156
Orchard Pde. Pot B —4K 141
Orchard Rd. Bald —2L 23
Orchard Rd. Barn —6M 153
Orchard Rd. Bis S —8K 59
Orchard Rd. Chal G —2A 158
Orchard Rd. Enf —7G 157
Orchard Rd. Hit —1B 34
Orchard Rd. Pull —3A 18
Orchard Rd. R'ton —6B 8
Orchard Rd. Stev —2J 51
Orchard Rd. Tew —2B 92
Orchard Rd. Welw —2J 91
Orchard Sq. Brox —6K 133
Orchards, The. Eat B —1H 63
Orchards, The. Saw —4G 98
Orchards, The. Tring —3L 101
Orchard St. Hem H —6N 123
Orchard St. St Alb —3D 126
Orchard Ter. Enf —8E 156
Orchard, The. N14 —7G 155
Orchard, The. N21 —8B 156
Orchard, The. Ast C —1D 100
Orchard, The. Bald —3M 23
Orchard, The. Brox —2L 133
Orchard, The. Cod —7F 70
Orchard, The. Hal —6B 100
Orchard, The. Hert —6A 94
Orchard, The. K Lan —2C 136
Orchard, The. Ton —9C 74
Orchard, The. Wel G —7K 91
Orchard Way. Bov —1D 134
Orchard Way. B Grn —8F 48
Orchard Way. Eat B —3K 63
Orchard Way. Enf —5C 156
Orchard Way. G Oak —9N 131
Orchard Way. Kneb —3L 71
Orchard Way. Let —3F 22
Orchard Way. L Ston —1J 21
Orchard Way. Lut —5M 45
Orchard Way. Pit —2C 82
Orchard Way. Pot B —1A 142
Orchard Way. Rick —9K 147
Orchard Way. R'ton —5C 8
Orchid Clo. Dunst —8B 44
Orchid Grange. N14 —9H 155
Orchid Rd. N14 —9H 155
Orde. NW9 —8F 164
Ordelmere. Let —2F 22
Ordnance Rd. Enf —1H 157
Oregon Way. Lut —1C 46
Orford Ct. Stan —6K 163
Organ Hall Rd. Borwd —3M 151
Oriole Way. Bis S —3E 78
Orion Way. N'wd —4H 161
Orlando Clo. Hit —4A 34
Ormesby Dri. Pot B —5K 141
Ormonde Rd. N'wd —4F 160
Ormsby Clo. Lut —3G 66
Ormskirk Rd. Wat —4M 161
Oronsay. Hem H —4D 124
Orphanage Rd. Wat —4L 149
Orpington Clo. Lut —6K 45
Orpington Mans. N21 —9M 155
Orton Clo. St Alb —7J 109
Orwell Ct. Wat —4M 149
Orwell View. Bald —2A 24
Osborne Ct. Lut —3H 67
Osborne Gdns. Pot B —3A 142
Osborne Rd. Brox —1L 133
Osborne Rd. Chesh —9J 133
Osborne Rd. Dunst —1E 64
Osborne Rd. Enf —4J 157
Osborne Rd. Lut —2H 67
Osborne Rd. Pot B —3A 142
Osborne Rd. Wat —2L 149
Osborne Way. Wig —5B 102
Osborn Gdns. NW7 —7K 165
Osborn Rd. Bar C —8E 18
Osborn Way. Wel G —8K 91
Osbourne Av. K Lan —1B 136
Osbourne Clo. Cockf —5E 154
Osidge La. N14 —9G 154
Osmington Pl. Tring —2L 101
Osprey Clo. Wat —7N 137
Osprey Gdns. Stev —7C 52
Osprey Ho. Ware —4G 95
Osprey M. Enf —7G 156
Osprey Wlk. Lut —4K 45
Osterley Clo. Stev —1B 72
Oster St. St Alb —1D 126
Ostler Clo. Bis S —4E 78
Oswald Rd. St Alb —3F 126
Otley Way. Wat —3L 161
Otter Gdns. Hat —1H 129
Ottoman Ter. Wat —5L 149
Otterspool La. Wat —2N 149
Otterspool Way. Wat —3B 150
Otways Clo. Pot B —5A 142
Oudle La. M Hud —5J 77
Oughton Clo. Hit —2L 33
Oughtonhead La. Hit —2H 33
Oughton Head Way. Hit —2L 33
Oulton Cres. Pot B —4K 141
Oulton Rise. Hpdn —4D 88
Oulton Way. Wat —4A 162
Oundle Av. Bush —8D 150
Oundle Ct. Stev —9B 52
Oundle Path. Stev —9B 52
Oundle, The. Stev —8B 52
Ousden Clo. Chesh —3J 145
Ousden Dri. Chesh —3J 145
Ouseley Way. Kens —8B 64
Outfield Rd. Chal P —7A 158
Outlook Dri. Chal G —3A 158
Oval Ct. Edgw —7C 164
Oval, The. Brox —6J 133
Oval, The. Henl —1K 21
Oval, The. Stev —9N 35
Overbrook Wlk. Edgw —7A 164 (in two parts)
Overchess Ridge. Chor —5J 147
Overfield Rd. Lut —8L 47
Overlord Clo. Brox —2J 133
Overstone Rd. Hpdn —6D 88
Overstone Rd. Lut —8N 45
Overstrand. Ast C —1D 100
Overstream. Loud —6L 147
Overton Rd. N14 —7K 155
Overtrees. Hpdn —4A 88
Oving Clo. Lut —7M 47
Owens Way. Crox G —7C 148
Owles La. Bunt —4K 39
Oxcroft. Bis S —5H 79
Oxendon Dri. Hod —9L 115
Oxen Ind. Est. Lut —8H 47
Oxen Rd. Lut —8H 47
Oxfield Clo. Berk —2L 121
Oxford Av. St Alb —3K 127
Oxford Clo. Chesh —2H 145
Oxford Gdns. N21 —9A 156
Oxford Ho. Borwd —4A 152 (off Stratfield Rd.)
Oxford Rd. B Grn —8F 48
Oxford Rd. Enf —7F 156
Oxford Rd. Lut —2G 67
Oxford St. Wat —7K 149
Oxhey Av. Wat —9M 149
Oxhey Dri. N'wd & Wat —5K 161
Oxhey La. Wat & Harr —1N 161
Oxhey Ridge Clo. N'wd —4K 161
Oxhey Rd. Wat —9L 149
Ox La. Hpdn —4C 88
Oxlease Dri. Hat —1H 129
Oxleys Rd. Stev —6A 52
Oxleys, The. H'low —2F 118
Oysterfields. St Alb —1C 126

Pacatian Way. Stev —1B 52
Packhorse Clo. St Alb —8K 109
Packhorse La. Borwd —1E 152
Packhorse La. Ridge —3D 140
Packhorse Pl. Kens —8M 65
Paddick Clo. Hod —7K 115
Paddock Clo. Hun —6G 96
Paddock Clo. Let —6G 22
Paddock Clo. Lut —5J 45
Paddock Houses. Wel G —9A 92
Paddock Lodge. Enf —8C 144 (off Village Rd.)
Paddock Rd. Bunt —2J 39
Paddocks Clo. Stev —5A 52
Paddocks, The. Chor —6J 147
Paddocks, The. Cockf —5E 154
Paddocks, The. Cod —7F 70
Paddocks, The. Hert H —3F 114
Paddocks, The. St Alb —1J 89
Paddocks, The. Stev —5A 52
Paddocks, The. Wel G —8A 92
Paddocks, The. Wend —9A 100
Paddock, The. Bis S —5F 78
Paddock, The. Brox —2L 133
Paddock, The. Chal P —6B 158
Paddock, The. Hat —7G 110
Paddock, The. Hit —5A 34
Paddock Way. Hem H —2H 123
Paddock Wood. Hpdn —8F 88
Padstow Rd. Enf —3N 155
Pageant Av. NW9 —8E 164
Pageant Rd. St Alb —3E 126
Page Clo. Bald —5M 23
Page Hill. Ware —5G 94
Page Meadow. NW7 —7H 165
Page Rd. Hert —9E 94
Pages Clo. Bis S —3F 78
Pages Croft. Berk —8L 103
Page St. NW7 —8G 165
Paget Cotts. Ware —1D 74
Paget Ho. Ger X —4B 158 (off Micholls Av.)
Pagitts Gro. Barn —3A 154
Paines Clo. Pinn —9N 161
Paines La. Pinn —8N 161
Paines Orchard. Ched —8M 61
Painters La. Enf —8J 145
Palace Clo. K Lan —3B 136
Palace Gdns. Enf —6B 156
Palace Gdns. R'ton —7C 8
Palace Gdns. Shopping Cen. Enf —6B 156
Palace M. Enf —5B 156
Palfrey Clo. St Alb —9E 108
Pallas Rd. Hem H —9B 106
Palma Clo. Dunst —6C 44
Palmer Av. Bush —7C 150
Palmer Clo. Hert —7A 94
Palmer Ct. Chap E —3C 94
Palmer Gdns. Barn —7K 153
Palmer Rd. Hert —7B 94
Palmers La. Chris —1M 17
Palmers La. Enf —3F 156
Palmers Rd. Borwd —3B 152
Palmerston Clo. Wel G —9J 91
Palmerston Ct. Stev —2A 52
Palmers Way. Chesh —2J 145
Pamela Av. Hem H —5B 124
Pamela Ct. N12 —6N 165
Pamela Gdns. Bis S —5H 79
Pams La. Kim —7L 69
Pancake La. Hem H —3F 124
Pangbourne Dri. Stan —5L 163
Pank Av. Barn —7B 154
Pankhurst Cres. Stev —4B 52
Pankhurst Pl. Wat —5M 149
Panshanger Dri. Wel G —9A 92
Panshanger La. Pan A & Col G —9E 92
Pantiles, The. Bush —1E 162
Panxworth Rd. Hem H —4N 123
Paper Mill La. Stdn —8B 56
Parade, The. Dunst —8D 44
Parade, The. Let —2F 22 (off Southfields)
Parade, The. Wat —5K 149 (High St. Watford)
Parade, The. Wat —3N 161 (Prestwick Rd.)
Paradise. Par I —3N 123
Paradise Clo. Chesh —9F 132
Paradise Hill. Brox —7E 132
Paradise Ho. Chesh —7E 132
Paradise Rd. Wal A —7N 145
Paringdon Rd. H'low —9L 117
Parishes Mead. Stev —5C 52
Park Av. Bis S —5H 79
Park Av. Bush —4M 149
Park Av. Chor —7K 147
Park Av. Enf —7B 156
Park Av. H'low —9E 118
Park Av. H Reg —4F 44
Park Av. Lut —2M 45
Park Av. Pot B —7B 142
Park Av. Rad —6J 139
Park Av. St Alb —1H 127
Park Av. Tot —1M 63
Park Av. Wat —6J 149
Park Av. Maisonettes, The. Bush —4A 150
Park Av. N. Hpdn —6N 87
Park Av. S. Hpdn —6N 87
Park Av. Trad. Est. Lut —2M 45
Park Bungalows. L Hall —9N 79
Park Clo. Bald —4L 23
Park Clo. Brk P —8N 129
Park Clo. Bush —5M 149
Park Clo. Harr —8F 162
Park Clo. Hat —8J 111
Park Clo. Mark —2N 85
Park Clo. Rick —4D 160
Park Clo. Stev —8A 52
Park Clo. Cotts. L Hall —3N 99
Park Ct. H'low —4N 117
Park Cres. Bald —4L 23
Park Cres. Els —5N 151
Park Cres. Enf —6B 156
Park Cres. Harr —8F 162
Park Croft. Edgw —8C 164
Park Dri. N21 —8A 156
Park Dri. Bald —4L 23
Park Dri. Har W —6E 162
Park Dri. Pot B —4A 142
Park Dri. Puck —6A 56
Parker Av. Hert —7B 94
Parker Clo. Let —7E 22
Parkers. Ber —2D 42
Parker's Field. Stev —5B 52
Parker St. Wat —3K 149
Park Farm Ind. Est. Bunt —1H 39
Park Farm La. Nuth —1F 28
Parkfield. Chor —6J 147
Parkfield. Let —7K 23
Parkfield Av. Harr —9D 162
Parkfield Clo. Edgw —6B 164
Parkfield Cres. Harr —9D 162
Parkfield Cres. Kim —7L 69
Parkfield Gdns. Harr —9C 162
Parkfield Ho. N Har —8C 162
Parkfield Rd. Mark —2N 85
Park Fields. Roy —6D 116
Parkfields. Wel G —9K 91
Park Gdns. Bald —4L 23
Park Ga. N21 —9L 155
Park Ga. Hit —4N 33
Parkgate Av. Barn —3B 154
Parkgate Cres. Barn —3B 154
Parkgate Rd. Wat —1L 149
Park Gro. Chal G —5A 146
Park Gro. Edgw —5N 163
Pk. Hill. H'low —3D 118
Park Hill. Hpdn —5A 88
Parkhill Rd. E4 —9N 157
Pk. Hill Rd. Hem H —2L 123
Park Ho. N21 —9L 155
Park Ho. Berk —9M 103
Park Ho. Wel G —8K 91
Parkhouse La. R'ton —1N 17
Parkhurst Rd. Hert —8N 93
Parkinson Clo. Wheat —7L 89
Parkland Clo. Hod —5M 115
Parkland Dri. Lut —3F 66
Parklands. R'ton —7E 8
Parklands. Wal A —6N 145
Parklands Clo. Barn —2C 154
Parklands Dri. St Alb —3B 126
Park La. Bis S —4H 79
Park La. Brox —1J 133
Park La. Chesh —8D 132
Park La. Col H —5B 128
Park La. Eat B —2H 63
Park La. Hare —8K 159
Park La. H'low —4N 117
Park La. Hem H —3N 123
Park La. Kim —7K 69
Park La. Old K —3H 71
Park La. Puck —6A 56
Park La. R'ton —7J 17
Park La. Stan —3H 163
Park La. Wal X —6G 145
Park La. Welw —2E 92
Park La. Paradise. Brox & Chesh —6E 132
Parklea Clo. NW9 —8E 164
Park Mead. H'low —5L 117
Parkmead. Lut —2H 67 (off Park St.)
Parkmead Gdns. NW7 —6F 164
Park Meadow. Hat —8J 111
Park Mt. Hpdn —4A 88
Park Nook Gdns. Enf —1B 156
Park Pl. Hare —8M 159
Park Pl. Park —9E 126
Park Pl. Stev —4K 51
Park Rise. Hpdn —4N 87
Park Rise. Harr —8F 162
Pk. Rise. N'chu —8J 103
Park Rise Clo. Hpdn —4N 87
Park Rd. N14 —9J 155
Park Rd. Bush —8B 150
Park Rd. Dunst —1G 64
Park Rd. Enf —9J 145
Park Rd. Hem H —4M 123
Park Rd. Hert —9C 94
Park Rd. H Bar —6M 153
Park Rd. Hod —8L 115
Park Rd. New Bar —6C 154
Park Rd. N'thaw —3F 142
Park Rd. Rad —8H 139
Park Rd. Rick —9N 147
Park Rd. Stans —3N 59
Park Rd. Tring —4L 101
Park Rd. Wal X —6H 145
Park Rd. Ware —6E 94
Park Rd. Wat —3J 149
Park Rd. N. H Reg —4F 44
Parkside. N3 —8N 165
Parkside. NW7 —6G 164
Parkside. Mat T —3N 119
Parkside. Pot B —5B 142
Parkside. Wal X —7J 145
Parkside. Wat —8L 149
Parkside. Welw —2J 91
Parkside. Wyd —9H 27
Parkside Clo. H Reg —4G 44
Parkside Dri. Edgw —3A 164
Parkside Dri. H Reg —4F 44
Parkside Dri. Wat —4G 149
Parkside Gdns. E Barn —9E 154
Parkside Rd. N'wd —5H 161
Park Sq. Lut —1G 67
Park St. Bald —3L 23
Park St. Berk —9M 103
Park St. Dunst —8D 44
Park St. Hat —8J 111
Park St. Hit —4M 33
Park St. Lut —1G 67
Park St. St Alb —8E 126
Park St. Tring —3M 101
Park St. La. Park —3C 138
Park St. W. Lut —2G 67
Park Ter. Bass —1M 7
Park Ter. Enf —2J 157
Park Ter. M Hud —5J 77
Park, The. Redb —2K 107
Park, The. St Alb —9H 109
Park Viaduct. Lut —2G 67
Park View. N21 —9L 155
Park View. Hat —7J 111
Park View. Hod —8L 115
Park View. Pinn —8A 162
Park View. Stev —8A 52
Park View Clo. Lut —3N 45
Park View Clo. St Alb —3H 127
Park View Cotts. Bis S —5J 79
Park View Ct. Berk —1M 121
Parkview Ct. Har W —7F 162
Pk. View Dri. Mark —1N 85
Parkview Ho. N9 —9F 156
Parkview Ho. Wat —8M 149
Park View Rd. Berk —1M 121
Park View Rd. Pinn —7K 161
Park Wlk. Barn —5C 154
Park Way. Edgw —8B 164
Park Way. Enf —4M 155
Parkway. H'low —6H 117
Park Way. Hit —4M 33
Parkway. H Reg —3H 45
Park Way. Rick —1M 159
Parkway. Saw —6G 99
Parkway. Stev —8N 51
Parkway. Wel G —1J 111 (in two parts)
Parkway Clo. Wel G —9J 91
Parkway Ct. St Alb —5J 127
Parkway Gdns. Wel G —1J 111
Parkwood Clo. Brox —1K 133
Parkwood Dri. Hem H —2J 123
Parliament Sq. Hert —1B 114 (off Queen's Rd.)
Parnall Rd. H'low —9N 117
Parndon Mill La. H'low —3L 117
Parnell Clo. Ab L —3H 137
Parnell Clo. Edgw —4B 164
Parnel Rd. Ware —5K 95
Parpins. K Lan —1A 136
Parr Cres. Hem H —6D 106
Parrish Clo. Hem H —4E 124
Parrot Clo. Dunst —8H 45
Parrots Clo. Crox G —6C 148
Parrots Field. Hod —7M 115
Parrott's La. Buck C —2A 120
Parr Rd. Stan —8M 163
Parry Cotts. Ger X —4B 158 (off Chesham La.)
Parsonage Clo. Ab L —3G 137
Parsonage Clo. Tring —2M 101
Parsonage Ct. Tring —3M 101
Parsonage Farm. W'grv —5A 60
Parsonage Farm Trad. Est. Stans —6N 59
Parsonage Gdns. Enf —4A 156
Parsonage La. Alb —3J 57
Parsonage La. Ber —1D 42
Parsonage La. Bis S —9K 59
Parsonage La. Enf —4A 156
Parsonage La. N Mym —5H 129
Parsonage La. Saw —1F 98
Parsonage La. Stans —6N 59
Parsonage Leys. H'low —6B 118
Parsonage Pl. Tring —3M 101
Parsonage Rd. N Mym —5H 129
Parsonage Rd. Rick —9N 147
Parson's Clo. Flam —6D 86
Parson's Cres. Edgw —3A 164
Parsons Grn. Ind. Est. Stev —8B 36
Parson's Gro. Edgw —3A 164
Parson St. NW4 —9J 165
Parthia Clo. R'ton —7E 8
Partingdale La. NW7 —5K 165

194 A-Z Hertfordshire

rton Clo. Wend —9A 100
rtridge Clo. Barn —8J 153
rtridge Clo. Bush —1D 162
rtridge Clo. Che —9J 121
rtridge Clo. Lut —4K 45
rtridge Ct. H'low —8A 118
rtridge Hill. A'wl —1B 12
rtridge Rd. H'low —8N 117
rtridge Rd. St Alb —7E 108
rva Clo. Hpdn —9E 88
rvills Rd. Wal A —5N 145
rys Rd. Lut —3D 46
scal Way. Let —3H 23
scomb Rd. Dunst —9C 44
sefield. Wal A —6N 145
sfield. Wal A —5N 145
ssfield Cotts. Ware —7K 75
ssingham Av. Hit —4A 34
ssmore Edwards Ho. Ger X —5B 158
steur Clo. NW9 —9E 164
ston Rd. Hem H —9N 105
sture Clo. Bush —9D 150
sture La. B Grn —9F 48
sture Rd. Let —8E 22
stures, The. N20 —1M 165
stures, The. Edl —5K 63
stures, The. Hat —1H 129
stures, The. Hem H —1H 123
stures, The. St Alb —6B 126
stures, The. Stev —1C 52
stures, The. Ware —4G 94
stures, The. Wat —9L 149
stures, The. Wel G —2N 111
stures Way. Lut —4J 45
thway, The. Rad —9H 139
thway, The. Wat —1M 161
t Larner Ho. St Alb —3E 126
(off Belmont Hill)
tmore Clo. Bis S —9E 58
tmore Fields. Ugley —4N 43
tmore Link Rd. Hem H —2E 124
tricia Gdns. Bis S —3G 79
tterdale Clo. Dunst —1E 64
tterson Rd. Che —9F 120
ulin Dri. N21 —9M 155
uls Grn. Wal X —6J 145
uls La. Hod —8L 115
vilion M. N3 —9N 165
vilion Way. Amer —3A 146
vilion Way. Edgw —7B 164
xfold. Stan —6L 163
xton Rd. Berk —1A 122
xton Rd. St Alb —3F 126
ycock Rd. H'low —8K 117
yne End. S'don —2N 25
ynes Clo. Let —2G 23
ynesfield Rd. Bush —9G 150
ynes La. Wal A —7N 133
yne's Pk. Hit —3M 33
ace Clo. N14 —7G 155
ace Clo. Chesh —2F 144
ace Gro. Welw —9N 71
ace Prospect. Wat —5J 149
ach Ct. Lut —2H 67
acock Av. Wel G —9B 92
acocks. H'low —8J 117
acocks Clo. Berk —8K 103
akes La. Chesh —9D 132
akes Pl. St Alb —2G 127
(off Granville Rd.)
akes Way. Chesh —9D 132
a La. N'chu —9G 103
arces Wlk. St Alb —3E 126
(off Albert St.)
areswood Gdns. Stan —8L 163
arman Dri. D End —1C 74
arsall Clo. Let —6H 23
arson Av. Hert —3A 114
arson Clo. Hert —2A 114
artree Clo. Hem H —1K 123
ar Tree Clo. L Ston —1J 21
artree Clo. Wel G —9L 91
artree Ct. Wat —9M 137
artree Ct. Wel G —1L 111
ar Tree Dell. Let —8H 23
artree La. Wel G —1L 111
ar Tree Mead. H'low —9C 118
artree Rd. Enf —5C 156
artree Rd. Hem H —1K 123
artree Rd. Lut —5L 47
ar Tree Wlk. Chesh —8B 132
artree Way. Stev —6N 51
ascroft Rd. Hem H —5C 124
asecroft. Cot —3A 38
asmead. Bunt —4J 39
bblemoor. Edl —5J 63
ck Ct. Bar C —7D 18
dlars La. Ther —5C 14
dley Hill. Hem H & Stud —8D 84
Peel Cres. Hert —6N 93
Peel La. NW9 —9G 164
Peel Pl. Lut —1F 66
Peel St. H Reg —4E 44
Peel St. Lut —1F 66
Peerglow Cen. Ware —7J 95
Peerglow Est. Enf —7G 156
Pegasus Ct. Ab L —5H 137
Peggs La. Buck —1E 100
Pegmire La. A'ham —3D 150
Pegrams Rd. H'low —9M 117
Pegsdon Clo. Lut —2D 46
Pegsdon Way. Hit —1M 31
Pegs La. Hert —1B 114
Pegs La. Wid —2G 97
Peitley Cotts. Mark —6C 86
Peldon Rd. H'low —8K 117
(in two parts)
Pelham Ct. Hem H —2E 124
Pelham Ct. Wel G —1B 112
Pelham Rd. Brau —2C 56
Pelhams, The. Wat —8M 137
Pelican Way. Let —2F 22
Pemberton Clo. St Alb —5E 126
Pembridge Chase. Bov —1C 134
Pembridge Clo. Bov —1C 134
Pembridge La. Brox —3B 132
Pembridge Rd. Bov —1D 134
Pembroke Av. Enf —2F 156
Pembroke Av. Harr —9H 163
Pembroke Av. Lut —6A 46
Pembroke Clo. Brox —5J 133
Pembroke Dri. G Oak —2N 143
Pembroke Lodge. Stan —6K 163
Pembroke Pl. Edgw —7A 164
Pembroke Rd. Bald —3M 23
Pembroke Rd. N'wd —3E 160
Pemsel Ct. Hem H —4A 124
Penda Clo. Lut —3B 46
Pendall Clo. Barn —6D 154
Pendennis Ct. Hpdn —8E 88
Pendley Beeches. Tring —3B 102
Penfold Rd. N9 —9H 157
Pengelly Clo. Chesh —3F 144
Penham Clo. Park —9B 126
Penhill. Lut —3A 46
Penlow Rd. H'low —9N 117
Penman's Grn. K Lan —6J 135
Penn Clo. Chor —8G 146
Penn Ct. NW9 —9D 164
Penne Clo. Rad —7H 139
Penn Gaskell La. Chal P —5C 158
Penn Ho. Ger X —5B 158
Pennine Av. Lut —1M 45
Pennine Way. Hem H —8B 106
Pennington Dri. N21 —7L 155
Pennington La. Stans —1M 59
Pennington Rd. Chal P —7A 158
Penningtons. Bis S —3E 78
Penn Pl. Rick —9N 147
Penn Rd. Chal P —8A 158
Penn Rd. Park —9D 126
Penn Rd. Rick —1J 159
Penn Rd. Stev —4L 51
Penn Rd. Wat —3K 149
Penn Way. Chor —8G 146
Penn Way. Let —8H 23
Penny Croft. Hpdn —2B 108
Pennyfathers La. Welw —3N 91
Pennymead. H'low —5C 118
Penrith Av. Dunst —1E 64
Penrose Av. Wat —2N 161
Penrose Ct. Hem H —7A 106
Penscroft Gdns. Borwd —6D 152
Penshurst. H'low —3D 118
Penshurst Clo. Chal P —9A 158
Penshurst Clo. Hpdn —3M 87
Penshurst Gdns. Edgw —5B 164
Penshurst Rd. Pot B —4C 142
Pensilver Clo. Barn —6D 154
Penstemon Clo. N3 —6N 165
Penta Ct. Borwd —6A 152
Pentagon Pk. Hem I —9E 106
Pentavia Retail Pk. NW7 —7F 164
Pentland. Hem H —8B 106
Pentland Av. Edgw —2B 164
Pentland Rd. Bush —8D 150
Pentley Clo. Wel G —6K 91
Pentley Pk. Wel G —6K 91
Penton Dri. Chesh —2H 145
Pentrich Av. Enf —2E 156
Penylan Pl. Edgw —7A 164
Penzance Clo. Hare —9N 159
Peplins Clo. Brk P —8L 129
Peplins Way. Brk P —7L 129
Pepper All. Bald —3M 23
Pepper Clo. Bass —1N 7
Peppercorn Wlk. Hit —3B 34
Pepper Ct. Bald —3L 23
Pepper Hill. Gt Amw —1K 115
Peppett's Grn. Che —5B 120
Peppiates, The. Dunst —4G 62
Pepsal End. Stev —9A 52
Pepsal End Rd. Pep —1E 86
Pepys Cres. Barn —7J 153
Pepys Way. Bald —3L 23
Percheron Dri. Lut —6K 45
Percheron Rd. Borwd —8D 152
Perch Meadow. Hal —6A 100
Percival Ct. Chesh —3J 145
Percival Rd. Enf —6D 156
Percival Way. Lut A —1L 67
Percy Gdns. Enf —7H 157
Percy Rd. N21 —9A 156
Percy Rd. Wat —6K 149
Peregrine Clo. Bis S —2F 78
Peregrine Clo. Wat —7N 137
Peregrine Ho. Ware —4G 94
Peregrine Rd. Lut —5K 45
Perham Way. Lon C —8L 127
Perivale Gdns. Wat —7K 137
Periwinkle Clo. B'wy —7N 15
Periwinkle La. Dunst —1F 64
Periwinkle La. Hit —1N 33
Permain Clo. Shenl —6L 139
Perowne Way. Puck —6B 56
Perram Clo. Brox —8J 133
Perriors Clo. Chesh —9E 132
Perry Dri. R'ton —6E 8
Perry Grn. Hem H —6C 106
Perry Mead. Bush —8D 150
Perry Mead. Enf —4N 155
Perrymead. Lut —7A 48
Perry Rd. H'low —9M 117
Perrysfield Rd. Chesh —8J 133
Perry Spring. H'low —8E 118
Perry St. Wend —9A 100
Perrywood. Wel G —8K 91
Perrywood La. Wat S —9F 72
Pescot Hill. Hem H —9L 105
Petard Clo. Lut —7K 45
Peterborough Ho. Borwd
(off Stratfield Rd.) —4A 152
Peterhill Clo. Chal P —5B 158
Peterlee Ct. Hem H —7B 106
Peters Av. Lon C —8K 127
Peters Clo. Stan —6L 163
Petersfield. St Alb —7F 108
Petersfield Gdns. Lut —9A 30
Peter's Pl. N'chu —8J 103
Peters Way. Kneb —2M 71
Peters Wood Hill. Ware —7H 95
Petropolis Ho. Dunst —9E 44
Petunia Ct. Lut —8E 46
Petworth Clo. Stev —1B 72
Pevensey Av. Enf —4C 156
Pevensey Clo. Lut —5M 47
Pheasant Clo. Berk —2N 121
Pheasant Clo. Tring —9N 81
Pheasant Hill. Chal G —2A 158
Pheasants Way. Rick —9L 147
Pheasant Wlk. Chal P —4A 158
Phillimore Ct. Rad —9F 138
Phillimore Pl. Rad —9F 138
Phillipers. Wat —9M 137
Phillips Av. R'ton —5C 8
Phillips Ct. Edgw —6A 164
Phipps Hatch La. Enf —2A 156
Phipp Wlk. Hit —4A 34
Phoebe Rd. Hem H —8B 106
Phoenix Way. N'wd —4H 161
Phygtle, The. Chal P —6B 158
Phyllis Courtnage Ho. Hem H —9N 105
Piccotts End. Hem H —7M 105
Piccotts End La. Hem H —8M 105
Piccotts End Rd. Hem H —7L 105
Pickets Clo. Bush —1E 162
Pickett Croft. Stan —8L 163
Picketts. Wel G —6L 91
Pickford Hill. Hpdn —4D 88
Pickford Rd. Mark —6M 85
Picknage Rd. Bar —2D 16
Pie Corner. Flam —6D 86
Pie Garden. Flam —6E 86
Pierian Spring. Hem H —9L 105
Pietley Hill. Mark —5C 86
Pigeonwick. Hpdn —4B 88
Piggottshill La. Hpdn —8D 88
Piggotts La. Lut —5N 45
Piggotts Way. Bis S —2G 78
Piggy La. Chor —8E 146
Pightle Clo. R'ton —6D 8
Pig La. Bis S —4J 79
Pike Rd. NW7 —4D 164
Pilgrim Clo. Park —9D 126
Pilgrims Clo. Wat —6M 137
Pilgrims Clo. W'mll —7K 39
Pilgrims Rise. Barn —7D 154
Pilgrims Row. W'mll —7K 39
Pilgrims Way. Stev —9N 35
Pilkingtons. H'low —7F 118
Piltdown Rd. Wat —4M 161
Pinceybrook Rd. H'low —9M 117
Pinchfield. Rick —5G 159
Pinchpools Rd. Man —7J 43
Pindar Rd. Hod —7N 115
Pine Clo. N14 —9H 155
Pine Clo. Berk —1M 121
Pine Clo. Chesh —1H 145
Pine Clo. Stan —4J 163
Pine Ct. N21 —8L 155
Pine Crest. Welw —8L 71
Pinecroft. Hem H —6B 124
Pinecroft Ct. Hem H —6B 124
Pinecroft Cres. Barn —6L 153
Pine Gro. N20 —1M 165
Pine Gro. Bis S —2K 79
Pine Gro. Brick W —3A 138
Pine Gro. Brk P —7A 130
Pine Gro. Bush —4A 150
Pinehurst Clo. Ab L —5G 137
Pinelands. Bis S —8H 59
Pine Ridge. St Alb —5H 127
Pineridge Ct. Barn —6K 153
Pine Rd. Edl —8K 63
Pines Av. Enf —9G 144
Pines Clo. N'wd —6G 161
Pines Hill. Stans —4M 59
Pines, The. N14 —7H 155
Pines, The. Borwd —4N 151
Pines, The. Hem H —6J 123
Pine Tree Clo. Hem H —1N 123
Pinetree Gdns. Hem H —4A 124
Pinetree Ho. Wat —9N 137
Pine Wlk. N'chu —7H 103
Pinewood. Wel G —2L 111
Pinewood Av. Pinn —6C 162
Pinewood Clo. Borwd —3D 152
Pinewood Clo. H'low —7E 118
Pinewood Clo. Lut —1M 45
Pinewood Clo. Pinn —6C 162
Pinewood Clo. St Alb —2K 127
Pinewood Clo. Wat —3J 149
Pinewood Ct. Enf —6N 155
Pinewood Dri. Pot B —4M 141
Pinewood Gdns. Hem H —2L 123
Pinewood Lodge. Bush —1E 162
Pinewoods. Stev —8M 51
Pinfold Rd. Bush —4A 150
Pinford Dell. Lut —8M 47
Pinnacle Pl. Stan —4J 163
Pinnacles Ind. Est. H'low —6J 117
Pinnate Pl. Wel G —4L 111
Pinner Grn. Pinn —9L 161
Pinner Hill. Pinn —7K 161
Pinner Hill Farm. Pinn —8K 161
Pinner Hill Rd. Pinn —7K 161
Pinner Pk. Pinn —9B 162
Pinner Pk. Av. Harr —9C 162
Pinner Pk. Gdns. Harr —9D 162
Pinner Rd. N'wd & Pinn —8H 161
Pinner Rd. Wat —8M 149
Pinnocks Clo. Bald —4M 23
Pinnocks La. Bald —4M 23
Pinto Clo. Borwd —8D 152
Pioneer Way. Wat —8H 149
Pipers Av. Hpdn —8E 88
Pipers Clo. Redb —9J 87
Pipers Croft. Dunst —1C 64
Pipers Grn. La. Edgw —3M 163
(in two parts)
Piper's Hill. Gt Gad —4F 104
Pipers La. Al G —8A 66
Pipers La. Hpdn —8F 88
Pippens. Wel G —6L 91
Pirton Clo. Hit —3L 33
Pirton Clo. St Alb —6K 109
Pirton Ct. Hem H —1B 124
Pirton Rd. Hit —3H 33
Pirton Rd. Hol —5H 21
Pirton Rd. Lut —4M 45
Pishiobury Dri. Saw —7E 98
Pishiobury M. Saw —8F 98
Pitfield Way. Enf —3G 157
Pitsfield. Wel G —6K 91
Pitstone Clo. St Alb —6K 109
Pitt Ct. Stev —8A 52
Pittman's Field. H'low —5B 118
Pix Farm La. Hem H —3E 122
Pixies Hill Cres. Hem H —4J 123
Pixies Hill Rd. Hem H —3J 123
Pixmore Av. Let —5H 23
Pixmore Ind. Est. Let —5G 23
Pixmore Way. Let —6F 22
Pix Rd. Let —5G 23
Pix Rd. Stot —7E 10
Plaistow Way. Gt Chi —2H 17
Plaiters Clo. Tring —2M 101
Plaiters Way. Bid —4D 44
Plaitford Clo. Rick —2A 160
Plantaganet Pl. Wal A —6M 145
Plantagenet Rd. Barn —6B 154
Plantation Rd. Lut —2N 45
Plantation Wlk. Hem H —8K 105
Plash Dri. Stev —4L 51
Plashes Clo. Stdn —7A 56
Plashets. L Hall —6L 99
Platt Halls. NW9 —9F 164
Platts Rd. Enf —3G 157
Platz Ho. H Reg —4G 44
Plaw Hatch Clo. Bis S —9K 59
Playfield Rd. Edgw —9C 164
Playford Sq. Lut —4N 45
Playhouse Sq. H'low —6M 117
Plaza Bus. Cen. Enf —4K 157
Pleasance, The. Hpdn —3M 87
Pleasant Pl. Rick —7H 159
Pleasant Rise. Hat —6J 111
Pleasant Rd. Bis S —9G 59
Pleasaunce, The. Ast C —1D 100
Plewes Clo. Kens —8H 65
Plough Clo. Lut —5H 45
Plough Cotts. Hem H —7J 85
Plough Ct. Lut —5H 45
(off Plough Clo.)
Plough Hill. Cuff —1K 143
Plough La. Hare —6M 159
Plough La. K Wal —4H 49
Plough La. Pott E —7E 104
Plough La. Sarr —6J 135
Ploughmans End. Wel G —1B 112
Plover Clo. Berk —2N 121
Plummers La. Lut & Hpdn —6D 68
Plumpton Clo. Lut —6M 47
Plumpton Rd. Hod —6N 115
Plum Tree Rd. L Ston —1J 21
Pluto Rise. Hem H —9A 106
Plymouth Clo. Lut —8K 47
Pocketsdell La. Bov —1A 134
Pocklington Clo. NW9 —9E 164
Poets Chase. Hem H —9L 105
Poets Grn. Lut —7K 45
Polayn Garth Wel G —8J 91
Polegate. Lut —7M 47
Polehanger La. Hem H —9H 105
Pole Hill Rd. E4 —9N 157
Pole La. H Lav —8N 119
Poles Hill. Sarr —6H 135
Poles La. Thun —2F 94
Police Row. Ther —5D 14
Police Sta. La. Bush —9C 150
Polish Av. Hal —6D 100
Pollard Gdns. Stev —1M 51
Pollard Hatch. H'low —9L 117
Pollards. Rick —5G 158
Pollards Clo. G Oak —2N 144
Pollards Way. Pir —7D 20
Pollardswood Grange. Chal G —6A 146
Pollicott Clo. St Alb —6K 109
Pollywick Rd. Wig —5B 102
Polzeath Clo. Lut —9L 47
Pomeroy Cres. Wat —9K 137
Pomeroy Gro. Lut —4G 46
Pomfret Av. Lut —9H 47
Pond Clo. Hare —9M 159
Pond Clo. Lut —4L 45
Pond Clo. Stev —2J 51
Pond Clo. Tring —2M 101
Pond Ct. Cod —7F 70
Pond Croft. Hat —9F 110
Pond Croft. Wel G —1L 111
Pondcroft Rd. Kneb —3N 71
Ponders End. Ind. Est. Enf —7J 157
Pond Field. Wel G —7N 91
Pondfield Cres. St Alb —8J 109
Pond La. Bald —3C 23
Pond Rd. Hem H —7C 124
Pondside. G'ley —6J 35
Pondsmeade. Redb —1K 107
Pondwick Rd. Hpdn —5N 87
Pondwicks Clo. St Alb —3D 126
Pondwicks Rd. Lut —1H 67
Pooleys La. N Mym —5H 129
Popes Dri. N3 —8N 165
Popes La. Wat —1K 149
Pope's Rd. Ab L —4G 136
Popes Row. Ware —4H 95
Popis Gdns. Ware —5J 95
Poplar Av. Hat —9D 110
Poplar Av. Lut —1E 46
Poplar Cvn. Site. Tot —1L 63
Poplar Clo. Che —9G 120
Poplar Clo. H Cro —6K 75
Poplar Clo. Hit —4B 34
Poplar Clo. Pinn —8M 161
Poplar Clo. R'ton —6E 8
Poplar Dri. R'ton —6E 8
Poplar Farm Clo. Bass —1L 7
Poplar Rd. Kens —8H 65
Poplars. Wel G —8A 92
Poplars Clo. Hat —9D 110
Poplars Clo. Lut —6K 47
Poplars Clo. Wat —5K 137
Poplars, The. N14 —7G 155
Poplars, The. Arl —4A 10
Poplars, The. Borwd —3A 152
Poplars, The. Chesh —8C 132
Poplars, The. Gt Hal —4N 79
Poplars, The. Hem H —3L 123
Poplars, The. Ickl —5N 21
Poplars, The. St Alb —6J 127
Poplars, The. Wend —9B 100
Poplar View. Ware —3C 94
Popple Way. Stev —3L 51
Poppy Clo. Hem H —1H 123
Poppyfields Dri. Wel G —9B 92
Poppy Mead. Stev —5M 51
Poppy Wlk. Wal X —1B 144
Porlock Dri. Lut —8L 47
Porlock Rd. Enf —9D 156
Portal Rd. Hal C —8C 100
Portcullis Lodge Rd. Enf —5B 156
Porters Clo. Bunt —2J 39
Porters Hill. Hpdn —3D 88
Porters Pk. Dri. Shenl —6L 139
Porters Wood. St Alb —7G 108
Port Hill. Hert —9A 94
Portland Clo. Town I —6E 44
Portland Cres. Stan —9L 163
Portland Dri. Chesh —4E 144
Portland Dri. Enf —2C 156
Portland Heights. N'wd —4H 161
Portland Ind. Est. Arl —1N 21
Portland Pl. Bis S —1H 79
Portland Pl. Hert H —2G 114
Portland Rd. Bis S —1H 79
Portland Rd. Lut —8C 46
Portland St. St Alb —2D 126
Port La. L Hall —6K 79
Portman Clo. Hit —9J 21
Portman Clo. St Alb —6K 109
Portman Gdns. NW9 —9D 164
Portman Ho. St Alb —8E 108
Portmill La. Hit —3N 33
Portsdown. Edgw —5A 164
Port Vale. Hert —8N 93
Porz Av. H Reg —6F 44
Postern Grn. Enf —4M 155
Post Field. Wel G —6N 91
Post Office Rd. H'low —5N 117
Post Office Wlk. H'low —5N 117
(off Post Office Rd.)
Post Office Wlk. Hert —9B 94
(off Fore St.)
Postwood Grn. Hert H —3G 114
Post Wood Rd. Ware —8J 95
Potash La. Tring —3E 80
Potten End Hill. Wat E —6H 105
Potteries, The. Barn —7N 153
Potterscrouch La. St Alb —6M 125
Potters End. Pinn —6K 161
Potters Field. Enf —6C 156
(off Lincoln Rd.)
Potters Field. H'low —8F 118
Potters Field. St Alb —7F 108
Pottersheath Rd. Welw —6K 71
Potters Heights Clo. Pinn —7K 161
Potters La. Barn —6N 153
Potters La. Borwd —3C 152
Potters La. Stev —5H 51
Potters M. Els —8L 151
Potter's Rd. Barn —6A 154
Potter St. Bis S —1H 79
Potter St. H'low —7E 118
Potter St. N'wd —8J 161
Potter St. Pinn —8K 161
Potter St. Hill. Pinn —6K 161
Pottery Clo. Lut —2B 46
Pouchen End La. Hem H —9G 104
Poulteney Rd. Stans —1N 59

Poultney Clo.—Reenglass Rd.

Poultney Clo. Shenl —5N 139
Pound Av. Stev —3K 51
Pound Clo. Sandr —4K 109
Pound Ct. Stev —3K 51
Poundfield. Wat —8H 137
Pound Grn. G Mor —1A 6
Pound La. Shenl —6N 139
Poundwell. Wel G —1N 111
Powdermill La. Wal A —6M 145
Powdermill M. Wal A —6M 145 (off Powdermill La.)
Powdermill Way. Wal A —5M 145
Powell Clo. Edgw —6N 163
Power Ct. Lut —1H 67
Powis Ct. Pot B —7B 142
Poxon Ter. Chesh —9D 132
Poynders Hill. Hem H —3E 124
Poynders Meadow. Cod —7F 70
Poynings Clo. Hpdn —7G 89
Poynings Way. N12 —5N 165
Poynter Rd. Enf —7E 156
Poynters Rd. Dunst & Lut —6H 45
Prae Clo. St Alb —1C 126
Praetorian Ct. St Alb —5D 126
Prebendal Dri. S End —6D 66
Precinct, The. Brox —2K 133
Premier Ct. Enf —2G 157
Prentice Pl. H'low —8E 118
Prescelly Pl. Edgw —8N 163
Prescott Rd. Chesh —9J 133
Presdales Ct. Ware —7J 95 (off Presdales Dri.)
Presdales Dri. Ware —7H 95
President Way. Lut —9M 47
Preslent Clo. Shil —2A 20
Prestatyn Clo. Stev —2H 51
Preston Ct. New Bar —6B 154
Preston Gdns. Enf —1J 157
Preston Gdns. Lut —7H 47
Preston Path. Lut —7H 47
Preston Rd. Gos —3M 49
Prestwick Clo. Lut —4G 47
Prestwick Dri. Bis S —8K 59
Prestwick Rd. Wat —5K 161
Prestwood. Wat —2N 161
Pretoria Rd. Wat —6J 149
Price Clo. NW7 —6L 165
Pricklers Hill. Barn —8A 154
Priestleys. Lut —1C 66
Primary Way. Arl —8A 10
Primett Rd. Stev —2J 51
Primley La. Srng —6L 99
Primrose Av. Enf —3B 156
Primrose Clo. Arl —8A 10
Primrose Clo. Bis S —2E 78
Primrose Clo. Hat —1H 129
Primrose Clo. Hem H —3H 123
Primrose Ct. Dunst —9D 44
Primrose Ct. Stev —2K 51
Primrose Dri. Hert —9F 94
Primrose Field. H'low —8B 118
Primrose Gdns. Bush —9C 150
Primrose Hill. K Lan —1D 136
Primrose Hill Rd. Stev —2K 51
Primrose La. Arl —8A 10
Primrose Path. Chesh —4E 144
Primrose View. R'ton —8F 8
Prince Andrew's Clo. R'ton —8D 8
Prince Edward St. Berk —1N 121
Prince George Av. N14 —7J 155
Prince of Wales Footpath. Enf —2H 157
Prince Pk. Hem H —3K 123
Prince Pl. Lut —8F 46
Princes Av. N3 —8N 165
Princes Av. Enf —9J 145
Prince's Av. Wat —7H 149
Prince's Clo. Berk —8L 103
Princes Clo. Edgw —5A 164
Princes Ct. Bis S —1E 78
Princes Ct. Hem H —5L 123
Princes Ga. Bis S —1E 78
Princes M. R'ton —7D 8
Princes Pde. Pot B —5A 142
Prince's Riding. Berk —9L 83
Princessa Ct. Enf —7B 156
Princess Ct. Dunst —8F 44
Princess Ga. H'low —3A 118
Princess of Wales Ho. Ger X —5C 158
Princess St. Lut —1F 66
Princess St. Ware —5H 95
Princes St. Dunst —9D 44
Prince's St. Stot —5F 10
Prince St. Wat —5L 149
Prince Way. Lut —9M 47
Printers Way. Dunst —7E 44
Printers Way. H'low —1C 118
Priors Clo. Hert H —3F 114
Priors Ct. Saw —5J 99
Priors Hill. Pir —7D 20
Priors Mead. Enf —3C 156
Priorswood Grn. Hert H —3G 114
Priory Av. H'low —1E 118
Priory Clo. N3 —8M 165
Priory Clo. N14 —7G 155
Priory Clo. N20 —9M 153
Priory Clo. Brox —6J 133
Priory Clo. Hod —9L 115
Priory Clo. R'ton —7E 8
Priory Clo. Stan —3G 163
Priory Ct. Berk —1N 121
Priory Ct. Bis S —1H 79
Priory Ct. Bush —1D 162
Priory Ct. H'low —9D 118
Priory Ct. Hert —9B 94 (off Priory St.)
Priory Ct. Hit —5N 33
Priory Ct. St Alb —3F 126
Priory Dell. Stev —4L 51
Priory Dri. Stan —3G 162
Priory Dri. Stans —4N 59
Priory End. Hit —5N 33
Prioryfield Dri. Edgw —4B 164
Priory Gdns. Berk —1N 121
Priory Gdns. Dunst —9F 44
Priory Gdns. Lut —5F 46
Priory Ga. Chesh —9K 133
Priory Gro. Barn —7N 153
Priory La. L Wym —7F 34
Priory La. R'ton —7D 8
Priory Orchard. Flam —5D 86
Priory Rd. Chal P —9A 158
Priory Rd. Dunst —9F 44
Priory St. Hert —9B 94
Priory St. Ware —6G 94
Priory View. Bush —9F 150
Priory View. L Wym —6E 34
Priory Wlk. St Alb —5F 126
Priory Way. Chal P —9A 158
Priory Way. Chal P —9A 158
Priory Way. Hit —6M 33
Priory Wharf. Hert —9B 94 (off Priory St.)
Private Rd. Enf —7B 156
Probyn Ho. Kim —7K 69
Proctors Way. Bis S —4J 79
Proctor Way. Lut —1L 67
Progression Cen. Hem I —8C 106
Progress Way. Enf —7E 156
Progress Way. Lut —3L 45
Promenade Mans. Edgw —5A 164
Prospect La. Hpdn —2A 108
Prospect Pl. Welw —2J 91
Prospect Rd. Barn —6N 153
Prospect Rd. Chesh —2G 145
Prospect Rd. St Alb —4E 126
Protea Ind. Est. Let —5H 23
Providence Gro. Stev —1L 51
Providence Way. Bald —4M 23
Provost Way. Lut —9L 47
Prowse Av. Bush —1D 162
Pryor Clo. Ab L —5H 137
Pryor Rd. Bald —4M 23
Pryors Clo. Bis S —2J 79
Pryor Way. Let —7K 23
Puddephat's La. St Alb —7M 85
Pudding La. Bar —3D 16
Pudding La. Hem H —9K 105
Pudgell, The. Gt Chi —2H 17
Puller Rd. Barn —4L 153
Puller Rd. Hem H —3K 123
Pulleys Clo. Hem H —1J 123
Pulleys La. Hem H —9H 105 (in two parts)
Pullman Dri. Hit —3B 34
Pulloxhill Bus. Pk. Pull —1A 18
Pulman Av. Brox —2H 133
Pulter's Way. Hit —4A 34
Pump Hill. Bre P —9K 29
Punch Bowl La. Hem H —8F 106
Purbrock Av. Wat —9L 137
Purcell Clo. Borwd —3L 151
Purcell Clo. Tew —1D 92
Purcell Ct. Stev —1J 51
Purcell Rd. Lut —5J 45
Purcells Av. Edgw —5A 164
Purford Grn. H'low —7C 118
Purkiss Rd. Hert —3A 114
Purley Cen. Lut —2A 46
Purlings Rd. Bush —7C 150
Pursley Gdns. Borwd —2A 152
Pursley Rd. NW7 —7H 165
Purway Clo. Lut —2A 46
Purwell La. Hit —2C 34
Putnams Dri. Ast C —1C 100
Putney Rd. Enf —9H 145
Puttenham Clo. Wat —2L 161
Putteridge Pde. Lut —5L 47
Putteridge Rd. Lut —5K 47
Putterills, The. Hpdn —6B 88
Putters Croft. Hem H —6B 106
Puttocks Clo. N Mym —5J 129
Puttocks Dri. N Mym —5J 129
Pyecombe Corner. N12 —4M 165
Pyenest Rd. H'low —9L 117
Pyghtle Ct. Lut —1C 66
Pyghtle, The. Bunt —2H 39
Pyghtle, The. Lut —1C 66
Pym Clo. E Barn —7C 154
Pymms Brook Dri. Barn —6D 154
Pyms Clo. Let —3H 23
Pynchbek. Bis S —5G 79
Pynchon Paddocks. L Hall —9M 79
Pynders La. Dunst —7H 45
Pynnacles Clo. Stan —5J 163
Pypers Hatch. H'low —6B 118
Pytchley Clo. Lut —4G 47
Pytt Field. H'low —7D 118

Quadrangle M. Stan —7K 163
Quadrangle, The. Wel G —8J 91
Quadrant, The. H Reg —4F 44
Quadrant, The. Let —5F 22
Quadrant, The. R'ton —5C 8
Quadrant, The. St Alb —8J 109
Quadrant, The. Stev —4K 51
Quaker La. Wal A —7N 145
Quaker Rd. Ware —5J 95
Quakers Course. NW9 —8F 164
Quakers La. Pot B —3A 142
Quakers Wlk. N21 —8B 156
Quantock Clo. Lut —1D 46
Quantock Clo. St Alb —7K 109
Quantock Ct. Lut —1D 46
Quantock Rise. Lut —1D 46
Quantocks. Hem H —8B 106
Quarry Spring. H'low —6C 118
Quartermass Clo. Hem H —1K 123
Quartermass Rd. Hem H —1K 123
Quay S. Ct. Hare —8K 159
Quay W. Ct. Hare —7K 159
Queen Anne's Clo. Stot —7F 10
Queen Anne's Gdns. Enf —8C 156
Queen Anne's Gro. Enf —9B 156
Queen Anne's Pl. Enf —8C 156
Queen Elizabeth Ct. Turn —8K 133
Queen Elizabeth's Dri. N14 —9K 155
Queen Hoo La. Tew —1E 92
Queen Mary's Av. Wat —6G 148
Queen Mary Works. Wat —6G 148
Queen's Av. Stan —9K 163
Queen's Av. Wat —6H 149
Queensbury Circ. Pde. Harr & Stan —9M 163
Queensbury Sta. Pde. Edgw —9N 163
Queens Clo. Edgw —5A 164
Queens Clo. Lut —2G 67
Queens Clo. Saw —3H 99
Queens Clo. Stans —1N 59
Queen's Ct. Bunt —5H 39
Queens Ct. Dunst —8E 44
Queens Ct. Hert —1B 114 (off Queen's Rd.)
Queen's Ct. Lut —8F 46
Queens Ct. St Alb —2J 127
Queen's Ct. W'stone —9K 163
Queens Cres. Bis S —3G 79
Queens Cres. St Alb —8J 109
Queens Dri. Ab L —5H 137
Queen's Dri. Wal X —7L 145
Queens Dri., The. Rick —8J 147
Queensgate. Wal X —7K 145
Queensgate Cen. H'low —2A 118
Queens Head Wlk. Brox —5J 133
Queens Pl. Wat —5L 149
Queens Rd. Barn —5K 153
Queens Rd. Berk —9L 103
Queens Rd. Enf —6C 156
Queen's Rd. Hpdn —8C 88
Queen's Rd. Hert —2B 114 (in two parts)
Queens Rd. R'ton —6D 8
Queen's Rd. Wal X —6J 145
Queens Rd. Ware —5K 95
Queen's Rd. Wat —5L 149 (in two parts)
Queen's Sq., The. Hem H —2B 124
Queen St. Chfd —5K 135
Queen St. Hit —4N 33
Queen St. H Reg —5E 44
Queen St. Pit —3B 82
Queen St. St Alb —2D 126
Queen St. Stot —7G 10
Queen St. Tring —3M 101
Queens Wlk. E4 —9N 157
Queens Way. Dunst —8E 44
Queensway. Enf —6F 156
Queensway. Hat —8G 111
Queensway. Hem H —1M 123
Queensway. R'ton —6D 8
Queens Way. Shenl —5M 139
Queensway. Stev —4K 51
Queens Way. Wal X —7K 145
Queensway Houses. Hat (off Queensway) —8G 111
Queensway Ind. Est. Enf —6G 156
Queens Way Pde. Dunst —8E 44
Queenswood Cres. Wat —6J 137
Queenswood Dri. Hit —1C 34
Queenswood Pk. N3 —9L 165
Quendell Wlk. Hem H —2A 124
Quickbeams. Wel G —6N 91
Quickley La. Chor —8E 146
Quickley Rise. Chor —8F 146
Quickmoor La. K Lan —6L 135
Quickswood. Lut —2C 46
Quickwood Clo. Rick —8K 147
Quills. Let —7K 23
Quilter Clo. Lut —5B 46
Quinces Croft. Hem H —9K 105
Quincey Rd. Ware —4G 94
Quinn Ct. Brau —2C 56
Quinn Webb Clo. Let —6J 23
Quinta Dri. Barn —7H 153
Quinton Way. Wal A —8N 145

Raban Clo. Stev —8B 52
Raban Ct. Bald —2M 23
Rabley Heath Rd. Welw —8G 70
Radburn Clo. H'low —9C 118
Radburn Corner. Let —6J 23
Radburn Ct. Dunst —8D 44
Radburn Way. Let —7H 23
Radcliffe Av. Enf —3A 156
Radcliffe Rd. N21 —9N 155
Radcliffe Rd. Harr —9H 163
Radcliffe Rd. Hit —2A 34
Radlett La. Shenl —7L 139
Radlett Pk. Rd. Rad —7H 139
Radlett Rd. A'ham —2C 150
Radlett Rd. Col S —2F 138
Radlett Rd. Wat —5L 149
Radnor Ct. Har W —8G 163
Radnor Gdns. Enf —3C 156
Radnor Hall Mobile Homes. Borwd —7M 151
Radnor Rd. Lut —5J 45
Radstone Pl. Lut —8A 48
Radwell La. Radw —8J 11
Raebarn Gdns. Barn —7H 153
Raeburn Rd. Edgw —8A 164
Raffin Clo. D'wth —5C 72
Raffin Grn. La. D'wth —5D 72
Raffin Pk. D'wth —5D 72
Ragged Hall La. St Alb —6M 125
Raglan Av. Wal X —7H 145
Raglan Clo. Lut —6J 45
Raglan Gdns. Wat —1K 161
Raglan Ho. Berk —1L 121
Raglan Rd. Enf —9D 156
Rags La. Chesh —1C 144
Railway Cotts. Borwd —6A 152
Railway Cotts. Rad —8J 139
Railway Cotts. Tring —1E 102
Railway Cotts. Wat —3K 149
Railway Pl. Hert —9C 94
Railway Rd. Wal X —6K 145
Railway St. Hert —9B 94
Rainbow Clo. Redb —9H 87
Rainbow Ct. Wat —8L 149
Rainbow Rd. Mat T —3N 119
Rainer Clo. Chesh —2H 145
Rainsford Clo. Stan —4K 163
Rainsford Rd. Stans —1M 59
Raleigh Cres. Stev —2N 51
Raleigh Gro. Lut —8N 45
Raleigh Rd. Enf —6B 156
Raleigh Way. N14 —9J 155
Rally, The. Arl —5A 10 (in two parts)
Ralston Way. Wat —2M 161
Ramblers Way. Wel G —1A 112
Rambling Way. Pott E —8E 104
Ramerick Gdns. Arl —1N 21
Ram Gorse. H'low —4L 117
Ramillies Rd. NW7 —2E 164
Ramney Dri. Enf —9J 145
Ramparts, The. St Alb —4C 126
Ramridge Rd. Lut —7J 47
Ramsay Clo. Brox —3J 133
Ramsbury Rd. St Alb —3F 126
Ramscote La. Bell —6D 120
Ramscroft Clo. N9 —9C 156
Ramsdell. Stev —4M 51
Ramsey Clo. Brk P —9C 130
Ramsey Clo. Lut —6J 45
Ramsey Clo. St Alb —4H 127
Ramsey Ct. Lut —6J 45
Ramsey Lodge Ct. St Alb —1F 126
Ramsey Rd. Bar C —8E 18
Ramsey Way. N14 —9H 155
Ramson Rise. Hem H —3H 123
Randall Ct. NW7 —7G 165
Randalls Ride. Hem H —9N 105
Randals Hill. Stev —6A 52
Randolph Ct. H End —7B 162 (off Avenue, The)
Randon Clo. Harr —9C 162
Rand's Meadow. Hol —4J 21
Ranelagh Clo. Edgw —4A 164
Ranelagh Dri. Edgw —4A 164
Ranelagh Rd. Hem H —2D 124
Ranleigh Wlk. Hpdn —9E 88
Rannoch Clo. Edgw —2B 164
Rannoch Wlk. Hem H —7N 105
Ranock Clo. Lut —1N 45
Ranskill Ct. Borwd —3A 152
Ranskill Rd. Borwd —3A 152
Ransom Clo. Hit —6N 33
Ransom Clo. Wat —9L 149
Rant Meadow. Hem H —4C 124
Ranworth Av. Hod —4M 115
Ranworth Av. Stev —1B 72
Ranworth Clo. Hem H —4N 123
Raphael Clo. Shenl —5M 139
Raphael Dri. Wat —4M 149
Rapper Ct. Lut —9E 46
Rase Hill Clo. Rick —7M 147
Rathgar Clo. N3 —9M 165
Rathlin. Hem H —4D 124
Ratty's La. Hod —8A 116
Ravenbank Rd. Lut —4L 47
Raven Clo. Rick —9M 147
Raven Ct. Hat —1G 129
Ravenfield Rd. Wel G —9M 91 (in three parts)
Ravenhill Way. Lut —4K 45
Ravens Clo. NW9 —9E 164
Ravens Clo. Enf —4C 156
Ravenscourt. Dunst —6C 44
Ravenscourt Pk. Barn —6K 153
Ravenscroft. Hpdn —9E 88
Ravenscroft. Wat —8N 137
Ravenscroft Cotts. Barn —6N 153
Ravenscroft Pk. Barn —5K 153
Ravensdell. Hem H —1J 123
Ravens La. Berk —1A 122
Ravensmead. Chal P —5C 158
Ravensthorpe. Lut —5K 47
Ravens Wharf. Berk —1A 122 (off Ravens La.)
Ravenswood Pk. N'wd —6J 161
Rawdon Dri. Hod —9L 115
Rawlins Clo. N3 —9L 165
Rayburn Rd. Hem H —9K 105
Raydean Rd. New Bar —7A 154
Raydon Rd. Chesh —5H 145
Rayfield. Wel G —6K 91
Ray Gdns. Stan —5J 163
Rayleigh Houses. Ab L —5H 137
Raymer Clo. St Alb —1F 126
Raymond Clo. Ab L —5F 136
Raymond Ct. Pot B —7B 142
Raymonds Clo. Wel G —2L 111
Raymonds Plain. Wel G —2L 111
Raynham Clo. Bis S —1L 79
Raynham Rd. Bis S —9K 59
Raynham St. Hert —8C 94
Raynham Way. Lut —8M 47
Raynsford Rd. Ware —6J 95
Raynton Rd. Enf —1H 157
Ray's Hill. Braz E —3A 120
Readers Clo. Dunst —7D 44
Readings, The. Chor —5J 147
Readings, The. H'low —9B 118
Reading Way. NW7 —5K 165
Reaper Clo. Lut —5H 45
Recreation Ground. Stans —3N 59
Recreation Rd. H Reg —3F 44
Rectory Clo. N3 —8M 165
Rectory Clo. Ess —8E 112
Rectory Clo. Hun —7G 96
Rectory Clo. Slap —2B 62
Rectory Clo. Stan —5J 163
Rectory Clo. Thor —5F 78
Rectory Dri. Farnh —3F 58
Rectory Farm Rd. Enf —2L 155
Rectory Field. H'low —8L 117
Rectory Gdns. Hat —9H 111
Rectory La. Berk —1N 121
Rectory La. D'wth —5B 72
Rectory La. Edgw —6A 164
Rectory La. Farnh —3E 58
Rectory La. K Lan —1C 136
Rectory La. Rick —1N 159
Rectory La. Shenl —6N 139
Rectory La. Stan —5J 163
Rectory La. Stev —9J 35
Rectory La. Wat S —5J 73
Rectory Rd. Rick —1N 159
Rectory Rd. Wel G —6H 91
Rectory Wood. H'low —5M 117
Redan Rd. Ware —4J 95
Redbournbury La. St Alb —4M 107
Redbourne Av. N3 —8N 165
Redbourn Ind. Pk. Redb —1K 107
Redbourn La. Redb —9L 87
Redbourn Rd. Hem H —7C 106
Redbourn Rd. St Alb —4M 107
Redbrick Row. L Hall —8K 79
Redburn Trad. Est. Enf —8H 157
Redcar Dri. Stev —3G 51
Redding Ho. Wat —8G 149
Redding La. Redb —6G 86
Reddings. Hem H —4C 124
Reddings. Wel G —8J 91
Reddings Av. Bush —7C 150
Reddings Clo. NW7 —4F 164
Reddings Clo. Wend —8A 100
Reddings, The. NW7 —3F 164
Reddings, The. Borwd —5N 151
Red Fern Ct. Wat —7H 149
Redferns Clo. Lut —2C 66
Redferns Ct. Lut —2C 66
Redfield Clo. Dunst —9B 44
Redgrave Gdns. Lut —1B 46
Redhall Cl. Hat —3F 128
Redhall Dri. Hat —3F 128
Redhall La. Chan X —3A 148
Redhall La. Col H —4E 128
Redheath Clo. Wat —8H 137
Redhill Dri. Edgw —9B 164
Redhill Rd. Hit —2K 33
Red Hills. Hod —1F 132
Redhoods Way E. Let —4E 22
Redhoods Way W. Let —5E 2
Red Ho. Ware —7J 95
Red Ho. Ct. H Reg —5F 44
Redlands Rd. Enf —3J 157
Red Lion Cotts. Offl —8E 32
Red Lion Cotts. Offl —8E 32
Red Lion Ct. Bis S —1J 79
Red Lion Cres. H'low —8E 11
Red Lion La. H'low —8E 118
Red Lion La. Sarr —8K 135
Red Lion Yd. Wat —6L 149
Red Lodge Gdns. Berk —2L 12
Redmire Clo. Lut —3L 45
Red Rails. Lut —3E 66
Red Rails Ct. Lut —3E 66
Redricks La. Saw —9B 98
Red Rd. Borwd —5N 151
Redrose Trad. Cen. Barn —7C 15
Redvers Clo. Bis S —7J 59
Red White and Blue Rd. Bis S —7K 5
Red Willow. H'low —9J 117
Redwing Clo. Stev —5B 52
Redwood Clo. N14 —9J 155
Redwood Clo. Wat —4M 161
Redwood Dri. Hem H —4A 12
Redwood Dri. Lut —1M 45
Redwood Rise. Borwd —1B 15
Redwoods. Hert —8A 94
Redwoods. Welw —8L 71
Redwoods. Wel G —4K 91
Redwood Way. Barn —7K 15
Reed Clo. Lon C —9L 127
Reedham Clo. Brick W —2B 13
Reedings Way. Saw —3H 99
Reeds Cres. Wat —4L 149
Reeds Dale. Lut —7A 48
Reeds, The. Wel G —1K 111
Reeds Wlk. Wat —4L 149
Reenglass Rd. Stan —4L 163

Reeves Av.—Rowantree Rd.

Reeves Av. Lut —5D 46
Reeves La. Roy —9F 116
Reeves Pightle. Gt Chi —1J 17
Regal Clo. Stdn —7B 56
Regal Ct. Hit —2N 33
Regal Ct. Tring —3M 101
Regal Way. Wat —2L 149
Regency Clo. Bis S —1G 79
Regency Ct. Brox —5K 133
Regency Ct. Dunst —1F 64
Regency Ct. Enf —7B 156
Regency Ct. H'low —9C 118
Regency Cres. NW4 —9K 165
Regency Heights. Hem H —2N 123
Regent Clo. K Lan —2C 136
Regent Clo. St Alb —7K 109
Regent Clo. Wel G —1L 111
Regent Ct. Stot —5F 10
Regent Ct. Wel G —1L 111
Regent Ga. Wal X —7J 145
Regent Pk. Rd. N3 —9M 165
Regents Clo. Rad —7H 139
Regents Clo. Stan —4M 163
Regent St. Dunst —8E 44
Regent St. Lut —1F 66
Regent St. Stot —6F 10
Regent St. Wat —2K 149
Regina Clo. Barn —5K 153
Reginald Rd. N'wd —8H 161
Reginald St. Lut —8F 46
Regis Rd. Lut —5H 45
Rembrandt Rd. Edgw —9A 164
Rendlesham Av. Rad —1G 150
Rendlesham Clo. Ware —5F 94
Rendlesham Rd. Enf —3N 155
Rendlesham Way. Chor —8F 146
Rennison Clo. Chesh —9D 132
Renshaw Clo. Lut —7N 47
Repton Clo. Lut —3A 46
Repton Grn. St Alb —8E 108
Repton Way. Crox G —7C 148
Reservoir Rd. N14 —7H 155
Reson Way. Hem H —3L 123
Reston Clo. Borwd —2A 152
Reston Path. Borwd —2A 152
Reston Path. Lut —7N 47
Retford Clo. Borwd —2A 152
Retreat, The. Chal G —3B 146
Retreat, The. Dunst —8J 45
Retreat, The. K Lan —4E 136
Revels Clo. Hert —7B 94
Revels Rd. Hert —7B 94
Reynard Copse. Bis S —8H 59
Reynards Rd. Welw —9H 71
Reynards Way. Brick W —2A 138
Reynard Way. Hert —9F 94
Reynolds. Let —2F 22
Reynolds Clo. Hem H —1K 123
Reynolds Cres. Sandr —6J 109
Reynolds Dri. Edgw —9N 163
Reynolds Wlk. Che —9E 120
Rhee Spring. Bald —2A 24
Rhodes Av. Bis S —3H 79
Rhodes Way. Wat —4M 149
Rhymes, The. Hem H —9L 105
Ribbledale. Lon C —9N 127
Ribblesdale. Hem H —8A 106
Rib Clo. Stdn —7B 56
Ribocon Way. Lut —2L 45
Ribston Clo. Shenl —6L 139
Rib Vale. Hert —6B 94
Riccall Ct. NW9 —8E 164
(off Pageant Av.)
Rice Clo. Hem H —1B 124
Richards Clo. Bush —9E 150
Richards Clo. Lut —2D 66
Richards Ct. Lut —2D 66
Richardson Clo. Lon C (in two parts) —9M 127
Richardson Pl. Col H —4B 128
Richard Stagg Clo. St Alb —4K 127
Richard St. Dunst —9F 44
Richfield Rd. Bush —9D 150
Richmond Clo. Bis S —1E 78
Richmond Clo. Borwd —7D 152
Richmond Clo. Chesh —2G 145
Richmond Clo. Ware —4F 94
Richmond Ct. Brox —2K 133
Richmond Ct. Lut —8H 47
Richmond Ct. Pot B —4B 142
Richmond Cres. N9 —9E 156
Richmond Dri. Wat —4G 149
Richmond Gdns. Harr —6G 162
Richmond Hill. Lut —7H 47
Richmond Hill Path. Lut —7H 47
Richmond Rd. E4 —9N 157
Richmond Rd. New Bar —7A 154
Richmond Rd. Pot B —4B 142
Richmond Wlk. St Alb —7L 109
Richmond Way. Crox G —6E 148
Rickfield Clo. Hat —2G 128
Rickling Grn. Rd. Saf W —2N 43
Rickmansworth La. Chal P —7B 158
Rickmansworth Rd. Chor —5H 147
Rickmansworth Rd. Hare —8M 159
Rickmansworth Rd. N'wd —5D 160
Rickmansworth Rd. Pinn —9K 161
Rickmansworth Rd. Wat —6G 148
Rickyard Clo. Lut —6K 47
Rickyard Meadow. Redb —1J 107
Rickyard, The. A'wl —1C 12
Rickyard, The. Let —2J 23
Riddell Gdns. Bald —3M 23
Riddings La. H'low —9B 118 (in two parts)
Riddy Hill Clo. Hit —4A 34
Riddy La. Hit —4A 34
Riddy La. Lut —4D 46
Riddy, The. Cod —8F 70
Ride, The. Enf —6H 157
Ride, The. Tot —2M 63
Ridge Av. N21 —9A 156
Ridge Av. Let —5G 23
Ridge Clo. NW4 —9K 165
Ridge Ct. Lut —8J 47
Ridge Crest. Enf —3L 155
Ridgedown. Redb —1H 107
Ridgefield. Wat —1G 149
Ridge Hill. Lon C & Shenl —1A 140
Ridgehurst Av. Wat —7H 137
Ridge La. Wat —1H 149
Ridge Lea. Hem H —3J 123
Ridgemont End. Ger X —5B 158
Ridgemont Gdns. Edgw —4C 164
Ridgemount Gdns. Enf —5N 155
Ridge Rd. N21 —9A 156
Ridge Rd. Let —5G 22
Ridge St. Wat —2K 149
Ridge, The. Barn —7M 153
Ridge, The. Let —5G 23
Ridgeview. Lon C —1N 139
Ridge View. Tring —1A 102
Ridgeview Clo. Barn —8K 153
Ridgeway. Berk —1K 121
Ridgeway. Hpdn —3N 87
Ridge Way. Hinx —8G 4
Ridgeway. Kens —8H 65
Ridgeway. L Had —8L 57
Ridge Way. Rick —9L 147
Ridgeway. Stev —4M 51
Ridgeway. Wel G —9N 91
Ridgeway Av. Barn —8E 154
Ridgeway Av. Dunst —7G 45
Ridgeway Clo. Che —9F 120
Ridgeway Clo. Hem H —7B 124
Ridgeway Ct. Pinn —7B 162
Ridgeway Dri. Dunst —8H 45
Ridgeway Rd. Che —9E 120
Ridgeway, The. E4 —9N 157
Ridgeway, The. N3 —7N 165
Ridgeway, The. NW7 —4H 165
Ridgeway, The. Chal P —9A 158
Ridgeway, The. Cod —7F 70
Ridgeway, The. Cuff —1J 143
Ridgeway, The. Hert —8L 93
Ridgeway, The. Hit —4L 33
Ridgeway, The. Pot B & Enf —7C 142
Ridgeway, The. Rad —1H 151
Ridgeway, The. St Alb —8H 109
Ridgeway, The. Stan —6K 163
Ridgeway, The. Ware —4G 95
Ridgeway, The. Wat —1G 149
Ridgewood Dri. Hpdn —4N 87
Ridgewood Gdns. Hpdn —3N 87
Ridgmont Rd. St Alb —2F 126
Ridgway Rd. Lut —8H 47
Ridings Av. N21 —7A 156
Ridings, The. Barn —9C 154
Ridings, The. Bis S —4F 78
Ridings, The. Hert —1M 113
Ridings, The. Lat —9A 134
Ridings, The. Lut —8E 46
Ridings, The. Mark —1A 86
Ridings, The. Stev —6A 52
Ridler Rd. Enf —2C 156
Ridlins End. Stev —7B 52
Rigery Rd. Ware —2K 75
Riley Rd. Enf —2G 157
Ringlewell Clo. Enf —4F 156
Ringmere Ct. Lut —6L 47
(off Telscombe Way)
Ringmer Pl. N21 —7B 156
Ringshall Dri. Berk —7M 83
Ringshall Rd. Dagn —5L 83
Ringshall Rd. Dunst —4M 83
Ringtale Pl. Bald —2A 24
Ringway Rd. Park —9C 126
Ringwood Rd. Lut —2F 46
Ringwood Way. N21 —9N 155
Ripley Rd. Enf —3A 156
Ripley Rd. Lut —8M 45
Ripley Way. Chesh —3F 144
Ripley Way. Hem H —1H 123
Ripon Rd. N9 —9F 156
Ripon Rd. Stev —8M 35
Ripon Way. Borwd —7D 152
Ripon Way. St Alb —7L 109
Risdens. H'low —9M 117
Rise Cotts. Ware —5G 97
Risedale Clo. Hem H —5A 124
Risedale Hill. Hem H —5A 124
Risedale Rd. Hem H —5A 124
Rise, The. NW7 —6F 164
Rise, The. Bald —4L 23
Rise, The. Edgw —5B 164
Rise, The. Els —7N 151
Rise, The. Park —7E 126
Rising Hill Clo. N'wd —6E 160
Risingholme Clo. Bush —9C 150
Risingholme Clo. Harr —8F 162
Risingholme Rd. Harr —9F 162
Ritcroft Clo. Hem H —3D 124
Ritcroft Dri. Hem H —3D 124
Ritcroft St. Hem H —3D 124
Ritz Ct. Pot B —4N 141
Rivenhall End. Wel G —9B 92
River Av. Hod —7M 115
River Bank. N21 —9A 156
River Clo. Wal X —7L 145
River Ct. Chap E —3C 94
River Ct. Ickl —7N 21
River Ct. Saw —5H 99
Riverdale Ct. N21 —7B 156
Riverdene. Edgw —3C 164
Riverfield La. Saw —4G 99
Riverford Clo. Hpdn —3C 88
River Front. Enf —5C 156
River Hill. Flam —5D 86
River Mead. Hit —9K 21
River Meads. Stan A —2N 115
Rivermill. H'low —4M 117
Rivermill Ct. R'ton —6C 8
(off Kneesworth St.)
River Pk. Hem H —4K 123
River Pk. Ind. Est. Berk —9L 103
Riversend Rd. Hem H —5M 123
Riversfield Rd. Enf —5C 156
Rivershill. Wat S —5K 73
Riverside. Bis S —1H 79
Riverside. Bunt —3J 39
Riverside. Lon C —9M 127
Riverside. Stans —4N 59
Riverside. Welw —2H 91
Riverside Av. Brox —4L 133
Riverside Clo. K Lan —2D 136
Riverside Clo. St Alb —4F 126
Riverside Cotts. Stan A —2N 115
Riverside Ct. E4 —8L 157
Riverside Ct. H'low —9E 98
Riverside Ct. St Alb —4F 126
Riverside Dri. Rick —1N 159
Riverside Gdns. Berk —9L 103
Riverside Gdns. Enf —4A 156
Riverside Ind. Est. Enf —8J 157
Riverside M. Brox —5J 133
Riverside M. Ware —6H 95
Riverside Path. Chesh —2G 145
Riverside Rd. Lut —4C 46
Riverside Rd. St Alb —3F 126
Riverside Rd. Wat —8K 149
Riverside Wlk. N12 & N20 —3N 165
Riverside Wlk. Barn —8K 153
Riverside Wlk. Bis S —1H 79
(off Riverside)
Riversmead. Hod —9L 115
Riversmeet. Hert —1N 113
River St. Ware —6J 95
River View. Enf —5A 156
River View. Wal A —6M 145
(off Powdermill La.)
River View. Wel G —5M 91
River Way. H'low —1C 118
River Way. Lut —4A 46
Rivett Clo. Bald —2N 23
Rivington Cres. NW7 —7F 164
Roan Wlk. R'ton —7E 8
Roaring Meg Retail & Leisure Pk. Stev —6L 51
Robbery Bottom La. Welw —8M 71
Robb Rd. Stan —6H 163
Robbs Clo. Hem H —9K 105
Robe End. Hem H —9J 105
Robert Allen Ct. Lut —2G 67
(off Langley St.)
Robert Av. St Alb —6C 126
Robert Clo. Pot B —6L 141
Robert Humbert Ho. Let —6G 22
Roberts La. Chal P —5D 158
Robertson Clo. Brox —8J 133
Roberts Rd. NW7 —6L 165
Roberts Rd. Wat —7L 149
Roberts Way. Hat —2F 128
Roberts Wood Dri. Chal P —5C 158
Robertswood Lodge. Ger X —6C 158
Robert Tebbutt Ct. Hit —4M 33
Robert Wallace Clo. Bis S —8H 59
Robeson Way. Borwd —3C 152
Robina Clo. N'wd —8H 161
Robin Clo. NW7 —3E 164
Robin Clo. Stan A —3N 115
Robin Hill. Berk —2N 121
Robin Hood Dri. Bush —3A 150
Robin Hood Dri. Harr —7G 162
Robin Hood La. Hat —8G 111
Robin Hood Meadow. Hem H —6B 106
Robin Mead. Wel G —6N 91
Robinsfield. Hem H —2K 123
Robins Nest Hill. L Berk —1H 131
Robinson Av. G Oak —1N 143
Robinson Clo. Bis S —3H 79
Robinson Cres. Bush —1D 162
Robins Orchard. Chal P —6B 158
Robins Rd. Hem H —4C 124
Robins Way. Hat —3F 128
Robinswood. Lut —4G 46
Robin Way. Cuff —1K 143
Robson Clo. Chal P —5B 158
Robson Clo. Enf —4N 155
Robsons Clo. Chesh —2G 145
Roch Av. Edgw —9N 163
Rochdale Ct. Lut —2G 67
(off Albert Rd.)
Rochester Av. Lut —5L 47
Rochester Clo. Enf —3C 156
Rochester Dri. Wat —8L 137
Rochester Rd. N'wd —9H 161
Rochester Way. Crox G —6D 148
Rochester Way. R'ton —5D 8
Rochford Av. Wal A —6N 145
Rochford Clo. Brox —8J 133
Rochford Dri. Lut —7N 47
Rochford Rd. Bis S —8K 59
Rockcliffe Av. K Lan —3C 136
Rockfield Av. Ware —4H 95
Rockingham Way. Stev —6L 51
Rocklands Dri. Stan —9J 163
Rockleigh. Hert —9N 93
Rockley Rd. Lut —2C 66
Rock Rd. R'ton —5C 8
Rockways. Barn —8F 152
Rodeheath. Lut —6N 45
Roden Clo. H'low —2H 119
Rodgers Clo. Els —8L 151
Rodmell Slope. N12 —5M 165
Rodney Av. St Alb —4H 127
Rodney Clo. Lut —6J 45
Rodney Ct. Barn —5M 153
Rodney Cres. Hod —6L 115
Rodwell Pl. Edgw —6A 164
Roe. NW9 —8F 164
Roebuck Clo. Hert —9E 94
Roebuck Clo. Lut —2D 66
Roebuck Ct. Stev —8M 51
Roebuck Ga. Stev —8M 51
Roebuck Retail Pk. Stev —7L 51
Roe Clo. Stot —7E 10
Roedean Av. Enf —3G 156
Roedean Clo. Enf —3G 156
Roedean Clo. Lut —6M 47
Roe End La. Mark —3H 85
Roefields Clo. Fel —6K 123
Roe Grn. Cen. Hat —1F 128
Roe Grn. Clo. Hat —1E 128
Roe Grn. La. Hat —9F 110
Roe Hill Clo. Hat —1F 128
Roehyde Way. Hat —2E 128
Roestock Gdns. Col H —4E 128
Roestock La. Col H —5D 128
Rofant Rd. N'wd —6G 160
Rogate Rd. Lut —4L 47
Roger's La. Ans —6D 28
Rogers Ruff. N'wd —8E 160
Rogers Wlk. N12 —3N 165
Rokewood M. Ware —5H 95
Roland St. St Alb —2J 127
Rolfe Clo. Barn —6D 154
Rolleston Clo. Ware —4G 94
Rollswood. Wel G —3L 111
Rollswood Rd. Welw —9G 71
Rollys La. A'wl —9M 5
Roman Clo. Hare —8L 159
Roman Ct. H Reg —5E 44
Roman Gdns. H Reg —5E 44
Roman Gdns. K Lan —3D 136
Roman Heights. Stev —9B 36
Roman La. Bald —3M 23
Roman M. Hod —7L 115
Roman Rise. Saw —5F 98
Roman Rd. Bar C —8F 18
Roman Rd. Lut —6A 46
Roman Rd. Welw —1J 91
Roman St. Hod —7L 115
Roman Vale. H'low —1E 118
Roman Way. Enf —7D 156
Roman Way. Mark —1A 86
Roman Way. Puck —6A 56
Roman Way. Welw —1J 91
Romany Clo. Let —5C 22
Romany Ct. Hem H —1E 124
Romeland. Els —8L 151
Romeland. St Alb —2D 126
Romeland. Wal A —6N 145
Romeland Hill. St Alb —2D 126
Romilly Dri. Wat —4N 161
Ronald Ct. New Bar —5A 154
Ronart St. W'stone —9G 163
Rondini Av. Lut —6D 46
Ronsons Way. Sandr —7G 109
Rookery Dri. Lut —3G 46
Rookery, The. Stans —1N 59
Rookery, The. W'mll —7K 39
Rooke's All. Hert —1C 114
Rookes Clo. Let —8H 23
Rooks Clo. Wel G —1K 111
Rooks Hill. Loud —6M 147
Rooks Hill. Wel G —1J 111
Rooks Nest La. Ther —6E 14
Rook Tree Clo. Stot —6F 10
Rook Tree La. Stot —5F 10
Rookwood Dri. Stev —8A 52
Rooky Yd. Stev —2J 51
Roper's La. Saf W —2K 29
Rosary Ct. Pot B —3A 142
Roscoff Clo. Edgw —8C 164
Rose Acre. Redb —9H 87
Roseacre Gdns. Wel G —9C 92
Roseacres. Saw —4F 98
Roseberry Av. Hpdn —5A 88
Roseberry Ct. Wat —3J 149
Roseberry M. Ment —4J 61
Rosebery. Bis S —2L 79
Rosebery Rd. Ast C —1D 100
Rosebery Rd. Bush —9C 150
Rosebery Way. Tring —1N 101
Rosebriar Wlk. Wat —9H 137
Rose Cotts. Brick —3C 138
Rose Ct. Chesh —9E 132
Rose Ct. Eat B —2H 63
Rose Ct. St Alb —9J 109
Rosecroft Av. St Alb —5K 127
Rosecroft Ct. N'wd —6E 160
Rosecroft Dri. Wat —9G 136
Rosecroft La. Welw —8N 71
Rosedale. H Reg —4H 45
Rosedale. Wel G —5M 91
Rosedale Av. Chesh —2D 144
Rosedale Clo. Brick W —3N 137
Rosedale Clo. Lut —2M 45
Rosedale Clo. Stan —6J 163
Rosedale Way. Chesh —1E 144
Rose Garden Clo. Edgw —6M 163
Rose Gdns. Wat —7J 149
Roseheath. Hem H —2H 123
Rosehill. Berk —1M 121
Rosehill Clo. Hod —8K 115 (in two parts)
Rosehill Ct. Hem H —4K 123
Rosehill Gdns. Ab L —5E 136
Roselands Av. Hod —6K 115
Rose La. Wheat —5K 89
Rose Lawn. Bush —1D 162
Rosemary Av. N3 —9N 165
Rosemary Av. Enf —3C 156
Rosemary Clo. H'low —2E 118
Rosemary Ct. H End —6B 162
(off Avenue, The)
Rosemead. Hal —5D 100
Rose Mead. Pot B —3B 142
Rose Meadow. Brau —6B 40
Rosemont Clo. Let —5E 22
Rosemount. H'low —9L 117
Roseneath Av. N21 —9N 155
Roseneath Wlk. Enf —6C 156
Rosen's Wlk. Edgw —3B 164
Rose Vale. Hod —8L 115
Rose Wlk. H Reg —3H 45
Rose Wlk. R'ton —6C 8
Rose Wlk. St Alb —9K 109
Rose Wlk., The. Rad —1J 151
Rose Way. Edgw —4C 164
Rose Wood Clo. Lut —7H 47
Rosewood Ct. Hem H —1H 123
Rosewood Dri. Enf —8M 143
Roslyn Clo. Brox —3J 133
Roslyn Way. H Reg —4D 44
Ross Av. NW7 —5L 165
Ross Clo. Harr —7D 162
Ross Clo. Hat —6H 111
Ross Clo. Lut —2D 66
Ross Ct. Stev —2A 52
Ross Cres. Wat —8J 137
Rossdale Dri. N9 —8G 156
Rossfold Rd. Lut —1N 45
Rossgate. Hem H —9K 105
Rossington Av. Borwd —2M 151
Rossiter Fields. Barn —8M 153
Rosslyn Av. E Barn —8D 154
Rosslyn Cres. Lut —4E 46
Rosslyn Rd. Wat —5K 149
Ross Way. N'wd —4H 161
Rossway. S End —7D 66
Rossway Dri. Bush —7E 150
Rossway La. Tring —6E 102
Rossway St. Lut —7E 66
Roswell Clo. Chesh —3J 145
Rothamsted Av. Hpdn —6A 88
Rothamsted Ct. Hpdn —6B 88
Rother Clo. Wat —7L 137
Rotherfield. Lut —6M 47
Rotherfield Rd. Enf —1H 157
Rotherham Av. Lut —3D 66
Rotherwood Clo. Dunst —8B 44
Rothesay Ct. Berk —1L 121
Rothesay Rd. Lut —1F 66
Rothschild Av. Ast C —1D 100
Rothschild Ct. Berk —7G 103
Roughdown Av. Hem H —5K 123
Roughdown Rd. Hem H —5L 123
Roughdown Vs. Rd. Hem H —5K 123
Roughs, The. N'wd —3G 161
Roughwood Clo. Wat —2G 148
Roughwood Croft. Chal G —7A 146
Roughwood La. Chal G —9B 146
Roundabout Ho. N'wd —8J 161
Roundabout La. Welw —8M 71
Roundcroft. Chesh —8D 132
Roundfield Av. Hpdn —3E 88
Roundhaye. Puck —6A 56
Roundhedge Way. Enf —2L 155
Roundhill Dri. Enf —6L 155
Roundings, The. Hert H —5F 114
Round Mead. Stev —6C 52
Roundmoor Dri. Chesh —3J 145
Roundway, The. Wat —8H 149
Roundwood. Hpdn —4N 87
Round Wood. K Lan —9A 124
Roundwood Clo. Hit —9C 22
Roundwood Clo. Welw —8K 71
Roundwood Dri. Wel G —8J 91
Roundwood Gdns. Hpdn —5N 87
Roundwood La. Hpdn —4K 87
Roundwood Pk. Hpdn —4N 87
Rounton Dri. Wat —2H 149
Rousebarn La. Chan X & Wat —2B 148
Rowan Clo. Brick W —4B 138
Rowan Clo. Lut —1D 66
Rowan Clo. St Alb —2M 127
Rowan Clo. Stan —6G 162
Rowan Clo. W'ton —2A 36
Rowan Cres. Let —5E 22
Rowan Cres. Stev —2K 51
Rowan Dri. NW9 —9G 164
Rowan Dri. Brox —7K 133
Rowan Gro. St I —6A 34
Rowans. Wel G —6N 91
Rowans, The. Bald —4L 23
Rowans, The. Brox —1J 133
Rowans, The. Chal P —9A 158
Rowans, The. Hem H —2K 123
Rowantree Clo. N21 —9B 156
Rowantree Rd. N21 —9B 156
Rowantree Rd. Enf —4N 155

Rowan Wlk.—Salisbury Cres.

Rowan Wlk. Barn —7A **154**
Rowan Wlk. Hat —3G **129**
Rowan Wlk. Saw —5G **99**
Rowan Way. Hpdn —7D **88**
Rowben Clo. N20 —1N **165**
Rowcroft. Hem H —3B **123**
Rowel Field. Lut —8L **47**
Rowington Clo. Lut —7N **47**
Rowland Pl. N'wd —6G **161**
Rowland Rd. Stev —5M **51**
Rowlands Av. Pinn —5B **162**
Rowlands Clo. NW7 —7G **164**
Rowlands Clo. Chesh —3H **145**
Rowland Way. Let —5F **22**
Rowlatt Dri. St Alb —4B **126**
Rowley Clo. Wat —8N **149**
Rowley Ct. Enf —7C **156** (off Wellington Rd.)
Rowley Gdns. Chesh —1H **145**
Rowley Grn. Rd. Barn —7F **152**
Rowley La. Barn —6E **152**
Rowley La. Borwd —3D **152**
Rowley's Rd. Hert —8D **94**
Rowley Wlk. Hem H —6E **106**
Row Meadow Cotts. Hem H —7K **85**
Rowney Gdns. Saw —7E **98**
Rowney La. Ware —4F **74**
Rowney Wood. Saw —6E **98**
Rowsley Av. NW4 —9J **165**
Royal Av. Wal X —6J **145**
Royal Ct. Enf —8C **156**
Royal Ct. Hem H —5A **124**
Royal Ct. Tring —1E **102**
Royale Wlk. Dunst —1F **64**
Royal Oak Cotts. Hem H —9M **105** (off High St. Hemel Hempstead,)
Royal Oak Gdns. Bis S —2G **79**
Royal Oak La. Pir —7E **20**
Royal Rd. St Alb —2J **127**
Royce Clo. Brox —3K **133**
Royce Clo. Dunst —1C **64**
Roydonbury Ind. Est. H'low —6H **117**
Roydon Clo. Lut —5K **45**
Roydon Ct. Hem H —5C **106**
Roydon Lodge Chalet Est. Roy —5F **116**
Roydon Rd. H'low —5H **117**
Roydon Rd. Stan A —2A **116**
Royle Clo. Chal P —7C **158**
Roy Rd. N'wd —7H **161**
Royse Gro. R'ton —9D **8**
Royston Clo. Hert —9N **93**
Royston Gro. Pinn —6A **162**
Royston Pk. Rd. Pinn —6A **162**
Royston Rd. Bald —2M **23**
Royston Rd. B'wy —7N **15**
Royston Rd. Bar —1C **16**
Royston Rd. Lit —4J **7**
Royston Rd. St Alb —3J **127**
Ruberoid Rd. Enf —5K **157**
Rucklers La. K Lan —1K **135**
Ruckles Clo. Stev —4L **51**
Rudd Clo. Stev —6A **52**
Ruddy Way. NW7 —6F **164**
Rudham Gro. Let —8J **23**
Rudolph Rd. Bush —8B **150**
Rudyard Clo. Lut —6N **45**
Rudyard Gro. NW7 —6C **164**
Rue de St Lawrence. Wal A —7N **145**
Rueley Dell Rd. Lil —8M **31**
Rufforth Ct. NW9 —8E **164** (off Pageant Av.)
Rugby Av. N9 —9D **156**
Rugby Way. Crox G —7D **148**
Ruins, The. Redb —1K **107**
Rumballs Clo. Hem H —5C **124**
Rumballs Rd. Hem H —5C **124**
Rumbold Rd. Hod —6N **115**
Rumsley. Wal X —9E **132**
Runcie Clo. St Alb —7H **109**
Runcorn Cres. Hem H —7B **106**
Rundells. H'low —9C **118**
Rundells. Let —7K **23**
Runfold Av. Lut —4C **46**
Runham Clo. Lut —5L **45**
Runham Rd. Hem H —4A **124**
Runley Rd. Lut —9A **46**
Runnalow. Let —4D **22**
Runsley. Wel G —6N **91**
Runswick Ct. Stev —2G **51**
Rupert Ho. Wel G —8B **92**
Ruscombe Dri. Park —8D **126**
Rushall Grn. Lut —7M **47**
Rushby Mead. Let —5G **22**
Rushby Pl. Let —6G **23**
Rushby Wlk. Let —5G **22**
Rush Clo. Stan A —2N **115**
Rushdene Av. Barn —9D **154**
Rushden Gdns. NW7 —6J **165**
Rushden Rd. S'don —5M **25**
Rushendon Furlong. Pit —2C **82**
Rushen Dri. Hert H —3G **114**
Rushes Ct. Bis S —3J **79**
Rushes Mead. H'low —8A **118**
Rushey Hill. Enf —6L **155**
Rushfield. Pot B —5K **141**
Rushfield. Saw —5G **99**
Rushfield Rd. Ware —4K **95**
Rushleigh Av. Chesh —4H **145**
Rushleigh Grn. Bis S —5F **78**
Rushmead Clo. Edgw —2B **164**
Rushmere La. Orch —9L **121**
Rushmoor Clo. Rick —2N **159**
Rushmoor Ct. Wat —8E **148**
Rushmore Clo. Cad —3A **66**
Rushton Av. Wat —8J **137**
Rushton Ct. Chesh —2H **145**
Rushton Gro. H'low —6F **118**
Ruskin Clo. Chesh —8C **132**
Ruskin Clo. Hit —3C **34**
Ruskin Ct. N21 —9L **155**
Rusper Clo. Stan —4K **163**
Rusper Grn. Lut —6M **47**
Russell Av. L Chal —3A **146**
Russell Av. St Alb —2E **126**
Russell Clo. Amer —3A **146**
Russell Clo. Kens —8H **65**
Russell Clo. N'wd —5E **160**
Russell Clo. Stpl M —3C **6**
Russell Clo. Stev —7A **52**
Russell Ct. Enf —6C **156**
Russell Ct. N14 —8J **155**
Russell Ct. Brick W —3B **138**
Russell Ct. New Bar —6B **154**
Russell Cres. Wat —8H **137**
Russellcroft Rd. Wel G —8J **91**
Russell End. Stpl M —3C **6**
Russell Gro. NW7 —5E **164**
Russell La. Wat —9F **136**
Russell Mead. Har W —8G **163**
Russell Pl. Hem H —5L **123**
Russell Rise. Lut —2F **66**
Russell Rd. Enf —2D **156**
Russell Rd. N'wd —5E **160**
Russell's Ride. Chesh —4J **145**
Russell's Slip. Hit —4L **33**
Russell St. Hert —9A **94**
Russell St. Lut —2F **66**
Russet Clo. Chesh —8C **132**
Russet Dri. Shenl —5M **139**
Russet Dri. St Alb —3K **127**
Russett Ho. Wel G —9C **92**
Russettings. Pinn —7A **162** (off Westfield Pk.)
Russetts, The. Chal P —9A **158**
Russett Wood. Wel G —1C **112**
Rustle Ct. H'low —6E **118**
Ruston Gdns. N14 —8G **154**
Rutherford Clo. Borwd —4C **152**
Rutherford Clo. Stev —3G **51**
Rutherford Way. Bush —1E **162**
Ruthin Clo. Lut —3F **66**
Ruthven Av. Wal X —6H **145**
Rutland Ct. Enf —7F **156**
Rutland Ct. Lut —1J **67**
Rutland Cres. Lut —1J **67**
Rutland Gdns. Hem H —1B **124**
Rutland Path. Lut —1J **67**
Rutland Pl. Bush —1E **162**
Rutts, The. Bush —1E **162**
Ryall Clo. Brick W —2N **137**
Ryan Way. Wat —3L **149**
Rydal Clo. NW4 —9K **165**
Rydal Ct. Edgw —5N **163**
Rydal Ct. Leav —5K **137**
Rydal Mt. Pot B —6L **141**
Rydal Way. Enf —8G **157**
Rydal Way. Lut —4B **46**
Ryder Av. Ickl —8L **21**
Ryder Clo. Bov —1D **134**
Ryder Clo. Bush —8C **150**
Ryder Clo. Hert —8F **94**
Ryders Av. Col H —2E **128**
Ryder Way. Ickl —8L **21**
Ryde, The. Hat —6J **111**
Rydinghurst Ho. Ger X —5B **158**
Rye Clo. Hpdn —3C **88**
Ryecroft. H'low —6L **117**
Ryecroft. Hat —2F **128**
Ryecroft. Stev —2L **51**
Ryecroft Clo. Hem H —3E **124**
Ryecroft Ct. St Alb —2N **127**
Ryecroft Cres. Barn —7H **153**
Ryecroft Way. Lut —6J **47**
Ryefield. Lut —9C **30**
Ryefield Clo. Hod —4N **115**
Ryefield Ct. N'wd —9J **161** (off Joel St.)
Ryefield Cres. N'wd —9J **161**
Rye Gdns. Bald —2A **24**
Rye Hill. Hpdn —3C **88**
Rye Hill. Lut —8F **46** (off Cromwell Hill)
Ryelands. Wel G —3M **111**
Rye Mead Cotts. Hod —6N **115**
Rye Rd. Hod —6M **115**
Rye St. Bis S —9H **59**
Rye, The. N14 —9J **155**
Rye, The. L Buzz & LU6 —1F **62**
Rye Way. Edgw —6N **163**
Rylands Heath. Lut —7A **48**
Rymill Clo. Bov —1D **134**
Ryton Clo. Lut —1D **66**

Saberton Clo. Redb —2H **107**
Sacombe Grn. Lut —9D **30**
Sacombe Grn. Rd. Sac —4C **74**
Sacombe Pound. Sac —5C **74**
Sacombe Rd. Hem H —9J **105**
Sacombe Rd. W'frd —4N **93**
Sacombs Ash La. Saw —9A **78**
Saddlers Clo. Bis S —3E **78**
Saddlers Clo. Borwd —7D **152**
Saddlers Clo. Pinn —6B **162**
Saddlers Path. Borwd —7D **152** (off Farriers Way)
Saddlers Pl. R'ton —6C **8**
Saddlers Wlk. K Lan —2C **136**
Saddlescombe Way. N12 —5N **165**
Sadleir Rd. St Alb —4F **126**
Sadlers Mead. H'low —7C **118**
Sadlers Way. Hert —9M **93**
Sadlier Rd. Stdn —7A **56**
Saffron Clo. Arl —5A **10**
Saffron Clo. Hod —7K **115**
Saffron Clo. Lut —3F **46**
Saffron Hill. Let —5E **22**
Saffron La. Hem H —1K **123**
Saffron Meadow. Stdn —7B **56**
Saffron Rise. Eat B —2J **63**
Saffron St. R'ton —8F **8**
Saimet. NW9 —7F **164** (off Satchell Mead)
Sainfoin End. Hem H —9C **106**
St Agnells Ct. Hem H —7C **106**
St Agnells La. Hem H —6B **106**
St Agnes Ga. Wend —9A **100**
St Albans Dri. Stev —9L **35**
St Albans Hill. Hem H —5A **124**
St Albans Link. Stev —9L **35**
St Albans Rd. Barn —8H **141**
St Albans Rd. Cod —1E **90**
St Albans Rd. Hpdn —7C **88**
St Albans Rd. Hat —8H **111**
St Albans Rd. Hem I —4N **123**
St Albans Rd. Redb —2L **107**
St Albans Rd. S Mim —4F **140**
St Albans Rd. St Alb —8G **109**
St Albans Rd. Wat —4K **149**
St Albans Rd. W. Hat —9C **110** (in three parts)
St Alders Ct. Lut —6D **46**
St Alphage Wlk. Edgw —9C **164**
St Alphege Rd. N9 —9G **156**
St Andrew M. Hert —9A **94**
St Andrew's Av. Hpdn —6A **88**
St Andrews Clo. S End —7D **66**
St Andrew's Clo. Stan —9K **163**
St Andrews Ct. Wat —3K **149**
St Andrews Dri. Stan —8K **163**
St Andrews Dri. Stev —8M **35**
St Andrews Ho. H'low —4B **118** (off Stow, The)
St Andrews La. H Reg —4F **44** (in two parts)
St Andrews Meadow. H'low —7B **118**
St Andrew's Pl. Hit —3N **33**
St Andrew's Rd. N9 —9G **157**
St Andrew's Rd. Enf —5B **156**
St Andrew's Rd. Hem H —6N **123**
St Andrews Rd. Wat —3M **161**
St Andrew St. Hert —9A **94**
St Andrews Wlk. Cad —7E **66**
St Anna Rd. Barn —7K **153**
St Anne's Clo. Chesh —1E **144**
St Anne's Clo. Wat —4L **161**
St Annes Clo. Wend —9A **100**
St Anne's Pk. Brox —2L **133**
St Anne's Rd. Hit —2N **33**
St Anne's Rd. Lon C —9L **127**
St Ann's Ct. NW4 —9H **165**
St Ann's La. Lut —1G **67**
St Anthonys Av. Hem H —4D **124**
St Audrey Grn. Wel G —1M **111**
St Audreys Clo. Hat —3H **129**
St Augusta Ct. St Alb —9E **108**
St Augustine Av. Lut —6D **46**
St Augustines Clo. Brox —2K **133**
St Augustines Dri. Brox —2K **133**
St Austell Clo. Edgw —9N **163**
St Barnabas Ct. Har W —8D **162**
St Barnabas Ct. Hem H —2C **124**
St Bernard's Clo. Lut —6E **46**
St Bernard's Rd. St Alb —1F **126**
St Brelades Pl. St Alb —7L **109** (off Harvest Ct.)
St Bride's Av. Edgw —8N **163**
St Catherines Av. Lut —5D **46**
St Catherines Ct. Bis S —1H **79**
St Catherine's Rd. Brox —1L **133**
St Christopher's Clo. Dunst —8J **45**
St Christophers Ct. Chor —6G **146**
St Clarendon Ct. Hpdn —4C **88**
St Cross Ct. Hod —1L **133**
St Cuthberts Gdns. Pinn —7A **162**
St Cuthbert's Rd. Hod —5N **115**
St David's Clo. Hem H —3F **124**
St Davids Clo. Stev —7M **35**
St David's Dri. Brox —1K **133**
St David's Dri. Edgw —8N **163**
St David's Way. H Reg —3G **44** (off Kent Rd.)
St Dominics Sq. Lut —5J **45** (off Tomlinson Av.)
St Dunstan's Rd. Hun —7G **96**
St Edmunds. Berk —2N **121**
St Edmund's Dri. Stan —8H **163**
St Edmund's Rd. N9 —9E **156**
St Edmunds Wlk. St Alb —3L **127**
St Edmund's Way. H'low —2E **118**
St Egberts Way. E4 —9N **157**
St Elmo Ct. Hit —5N **33**
St Ethelbert Av. Lut —5D **46**
St Etheldreda's Dri. Hat —9J **111**
St Evroul Ct. Ware —5H **95** (off Crib St.)
St Faith's Clo. Enf —3A **156**
St Faiths Clo. Hit —1B **34**
St Francis Clo. Pot B —7B **142**
St Francis Clo. Wat —1K **161**
St George's Dri. Wat —3N **161**
St George's Rd. Enf —2D **156**
St George's Rd. Hem H —6M **123**
St George's Rd. Wat —2K **149**
St George's Sq. Lut —1G **66**
St George's Way. Stev —4K **51**
St Giles Av. S Mim —5H **141**
St Giles Clo. Tot —2M **63**
St Giles Ct. Enf —8G **144**
St Giles Ho. New Bar —6B **154**
St Giles Rd. Cod —7F **70**
St Helens Clo. Wheat —7L **89**
St Heliers Rd. St Alb —6J **109**
St Ives Clo. Lut —6D **46**
St Ives Clo. Welw —4M **91**
St James Cen. H'low —2C **118**
St James Clo. Barn —6C **154**
St James Clo. H Reg —5H **45**
St James Ct. St Alb —3H **127**
St James Rd. G Oak —1A **144**
St James Rd. Hpdn —4C **88**
St James Rd. Lut —6D **46**
St James Rd. Wat —7K **149**
St James's Clo. Pull —3A **18**
St James's Ct. Hpdn —3C **88**
St James Way. Bis S —3D **78**
St John Clo. Lut —3D **66**
St Johns. Puck —6B **56**
St John's Av. H'low —2E **118**
St Johns Clo. N14 —8H **155**
St Johns Clo. Hem H —4L **123**
St John's Clo. Pot B —6B **142**
St Johns Clo. Welw —1J **91**
St John's Ct. Hpdn —8D **88**
St John's Ct. Hert —9B **94**
St John's Ct. Lut —3E **66**
St Johns Ct. N'wd —8G **160**
St John's Ct. St Alb —9J **109**
St John's Cres. Stans —2N **59**
St John's La. Stans —2N **59**
St John's Path. Hit —4N **33**
St John's Rd. Arl —8A **10**
St John's Rd. Hpdn —8D **88**
St John's Rd. Hem H —4K **123**
St John's Rd. Hit —5N **33**
St John's Rd. Stans —2N **59**
St John's Rd. Wat —4K **149**
St John's St. Hert —9B **94**
St John's Ter. Enf —1B **156**
St Johns Walk. H'low —2E **118**
St John's Well Ct. Berk —9M **103**
St John's Well La. Berk —9M **103**
St Joseph's Clo. Lut —5C **46**
St Joseph's Rd. N9 —9F **156**
St Joseph's Wlk. Hpdn —7B **88**
St Julian's Rd. St Alb —4E **126**
St Katharines Clo. Ickl —8L **21**
St Katherine's Way. Berk —7K **103**
St Kilda Rd. Lut —5J **45**
St Laurence Dri. Brox —5J **133**
St Lawrence Clo. Ab L —3G **137**
St Lawrence Clo. Bov —9D **122**
St Lawrence Clo. Edgw —7N **163**
St Lawrences Av. Lut —5E **46**
St Lawrence Way. Brick W —3A **138**
St Leonard's Clo. Bush —6N **149**
St Leonards Ct. Sandr —5K **109**
St Leonards Cres. Sandr —5K **109**
St Leonard's Rd. Hert —7B **94**
St Leonard's Way. Edl —7J **63**
St Luke's Av. Enf —2B **156**
St Lukes Clo. Lut —7A **46**
St Magnus Ct. Hem H —4E **124**
St Margaret's. Gt Gad —2E **104**
St Margarets. Stev —7M **51**
St Margarets Av. Lut —5D **46**
St Margaretsbury Ho. Ware —2M **115**
St Margaret's Clo. Berk —2A **122**
St Margarets Clo. Streat —4B **30**
St Margarets Ct. Edgw —5B **164**
St Margaret's Rd. Edgw —5B **164**
St Margaret's Rd. Stan A —4L **115**
St Margarets Way. Hem H —2E **124**
St Marks Clo. Col H —4B **128**
St Mark's Clo. Hit —1L **33**
St Mark's Clo. New Bar —5A **154**
St Marks Rd. Enf —8D **156**
St Martin's Av. Lut —7H **47**
St Martin's Clo. Enf —3F **156**
St Martins Clo. Hpdn —3D **88**
St Martins Clo. Wat —4L **161**
St Martin's Rd. Kneb —3N **71**
St Mary's Av. N3 —9L **165**
St Mary's Av. N'chu —8H **103**
St Mary's Av. N'wd —5G **160**
St Mary's Av. Stot —6F **10**
St Mary's Chu. Path. Lut (off St Mary's Rd.) —1H **67**
St Mary's Clo. Ast —7D **52**
St Marys Clo. Hem H —1M **123**
St Mary's Clo. Let —9F **22**
St Marys Clo. Pir —7E **20**
St Mary's Clo. Redb —2J **107**
St Mary's Clo. Wat —6K **149** (off George St.)
St Mary's Ct. Dunst —9E **44**
St Mary's Ct. Hem H —1N **123**
St Mary's Ct. Pot B —5A **142**
St Marys Ct. Welw —3J **91**
St Mary's Courtyard. Ware (off Church St.) —6H **95**
St Mary's Dri. Stans —3N **59**
St Mary's Ga. Dunst —9E **44**
St Mary's Glebe. Edl —4J **63**
St Mary's La. Hert —2L **113**
St Mary's Rise. B Grn —8E **48**
St Mary's Rd. N9 —9F **156**
St Mary's Rd. Barn —9E **154**
St Mary's Rd. Chesh —2G **144**
St Mary's Rd. Hem H —1N **123**
St Mary's Rd. Lut —1H **67**
St Mary's Rd. Stdn —7A **56**
St Mary's Rd. Wat —6K **149**
St Marys Rd. Welw —2J **91**
St Mary's St. Dunst —9E **44**
St Mary's View. Wat —6L **149** (off King St.)
St Marys Wlk. St Alb —7J **109**
St Mary's Way. Bald —5L **23**
St Mary's Way. Chal P —9A **158**
St Matthew's Clo. Lut —9G **47**
St Matthews Clo. Wat —8M **149**
St Michaels. St Alb —2C **126**
St Michael's Av. N9 —9G **156**
St Michael's Av. Enf —9G **157**
St Michaels Av. Hem H —4D **124**
St Michaels Av. H Reg —5D **44**
St Michael's Clo. N3 —9M **165**
St Michaels Clo. Hal —6B **100**
St Michaels Clo. H'low —5A **118**
St Michaels Clo. Hpdn —8E **88**
St Michaels Ct. Stev —1A **52**
St Michael's Cres. Lut —6E **46**
St Michaels Dri. Wat —6K **137**
St Michaels Ho. Wel G —1M **111**
St Michael's Mt. Hit —2A **34**
St Michael's Pde. Wat —2K **149**
St Michael's Rd. Brox —2K **133**
St Michaels Rd. Hit —2B **34**
St Michael's St. St Alb —2C **126**
St Michaels View. Hat —7H **111**
St Michaels Way. Pot B —3A **142**
St Mildreds Av. Lut —6E **46**
St Mirren Ct. New Bar —7B **154**
St Monicas Av. Lut —6D **46**
St Neots Clo. Borwd —2A **152**
St Nicholas Av. Hpdn —6B **88**
St Nicholas Clo. Els —8L **151**
St Nicholas Ct. Hpdn —4A **88**
St Nicholas Field. Ber —2D **42**
St Nicholas Houses. R'way —8F **142**
St Nicholas Mt. Hem H —2J **123**
St Ninians Ct. Lut —9F **46**
St Olam's Clo. Lut —3D **46**
St Olives. Stot —6E **10**
St Pauls Ct. Chfd —6N **135**
St Pauls Ct. Stev —8M **51**
St Pauls Pl. St Alb —2H **127**
St Paul's Rd. Hem H —1N **123**
St Paul's Rd. Lut —3G **67**
St Paul's Way. N3 —7N **165**
St Pauls Way. Wal A —6N **145**
St Pauls Way. Wat —4L **149**
St Peter's Av. Arl —5A **10**
St Peter's Clo. Barn —7H **153**
St Peters Clo. Bush —1E **162**
St Peters Clo. Chal P —8B **158**
St Peters Clo. Hat —8G **110**
St Peters Clo. Rick —1L **159**
St Peter's Clo. St Alb —1E **126**
St Peter's Ct. Chal P —8B **158**
St Peter's Hill. Tring —2M **101**
St Peter's Rd. N9 —9F **156**
St Peter's Rd. Dunst —9F **44**
St Peters Rd. Lut —1D **66**
St Peter's Rd. St Alb —2F **126**
St Peter's St. St Alb —2E **126**
St Peters Way. Chor —6D **146**
St Raphaels Ct. St Alb —1F **12** (off Avenue Rd.)
St Ronan's Clo. Barn —2C **154**
St Saviour's Cres. Lut —2F **66**
St Stephen's Av. St Alb —4C **12**
St Stephen's Clo. St Alb —5C **12**
St Stephen's Ct. Enf —8C **156**
St Stephen's Hill. St Alb —4D **12**
St Stephen's Rd. Barn —7K **153**
St Stephens Rd. Enf —1H **157**
St Thomas Ct. Pinn —8N **161**
St Thomas Dri. Pinn —8N **161**
St Thomas Pl. Wheat —7L **89**
St Thomas Rd. N14 —9J **155**
St Thomas's Rd. Lut —5H **47**
St Vincent Dri. St Alb —4H **12**
St Vincents Way. Pot B —7B **14**
St Wilfrid's Clo. Barn —7D **15**
St Wilfrid's Rd. Barn —7D **154**
St Winifreds Av. Lut —6E **46**
St Yon Ct. St Alb —2M **127**
Sakins Croft. H'low —9B **118**
Salamander Quay. Hare —7K **15**
Salcombe Gdns. NW7 —6J **16**
Sale Dri. Clot C —2M **23**
Salisbury Av. N3 —9M **165**
Salisbury Av. Hpdn —5A **88**
Salisbury Av. St Alb —1J **127**
Salisbury Clo. Bis S —3H **79**
Salisbury Clo. Pot B —5B **142**
Salisbury Cres. Chesh —5H **14**

Salisbury Gdns.—Silver St.

Salisbury Gdns. Wel G —1M 111
Salisbury Ho. St Alb —3D 126
Salisbury Ho. Stan —6H 163
Salisbury Rd. Bald —2L 23
Salisbury Rd. Barn —5L 153
Salisbury Rd. Enf —1K 157
Salisbury Rd. Hpdn —4E 88
Salisbury Rd. Hod —6N 115
Salisbury Rd. Lut —2F 66
Salisbury Rd. Stev —8N 35
Salisbury Rd. Wat —2K 149
Salisbury Rd. Wel G —1M 111
Salisbury Sq. Hert —9B 94
(off Market Pl.)
Salix Ct. N3 —6N 165
Sally Deards La. Old K —4H 71
Salmon Clo. Wel G —6N 91
Salmond Clo. Stan —6H 163
Salmon Meadow. Hem H —6N 123
Salmons Clo. Ware —3H 95
Saltdean Clo. Lut —5M 47
Salter's Clo. Berk —8K 103
Salters Gdns. Wat —3J 149
Salters Way. Dunst —6C 44
Saltfield Cres. Lut —5M 45
Salusbury La. Offl —8D 32
Salwey Cres. Brox —2K 133
Samian Ga. St Alb —4A 126
Sampson Av. Barn —7K 153
Samsbrooke Ct. Enf —7D 156
Sancroft Rd. Harr —9G 163
Sanctuary Clo. Hare —7M 159
Sandalls Spring. Hem H —9J 105
Sandalwood Clo. Lut —2D 46
Sanday Clo. Hem H —4D 124
Sandbrook Clo. NW7 —6D 164
Sandbrook La. Wils —6H 81
Sandell Clo. Lut —7H 47
Sanderling Clo. Let —3E 22
Sanders Clo. Hem H —6B 124
Sanders Clo. Lon C —9L 127
Sanders La. NW7 —7J 165
(in three parts)
Sanders Rd. Hem H —6C 124
Sandfield Rd. St Alb —2H 127
Sandford Ct. New Bar —5A 154
Sandgate Rd. Lut —7N 45
Sandhurst Cen. Wat —3L 149
Sandhurst Ct. Hpdn —9E 88
Sandhurst Rd. N9 —8G 157
Sandhurst Rd. NW9 —9A 164
Sandifield. Hat —3H 129
Sandland Clo. Dunst —8D 44
Sand La. Sils —4C 18
Sandle Rd. Bis S —1J 79
Sandmere Clo. Hem H —3C 124
Sandon Clo. Tring —2L 101
Sandon Rd. Chesh —3G 145
Sandover Clo. Hit —4B 34
Sandown Ct. Stan —5K 163
Sandown Rd. Stev —9B 36
Sandown Rd. Wat —2L 149
Sandown Rd. Ind. Est. Wat —1L 149
Sandpit La. St Alb —1F 126
Sandpit Rd. Wel G —2L 111
Sandridgebury La. Sandr —7F 108
Sandridge Clo. Hem H —5C 106
Sandridge Ct. St Alb —7L 109
(off Twyford Rd.)
Sandridge Rd. St Alb —8G 109
Sandringham Av. H'low —6H 117
Sandringham Clo. Enf —4C 156
Sandringham Cres. St Alb —6J 109
Sandringham Dri. H Reg —5G 45
Sandringham Rd. Pot B —3A 142
Sandringham Rd. Wat —1L 149
Sandringham Way. Wal X —7G 145
Sand Rd. Flit —1A 18
Sandy Clo. Hert —9N 93
Sandycroft Rd. Amer —2A 146
Sandy Gro. Hit —4N 33
Sandy La. Bush —5D 150
Sandy La. N'wd —2H 161
Sandy Lodge. H End —6B 162
Sandy Lodge Ct. N'wd —5G 160
Sandy Lodge La. N'wd —2F 160
Sandy Lodge Rd. Rick —2D 160
Sandy Lodge Way. N'wd —5F 160
Sandymount Av. Stan —5K 163
Sandy Rise. Chal P —8B 158
Sanfoine Clo. Hit —2C 34
Sanfoin Rd. Lut —5K 45
Santers La. Pot B —6L 141
Santingfield N. Lut —2D 66
Santingfield S. Lut —2D 66
Santway, The. Stan —5F 162
Sappers Clo. Saw —5H 99
Saracen Est. Hem I —9D 106
Saracen Ind. Area. Hem I —9C 106
Saracens Head. Hem H —1C 124
Sargents. Stdn —8C 56
Sarita Clo. Harr —9E 162
Sark Ho. Enf —2H 157
Sarnesfield Rd. Enf —6B 156
Sarratt Av. Hem H —6C 106
Sarratt La. Loud —4L 147
Sarratt Rd. Sarr —1L 147
Sarum Pl. Hem H —7A 106
Sarum Rd. Lut —5B 46
Sassoon. NW9 —8F 164
Satchell Mead. NW9 —8F 164
Satinwood Ct. Hem H —4A 124
Saturn Way. Hem H —8B 106
Sauncey Av. Hpdn —4C 88
Sauncey Wood. Hpdn —3E 88
Sauncey Wood La. Hpdn —2E 88
Sauncy Wood La. Hpdn —2F 88
Saunders Clo. Chesh —1H 145
Saunders Clo. Let —4J 23
Savernake Ct. Stan —6K 163
Savernake Rd. N9 —8E 156
Saville Row. Enf —4H 157
Savoy Clo. Edgw —5A 164
Savoy Clo. Hare —9N 159
Savoy Pde. Enf —5C 156
Sawbridgeworth Rd. Hat H —4N 99
Sawbridgeworth Rd. L Hall —2J 99
Sawells. Brox —3K 133
Sawpit La. Bis S —2F 42
Sawtry Clo. Lut —3C 46
Sawtry Way. Borwd —2A 152
Sawyers La. Els —3J 151
Sawyers La. S Mim —6K 141
Sawyers Way. Hem H —2B 124
Saxeway Bus. Cen. Chart —9C 120
Sax Ho. Let —2E 22
Saxon Av. Stot —4F 10
Saxon Clo. Dunst —9B 44
Saxon Clo. Hpdn —3D 88
Saxon Clo. Let —2F 22
Saxon Ct. Borwd —3M 151
Saxon Cres. Bar C —7E 18
Saxon Rd. Lut —7D 46
Saxon Rd. Welw —4H 91
Saxon Rd. Wheat —8L 89
Saxon Way. N14 —8J 155
Saxon Way. Bald —2A 24
Saxon Way. Mel —1J 9
Saxon Way. Wal A —6N 145
Saxted Clo. Lut —8M 47
Sayers Gdns. Berk —8L 103
Sayers Gdns. Saw —5H 99
Sayer Way. Kneb —4M 71
Sayesbury Av. Saw —4F 98
Sayesbury Rd. Saw —5G 98
Saywell Rd. Lut —7J 47
Scammell Way. Wat —8H 149
Scarborough Av. Stev —1G 51
Scarborough Rd. N9 —9G 157
Scarlett Av. Wend —8D 100
Scatterdells La. Chfd —3J 135
Scawsby Clo. Dunst —8B 44
Sceynes Link. N12 —4N 165
Scholars Ct. Col H —5C 128
Scholar's Hill. W'side —3C 96
Scholars Wlk. Chal P —6B 158
Scholars Wlk. Hat —3G 129
School Clo. Stev —6A 52
Schoolfields. Let —6J 23
School Gdns. Bar C —9E 18
School Gdns. Pott E —8E 104
School La. Ard —7L 37
School La. Ast —7D 52
School La. Bar —3D 16
School La. Brick W —7A 138
School La. Bush —9C 150
School La. Chal P —9A 158
School La. Eat B —2J 63
School La. Ess —8E 112
School La. H'low —3A 118
School La. Hat —8J 111
School La. H Lav —8M 119
School La. Lut —5N 45
School La. Offl —7D 32
School La. Pres —3M 49
School La. Tew —6D 92
School La. Wat S —5K 73
School La. Welw —3H 91
School La. W'ton —1B 36
School Mead. Ab L —5G 136
School Rd. Pot B —3B 142
School Row. Hem H —3J 123
School Wlk. H Reg —2G 44
School Wlk. Let —5H 23
School Wlk. Lut —2G 67
Schopwick Pl. Els —8L 151
(off St Nicholas Clo.)
Schubert Rd. Els —8L 151
Scotfield Ct. Lut —6M 47
Scot Gro. Pinn —7M 161
Scotland Grn. Rd. Enf —7H 157
Scotland Grn. Rd. N. Enf —6H 157
Scotscraig. Rad —8G 139
Scots Hill. Rick —8B 148
Scots Hill Clo. Rick —8B 148
Scotsmill La. Rick —8A 148
Scott Av. Stan A —2M 115
Scott Clo. R'ton —4D 8
Scott Rd. Bis S —2G 78
Scott Rd. Stev —3A 52
Scotts Clo. Ware —7H 95
Scott's Rd. Ware —7H 95
Scotts View. Wel G —1J 111
Scottswood Clo. Bush —4N 149
Scottswood Rd. Bush —4N 149
Scout Way. NW7 —4D 164
Scriveners Clo. Hem H —2A 124
Scrubbitts Pk. Rd. Rad —8H 139
Scrubbitts Sq. Rad —8H 139
Scyttels Ct. Shil —3A 20
Seabrook. Lut —6L 45
Seabrook Rd. K Lan —9F 124
Seacroft Gdns. Wat —3M 161
Seaford Clo. Lut —6L 47
Seaford Rd. Enf —6C 156
Seaforth Dri. Wal X —7H 145
Seaforth Gdns. N21 —9L 155
Seaman Clo. Park —7E 126
Seamons Clo. Dunst —2G 65
Searches La. Bedm —9L 125
Sears, The. Dunst —3F 62
Seaton Rd. Hem H —5N 123
Seaton Rd. Lon C —8L 127
Seaton Rd. Lut —6B 46
Sebright Rd. Barn —4K 153
Sebright Rd. Hem H —4K 123
Sebright Rd. Mark —2A 86
Secker Cres. Harr —8D 162
Second Av. Enf —7D 156
Second Av. H'low —6N 117
Second Av. Let —5J 23
Second Av. Wat —8M 137
Sedbury Clo. Lut —3C 46
Sedcote Rd. Enf —7G 157
Sedge Grn. Roy —9C 116
Sedgwick Rd. Lut —2L 45
Seebohm Clo. Hit —1K 33
Seed Pl. Hpdn —4A 88
Seeleys. H'low —2E 118
Sefton Av. NW7 —5D 164
Sefton Av. Harr —9E 162
Sefton Clo. St Alb —1G 127
Sefton Rd. Stev —9A 36
Selbourne Rd. Lut —6B 46
Selby Av. St Alb —2E 126
Selden Hill. Hem H —3N 123
Sele Rd. Hert —9N 93
Selina Clo. Lut —2M 45
Sellers Clo. Borwd —3C 152
Sellers Hall Clo. N3 —7N 165
Sells Rd. Ware —5K 95
Selsey Dri. Lut —4L 47
Selvage La. NW7 —5D 164
Selwood Dri. Barn —7K 153
Selwyn Av. Hat —1D 128
Selwyn Ct. Edgw —7B 164
Selwyn Cres. Hat —9E 110
Selwyn Dr. Hat —9D 110
Semphill Rd. Hem H —5A 124
Senate Pl. Stev —7A 36
Sennen Rd. Enf —9D 156
Sentis Ct. N'wd —6H 161
September Way. Stan —6J 163
Septimus Pl. Enf —7E 156
Sequoia Clo. Bush —1E 162
Sequoia Pk. Pinn —6C 162
Serby Av. R'ton —5C 8
Service Rd., The. Pot B —5N 141
Seven Acres. N'wd —6K 161
Sevenoaks Ct. N'wd —7E 160
Severalls, The. Lut —6K 47
Severndale. Lon C —9N 127
Severn Dri. Enf —2E 156
Severnmead. Hem H —8A 106
Severn Way. Wat —7L 137
Sewardstone Gdns. E4 —7M 157
Sewardstone Rd. E4 —9M 157
Sewardstone Rd. Wal A & E4 —7N 145
Sewardstone St. Wal A —7N 145
Sewell Clo. St Alb —2M 127
Sewell Harris Clo. H'low —5B 118
Sewell La. Dunst —7A 44
Sewells. Wel G —5L 91
Seymour Av. Lut —3H 67
Seymour Clo. Pinn —8A 162
Seymour Ct. N21 —8L 155
Seymour Ct. N'chu —8J 103
Seymour Cres. Hem H —2A 124
Seymour M. Saw —8G 98
Seymour Rd. E4 —9M 157
Seymour Rd. Lut —3H 67
Seymour Rd. N'chu —8J 103
Seymour Rd. St Alb —8F 108
Seymours. H'low —9J 117
Shackledell. Stev —7M 51
Shacklegate La. Hit —4M 69
Shackleton Spring. Stev —6N 51
Shackleton Way. Ab L —5J 137
(off Lysander Way)
Shackleton Way. Wel G —9C 92
Shadybush Clo. Bush —9D 150
Shady La. Wat —4K 149
Shafford Cotts. St Alb —8A 108
Shaftenhoe End Rd. Bar —3D 16
Shaftesbury Av. Enf —4H 157
Shaftesbury Av. New Bar —6B 154
Shaftesbury Ct. Crox G —7E 148
Shaftesbury Ct. Stev —5L 51
Shaftesbury Ind. Est. Let —4H 23
Shaftesbury Quay. Hert —9B 94
(off Priory St.)
Shaftesbury Rd. Lut —9D 46
Shaftesbury Rd. Wat —5L 149
Shaftesbury Way. K Lan —1E 136
Shaftesbury Way. R'ton —8E 8
Shakespeare. R'ton —5D 8
Shakespeare Ct. Hod —4M 115
Shakespeare Ct. New Bar —5A 154
Shakespeare Ind. Est. Wat —2K 149
Shakespeare Rd. N3 —8N 165
Shakespeare Rd. NW7 —4F 164
Shakespeare Rd. Hpdn —6C 88
Shakespeare Rd. Lut —6L 45
Shakespeare St. Wat —2K 149
Shalcross Dri. Chesh —3K 145
Shaldon Rd. Edgw —9N 163
Shallcross cres. Hat —3G 128
Shamrock Way. N14 —9G 155
Shangani Rd. Bis S —3H 79
Shanklin Clo. Chesh —2D 144
Shanklin Clo. Lut —2C 46
Shanklin Gdns. Wat —4L 161
Shantock Hall La. Bov —2B 134
Shantock La. Bov —3A 134
Sharmans Clo. Welw —3M 91
Sharon Rd. Enf —4J 157
Sharose Ct. Mark —2A 86
Sharpcroft. Hem H —9N 105
Sharpecroft. H'low —6M 117
Sharpenhoe Rd. Bar C —9C 18
(Barton-le-Clay)
Sharpenhoe Rd. Bar C & Streat
(Streatley) —4B 30
Sharpes La. Hem H —4E 122
Sharples Grn. Lut —1D 46
Shawbridge. H'low —9M 117
Shaw Clo. Bush —2F 162
Shaw Clo. Chesh —1G 144
Shawgreen La. Rush —7J 25
Shaw Rd. Enf —3H 157
Shaws, The. Wel G —1B 112
Sheafgreen La. Stev —4C 52
Shearers, The. Bis S —4E 78
Sheares Hoppit. Hun —6G 97
Shearwater Clo. Stev —5C 52
Sheepcot Dri. Wat —7L 137
Sheepcote. Wel G —3N 111
Sheepcote La. Bis S —7G 43
Sheepcote La. Wheat —7M 89
Sheepcote Rd. Hem H —2B 124
Sheepcot La. Wat —6J 137
Sheepcroft Hill. Stev —6C 52
Sheephouse Rd. Hem H —4B 124
Sheering Dri. H'low —2G 118
Sheering Lwr. Rd. H'low —8H 99
Sheering Mill La. Saw —5H 99
Sheering Rd. H'low —2G 118
Sheethanger La. Fel —6K 123
Shefton Rise. N'wd —7J 161
Sheldon Clo. Chesh —8C 132
Sheldon Clo. H'low —6G 118
Sheldon Ct. Barn —6A 154
Shelford Rd. Barn —8J 153
Shellduck Clo. NW9 —9E 164
Shelley Clo. Edgw —4A 164
Shelley Clo. Hit —3C 34
Shelley Clo. N'wd —5H 161
Shelley Clo. R'ton —4D 8
Shelley Ct. Hpdn —6C 88
Shelley Rd. Lut —7L 45
Shelly La. Hare —8K 159
Shelton Way. Lut —6J 47
Shendish Edge. Hem H —7B 124
Shenfield Ct. H'low —9M 117
Shenleybury. Shenl —5M 139
Shenleybury Cotts. Shenl —4M 139
Shenley Ct. Hem H —6D 106
Shenley Hill. Rad —8J 139
Shenley La. Lon C —7J 127
Shenley Rd. Borwd —6A 152
Shenley Rd. Hem H —5C 106
Shenley Rd. Rad —7J 139
Shenstone Hill. Berk —9B 104
Shenwood Ct. Borwd —1A 152
Shephall Grn. Stev —7N 51
Shephall Grn La. Stev —7A 52
Shephall La. Stev —8M 51
Shephall View. Stev —4N 51
Shephall Way. Stev —5A 52
Shepherd Clo. R'ton —8E 8
Shepherd Rd. Lut —5H 45
Shepherds Clo. Bis S —4E 78
Shepherds Ct. Hert —6A 94
Shepherds Grn. Hem H —3H 123
Shepherd's La. Chor —8G 147
Shepherds La. Stev —3F 50
Shepherds Mead. Hit —9M 21
Shepherd's Rd. Wat —5H 149
Shepherd's Row. Redb —1K 107
Shepherds Wlk. Bush —2E 162
Shepherds Way. Brk P —9B 130
Shepherds Way. Hpdn —3M 87
Shepherds Way. Rick —9L 147
Shepley M. Enf —1L 157
Sheppard Clo. Enf —2F 156
Sheppards. H'low —9J 117
Sheppards Clo. St Alb —8F 108
Shepperton Clo. Borwd —3D 152
Sheppeys La. K Lan & Abb L —2E 136
Sheraton Clo. Els —7N 151
Sheraton M. Wat —6G 148
Sherborne Av. Enf —4G 156
Sherborne Av. Lut —3F 46
Sherborne Gdns. NW9 —9A 164
Sherborne Pl. N'wd —6F 160
Sherborne Way. Crox G —7D 148
Sherbourne Clo. Hem H —3A 124
Sherbourne Ho. Wat —8F 148
Sherbourne Pl. Stan —6H 163
Sherbrook Gdns. N21 —9N 155
Sherd Clo. Lut —2B 46
Sheredes Dri. Hod —1K 133
Sherfield Av. Rick —3N 159
Sheridan Clo. Hem H —3L 123
Sheridan Rd. Lut —7E 46
Sheridan Rd. Wat —9M 149
Sheridan Wlk. Brox —2J 133
Sheriden Clo. Dunst —8E 44
Sheriff Way. Wat —6J 137
Sheringham Av. N14 —7J 155
Sheringham Av. Stev —9H 35
Sheringham Clo. Lut —2E 46
Sheringham Ct. Enf —5N 155
Sherington Av. Pinn —7B 162
Sherland Ct. Rad —9H 139
(off Dell, The)
Sherrardapark Rd. Wel G —7J 91
Sherrards M. Wel G —5K 91
Sherrards Way. Barn —7N 153
Sherwood. Let —3F 22
Sherwood Av. Pot B —5L 141
Sherwood Av. St Alb —8J 109
Sherwood Ct. Bis S —1H 79
Sherwood Ho. H'low —8B 118
Sherwood Pl. Hem H —7B 106
Sherwood Rd. NW4 —9J 165
Sherwood Rd. Lut —7C 46
Sherwoods Rise. Hpdn —7E 88
Sherwoods Rd. Wat —9N 149
Shetland Clo. Borwd —8D 152
Shillington Rd. Shil & Up Ston —2B 20
Shillington Rd. Shil & Pir —4N 19
Shillitoe Av. Pot B —5K 141
Shingle Clo. Lut —1C 46
Shire Balk. Bald —8B 6
Shire Clo. Brox —8K 133
Shire Ct. Hem H —1C 124
Shire La. Chal G —1D 158
Shire La. C'bry —7K 101
Shire La. Chor —7E 146
Shiremeade. Borwd —7N 151
Shires, The. Lut —8F 46
Shires, The. R'ton —7E 8
Shirley Clo. Brox —6K 133
Shirley Clo. Chesh —2G 144
Shirley Clo. Stev —1A 52
Shirley Gro. N9 —9G 157
Shirley Rd. Ab L —5H 137
Shirley Rd. Enf —5A 156
Shirley Rd. Lut —9E 46
Shirley Rd. St Alb —3G 126
Shoelands Ct. NW9 —9D 164
Shoe La. H'low —7H 119
Shooters Rd. Enf —3N 155
Shootersway. Wig & Berk —8F 102
Shootersway La. Berk —2K 121
Shootersway Pk. Berk —2K 121
Shoplands. Wel G —5K 91
Shoreham Clo. Stev —1G 50
Shortcroft. Bis S —9M 59
Short Ga. N12 —4M 165
Shortgreen La. Mee —6J 29
Shortlands Grn. Wel G —1M 111
Shortlands Pl. Bis S —9H 59
Short La. Brick W —2N 137
Short La. Stev —5D 52
Shortmead Dri. Chesh —4J 145
Short Path. H Reg —3F 44
Shothanger Way. Bov —7G 123
Shottfield Clo. Sandr —4K 109
Shott La. Let —5G 23
Shrubbery Gdns. N21 —9N 154
Shrubbery Gro. R'ton —9D 8
Shrubbery, The. Hem H —1H 123
Shrub Hill Rd. Hem H —3J 123
Shrublands. Brk P —8A 130
Shrublands Av. Berk —1L 121
Shrublands Rd. Berk —9L 103
Shrublands, The. Pot B —6L 141
Shrubs Rd. B Hth —6B 160
Shugars Grn. Tring —2N 101
Shurland Av. Barn —8C 154
Sibley Av. Hpdn —8E 88
Sibley Clo. Lut —6K 47
Sibthorpe Rd. N Mym —6K 129
Siccut Rd. L Wym —6E 34
Sicklefield Clo. Chesh —8D 132
Siddons Rd. Stev —3B 52
Sidford Clo. Hem H —2J 123
Sidings, The. Hat —1E 128
Sidings, The. Hem H —2N 123
Sidmouth Clo. Wat —2K 161
Sidney Ter. Bis S —2H 79
Sidney Ter. Wend —9A 100
Silam Rd. Stev —4L 51
Silecroft Rd. Lut —9J 47
Silk Ho. NW9 —9D 164
Silkin Ct. Stev —6C 52
Silkin Way. Stev —4K 51
Silk Mill Ct. Wat —8K 149
Silk Mill Rd. Wat —8K 149
Silk Mill Way. Tring —1M 101
Silkstream Pde. Edgw —8C 164
Silkstream Rd. Edgw —8C 164
Silsden Cres. Chal G —3A 158
Silverbirch Av. Stot —4F 10
Silver Chase Ct. Enf —3N 155
Silvercliffe Gdns. Barn —6D 154
Silver Clo. Harr —7E 162
Silvercourt. Wel G —8N 91
Silverdale. Enf —6K 155
Silverdale Rd. Bush —7N 149
Silver Dell. Wat —9H 137
Silverfield. Brox —4K 133
Silver Hill. Well E —9C 140
Silverston Way. Stan —6K 163
Silver St. Ans —6D 28

Silver St.—Station Rd.

Silver St. A'wl —9M 5
Silver St. Enf —5B 156
Silver St. G Oak —3N 143
Silver St. G Mor —1A 6
Silver St. Lit —3H 7
Silver St. Lut —1G 66
Silver St. Stans —3M 59
Silver St. Wal A —7N 145
Silverthorn Dri. Hem H —6D 124
Silver Trees. Brick W —3A 138
Silverwood Clo. N'wd —8E 160
Simmonds Rise. Hem H —4N 123
Simon Ct. Bush —8B 150
Simon Dean. Bov —9D 122
Simon Peter Ct. Enf —4N 155
Simpkins Dri. Bar C —7E 18
Simpson Clo. N21 —7L 155
Simpson Dri. Bald —3M 23
Simpsons Ct. Bald —3M 23
Sinclare Clo. Enf —3D 156
Sinderby Clo. Borwd —3N 151
Sinfield Clo. Stev —4N 51
Singleton Scarp. N12 —5N 165
Singlets La. Flam —5D 86
Sirdane Ho. St Alb —6J 109
Sir Henry Floyd Ct. Stan —2J 163
Sir Herbert Janes Village. Lut —5N 45
Sirius Rd. N'wd —5J 161
Sish Clo. Stev —3K 51 (in two parts)
Sish La. Stev —3K 51
Siskin Clo. Borwd —6A 152
Siskin Clo. Bush —6N 149
Siskin Ho. Wat —8F 148
Sisson Clo. Stev —7B 52
Sittingbourne Av. Enf —8B 156
Sitwell Gro. Stan —5G 162
Six Acres. Hem H —5C 124
Six Hills Way. Stev —5J 51
Sixth Av. Let —5J 23
Sixth Av. Wat —8M 137
Skegness Rd. Stev —1G 51
Skegsbury La. Kim —7G 68
Skelton Clo. Lut —9D 30
Sketty Rd. Enf —5D 156
Skidmore Way. Rick —1A 160
Skillen Lodge. Pinn —8L 161
Skimpans Clo. N Mym —6K 129
Skimpot Rd. Dunst —8K 45
Skipton Clo. Stev —9M 51
Skua Clo. Lut —4K 45
Skylark Corner. Stev —6C 52
Skys Wood Rd. St Alb —7J 109
Slacksbury Hatch. H'low —6L 117
Slade Ct. New Bar —5A 154
Slade Ct. Rad —8H 139
Slade Oak La. Ger X & Den —9E 158
Slades Clo. Enf —5M 155
Slades Gdns. Enf —4M 155
Slades Hill. Enf —5M 155
Slades Rise. Enf —5M 155
Slapton La. N'all —3C 62
Slatter. NW9 —7F 164
Sleaford Grn. Wat —3M 161
Sleapcross Gdns. Smal —3B 128
Sleaps Hyde. Stev —8B 52
Sleapshyde La. Smal —3B 128
Sleddale. Hem H —8A 106
Sleets End. Hem H —9L 105
Slickett's La. Edl —5K 63
Slimmons Dri. St Alb —7H 109
Slipe La. Brox —6K 133 (in two parts)
Slipe, The. Ched —9M 61
Slip La. Old K —3H 71
Slippershill. Hem H —1N 123
Sloan Ct. Stev —3M 51
Sloansway. Wel G —6N 91
Slough Rd. A Grn —1B 98
Slype, The. Hpdn —1G 89
Small Acre. Hem H —2J 123
Smallcroft. Wel G —8A 92
Smallford La. Smal —3B 128
Smallwood Clo. Wheat —8M 89
Smarts Grn. Chesh —8D 132
Smithfield. Hem H —9N 105
Smiths Cotts. L Hall —6N 43
Smith's End La. Bar —3C 16
Smiths La. Chesh —8B 132
Smiths La. Mall. Lut —1G 66 (off Arndale Cen.)
Smith Sq. Lut —1G 66 (off Arndale Cen.)
Smith St. Wat —6L 149
Smithy, The. L Had —7L 57
Smug Oak Grn. Bus. Cen. Brick W —3C 138
Smug Oak La. Brick W —3C 138
Snailswell La. Ickl —6M 21
Snakes La. Barn —5G 155
Snaresbrook Dri. Stan —4L 163
Snatchup. Redb —1J 107
Snells Mead. Bunt —3J 39
Snipe, The. W'ton —1A 36
Snowdrop Clo. Bis S —2E 78
Snowford Clo. Lut —2C 46
Snowhill Cotts. Ash G —6K 121
Snowley Pde. Bis S —8K 59 (off Manston Dri.)
Soham Rd. Enf —1K 157
Solar Ct. Wat —7H 149
Solesbridge Clo. Chor —5J 147
Solesbridge Ct. Chor —5J 147
Solesbridge La. Rick —5J 147
Sollershott E. Let —7F 22
Sollershott Hall. Let —7F 22
Sollershott W. Let —7E 22
Solna Rd. N21 —9B 156
Solomon's Hill. Rick —9N 147
Solway. Hem H —9B 106
Solway Rd. N. Lut —5C 46
Solway Rd. S. Lut —6C 46
Somaford Gro. Barn —8C 154
Somerby Clo. Brox —3L 133
Somercoates Clo. Barn —5D 154
Someries Arch. Lut —3L 67
Someries Rd. Hpdn —3D 88
Someries Rd. Hem H —9J 105
Somersby Clo. Lut —3G 66
Somerset Av. Lut —7J 47
Somerset Rd. Enf —2L 157
Somerset Rd. New Bar —7A 154
Somersham. Wel G —9C 92
Somers Rd. N Mym —6J 129
Somers Sq. N Mym —5J 129
Somers Way. Bush —9D 150
Sonia Clo. Wat —9L 149
Sonia Ct. Edgw —7N 163
Sonnets, The. Hem H —1L 123
Soothouse Spring. St Alb —7G 108
Sopwell La. St Alb —3E 126
Sopwith. NW9 —7F 164
Sorrel Clo. Lut —1C 46
Sorrel Clo. R'ton —8F 8
Sorrel Garth. Hit —4A 34
Sotheron Rd. Wat —5L 149
Souberie Av. Let —6F 22
Souldern St. Wat —7K 149
South Acre. NW9 —9F 164
Southacre Way. Pinn —8L 161
Southall Clo. Ware —5H 95
Southampton Gdns. Lut —9A 30
South App. N'wd —3F 160
South Av. E4 —9M 157
S. Bank Rd. Berk —8K 103
Southbourne Av. NW9 —9C 164
Southbourne Ct. NW9 —9C 164
Southbrook. Saw —6G 99
Southbrook Dri. Chesh —1H 145
Southbury Av. Enf —6E 156
Southbury Rd. Enf —5C 156
Southcliffe Dri. Chal P —5B 158
South Clo. Bald —4M 23
South Clo. Barn —5M 153
South Clo. R'ton —6B 8
South Clo. St Alb —7C 126
S. Cottage Dri. Chor —7J 147
S. Cottage Gdns. Chor —7J 147
South Dene. NW7 —3D 164
S. Dene. Hem H —7K 85
Southdown Ct. Hat —3G 129
Southdown Ho. Hpdn —7D 88
Southdown Ind. Est. Hpdn —8D 88
Southdown Rd. Hpdn —7C 88
Southdown Rd. Hat —3G 128
S. Drift Way. Lut —2D 66
South Dri. Cuff —3K 143
South Dri. St Alb —2L 127
South End. Bass —1M 7
Southend Clo. Stev —2K 51
S. End La. N'all —4E 62
Southerby Av. Enf —6E 156
Southern Av. Henl —1J 21
Southern Lodge. H'low —9M 117
Southern Rise. E Hyde —8A 68
Southern Ter. Hod —5M 115
Southern Way. H'low —9K 117
Southern Way. Let —2E 22
Southern Way. Stud —3F 84
Southernwood Clo. Hem H —1C 124
Southfield. Barn —8K 153
Southfield. Brau —2C 56
Southfield. Wel G —2K 111
Southfield Av. Wat —2L 149
Southfield Rd. Enf —8F 156
Southfield Rd. Hod —7L 115
Southfield Rd. Wal X —5J 145
Southfields. NW4 —9H 165
Southfields. Let —2F 22
Southfields. Stdn —7B 56
Southfields Rd. Dunst —2G 64
South Ga. H'low —6N 117
Southgate. Stev —5K 51
Southgate Cir. N14 —9J 155
Southgate Ho. Chesh —3J 145
Southgate Ind. Est. N14 —9H 155
Southgate Rd. Pot B —6B 142
South Grn. NW9 —8E 164
S. Hemel Hempstead Rd. Berk —4A 84
South Hill Clo. Hit —4A 34
S. Hill Rd. Hem H —2M 123
South Ley. Wel G —3L 111
South Ley Ct. Wel G —3L 111
S. Lodge Cres. Enf —6J 155 (in two parts)
S. Lodge Dri. N14 —6J 155
South Mead. NW9 —8F 164
Southmead Cres. Chesh —3J 145
Southmill Rd. Bis S —2J 79
Southmill Trad. Cen. Bis S —2J 79
Southover. N12 —3N 165
South Pde. Edgw —9A 164
South Pde. Wal A —6N 145
South Pk. Av. Chor —7J 147
S. Park Gdns. Berk —9M 103
South Pl. Enf —7G 157
South Pl. H'low —3C 118
South Pl. Hit —2L 33
S. Riding. Brick W —3A 138
South Rd. N9 —9E 156
South Rd. Bald —4M 23
South Rd. Bis S —2J 79
South Rd. Chor —7F 146
South Rd. Edgw —8B 164
South Rd. H'low —3C 118
South Rd. Lut —2G 66
South Rd. Puck —7A 56
Southsea Av. Wat —6J 149
Southsea Rd. Stev —1H 51
South St. Bis S —1H 79
South St. Enf —7G 157
South St. Hert —9B 94
South St. Lit —3H 7
South St. Stan A —2N 115
South St. Commercial Cen. Bis S —2H 79
South View. Let —6F 22
Southview Clo. Chesh —8C 132
Southview Rd. Hpdn —4D 88
S. View Rd. Pinn —6K 161
S. View Vs. Berk —2B 122
Southwark Clo. Stev —9A 36
Southwark Ho. Borwd —4A 152 (off Stratfield Rd.)
Southway. N20 —2N 165
South Way. Ab L —6F 136
South Way. Hat —4F 128
South Way. Wal A —1M 157
S. Weald Dri. Wal A —6N 145
Southwold Rd. Wat —1L 149
Southwood Rd. Dunst —2H 65
Sovereign Bus. Cen. Enf —5K 157
Sovereign Ct. H'low —9L 117
Sovereign Ct. Wat —6J 149
Sovereign Pk. Hem I —9D 106
Sowerby Av. Lut —6L 47
Spandow Ct. Lut —2F 66 (off Elizabeth St.)
Sparhawke. Let —2G 22
Sparrow Clo. Lut —5K 45
Sparrow Dri. Stev —5C 52
Sparrows Herne. Bush —9C 150
Sparrows Way. Bush —9D 150
Sparrowswick Ride. St Alb —6D 108
Spayne Clo. Lut —1D 46
Spear Clo. Lut —3A 46
Speedwell Clo. Hem H —3H 123
Speedwell Clo. Lut —1C 46
Speedwell Ho. N12 —7A 154
Speke Clo. Stev —4C 52
Spellbrooke. Hit —2L 33
Spellbrook La. E. Spel —8H 79
Spellbrook La. W. Saw —9F 78
Spencer Av. Chesh —8C 132
Spencer Clo. N3 —9N 165
Spencer Clo. Stans —3N 59
Spencer Ga. St Alb —9F 108
Spencer M. St Alb —1F 126
Spencer Pl. Sandr —4K 109
Spencer Rd. Harr —9F 162
Spencer Rd. Lut —8E 46
Spencers Croft. H'low —8D 118
Spencer St. Hert —8C 94
Spencer St. St Alb —2E 126
Spencer Wlk. Rick —7M 147
Spencer Way. Hem H —8K 105
Spenser Clo. R'ton —4D 8
Spenser Rd. Hpdn —6D 88
Sperberry Hill. St I —8B 34
Speyside. N14 —8H 155
Sphere Ind. Est., The. St Alb —3H 127
Spicer Ct. Enf —5C 156
Spicersfield. Chesh —9E 132
Spicers La. H'low —2E 118
Spicer St. St Alb —2D 126
Spilsby Clo. NW9 —8E 164
Spindle Berry Clo. Welw —9N 71
Spinney Ct. Hert —9E 94
Spinney Ct. Saw —4G 98
Spinney Cres. Dunst —9C 44
Spinney Rd. Lut —2N 45
Spinneys Dri. St Alb —4C 126
Spinney, The. N21 —9M 155
Spinney, The. Bald —4L 23
Spinney, The. Barn —4A 154
Spinney, The. Berk —2K 121
Spinney, The. Brox —1K 133
Spinney, The. Chesh —3F 144
Spinney, The. Hpdn —4N 87
Spinney, The. Hert —9D 94
Spinney, The. Pot B —4C 142
Spinney, The. Stan —4M 163
Spinney, The. Stans —4N 59
Spinney, The. Stev —2C 52
Spinney, The. Wat —3J 149
Spinney, The. Wel G —1L 111
Spinning Wheel Mead. H'low —9C 118
Spire Grn. Cen. H'low —7H 117
Spires Shopping Cen., The. Barn —5L 153
Spittlesea Rd. Lut —1L 67
Spoondell. Dunst —1C 64
Spooners Dri. Park —9D 126
Spores Rd. Cuff —2L 143
Spratts La. Kens —6H 65
Spring Bank. N21 —8L 155
Spring Clo. Barn —7K 153
Spring Clo. Borwd —3A 152
Spring Clo. Hare —8N 159
Spring Clo. Lat —9A 134
Spring Cotts. Brox —6J 133
Spring Ct. Rd. Enf —2M 155
Spring Crofts. Bush —7B 150
Spring Dri. Stev —9N 51
Springfield. Bush —1E 162
Springfield. Dun —1E 4
Springfield Clo. N12 —5N 165
Springfield Clo. Crox G —7D 148
Springfield Clo. Pot B —4D 142
Springfield Clo. Stan —3H 163
Springfield Ct. Bis S —9G 58
Springfield Cres. Hpdn —3B 88
Springfield Ho. Wel G —2J 111
Spring Field Rd. Berk —7K 103
Springfield Rd. Chesh —5J 145
Springfield Rd. Eat B —3A 64
Springfield Rd. Hem H —1B 124
Springfield Rd. Lut —3E 46
Springfield Rd. Smal —2B 128
Springfield Rd. St Alb —3H 127
Springfield Rd. Wat —6K 137
Springfields. Brox —1K 133
Springfields. New Bar —7A 154 (off Somerset Rd.)
Springfields. Wel G —2H 111
Spring Gdns. Wat —8L 137
Spring Glen. Hat —1F 128
Springhall Ct. Saw —5G 98
Springhall La. Saw —6G 99
Springhall Rd. Saw —5G 98
Springhead. A'wl —9M 5
Spring Hills. H'low —5K 117
Spring Lake. Stan —4J 163
Spring La. Bass —1N 7
Spring La. Cot —5A 38
Spring La. Hem H —9J 105
Springle La. Hail —3K 115
Spring Pl. N3 —9N 165
Spring Pl. Lut —2F 66
Spring Rd. Hpdn —3J 87
Spring Rd. Let —5E 22
Springshott. Let —6E 22
Springs, The. Hert —8D 94
Spring View Rd. Ware —7G 94
Spring Villa Rd. Edgw —7A 164
Spring Wlk. Brox —4G 133
Spring Way. Hem H —9D 106
Springwell Av. Rick —2K 159
Springwell La. Rick & Hare —3K 159
Springwood. Chesh —8E 132
Springwood Clo. Hare —8N 159
Springwood Cres. Edgw —2B 164
Springwood Wlk. St Alb —8L 109
Spruce Way. Park —9C 126
Spur Clo. Ab L —6F 136
Spurcroft. Lut —9E 30
Spur Rd. Edgw —4M 163
Spurrs Clo. Hit —3B 34
Spur, The. Chesh —1H 145
Spur, The. Stev —5L 51
Square, The. Brau —2C 56
Square, The. Brox —5J 133
Square, The. Chipp —6H 27
Square, The. Dunst —9E 44
Square, The. Hem H —2N 123
Square, The. M Hud —5J 77
Square, The. Redb —9H 87
Square, The. Saw —5G 99
Square, The. Ugley —7N 43
Square, The. Wat —1K 149
Squires Clo. Bis S —9E 58
Squires Ct. Hod —9L 115
Squires La. N3 —9N 165
Squires Ride. Hem H —5B 106
Squirrel Chase. Hem H —1H 123
Squirrels Clo. Bis S —9H 59
Squirrels, The. Bush —8E 150
Squirrels, The. Hert —9E 94
Squirrels, The. Wel G —1B 112
Stablebridge Rd. Ast C —2E 100
Stable Cotts. Ware —7A 58
Stable Ct. St Alb —9F 108
Stable End Cotts. Tring —5C 102
Stable Rd. Hal —7C 100
Stables, The. Saw —4K 99
Stacey Ct. Bis S —2H 79 (off Apton Rd.)
Stackfield. H'low —3C 118
Stacklands. Wel G —2H 111
Staddles. L Hall —8K 79
Stafford Clo. N14 —7H 155
Stafford Clo. Chesh —2F 144
Stafford Ct. Brox —2L 133
Stafford Dri. Brox —2L 133
Stafford Ho. Bis S —3H 79 (off Havers La.)
Stafford Ho. Brox —2L 133
Stafford Rd. Harr —7D 162
Stafford Rd. H Bar —5L 153
Staffords. H'low —2G 118
Stag Clo. Edgw —9B 164
Stagg Hill. Barn —1D 154
Stag Grn. Av. Hat —7J 111
Stag La. Berk —9M 103
Stag La. Chor —8F 146
Stag La. Edgw & NW9 —9B 164
Stainer Rd. Borwd —3L 151
Staines Sq. Dunst —1F 64
Stains Clo. Chesh —1J 145
Stainton Rd. Enf —3G 157
Stake Piece Rd. R'ton —8C 8
Stakers Ct. Hpdn —6C 88
Stamford Av. R'ton —6D 8
Stamford Clo. Harr —7F 162
Stamford Clo. Pot B —5C 142
Stamford Ct. R'ton —6D 8
Stamford Rd. Wat —4K 149
Stamford Yd. R'ton —7C 8
Stanborough Av. Borwd —1A 152
Stanborough Clo. Borwd —2A 152
Stanborough Clo. Wel G —1J 111
Stanborough Grn. Wel G —2J 111
Stanborough La. Wel G —3H 111
Stanborough Pk. Wat —8K 137
Stanborough Rd. Wel G —3H 111
Stanbury Av. Wat —1G 148
Standard Rd. Enf —1J 157
Standfield. Ab L —4G 136
Standhill Clo. Hit —4N 33
Standhill Rd. Hit —4N 33
Standon Hill. Puck —7N 55
Standon Rd. L Had —6H 57
Standring Rise. Hem H —5L 123
Stane Clo. Bis S —8H 59
Stane Field. Let —8H 23
Stanelow Cres. Stdn —7A 56
Stane St. Bald —2N 23
Stanford Rd. Lut —7J 47
Stangate Cres. Borwd —7D 152
Stangate Gdns. Stan —4J 163
Stangate Lodge. N21 —9L 155
Stanhope Av. N3 —9M 165
Stanhope Av. Harr —8E 162
Stanhope Clo. Wend —7A 100
Stanhope Gdns. NW7 —5F 164
Stanhope Rd. Barn —8J 153
Stanhope Rd. St Alb —2G 126
Stanhope Rd. Wal X —6J 145
Stanier Rise. Berk —7K 103
Stanley Av. St Alb —7B 126
Stanley Clo. Pull —3A 18
Stanley Dri. Hat —2H 129
Stanley Gdns. Borwd —3M 151
Stanley Gdns. Tring —3L 101
Stanley Livingstone Ct. Lut —2F 66 (off Stanley St.)
Stanley Maude Ho. Ger X —4B 158 (off Micholls Av.)
Stanley Rd. Enf —5C 156
Stanley Rd. Hert —9C 94
Stanley Rd. N'wd —8J 161
Stanley Rd. Stev —1A 52
Stanley Rd. Streat —5C 30
Stanley Rd. Wat —6L 149
Stanley St. Lut —2F 66
Stanley Wlk. Lut —2F 66 (off Stanley St.)
Stanmore Cres. Lut —5B 46
Stanmore Hill. Stan —3H 163
Stanmore Lodge. Stan —4J 163
Stanmore Pk. Stan —5J 163
Stanmore Rd. Stev —2J 51
Stanmore Rd. Wat —3K 149
Stanmount Rd. St Alb —7B 126
Stannington Path. Borwd —3A 152
Stanstead Dri. Hod —6M 115
Stanstead Rd. Hert —8E 94
Stanstead Rd. Hod —7M 115
Stanstead Rd. Stan A —9G 94
Stansted Hill. M Hud —7K 77
Stansted Rd. Bir —6L 59
Stansted Rd. Bis S —1J 79
Stanton Clo. St Alb —7L 109
Stanton Rd. Lut —8M 45
Stantons. H'low —5L 117
Stanway Gdns. Edgw —5C 164
Staplefield Clo. Pinn —7N 161
Stapleford. Wel G —9C 92
Stapleford Rd. Lut —5K 47
Stapleton Rd. Borwd —2A 152
Staple Tye. H'low —9M 117
Staple Tye Shopping Cen. H'low —9N 117
Stapley Rd. St Alb —1E 126
Stapylton Rd. Barn —5L 153
Star Holme Ct. Ware —6J 95
Starling La. Cuff —1L 143
Starling Pl. Wat —5L 137
Star St. Ware —6J 95
Startpoint. Lut —1E 66
Statham Clo. Lut —9D 30
Stathers Gro. St Alb —3J 127
Station App. N12 —4N 165
Station App. Chor —6G 146
Station App. H'low —1E 118
Station App. Hpdn —6C 88
Station App. Hem H —5K 123
Station App. Hit —2A 34
Station App. Kneb —3M 71
Station App. L Chal —3A 146
Station App. New Bar —6B 15
Station App. N'wd —7G 161
Station App. Rad —8H 139
Station App. Wal X —7J 145
Station App. Wat —3M 161
Station App. Wend —9A 100
Station Clo. N3 —8N 165
Station Clo. N12 —4N 165
Station Clo. Brk P —8L 129
Station Clo. Pot B —4M 141
Station Cotts. Brox —3L 133
Station Footpath. K Lan —3D 13 (in two parts)
Station Mews. Pot B —4N 14
Station Pde. N14 —9J 155
Station Pde. Barn —6F 154
Station Pde. Edgw —7M 163
Station Pde. Harr —9H 163
Station Pde. N'wd —7G 161
Station Pl. Let —5F 22
Station Rd. E4 —9N 157
Station Rd. N3 —8N 165
Station Rd. N21 —9N 155
Station Rd. NW7 —6E 164
Station Rd. Arl —8A 10
Station Rd. Berk —9A 104
Station Rd. Bis S —1H 79

Station Rd.—Taylor Clo.

Station Rd. Borwd —6A 152
Station Rd. Brau —5A 56
Station Rd. Brick W —4B 138
Station Rd. Brox —2K 133
Station Rd. Bunt —3J 39
Station Rd. Ched —8L 61
Station Rd. Cuff —2L 143
Station Rd. Dunst —9G 44
Station Rd. Edgw —6A 164
Station Rd. H'low —2E 118
Station Rd. Hpdn —6C 88
Station Rd. Hem H —4L 123
Station Rd. I'hoe —2C 82
Station Rd. K Lan —2D 136
Station Rd. Kneb —3M 71
Station Rd. Leag —4A 46
Station Rd. Let —5F 22
Station Rd. Let G —3G 112
Station Rd. Stan A —2N 115
Station Rd. Long M —3F 80
Station Rd. L Ston —1F 20
Station Rd. Lut —9G 46
Station Rd. M Hud —7H 77
Station Rd. New Bar —7A 154
Station Rd. N Mym —6J 129
Station Rd. Odsey —2M 23
Station Rd. Puck —6A 56
Station Rd. Rad —8H 139
Station Rd. Rick —9N 147
Station Rd. Saw —4G 99
Station Rd. Small —1B 128
Station Rd. Stans —3N 59
Station Rd. Stpl M —5C 6
Station Rd. Tring & Ald —2N 101
Station Rd. Wal A —7L 145
Station Rd. Ware —6H 95
Station Rd. Wat —4K 149
Station Rd. Wat S —5J 73
Station Rd. Welw —4L 91
Station Rd. Wheat —6L 89
Station Way. Let —5E 22
Staveley Rd. Dunst —2E 64
Staveley Rd. Lut —8M 45
Steeplands. Bush —9C 150
Steeple View. Bis S —9G 59
Stephens Clo. Lut —6J 47
Stephenson Clo. R'ton —6B 8
Stephenson Way. Wat & Bush —6M 149
Stephens Way. Redb —1H 107
Stepnells. Mars —6M 81
Sterling Av. Edgw —4N 163
Sterling Av. Wal X —7H 145
Sterling Ct. Stev —5K 51
Sterling Rd. Enf —3B 156
Stevenage Cres. Borwd —3M 151
Stevenage Rise. Hem H —7B 106
Stevenage Rd. Hit & L Wym —5N 33
Stevenage Rd. Stev & Kneb —9M 51
Stevenage Rd. St I —7B 34
Stevenage Rd. Walk —1D 52
Stevens Grn. Bush —1D 162
Stevenson Clo. Barn —9C 154
Steward Clo. Chesh —3J 145
Stewart Clark Ct. Dunst —8D 44
Stewart Clo. Ab L —5J 137
Stewart Dri. Hit —3B 34
Stewart Rd. Hpdn —5C 88
Stewarts, The. Bis S —1G 79
Stewarts Way. Man —8H 43
Steynings Way. N12 —5N 165
Stile Croft. H'low —8C 118
Stilton Path. Borwd —2A 152
Stirling Clo. Hit —3C 34
Stirling Clo. Stev —1C 72
Stirling Corner. Borwd & Barn —8D 152
Stirling Ho. Borwd —6C 152
Stirling Rd. Harr —9G 162
Stirling Way. Ab L —5J 137
Stirling Way. Borwd —8D 152
Stobarts Clo. Kneb —2M 71
Stock Bank. R'ton —3N 15
Stockbreach Clo. Hat —8G 110
Stockbreach Rd. Hat —8G 110
Stockens Dell. Kneb —4M 71
Stockens Grn. Kneb —4M 71
Stockers Farm Rd. Rick —3N 159
Stockfield Av. Hod —6L 115
Stockholm Way. Lut —1A 46
Stocking La. B'frd —9M 113
Stocking La. Nuth —1F 28
Stocking La. Offl —6D 32
Stockings La. L Berk —7J 113
Stockingstone Rd. Lut —6F 46
Stockingswater La. Enf —5K 157
Stockport Rd. Herons —9F 146
Stocks Meadow. Hem H —1C 124
Stocks Rd. Ald —6G 82
Stockton Gdns. NW7 —3E 164
Stockwell Clo. Chesh —9E 132
Stockwell La. Chesh —1E 144
Stockwood Ct. Lut —2F 66
(off Stockwood Cres.)
Stockwood Cres. Lut —2F 66
Stonecroft. Kneb —3M 71
Stonecroft Clo. Barn —6H 153
Stone Cross. H'low —5N 117
Stonecross. St Alb —1F 126
Stonecross La. Hare S —3A 40
Stone Cross Rd. Hat —7H 111
Stonegrove. Edgw —4M 163
Stone Gro. Ct. Edgw —5N 163
Stonegrove Gdns. Edgw —5N 163
Stone Hall Cotts. L Hall —3N 99
Stone Hall Rd. N21 —9L 155
Stonehill Ct. E4 —9M 157
Stonehills. Wel G —8K 91
Stonehills Ho. Wel G —8K 91
Stonehorse Rd. Enf —7G 157
Stonelea Rd. Hem H —4B 124
Stoneleigh. Saw —4F 98
Stoneleigh Av. Enf —2F 156
Stoneleigh Clo. Lut —2D 46
Stoneleigh Clo. Wal X —6H 145
Stoneleigh Dri. Hod —5M 115
Stoneley. Let —2F 22
Stonemead. Wel G —4K 91
Stones All. Wat —6K 149
Stonesdale. Lut —5M 45
Stoneways Clo. Lut —3N 45
Stoney Clo. N'chu —8K 103
Stoney Comn. Stans —4N 59
Stoney Comn. Rd. Stans —4M 59
Stoney Croft. Ald —1G 103
Stoneycroft. Hem H —2K 123
Stoneycroft. Wel G —8N 91
Stoneyfield Dri. Stans —3N 59
Stoneyfields Gdns. Edgw —4C 164
Stoneyfields La. Edgw —5C 164
Stoneygate Rd. Lut —7N 45
Stoney Hills. Ware —1A 94
Stoney La. Bov —9E 122
Stoney La. Chfd —3H 135
Stoney La. Hem H —5D 122
Stoney La. Lut & K Wal —8B 48
Stoney Pl. Stans —4N 59
Stonnells Clo. Let —3F 22
Stony Croft. Stev —3L 51
Stonycroft Clo. Enf —4J 157
Stony La. Lat —2B 146
Stony Wood. H'low —7A 118
Stookslade. W'grv —5A 60
Stopsley Way. Lut —6J 47
Storehouse La. Hit —4N 33
Storey St. Hem H —6N 123
Storksmead Rd. Edgw —7E 164
Stormont Rd. Hit —1N 33
Stornoway. Hem H —4D 124
Stortford Hall Ind. Pk. Bis S —1K 79
Stortford Hall Pk. Bis S —9K 59
Stortford Rd. Hat H —2M 99
Stortford Rd. Hod —7M 115
Stortford Rd. L Had —7M 57
Stortford Rd. Stdn —7C 56
Stort Lodge. Bis S —9F 58
Stort Rd. Bis S —2H 79
Stort Tower. H'low —4B 118
Stort Valley Ind. Pk. Bis S —7K 59
Stotfold Rd. Arl —4A 10
Stotfold Rd. Bald —4H 11
Stotfold Rd. Let —4C 22
Stow, The. H'low —4B 118
Stoxmead. Harr —8E 162
Strafford Clo. Pot B —5N 141
Strafford Ct. Old K —3N 71
Strafford Ga. Pot B —5N 141
Strafford Rd. Barn —5L 153
Straits, The. Wal A —5M 145
Stranburgh Pl. Hem H —4D 124
Strangers Way. Lut —5M 45
Strangeways. Wat —9G 136
Stratfield Dri. Brox —1J 133
Stratfield Pk. Clo. N21 —9N 155
Stratfield Rd. Borwd —5A 152
Stratford Ct. Wat —3K 149
Stratford Rd. Lut —8D 46
Stratford Rd. Wat —4J 149
Stratford Way. Brick W —2A 138
Stratford Way. Hem H —5L 123
Stratford Way. Wat —4H 149
Strathmore Av. Hit —1M 33
Strathmore Av. Lut —3G 67
Strathmore Gdns. N3 —8N 165
Strathmore Gdns. Edgw —9B 164
Strathmore Rd. W'wll —2M 69
Strathmore Wlk. Lut —2H 67
Stratton Av. Enf —1B 156
Stratton Clo. Edgw —6N 163
Stratton Ct. Pinn —7A 162
(off Devonshire Rd.)
Stratton Gdns. Lut —5F 46
Stratton Pl. Tring —2M 101
Strawberry Field. Hat —3G 129
Strawberry Field. Lut —2A 46
Strawberry Fields. Ware —5F 94
Strawfields. Wel G —8A 92
Strawmead. Hat —7H 111
Strawplaiters Clo. Wool G —6N 71
Straw Plait W. Arl —8A 10
Strayfield Rd. Enf —9M 143
Stream La. Edgw —5B 164
Streamside Ct. Tring —9N 81
(off Morefields.)
Streatfield Rd. Harr —9L 163
Streatley Rd. S'dn —6A 30
Street, The. Ber —3D 42
Street, The. Brau —2C 56
Street, The. Chfd —4K 135
Street, The. Fur P —5J 41
Street, The. Haul —6D 54
Street, The. L Hall —7K 99
Street, The. Man —7H 43
Street, The. Wall —3H 25
Stretton Way. Borwd —2M 151
Stringers La. Ast —8D 52
Stripling Way. Wat —8J 149
Stroma Clo. Hem H —4E 124
Stronsay. Hem H —4E 124
Stuart Ct. Els —8L 151
Stuart Dri. R'ton —5D 8
Stuart Pl. Lut —1F 66
Stuart Rd. Bar C —7E 18
Stuart Rd. E Barn —9D 154
Stuart Rd. Harr —9G 163
Stuart Rd. Welw —4H 91
Stuarts Clo. Hem H —4N 123
Stuart St. Dunst —8D 44
Stuart St. Lut —1F 66
Stuart St. Pas. Lut —1F 66
Stuart Way. Chesh —4F 144
Stubbs Clo. H Reg —4G 45
Stud Grn. Wat —5J 137
Studham La. Dagn —2N 83
Studham La. Kens —8D 64
Studios, The. Bush —8B 150
Studio Way. Borwd —4C 152
Studlands Rise. R'ton —7E 8
Studley Rd. Lut —8F 46
Sturgeon's Way. Hit —9B 22
Sturlas Way. Wal X —6H 145
Sturrock Way. Hit —4C 34
Stylecroft Rd. Chal G —2A 158
Stylemans La. L Hall —3K 79
Styles Clo. Lut —7L 47
Such Clo. Let —4H 23
Sudbury Rd. Lut —3L 45
Suez Rd. Enf —6J 157
Suffolk Clo. Borwd —7D 152
Suffolk Clo. Lon C —7K 127
Suffolk Clo. Lut —6K 45
Suffolk Rd. Dunst —2J 65
Suffolk Rd. Enf —7F 156
Suffolk Rd. Pot B —5L 141
Suffolk Rd. R'ton —7E 8
Sugar La. Hem H —4E 122
Sugden Ct. Dunst —9D 44
Sulgrave Cres. Tring —1A 102
Sullivan Cres. Hare —9N 159
Sullivan Way. Els —8K 151
Summer Ct. Hem H —9N 105
Summer dale. Wel G —5K 91
Summerfield. Hat —3G 129
Summerfield Clo. Lon C —8K 127
Summerfield Rd. Lut —9B 46
Summerfield Rd. Wat —8J 137
Summer Gro. Els —8L 151
Summer Hill. Els —7A 152
Summerhill Gro. Enf —8C 156
Summerhouse La. A'ham —4D 150
Summerhouse La. Hare —7K 159
Summerhouse Way. Ab L —3H 137
Summerleys. Edl —4J 63
Summer Pl. Wat —8H 149
Summersland Rd. St Alb —7K 109
Summers Rd. Lut —8L 47
Summer St. S End —6E 66
Summers Way. Lon C —9M 127
Summerswood La. Borwd —7E 140
Summer Wlk. Mark —2A 86
Summit Cen. Pot B —3M 141
Summit Clo. Edgw —7A 164
Summit Rd. Pot B —3L 141
Sumpter Yd. St Alb —3E 126
Sunbower Av. Dunst —6B 44
Sunbury Av. NW7 —5D 164
Sunbury Ct. Barn —6L 153
Sunbury Gdns. NW7 —5D 164
Suncote Av. Dunst —6B 44
Suncote Clo. Dunst —7B 44
Sunderland Av. St Alb —1H 127
Sundew Rd. Hem H —4H 123
Sundon Pk. Pde. Lut —2M 45
Sundon Rd. Chal & Streat —1J 45
Sundon Rd. H Reg & Chal —4F 44
Sundon Rd. Streat —4B 30
Sundown Av. Dunst —1G 64
Sun Hill. R'ton —8C 8
Sun La. Hpdn —5B 88
Sunmead Rd. Hem H —9N 105
Sunningdale. Bis S —2G 78
Sunningdale. Lut —6H 47
Sunningdale Clo. Stan —6H 163
Sunningdale Ct. Lut —6H 47
Sunningdale M. Wel G —5L 91
Sunningfields Cres. NW4 —9H 165
Sunningfields Rd. NW4 —9H 165
Sunny Bank. Ched —9L 61
Sunnybank Rd. Pot B —6N 141
Sunny Brook Clo. Ast C —9C 80
Sunnydale Gdns. NW7 —6D 164
Sunnydell. St Alb —8C 126
Sunnyfield. NW7 —4F 164
Sunnyfield. Hat —6K 111
Sunny Gdns. Pde. NW4 —9H 165
Sunny Gdns. Rd. NW4 —9H 165
Sunny Hill. NW4 —9H 165
Sunny Hill. Bunt —3K 39
(in two parts)
Sunnyhill Rd. Hem H —2L 123
Sunnyhill Rd. W Hyd —6G 159
Sunnymede Av. Che —9J 121
Sunny Rd., The. Enf —3H 157
Sunnyside. Stans —3N 59
Sunnyside Dri. E4 —9N 157
Sunnyside Rd. Hit —5A 34
Sunridge Av. Lut —7G 47
Sunrise Cres. Hem H —5A 124
Sunrise View. NW7 —6F 164
Sunset Av. E4 —9M 157
Sunset Dri. Lut —6H 47
Sunset View. Barn —4L 153
Sun Sq. Hem H —1N 123
(off Chapel St.)
Sun St. Bald —3L 23
Sun St. Hit —4M 33
Sun St. Saw —6H 99
Sun St. Wal A —6N 145
Surrey Ct. N3 —9L 165
Surrey Pl. Tring —3M 101
Surrey St. Lut —2G 67
Sursham Ct. Mark —2A 86
Susan Edwards Ho. Ger X
(off Micholls Av.) —4B 158
Sussex Clo. Hod —7L 115
Sussex Clo. Lut —5J 45
Sussex Pl. Lut —7M 47
Sussex Ring. N12 —5N 165
Sussex Rd. Wat —1J 149
Sussex Way. Barn —7G 154
Sutcliffe Clo. Bush —6D 150
Sutcliffe Clo. Stev —1N 51
Sutherland Av. Cuff —1J 143
Sutherland Clo. Barn —6L 153
Sutherland Ct. Wel G —8M 91
Sutherland Pl. Lut —3F 66
Sutherland Rd. N9 —9F 156
Sutherland Rd. Enf —8H 157
Sutherland Way. Cuff —1J 143
Sutton Acres. L Hall —9M 79
Sutton Clo. Brox —1J 133
Sutton Clo. Tring —9N 81
Sutton Cres. Barn —7K 153
Sutton Gdns. Lut —3N 45
Sutton Path. Borwd —5A 152
Sutton Rd. Dun —1E 4
Sutton Rd. St Alb —3J 127
Sutton Rd. Wat —5L 149
Swallow Clo. Bush —1C 162
Swallow Clo. Lut —5K 45
Swallow Clo. Rick —9M 147
Swallow Ct. Enf —2G 157
Swallow Ct. Hert —9A 94
Swallow Ct. Wel G —9M 91
Swallowdale La. Hem I —8C 106
Swallow End. Wel G —9M 91
Swallowfields. Wel G —9M 91
(in two parts)
Swallow Gdns. Hat —2G 129
Swallow La. St Alb —5J 127
Swallow Oaks. Abb L —4H 137
Swallows. H'low —2E 118
Swallows, The. Wel G —5M 91
Swan Clo. Che —9F 120
Swan Clo. I Ast —7E 62
Swan Clo. Rick —9N 147
Swan Ct. Bis S —2H 79
(off South St.)
Swan Ct. Dunst —9E 44
Swan Dri. NW9 —9E 164
Swanfield Rd. Wal X —6J 145
Swangley's La. Kneb —3N 71
Swanhill. Wel G —6N 91
Swanland Rd. N Mym —7H 129
Swanland Rd. S Mim & Hat —6H 141
Swan La. G Mor —1A 6
Swan La. Hare S —3A 40
Swanley Bar La. Pot B —1A 142
Swanley Cres. Pot B —2A 142
Swan Mead. Hem H —6A 124
Swan Mead. Lut —5K 45
Swan M. Wend —9A 100
Swannells Wood. Stud —3F 84
Swann Rd. Hal —6B 100
Swan & Pike Rd. Enf —2L 157
Swan Rd. War X —7J 145
Swans Clo. St Alb —3M 127
Swans Ct. Wal X —7J 145
Swansea Rd. Enf —6G 156
Swansons. Edl —5K 63
Swanstand. Let —7K 23
Swanston Grange. Lut —7L 45
Swanston Path. Wat —3L 161
Swan St. A'wl —9M 5
Swan Way. Enf —4H 157
Swarders Yd. Bis S —1H 79
(off North St.)
Swasedale Rd. Lut —3B 46
Swasedale Wlk. Lut —3B 46
Sweet Briar. Bis S —2D 78
Sweet Briar. Wel G —1N 111
Sweetbriar Clo. Hem H —8K 105
Sweyns Mead. Stev —2B 52
Sweyns, The. H'low —8E 118
Swift Clo. Let —3E 22
Swift Clo. Stan A —3N 115
Swift Clo. R'ton —4D 8
Swiftfields. Wel G —8N 91
Swifts Grn. Clo. Lut —4K 47
Swifts Grn. Rd. Lut —4K 47
Swinburne Av. Hit —1K 33
Swinburne Clo. R'ton —4D 8
Swingate. Stev —4K 51
Swing Ga. La. Berk —3A 122
Swinnell Clo. Bass —1A 8
Swiss Av. Wat —6G 149
Swiss Clo. Wat —5G 149
Sword Clo. Brox —2H 133
Sworder Clo. Lut —9B 30
Sycamore App. Crox G —7E 148
Sycamore Av. Hat —1G 128
Sycamore Clo. Barn —8C 154
Sycamore Clo. Bush —4N 149
Sycamore Clo. Chesh —9D 132
Sycamore Clo. Lut —1M 45
Sycamore Clo. St I —6A 34
Sycamore Clo. Wat —8K 137
Sycamore Dri. Park —9E 126
Sycamore Dri. Tring —2N 101
Sycamore Field. H'low —9K 117
Sycamore Rise. Berk —2A 122
Sycamore Rd. Crox G —7E 148
Sycamore Rd. H Reg —3F 44
Sycamores, The. Bald —3L 23
Sycamores, The. Bis S —2K 79
Sycamores, The. Hem H —5J 123
Sycamores, The. Rad —7J 139
Sycamores, The. St Alb —3E 126
Sydenham Av. N21 —7L 155
Sydney Rd. Enf —6B 156
(in two parts)
Sydney Rd. Wat —7G 149
Sylam Clo. Lut —2A 46
Sylvan Av. N3 —9N 165
Sylvan Av. NW7 —6E 164
Sylvan Clo. Hem H —3C 124
Sylvan Ct. N12 —3N 165
Sylvandale. Wel G —1B 112
Sylvesters. H'low —8J 117
Sylvia Av. Pinn —6N 161
Symonds Grn. La. Stev —3G 50
Symonds Grn. Rd. Stev
(in two parts) —2G 51
Symonds Rd. Hit —2L 33
Syon Ct. St Alb —3H 127

Tabbs Clo. Let —4H 23
Tabor Ct. Let —4D 22
Tacitus Clo. Stev —1B 52
Takeley Clo. Wal A —6N 145
Talbot Av. Wat —9N 149
Talbot Ct. Hem H —4N 123
Talbot Rd. Ast C —1D 100
Talbot Rd. Harr —9G 163
Talbot Rd. Hat —6G 111
Talbot Rd. Lut —8H 47
Talbot Rd. Rick —1A 160
Talbot St. Hert —9C 94
Talbot St. Hit —2L 33
Talbot Way. Let —2H 23
Talisman St. Hit —3C 34
Tallack Clo. Harr —7F 162
Tallents Cres. Hpdn —4E 88
Tallis Way. Borwd —3L 151
Tall Trees. R'ton —7E 8
Tall Trees. St I —6A 34
Talman Gro. Stan —6L 163
Tamar Grn. Hem H —6B 106
Tamarisk Av. St Alb —7E 108
Tameton Clo. Lut —7A 48
Tamworth Rd. Hert —8D 94
Tancred Rd. Lut —5J 47
Tanfield Clo. Chesh —9E 132
Tanfield Grn. Lut —8N 47
Tanglewood. Welw —9N 71
Tanglewood Clo. Stan —2F 162
Tangmere Way. NW9 —9E 164
Tanners Clo. St Alb —1D 126
Tanners Cres. Hert —2A 114
Tanners Hill. Ab L —4H 137
Tanners Way. Hun —6F 96
Tanners Wood Clo. Ab L —5G 137
Tanners Wood Ct. Abb L —5G 137
Tanners Wood La. Ab L —5G 136
Tannery Clo. R'ton —7C 8
Tannery Drift. R'ton —7C 8
Tannery, The. Bunt —3J 39
Tannsfield Dri. Hem H —9B 106
Tannsmore Clo. Hem H —9B 106
Tansycroft. Wel G —8A 92
Tanworth Clo. N'wd —6E 160
Tanworth Gdns. Pinn —9K 161
Tanyard La. Welw & Cod —8B 70
Tanyard, The. Bass —1M 7
Tany's Dell. H'low —3C 118
Tapster St. Barn —5M 153
Taransay. Hem H —4D 124
Tarn Bank. Enf —7K 155
Tarnside Clo. Dunst —2E 64
Tarrant. Stev —9H 35
Tarrant Dri. Hpdn —8E 88
Taskers Row. Edl —4K 63
Tassell Hall. Redb —9H 87
Tate Gdns. Bush —9F 150
Tate Ho. Ger X —5C 158
Tate Rd. Chal P —5C 158
Tatlers La. Ast E —4C 52
Tatmorehills La. Hit —1K 49
Tattershall Dri. Hem H —5D 106
Tattle Hill. Hert —5K 93
Tattlers Hill. W'grv —5A 60
Tauber Clo. Els —6N 151
Taunton Av. Lut —8K 47
Taunton Dri. Enf —5M 155
Taunton Way. Stan —9M 163
Taverners. Hem H —9A 106
Taverners Way. Hod —8L 115
Tavistock Av. St Alb —5D 126
Tavistock Clo. Pot B —4C 142
Tavistock Clo. St Alb —6E 126
Tavistock Cres. Lut —3G 66
Tavistock Pl. N14 —8G 155
Tavistock Rd. Edgw —8A 164
Tavistock Rd. Wat —3M 149
Tavistock St. Dunst —7D 44
Tavistock St. Lut —2G 66
Tawneys Rd. H'low —8A 118
Taylor Clo. St Alb —6H 109

A-Z Hertfordshire 201

Taylormead—Tuffnells Way

Taylormead. NW7 —5G 164
Taylor M. Ware —6J 95
Taylors Av. Hod —9L 115
Taylor's Hill. Hit —4N 33
Taylors La. Barn —3M 153
Taylor's Rd. Stot —4F 10
Taylor St. Lut —9H 47
Taylor Ter. Chesh —9J 133
Taylor Trad. Est. Hert —8F 94
Tayside Dri. Edgw —3B 164
Taywood Clo. Stev —7A 52
Teal Dri. N'wd —7F 160
Teal Ho. Wat —9N 137
Teasdale Clo. R'ton —4D 8
Teasel Clo. R'ton —8E 8
Tebworth Rd. L Buzz —1A 44
Tedder Rd. Hal C —9C 100
Tedder Rd. Hem H —1C 124
Teesdale. Hem H —8A 106
Teesdale. Lut —4M 45
Tee Side. Hert —8F 94
Teignmouth Clo. Edgw —9N 163
Telford Av. Stev —3A 52
Telford Clo. Wat —8M 137
Telford Ct. St Alb —3F 126
Telford Rd. Lon C —9K 127
Telford Way. Lut —9F 46
Telmere Ind. Est. Lut —2G 67
(off Albert Rd.)
Telscombe Way. Lut —6L 47
Temperance St. St Alb —2D 126
Tempest Av. Pot B —5C 142
Templar Av. Bald —5M 23
Templars Cres. N3 —9N 165
Templars Dri. Harr —6E 162
Temple Av. N20 —9C 154
Temple Clo. N3 —9M 165
Temple Clo. Chesh —4E 144
Temple Clo. Hit —7J 33
Temple Clo. Lut —4G 46
Temple Clo. Wat —4H 149
Temple Ct. Bald —5M 23
Temple Ct. Hert —6B 94
Temple Ct. Pot B —4L 141
Temple Fields. Hert —6B 94
Temple Gdns. Rick —4D 160
Temple Gro. Enf —5N 155
Temple La. Ton —9C 74
Temple Mead. Hem H —9N 105
Temple Mead. Roy —6E 116
Temple Mead Clo. Stan —6J 163
Templepan La. Chan X —1A 148
Temple View. St Alb —9D 108
Templewood. Wel G —6K 91
Tempsford. Wel G —9C 92
Tempsford Av. Borwd —6D 152
Tempsford Clo. Enf —5A 156
Temsford Clo. Harr —9D 162
Tenby Av. Harr —9J 163
Tenby Dri. Lut —6B 46
Tenby Rd. Edgw —8N 163
Tenby Rd. Enf —6G 156
Tendring Rd. H'low —8A 118
Tendring Rd. H'low —8M 117
Tene, The. Bald —3M 23
Tennand Clo. Chesh —8D 132
Tennis Cotts. Berk —9N 103
Tennison Av. Borwd —7B 152
Tenniswood Rd. Enf —3C 156
Tennyson Av. Hit —4C 34
Tennyson Av. H Reg —5G 45
Tennyson Clo. Enf —8H 157
Tennyson Clo. R'ton —4E 8
Tennyson Rd. NW7 —5G 164
Tennyson Rd. Hpdn —4B 88
Tennyson Rd. Lut —4G 66
Tennyson Rd. St Alb —8B 126
Tenterden Clo. NW4 —9K 165
Tenterden Dri. NW4 —9K 165
Tenterfield Ho. Welw —3J 91
Tenth Av. Lut —2M 45
Tenzing Gro. Lut —2E 66
Tenzing Rd. Hem H —2C 124
Teresa Gdns. Wal X —7G 145
Terminal Ho. Stan —5L 163
Terminus St. H'low —5N 117
Terrace Gdns. Wat —4K 149
Terrace, The. N3 —9M 165
Terrace, The. Ess —8D 112
Terrace, The. Redb —1J 107
(off Vaughan Mead)
Terrace, The. Tring —3M 101
(off Akeman St.)
Tethys Rd. Hem H —8B 106
Tewin Clo. St Alb —7K 109
Tewin Clo. Tew —2B 92
Tewin Ct. Wel G —8M 91
Tewin Hill. Tew —4D 92
Tewin Rd. Hem H —2E 124
Tewin Rd. Wel G —8M 91
Tewin Water. Welw —5M 91
Tewkesbury Gdns. NW9 —9B 164
Teynham Av. Enf —8B 156
Thackeray Clo. R'ton —4D 8
Thames Av. Hem H —6B 106
Thames Ct. Lut —6D 46
Thamesdale. Lon C —9N 127
Thames Ind. Est. Dunst —9E 44
Thatcham Ct. N20 —9B 154
Thatcham Gdns. N20 —9B 154
Thatch Clo. Lut —5J 45
Thatchers Croft. Hem H —7A 106
Thatchers End. Hit —2D 34
Thatchers, The. Bis S —3E 78
Thaxted Clo. Lut —7A 48
Thaynesfield. Pot B —4C 142
Thelby Clo. Lut —3B 46
Thele Av. Stan A —2A 116
Thellusson Way. Rick —1J 159
Thelusson Ct. Rad —8H 139
Theobald Cres. Harr —8D 162
Theobalds Clo. Cuff —3L 143
Theobalds La. Wal X —5G 145
Theobalds La. Wal X —5E 144
(in three parts)
Theobalds Pk. Rd. Enf —8N 143
Theobalds Rd. Cuff —3K 143
Theobald St. Rad & Borwd —9J 139
Therfield Rd. St Alb —7E 108
Therfield Wlk. H Reg —3H 45
Thetford Gdns. Lut —3G 46
Thieves La. Hert —8L 93
Thieves' La. Ware —8G 94
Third Av. Enf —7D 156
Third Av. H'low —7J 117
Third Av. Let —4J 23
Third Av. Lut —2M 45
Third Av. Wat —8M 137
Thirleby Rd. Edgw —8D 164
Thirlestane. St Alb —1G 126
Thirlestone Rd. Lut —8N 45
Thirlmere Dri. St Alb —4J 127
Thirlmere Gdns. N'wd —5D 160
Thirsk Rd. Borwd —1A 152
Thirston Path. Borwd —4A 152
Thistle Clo. Hem H —3H 123
Thistlecroft. Hem H —3L 123
Thistlecroft Gdns. Stan —8L 163
Thistle Gro. Wel G —3B 112
Thistle Rd. Lut —1H 67
Thistles, The. Hem H —1L 123
Thistley Cres. R Grn —1N 43
Thistley La. Gos —8N 33
Thomas Ct. N'chu —8J 103
Thomas Heskin Ct. Bis S —1J 79
Thomas Rochford Way. Wal X —9J 133
Thomas Sparrow Ho. Wheat —7K 89
Thompsons Clo. Chesh —2D 144
Thompsons Clo. Hpdn —6B 88
Thompson's Row. Berk —1A 122
Thompson Way. Rick —1K 159
Thomson Rd. Harr —9F 162
Thorley Cen., The. Bis S —4F 78
Thorley High. Thor —6H 79
Thorley Hill. Bis S —3H 79
Thorley La. Bis S —5H 79
(Bishop's Stortford)
Thorley La. Bis S —4E 78
(Thorley)
Thorley La. Bis S —3D 78
(Thorley Houses)
Thorley Pk. Rd. Bis S —4H 79
Thorley Pl. Cotts. Bis S —4F 78
Thornage Clo. Lut —2F 46
Thorn Av. Bush —1D 162
Thorn Bank. Edgw —6A 164
Thornbera Clo. Bis S —4H 79
Thornbera Gdns. Bis S —4G 79
Thornbera Rd. Bis S —4H 79
Thornbury. Dunst —7J 45
Thornbury. Hpdn —6E 88
Thornbury Clo. Hod —4M 115
Thornbury Clo. Stev —9N 51
Thornbury Ct. H Reg —2F 44
Thornbury Gdns. Borwd —6C 152
Thorncroft. Hem H —4D 124
Thorndyke Ct. Pinn —6A 162
Thorne Clo. Hem H —4L 123
Thornfield Av. NW7 —8L 165
Thornfield Ct. NW7 —8L 165
Thornfield Rd. Bis S —9G 59
Thorn Gro. Bis S —2K 79
Thornhill Clo. H Reg —2G 44
Thornhill Rd. Lut —8B 46
Thornhill Rd. N'wd —4E 160
Thorn Ho. Borwd —4C 152
Thorn Rd. H Reg —4A 44
Thornton Cres. Wend —9A 100
Thorntondale. Lut —4M 45
Thornton Gro. Pinn —6B 162
Thornton Rd. Barn —5L 153
Thornton Rd. Pot B —3B 142
Thornton St. Hert —9B 94
Thornton St. St Alb —1D 126
Thorntree Dri. Tring —2L 101
Thorn View Rd. H Reg —4E 44
Thorpe Ct. Enf —5N 155
Thorpe Cres. Wat —9L 149
Thorpefield Clo. St Alb —8L 109
Thorpe Rd. St Alb —3E 126
Thrales Clo. Lut —2A 46
(in three parts)
Three Cherry Trees La. Hem I —7D 106
Three Clo. La. Berk —1N 121
Three Corners. Hem H —4C 124
Three Horseshoes Rd. H'low —8L 117
Three Houses La. Cod —5C 70
Three Star Caravan Pk. L Ston —1H 21
Three Stiles. B'tn —5K 53
Thremhall Av. L Hall —9N 59
Thresher Clo. Lut —5J 45
Thricknells Clo. Lut —2A 46
Thrift Farm La. Borwd —4C 152
Thrimley La. Farnh —3D 58
Thristers Clo. Let —8H 23
Throcking La. Bunt —9F 26
Throstle Pl. Wat —5L 137
Thrums. Wat —1K 149
Thrush Av. Hat —2G 128
Thrush Grn. Rick —9M 147
Thrush La. Cuff —1K 143
Thumbswood. Wel G —3N 111
Thumpers. Hem H —9A 106
Thundercourt. Ware —5H 95
Thunder Hall. Ware —5H 95
(off Wadesmill Rd.)
Thundridge Clo. Wel G —1A 112
Thurgood Rd. Hod —6L 115
Thurlow Clo. Lut —5J 45
Thurlow Clo. Stev —8K 35
Thurnall Av. R'ton —8D 8
Thurnall Clo. Bald —3M 23
Tibbet Clo. Dunst —2G 64
Tibbles Clo. Wat —8N 137
Tibbs Hill Rd. Ab L —3H 137
Tiberius Rd. Lut —3B 46
Tickenhall Dri. H'low —7F 118
Tilbury Mead. H'low —8C 118
Tilecroft. Wel G —5K 91
Tilegate Rd. H'low —8B 118
Tilegate Rd. Ong —9L 119
Tilehouse Clo. Borwd —5N 151
Tilehouse La. W Hyd —9H 159
Tilehouse St. Hit —4M 33
Tilekiln Clo. Chesh —2D 144
Tile Kiln Clo. Hem H —3D 124
Tile Kiln Cres. Hem H —3D 124
Tile Kiln La. Hem H —3C 124
Tilgate. Lut —6M 47
Tillers Link. Stev —7N 51
Tillingham Way. N12 —4N 165
Tillotson Rd. Harr —7C 162
Tillwicks Rd. H'low —7B 118
Tilsworth Wlk. St Alb —6K 109
Timbercroft. Wel G —6M 91
Timberdene. NW4 —9K 165
Timberlands Cvn. Pk. Lut —8E 66
Timber Orchard. W'frd —5M 93
Timber Ridge. Loud —6N 147
Timbers Ct. Hpdn —5A 88
Times Clo. Hit —9L 21
Timplings Row. Hem H —9L 105
Timworth Clo. Lut —8M 47
Tingeys Clo. Redb —1J 107
Tingeys Top La. Enf —9M 143
Tinkers La. Wig —8E 102
Tinsley Clo. Lut —4D 66
Tintagel Clo. Hem H —6N 105
Tintagel Clo. Lut —5D 46
Tintagel Dri. Stan —4L 163
Tintern Av. NW9 —9B 164
Tintern Clo. Hpdn —3L 87
Tintern Clo. Stev —1N 71
Tintern Gdns. N14 —9K 155
Tinwell M. Borwd —7D 152
Tippendell La. Park —7B 126
Tippet Ct. Stev —6K 51
Tippetts Clo. Enf —3A 156
Tipplehill Rd. Al G —6B 66
Tiptree Dri. Enf —6B 156
Tiree Clo. Hem H —4D 124
Titan Ct. Lut —8B 46
Titan Rd. Hem H —8B 106
Titchborne. W Hyd —5G 159
Titchfield Rd. Enf —1J 157
Tithe Barn Clo. St Alb —5D 126
Tithe Clo. NW7 —8G 164
Tithe Clo. Cod —7F 70
Tithe Farm Rd. H Reg —3E 44
Tithe Farm Rd. H Reg —3E 44
Tithelands. H'low —9K 117
Tithe Wlk. NW7 —8G 164
Titian Av. Bush —9F 150
Titmus Clo. Stev —3L 51
Titmus Rd. Hal —7D 100
Tiverton Ct. Hpdn —9F 88
Tiverton Rd. Edgw —9N 163
Tiverton Rd. Pot B —4C 142
Toby Ct. N9 —9G 156
(off Tramway Av.)
Toddbrook. H'low —7L 117
Toddington Rd. Lut —3L 45
Todhunter Ter. Barn —6N 153
Toland Clo. Lut —8M 45
Tolcarne Dri. Pinn —9J 161
Tollgate Clo. Chor —5J 147
Tollgate Rd. Col H —5D 128
Tollgate Rd. Wal X —8H 145
Tollpit End. Hem H —8K 105
Tolmers Av. Cuff —1K 143
Tolmers Gdns. Cuff —2L 143
Tolmers Rd. Cuff —1K 143
Tolpits Clo. Wat —7H 149
Tolpits La. Wat —1E 160
Tomkins Clo. Borwd —3M 151
Tomlinson Av. Lut —5H 45
Toms Croft. Hem H —3A 124
Toms Field. Hat —1E 128
Toms Hill. Ald —2H 103
Tom's Hill. Chan X —9A 136
Toms Hill Rd. Ald —1H 103
Tom's La. K Lan —2D 136
Tonge Ct. Brox —2L 133
Tooke Clo. Pinn —8N 161
Toorack Rd. Harr —9E 162
Tooveys Mill Clo. K Lan —1C 136
Top Ho. Rise. E4 —9N 157
Topland Rd. Chal P —7A 158
Topland Rd. Chal P —7A 158
Topstreet Way. Hpdn —7D 88
Torbridge Clo. Edgw —7M 163
Tornay Ct. Slap —2B 62
Torquay Cres. Stev —2H 51
Torquay Dri. Lut —5N 45
Torridge Wlk. Hem H —6B 106
Torrington Dri. Pot B —4C 142
Torrington Rd. Berk —1M 121
Tortoiseshell Way. Berk —8K 103
Torwood Clo. Berk —1K 121
Torworth Rd. Borwd —3N 151
Tot La. Bis S —6M 59
Totteridge Comn. N20 —2G 165
Totteridge Grn. N20 —2N 165
Totteridge La. N20 —2N 165
Totteridge Rd. Enf —1H 157
Totteridge Village. N20 —1L 165
Totternhoe Rd. Dunst —1B 64
(Dunstable)
Totternhoe Rd. Eat B —2H 63
(Eaton Bray)
Totton M. Redb —1K 107
Totts La. Walk —9G 37
Toulmin Dri. St Alb —7D 108
Tovey Av. Hod —6L 115
Tovey Clo. Lon C —8L 127
Tower Cen. Hod —8L 115
Tower Clo. Berk —2L 121
Tower Clo. L Wym —7F 34
Tower Ct. Lut —8J 47
Tower Hill. Chfd —2H 135
Tower Hill. M Hud —6J 77
Tower Hill La. Sandr —1N 109
Tower Rd. Cod —6E 70
Tower Rd. Lut —9J 47
Tower Rd. Ware —5J 95
Towers Rd. Hem H —1A 124
Towers Rd. Pinn —8N 161
Towers Rd. Stev —5K 51
Towers, The. Stev —5K 51
Tower St. Hert —7A 94
Tower Way. Lut —9J 47
Towgar Ct. N20 —9B 154
Town Cen. Hat —8H 111
Towne Rd. R'ton —8D 8
Town Farm. L Buzz —9M 61
Town Farm Clo. G Mor —1A 6
Town Farm Cres. Stdn —7C 56
Town Field. Rick —1M 159
Town Fields. Hat —8G 111
Town Hall Arc. Berk —1N 121
(off High St. Berkhamsted,)
Town La. B'tn —5J 53
Townley. Let —7K 23
Townmead Rd. Wal A —7N 145
Townsend. Hem H —9N 105
Townsend Av. St Alb —1F 126
Townsend Cen., The. H Reg —5E 44
Townsend Clo. B'wy —9N 15
Townsend Clo. Hpdn —6A 88
Townsend Dri. St Alb —8E 108
Townsend Farm Rd. H Reg —6E 44
Townsend Ind. Est. H Reg —6E 44
Townsend La. Hpdn —6N 87
Townsend Rd. Hpdn —5B 88
Townsend Ter. H Reg —5D 44
Townsend Way. N'wd —7H 161
Townshend St. Hert —9C 94
Townside. Edl —5K 63
Townsley Clo. Lut —2G 66
Town Sq. Stev —4K 51
Town, The. Enf —5B 156
Tracey Ct. Lut —2G 67
(off Hibbert St.)
Tracy Ct. Stan —7K 163
Tracyes Rd. H'low —8D 118
Trafalgar Av. Brox —3K 133
Trafalgar Trading Est. Enf —6J 157
Trafford Clo. Shenl —5M 139
Trafford Clo. Stev —9L 35
Trajan Ga. Stev —9C 36
Tramerne Clo. Hit —5N 33
Tramway Av. N9 —9F 156
Tranmere Rd. N9 —9D 156
Trap Rd. G Mor —1B 6
Trapstyle Rd. Ware —5E 94
Travellers La. Hat & N Mym —1G 129
(in two parts)
Treacle La. Rush —8L 25
Treacy Clo. Bush —2D 162
Trebellan Dri. Hem H —1B 124
Treehanger Clo. Tring —2N 101
Tree Tops. Ger X —5B 158
Treetops. Welw —9L 71
Treetops Clo. N'wd —5F 160
Trefoil Clo. Lut —5J 45
Trefusis Wlk. Wat —3G 149
Tregelles Rd. Hod —5L 115
Tregenna Clo. N14 —7H 155
Tremaine Gro. Hem H —7A 106
Trenchard Av. Hal C —8C 100
Trenchard Clo. NW9 —8E 164
Trenchard Clo. Stan —6H 163
Trent Clo. Shenl —5M 139
Trent Clo. Stev —1L 51
Trent Gdns. N14 —8G 154
Trent Rd. Lut —6C 46
Trentwood Side. Enf —5L 155
Tresco Rd. Berk —9K 103
Trescott Clo. Lut —7N 47
Tresilian Av. N21 —7L 155
Tresilian Sq. Hem H —6C 106
Tretawn Gdns. NW7 —4E 164
Tretawn Pk. NW7 —4E 164
Trevalga Way. Hem H —7A 106
Trevellance Way. Wat —6M 137
Trevelyan Way. Berk —8M 103
Trevera Ct. Enf —7J 157
Trevera Ct. Wal X —6J 145
(off Eleanor Rd.)
Trevor Clo. E Barn —8C 154
Trevor Clo. Harr —7G 162
Trevor Gdns. Edgw —8D 164
Trevor Rd. Edgw —8D 164
Trevor Rd. Hit —2A 34
Trevose Way. Wat —3L 161
Trewenna Dri. Pot B —5C 142
Triangle Pas. Barn —6B 154
Triangle, The. Hit —4N 33
Trident Dri. H Reg —3G 45
Trident Ind. Est. Hod —8N 115
Trident Rd. Wat —7H 137
Trigg Pl. Saw —5G 99
Triggs Way. C'hoe —6N 47
Trigg Ter. Stev —3L 51
Trimley Clo. Lut —4L 45
Trinder Rd. Barn —7J 153
Tring By-Pass. Tring —3J 101
Tring Ford Rd. T'frd —7L 81
Tring Ho. Wat —9G 149
Tring Rd. Dunst —6N 63
Tring Rd. I'hoe & Edles —3D 82
Tring Rd. Long M —3G 81
Tring Rd. N'chu —7H 103
Tring Rd. Wend —9B 100
Tring Rd. Wils —6H 81
Tring Rd. W'grv —6B 60
Trinity Av. Enf —8D 156
Trinity Clo. Bis S —2H 79
Trinity Clo. N'wd —6G 160
Trinity Ct. Enf —4A 156
Trinity Ct. Hert —7A 94
Trinity Gro. Hert —8A 94
Trinity Hall Clo. Wat —5L 149
Trinity La. Wal X —5J 145
Trinity M. Hem H —3F 124
Trinity Pl. Stev —3K 51
Trinity Rd. Hert H —3G 114
Trinity Rd. Lut —4C 46
Trinity Rd. Stev —3J 51
Trinity Rd. Stot —5F 10
Trinity Rd. Ware —5J 95
Trinity St. Bis S —2H 79
Trinity St. Enf —4A 156
Trinity Wlk. Hem H —3F 124
Trinity Wlk. Hert H —3G 114
Trinity Way. Bis S —2H 79
Tripton Rd. H'low —7A 118
Tristram Rd. Hit —9A 22
Triton Way. Hem H —9B 106
Trojan Ter. Saw —4G 99
Troon Gdns. Lut —3G 46
Trooper Rd. Ald —1G 103
Trotters Bottom. Barn —1G 152
Trotter's Gap. Stan A —2B 116
Trotters Rd. H'low —9C 118
Trout Rise. Loud —5L 147
Troutstream Way. Loud —6K 147
Trouvere Pk. Hem H —9L 105
Trowbridge Gdns. Lut —7G 47
Trowley. Flam —6D 86
Trowley Bottom. Flam —7D 86
Trowley Heights. Mark —5D 86
Trowley Hill Rd. Flam —7D 86
Trowley Rise. Ab L —4G 137
Truemans Rd. Hit —9L 21
Truman Clo. Edgw —7C 164
Trumper Rd. Stev —9L 35
Trumpington Dri. St Alb —5E 126
Truncalls. Lut —3F 66
(off Sutherland Pl.)
Trundlers Way. Bush —1F 162
Truro Ct. Stev —8M 35
Truro Gdns. Lut —4D 46
Truro Ho. Pinn —7A 162
Trust Rd. Wal X —7J 145
Tucker's Row. Bis S —2H 79
Tucker St. Wat —7L 149
Tudor Av. Chesh —4E 144
Tudor Av. Wat —2M 149
Tudor Clo. NW7 —6G 165
Tudor Clo. Bar C —7E 18
Tudor Clo. Chesh —4F 144
Tudor Clo. Hat —3F 128
Tudor Clo. Hun —7G 96
Tudor Clo. Stev —9J 35
Tudor Ct. Bass —1B 8
Tudor Ct. Borwd —4M 151
Tudor Ct. Dunst —1G 64
Tudor Ct. Hit —4L 33
Tudor Ct. Mill E —1K 159
Tudor Ct. Saw —4G 98
Tudor Cres. Enf —3A 156
Tudor Dri. H Reg —5H 45
Tudor Dri. Wat —2M 149
Tudor Enterprise Pk. Harr —9E 162
Tudor Gdns. Harr —9E 162
Tudor Heights. Hert —7N 93
Tudor Ho. Pinn —9L 161
(off Pinner Hill Rd.)
Tudor Mnr. Gdns. Wat —5M 137
Tudor Orchard. N'chu —8J 103
Tudor Pde. Rick —9K 147
Tudor Rise. Brox —3J 133
Tudor Rd. N9 —9F 156
Tudor Rd. Barn —5N 153
Tudor Rd. Harr —9E 162
Tudor Rd. Lut —7D 46
Tudor Rd. Pinn —9L 161
Tudor Rd. St Alb —7F 108
Tudor Rd. Welw —4H 91
Tudor Rd. Wheat —7M 89
Tudor Vs. Chesh —2C 144
Tudor Wlk. Wat —1M 149
Tudor Way. N14 —9J 155
Tudor Way. Hert —9M 93
Tudor Way. Rick —1K 159
Tudor Way. Wal A —6N 145
Tudor Well Clo. Stan —5J 163
Tuffnell Ct. Chesh —1H 145
(off Coopers Wlk.)
Tuffnells Way. Hpdn —3M 87

Tumbler Rd.—Warners Clo.

Tumbler Rd. H'low —7C 118
Tunfield Rd. Hod —5M 115
Tunnel Wood Clo. Wat —1H 149
Tunnel Wood Rd. Wat —1H 149
Tunnmeade. H'low —5C 118
Turf La. G'ley —6H 35
Turin Rd. N9 —9G 156
Turkey St. Enf —9E 144
Turmore Dale. Wel G —1J 111
Turnberry Ct. Wat —3L 161
Turnberry Dri. Brick W —3N 137
Turner Clo. H Reg —4G 44
Turner Clo. Stev —8J 35
Turner Rd. Bush —6D 150
Turner Rd. Edgw —9M 163
Turners Clo. B'fld —3H 93
Turners Clo. Hpdn —3D 88
Turners Cres. Bis S —4E 78
Turner's Hill. Chesh —2H 145
Turners Hill. Hem H —3A 124
Turners Rd. N. Lut —7J 47
Turners Rd. S. Lut —7J 47
Turners Wood Dri. Chal G —3A 158
Turneys Orchard. Chor —7G 147
Turnford Cotts. Turn —8K 133
Turnford Ct. Turn —8J 133
Turnford Vs. Turn —8K 133
Turnpike Clo. Dunst —2F 64
Turnpike Dri. Lut —9E 30
Turnpike Grn. Hem H —7B 106
Turnpike La. Ickl —8L 21
Turnstone Clo. NW9 —9E 164
Turnstones, The. Wat —9N 137
Turpins Chase. Welw —9M 71
Turpins Clo. Hert —9L 93
Turpin's Ride. R'ton —8D 8
Turpins Ride. Welw —9L 71
Turpin's Rise. Stev —8M 51
Turpin's Way. Bald —4M 23
Turvey Clo. Ast C —1D 100
Tuxford Clo. Borwd —2M 151
Tweed Clo. Berk —9M 103
Tweedy Clo. Enf —7D 156
Twelve Acres. Wel G —2L 111
Twelve Leys. W'grv —5A 60
Twickenham Gdns. Harr —7F 162
Twigden Ct. Lut —4A 46
Twineham Grn. N12 —4N 165
Twinn Rd. NW7 —6L 165
Twinwoods. Stev —5M 51
Twist, The. Wig —4B 102
Twitchell La. Ast C —1D 100
Twitchell, The. Bald —3M 23 (in two parts)
Twitchell, The. Shil —3N 19
Twitchell, The. Stev —2K 51
Two Acres. Wel G —2M 111
Two Beeches. Hem H —7B 106
Two Dells La. Ash G —6K 121
Two Gates La. Bell —6B 120
Two Oaks Dri. Welw —1B 92
Two Waters Rd. Hem H —4M 123
Two Waters Way. Hem H —6M 123
Twyford Bury La. Bis S —4J 79
Twyford Bus. Cen., The. Bis S —4J 79
Twyford Clo. Bis S —3J 79
Twyford Dri. Lut —7M 47
Twyford Gdns. Bis S —4H 79
Twyford Mill. L Hall —5J 79
Twyford Rd. Bis S —3J 79
Twyford Rd. St Alb —7K 109
Tyberry Rd. Enf —5F 156
Tyburn La. Pull —3A 18
Tye End. Stev —9A 52
Tye Grn. H'low —8A 118
Tye Grn. Village. H'low —9B 118
Tyfield Clo. Chesh —3G 145
Tykeswater La. Els —4K 151
Tylers. Hpdn —6E 88
Tylers Causeway. New S —5G 130
Tylers Clo. K Lan —1A 136
Tylersfield. Ab L —4H 137
Tylers Mead. Lut —4G 47
Tylers Way. Wat —6D 150
Tylers Wood. Welw —2B 92
Tylney Croft. H'low —8L 117
Tynedale. Lon C —9N 127
Tynemouth Dri. Enf —2E 156
Typleden Clo. Hem H —9N 105
Tysea Clo. H'low —9B 118
Tysea Rd. H'low —9B 118
Tysoe Av. Enf —9K 145
Tythe M. Edl —5J 63
Tythe Rd. Lut —3M 45
Tyttenhanger Grn. Tyngr —5L 127

Uckfield Rd. Enf —1H 157
Ufford Clo. Harr —7C 162
Ufford Rd. Harr —7C 162
Ullswater Rd. Dunst —2E 64
Ullswater Rd. Hem H —4E 124
Ulverston Rd. Dunst —2D 64
Underacre Clo. Hem H —1C 124
Underhill. Barn —7N 153
Underhill Ct. Barn —7N 153
Underwood Clo. Lut —9B 30
Underwood Rd. Stev —8J 35
Union Grn. Hem H —1N 123
Union St. Barn —5L 153
Union St. Dunst —9D 44
Union St. Lut —2G 66
Union Ter. Bunt —3J 39
Unity Rd. Enf —1G 157
University Clo. NW7 —7F 164
University Clo. Bush —6B 150
Unwin Clo. Let —7E 22
Unwin Pl. Stev —6B 52
Unwin Rd. Stev —6B 52
Upcroft Av. Edgw —5C 164
Updale Clo. Pot B —6L 141
Up End. Saf W —2J 29
Uphill Dri. NW7 —5E 164
Uphill Gro. NW7 —4E 164
Uphill Rd. NW7 —4E 164
Upland Dri. Brk P —7A 130
Uplands. Crox G —8B 148
Uplands. Lut —1N 45
Uplands. Stev —1C 52
Uplands. Ware —5K 95
Uplands. Wel G —5J 91
Uplands Av. Hit —4B 34
Uplands Ct. N21 —9M 155 (off Green, The)
Uplands Ct. Lut —3G 66
Uplands Pk. Rd. Enf —4M 155
Uplands, The. Brick W —3N 137
Uplands, The. Hpdn —2B 108
Uplands Way. N21 —7M 155
Up. Ashlyns Rd. Berk —2M 121
Up. Barn. Hem H —5B 124
Up. Belmont Rd. Che —9F 120
Up. Cavendish Av. N3 —9N 165
Up. Clabdens. Ware —5K 95
Up. Crackney La. Ware —1F 96
Up. Culver Rd. St Alb —9G 108
Up. Dagnell St. St Alb —2E 126
Upperfield Rd. Wel G —2M 111
Up. George St. Lut —1F 66
Up. Green. Tew —4C 92
Up. Green Rd. Tew —4D 92
Up. Hall Pk. Berk —2A 122
Up. Heath Rd. St Alb —9G 108
Up. Highway. Ab L —6F 136
Up. Highway. K Lan —5E 136
Up. Hill Rise. Rick —8L 147
Up. Hitch. Wat —1N 161
Up. Hook. H'low —8B 118
Up. Icknield Way. Ast C —8B 100
Up. Icknield Way. Bul & I'hoe —7A 82
Up. Lattimore Rd. St Alb —2F 126
Up. Marlborough Rd. St Alb —2F 126
Up. Marsh La. Hod —9L 115
Up. Maylins. Let —8J 23
Up. Mealines. H'low —9C 118
Up. Paddock Rd. Wat —8N 149
Upper Pk. H'low —5L 117
Up. Sales. Hem H —3J 123
Upper Sean. Stev —6N 51
Up. Shot. Wel G —8N 91
Up. Shott. Chesh —8D 132
Up. Station Rd. Rad —8H 139
Upperstone Clo. Stot —6F 10
Up. Stonyfield. H'low —6L 117
Up. Tail. Wat —3N 161
Up. Tilehouse St. Hit —3M 33
Up. Wingbury Courtyard Bus. Cen. W'grv —3C 60
Uppingham Av. Stan —8J 163
Upton Av. St Alb —1E 126
Upton Clo. Lut —3F 46
Upton Clo. Park —7E 126
Upton End Rd. Shil —1N 19
Upton Lodge Clo. Bush —9D 150
Upton Rd. Wat —6K 149
Upway. Chal P —8C 158
Upwell Rd. Lut —7K 47
Uranus Rd. Hem H —9A 106
Urban Rd. Bis S —1K 79
Uvedale Rd. Enf —7B 156
Uxbridge Rd. Harr & Stan —7D 162
Uxbridge Rd. Pinn —9L 161
Uxbridge Rd. Rick —3J 159

Vache La. Chal G —2A 158
Vadis Clo. Lut —2A 46
Vale Av. Borwd —7B 152
Vale Clo. Chal P —8A 158
Vale Clo. Hpdn —3M 87
Vale Cotts. Ware —4H 55
Vale Ct. New Bar —6A 154
Vale Ct. Wheat —8L 89
Vale Dri. Barn —6M 153
Vale Ind. Pk. Wat —9D 148
Valence Dri. Chesh —1E 144
Valence End. Dunst —2G 64
Valencia Rd. Stan —4K 163
Valency Clo. N'wd —4H 161
Valentine Way. Chal G —2A 158
Valerian Way. Stev —9C 36
Valerie Clo. St Alb —2J 127
Vale Rd. Bush —7N 149
Vale Rd. Che —9G 121
Valeside. Hert —1M 113
Vale, The. N14 —8L 155
Vale, The. Chal P —8A 158
Vallans Clo. Ware —4H 95
Vallansgate. Stev —8A 52
Valley Clo. Hert —1B 114
Valley Clo. Pinn —9K 161
Valley Clo. Stud —9B 64
Valley Clo. Ware —5F 94
Valley Fields Cres. Enf —4M 155
Valley Grn. Hem H —5D 106
Valley Grn., The. Wel G —8J 91
Valley La. Mark —6M 85
Valleylink Est. Enf —8J 157
Valley Rise. R'ton —7E 8
Valley Rise. Wat —6K 137
Valley Rise. Wheat —5G 88
Valley Rd. Berk —8K 103
Valley Rd. Cod —7F 70
Valley Rd. Let —4D 22
Valley Rd. Rick —7K 147
Valley Rd. St Alb —7F 108
Valley Rd. Stud —3E 84
Valley Rd. Wel G —9H 91
Valley Rd. S. Cod —7F 70
Valley Side. E4 —9L 157
Valleyside. Hem H —2J 123
Valley, The. W'wll —1M 69
Valley View. Barn —8L 153
Valley View. G Oak —1A 144
Valley Wlk. Crox G —7E 148
Valley Way. Stev —7M 51
Valpy Clo. Wig —5B 102
Vanbrugh Dri. H Reg —4G 45
Vanburgh Ct. H Bar —5L 153
Vancouver Mans. Edgw —8B 164
Vancouver Rd. Edgw —8B 164
Vanda Cres. St Alb —3G 127
Vantorts Clo. Saw —5G 99
Vantorts Rd. Saw —6G 99
Vardon Clo. N3 —8L 165
Vardon Rd. Stev —1L 51
Varna Clo. Lut —6C 46
Varney Clo. Chesh —9E 132
Varney Clo. Hem H —2J 123
Varney Rd. Hem H —2J 123
Vaughan Mead. Redb —1J 107
Vaughan Rd. Hpdn —6C 88
Vaughan Rd. Stot —6E 10
Vauxhall Rd. Hem H —2C 124
Vauxhall Rd. Lut —3K 67
Vauxhall Way. Lut —6J 47
Vega Cres. N'wd —5H 161
Vega Rd. Bush —9D 150
Veitch Rd. Wal A —7N 145
Velizy Av. H'low —5N 117
Venetia Rd. Lut —5J 47
Venetia Rd. Footpath. Lut (off Hitchin Rd.) —5J 47
Ventnor Av. Stan —8J 163
Ventnor Dri. N20 —3N 165
Ventnor Gdns. Lut —2B 46
Ventura Pk. Col S —2G 138
Venus Hill. Bov —4D 134
Vera Av. N21 —7M 155
Vera Ct. Wat —9M 149
Vera La. Welw —3A 92
Verdure Clo. Wat —5N 137
Verey Rd. Wood E —7F 44
Veritys Hat —9G 110
Verity Way. Stev —9N 35
Vermont Clo. Enf —6N 155
Verney Clo. Berk —9K 103
Verney Clo. Tring —1A 102
Vernon Av. Enf —9J 145
Vernon Ct. Bis S —4G 79
Vernon Ct. Stan —8J 163
Vernon Cres. Barn —8F 154
Vernon Dri. Hare —8M 159
Vernon Dri. Stan —8H 163
Vernon Pl. Dunst —8E 44
Vernon Rd. Bush —7N 149
Vernon Rd. Lut —9E 46
Vernon's Clo. St Alb —3E 126
Veronica Ho. Wel G —2A 112
Ver Rd. Redb —9L 87
Ver Rd. St Alb —2D 126
Verulam Clo. Wel G —9M 91
Verulam Gdns. Lut —3B 46
Verulam Pas. Wat —4K 149
Verulam Rd. Hit —2N 33
Verulam Rd. St Alb —1C 126
Verwood Dri. Barn —5E 154
Verwood Rd. Harr —9D 162
Vespers Clo. Lut —7K 45
Vesta Av. St Alb —5D 126
Vesta Rd. Hem H —9B 106
Veysey Clo. Hem H —4L 123
Viaduct Rd. Ware —6J 95
Viaduct Way. Wel G —6M 91
Vian Av. Enf —8J 145
Vicarage Causeway. Hert H —2F 114
Vicarage Clo. Arl —4A 10
Vicarage Clo. Bis S —1H 79
Vicarage Clo. Hem H —4M 123
Vicarage Clo. N'thaw —3E 142
Vicarage Clo. Shil —3N 19
Vicarage Clo. St Alb —5D 126
Vicarage Clo. Stdn —7B 56
Vicarage Clo. Wend —9A 100
Vicarage Gdns. Flam —6D 86
Vicarage Gdns. Mars —5M 81
Vicarage Gdns. Pott E —7E 104
Vicarage La. Ber —2D 42
Vicarage La. Bov —8E 122
Vicarage La. I'hoe —2D 82
Vicarage La. K Lan —2B 136
Vicarage La. Ugley —5N 43
Vicarage La. W'frd —4M 93
Vicarage Rd. Bunt —2J 39
Vicarage Rd. H Reg —4E 44
Vicarage Rd. Mars —5L 81
Vicarage Rd. Pit —3B 82
Vicarage Rd. Pott E —7D 104
Vicarage Rd. Ware —6J 95
Vicarage Rd. Wat —9J 149
Vicarage Rd. Wig —5B 102
Vicarage St. Lut —1H 67
Vicarage Wood. H'low —5C 118
Vicars Clo. Enf —4C 156
Vicars Moor La. N21 —9M 155
Vicerons Pl. Bis S —4F 78
Viceroy Ct. Dunst —9F 44
Victoria Av. N3 —8M 165
Victoria Av. Barn —6C 154
Victoria Clo. Barn —6C 154
Victoria Clo. Rick —9N 147
Victoria Clo. Stev —2K 51
Victoria Ct. Wat —5L 149
Victoria Cres. R'ton —6D 8
Victoria Dri. Stot —7G 10
Victoria Ho. Edgw —6B 164
Victoria Ho. Ger X —4B 158 (off Micholls Av.)
Victoria La. Barn —6M 153
Victoria M. Bayf —5M 113
Victoria Pas. Wat —6K 149
Victoria Pl. Dunst —8D 44
Victoria Pl. Hem H —2N 123
Victoria Rd. NW7 —5F 164
Victoria Rd. Barn —6C 154
Victoria Rd. Berk —2A 122
Victoria Rd. Bush —1C 162
Victoria Rd. Hpdn —6C 88
Victoria Rd. Wal A —7N 145
Victoria Rd. Wat —2K 149
Victoria St. Dunst —8D 44
Victoria St. Lut —2G 66
Victoria St. St Alb —2E 126
Victoria Way. Hit —2L 33
Victor Smith Ct. Brick W —4B 138
Victors Way. Barn —5M 153
Victory Rd. Berk —9L 103
Victory Rd. Wend —9A 100
View Av. Shil —2N 19
View Point. Stev —4G 51
View Rd. Pot B —5B 142
Vigar Ct. Barn —5L 153
Viga Rd. N21 —8M 155
Vigors.Croft. Hat —1F 128
Villa Ct. Lut —9F 46
Village Cen. Hem H —3E 124
Village Ct. St Alb —7L 109 (off Twyford Rd.)
Village Pk. Clo. Enf —8C 156
Village Rd. N3 —9L 165
Village Rd. Enf —9B 156
Village St. Hit —8F 50
Village Way. Amer —4A 146
Villa Rd. Lut —9F 46
Villiers Cres. St Alb —8L 109
Villiers Rd. Wat —8N 149
Villiers St. Hert —9C 94
Villiers-Sur-Marne Av. Bis S —2F 78
Vincent. Let —7J 23
Vincent Clo. Barn —5A 154
Vincent Clo. Chesh —1J 145
Vincent Ct. N'wd —8H 161
Vincent Rd. Lut —4N 45
Vincenzo Clo. N Mym —5J 129
Vine Clo. Wel G —7L 91
Vine Gro. Gil —1A 118
Vineries Bank. NW7 —5H 165
Vineries, The. N14 —8H 155
Vineries, The. Enf —5C 156
Vines Av. N3 —8N 165
Vines, The. Stot —6E 10
Vinetrees. Wend —9A 100
Vineyard Av. NW7 —7L 165
Vineyard Hill. N'thaw —2F 142
Vineyards Rd. N'thaw —3E 142
Vineyard, The. Ware —5L 95
Vinters Av. Stev —4M 51
Violet Av. Enf —2B 156
Violets La. Fur P —3L 41
Violet Way. Loud —6M 147
Virgil Dri. Brox —5K 133
Virginia Clo. Lut —6H 47
Viscount Clo. Lut —4C 46
Viscount Ct. Lut —8F 46 (off Knights Field)
Vista Av. Enf —4H 157
Vivian Clo. Wat —1J 161
Vivian Gdns. Wat —1J 161
Vixen Dri. Hert —9E 94
Vulcan Ga. Enf —4M 155
Vyse Clo. Barn —6J 153

Wacketts. Chesh —9E 132
Waddesdon Clo. Lut —7M 47
Waddington Clo. Enf —6C 156
Waddington Rd. St Alb —2E 126
Wade Ho. Enf —7B 156
Wades Gro. N21 —9M 155
Wades Hill. N21 —8M 155
Wadesmill Rd. Hert & Chap E —6A 94
Wadesmill Rd. Ware —4G 95
Wades, The. Hat —3G 128
Wade, The. Wel G —3N 111
Wadham Rd. Ab L —4H 137
Wadhurst Av. Lut —5E 46
Wadley Clo. Hem H —3B 124
Wadnall Way. Kneb —4M 71
Wadsworth Clo. Enf —7H 157
Waggoners Yd. Ware —5H 95 (off Baldock St.)
Waggon M. N14 —9H 155
Waggon Rd. Barn —1B 154
Wagon Rd. Barn —9A 142
Wagon Way. Loud —5M 147
Wagtail Clo. NW9 —9E 164
Wain Clo. Pot B —2A 142
Wakefields Wlk. Chesh —4J 145
Walcot Av. Lut —7J 47
Walcot Rd. Enf —4K 157
Waldeck Rd. Lut —9E 46
Waldegrave Pk. Hpdn —6E 88
Walden Ct. Bis S —9M 59
Walden End. Stev —5L 51
Walden Pl. Wel G —7K 91
Walden Rd. Wel G —7K 91
Walden Way. NW7 —6K 165
Waleran Clo. Stan —5G 163
Waleys Clo. Lut —1A 46
Walfield Av. N20 —9A 154
Walfords Clo. H'low —3E 118
Walgrave Rd. Dunst —7J 45
Walkern Rd. B'tn —6F 52
Walkern Rd. Stev —2J 51
Walkers Clo. Hpdn —8D 88
Walkers Ct. Bald —3M 23 (off High St. Baldock,)
Walkers Rd. Hpdn —8C 88
Walkley Rd. H Reg —5E 44
Walk, The. Pot B —5A 142
Wallace Dri. Eat B —2J 63
Wallace M. Eat B —2J 63
Wallace Way. Hit —9A 22
Waller Av. Lut —7B 46
Waller Dri. N'wd —9J 161
Waller Gdns. Wat —4K 149
Waller's Clo. Gt Chi —2J 17
Waller St. Mall. Lut —1G 66 (off Arndale Cen.)
Wallers Way. Hod —5M 115
Wallfield All. Hert —1A 114
Wallfields. Hert —1A 114
Wallingford Wlk. St Alb —5E 126
Wallington Rd. Bald —3N 23
Walmar Clo. Barn —3C 154
Walmington Fold. N12 —6N 165
Walnut Av. Bald —4N 23
Walnut Clo. Hit —4A 34
Walnut Clo. Lut —5K 47
Walnut Clo. M Hud —6J 77
Walnut Clo. Park —9C 126
Walnut Clo. R'ton —7D 8
Walnut Clo. Stot —6F 10
Walnut Cotts. Saw —4G 99 (off Station Rd.)
Walnut Ct. Wel G —3L 111
Walnut Dri. Bis S —5F 78
Walnut Grn. Bush —4A 150
Walnut Gro. Enf —7B 156
Walnut Gro. Hem H —2N 123
Walnut Gro. Wel G —3L 111
Walnut Ho. Wel G —3L 111
Walnut Tree Av. Saw —3G 98
Walnut Tree Clo. Chesh —4H 145
Walnut Tree Clo. Hod —8L 115
Walnut Tree Clo. Stev —5C 52
Walnut Tree Cres. Saw —4G 99
Walnut Tree Rd. Pir —8E 20
Walnut Tree Wlk. Gt Amw —8H 95
Walnut Way. Ickl —7M 21
Walpole Clo. Pinn —6B 162
Walpole Ct. Stev —1B 72
Walpole Way. Barn —7J 153
Walsham Clo. Stev —1B 72
Walsh Clo. Hit —3L 33
Walshford Way. Borwd —2A 152
Walsingham Clo. Hat —8F 110
Walsingham Clo. Lut —2F 46
Walsingham Rd. Enf —6B 156
Walsingham Way. Lon C —9K 127
Walsworth Rd. Hit —3N 33
Walters Rd. Enf —6G 157
Walter Wlk. Edgw —6C 164
Waltham Ct. Lut —6L 47 (off Cowdray Clo.)
Waltham Dri. Edgw —9A 164
Waltham Gdns. Enf —9G 145
Waltham Rd. Hit —4N 33
Waltham Way. E4 —9L 157
Walton Ct. Hod —6N 115
Walton Ct. New Bar —7B 154
Walton Gdns. Wal A —6M 145
Walton Rd. Bush —6M 149
Walton Rd. Hod —6M 115
Walton Rd. Ware —7H 95
Walton St. Enf —3B 156
Walton St. St Alb —1G 126
Walverns Clo. Wat —8L 149
Wandon Clo. Lut —5L 47
Wansbeck Ct. Enf —5N 155 (off Waverley Rd.)
Wansford Pk. Borwd —6D 152
Warburton Clo. Harr —6E 162
Ward Clo. Chesh —9E 132
Ward Clo. Ware —5G 94
Ward Cres. Bis S —2G 78
Wardell Clo. NW7 —7E 164
Wardell Field. NW9 —8E 164
Warden Hill Clo. Lut —1E 46
Warden Hill Gdns. Lut —1E 46
Warden Hill Rd. Lut —1E 46
Ward Hatch. H'low —3C 118
Wardlow Ct. Lut —7F 46
Wardown Cres. Lut —7G 46
Wards La. Els —4G 151
Wardswood La. Lut —8J 31
Wareham's La. Hert —1A 114
Warenford Way. Borwd —3A 152
Ware Pk. Rd. Hert —7B 94
Ware Rd. Gt Amw & Hail —3L 115
Ware Rd. Hert —9C 94
Ware Rd. Hod —4L 115
Ware Rd. Ton —9C 74
Ware Rd. Wat S —6K 73
Ware Rd. Wid —3G 96
Wareside. Hem H —5C 106
Wareside Clo. Wel G —1A 112
Warham Rd. Harr —9G 162
Warmark Rd. Hem H —9H 105
Warminster Clo. Lut —1A 48
Warneford Av. Hal —9C 100
Warneford Pl. Wat —8N 149
Warner Rd. Ware —7H 95
Warners Av. Hod —1K 133
Warners Clo. Stev —6A 52

Warners End Rd.—Wheatley Clo.

Warners End Rd. Hem H —2K 123
Warren Clo. N9 —9H 157
Warren Clo. Hat —6H 111
Warren Clo. Let —4D 22
Warren Ct. R'ton —8D 8
Warren Cres. N9 —9D 156
Warren Dale. Wel G —6K 91
Warren Dri., The. Lut —7K 67
Warrenfield Clo. Chesh —4E 144
Warren Fields. Stan —4L 163
Warrengate La. S Mim —4J 141
Warrengate Rd. N Mym & S Mim —8H 129
Warren Grn. Hat —6H 111
Warren Gro. Borwd —6D 152
Warren La. Clot —4N 23
Warren La. Cot —3N 37
Warren La. Stan —2H 163
Warren Pk. Rd. Hert —8A 94
Warren Pl. Hert —9B 94
(off Railway St.)
Warren Rd. Bush —1D 162
Warren Rd. Clot —6D 24
Warren Rd. Lut —9B 46
Warren Rd. St Alb —6D 126
Warrensgreen La. W'ton —5B 36
Warrens Shawe La. Edgw —2B 164
Warren Ter. Hert —7B 94
Warren, The. Chal P —7C 158
Warren, The. Hpdn —1B 108
Warren, The. Rad —7J 139
Warren, The. R'ton —8D 8
Warren Way. NW7 —6L 165
Warren Way. Welw —4L 91
Warren Wood Ind. Est. Stfrd —1L 93
Warton Grn. Lut —7N 47
Warwick Av. Cuff —9J 131
Warwick Av. Edgw —3B 164
Warwick Clo. Ast C —1D 100
Warwick Clo. Barn —7C 154
Warwick Clo. Bush —9F 150
Warwick Clo. Cuff —9J 131
Warwick Clo. Hert —2A 114
Warwick Ct. Lut —9D 46
(off Warwick Rd.)
Warwick Ct. New Bar —7A 154
(off Station Rd.)
Warwick Dri. Chesh —1H 145
Warwick Gdns. Barn —2M 153
Warwick Pde. Harr —9J 163
Warwick Rd. Barn —6A 154
Warwick Rd. Bis S —2J 79
Warwick Rd. Borwd —5D 152
Warwick Rd. Enf —1K 157
Warwick Rd. St Alb —9G 108
Warwick Rd. Stev —3B 52
Warwick Rd. E. Lut —9D 46
Warwick Rd. W. Lut —9D 46
Warwick Way. Crox G —6E 148
Washbrook Clo. Bar C —1E 30
Washbrook La. Pir —6D 20
Washington Av. Hem H —6N 105
Washington Meads. Stans —3N 59
Wash La. S Mim —6H 141
Wash, The. Hert —9B 94
Watchlytes. Wel G —9B 92
Watchmead. Wel G —9N 91
Wategate, The. Wat —2M 161
Waterbeach. Wel G —9C 92
Watercress Clo. Stev —4C 52
Waterdale. Brick —3N 137
Waterdale. Hert —2A 114
Waterdell La. St I —7N 33
Water Dri. Rick —1A 160
Waterend La. Redb —1K 107
Waterend La. Wheat & Welw —7C 90
Water End Rd. Pott E —7F 104
Waterfield. Wel G —8A 92
Waterfields Way. Wat —7M 149
Waterford Comn. W'frd —5N 93
Waterford Grn. Wel G —9A 92
Waterfront, The. Els —8J 151
Water Gdns. Stan —6J 163
Watergate, The. Wat —2M 161
Waterhouse Moor. H'low —7B 118
Waterhouse St. Hem H —2M 123
Waterhouse, The. Hem H —3M 123
Water La. N9 —9F 156
Water La. Bar —5F 16
Water La. Berk —1N 121
Water La. Bis S —9H 59
Water La. Bov —2D 134
Water La. H'low —9H 117
Water La. Hert —1A 114
Water La. Hit —1N 33
Water La. K Lan —2D 136
Water La. Lon C —1L 139
Water La. Mel —1J 9
Water La. Stans —3N 59
Water La. Wat —6L 149
Waterloo La. Hol —5H 21
Waterlow M. L Wym —7E 34
Waterlow Rd. Dunst —8D 44
Waterman Clo. Wat —8K 149
Watermark Way. Fox P —9D 94
Watermead Rd. Lut —3B 46
Watermill Bus. Cen. Enf —4K 157
Watermill Ind. Est. Bunt —4J 39
Watermill La. Hert —6B 94
Watersfield Way. Edgw —7L 163
Waterside. Berk —1A 122
Waterside. Eat B —4K 63
Waterside. K Lan —2C 136
Waterside. Lon C —9M 127
(in two parts)
Waterside. Rad —7J 139
Waterside. Stans —3N 59
Waterside. Wel G —7N 91
Waterside Clo. K Lan —2D 136
Waterside Pl. Saw —5J 99
Waterslade Grn. Lut —3D 46
Watersmeet. H'low —9L 117
Watersplash Ct. Lon C —9N 127
Waterworks Cotts. Brox —4J 133
Watery La. Bis S —9E 42
Watery La. Hat —1E 128
Watery La. Mars —6L 81
Watery La. St Alb —5G 86
Watery La. Turn —7J 133
Watford Arches Retail Pk. Wat —7M 149
Watford By-Pass. Stan & Edgw —9H 151
Watford Enterprise Cen. Wat —9G 148
Watford Field Rd. Wat —7L 149
Watford Heath. Wat —9M 149
Watford Rd. Crox G —8C 148
Watford Rd. Els —8J 151
Watford Rd. K Lan —3C 136
Watford Rd. N'wd —7H 161
Watford Rd. Rad —9F 138
Watford Way. NW7 & NW4 —4E 164
Watling Av. Edgw —8C 164
Watling Clo. Hem H —7A 106
Watling Ct. Dunst —7D 44
Watling Ct. Els —8L 151
Watling Ct. H Reg —5E 44
Watling Farm Clo. Stan —1K 163
Watling Knoll. Rad —6G 139
Watling Pl. H Reg —5E 44
Watling St. Dunst —3A 44
Watling St. Els —4K 151
Watling St. Hockl & Dunst —4A 44
Watling St. Kens —4J 65
Watling St. Mark —1A 86
Watling St. Rad & Els —4G 138
Watling St. St Alb —5D 126
Watlington Rd. H'low —2F 118
Watling View. St Alb —5D 126
Watson Av. St Alb —8G 108
Watson's Wlk. St Alb —3F 126
Watton Rd. D'wth —7D 72
Watton Rd. Kneb —3N 71
Watton Rd. Ware —5G 94
Watts Clo. L Had —7M 57
Watts Yd. Man —8J 43
Wauluds Bank Dri. Lut —1N 45
Wavell Clo. Chesh —9J 133
Wavell Ho. St Alb —4J 127
Waveney. Hem H —6B 106
Waveney Rd. Hpdn —4D 88
Waverley Clo. Stev —9N 51
Waverley Ct. Enf —5A 156
Waverley Gdns. N'wd —8J 161
Waverley Gro. N3 —9L 165
Waverley Ind. Est. Harr —9E 162
Waverley Rd. Enf —5N 155
Waverley Rd. St Alb —9D 108
Waxwell Clo. Pinn —9M 161
Waxwell Farm Ho. Pinn —9M 161
Waxwell La. Pinn —9M 161
Wayre St. H'low —2E 118
Wayre, The. H'low —2E 118
Waysbrook. Let —7H 23
Wayside. Chfd —3L 135
Wayside. Dunst —3G 64
Wayside. Pot B —6C 142
Wayside. Shenl —6L 139
Wayside Av. Bush —8E 150
Wayside Clo. N14 —8H 155
Wayside, The. Hem H —3E 124
Waysmeet. Let —7H 23
Waytemore Rd. Bis S —2G 78
Weald La. Harr —9E 162
Weald Rise. Harr —7G 162
Wealdwood Gdns. Pinn —6C 162
Weall Grn. Wat —5K 137
Weardale Gdns. Enf —3B 156
Weatherby. Dunst —9B 44
Weatherby Rd. Lut —7N 45
Weavers Rd. Tring —2K 101
Weaver St. Bis S —4E 78
Webb Clo. Let —6J 23
Webber Clo. Els —8L 151
Webb Rise. Stev —2M 51
Wedgewood Clo. N'wd —6E 160
Wedgewood Dri. H'low —7F 118
Wedgewood Rd. Hit —3B 34
Wedgewood Rd. Lut —5J 45
Wedgwood Ct. Stev —8B 36
Wedgwood Pk. Stev —8B 36
Wedgwood Way. Stev —9A 36
Wedhey. H'low —6M 117
Wedmore Rd. Hit —4A 34
Wedon Way. Byg —8B 12
Weighton Rd. Harr —8E 162
Welbeck Clo. Borwd —5A 152
Welbeck Rise. Hpdn —9E 88
Welbeck Rd. Barn —8D 154
Welbeck Rd. Lut —9H 47
Welbury Av. Lut —2E 46
Welch Pl. Pinn —8K 161
Welclose St. St Alb —2D 126
Welcote Dri. N'wd —6F 160
Weldon Clo. Lut —8N 47
Weldon Ct. N21 —7L 155
Welham Clo. N Mym —6J 129
Welham Ct. N Mym —6J 129
(off Dixons Hill Rd.)
Welham Manor. N Mym —6J 129
Welkin Grn. Hem H —1E 124
Wellands. Hat —7G 111
Well App. Barn —7J 153
Wellbrook M. Tring —2N 101
Wellbury Ter. Hem H —2E 124
Well Croft. Hem H —1L 123
Wellcroft. I'hoe —2D 82
Wellcroft Clo. Wel G —2N 111
Wellcroft Rd. Wel G —1N 111
Well End Rd. Borwd —1C 152
Wellen Rise. Hem H —5A 124
Wellers Gro. Chesh —1E 144
Wellesley Av. N'wd —5H 161
Wellesley Cres. Pot B —6L 141
Wellesley Pk. M. Enf —4N 155
Wellfield Av. Lut —1M 45
Wellfield Clo. Hat —8G 111
Wellfield Ct. Stev —9A 36
Wellfield Rd. Hat —7G 110
Well Garth. Wel G —1L 111
Wellgate Rd. Lut —7N 45
Well Grn. B'fld —3H 93
Well Gro. N20 —9B 154
Well Head Rd. Tot —1N 63
Wellhouse Clo. Lut —1C 66
Wellhouse La. Barn —6J 153
Wellingham Av. Hit —1L 33
Wellington Av. Pinn —8A 162
Wellington Cotts. Ware —1L 75
Wellington Ct. Lut —2F 66
(off Wellington St.)
Wellington Ct. Pinn —8A 162
(off Wellington Rd.)
Wellington Dri. Wel G —9B 92
Wellington Rd. Enf —7C 156
Wellington Rd. Harr —9F 162
Wellington Rd. Lon C —8L 127
Wellington Rd. Pinn —8A 162
Wellington Rd. St Alb —3J 127
Wellington Rd. Stev —4B 52
Wellington Rd. Wat —4K 149
Wellington St. Hert —8N 93
Wellington St. Lut —2F 66
Wellington Ter. Dunst —9F 44
Well La. H'low —5K 117
(in three parts)
Well La. L Buzz —1G 60
Well Rd. Barn —7J 153
Well Rd. N'thaw —1D 142
Well Row. B'frd —8L 113
Wells Clo. Hpdn —3N 87
Wells Clo. St Alb —1D 126
Wellside Clo. Barn —6J 153
Wellstead Av. N9 —9H 157
Wells, The. N14 —9J 155
Wellstones. Wat —6K 149
Wellswood Clo. Hem H —1D 124
Wells Yd. Ware —6H 95
(off High St. Ware,)
Wells Yd. Wat —5K 149
Welsummer Way. Chesh —1H 145
Weltmore Rd. Lut —3B 46
Welwyn By-Pass. Welw —4J 91
Welwyn Ct. Hem H —7B 106
Welwyn Rd. Hert —8K 93
Wemborough Rd. Stan —8J 163
Wendover By-Pass. Wend —9A 100
Wendover Clo. Hpdn —6E 88
Wendover Clo. St Alb —6K 109
Wendover Ct. Welw —2J 91
Wendover Dri. Welw —2J 91
Wendover Ho. Wat —9G 149
(off Chenies Way)
Wendover Way. Bush —8D 150
Wendover Way. Lut —6H 47
Wendy Clo. Enf —8D 156
Wengeo La. Ware —5F 94
Wenham Ct. Walk —1G 52
Wenlock Rd. Edgw —7B 164
Wenlock St. Lut —9G 46
Wensley Clo. Hpdn —9E 88
Wensleydale. Hem H —8B 106
Wensleydale. Lut —8G 46
Wensum Way. Rick —1N 159
Wentbridge Path. Borwd —2A 152
Wentworth Av. N3 —7N 165
Wentworth Av. Els —7N 151
Wentworth Av. Lut —3M 45
Wentworth Clo. N3 —7N 165
Wentworth Clo. Pot B —4N 141
Wentworth Clo. Wat —2H 149
Wentworth Cotts. Brox —4J 133
Wentworth Dri. Bis S —2F 78
Wentworth Pk. N3 —7N 165
Wentworth Pl. Stan —6J 163
Wentworth Rd. Barn —5K 153
Wentworth Rd. Hert —3A 114
Wenwell Clo. Ast C —2F 100
Wesley Av. Hert —1B 114
Wesley Clo. Arl —8A 10
Wesley Clo. G Oak —1A 144
Wesley Pl. Mark —2A 86
(off Albert St.)
Wesley Rd. Mark —2A 86
Wessex Ct. Barn —6K 153
Wessex Dri. Pinn —7N 161
Westall Clo. Hert —1A 114
West All. Hit —3M 33
Westall M. Hert —1A 114
West Av. N3 —6N 165
West Av. Bald —3L 23
West Av. St Alb —7C 126
West Bank. Enf —4A 156
Westbere Dri. Stan —5L 163
W. Borrowfield. Wel G —2K 111
Westbourne M. St Alb —2E 126
Westbourne Rd. Lut —8D 46
Westbrook. H'low —9J 117
Westbrook Clo. Barn —5C 154
Westbrook Clo. Stpl M —5C 6
Westbrook Cres. Cockf —5C 154
Westbrook Sq. Barn —5C 154
Westbury Clo. Hit —2L 33
Westbury Clo. Town I —6E 44
Westbury Gdns. Lut —6F 46
Westbury Gro. N12 —6N 165
Westbury Pl. Let —6E 22
Westbury Rise. H'low —7F 118
Westbury Rd. N12 —6N 165
Westbury Rd. Chesh —3H 145
Westbury Rd. N'wd —4G 160
Westbury Rd. Wat —7K 149
Westbush Clo. Hod —5K 115
W. Chantry. Harr —8C 162
Westchester Dri. NW4 —9K 165
West Clo. Barn —7H 153
West Clo. Cockf —6F 154
West Clo. Hit —1B 34
West Clo. Hod —6L 115
West Clo. Stev —4M 51
Westcombe Dri. Barn —7N 153
West Comn. Hpdn —7C 88
West Comn. Redb —2J 107
West Comn. Clo. Hpdn —1C 108
West Comn. Gro. Hpdn —9C 88
West Comn. Way. Hpdn —1B 108
Westcott. Wel G —8C 92
West Ct. Saw —4G 98
Westcroft. Tring —3M 101
Westcroft Clo. Enf —2G 157
Westcroft Ct. Brox —1L 133
Westdean La. Chart —9A 120
W. Dene. Hem H —7K 85
Westdown Gdns. Dunst —1C 64
West Dri. Arl —8A 10
West Dri. Harr —6E 162
West Dri. Wat —9K 137
West Dri. Gdns. Harr —6E 162
West End. A'wl —1B 12
W. End La. Barn —6K 153
W. End La. Ess —8D 112
W. End La. Pinn —9M 161
West End Rd. Brox —4C 132
W. End Rd. L Buzz —9L 61
Westerdale. Hem H —8A 106
Westerdale. Lut —5L 45
Western Av. Henl —1J 21
Western Clo. Let —2E 22
Western Ct. N3 —6N 165
Western Pde. New Bar —7N 153
Western Rd. Lut —2F 66
Western Rd. Tring —3L 101
Western Ter. Hod —5M 115
Western Way. Barn —8N 153
Western Way. Dunst —8H 45
Western Way. Let —3E 22
Westfield. H'low —7A 118
Westfield. Hat —5M 129
Westfield. Wel G —8N 91
Westfield Av. Hpdn —4B 88
Westfield Av. Wat —2M 149
Westfield Clo. Bis S —9G 58
Westfield Clo. Enf —5J 157
Westfield Clo. Hit —3L 33
Westfield Clo. Wal X —4K 145
Westfield Ct. St Alb —8L 109
Westfield Dri. Hpdn —3C 88
Westfield La. Hit —3L 33
Westfield Pk. Pinn —7A 162
Westfield Pl. Hpdn —3C 88
Westfield Rd. NW7 —3D 164
Westfield Rd. Berk —8J 103
Westfield Rd. Bis S —9G 58
Westfield Rd. Dunst —9C 44
Westfield Rd. Hpdn —4B 88
Westfield Rd. Hert —7A 94
Westfield Rd. Hod —7K 115
Westfields. St Alb —4B 126
Westfields Wlk. Wal X —4K 145
West Ga. H'low —6M 117
(in two parts)
Westgate. Stev —4K 51
Westgate Ct. Wal X —8H 145
West Hill. Dunst —3E 64
W. Hill. Hit —3L 33
W. Hill Rd. Hod —7K 115
W. Hill Rd. Lut —3G 66
W. Hill Way. N20 —1N 165
Westholm. Let —3F 22
W. Hyde La. Chal P —7C 158
Westland Dri. Brk P —9L 129
Westland Rd. Kneb —3M 71
Westland Rd. Wat —4K 149
West La. Offl —8D 32
West La. Pir —6E 20
Westlea. Lut —5M 45
Westlea Av. Wat —1N 149
Westlea Clo. Brox —6K 133
Westlea Rd. Brox —5K 133
Westlecote Gdns. Lut —5F 46
Westleigh Gdns. Edgw —8A 164
West Leith. W Lth —4K 101
Westly Wood. Wel G —8N 91
West Mead. Wel G —3A 112
Westmeade Clo. Chesh —2F 144
Westmere Dri. NW7 —3D 164
Westmill La. Hit —9K 21
Westmill Rd. Hit —9K 21
Westmill Rd. Ware —3E 94
Westminster Ct. Chesh —6K 145
Westminster Ct. St Alb —4D 126
Westminster Gdns. H Reg —3F 44
Westminster Ho. Har W —7G 162
Westmoor Gdns. Enf —4H 157
Westmoor Rd. Enf —4H 157
Westmorland Av. Lut —4B 46
Weston Av. R'ton —6C 8
Weston Clo. Pot B —5M 141
Weston Dri. Stan —8J 163
Westonia Ct. Enf —9H 145
Weston Rd. Ast C —2A 100
Weston Rd. Enf —3B 156
Weston Rd. Stev —1L 51
(in three parts)
Weston Way. Bald —3L 23
West Pde. Dunst —9D 44
West Pas. Tring —3M 101
(off Albert St.)
Westpole Av. Barn —6F 154
Westray. Hem H —4E 124
W. Reach. Stev —7M 51
Westridge Clo. Hem H —2J 12
W. Riding. Brick W —3A 138
W. Riding. Tew —2C 92
West Rd. Barn —9F 154
West Rd. Berk —9L 103
West Rd. Bis S —2G 79
West Rd. H'low —2C 118
West Rd. Saw —4D 98
West Rd. Stans —4N 59
Westron Gdns. Tring —2N 10
West Side. NW4 —9H 165
W. Side. Hem H —7B 124
West Side. Turn —7J 133
West Sq. H'low —5M 117
West St. Dunst —1C 64
West St. Hert —1A 114
West St. Lil —9M 31
West St. Ware —6H 95
West St. Wat —4K 149
W. Valley Rd. Hem H —7M 12
West View. Hat —7G 110
West View. Let —7D 22
W. View Ct. Els —8L 151
Westview Cres. N9 —9C 156
W. View Gdns. Els —8L 151
Westview Rise. Hem H —1N 12
W. View Rd. St Alb —1E 126
West Wlk. E Barn —9F 154
W. Walk. H'low —6M 117
West Way. Edgw —6B 164
West Way. Hpdn —5D 88
Westway. Lut —5L 47
West Way. Rick —1L 159
West Way. Wal A —9M 145
West Ways. N'wd —9J 161
Westwick Clo. Hem H —3F 12
Westwick Pl. Wat —7L 137
Westwick Row. Hem H —2F 12
W. Wing. N'chu —7H 103
Westwood Av. Hit —4A 34
Westwood Clo. Amer —3A 14
Westwood Clo. Pot B —3N 14
Westwood Dri. Amer —3A 14
Wetheral Dri. Stan —8J 163
Wetherby Clo. Stev —1B 52
Wetherby Rd. Borwd —3M 15
Wetherby Rd. Enf —3A 156
Wetherfield. Stans —2M 59
Wetherly Clo. H'low —2H 119
Wetherne Link. Lut —4M 45
Wexham Clo. Lut —1A 46
Weybourne Clo. Hpdn —5E 88
Weybourne Dri. Lut —2E 46
Weymouth Av. NW7 —5E 164
Weymouth St. Hem H —6N 12
Weymouth Wlk. Stan —6H 16
Weyver Ct. St Alb —1F 126
(off Avenue Rd.)
Whaley Rd. Pot B —6B 142
Wharf Clo. Wend —9A 100
Wharfdale. Lut —4M 45
Wharfedale. Hem H —8A 106
Wharf La. Dud —5F 102
Wharf La. Rick —1A 160
Wharf Rd. Bis S —2H 79
Wharf Rd. Brox —5K 133
(in two parts)
Wharf Rd. Enf —8J 157
Wharf Rd. Hem H —4L 123
Wharf Rd. Wend —9A 100
Wharf Rd. Ind. Est. Enf —8J 15
Wharley Hook. H'low —9B 11
Wheatbarn. Wel G —8A 92
Wheat Clo. Sandr —7H 109
Wheatcotes. D'wth —7B 72
Wheat Croft. Bis S —4G 78
Wheatcroft. Chesh —1F 144
Wheatfield. Hem H —9N 105
Wheatfield Av. Hpdn —1B 108
Wheatfield Ct. Lut —5H 45
Wheatfield Cres. R'ton —7E 8
Wheatfield Rd. Lut —5H 45
Wheatfields. Enf —3J 157
Wheatfields. H'low —9E 98
Wheathampstead Rd. Hpdn
(in two parts) —7E 8
Wheat Hill. Let —4E 22
Wheatlands. Stev —2B 52
Wheatley Clo. NW4 —9G 165

HOSPITALS and HEALTH CENTRES
covered by this atlas
with their map square reference

N.B. Where Hospitals and Health Centres are not named on the map, the reference given is for the road in which they are situated.

ldock Health Centre —3M **23**
Park Dri., Baldock,
Hertfordshire, SG7 6EN
Tel: (01462) 892274

ARNET GENERAL HOSPITAL —6K **153**
Wellhouse La., Barnet,
Herts, EN5 3DJ
Tel: (0181) 440 5111

edford Road Health Centre —3M **33**
Bedford Rd., Hitchin,
Hertfordshire, SG5 1HG
Tel: (01438) 781314

elmont Health Centre —9H **163**
516 Kenton La., Kenton,
Middlesex, HA3 7LT
Tel: (0181) 863 8647

SHOPS WOOD HOSPITAL —6D **160**
Rickmansworth Rd., Northwood,
Middlesex, HA6 2JW
Tel: (01923) 835814

USHEY BUPA HOSPITAL —1G **162**
Heathbourne Rd., Bushey,
Watford, Hertfordshire,
WD2 1RD
Tel: (0181) 950 9090

ushey Health Centre —8N **149**
London Rd., Bushey,
Hertfordshire, WD2 2LA
Tel: (01923) 235322

ELL BARNES HOSPITAL —4K **127**
Highfield La., St Albans,
Hertfordshire, AL4 0RG
Tel: (01727) 867211

HALFONTS & GERRARDS CROSS
HOSPITAL, THE —8A **158**
Hampden Rd.,
Chalfont St Peter,
Gerrards Cross,
Buckinghamshire, SL9 9DR
Tel: (01753) 883821

HASE FARM HOSPITAL —2M **155**
127 The Ridgeway, Enfield,
Middlesex, EN2 8JL
Tel: (0181) 366 6600

HESHUNT COMMUNITY HOSPITAL
—4H **145**
King Arthur Ct., Cheshunt,
Waltham Cross,
Hertfordshire, EN8 8XN
Tel: (01992) 628 656

OLINDALE HOSPITAL —9E **164**
Colindale Av.,
London, NW9 5HG
Tel: (0181) 200 1555

ommunity Mental Health Centre
—7M **137**
801 St Albans Rd., Watford,
Hertfordshire, WD2 6LA
Tel: (01923) 894398

uffley Health Centre —2K **143**
Maynard Pl., Station Rd.,
Cuffley, Hertfordshire,
EN6 4JA
Tel: (01707) 875666

EBENHAM HOUSE HOSPITAL —4B **158**
Chesham La.,
Chalfont St Peter,
Bucks, SL9 0RJ
Tel: (01494) 871588

East Barnet Health Centre —7C **154**
149 East Barnet Rd., Barnet,
London, EN4 8QZ
Tel: (0181) 440 1251

EDGWARE GENERAL HOSPITAL —7B **164**
Burnt Oak Broadway, Edgware,
Middlesex, HA8 0AD
Tel: (0181) 952 2381

ENFIELD COMMUNITY CARE CENTRE
—3B **156**
Chase Side Cres., Enfield,
Middlesex, EN2 0JB
Tel: (0181) 366 6600

FAIRFIELD HOSPITAL —9C **10**
Stotfold, Hertfordshire,
SG5 4AA
Tel: (01462) 730123

FARINGDON WING HOSPITAL —6M **45**
Calnwood Rd., Luton,
Bedfordshire, LU4 0FB
Tel: (01582) 494679

FARLEY HILL DAY HOSPITAL —2D **66**
Whipperley Ring,
Farley Hill, Luton,
Bedfordshire, LU1 5QY
Tel: (01582) 429441

Forest Road Health Centre —9F **156**
2a Forest Rd.,
London, N9 8RX
Tel: (0181) 804 7757

Freezywater Primary Care Health Centre
—9H **145**
2b Aylands Rd., Enfield,
Middlesex, EN3 6PN
Tel: (01992) 763794

GARDEN HOSPITAL, THE —9J **165**
46-50 Sunny Gdns. Rd.,
Hendon, London,
NW4 1RX
Tel: (0181) 203 0111

Garden House Hospice —6H **23**
Gillison Clo., Letchworth,
Hertfordshire, SG6 1QU
Tel: (01462) 679540

GARSTON MANOR MEDICAL
REHABILITATION CENTRE —4L **137**
High Elms La.,
Garston, Watford,
Hertfordshire, WD2 7JX
Tel: (01923) 673061

Grahame Park Health Centre —8F **164**
The Concourse,
Grahame Park Estate,
London, NW9 5XT
Tel: (0181) 205 6204

GROVELANDS PRIORY HOSPITAL —9K **155**
The Bourne, Southgate,
London, N14 6RA
Tel: (0181) 882 8191

Harefield Health Centre —8M **159**
Rickmansworth Rd.,
Harefield, Middlesex,
UB9 6JY
Tel: (01895) 823956

HAREFIELD HOSPITAL —8M **159**
Hill End Rd., Harefield,
Uxbridge, Middx,
UB9 6JH
Tel: (01895) 823737

HARPENDEN BUPA HOSPITAL —3B **88**
Ambrose La., Harpenden,
Hertfordshire, AL5 4BP
Tel: (01582) 763191

HARPENDEN MEMORIAL HOSPITAL
—5C **88**
Carlton Rd., Harpenden,
Hertfordshire, AL5 4TA
Tel: (01582) 460429

HARPERBURY HOSPITAL —4K **139**
Harper La., Shenley,
Radlett, Hertfordshire,
WD7 9HQ
Tel: (01923) 854861/6

HEMEL HEMPSTEAD GENERAL HOSPITAL
—3N **123**
Hillfield Rd., Hemel Hempstead,
Hertfordshire, HP2 4AD
Tel: (01442) 213141

HERTFORD COUNTY HOSPITAL —9N **93**
North Rd., Hertford,
Hertfordshire,
SG14 1LP
Tel: (01707) 328111

HERTS & ESSEX HOSPTAL —2L **79**
Haymeads La., Bishops Stortford,
Hertfordshire, CM23 5JH
Tel: (01279) 444455

HITCHIN HOSPITAL —2L **33**
Oughtonhead Way,
Hitchin, Hertfordshire,
SG5 2LH
Tel: (01462) 422444

Hospice of St Francis —9L **103**
27 Shrublands Rd.,
Berkhamsted, Hertfordshire,
HP4 3HX
Tel: (01442) 862960

Isabel Hospice —2A **112**
Douglas Tilbe House,
Hall Gro., Welwyn Garden City,
Hertfordshire, AL7 4PH
Tel: (01707) 330686

KING'S OAK HOSPITAL —2M **155**
The Ridgeway, Enfield,
Middlesex, EN2 8SD
Tel: (0181) 364 5520

KNEESWORTH HOUSE HOSPITAL —1C **8**
Old North Rd.,
Bassingbourne, Royston,
Hertfordshire, SG8 5JP
Tel: (01763) 242911

LISTER HOSPITAL —8H **35**
Coreys Mill La., Stevenage,
Hertfordshire, SG1 4AB
Tel: (01438) 314333

Liverpool Road Health Centre —1F **66**
9 Mersey Pl.,
Liverpool Rd., Luton,
Bedfordshire, LU1 1HH
Tel: (01582) 424133

LUTON & DUNSTABLE HOSPITAL —7M **45**
Lewsey Rd., Luton,
Bedfordshire, LU4 0DZ
Tel: (01582) 491122

Mandeville Health Centre —5E **126**
Mandeville Dri., St Albans,
Hertfordshire, AL1 2LE
Tel: (01727) 858507

Marlowes Health Centre —2M **123**
The Marlowes,
Hemel Hempstead,
Hertfordshire, HP1 1HE
Tel: (01442) 228616

Marsh Farm Health Centre —2A **46**
Purley Centre, The Moakes,
Marsh Farm, Luton,
Bedfordshire, LU3 3SR
Tel: (01582) 573564

Michael Sobell House Hospice —6D **160**
Mount Vernon Hospital,
Rickmansworth Rd.,
Northwood, Middx,
HA6 2RN
Tel: (01923) 844531 / 844302

Moorfield Road Health Centre —3G **156**
Moorfield Rd.,
Enfield, EN3 5TU
Tel: (0181) 805 5500

MOUNT VERNON HOSPITAL —6D **160**
Rickmansworth Rd., Northwood,
Middlesex, HA6 2RN
Tel: (01923) 826111

NAPSBURY HOSPITAL —9J **127**
Shenley La., Napsbury, St Albans,
Hertfordshire, AL2 1AA
Tel: (01727) 823333

NATIONAL SOCIETY FOR EPILEPSY, THE
—4C **158**
Chalfont Centre, Chesham La.,
Chalfont St Peter,
Gerrards Cross, SL9 0RJ
Tel: (01494) 873991

Nevells Road Health Centre —5F **22**
Nevells Rd., Letchworth,
Hertfordshire, SG6 4TR
Tel: (01462) 684334

NORTH LONDON NUFFIELD HOSPITAL, THE
—4M **155**
Cavell Dri., Uplands Pk. Rd.,
Enfield, Middlesex, EN2 7PR
Tel: (0181) 366 2122

NORTHWOOD & PINNER COMMUNITY
HOSPITAL —8J **161**
Pinner Rd., Northwood,
Middlesex, HA6 1DE
Tel: (01923) 824182

Northwood Health Centre —8J **161**
Neal Clo., Acre Way,
Northwood, Middlesex,
HA5 1TQ
Tel: (01923) 827744

Old Harlow Health Centre —2E **118**
Garden Terrace Rd., Old Harlow,
Essex, CM17 0AT
Tel: (01279) 418139

Peace Hospice, The —5J **149**
Cassiobury Dri., Watford,
Hertfordshire, WD1 3AD
Tel: (01923) 330330

PINEHILL HOSPITAL —3B **34**
Benslow La., Hitchin,
Hertfordshire, SG4 9QZ
Tel: (01462) 422822

POTTERS BAR HOSPITAL —5A **142**
Barnet Rd., Potters Bar,
Hertfordshire, EN6 2RY
Tel: (01707) 653286

Index to Hospitals and Health Centres

PRINCESS ALEXANDRA HOSPITAL, THE
—5M **117**

Hamstel Rd., Harlow,
Essex, CM20 1QX
Tel: (01279) 444455

Principal Health Centre —2E **126**
Civic Centre, St Albans,
Hertfordshire,
AL1 3JZ
Tel: (01727) 867184

QUEEN ELIZABETH II HOSPITAL —4N **111**
Howlands, Welwyn Garden City,
Hertfordshire,
AL7 4HQ
Tel: (01707) 328111

QUEEN VICTORIA MEMORIAL HOSPITAL
—3H **91**

73 School La., Welwyn,
Hertfordshire,
AL6 9PW
Tel: (01438) 714488

RIVERS HOSPITAL, THE —6E **98**
Thomas Rivers Medical Centre,
High Wych Rd.,
Sawbridgeworth,
Hertfordshire,
CM21 0HH
Tel: (01279) 600282

ROYAL NATIONAL ORTHOPAEDIC
HOSPITAL —2J **163**

Brockley Hill, Stanmore,
Middlesex,
HA7 4LP
Tel: (0181) 954 2300

ROYSTON & DISTRICT HOSPITAL —9D **8**
London Rd., Royston,
Hertfordshire, SG8 9EN
Tel: (01763) 242134

Royston Health Centre —7D **8**
Melbourn St., Royston,
Hertfordshire, SG8 7BS
Tel: (01763) 247246

ST ALBANS CITY HOSPITAL —9D **108**
Waverley Rd., St Albans,
Hertfordshire, AL3 5TL
Tel: (01727) 866122

ST MARY'S DAY HOSPITAL —1F **66**
Vestry Clo., Luton,
Bedfordshire, LU1 1AR
Tel: (01582) 21261

St Nicholas Health Centre —8M **35**
Canterbury Way, Stevenage,
Hertfordshire, SG1 1QH
Tel: (01438) 742626

Southgate Health Centre —5K **51**
Southgate, Stevenage,
Hertfordshire, SG1 1HB
Tel: (01438) 781404

Stanmore Road Health Centre —2K **51**
Stanmore Rd., Stevenage,
Hertfordshire, SG1 3QA
Tel: (01438) 727161

Sundon Park Health Centre —2M **45**
Tenth Av., Sundon Park,
Luton, Bedfordshire, LU3 3EP
Tel: (01582) 575078

WATFORD GENERAL HOSPITAL —7K **149**
60 Vicarage Rd., Watford,
Herts, WD1 8HB
Tel: (01923) 244366

WESTERN HOUSE HOSPITAL —5H **95**
Collett Rd., Ware,
Hertfordshire,
SG12 7LZ
Tel: (01920) 468954

Wigmore Lane Health Centre —8N **47**
Wigmore La., Luton,
Bedfordshire,
LU2 8BG
Tel: (01582) 481292